CH00663596

DIZIONARIO GRAMMATICALE

Vincenzo Ceppellini

DIZIONARIO GRAMMATICALE

per il buon uso della lingua italiana

Nuova edizione ampliata e aggiornata

All'edizione 1990 ha collaborato,
con voci di retorica, metrica e linguistica,
il prof. Riccardo Degl'Innocenti.

2

Catalogo 10726
ISBN 88-402-0777-5

Edizione originale: Giuseppe Sormani Editore (1956).

Stampato in Italia - Officine Grafiche De Agostini, Novara - 1991
Legatura: Legatoria del Verbano

A Nucci

AVVERTENZA

In questo Dizionario il lettore troverà tre tipi di voci: a) voci riguardanti concetti e regole generali di fonetica, morfologia, sintassi e stilistica, ampie quanto i capitoli d'una comune grammatica (es.: *Nome, Aggettivo, Verbo, Proposizione, Periodo, Figure retoriche*); b) voci riguardanti aspetti particolari di taluni argomenti (es.: *Astratti (nomi), Dipendenza dei tempi, Virgola, Maiuscola*); c) voci grammaticali e sintattiche specifiche, riguardanti l'uso o la flessione di nomi, aggettivi, verbi, pronomi, ecc., che presentino particolarità o irregolarità o possano ingenerare dubbi o meritare consiglio (es.: *altipiano, rubrica, quale, catodo, consentire,* ecc.).

Il lettore che consulterà il Dizionario allo scopo di studiare o richiamare alla memoria, per esempio, la distinzione tra i vari tipi di nomi, o l'uso dell'avverbio o i vari tipi di proposizione, leggerà quelle voci che gli sembra naturale consultare: cioè, *Nome, Aggettivo, Proposizione*. Se invece vorrà spiegazioni o chiarimenti, ad esempio, solo intorno al plurale di nomi composti, o sulle particolarità della seconda coniugazione, o sul periodo ipotetico, anche in questo caso dovrà cercare semplicemente la voce dedicata al problema che lo interessa: *Composti (nomi), Coniugazione (seconda), Periodo ipotetico*. Infine se vorrà risolvere un dubbio: sulla pronuncia di *rubrica*, sul passato remoto di *rompere*, sull'uso di *chissà* o sul plurale di *valigia*, non avrà che da cercare le voci *rubrica, rompere, chissà, valigia*.

L'uso del Dizionario è, come si vede, semplice e pratico. Il libro può essere utilissimo agli studenti (specie nelle scuole medie superiori, ove l'insegnamento della grammatica non è compreso nel programma didattico), che troveranno in esso un fedele ripetitore, con molte osservazioni, molti consigli, molti casi risolti e molti esempi. Ma può avere soprattutto una sua utilità fuori della scuola, per tutti coloro – e sono molti – che desiderano parlare e scrivere correttamente e, trovandosi spesso di fronte a dubbi, casi ambigui, incertezze varie, non sanno dove trovare, con breve e facile ricerca, una risposta o un consiglio.

Il Dizionario non contiene disquisizioni filologiche troppo erudite, né analisi etimologiche; non è stato scritto con ambizioni dottrinarie (ché avrebbe altrimenti ben diversa impostazione e diversa mole), ma con l'intento di soddisfare le esigenze del lettore moderno che apprezza la chiarezza e la semplicità del testo e la comodità dell'ordine alfabetico. Tuttavia è stato compilato sulla scorta e con l'aiuto di tutte le grammatiche più note e accreditate. Ciò non significa però che si sia rinunciato ad un certo numero di semplificazioni e integrazioni o innovazioni, fatte a ragion veduta, e sempre seguendo il principio di conciliare il necessario rispetto alla tradizione con la non meno necessaria esigenza di vagliare, senza preconcetti, tutte le innovazioni che l'uso corrente di continuo ci propone, per introdurre anche qui una certa «regola».

Questo principio, come è ovvio, ha trovato la sua applicazione soprattutto a proposito delle numerose parole e locuzioni straniere che ci accade di udire o leggere in molti campi e in numerose circostanze. Ad esse è stata dedicata in questa nuova edizione un'apposita sezione al termine del volume. Ma anche in sede più strettamente grammaticale, il lettore potrà rilevare l'impostazione originale o meglio approfondita di alcune questioni. Per esempio sull'uso degli ausiliari nella coniugazione dei verbi intransitivi in genere e, in particolare, nella coniugazione dei verbi di moto (dove è stato introdotto il comodo concetto normativo di «falso complemento oggetto»); sul significato attivo di participi come *spiacente, spiaciuto, bevuto*, sul modello dei participi latini; sulla costruzione dei verbi e sull'uso delle preposizioni; sulla regola del «dittongo mobile», ormai sempre meno applicata; sul valore di taluni suffissi molto comuni, come *-ismo, -ista, -istico*, ecc.; sull'accettazione di molti usi figurati (riprovati sinora dai puristi), purché rispondenti ad una metafora legittima; sul criterio di accettazione di neologismi e di locuzioni del linguaggio comune. E aggiungeremo che, oltre a tutto ciò, il Dizionario potrà offrire molte altre osservazioni e novità a coloro che lo leggeranno stimolati dall'interesse e dalla curiosità per le inesauribili forme della lingua viva.

V.C.

PAROLE DI UN ARTIGIANO

(Prefazione alla 1ª edizione)

Una categoria di libri da definire e da limitare è quella che i francesi chiamano dei *livres de chevet.* Tanto per cominciare, come tradurre nella nostra lingua questo termine? Libri da capo-letto? Libri da origliere o, peggio ancora, libri da guanciale o da cuscino? Questi interrogativi possono dare subito un'idea dei misteriosi sentieri sui quali ci si avvia ogni volta che si inizia un viaggio nel Continente della Lingua. Come non definire pieno di scoperte ma anche di dubbi e di incertezze un viaggio nel quale, come primo ostacolo, ma anche come prima suggestione, si trova quello della effettiva intraducibilità di un immenso contingente di parole, in quanto il loro significato trascende quasi sempre da quello puramente indicativo di un determinato oggetto? Intraducibile è quello che potremmo chiamare il profumo, l'alone, la vibrazione segreta di una determinata parola, e tutto il complesso di immagini che essa porta con sé con una particolare forza evocativa. Intraducibile – dico continuando in questa apparente divagazione – è, effettivamente, la «radiazione» della parola, e cioè l'indicazione della sua vera sostanza e della sua autentica, e mobilissima, energia espressiva.

Ho detto: *livres de chevet* e mi son fermato subito alla ricerca di analogo, anche se non identico termine italiano. Cos'è il libro da *chevet*? È, generalmente, il libro dell'uomo solitario o almeno dell'ora solitaria, ed indica già, in quell'ora, una determinata civiltà, o anche una semplice curiosità del suo lettore. Può essere un libro di meditazione, un libro da preghiere, un libro da conforto spirituale: una di quelle opere con le quali il lettore notturno stabilisce un preciso colloquio a tu per tu, su temi e interrogativi morali che dovrebbero, per l'atavico sentimento dei timori notturni, battere al nostro cervello con lo scoccare della mezzanotte. È un libro la cui esistenza e la cui «funzione» sono giustificate da precisi tipi di civiltà, come può essere stata appunto quella francese nella vigilia dell'illuminismo: libri, più che di preghiere, di massime, in una varietà infinita, sino alla filosofia spicciola. Ben diverso, se mai, anche perché il mondo della lettura è stato sempre più ristretto nella nostra penisola, quello che potrebbe essere l'analogo «libro di mezzanotte» del lettore italiano.

Considerazioni che si fanno e divagazioni che ci permettiamo solamente per indicare come, quando si affronti con una certa attenzione il problema della parola, e cioè del «dire», sempre il Mistero sia pronto a sovrastarci.

***

Ho davanti a me – o, per essere più esatti, l'ho avuto di fianco a me in queste prime notti d'inverno, vicino al mio *chevet* – questo che voi aprite adesso e che io collocherei nella categoria dei libri ch'io vorrei chiamare notturni: o, per dirvela in francese, per render più facile l'assomiglianza con la categoria dei *livres de chevet*, dei *livres de minuit*. Anche se in realtà, e per la sua precisa destinazione fra le opere che si chiamano di consultazione, si tratta di un libro diurno, che dovrebbe accompagnare l'uomo e scortarlo e guidarlo nelle incertezze di espressione che lo colgano durante la giornata talvolta elementari e talvolta complesse. Ma per me esso è stato un tipico libro notturno, un libro di quelli che consigliano cioè la meditazione e che invitano all'approfondimento se pure, in apparenza, alla prima apertura di pagina possa sembrare che stimolino, in un lettore che per questa materia si dovrebbe considerare un esperto, non più che una piacevole curiosità. È stato invece, anche per quello che si potrebbe considerare l'uomo di mestiere, il tecnico della materia o, almeno (stavo per scrivere *per lo meno*: ho sfogliato il libro: mi attengo al suo consiglio: giro attorno al piccolo scoglio dell'antiquato *per lo meno*...), il buon artigiano della pagina scritta, un libro di progressiva meditazione e soprattutto un buon consigliere d'umiltà.

Padri della lingua, e di conseguenza della grammatica che la intelaia e la sostiene, come il muro o il tronco dell'albero sostengono il verde frusciante mantello della vegetazione rampicante, siamo tutti noi che scriviamo e che anche semplicissimamente parliamo. La parola nasce quasi sempre in un clima di amore illegittimo: almeno sino a quando la sua nascita non ne venga legalizzata attraverso, per esempio, il decreto dei filologi che ne riconoscono la radice, l'origine e l'uso toscano. Questi limiti della «legalizzazione» furono un tempo strettissimi, e così quelli delle codificazioni grammaticali. Secoli di studi filologici e di indagini puriste hanno battuto su sentieri rigorosi per combattere quello che si usava chiamare «l'imbastardimento» o «l'imbarbarimento» della lingua: costringendo il nostro linguaggio ad una sorta di immobilità e obbligando lo svolgimento del periodo in uno schema che, a seconda dei vari consigli, poteva essere quello contenuto in una pagina del Guicciardini o nella favola raccontata a Ildefonso Nieri da una vecchia contadina dei colli attorno a Lucca e a Pistoia. Accettato il contributo delle lingue morte, dai cui giardini e dai cui marmi discende la lingua nostra, così come è venuta formandosi nella bassa latinità e nelle ombre del Medio Evo, che fu il vero crogiolo misterioso di quella che doveva esser poi la lingua di Dante e lo «stil nuovo», si respingeva, sotto accusa di imbastardimento, il contributo delle lingue vive, compreso quello della stessa lingua che di secolo in secolo andava per infiniti apporti trasformandosi. Nel timore di vivere linguisticamente e grammaticalmente in un mondo ancora informe e caotico, il purismo consigliava di vivere tra i fossili. Era un problema forse difficilmente risolvibile, in un paese, come il nostro, dove sono estreme le differenze fra i linguaggi popolari e locali, tutti chiusi in una loro particolare ricchezza, nella cerchia che viene chiamata dei dialetti, e quella che è la nostra lingua letteraria: così poco letteraria, in verità, da non essere riuscita se non in rari casi a superare la misura letteraria per raggiungere quella dell'autentica arte creativa.

Da quasi cento anni non si fa più stretta lezione di purismo: tutt'al più ci si limita al consiglio, e a disporre taluni freni per evitare una marcia troppo accelerata verso quella che si potrebbe chiamare una lingua meticcia. Ma non si fa neppure più questione di «razzismo» lessicale, innanzi al dilagare degli infiniti sentimenti e delle infinite cose nuove cui una nuova società deve dare nomi sufficientemente esatti e comprensibili. Non citiamo i casi, destinati più che altro a muovere il sorriso, di quelle «isole di resistenza» che furono consigliate anche in sede accademica: si trattava nella maggioranza dei casi di difese elastiche o di difese a riccio, come quelle di cui si parlava nelle ore più catastrofiche della guerra. Padre della lingua non è il grammatico e neppure il filologo, ma il popolo che con essa si esprime: e abbiamo visto come, quasi sostituendosi al «modo toscano» – poiché anche i dialetti non sono immobili né li si parla in recinti chiusi, ma sempre più stabiliscono fra di loro, con le correnti migratorie e con gli stessi eventi storici, contatti che si trasformano in fecondità contro alla quale non esistono editti o «grida» che valgano –, altri dialetti possano assumere quasi già una dignità di lingua, e alla lingua intera del paese contribuire.

L'asse espressivo si è lentamente spostato da Firenze verso Roma, l'ago della bussola non ha rifiutato l'influsso napoletano e d'altre parti. E chi studi la storia di quel *perpetuum mobile* che è la Lingua non dovrebbe dimenticare che, se essa ebbe un tempo come convoglio di diffusione quasi solamente la lettura e l'oratoria civile ed ecclesiastica e in misura più limitata il teatro (quel teatro nostro che ebbe in genere valori letterari assai modesti quando non fu teatro dialettale), oggi, al confronto dei tempi che chiameremo manzoniani o dei nostri bisnonni, la lingua ha tre grandi correnti di diffusione, nel giornale, nel cinema parlato e nella radio. Il controllo del purista, del grammatico, del filologo era limitato al libro: oggi dovrebbe trasportarsi sulla parola della rapidissima «stampa» che nasce e muore in fogli destinati ad una vita di poche ore, ma che nella vita di tutti i giorni rappresenta l'immensa maggioranza di quella «razione» di prosa che sostiene la cultura elementare del lettore medio, e trasportarsi là dove nessun controllo è effettivamente possibile e dove si creano gli infiniti «meticci» linguistici e grammaticali, e cioè sul mondo dove si svolge ogni giorno per milioni di ascoltatori la lezione di lingua del cinema, adattata alle misure rigorose di tempo del «doppiato» o (nel film neo-realista o in quello che vien definito «comico») alla contingenza della più intensa rapidità espressiva del dialetto. Non dovrebbe dimenticare il filologo che, nel passato di appena un secolo fa, le grandi attrici, in teatri quasi ancora «di corte», davan lezione di una lingua «tragica» di pretesa purista, con i testi dell'Alfieri o del Niccolini o del Pellico. Oggi altre attrici, del cinema, ci ripetono spesso solamente l'accento e i moduli grammaticali di Trastevere. Diminuita la lezione che è venuta, sino alla nostra generazione, dal libro e dallo «scritto», il nostro è il tempo della molto meno controllabile e tanto più diffusa lezione del «parlato». Tutto marcia verso un frettoloso stile e tono discorsivo, di valore poco più che da conversazione ferroviaria.

***

Si deve ammettere (e questo si dice per notare come il problema della lingua debba adattarsi agli usi, alle pigrizie e magari alle violenze del costume) che un «presentatore» televisivo, per altro simpatico, si esprima con un vocabolario da gentile capo-reparto di un Grande Magazzino, e che confessi candidamente di non essere in grado di leggere con un giusto ritmo e con la necessaria semplicità una terzina di Dante o due o tre versi della traduzione classica di una tragedia greca. Il problema stesso della dizione e delle giuste accentuazioni – per le quali trovo tanti utili consigli in questo Dizionario – si tentò di risolverlo attraverso quella che fu ironicamente definita la «voce littoria». Non si può dire che, da quella ascoltatissima cattedra di lingua che è la Radio, si siano fatti progressi molto sensibili: si oscilla ancora fra il ritmo del bel dicitore e quello del dimesso conversatore.

Ciò può servire a dare, in un minimo modo, la misura del frastagliatissimo problema della lingua e della grammatica. E confermo che la lettura di questo Dizionario è stata e sarà per lunghissimo tempo, per me, lezione soprattutto di umiltà.

Un artigiano, come io sono, può vivere, senza rendersene conto, in uno stato di morbida presunzione e di convinzione, almeno, – o *per lo meno*: mi spiace: non so decidermi a escluderlo del tutto, il mio vecchio e caro *per lo meno*! – di semi-infallibilità. Egli conta molto sulla «sensibilità» del proprio orecchio: non pensa di poter avere lievi pause di sordità o di incapacità a distinguere una vibrazione stanca ad una ancora forse un po' cruda, stridente, rugginosa, come di parola uscita appena dalla fabbrica e che non abbia compiuto un sufficiente e ben calcolato «rodaggio». Da quanti anni non apre più una grammatica o una sintassi? Quante volte, per evitare la fatica di sfogliare un vocabolario, ha domato un proprio scrupolo evitando, con una rapida sterzata, la locuzione su cui aveva qualche dubbio, per adagiarsi su quella più corrente anche se forse meno esatta?

L'artigiano della penna – che è già da considerare un privilegiato nel confronto con l'enorme maggioranza di quelli che tengono di raro la penna in mano, e che hanno finito con evitare anche quello che fu per millenni l'esercizio della epistolografia e dello scrivere lettere e biglietti, per approdare al rapido porto della comunicazione telefonica – è, in genere, condannato alla fretta: spera sempre di essere salvato da quello ch'egli chiama l'istinto della grammatica e la capacità di muoversi con invidiata facilità fra le trappole del vocabolario. Ma per quali reali virtù dovrebbe, quell'artigiano, considerarsi veramente un grammatico?

L'artigiano che vi parla mentre cominciate la lettura o, almeno, la consultazione di questo Dizionario, dovrebbe raccontare di sé e della propria formazione «tecnica» una storia assai lunga, che lascio fra le righe. Voi saprete forse ch'egli, dal tempo in cui era ragazzo, scrive tutto il giorno: la sua penna corre assai più veloce di quella dell'Abbé Prévost che scrisse volumi a decine e centinaia: ma non gli accadrà certamente di ripetere la fortuna dell'abate francese che si trovò un giorno, sotto la penna, ad aver finito il prodigioso racconto di Manon Lescaut. Scrive tutto il giorno, quell'artigiano: le sue letture che erano foltissime al tempo dell'adolescenza si sono fatte sempre più sottili, e forse sempre meno vivificanti. Le sue letture preferite sono quelle di un particolare genere di libri *de chevet*, che son quasi tutti enciclopedie, dizionari e vocabolari. Egli stesso, come da ragazzo vide fare da Alfredo Panzini, non allontanò del tutto da sé la speranza di dedicarsi, giunto che sarà al tempo dei capelli bianchi, al disegno di qualche dizionario... Ma, in realtà, cosa sa, questo brav'uomo d'artigiano che adesso vi parla? Non saprebbe da qual punto incominciare ad elencare le scoperte della propria ignoranza, ch'egli ha fatte in questo libro appena ne ha iniziato la lettura. Nel cuore della notte – poiché noi siamo gente da lampada notturna, scrivani pubblici delle ore piccole – egli era indotto, dall'invisibile magistrato che gli parlava del libro denso di ammaestramenti, a mettersi spontaneamente sotto accusa, sin dalle prime righe. Era un continuo motivo di lievi rossori, per errori che doveva riconoscere essergli abituali, e qualcuno marchiano e grosso così, da restar senza fiato; o, almeno, un fiorire di dubbi e di stimoli polemici: perché, devo dirlo, l'accusato non è sempre costretto a dichiararsi pienamente d'accordo con il magistrato in una materia, com'è quella della lingua e della grammatica, assai più delicata e sottile della pelle dell'uovo.

Il piacere che viene da queste letture, oltre che l'utilità tecnica, è in gran parte nello stimolo esplorativo che ne proviene: tanto più efficace, forse, in quanto questo stimolo non si adagi nel consenso supino ma si spinga sulla via della personale analisi del «caso» che l'opera deve presentare in una semplice misura didascalica. La lingua non sarebbe viva, e feconda di vita, se queste personali analisi e indagini non si accompagnassero all'enunciazione di un primo insegnamento. Questi libri, ad averne il tempo, si dovrebbero leggere, come usava in tempo di più alta quiete, con la matita in mano, caricandone i margini di postille, per il piacere di una nostra segreta collaborazione. E come non dovrebbe essere un piacere, anche per le ore notturne, se la lingua è la vita stessa e se la lingua e la parola sono ancora, dai tempi dei tempi, il solo modo dato all'uomo per non rimanere chiuso nel modulo del buon mammifero, e per sdoppiarsi all'infinito con la fantasia, con l'immaginazione e con la meditazione?

Ciascuno di noi leggendo questo Dizionario, che non mi sembra solo un libro da consultare ma anche un libro da leggere, tenga a mente di essere, in misura maggiore o minore, il depositario di una ricchezza comune a tutti, di un patrimonio che discende dal passato e che si protende, in continue trasformazioni, verso l'avvenire: patrimonio di letture, di parlari, di proverbi, di sapienze apparentemente sepolte ma ancora vive, perché la lingua anche dei nostri vecchi vive e si filtra inconsapevolmente in noi. Per quanto io non abbia fatto studi né regolari né soprattutto rigorosi, io ebbi maestri che avevano ascoltata la parola del Carducci, e, fra i vecchi di casa mia, maestri affettuosi, insegnanti spontanei che avevano ascoltato la parola di Giacomo Zanella, e che erano stati per caso, ma con alta reverenza, accanto ad Alessandro Manzoni quando, vicinissimo alla morte, ancora si affannava a venire, tremulo, in tipografia per il dubbio di una virgola o di una svista grammaticale. Io ascoltavo, ragazzino, quei cari vecchi che mi raccontavano quanto era stata dura la loro fatica giovanile di liberarsi dal consiglio alfieriano per ritrovare quello del Foscolo e del Leopardi, e che a bassa voce ricordavano con quanta fatica si erano liberati dalle tentazioni dell'enfasi del Guerrazzi per rientrare nella semplice serena luce del Manzoni. Ma s'erano liberati interamente da quei difetti i miei cari vecchi che, un'ora al giorno, senza troppi libri, a voce come aveva usato nelle loro scuole, mi insegnavano il latino «parlato»?

Noi convogliamo, nel rapido correre della penna e nell'ancor più rapido muovere delle labbra, vertiginosi misteri e vertiginose ricchezze di quella facoltà di esprimersi che costituisce la differenza fra noi e i bruti: il patrimonio della parola senza la quale non esisterebbe né l'uomo né la società umana. Vivono in noi le parole antiche, nascono in noi le parole nuove: luci del passato si attenuano, ma non si spengono del tutto: luci di mondi e sentimenti nuovi si accendono.

Questo libro stabilisce i lineamenti di un ordine e di una guida, fra cento correnti di contrastanti traffici, là dove ciascuna parola vuol «dire la sua» e ottenere il suo diritto di cittadinanza: là dove la grammatica indica le grandi direttive del traffico, le strade maestre e i più sottili sentieri, collocandosi di sentinella all'imbocco dei vicoli ciechi o dei passi malsicuri. Questo Dizionario si aggiunge di pieno diritto nello scaffale dei miei cari *livres de chevet*.

Orio Vergani

A

a: prima lettera dell'alfabeto e anche prima vocale. Sottintendendo *lettera* o *segno* può considerarsi di genere sia femminile sia maschile: *una a* o *un a*. Si pronuncia con apertura massima della cavità orale rispetto alle altre vocali. Essendo in italiano un suono sempre aperto, sull'*a* tonica si suole convenzionalmente porre il segno dell'accento grave (*àncora, viltà*). Le consonanti *c* e *g* seguite da *a* hanno sempre suono velare (o gutturale, o duro): *ca, ga*.

a: preposizione semplice propria. Davanti a parola cominciante per vocale (e spec. per *a*) può assumere la forma eufonica *ad* (V.). Composta con l'articolo determinativo forma le preposizioni articolate *al, alla, allo, agli, ai, alle* (V. voci relative). Sia nella forma semplice che in quella articolata introduce i seguenti complementi: distributivo (*a due a due, a tre a tre*), età (*a vent'anni*), fine (*uscire a passeggio*), limitazione (*giudicare una persona a prima vista, coraggioso a parole*), moto a luogo (*andare a Roma*), stato in luogo (*abitare a Milano, rimanere a casa*), mezzo (*barca a vela, scrivere a macchina*), modo o maniera (*a viso aperto, a cuor leggero*), causa (*svenire alla vista del sangue*), paragone (*simile a lui*), pena (*condannato a morte*), tempo (*alle due, a mezzogiorno, di qui a tre ore*), termine (*dare a me, chiedere a te*), vantaggio o svantaggio (*utile alla salute, sfavorevole a noi*), misura e prezzo (*a dieci metri di distanza, mele a 2000 lire al chilo*).

Tra le locuzioni avverbiali formate con *a* notiamo le iterazioni nelle quali la preposizione va ripetuta sempre. Es.: *A poco a poco, a mano a mano, a passo a passo, a tre a tre, a goccia a goccia* (poco a poco, mano a mano, tre a tre, goccia a goccia, sono francesismi).

Altre espressioni sono ormai invalse nell'uso, benché per molto tempo non approvate dai puristi. Tra queste si accettano: pasta *al* sugo, carne *al* pomodoro, uova *al* burro, gelato *alla* crema, faraona *alla* creta e simili, che rientrano nel complemento di mezzo (perciò si consigliava di sostituire *a* con la preposizione *con*: pasta *col* sugo, uova *col* burro) o in quello di modo, che, abbiam visto, è retto in italiano anche dalla preposizione *a* (duello *alla* pistola, *alla* sciabola). Così debbono ormai accogliersi nell'uso le espressioni: *alla* francese, *all'*americana, *all'*antica (sottinteso: maniera), *al* trotto, *al* galoppo (che indicano appunto un modo di correre dei cavalli: chi vuol essere corretto dirà tuttavia: *di* trotto, *di* galoppo; ma è ormai accolta nell'uso anche l'espressione: mettere *al* trotto). Rientrano poi nel complemento di tempo le espressioni invalse nell'uso: una volta *al* giorno, *al* tramonto, *a* notte alta, *alla* mattina, *alla* sera; è comunque meglio dire: una volta *la settimana*, due volte *l'anno*. La locuzione *a richiesta generale* è accettata universalmente, mentre sarà bene evitare la locuzione *a richiesta* (dirai: su richiesta di) o *a domanda* (meglio: per domanda). Altri modi impropri sono: *a* mezzo di (dirai: per mezzo di), *a* nome di (in nome di), *a* nome Pietro (di nome Pietro), insieme *a* (insieme con), *a* che (affinché). Converrà altresí evitare l'uso di *a* seguita dalle preposizioni *di, del, della, degli, delle, dei*. Es.: *Ho parlato a degli avversari* (ad avversari); *Mi hanno presentato a delle signore* (ad alcune signore). Francesismo sgradevole è poi l'uso burocratico di *a* con l'infinito nelle espressioni: *a* riportare, *a* registrare, *a* spedire. In tutti questi casi è preferibile la preposizione *da* (*da* riportare, *da* registrare, *da* spedire).

a-: prefisso derivato dall'alfa greco che aveva valore privativo. Indica negazione o privazione. Es.: *ateo* (senza dio), *amorale* (senza morale), *anormale* (non normale), *acritico* (senza riflessione critica), *asessuato* (privo di differenziazione sessuale), *asettico* (non infetto). Davanti a vocale assume la forma *an-*. Es.: *analcolico, analfabeta, anidro* (privo di alcol, di acqua). L'a- privativo è particolarmente usato per termini scientifici: *afagia, afasia, analgesico, aciclico, asismico, aritmia, atrofia, avitaminosi.* Un altro prefisso *a-* deriva invece da latino *ad*, indicante avvicinamento. Serve soprattutto alla formazione di verbi. Si può riconoscere perché richiede il raddoppiamento della consonante semplice che lo segue (esclusa la *s* impura). Es.: *accorrere* (*a* + correre), *attirare* (*a* + tirare), *accostare* (*a* + costa), *ammucchiare* (*a* + mucchio), *ascrivere* (*a* + scrivere). Davanti a vocale l'*ad* latino è rimasto tale quale. Es.: *adattare, adornare.*

ab: preposizione latina rimasta nell'uso per alcune espressioni: *ab ovo* (dal principio), *ab aeterno* (da sempre), *ab immemorabili* (da tempo immemorabile).

abbacinàre: verbo della prima coniugazione, transitivo. *Pres. indic.*: abbacíno, abbacíni, abbacína, abbaciniàmo, abbacinate, abbacínano. Impropria, anche se ormai prevalente, la pronunzia: abbàcino, abbàcini, ecc.

àbbaco: nome maschile sdrucciolo che al plurale finisce in *-chi*: àbbachi. Indica il libretto per imparare le prime nozioni d'aritmetica. In architettura è la tavoletta che termina il capitello. In quest'ultimo senso si preferisce di solito la forma *àbaco.*

abbàio e **abbaío:** il primo termine indica il verso del cane nell'abbaiare; il secondo invece l'abbaiàre continuato di uno o più cani. Plurale di abbàio è *abbài*, di abbaío è *abbaíi.* Abbàio è anche la prima persona del presente indicativo del verbo *abbaiare*: abbàio, abbài, abbàia, ecc.

abbassàre: verbo della prima coniugazione, transitivo. Significa: portare dall'alto in basso. Es.: *Abbassò il braccio*; *Abbassarono le armi* (si arresero); *Abbassarono il capo* (si rassegnarono, si sottomisero). Di recente il verbo ha assunto un nuovo significato in campo sportivo: migliorare, superare (ottenendo un tempo inferiore). Es.: *Abbassare un primato.* Nella forma riflessiva significa: umiliarsi, adattarsi. Es.: *Non mi sarei mai abbassato a chiedergli scusa.* Si usa intransitivamente (ausiliare: essere) e al riflessivo nel senso di diminuire. Es.: *La temperatura si è abbassata.*

abbastànza: avverbio di quantità. Indica sufficienza, sazietà. Es.: *Non aveva studiato abbastanza*; *Ne ho abbastanza di lei.* Meno proprio, anche se ormai comune, il significato di «alquanto, piuttosto, molto» e simili, davanti agli aggettivi o altro avverbio. Es.: *Uno spettacolo abbastanza noioso*; *Si è espresso abbastanza bene.* Talora ha valore di aggettivo (nel senso di: sufficiente). Es.: *In questo momento non ho denaro abbastanza.*

abbellíre: verbo della terza coniugazione, transitivo. Si coniuga in alcuni tempi con la forma incoativa *-isc-* tra il tema e la desinenza. *Pres. indic.*: abbellísco, abbellísci, abbellísce, abbelliàmo, abbellíte, abbellíscono. *Pres. cong.*: abbellísca, abbellísca, abbellísca, abbelliàmo, abbelliàte, abbellíscano. *Part. pass.*: abbellíto. La forma sovrabbondante *abbellare* è ormai scaduta dall'uso.

abbi, abbiàte: forme, rispettivamente, della seconda persona singolare e seconda persona plurale del congiuntivo del verbo *avere*, che sono usate anche per l'imperativo.

abbiente: forma arcaica del participio presente di *avere*, oggi usato solo come aggettivo (*i ceti meno abbienti*) o sostantivo (*i poveri e gli abbienti*).

abboccàre: verbo della prima coniugazione, transitivo. Significa: prendere avidamente in bocca o con la bocca. In senso figurato, prendere avidamente. Es.: *Abboccare un impiego o un consiglio.* Significa anche: riempire sino alla bocca. Es.: *Abboccare la botte, il fiasco, il vaso.* Accostare, far combaciare. Es.: *Abboccare il coperchio al vaso.* Usato in senso assoluto (figurato) significa: credere facilmente. Es.: *Quel tale ha abboccato: ver-*

rà con noi. Si usa anche intransitivamente nell'espressione *abboccare all'amo*. Nella forma riflessiva significa: venire a colloquio, incontrarsi. Es.: *Mi sono abboccato con il mio legale*.

abbonàre e **abboníre:** verbi sovrabbondanti che cambiano significato cambiando coniugazione. *Abbonàre* (transitivo) si coniuga secondo la regola del *dittongo mobile* (V.); perciò nel *presente indicativo*: abbuòno, abbuòni, abbuòna, abboniàmo, abbonate, abbuònano. Significa: defalcare una parte di un credito a beneficio del debitore. Es.: *Ti abbuòno il venti per cento*; *Mi ha abbonato tremila lire*. Nella forma riflessiva significa: pagare una somma per avere un servizio in continuazione per un determinato periodo (e in questo senso ha ormai sostituito il verbo *associarsi*, raccomandato dai puristi). In questo caso non vale la regola del dittongo mobile e si ha sempre *-o-*. Es.: *Quando ti abboni alla Televisione?* Con lo stesso senso usato anche transitivamente. Es.: *Ti ho abbonato ad una rivista di arti figurative*.

Abboníre (transitivo) si coniuga con la forma incoativa *-isc-* tra il tema e la desinenza del presente indicativo e del presente congiuntivo. *Pres. indic.*: abbonisco, abbonisci, abbonisce, ecc. *Pres. cong.*: abboníscа, abboníscа, abboníscа, ecc. Significa: calmare, placare; nella forma riflessiva, quietarsi. Es.: *Non riuscirai ad abbonirlo*; *Si abboní improvvisamente*. Più usato però è *rabbonire*.

abbondànza o **privazióne (complementi di):** i complementi di abbondanza e di privazione indicano rispettivamente la cosa di cui si ha abbondanza o di cui si è privi o si ha difetto. Sono introdotti da verbi o aggettivi che indicano abbondanza o difetto (abbondare, eccedere, fornire, ricco, provvisto, colmo, ecc.; abbisognare, mancare, difettare, vuoto, privo, esente, ecc.). Questi due complementi sono formati da un nome preceduto in genere dalla preposizione *di*. Esempi: a) La terra abbonda *di acqua*; Egli è ricco *di conoscenze*; Voi caricaste la nave *di merci*; Lo ricopriste *di lodi*; L'otre era colmo *di vino*; b) Essi mancano *del necessario*; Mi privarono *del loro aiuto*; I deboli sono bisognosi *di conforto*; Vincita esente *da tasse*. Il complemento di privazione è espresso in maniera chiara con *senza*. Es.: *Non c'è rosa senza spine*.

abbondàre: verbo della prima coniugazione, intransitivo. Vuole l'ausiliare avere quando ciò che è in abbondanza è espresso da un complemento; l'ausiliare essere, quando ciò che è in grande quantità è il soggetto stesso. Es.: *Il podere aveva un tempo abbondato di frutta*; *In casa sua sono abbondati solo i dispiaceri*.

abbordàre: verbo della prima coniugazione, transitivo. Nel linguaggio marinaresco indica l'accostarsi bordo a bordo di due navi. In senso figurato significa: fermare qualcuno per parlargli, avvicinare una persona. Da ciò l'aggettivo *abbordabile* che vale: accostevole, alla mano, trattabile, affabile e simili. Es.: *L'ho abbordato per la strada*; *Non è facile abbordare quel funzionario*; *Quella persona non è abbordabile*. La metafora è invece meno indicata nelle espressioni: *abbordare un problema, una difficoltà*. Meglio usare: accingersi a trattare un problema, affrontare le difficoltà.

abbòzzo: stesura parziale o provvisoria di un'opera letteraria. Unito all'insieme delle prove e degli appunti che precedono la stesura definitiva di un testo, costituisce l'avantesto.

abbreviazióne (o **abbreviatùra):** in grammatica, scrittura o talvolta pronuncia, accorciata o ridotta, di una parola o di un'unità più ampia di parole. Es.: *agg.* è abbreviazione di *aggettivo*; *pag.* di *pagina*; *aa.vv.* di *autori vari*; *dott.* di *dottore*; *C.N.R.* di *Consiglio Nazionale delle Ricerche*; *ITIS* di *Istituto Tecnico Industriale Statale*.

L'abbreviazione è nota all'epigrafia per risparmiare spazio e tempo nelle iscrizioni lapidarie, talvolta frutto del capriccio del lapicida. In paleografia, la parola ridotta alla sola iniziale prende il nome di sigla, mentre privata solo della lettera o delle lettere finali si dice abbreviata per troncamento. Nella lingua d'oggi, oltre al troncamento e alla sigla, si ha sovente l'abbreviazione di un sintagma ad una sola parola o di una parola a una parte di essa quando la frequenza d'uso dell'espressione da abbreviare ovvero il contesto linguistico o extralinguistico consentono comunque il recupero dell'informazione omessa: *in C2 (campionato di calcio di serie C2) ci sono state due vittorie in trasferta*; *il prof. (professore) mi ha detto che sarò promosso*. V. anche ACCORCIATIVO e SIGLA.

abbrívo: sostantivo maschile, che significa: impulso iniziale con cui un mezzo di locomozione o un motore comincia a muoversi. Anche in senso figurato, specialmente nella locuzione *prendere l'abbrivo* cioè avviarsi in un'azione, prendere lo slancio. Meno propria (e anche meno comune) la forma *abbrívio*.

abbrunàre e **abbruníre:** verbi sovrabbondanti che mutano significato secondo che seguano la prima e la terza coniugazione. *Abbrunare* significa: mettere il bruno in segno di lutto (Es.: *Le bandiere furono abbrunate*). *Abbruníre* significa: rendere bruno o anche colorire in bruno (Es.: *Il pittore abbruní lo sfondo*).
Pres. indic.: di abbrunàre: abbrúno; di abbruníre: abbrunísco, abbrunísci, abbrunísce, ecc. (si coniuga cioè con la forma incoativa *-isc-* tra il tema e la desinenza).

abbrutíre: verbo della terza coniugazione, transitivo. Si coniuga in alcuni tempi con la forma incoativa *-isc-* tra il tema e la desinenza. *Pres. indic.*: abbrutísco, abbrutísci, abbrutísce, abbrutiàmo, abbrutíte, abbrutíscono. *Pres. cong.*: abbrutísca, abbrutísca, abbrutíscano. *Part. pass.*: abbrutíto. Significa: rendere come bestie, come bruti. Usato anche intransitivamente (con ausiliare essere) e riflessivamente. Es.: *Si è abbrutito nell'osteria*. Non si confonda con *abbruttíre*, del resto poco usato (più comune è *imbruttire*), che significa: render brutto.

abbuonàre: verbo della prima coniugazione. Nella coniugazione non si applica il principio del dittongo mobile per evitare la confusione con *abbonare*. Quindi: io abbuono... ecc.

abiezióne: sostantivo femminile, che significa: bassezza d'animo, stato di avvilimento. Sconsigliabile la forma *abbiezione* (pur confortata da autorevoli esempi); analogamente meglio *abietto* che *abbietto*.

-àbile: suffisso usato per formare nomi e aggettivi che indicano possibilità in senso passivo o opportunità. Si ottengono generalmente da verbi della prima coniugazione. Es.: *pagabile* (che si può pagare), *lavabile* (che si può lavare), *amabile* (che merita di essere amato), *responsabile* (che può e deve rispondere), *cantabile* (che si può cantare). Alcuni aggettivi derivano invece da nomi: *papabile* (che può essere eletto *papa*), *carrozzabile* (che può essere percorso da *carrozze*, o da veicoli), *tascabile* (che può stare in *tasca*).

abitàre: verbo della prima coniugazione. Si usa intransitivamente con l'ausiliare avere (Es.: *Abbiamo abitato in città. Ho abitato in quella casa*) oppure transitivamente (Es.: *Abitava un remoto castello*; *La città è abitata da un milione di abitanti*).

abituàle (presente): altro modo di designare il *presente iterativo* (V.). V. anche AZIONE.

abiuràre: verbo della prima coniugazione. Si usa di solito come transitivo. Es.: *Abiurare un giuramento, una fede*. Meno attestato l'uso intransitivo con l'ausiliare avere. Es.: *Un mistico che ha abiurato al mondo*.

ablatívo: nome del sesto caso della declinazione latina. Esprime (da solo o retto da varie preposizioni) parecchi complementi, tra cui quelli di mezzo, di materia, di compagnia, di luogo, di modo, di qualità, d'agente, di causa efficiente. All'ablativo assoluto latino, costituito da un participio passato con soggetto diverso da quello della reggente, sembrano collegarsi talune proposizioni incidentali. Es.: *Il signore entrò, e* data un'occhiata *per la camera, vide Lucia*. Dall'ablativo assoluto latino deriva l'espressione *Nonostante* (V.).

abnòrme: aggettivo qualificativo, che proviene dal linguaggio medico. Significa: che è fuori della norma. Nell'uso corrente è preferito e preferibile: anormàle.

abolíre: verbo della terza coniugazione, transitivo. Si coniuga in alcuni tempi con la forma incoativa *-isc-* tra il tema e la desinenza. *Pres. indic.*: abolísco, abolísci, abolísce, aboliàmo, abolíte, abolíscono.

Pres. cong.: abolísca, abolísca, abolísca, aboliàmo, aboliàte, abolíscano. *Part. pass.*: abolíto.

abomínio: sostantivo maschile, che significa: orrore, obbrobrio. Meno comune la forma: *abbomínio.* Analogamente *abominévole* è più comune di *abbominévole.*

aborígeno: aggettivo o sostantivo maschile. Meno comune *aborígene.* Plurale: aborígeni. Sinonimo *autòctono.*

aborríre: verbo della terza coniugazione, transitivo. Si coniuga in alcuni tempi anche con la forma incoativa *-isc-* tra il tema e la desinenza. *Pres. indic.*: abòrro (o aborrísco), abòrri (o aborrísci), abòrre (o aborrísce), aborriàmo, aborríte, abòrrono (aborríscono). *Pres. cong.*: aborra (aborrisca), aborriamo, aborriàte, abòrrano (aborríscano). *Part. pass.*: aborríto. Antica la forma: abborrire. Es.: *Aborriva la crudeltà*; *Lo aborrivamo come un nemico.* Si usa anche intransitivamente (ausiliare: avere) nel senso di: rifuggire da. Es.: *Non aborrirebbe da una grave menzogna.*

abortíre: verbo della terza coniugazione, intransitivo. In alcuni tempi si coniuga con la forma incoativa *-isc-* tra il tema e la desinenza. *Pres. indic.*: abortisco, abortisci, abortisce, abortiamo, abortite, abortiscono. *Pres. cong.*: abortisca, abortisca, abortisca, abortiamo, abortiate, abortiscano. *Part. pass.*: abortíto. Significa: espellere il feto prima del tempo; e in questo senso si usa l'ausiliare avere. Es.: *Quella donna ha abortito.* Si usa anche in senso figurato per: non riuscire, fallire, andare a vuoto (con l'ausiliare essere). Es.: *La sommossa è abortita.*

abràdere: verbo della seconda coniugazione, transitivo. *Pres. indic.*: abràdo, abràdi, abràde, abradiàmo, abradéte, abràdono. *Pass. rem.*: abràsi, abradésti, abràse, abradémmo, abradéste, abràsero. *Part. pass.*: abràso. Usato per lo più solo al participio passato, dal quale derivano i sostantivi *abrasióne* (raschiatura, escoriazione, corrosione ecc.) e *abrasívo* (sostanza capace di intaccare un materiale per attrito, allo scopo di rifinire le superfici lavorate).

abrogàre: verbo della prima coniugazione, transitivo. *Pres. indic.*: àbrogo (e non: abrógo), àbroghi, àbroga, abroghiàmo, abrogàte, àbrogano.

abusióne: in grammatica, lo stesso che *catacresi* (V.).

acatalèssi: nella metrica classica, è il fenomeno per cui un verso, che perciò si dice acatalèttico (o acatalètto), non è tronco all'ultimo piede, ossia non manca dell'ultima sillaba. È l'opposto di catalessi e di catalettico.

accadére: verbo irregolare della seconda coniugazione, composto di *cadére.* Intransitivo. Ausiliare: essere. *Fut. semplice*: accadrò, accadrai, accadrà, accadrémo, accadréte, accadrànno. *Pass. rem.*: accaddi, accadesti, accadde, accademmo, accadeste, accaddero. *Presente condiz.*: accadrei, accadresti, accadrebbe, accadremmo, accadreste, accadrebbero. *Part. pass.*: accadúto. Es.: *Non mi accade spesso di pentirmi; Accadono tante cose che non sappiamo spiegarci.* Spesso usato impersonalmente, con la preposizione *di* più l'infinito di un altro verbo o la congiunzione *che.* Es.: *Può anche accadere di non ricordarsi*; *Accadde che non riuscii a vederlo.*

accalappiacàni: nome maschile composto da una forma verbale (accalappia) e un sostantivo maschile plurale (cani). È indeclinabile. V. anche COMPOSTI (NOMI).

accànto: preposizione impropria usata per indicare: presso, a fianco, vicino. Si unisce ai nomi mediante la preposizione *a.* Es.: *Si sedette accanto al fuoco*; *Mi posi accanto a mia moglie.* È anche avverbio di luogo. Es.: *Teneva il libro accanto*; *Accanto c'era un negozio*; *Abitava lí accanto.* È ormai antiquata la grafia separata *a canto.*

accattabríghe: nome composto da una forma verbale (accatta) e un sostantivo femminile plurale (brighe). Resta invariato anche al plurale. V. anche COMPOSTI (NOMI).

accecàre: verbo della prima coniugazione, transitivo. Si coniuga, pur con qualche licenza, secondo la regola del *dittongo mobile* (V.). Presenta dunque *-ciè-* (ma anche *-cè-*) in posizione atona. Per es., *pres. indic.*: accièco o accèco, accièchi o accèchi, accièca o accèca, accechiamo, accecate, acciècano o accècano.

accèndere: verbo irregolare della seconda coniugazione, transitivo. *Pass. rem.*: accési, accendésti, accése, accendémmo, accendéste, accésero. *Part. pass.*: accéso. Significa: dar fuoco (*accendere la legna, accendere un fiammifero*). In senso figurato: eccitare. Es.: *Lo accese con parole alate*; *Ci accesero nell'animo il desiderio di vendetta.* Anche riflessivo. Es.: *Si accende per poco.*

accendisígaro: nome composto da una forma verbale (accendi) e un sostantivo maschile (sigaro). Plurale: accendisigari (talora usato anche come singolare). Oggi si dice più comunemente *accendino.* V. anche COMPOSTI (NOMI).

accentàre: segnare l'accento tonico per iscritto o a voce; si dice anche scandire.

accènto: la più forte intensità di voce con cui si pronuncia la vocale della sillaba alla quale si dà il maggior rilievo tonale nella parola o nella frase. L'accento tipico delle lingue europee moderne si dice *espiratorio* (o dinamico o intensivo) perché si produce attraverso un aumento della forza espiratoria.

Secondo che siano o meno accentate, le vocali (e le corrispondenti sillabe cui appartengono) si distinguono in *tòniche* e *àtone*. Tale accento, che sottolinea l'intonazione della parola, dicesi a sua volta *tònico* (o, più propriamente, *intensivo*). Quando viene espressamente segnato, prende il nome di *grafico*; ne esistono due tipi: l'accento *grave* (`) e l'accento *acuto* (´). Molti usano indifferentemente l'una o l'altra forma. È invece più opportuno, secondo una convenzione ormai consolidata, riservare l'accento grave ai suoni vocalici aperti (in italiano: *à, è* ed *ò*) e l'accento acuto a quelli chiusi (in italiano: *é, í, ó* e *ú*). Quando si opera tale distinzione, si parla di accento *fònico*. Soluzione intermedia di uso pratico è quella di ricorrere alla doppia accentazione per le vocali *e* ed *o* (le uniche che in italiano possono avere diversa apertura), mantenendo sempre l'accento grave (o sempre acuto) per *a* (in italiano sempre aperta) e per *i* e *u* (in italiano sempre chiuse). Scaduto ormai dall'uso è l'accento *circonflesso* (^), che veniva adoperato per indicare una contrazione (sincope) o la caduta di alcune lettere finali (apocope). Es.: *tôrre* per togliere, *fûro* per furono. Un altro impiego, tuttora vivo ma poco raccomandabile, del circonflesso è quello di indicare la presunta contrazione delle due *i* nel plurale dei nomi uscenti in *-io* atono e in alcune forme verbali di 2ª persona singolare (Es.: *princìpî, studî*). Meglio lasciare la semplice *i* conforme alla pronuncia, ricorrendo all'accento interno nei casi di possibile confusione (es.: *princípi*, plurale di principio e *príncipi*, plurale di principe) e riservare il circonflesso solo a pochi esempi di completa ed equivoca omofonia (o identità di pronuncia). Es.: *assassini*, plurale di assassino, e *assassinî*, plurale di assassinio.

L'accento tonico può cadere in italiano sull'ultima, penultima, terzultima o quartultima sillaba e le parole si dicono rispettivamente *tronche* o *ossitone* (virtú), *piane* o *parossitone* (amóre), *sdrucciole* o *proparossitone* (lúcido), *bisdrucciole* (càpitano). Più rare le trisdrucciole e le quadrisdrucciole, con l'accento sulla quintultima e sulla sestultima sillaba, costituite sempre da forme verbali unite a particelle enclitiche (comúnicamelo, fabbrichiàmocelo).

L'accento grafico è obbligatorio: a) sulle parole tronche terminanti in vocale: *carità, caffè, cosí, però*; b) sui monosillabi terminanti in dittongo ascendente: *giù, più, piè, ciò, già, può* ecc. (eccetto però *qui* e *qua*); c) su taluni monosillabi per distinguerli dai corrispettivi omonimi di diverso significato; tra i principali: *dà* (verbo) e *da* (preposizione); *è* (verbo) ed *e* (congiunzione); *dí* (nome) e *di* (preposizione); *né* (congiunzione) e *ne* (particella); *là* (avverbio) e *la* (articolo); *sí* (avverbio) e *si* (particella); *sé* (pronome) e *se* (congiunzione); *ché* (=perché) e *che* (pronome e congiunzione); *tè* (bevanda) e *te* (pronome). In genere, non si accentano mai le note musicali. Al di fuori dei casi precedenti, l'accento grafico è facoltativo (e di solito non necessario) per indicare la vocale tonica, ma è consigliabile segnarlo per evitare confusione tra omografi (parole di uguale scrittura ma di accentazione e significato diversi): *àncora* e *ancóra*, *bàlia* e *balía*, *néttare* e *nettàre* e molte al-

tre. Una categoria particolarmente notevole di omografi è data dalle parole che hanno significato diverso in relazione al timbro (aperto o chiuso) delle vocali *e* ed *o*. In questo caso è bene evitare l'ambiguità con il ricorso all'accento fonico. Es.: *pèsca* (frutto) e *pésca* (azione del pescare); *fòro* (piazza) e *fóro* (buco). V. voci relative e OMONIME (PAROLE).
Accento è anche sinonimo di *intonazione*, per indicare l'impronta regionale della pronuncia (Es.: *Parlare con accento romano, Era riconoscibile il suo accento inglese*). Sotto questo profilo si deve avvertire che la normativa secondo la quale l'accento più corretto sarebbe quello fiorentino è oggi messa in discussione.

accentuàle: attributo di un'entità linguistica che si qualifica per il ruolo svolto dall'accento. Accentuale qualifica sia la parola e il sintagma caratterizzati da un unico accento principale (unità accentuale): *pàne, il-pàne*, sia il rapporto di opposizione (opposizione accentuale) che si stabilisce tra parole omografe distinte dalla diversa posizione dei rispettivi accenti tonici: *àncora, ancòra*.

accentuàre: verbo della prima coniugazione, transitivo. Significa: far rilevare, nella lettura, gli accenti; mettere in rilievo i valori espressivi del linguaggio. Da non confondere con *accentare*, che significa semplicemente: segnare l'accento per iscritto o a voce. Accentuare si usa in senso figurato per: metter in rilievo (Es.: *Nel discorso ha accentuato i motivi polemici*); è invece da evitare nel senso di aggravare, accrescere, far pesare (sul modello del francese *accentuer*). Es.: *Il male si è aggravato* (non: accentuato); *Abbiamo accresciuto* (non: accentuato) *la nostra influenza*.

accentuativa (metrica): la metrica (propria delle lingue romanze) in cui l'elemento fondamentale del ritmo è l'accento tonico, opposta alla metrica quantitativa, propria del latino, fondata sulla quantità delle sillabe.

accessòria (parola): si dice di una parola priva di accento, di significato e di autonomia sintattica: articoli, preposizioni, congiunzioni. Si dice anche vuota, perché significativa solo se si associa ad un'altra parola semanticamente piena.

accétta: sostantivo femminile sinonimo di scure. Si badi che *accètta* è invece aggettivo verbale, femminile di *accètto* (=gradito); oppure è la terza persona singolare dell'indicativo presente di *accettàre*. Es.: *Egli si diede l'accétta* (é chiusa) *sui piedi*; *La sua venuta fu ben accètta* (è aperta); *Il presidente accètta* (è aperta) *le tue dimissioni*.

accettàre: verbo della prima coniugazione, transitivo. Ammette sia la costruzione esplicita (*accettava che ciascuno andasse per suo conto*) sia implicita, con la preposizione *di* (*accettava di pagare quello che gli chiedeva*).

accezióne: è il significato di una parola, cioè il senso nel quale essa viene «accettata» dai parlanti una lingua. Si dice che un vocabolo ha varie accezioni (è cioè *polisemico*), che vi è un'accezione generale e un'accezione particolare.

-acchiàre: suffisso verbale con valore frequentativo, attenuativo o peggiorativo. Es.: *bruciacchiare, rubacchiare, vivacchiare*.

accidènte: in grammatica è una varietà o modificazione di un nome o di un verbo secondo la declinazione o la coniugazione. Ad es.: il verbo ha quattro accidenti: numero, persona, modo, tempo. Esso, cioè, varia secondo il *numero* (singolare o plurale: sono, siamo), la *persona* (prima, seconda, terza: io sono, tu sei, egli è), il *modo* (indicativo, congiuntivo, condizionale, infinito: sono, sia, sarei, essere), il *tempo* (presente, passato, futuro: sono, fui, sarò). Il nome ha due accidenti: il *genere* (maschile o femminile: maestro, maestra) e il *numero* (singolare o plurale: maestro, maestri).

accidènti!: interiezione di collera o di ammirazione, un tempo ritenuta volgarissima, oggi considerata tra le più leggere. Si usa anche con valore imprecativo, unita ai nomi mediante la preposizione *a* (Es.: *Accidenti alla tua pigrizia!*).

accíngersi: verbo irregolare della seconda coniugazione, riflessivo. Composto di *cingere*. *Pass. rem.*: mi accinsi, ti accingesti, si accinse, ci accingemmo, vi accingeste, si accinsero. *Part. pass.*: accínto. È uno dei verbi fraseologici cosiddetti aspettuali o ausiliari di tempo, perché sono uniti ad altro verbo di modo indefinito. Indica imminenza dell'azione. Si costruisce con la preposizione *a*. Es.: *Mi accingo a parlare*; *Egli si accingeva ad uscire*.

-áccio: suffisso usato per formare nomi e aggettivi alterati con valore peggiorativo. Es.: cattiva, *cattivàccia*; ragazzo, *ragazzàccio*. Si può combinare con altri alterati. Es.: uomo, *omaccio, omaccione*. V. ALTERAZIONE.

acciocché e **acciò che:** congiunzione di uso antiquato che introduce una proposizione finale. È spesso sostituita da *affinché*. È seguita dal verbo al modo congiuntivo. Es.: *Io ti parlo acciocché tu sappia la verità*.

acclimàre: verbo della prima coniugazione, transitivo. Usato anche nella forma riflessiva *acclimarsi*. Significa: assuefare (o assuefarsi) ad un clima, abituarsi. In suo luogo è però invalso *acclimatare*, sebbene derivato dal francese. Così *acclimazione* è ormai poco usato, sostituito da *acclimatazione*.

acclimataménto: in campo lessicale, il fenomeno per cui una parola straniera entra sotto forma di prestito nell'uso comune o settoriale della lingua, ma a differenza di quanto avviene con l'integrazione, non subisce alterazioni fonomorfologiche che l'adeguino alle strutture della nuova lingua. Es.: *i film, gli sport, le reclame, i camion, il know-how, gli abat-jour*.

acclúdere: verbo irregolare della seconda coniugazione, transitivo. *Pass. rem.*: acclúsi, accludesti, accluse, accludemmo, accludeste, acclúsero. *Part. pass.*: acclúso. Es.: *Acclusa alla presente troverai un'altra lettera*; *Il biglietto era accluso nella lettera indirizzata a me*.

accògliere: verbo irregolare della seconda coniugazione, composto di *cògliere*. Transitivo. *Pres. indic.*: accolgo, accogli, accoglie, accogliamo, accogliete, accolgono. *Pass. rem.*: accolsi, accogliesti, accolse, accogliemmo, accoglieste, accolsero. *Pres. cong.*: accolga, accolga, accolga, accogliamo, accogliate, accòlgano. *Imperativo*: accogli, accolga, accogliamo, accogliete, accòlgano. *Part. pass.*: accòlto. Per influsso del francese *accueillant*, il participio presente *accogliènte* è usato come aggettivo nel senso di ospitale, cordiale. Es.: *È un uomo accogliente*; *Mi ricevette con un sorriso accogliente*. Di una casa o di un divano si dirà meglio che son *comodi* più che accoglienti; di una città che è *ospitale*.

accomodàre: verbo della prima coniugazione, transitivo. Es.: *Ho accomodato l'orologio*; *Abbiamo accomodato tutti i conti*. Usato anche ironicamente per: conciar male. Es.: *Se mi càpita tra le mani, lo accomodo io!* Usato intransitivamente significa: convenire, tornar comodo; e si coniuga con l'ausiliare avere. Es.: *Non mi accomoda di venire*; *Gli ha accomodato così*. Nella forma riflessiva significa mettersi a proprio agio, specie in formule di cortesia, per invitare ad entrare o a sedersi. Es.: *Prego, s'accomodi!* Per influsso del francese *accomodant*, il part. pres. *accomodànte* (usato come aggettivo) significa: arrendevole, conciliante, pronto al compromesso. Es.: *Atteggiamento accomodante*.

accóncio: participio passato del verbo *acconciàre*. Forma sincopata di acconciàto. *Acconciàto* significa però: accomodato, adornato, adattato. Es.: *Un letto acconciàto*; *La capigliatura acconciàta*. Acconcio significa invece: adatto, opportuno. Es.: *Lo disse con parole acconce*; *Venire in acconcio*: tornar comodo. Il plurale femminile è *acconce*.

accondiscéndere: verbo irregolare della seconda coniugazione, composto di *scendere*. Intransitivo. Ausiliare: avere. *Pass. rem.*: accondiscesi, accondiscendesti, accondiscese, accondiscendemmo, accondiscendeste, accondiscesero. *Part. pass.*: accondiscéso. Si costruisce con la preposizione *a*. Es.: *Il padre aveva accondisceso ad accompagnarci*.

accontentàre: verbo della prima coniugazione, transitivo. Nella forma intransitiva pronominale si costruisce sia in modo esplicito (*Si accontentava che gli rispondesse*) sia implicito, con la preposizione *di* (*Non si accontentava di guardare*).

accorciatívo: forma che, derivata dall'abbreviazione o accorciamento di una parola, l'ha sostituita o affiancata nell'uso: *moto* (da *motocicletta*).

accordàre: verbo della prima coniugazione, transitivo. *Pres. indic.*: accòrdo ecc. In grammatica ha lo stesso significato di *concordare* (V.). Es.: *Accordare il predicato con il soggetto.*

accòrgersi: verbo riflessivo irregolare della seconda coniugazione. *Pass. rem.*: mi accòrsi, ti accorgesti, si accorse, ci accorgemmo, vi accorgeste, si accorsero. *Part. pass.*: accòrto. Ammette sia il costrutto esplicito sia quello implicito con la preposizione *di*. Es.: *Mi accorsi che avevo sbagliato*; *Si era accorto di aver sbagliato*. Il participio passato usato come aggettivo significa: avveduto, sagace, prudente. Es.: *Stai accorto!*; *Si salvò con una accorta amministrazione dei suoi beni.*

accórrere: verbo irregolare della seconda coniugazione, composto di *correre*. Intransitivo. Ausiliare: essere. *Pass. rem.*: accórsi, accorresti, accorse, accorremmo, accorreste, accorsero. *Part. pass.*: accórso. Es.: *Tutti accorsero in piazza; Chiedemmo aiuto e accorsero i nostri amici.*

accréscere: verbo irregolare della seconda coniugazione, composto di *crescere*. Transitivo. *Pass. rem.*: accrebbi, accrescesti, accrebbe, accrescemmo, accresceste, accrebbero. *Part. pass.*: accresciúto. Usato anche riflessivamente. Es.: *Lo Stato si è accresciuto di una regione*; *Egli ha accresciuto le sue sostanze.*

accrescitívo: una delle quattro forme di *alterazione* (V.) dei nomi e degli aggettivi. Aggiunge all'idea espressa dal nome un senso di grandezza. Si forma mediante i suffissi *-one* per il maschile (libro, *librone*), *-ona* per il femminile (ragazza, *ragazzona*). Tuttavia quando non è necessario mantenere la distinzione dei generi, alcuni nomi femminili hanno l'accrescitivo in *-one* (*donnone* da donna; *portone* da porta; *moscone* da mosca; *stanzone* da stanza). In qualche caso, per lo più per ragioni eufoniche, il suffisso può modificarsi in *-cióne* (antiquato e in genere di uso ironico) o in *-zóne*. Es.: da limone, *limoncione*; da villano, *villanzone*. I suffissi *-otto* e *-ozzo* (*barilotto* da barile, *predicozzo* da predica) sono considerati accrescitivi attenuati, in quanto indicano una limitata grandezza o addirittura un'idea di riduzione. L'accrescitivo può combinarsi con altri alterati, solitamente per effetto comico o pittoresco. Es.: *portonaccio* (da porta + *-one* + il peggiorativo *-accio*).
In misura minore l'accrescitivo può alterare anche avverbi (da bene, *benone*).

accudíre: verbo della terza coniugazione, intransitivo. Ausiliare: avere. Si coniuga in alcuni tempi con la forma incoativa *-isc-* tra il tema e la desinenza. *Pres. indic.*: accudisco, accudisci, accudisce, accudiamo, accudite, accudiscono. *Pres. cong.*: accudisca, accudisca, accudisca, accudiamo, accudiate, accudiscano. *Part. pass.*: accudíto. Si costruisce con la preposizione *a*. Es.: *Accudisce ai lavori domestici.*

accumulaziòne: in retorica, procedimento che dà luogo a diverse figure di parola che consistono in costruzioni formate dall'allineamento, per aggiunta, di una serie di elementi linguistici coordinati che non siano ripetuti. Questi possono essere omogenei, sotto il profilo grammaticale o semantico, per cui si hanno le figure o del climax o della diallage o dell'enumerazione o della distribuzione o dell'endiadi, oppure disomogenei e caoticamente accostati, per cui l'accumulazione si dice specificamente accumulazione caotica (o congerie), come nel seguente esempio letterario: *Inaudita crudeltà! / Cioccolato Talmone. / Il più ricercato biscotto. / Duretto e Tenerini / via della carità. / 2.17.40.25.88* (A. Palazzeschi).
La retorica classica ammetteva tra le figure di accumulazione anche alcune costruzioni ottenute attraverso l'aggiunta di elementi subordinati, come l'epiteto, l'enallage e l'ipallage, che si preferisce però considerare figure grammaticali prestate alla retorica.

accusàre: verbo della prima coniugazione, transitivo. Significa incolpare. Es.: *Hanno accusato il sindaco di peculato.* Si usa anche nel senso di manifestare, avvertire. Es.: *Dopo la caduta accusava un dolore al ginocchio.* È invece dell'uso burocratico il francesismo *accusar ricevuta* per dichiarar ricevuta.

accusatívo: nome del quarto caso della declinazione latina, che compare anche in molte altre lingue classiche e moderne (greco antico, tedesco ecc.). Esprime essenzialmente la funzione del nostro *complemento oggetto*.

-àce: terminazione di nomi o aggettivi che indicano capacità, attitudine. Es.: *capace* (che può contenere), *pugnace* (combattivo), *mordace* (che può offendere), *fornace* (forno per cuocere mattoni).

acefalía: nella metrica classica, mancanza di sillaba iniziale in un verso. V. Acefalo (Verso). È l'opposto di *anacrusi* (V.).

acèfalo (verso): nella metrica classica, verso a cui manca la sillaba iniziale. In quanto fenomeno di anisosillabismo, si ritrova di frequente nella nostra poesia popolare, soprattutto in quella giullaresca e religiosa (in particolare nella lauda) delle origini, ma esempi d'acefalo, con diverso valore, li troviamo quasi sino a noi, con Pascoli e Gozzano. La sillaba omessa, in quanto si tratta di un tempo vuoto, non modifica l'andamento ritmico del verso. Per le origini e per l'uso popolare in genere, l'acefalo si spiega con il carattere cantato o recitato della composizione; per i moderni, va interpretato come un motivo di violazione intenzionale delle convenzioni metriche.

-àceo: terminazione di aggettivi che indicano materia, qualità. Es.: *cartaceo* (di carta), *coriaceo* (simile al cuoio), *violaceo* (del colore della viola).

acèrrimo: è il superlativo irregolare dell'aggettivo *acre*. Es.: un nemico *acerrimo*. Anche: acutissimo, molto aspro. Es.: un dolore *acerrimo*.La forma *acrissimo* è poco usata.

àcme: sostantivo femminile. Errato l'uso al maschile.

acquafòrte: sostantivo femminile composto da un nome femminile (acqua) e un aggettivo (forte). Plurale: acqueforti. V. anche Composti (Nomi).

acquaticità: sostantivo femminile. Neologismo accettabile per indicare l'attitudine a stare e ad agire sott'acqua (riferito a pescatori subacquei, sommozzatori e simili).

acquatínta: sostantivo femminile composto da un nome femminile (acqua) e un aggettivo (tinta). Plurale: acquetinte. V. anche Composti (Nomi).

acquerèllo: sostantivo maschile, indicante una pittura fatta con colori mescolati a gomma arabica e sciolti in acqua. Meno corretto: acquarello.

acquisíre: verbo della terza coniugazione, transitivo. Si coniuga in alcuni tempi con la forma incoativa *-isc-* tra il tema e la desinenza. *Pres. indic.*: acquisisco, acquisisci, acquisisce, acquisiamo, acquisite, acquisiscono. *Pres. cong.*: acquisisca, acquisisca, acquisisca, acquisiàmo, acquisiate, acquisiscano. *Part. pass.*: acquisíto. Significa acquistare, ma solo in senso figurato. Es.: *Abbiamo acquisito questo diritto*; *Acquisí la certezza di esser stato tradito*.

àcre: V. Acerrimo.

acro-: prefisso usato per la formazione di parole, generalmente dotte o relative al campo medico. D'origine greca, significa: alto, estremo, estremità. Es.: *acropoli* (=il punto più alto della città), *acromegalia* (=sviluppo eccessivo dello scheletro), *acrocoro*.

acròbata: nome maschile e femminile in *-a*, di origine greca. Plurale maschile: acròbati (femminile: acròbate).

acrocòro: sostantivo maschile. Impropria, anche se frequente, la pronuncia *acròcoro*.

acrofonìa: il principio in base a cui da una scrittura pittografica o ideografica si perviene ad una scrittura sillabica. L'acrofonia consiste nell'attribuzione ad un segno pittografico o ideografico del valore del suono iniziale, in particolare della sillaba iniziale, della parola da esso rappresentata: *a* da *alef* (*toro*).

acrònico: valore che assume il verbo al tempo presente del modo indicativo quando esprime una realtà a cui si attribuisce validità costante, nel tempo e nello spazio. È caratteristico dei proverbi, delle sentenze e degli aforismi, oltre che del linguaggio normativo e di quello scientifico. Es.: *Tanto* va *la gatta al lardo, che ci* lascia *lo zampino*; *Chi* tace, acconsente; *Chiunque* offende *l'onore o il decoro di una persona* è punito *con la reclusione*; *Sul livello del mare, l'acqua* bolle *a cento gradi.*

acrònimo: parola formata dalle lettere ricavate dall'abbreviazione di più parole alle rispettive lettere o gruppi di lettere iniziali, che si è lessicalizzata: *cantautore* (*cantante autore*), o che evoca il senso rappresentato dalle parole abbreviate: *CAOS* (*Comitato d'Agitazione Operai-Studenti*).
Si dice anche acronimo, ma si preferisce l'espressione parola macedonia o, più raramente, tamponata, la parola che risulta dalla composizione di spezzoni, in genere iniziali e finali, di altre parole: *postelegrafonico, post(ale) + telegraf(ico) + (tele-f)onico.*

acròstico: componimento poetico in cui le iniziali o le prime lettere dei versi o delle strofe, se lette di seguito in senso verticale, formano una parola o una frase o addirittura un altro testo poetico. Talvolta alla struttura dell'acrostico si alterna o si unisce un'analoga struttura a metà: mesostico, o alla fine dei versi: telestico.
La fortuna dell'acrostico, di origine greca, inizia in età ellenistica con gli epigrammi dell'Antologia Palatina; quindi riecheggia negli argomenti delle commedie del latino Plauto, sino ai carmi figurati dell'età imperiale e agli abbecedari dell'età latino-cristiana. Ritroviamo l'acrostico, nella poesia medioevale provenzale e italiana, con l'esempio celebre di G. Boccaccio dell'*Amorosa visione*, un poema formato da cinquanta canti, per un totale di 1500 terzine dantesche, le cui iniziali formano i 42 versi che compongono tre sonetti. Anche nei secoli seguenti l'acrostico continua ad avere fortuna (altrettanto celebre quello di M.M. Boiardo, *Arte de Amore e forze di Natura*), sino a giungere agli inizi del Novecento allorché viene utilizzato da G. Apollinaire e dalle avanguardie artistiche sue contemporanee: futuristi, dadaisti, surrealisti.

acuíre: verbo della terza coniugazione, transitivo. Si coniuga in alcuni tempi con la forma incoativa *-isc-* tra il tema e la desinenza. *Pres. indic.*: acuisco, acuisci, acuisce, acuiàmo, acuíte, acuiscono. *Pres. cong.*: acuisca, acuisca, acuisca, acuiàmo, acuiàte, acuiscano. *Part. pass.*: acuíto. Significa aguzzare, in senso figurato. Es.: *Lo studio acuisce la sensibilità.*

acúto (accento): accento che indica il timbro chiuso della vocale accentata. (Es.: *acúto, accétto, vólto*). V. ACCENTO.

ad: è la forma della preposizione *a* quando le si aggiunge la *d* eufonica. Es.: *Andai ad abitare*; *Ad esempio.*

adamantíno: aggettivo qualificativo. Significa splendente, ma anche duro, e saldo come un diamante. Es.: *Coscienza adamantina* (trasparente, netta, purissima); *Coraggio adamantino* (fermissimo, saldissimo). Si noti che, benché sia ormai nell'uso la pronunzia *adamantíno*, quella corretta sarebbe *adamántino.*

adattaménto: in linguistica, processo per cui una parola, passando da una lingua a un'altra, si adatta al nuovo sistema fonetico e morfologico. Anche il risultato di tale processo ossia la parola così trasformata. Es.: *Tualetta è l'adattamento del francese toilette, bistecca dall'inglese beefsteak.*

addí: avverbio che si usa solo nelle date. Significa: nel giorno. Es.: *Addì 16 giugno 1956.*

addiètro: avverbio di luogo. Significa: che è a tergo della persona o cosa di cui si parla. V. *Dietro*. È usato soprattutto nelle locuzioni temporali: *tempo addietro, alcuni mesi addietro, giorni addietro*, con il significato di: prima, precedente. Es.: *Lo vidi tempo addietro, ma non mi disse nulla.*

addío: espressione di saluto definitivo. Es.: *Mi ha detto addio* (mi ha lasciato); *Addio, monti sorgenti dalle acque.* Costruito con un sostantivo indica che la cosa o la persona indicata dal sostantivo stesso si considera perduta. Es.: *Se avesse parlato, addio salvezza* (la salvezza sarebbe stata perduta).

addírsi: verbo irregolare della terza coniugazione, riflessivo. È composto di *dire*, di cui segue la coniugazione. Un po' ricercato, ma ancora in uso il participio *addicentesi*. Si usano solo le terze persone. Significa confarsi, convenire. Es.: *I colori chiari gli si addicono molto*; *Non si addice a un maestro la superbia.*

addivenìre: verbo irregolare della terza coniugazione, intransitivo. Ausiliare: essere. È composto di *venire* (V.) di cui segue la coniugazione. Oggi per lo più d'uso impersonale. Significa: giungere, pervenire (in senso figurato). Es.: *Si addivenne a un accordo*; *Siamo addivenuti a un accordo.*

addolcìre: verbo della terza coniugazione, transitivo. In alcuni tempi si coniuga con la forma incoatia *-isc-* tra il tema e la desinenza. *Pres. indic.*: addolcisco, addolcisci, addolcisce, addolciamo, addolcite, addolciscono. *Pres. cong.*: addolcisca, addolcisca, addolcisca, addolciamo, addolciate, addolciscano. *Part. pass.*: addolcíto. Significa: render dolce, rendere meno duro (*Addolcire l'acciaio*); in senso figurato: mitigare, placare.

addòsso (antico **a dòsso**): avverbio che significa propriamente sul dorso, sul corpo, sulla persona. Es.: *Portare addosso il cappotto.* Anche figurato, nel corpo, nell'animo. Es.: *Ho addosso una paura terribile.* Con valore di preposizione impropria, si unisce ai nomi mediante la preposizione *a*. Es.: *Si era seduta addosso a me.* Anche figurato: *stare addosso a uno* (=spronarlo, incitarlo senza sosta). In particolare, con il senso di «assai vicino» o anche di «contro». Es.: *Il campanile è costruito addosso alla chiesa*; *Gli piombarono addosso.*

addúrre: verbo della seconda coniugazione con infinito sincopato (originariamente: adducere). Transitivo. *Pres. indic.*: addúco, addúci, addúce, adduciàmo, adducéte, addúcono. *Pass. rem.*: addussi, adducesti, addusse, adducemmo, adduceste, addussero. *Imperf.*: adducevo, adducevi, adduceva, adducevamo, adducevate, adducevano. *Fut. semplice*: addurrò, addurrài, addurrà, addurremo, addurrete, addurranno. *Condiz. pres.*: addurrei, addurresti, addurrebbe, addurremmo, addurreste, addurrebbero. *Pres. cong.*: adduca, adduca, adduca, adduciamo, adduciate, adducano. *Imperf. cong.*: adducessi, adducessi, adducesse, adducessimo, adduceste, adducessero. *Imperat.*: adduci, adducete. *Part. pres.*: adducente; *pass.*: addótto. *Gerundio*: adducendo. Es.: *Addurre prove convincenti*; *Deve addurre nuovi argomenti*; *Adduci solo pretesti.*

adduziòne: in fonetica, il movimento con cui le corde vocali si avvicinano l'una all'altra, provocando il restringimento della glottide, con la conseguente accumulazione di aria che con la sua pressione fa vibrare le corde vocali e produce la voce. Contrario di abduzione.

adeguatézza (proposizione di): proposizione subordinata, varietà del tipo consecutivo, in cui la conseguenza dipende dal rapporto di adeguatezza rispetto all'avverbio o all'aggettivo quantitativo presente nella reggente. Es.: *Mi hai dato alquanto fastidio perché io ti aiuti in questo frangente*; *La somma è abbastanza grande da consentire a tutti di divertirsi*; *Fa troppo freddo perché tu esca*; *È troppo bello per essere vero.*
Nel costrutto esplicito, la proposizione di adeguatezza è introdotta da *perché* seguito dal congiuntivo; in quello implicito, da *per* e *da* seguiti dall'infinito presente o passato.

adémpiere e **adempíre:** verbi sovrabbondanti, il primo è della seconda coniugazione, il secondo della terza coniugazione. Adempíre si coniuga, in alcuni tempi, con la forma incoativa *-isc-* tra il tema e la desinenza (adempísco, adempísce, adempísca, adempíscano), ma sono piú comuni le forme: adempio, adempie, adempia, adémpiano (proprie di adempiere). *Part. pass.* di adempiere è *adempiuto*; di adempíre è *adempito*: le due forme si alternano nell'uso. Negli altri tempi prevalgono le forme regolari di adempire (*pass. rem.*: adempíi, *imperf.*: adempívo ecc.). Entrambi i verbi significano: soddisfare, eseguire, esaudire, mantenere. Sono transitivi, ed è quindi improprio (anche se diffuso) l'uso intransitivo con ausiliare avere. Es.: *Adempiva il suo dovere*; *Ha adempiuto agli* (meglio: *gli*) *obblighi di leva*; *Non adempí alla promessa.* Con valore intransitivo pronominale, significano: compiersi, avverarsi. Es.: *Si è adempita la profezia.*

adeno-: primo elemento (dal greco, ghiandola) usato per la formazione di parole relative al campo medico. Es.: adenocarcinoma (tumore ghiandolare), adenoide (ipertrofia del tessuto linfatico nel naso o in gola), adenopatia (malattia delle ghiandole), adenotomía (asportazione chirurgica delle adenoidi).

adèrgere: verbo della seconda coniugazione, transitivo. *Pres. indic.*: adergo, adergi, aderge, adergiamo, adergete, adergono. *Pass. rem.*: adersi, adergesti, aderse, adergemmo, adergeste, adersero. *Part. pass.*: adèrto. Significa: innalzare, ergere, ma è usato quasi soltanto nella forma riflessiva: adergersi (più forte di *ergersi*). Es.: *Si aderge a difensore dei deboli.*

aderíre: verbo della terza coniugazione, intransitivo. Ausiliare: avere. In alcuni tempi si coniuga con la forma incoativa *-isc-* tra il tema e la desinenza. *Pres. indic.*: aderisco, aderisci, aderisce, aderiamo, aderite, aderiscono. *Pres. cong.*: aderisca, aderisca, aderisca, aderiamo, aderiàte, aderiscano. *Part. pass.*: aderíto. Significa: star attaccato, combaciare; in senso figurato: acconsentire, prendere parte. Es.: *La tappezzeria aderisce alla parete*; *Per aderire ai vostri desideri*; *Ha aderito alla manifestazione.*

adèsso: avverbio di tempo. Indica generalmente il presente, come *ora* (*Adesso andiamo a passeggio*). Talora vale per il passato prossimo (*È salito adesso*) o l'immediato futuro (*Adesso ti saluterà*). Si rafforza ripetuto, con significato di immediatezza (*L'ho visto adesso adesso*). Seguito da *che* ha valore di congiunzione (*Adesso che hai il passaporto*).

adibíre: verbo della terza coniugazione, transitivo. In alcuni tempi si coniuga con la forma incoativa *-isc-* tra il tema e la desinenza. *Pres. indic.*: adibisco, adibisci, adibisce, adibiamo, adibite, adibiscono. *Pres. cong.*: adibisca, adibisca, adibisca, adibiamo, adibiate, adibiscano. *Part. pass.*: adibíto. Significa: destinare ad un uso, adoperare. Es.: *Adibí quel locale a ripostiglio.*

adíre: verbo della terza coniugazione, transitivo. In alcuni tempi si coniuga con la forma incoativa *-isc-* tra il tema e la desinenza. *Pres. indic.*: adisco, adisci, adisce, adiàmo, adite, adiscono. *Pres. cong.*: adisca, adisca, adisca, adiàmo, adiàte, adiscano. *Part. pass.*: adíto (non *àdito*, che significa: ingresso). Usato nel linguaggio giuridico, significa: presentarsi al magistrato per avere giustizia. Locuzioni tipiche: *adire il magistrato*; *adire il tribunale*; *adire un'eredità* (accettarla).

adnominàle: così è detta la funzione svolta dall'aggettivo o complemento, che modifica il nome entro un sintagma nominale. Es.: *la cartella* azzurra; *il libro* di Edoardo.

adònio: nome di un verso greco o latino composto di un dattilo e di uno spondeo o trocheo con l'effetto di intonazione discendente. È caratteristica della *strofa saffica* (V.), che solitamente chiudeva. Il suo schema più comune era: ⊥ ∪ ∪ , ⊥ ∪. Nella metrica moderna l'adonio è riprodotto dal *quinario* (V.).
Il plurale di adònio è *adòni*, che è anche plurale di *adóne* (uomo bellissimo, bello come il mitologico Adone).

ad onta di...: locuzione il cui uso è corretto solo nel caso che si voglia veramente esprimere l'idea di vergogna (Es.: *Ad onta dei traditori della patria*). È invece improprio usarla in luogo di *nonostante*. Es.: *Nonostante il freddo ci incamminammo*, e non: *Ad onta del freddo.*

adstràto: così si definisce una lingua (o un dialetto) parlata in un'area adiacente a quella di un'altra lingua e con la quale si stabiliscono rapporti di reciproca influenza: *il francese è un adstràto dell'italiano.* Lo sviluppo dei mezzi di comunicazione ha esteso il concetto di adstràto a lingue poste in relazione non solo geografica, ma anche politica ed economica: *l'inglese è un adstràto di gran parte delle lingue del mondo.*

adulàre: verbo della prima coniugazione, transitivo. La pronunzia esatta è: adúlo, adúli, adúla, aduliàmo, adulàte, adúlano (non: àdulo, àduli, àdula, ecc.).

adultèrio: sostantivo maschile. Plurale è *adultèri*, da non confondere con *adúlteri* che è invece il plurale di *adúltero* (=chi commette adulterio).

adynaton: figura retorica formata da un'iperbole in forma di paradosso, che consiste nell'evidenziare l'incredibilità di un evento facendolo dipendere da un fatto impossibile. Es.: *Se mi spuntano le ali arrivo sicuramente stasera*. Serve soprattutto a rimarcare affermazioni assolute (es.: *Non lo sposo neanche morta*) o allegorie (es.: *È più facile che un cammello passi per la cruna d'un ago che un ricco passi per la porta del Paradiso*).

aero-: primo elemento di parole composte, che indica relazione con l'aria e in particolare con l'aeronautica. Meno comune la forma *aereo-*; del tutto erronea la variante *areo-* (sorta da pronuncia popolare affrettata). Es.: *aeroplano, aeroporto* (meno comune: *aereoplano, aereoporto*; inesatto: *areoplano, areoporto*). È invece frequente il semplice *aèreo* come forma abbreviata di aeroplano (propriamente uso sostantivato dell'aggettivo omonimo che significa: fatto di aria, che sta nell'aria).

Tra i composti si notino il sostantivo maschile *aeròlito* o *aeròlite* (improprio *aerolíto* o *aerolíte*) che designa una meteorite costituita in prevalenza di silicati, e il recente neologismo *aerospaziàle*, aggettivo che significa: relativo all'aeronautica e all'astronautica (Es.: *industria aerospaziale*).

aeròdromo: sostantivo maschile, che significa aeroporto. Errata la pronunzia *aerodròmo*.

afèresi: termine grammaticale che indica la caduta o soppressione di una sillaba o di una lettera in principio di parola. Es.: *verno* da *inverno*, *fitto* da *affitto*, *sto* da *questo*. Può essere un fenomeno di evoluzione popolare della lingua (Es.: l'italiano *storia* rispetto al latino *historia*; *spaghetti alla matriciana* invece che *all'amatriciana*) oppure una *licenza poetica* (V.).

affàtto: avverbio che significa propriamente: del tutto, completamente. Es.: *È un uomo affatto originale*; *È diventato affatto sordo*. Si usa spesso come rafforzativo di espressioni negative. Es.: *Non ho parlato affatto*. È dunque decisamente improprio (oltre che equivoco) l'uso di affatto (recentemente invalso) con valore di negazione recisa, specialmente nelle risposte. Es.: *Hai freddo? - Niente affatto!* (e non solo: *Affatto!*).

affermàre: verbo della prima coniugazione. Ammette sia il costrutto esplicito (*affermava che tutto si svolgeva regolarmente*), sia implicito, con la preposizione *di* o il solo infinito (*affermava di sapere tutto, affermava sapere tutto*).

affermatíva (proposizione): una proposizione, specialmente *enunciativa* (V.), che esprime un'idea, un giudizio o descrive un fatto o comunica una notizia, in forma positiva (affermativa). Es.: *Desidero la pace*; *Credo nella libertà*; *Mio padre è sano*; *Mi sembri strano*; *La terra è rotonda*. Qualsiasi proposizione affermativa può essere trasformata in forma negativa mediante la particella *non*. Es.: *Non desidero la pace*; *Non credo nella libertà*.

affermaziòne (avverbi di): sono avverbi di affermazione quelli che esprimono un consenso, una adesione, una certezza. Il più usato è l'olofrastico (parola che sta per una intiera frase) *sí*, usato nelle risposte. Altri sono: *sicuro, certo, certamente, appunto, esatto, già, proprio, proprio così, giusto, precisamente, naturalmente, senza dubbio*, spesso usati come rafforzativi del sí (*Lo sai? Sí, certo; Mi credi? Sí, proprio*). Gli avverbi di affermazione appartengono al tipo degli *avverbi di giudizio*.

affettàre: verbo della prima coniugazione, transitivo. *Pres. indic.*: affétto, affétti, affétta, affettiàmo, affettàte, afféttano. *Part. pass.*: affettàto. Significa: tagliare a fette. Non si confonda con il verbo *affettàre* che deriva dal latino *adfectare* e che significa: far mostra, ostentare. *Pres. indic.*: affètto, affètti, affètta, affettiàmo, affettàte, affèttano. La distinzione è possibile talora per mezzo della diversa pronunzia (stretta in *affettare*, tagliare a fette; aperta in *affettare*, ostentare) della vocale *e* in posizione tonica. Altrimenti si capisce dal contesto di quale dei due verbi si tratti.

affettívo: in linguistica, termine indicante un fenomeno che comporta una viva partecipazione soggettiva e sentimentale del parlante. Sono per es. di origine affettiva molte interiezioni come *ah, eh, ahi, ohi, ahimè* ecc., le voci infantili (*bimbo, papà* ecc.), i vezzeggiativi di persona

(*Beppe* per Giuseppe, *Cecco* per Francesco ecc.), alcune alterazioni (*carissimo, vivacetto, forosetta*). Si dice anche *espressivo*.

affievolíre: verbo della terza coniugazione, transitivo; ma usato più comunemente nella forma intransitiva, specialmente pronominale. In alcuni tempi si coniuga con la forma incoativa *-isc-* tra il tema e la desinenza. *Pres. indic.*: affievolisco, affievolisci, affievolisce, affievoliamo, affievolite, affievoliscono. *Pres. cong.*: affievolisca, affievolisca, affievolisca, affievoliamo, affievoliate, affievoliscano. *Part. pass.*: affievolíto. Significa: render fievole, divenir fievole, indebolirsi. Es.: *Mi si è affievolita la voce.*

affíggere: verbo della seconda coniugazione, transitivo. *Pass. rem.*: affissi, affiggesti, affisse, affiggemmo, affiggeste, affissero. *Part. pass.*: affísso.

affinché: congiunzione che introduce una proposizione finale. Regge il congiuntivo. Es.: *Io ti ammonisco affinché tu possa migliorare.* È spesso sostituita da *perché* (V.).

affinità: in linguistica comparata, la somiglianza di due o più lingue sotto il profilo strutturale nonostante non esistano tra loro relazioni di parentela. Si qualifica come tipologica l'affinità che riguarda aspetti relativi al funzionamento delle lingue e come di contatto l'affinità dovuta ad interferenze storiche; impropriamente si parla di affinità genetica quando esiste un'origine comune.

affissaziòne: il processo di derivazione di una parola da un'altra mediante l'unione di un affisso.

L'*affisso* è dunque un elemento o particella che si aggiunge a una parola per modificarne il valore e la funzione. Se è posto all'inizio della parola, l'affisso prende il nome di prefisso (*a-morale, con-giunto*); se è posto al termine, prende il nome di *suffisso* (*bell-ezza, natural-ismo*). Meno evidente è l'affisso come inserzione all'interno della parola, che si dice infisso. Es.: la *-n-* di *fondere* rispetto al passato remoto *fusi* e al participio passato *fuso*.

affisso: participio passato del verbo *affiggere* (V.).

affittacàmere: nome composto da una forma verbale (affitta) e un sostantivo femminile plurale (camere). È indeclinabile.

affittàre: verbo della prima coniugazione, transitivo. Significa dare in affitto, riferito propriamente ai fondi rustici (donde *affittavolo* e *fittavolo*) e per estensione agli stabili (più precisamente: appigionare, locare) e agli oggetti mobili che si danno in uso per un tempo determinato (più precisamente: noleggiare). Anche se improprio, è entrato nell'uso il significato di prendere in affitto. Es.: *Vuole affittare una villa per trascorrervi le vacanze.*

afflíggere: verbo della seconda coniugazione, transitivo. *Pres. indic.*: afflíggo, affliggi ecc. *Pass. rem.*: afflissi, affliggesti, afflisse, affliggemmo, affliggeste, afflissero. *Part. pass.*: afflítto.

affluíre: verbo della terza coniugazione, intransitivo. Ausiliare: essere. In alcuni tempi si coniuga con la forma incoativa *-isc-* tra il tema e la desinenza. *Pres. indic.*: affluisco, affluisci, affluisce, affluiamo, affluite, affluiscono. *Pres. cong.*: affluisca, affluisca, affluisca, affluiamo, affluiate, affluiscano. *Part. pass.*: affluíto. Es.: *Il fiume affluisce al mare*; *Ora le domande affluiscono al Ministero*; *I profughi sono affluiti al posto di ristoro.*

affrancàre: verbo della prima coniugazione, transitivo. Significa: render libero. Es.: *I patrizi cristiani affrancavano i loro schiavi.* Oggi è usato nel significato di applicare i francobolli sulle lettere. Es.: *Prima di impostare questa lettera, la devi affrancare con 700 lire.*

affricàte (consonanti): le consonanti caratterizzate, sotto il profilo dell'articolazione, da un suono composito (detto affricato) che però viene percepito come unico. Tale suono è costituito dalla combinazione di una consonante occlusiva con una costrittiva o fricativa.

In italiano sono affricate: la *z*, sia quella sorda: /t/ + /s/ = /ts/, sia quella sonora: /d/ + /z/ = /dz/, entrambe alveolari per il luogo di articolazione; la *c* seguita da *e* o da *i* (es.: *cena, cinema*): /t/ + /ʃ/ = /tʃ/ e la *g* seguita da *e* e da *i* (es.: *gente, ginnico*): /d/ + /.../ = /d.../, entrambe prepalatali per il luogo di articolazione, sorda l'una e sonora l'altra.

aforísma: nome maschile in *-a*. Si può dire anche *aforismo*. Plurale: aforismi.

agènte (complemento di): complemento che indica la persona, l'animale o l'ente astratto (personificato) da cui è compiuta l'azione espressa da un verbo passivo e che il soggetto subisce. È retto dalla preposizione *da* e risponde alla domanda: da chi? Es.: Gli scolari furono lodati *dal maestro*; Il naufrago fu salvato *dal cane*; Firenze fu rovinata *dall'invidia*. Il complemento d'agente indica dunque il «soggetto logico» (che fa l'azione) di una frase, in cui il soggetto grammaticale subisce l'azione espressa dal verbo. Nella trasformazione dalla forma passiva a quella attiva (possibile solo con i verbi transitivi) esso diviene infatti il soggetto anche grammaticale della proposizione: Es.: (passivo): *Gli scolari sono lodati dal maestro*; (attivo): *Il maestro loda gli scolari*. Si vede da questo esempio come, per effetto della trasformazione, il soggetto della proposizione passiva (*gli scolari*) diviene il complemento oggetto di quella attiva; il complemento d'agente (*dal maestro*) diventa il soggetto con cui concorda il verbo rivolto in attivo. Si noti peraltro che il significato delle due frasi muta leggermente: nel primo caso si mette in evidenza particolarmente la lode ricevuta dagli scolari, nel secondo caso invece il lodare del maestro. Si badi a non confondere con questo altri complementi retti dalla preposizione *da*. Es.: Ciò mi è venuto *da lui* (complemento di provenienza); Vengo *da Venezia* (complemento di moto da luogo); Vado *dalla zia* (complemento di moto a luogo); Egli cadeva *dalla stanchezza* (complemento di causa). V. anche: CAUSA EFFICIENTE (COMPLEMENTO DI).

aggettivali prefissi (o suffissi): prefissi o suffissi che concorrono a formare aggettivi. Possono essere di tipo spazio temporale (*ante*lucano, *pre*islamico, *ci*spadano) o di tipo valutativo (*ben*educato, *mal*parlante, *arci*noto, *iper*pignolo). V. anche AGGETTIVO.

aggettívo: parte del discorso che si aggiunge al nome per qualificarlo o determinarlo. Secondo la loro funzione gli aggettivi si distinguono in: *qualificativi* (V.) e *determinativi* (V.) o *indicativi*. L'aggettivo concorda con il nome, che qualifica o determina, sia nel genere che nel numero. Esso è di solito variabile e segue nella formazione del *femminile* e in quella del *plurale* le regole proprie dei sostantivi (V. voci relative).

Per la *declinazione*, si distinguono due classi di aggettivi: la prima, a quattro terminazioni (*o* per il maschile singolare, *i* per il maschile plurale, *a* per il femminile singolare, *e* per il femminile plurale: *bello, belli, bella, belle*); la seconda, a due terminazioni (*e* per il maschile e il femminile singolari, *i* per il maschile e femminile plurali). Solo *pari* fa classe a sé ed è invariabile come i suoi composti *díspari* e *ímpari*. Restano invariati pure molti aggettivi designanti colore sia in quanto originariamente sostantivi (*rosa, viola, marrone* ecc.) sia in quanto precisati nel significato da un'ulteriore determinazione (occhi *verde* cupo, broccati *giallo* oro). Tra gli aggettivi composti sono indeclinabili quelli formati da preposizione e avverbio (*dappoco, perbene, dappiù* ecc.) e quelli formati da preposizione o prefisso + nome o verbo (Es.: economia *anteguerra*, giorni *avvenire*); per gli altri casi V. *composti* (*aggettivi*).

Gli aggettivi terminanti in *-co*, se sono piani, mantengono in genere al plurale il suono gutturale della *c* (*poco, poca, pochi, poche*) eccettuati *amico, nemico* e *greco* che al plurale maschile fanno *amici, nemici, greci*. Se sono sdruccioli cambiano nel plurale maschile il suono gutturale in quello palatale (*pubblico, pubblica, pubblici, pubbliche*) eccetto pochissimi quali *carico* e *dimentico* che fanno rispettivamente *carichi* e *dimentichi*. Gli aggettivi terminanti in *-go* conservano il suono gutturale anche al plurale (*largo, larga, larghi, larghe*). Gli aggettivi terminanti in *-io* conservano al plurale maschile la *i*, se questa è tonica (*restío, restíi*); perdono invece la *i* se questa è atona (*contràrio, contràri*).

L'aggettivo può essere *attributo* (V.) o *predicato* (V.) del nome. In entrambi i casi concorda con il nome a cui si riferisce in

genere e numero. Nei casi in cui l'aggettivo si riferisce a due o più sostantivi occorre tener presente i seguenti precetti circa la *concordanza*:
1) L'aggettivo funge da *predicato*:
a) di due o più nomi maschili: in tal caso si metterà al plurale maschile (*Il libro e il quaderno erano pronti*);
b) di due o più nomi femminili: in tal caso si mette al plurale femminile (*La città e la patria sono care*);
c) di due o più nomi di genere diverso: in tal caso si mette al plurale maschile (*Benché appassiti, la rosa e il giglio erano ancora profumati*).
2) L'aggettivo funge da *attributo*:
a) di due o più sostantivi dello stesso genere e di numero singolare: in tal caso si concorda nel genere e si pone al plurale (*Una casa e una villa moderne*; *Un soldato e un operaio stanchi*);
b) di due o più sostantivi di genere diverso e di numero singolare: in tal caso si mette al maschile plurale (*Un bimbo e una bimba bellissimi*); se però i due nomi sono di significato affine l'aggettivo può concordare con l'ultimo (*Una generosità e una bontà eccessiva* o *eccessive*). Ciò accade specialmente quando, tra più sostantivi, l'ultimo riassume i precedenti (*I monti, le valli, i casolari, tutto era magnifico*) o i sostantivi sono usati al plurale (*I palazzi e le case sommerse*). Il gusto personale dello scrittore sceglie tra i due tipi di accordi, ma si può anche ricorrere alla ripetizione dell'aggettivo (*Una buona cucina ed un buon cuoco*).
Se a un sostantivo plurale si riferiscono più aggettivi, ciascuno indicante una parte di esso, questi hanno la forma singolare (*I popoli cinese, giapponese, indiano e coreano*).
Se i due sostantivi sono congiunti da *o*, l'aggettivo può concordare con il nome più vicino (*Un padre o una madre affettuosa*, o *affettuosi*).
Gli aggettivi vanno soggetti all'*alterazione* (V.) come i nomi e possono subire modificazioni nei vari gradi (V. *Gradi dell'aggettivo*). L'aggettivo può assumere la funzione di un'altra parte del discorso: particolarmente significativi sono i casi dell'*aggettivo avverbiale* (V.) e dell'*aggettivo sostantivato* (V.).
Circa la *formazione degli aggettivi*, essa avviene, come per i nomi, mediante l'aggiunta di prefissi o suffissi a radici di sostantivi o verbi. I suffissi principali sono: *-àrio*, aggiunto al nome (da visione, *visionario*; da reazione, *reazionario*); *-ale*, aggiunto al nome (da passione, *passionale*; da teatro, *teatrale*); *-are* (da singolo, *singolare*; da popolo, *popolare*); *-ile* (da femmina, *femminile*; da gente, *gentile*); *-àbile* e *-íbile*, aggiunti al verbo e indicanti possibilità (da navigare, *navigabile*; da godere, *godibile*); *-evole*, aggiunto al verbo e indicante possibilità (da lacrimare, *lacrimevole*; da favorire, *favorevole*); *-oso*, aggiunto al sostantivo e indicante: dotato di, ricco di (da spirito, *spiritoso*; da pietà, *pietoso*); *-ivo*, aggiunto al participio passato ed indicante la qualità di un'azione (da deciso, *decisivo*; da distrutto, *distruttivo*); *-ico*, largamente usato (da sfera, *sferico*; da artista, *artistico*); *-ano*, *-iàno*, aggiunti soprattutto ad un nome proprio e indicanti appartenenza, derivazione (da Italia, *italiano*; da Cristo, *cristiano*); *-ese*, indicante nazionalità o cittadinanza (da Milano, *milanese*; da Albania, *albanese*); *-ino*, come il precedente (da Firenze, *fiorentino*; da Alpi, *alpino*); *-esco*, indicante appartenenza ad un'opera o ad un genere (da polizia, *poliziesco*; da Settecento, *settecentesco*; da burla, *burlesco*; da pittura, *pittoresco*); *-ardo*, indica qualità negativa (da bugia, *bugiardo*; da coda, *codardo*; da malìa, *maliardo*); *-ando*, *-endo*, derivati dalla perifrastica latina e indicanti necessità (da onorare, *onorando*; da esaminare, *esaminando*). Altri suffissi molto in uso sono: *-estre* (equestre), *-eo* (terreo), *-àneo* (simultaneo), *-ace* (fallace), *-aceo* (violaceo), *-ice* (duplice), *-ido* (pavido).
Tra i prefissi sono da ricordare: *in-*, *dis-*, *s-*, che conferiscono all'aggettivo valore negativo (*incapace, discontinuo, scomunicato*); *ri-*, che indica rafforzamento e ripetizione (*ripieno*); *a-*, che indica privazione (*amorale, ateo*).
Circa la *collocazione dell'aggettivo* (qualificativo, in funzione di attributo) si possono tener presenti alcune osservazioni generali, che tuttavia non hanno carattere vincolante. In genere, l'aggettivo

posposto ha un rilievo maggiore ed esercita un compito di specificazione essenziale all'individuazione del nome. S'intende che ciò dipende per lo più da una preferenza soggettiva; esistono per altro condizioni oggettive che rendono pressoché obbligata tale posizione, specie in determinazioni di natura scientifica, tecnica, storica, critica e simili (Es.: *acido borico, acqua pesante, guerra mondiale, realismo magico* ecc.). L'aggettivo anteposto ha invece minore rilievo e mette piuttosto in evidenza il nome cui si riferisce, conferendogli una qualità di ordine esornativo e accessorio. Quindi, nel linguaggio ordinario, l'aggettivo anticipato finisce spesso con l'esprimere un carattere ovvio e consueto, convenzionale o comunemente accettato (Es.: *Il buon pastore, una lunga attesa, la cara immagine*). Nel primo caso la moderna linguistica semiologica parla di *funzione denotativa*, nel secondo di *funzione connotativa* dell'aggettivo. Si noti che taluni aggettivi assumono sfumature di significato diverse secondo la posizione in cui sono collocati. Es.: *Un uomo povero* (dotato di scarsi mezzi finanziari) e *un pover'uomo* (un uomo infelice, degno di compassione, ma che può essere anche benestante); *Un uomo galante* (cortese e cerimonioso con le donne) e *un galantuomo* (una persona onesta); *Una parola semplice* (facile a capirsi o morfologicamente non composta) e *una semplice parola* (solo una parola, nient'altro che una parola).
V. anche: POSSESSIVI, DIMOSTRATIVI, INDEFINITI, INTERROGATIVI (AGGETTIVI).

aggettivo avverbiale: si dicono avverbiali gli aggettivi che svolgono la funzione di avverbi. Es.: *Andar sicuro* (=sicuramente) *al segno*; *Star saldo* (=saldamente) *in arcione*. Talvolta l'aggettivo forma anche una frase avverbiale, sottintendendo un nome: *Camminare alla svelta* (maniera); *Trattar con le cattive* (maniere).

aggettivo sostantivàto: un aggettivo che compie la funzione di sostantivo; non è accompagnato dal nome e può essere preceduto dall'articolo. Tutti gli aggettivi possono essere sostantivati. Es.: *I poveri* (uomini) *sono matti*; *Le tedesche* (donne) *sono fiere*; *I tuoi* (parenti) *sono addolorati*; *Imparare l'inglese* (la lingua); *Tutti amano il giusto* (le cose giuste). Alcuni aggettivi sostantivati hanno addirittura perduto il valore originario. Es.: *Il dirigibile* (propriamente, pallone che si può dirigere), *il soprano* (propriamente, il tono che sta di sopra, più elevato). L'aggettivo sostantivato può essere determinato a sua volta da un altro aggettivo. Es.: *La povera inferma*; *L'avaro prepotente*.

-àggine: suffisso di vari nomi astratti. Es.: *dabbenaggine* (semplicità, sciocchezza), *stupidaggine* (cosa sciocca, stupida), *testardaggine* (ostinazione).

-àggio: suffisso (originariamente derivato dal francese *-age*, a sua volta dal latino *-aticus*) di sostantivi tratti da nomi e verbi, talora sostituibile con *-mento, -tura, -zione*. Es.: *ingranaggio, vagabondaggio, arbitraggio* (=arbitramento o arbitrato).

aggiúngere: verbo irregolare della seconda coniugazione, composto di *giungere*. Transitivo. *Pass. rem.*: aggiunsi, aggiungesti, aggiunse, aggiungemmo, aggiungeste, aggiunsero. *Part. pass.*: aggiúnto. Generalmente ha nel periodo il costrutto esplicito (*Aggiunse che non poteva aspettare*), ma talvolta ammette quello implicito, con la preposizione *di* (*Aggiunse di non poter aspettare*).

aggiuntíva, proposizione: proposizioni incidentali che aggiungono una circostanza accessoria al contenuto della subordinata. Es.: Disse che l'affare, *oltre ad essere pericoloso*, non era convincente. Le proposizioni aggiuntive sono introdotte da *oltre* e *oltre che* e hanno il verbo all'infinito.

agglutinànti (lingue): uno dei tipi linguistici classici, con cui si definiscono quelle lingue in cui le parole si formano in prevalenza per agglutinazione, cioè attraverso la giustapposizione, come affissi, ad un elemento radicale, di uno o più elementi nettamente distinguibili e dotati di un loro autonomo significato (in genere, pronomi e preposizioni) che ne esprimono i rapporti grammaticali. Si dicono anche affissive e si distinguono dal-

AGGETTIVO

QUALIFICATIVO (indica una qualità)	grado POSITIVO:		*bello, caro, buono*
	» COMPARATIVO	di maggioranza:	*più bello, più caro, migliore.*
		di uguaglianza:	*bello quanto, caro come, buono come.*
		di minoranza:	*meno bello, meno caro, meno buono.*
	» SUPERLATIVO	relativo:	*il più bello–buono–caro di noi.*
		assoluto:	*bellissimo, carissimo, ottimo.*
		avverbiale:	*molto bello, assai caro, molto buono.*
DETERMINATIVO (determina e specifica il nome)	POSSESSIVO:		*mio, tuo, suo, nostro, vostro, loro, altrui, proprio.*
	DIMOSTRATIVO:		*questo, codesto, quello, stesso, medesimo, siffatto.*
	INDEFINITO:		*ogni, ciascuno, qualunque, qualsiasi, qualsivoglia, nessuno; qualche, alcuno; taluno, certo, tale, poco, alquanto, parecchio, molto, tanto, troppo, altrettanto, tutto, altro, vario, diverso* e altri meno usati.
	INTERROGATIVO:		*che? quale? quanto?*
	NUMERALE:		(V. tavola alla voce).

le flessive (lingue). Le più note sono l'ungherese, il finnico, il turco.

aggradàre: verbo della prima coniugazione. Si usa solo la terza persona singolare del presente indicativo. Es.: *Non mi aggrada di venire.*

aggredíre: verbo della terza coniugazione, transitivo. In alcuni tempi si coniuga con la forma incoativa *-isc-* tra il tema e la desinenza. *Pres. indic.*: aggredisco, aggredisci, aggredisce, aggrediamo, aggredite, aggrediscono. *Pres. cong.*: aggredisca, aggredisca, aggredisca, aggrediamo, aggrediate, aggrediscano. *Part. pass.*: aggredíto.

aggressóre: sostantivo maschile usato anche come aggettivo. Al femminile: aggreditrice.

agíre: verbo della terza coniugazione, intransitivo. Ausiliare: avere. In alcuni tempi si coniuga con la forma incoativa *-isc-* tra il tema e la desinenza. *Pres. indic.*: agisco, agisci, agisce, agiamo, agite, agiscono. *Pres. cong.*: agisca, agisca, agisca, agiamo, agiate, agiscano. *Part. pass.*: agíto.

àgli: preposizione articolata composta dalla preposizione semplice *a* e dall'articolo *gli* (V.), cui corrisponde l'uso ortografico.

-àglia: suffisso di vari nomi, specialmente collettivi, spesso con significato spregiativo. Es.: *boscaglia, gentaglia, canaglia, plebaglia.* Altre volte la terminazione rivela l'origine francese (*grisaglia, vestaglia*).

agniziòne: soprattutto nelle opere teatrali, ma anche in quelle di narrativa, l'agnizione (detta anche riconoscimento) indica il momento della rivelazione, a lui stesso e/o agli altri, della vera identità di uno o più personaggi rimasta sino ad allora sconosciuta, in genere verso la fine della vicenda rappresentata o narrata.

Si tratta di un topos tradizionale della commedia, a cominciare da quella greca e latina e passando per quella rinascimentale; rientra altresì tra le funzioni classificate da Propp per le fiabe.

L'agnizione si applica anche nella narrativa, gialla o avventurosa o psicologica nei confronti del lettore a cui si rivela artatamente in un particolare momento dello svolgimento (il colpo di scena) una qualche verità circa qualcuno dei personaggi.

agognàre: verbo della prima coniugazione, transitivo. Usato anche intransitivamente (ausiliare: avere). Es.: *Agognare la vittoria* o *alla vittoria.*

agrammaticàle: si dice di una costruzione linguistica che non è conforme alle regole grammaticali. La constatazione del carattere agrammaticale di una frase avviene in virtù della competenza del parlante che in quanto tale ha facoltà di esprimere giudizi di grammaticalità sulle costruzioni della propria lingua. Una frase agrammaticale viene convenzionalmente segnalata da un asterisco posto all'inizio: **vento soffiare mare.*

ah!: interiezione semplice, indica vari stati d'animo che solo l'intonazione di voce o il senso del testo possono far distinguere. Generalmente indica sorpresa, ma è anche usata per esprimere dolore, sollievo, gioia. Ripetuta (ah ah!) serve di solito per le esclamazioni sarcastiche e beffarde.

àhi!: interiezione semplice, usata per esprimere dolore.

ahimè: interiezione composta da *ahi* e *me.* Si usa per esprimere sentimenti di compassione e di dolore.

ài: preposizione articolata composta dalla preposizione semplice *a* e dall'articolo determinativo *i* (V.), cui corrisponde l'uso ortografico.

-àia: suffisso usato per la formazione di parole che indicano grande quantità di qualcosa: *fungaia, concimaia, pietraia, sterpaia.* Anche il luogo dove abbonda qualcosa: *piccionaia, carbonaia, ghiacciaia, tartufaia.*

-àio e **-aiòlo:** suffissi che indicano generalmente un mestiere o una professione. Es.: *bottaio, calzolaio, legnaiolo, boscaiolo.* Hanno senso analogo le varianti *-àro* e *-aròlo,* di origine dialettale. Es.: *campanaro, bagnarola.* Talvolta questi suffissi sono usati con valore spregiativo: *parolaio, pantofolaio, donnaiolo, carnaio.* Indicano anche luogo pieno di qualcosa: *formicaio, bagagliaio, vespaio, pollaio.*

al: preposizione articolata composta dalla preposizione semplice *a* e dall'articolo determinativo *il* (V.), cui corrisponde l'uso ortografico.

àla: sostantivo femminile; al plurale: ali.

àlacre: aggettivo qualificativo. Si noti che l'esatta pronuncia e *àlacre* e non *alàcre*, come spesso nell'uso.

àlba: componimento poetico, talora in forma di canzone e dialogato, che ha per tema l'alba che separa gli amanti che si sono incontrati con la complicità della notte e ne raccoglie i lamenti. La forma tipica dell'alba ha origine con la poesia trovadorica, ma il tema è presente nella tradizione antica e in moltissime letterature; la sua fama universale è dovuta però all'episodio shakespeariano di Romeo e Giulietta.

àlberi, nomi degli: i nomi degli alberi sono sia maschili che femminili. Es.: *il frassino, l'olmo, il pino, l'abete, il salice, l'ulivo, il castagno, il tiglio*; *la betulla, la quercia, la sequoia, la palma*. Il nome del frutto è generalmente femminile: *il pero* (albero) e *la pera* (frutto). Tuttavia per alcune specie il frutto, quando il nome non deriva dalla stessa radice dell'albero, può essere anche maschile: *la palma* (albero) e *il dattero* (frutto).

àlbero, schema ad: schema per la rappresentazione delle parentele delle lingue, analogo all'albero genealogico, introdotto nella linguistica storica sul modello dell'albero o stemma utilizzato dalla filologia per descrivere i rapporti nel tempo tra i diversi codici di una tradizione testuale.
In alcune grammatiche, soprattutto in quella generativo-trasformazionale, lo schema ad albero è usato per rappresentare la struttura di una frase, ossia le relazioni tra i suoi costituenti. Per esempio, si prenda la seguente frase: *Il gatto mangia il pesce*. In carattere maiuscolo solo indicati i costituenti ossia i nodi dell'albero; le linee continue rappresentano i rami e stabiliscono la relazione tra i nodi dominanti e i nodi dominati (si tratta di un albero rovesciato); le linee tratteggiate indicano la sostituzione delle parole ai simboli terminali dell'albero; in carattere minuscolo sono indicate le parole della lingua (foglie) che formano la frase.

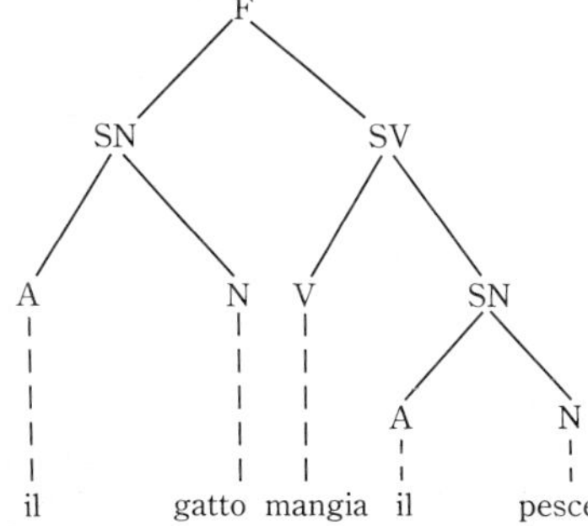

(F = Frase, SN = Sintagma Nominale, SV = Sintagma verbale, A = Articolo, N = Nome, V = Verbo)

Alternativa allo schema ad albero è la parentesizzazione.

albogàtto: nome composto dall'aggettivo *albo* (= bianco) e dal nome toscano *gatto* (= primo fiore del pioppo). Plurale: albigatti. V. anche COMPOSTI (NOMI).

àlbum: parola di derivazione straniera, usata in italiano al maschile, che risale alla locuzione latina del tedesco settecentesco *album amicorum* (= libro bianco con i nomi degli amici). Come tutte le parole straniere inserite nel lessico italiano, resta invariato al plurale. Talora viene sostituito con la forma italiana *àlbo* che deriva direttamente dal latino *album* (= tavola bianca, neutro sostantivato di *albus*, bianco), specialmente per indicare una raccolta di più fascicoli a fumetti per ragazzi. La forma *àlbo* è invece la sola legittima per indicare, conforme all'origine, la tavola per affissioni pubbliche (Es.: *àlbo della scuola, del municipio*) o il pubblico registro in cui sono iscritti gli abilitati a una certa professione o particolari categorie benemerite (Es.: *albo dei giornalisti, albo d'oro dei premiati*).

alcàica (stròfe): strofe classica imitata dal Carducci sui modelli dei componimenti del poeta greco Alceo, da cui prende il nome. È formata di quattro versi: i primi (*alcaici endecasillabi*) si rendono con due quinari accoppiati, uno piano, l'altro sdrucciolo; il terzo si rende con un novenario (*alcaico enneasillabo*); il quarto con un quinario doppio o con un decasillabo (*alcaico decasillabo*). Esempi:

«*Anch'io bel fiume, canto e il mio cantico*
nel picciol verso raccoglie i secoli,
e il cuore al pensiero balzando
segue la strofe che sorge e trema».
(Carducci)

«*Il dittatore, solo a la lugubre*
schiera davanti, ravvolto e tacito
cavalca: la terra ed il cielo
squallidi, plumbei, freddi intorno».
(Carducci)

àlcali: sostantivo maschile invariabile, di origine araba. Termine chimico antiquato, equivalente a «base» o idrossido. Impropria la pronuncia *alcàli*. Analogamente, si deve pronunciare *alcalíno* e non *alcálino*.

alchimía: sostantivo femminile. Antiquata la pronuncia *alchímia*.

alcmània (stròfe): strofe classica che prende il nome dal poeta greco Alcmàne. Era costituita da un distico formato da un esametro dattilico e da un tetrametro dattilico catalettico. Fu resa dal Carducci con due esametri (primo e terzo verso) e due novenari (secondo e quarto verso). Es.:

«*Salve, o pia Courmayeur, che l'ultimo riso d'Italia*
al piè del Gigante de l'Alpi
rechi soave! te, datrice di posa e di canti
io reco nel verso l'Italia».
(Carducci)

àlcol: sostantivo maschile invariabile. È questa ormai la forma prevalente e più conforme alla pronuncia, che tende a soppiantare le varianti *àlcole* (di uso toscano; plurale: *àlcoli*) e *àlcool* (secondo la grafia francese della parola araba d'origine, *al-kuhl*). Ancora più netto e giustificato il predominio della *-o-* semplice nei composti. Es.: *alcolico, alcolismo,* ecc.; meglio che *alcoolico, alcoolismo,* ecc.

alcunché: forma pronominale neutra di *alcuno*. D'uso limitato, letterario e burocratico: *Non vide alcunché di sospetto*; *Non deve presentare alcunché di illecito.*

alcúno: aggettivo e pronome indefinito, del tipo singolativo (così detto perché si riferisce a una singola persona imprecisata). È variabile nel genere e nel numero. L'uso ortografico del singolare corrisponde a quello dell'*articolo indeterminativo* (V.). Come aggettivo, al singolare è spesso sostituito da *qualche*. Es.: *Ti manca qualche cosa?* (non: *Ti manca alcuna cosa?* che pure sarebbe corretto). Al plurale indica pluralità indeterminata. Es.: *Ho visto alcuni uomini*; *Ci sono alcuni errori*; *Vedemmo alcune cose.* Nelle frasi negative è spesso sostituito da *nessuno*. Es.: *Non ho alcun* (o nessun) *rancore*; *Ho trasmesso il messaggio senza alcuna* (o nessuna) *variazione*. Come pronome è sostituito, al singolare, da *qualcuno*. Es.: *Qualcuno* (meglio che: alcuno) *parlò di te*; *C'era alcuno* (meglio: qualcuno) *dei nostri*. Nelle frasi negative è in genere sostituito da *nessuno*. Es.: *Non ho visto nessuno* (non: Non ho visto alcuno). Però si dice: *senza alcun dubbio, senza alcuna esitazione*. Al plurale si usano le forme: alcuni, alcune. Es.: *Vedemmo alcuni piangere*; *Alcune sostengono di aver dormito male*. Usato spesso per serie correlative: *Alcuni ridevano, altri no; Alcuni ridevano, alcuni piangevano.*

al di qua (o **al di là) da:** locuzioni prepositive di provenienza francese, alle quali è bene preferire le forme più semplici: di qua da e di là da. Es.: *Di qua dal monte*; *Di là dal fiume*; *Di là da venire*. *Al di là* si costruisce anche con *di*. Es.: *Al di là del bene e del male.* Dal modo prepositivo *al di là* si è tuttavia formato il sostantivo maschile *aldilà* che indica la vita ultraterrena. Es.: *Bisogna pensare anche all'aldilà*.

-àle: suffisso di molti aggettivi (e anche di nomi) derivati da sostantivi. Es.: *parentale* (da parente), *carnale* (da carne), *portale* (da porta).

alessandríno: il verso per eccellenza della poesia francese, che deve il suo nome al poema *Roman d'Alexandre* composto nella prima metà del XII secolo. Verso composto, doppio, conta dodici sillabe ed è formato da due emistichi di sei sillabe ciascuno. In Italia, ebbe un'effimera fioritura nel XIII secolo, di cui troviamo esempi tanto nella poesia didascalica:

«*De lengua e de soperbia, de li mati avem dito,*

mo parlem de le femene, sì con' ne dis lo scrito,
como s'è bono e re' e como fai pro e dan
a tuta çent del mondo la maior part de l'an.»
(Girard Pateg)

quanto in quella popolareggiante, e giullaresca in particolare, nella forma però leggermente variata di un settenario doppio (il primo sdrucciolo, il secondo piano):

«*Rosa fresca aulentis[s]ima ch'apari inver' l'estate,*
le donne ti disiano, pulzell'e maritate:
tràgemi d'este focora; se t'este a bolontate;»
(Cielo d'Alcamo)

Alla fine del XVII secolo, l'alessandrino fu ripreso da Pier Iacopo Martelli nelle sue tragedie, derivandone un verso formato da una coppia di settenari piani, che viene da allora indicato come verso martelliano, nonostante la non originalità della sua invenzione.

àlfa: è la prima lettera dell'alfabeto greco (α). È di genere femminile o maschile. Per l'alfa *privativa* (o *privativo*) V. *A-*. Il termine *alfa* significa anche principio, nascita. Es.: *Dall'alfa all'omega* (dal principio alla fine).

alfabèto: il complesso delle lettere di una lingua. Il nome deriva dalle prime due lettere greche (*alfa* e *beta*). Per l'italiano, si chiama anche *abbiccí* (dalle prime tre lettere). *Lettere* sono i segni grafici che indicano i suoni di una lingua.
L'alfabeto italiano si compone di ventun lettere, di cui cinque sono *vocali* e sedici *consonanti*. Esse sono disposte in un ordine convenzionale fisso, che viene seguito in ogni elenco alfabetico ed è il seguente: *a, b* (bi), *c* (ci), *d* (di), *e, f* (effe), *g* (gi), *h* (acca), *i, l* (elle), *m* (emme), *n* (enne), *o, p* (pi), *q* (cu), *r* (erre), *s* (esse), *t* (ti), *u, v* (vi o vu), *z* (zeta). I nomi di tutte le lettere dell'alfabeto italiano sono di genere femminile, in quanto si sottintende dinanzi ad esse il termine *lettera*. Ma possono anche considerarsi maschili, sottintendendo *segno* o *suono*.
Oltre alle ventun lettere, di cui sopra, se ne possono incontrare altre cinque, che però ricorrono solitamente in parole straniere, greche o latine, o almeno tali di origine. Esse sono: *j* (i lungo), *k* (cappa), *w* (vu doppio), *x* (ics), *y* (ipsilon). Nell'ordine alfabetico le prime due sono poste fra *i* ed *l*, le altre fra *v* e *z*. Circa l'uso di esse si vedano le singole voci relative. Ciascuna lettera ha, oltre alla forma minuscola, la *maiuscola* (V.) che serve a mettere in particolare evidenza il vocabolo di cui essa è iniziale. V. anche le voci *Vocali* e *Consonanti* e le voci relative ad ogni lettera dell'alfabeto italiano.

-algía: suffisso d'origine greca usato nel linguaggio medico per la formazione di parole che indicano una sofferenza, una dolenzia. Es.: *nevralgia, mialgia, sciatalgia.*

algo-: prefisso d'origine greca usato nel linguaggio medico per la formazione di parole relative a dolore, sofferenza, dolenzia. Es.: *algologia* (=terapia del dolore, studio delle cause del dolore). Da non confondersi con *algo-* prefisso che si riferisce alle alghe: *l'algocoltura è la coltura industriale delle alghe.*

àlias: avverbio latino (pr.: àlias) che significa propriamente: in altro tempo, in altro modo. Nell'uso comune è stato accolto con il senso estensivo di: altrimenti detto, con altro nome. Es.: Pietro Trapassi, *alias* Metastasio; Carlo Alberto Salustri, *alias* Trilussa.

àlibi: in origine era un avverbio di luogo latino: altrove. In italiano è un sostantivo maschile indeclinabile. Termine giudiziario usato nelle espressioni *provare un alibi, presentare un alibi, avere un alibi*, per significare: mezzo di difesa diretto a dimostrare l'assenza dal luogo del delitto, provando che in quel momento ci si trovava in un luogo diverso. Per estensione, si usa nel senso di: pretesto, scusa. Es.: *Lo fa per crearsi un alibi morale.*

aliscàfo: nome maschile composto da un sostantivo femminile (ala) e un sostantivo maschile (scafo). Plurale: aliscafi. V. anche COMPOSTI (NOMI).

àlla: preposizione articolata composta dalla preposizione semplice *a* e dall'articolo *la*, con raddoppiamento dell'iniziale dell'articolo. Si elide davanti a vocale. Es.: *all'asta, all'ora, all'età, all'unica, all'intesa.*

allàrme: sostantivo maschile derivato dal

ALFABETO

Lettera minuscola	Lettera maiuscola	Nome
a	A	a
b	B	bi
c	C	ci
d	D	di
e	E	e
f	F	effe
g	G	gi
h	H	acca
i	I	i
l	L	elle
m	M	emme
n	N	enne
o	O	o
p	P	pi
q	Q	cu
r	R	erre
s	S	esse
t	T	ti
u	U	u
v	V	vi o vu
z	Z	zeta

CONSONANTI

	occlusive (mute)	**costrittive o continue**		
		spiranti	**nasali**	**liquide**
Labiali	**b, p**	**f, v**	**m**	—
Gutturali (velari)	**c** (dura), **g** (dura), **q**	—	—	—
Dentali	**t, d**	—	—	—
Alveolari (linguali)	—	**s, sc, z**	**n**	**l, r**
Palatali	—	**c** (molle), **g** (molle)	**gn**	**gl**

VOCALI

a, é (stretta), è (larga), i, ó (stretta), ò (larga), u.

ALTRE LETTERE
(DI PROVENIENZA STRANIERA)

minuscola	**maiuscola**	**nome**
j	J	i lunga
k	K	cappa
w	W	vi doppio
x	X	ics
y	Y	ipsilon

NB. Nell'ordine alfabetico la *j* e la *k* vengono dopo la *i*; la *w*, la *x* e la *y* vengono dopo la *v*.

grido militaresco: all'arme! all'armi! Si è oggi affermato il senso estensivo di ansia, apprensione, sensazione diffusa di pericolo, e sono invalse nell'uso le espressioni: *mettersi in allarme* (inquietarsi, preoccuparsi), *gettare in allarme* o *gettare l'allarme* (impressionare, agitare), anche fuori dal linguaggio militare. Da queste espressioni derivano poi il verbo *allarmare*, gli aggettivi *allarmistico, allarmante*, il sostantivo *allarmismo*. Es.: *notizie allarmistiche* (che spaventano, che inquietano, pessimistiche); *condizioni allarmanti* (preoccupanti).

àlle: preposizione articolata composta dalla preposizione semplice *a* e dall'articolo *le* (che raddoppia l'iniziale). In genere non subisce elisione. Es.: *alle stoffe, alle amiche.*

alleggeríre: verbo della terza coniugazione, transitivo. In alcuni tempi si coniuga con la forma incoativa *-isc-* tra il tema e la desinenza. *Pres. indic.*: alleggerisco, alleggerisci, alleggerisce, alleggeriamo, alleggerite, alleggeriscono. *Pres. cong.*: alleggerisca, alleggerisca, alleggerisca, alleggeriamo, alleggeriate, alleggeriscano. *Part. pass.*: alleggeríto.

allegoría: figura retorica di pensiero. Consiste in un discorso compiuto, fatto di simboli o immagini con il quale, attraverso il senso letterale delle parole (il livello denotativo), s'intende esprimere un contenuto diverso e riposto (il livello connotativo), per lo più di carattere astratto e ideale. È perciò detta anche *metafora continuata*, perché si prolunga per tutto il corso dell'azione descritta. Ad esempio, nella *Divina Commedia* Dante racconta un viaggio immaginario nel mondo dell'aldilà, che significa allegoricamente l'itinerario di un'anima verso la salvezza cristiana.

allestíre: verbo della terza coniugazione, transitivo. In alcuni tempi si coniuga con la forma incoativa *-isc-* tra il tema e la desinenza. *Pres. indic.*: allestisco, allestisci, allestisce, allestiamo, allestite, allestiscono. *Pres. cong.*: allestisca, allestisca, allestisca, allestiamo, allestiate, allestiscano. *Part. pass.*: allestíto.

allibíre: verbo della terza coniugazione, intransitivo. Ausiliare: essere. In alcuni tempi si coniuga con la forma incoativa *-isc-* tra il tema e la desinenza. *Pres. indic.*: allibisco, allibisci, allibisce, allibiamo, allibite, allibiscono. *Pres. cong.*: allibisca, allibisca, allibisca, allibiamo, allibiate, allibiscano. *Part. pass.*: allibíto.

allignàre: verbo della prima coniugazione, intransitivo. Significa: metter radici, crescere, prosperare (anche in senso figurato). Si coniuga con l'ausiliare avere (meno comune essere). Es.: *In questa terra hanno allignato molte specie di piante; La libertà è allignata anche nel nostro paese.*

allitterazióne: figura di parola, usata specialmente in poesia per ottenere effetti particolari. Consiste nel ripetere, nella frase o nella strofe, le stesse lettere nella medesima posizione (per lo più iniziale) in parole diverse. Talvolta lo scopo del poeta è quello di ottenere l'armonia imitativa, cioè imitare il complesso di suoni indicato dalle parole. Es.: *Volaron sul ponte che cupo sonò* (Manzoni); *Esta selva selvaggia e aspra e forte* (Dante); *Tin tin sonando con sí dolce nota* (Dante); *Ronza oziando a zonzo* (Pitteri). Nell'uso corrente, e quando non è cercato per un determinato effetto, l'incontro tra gruppi simili di lettere è invece considerato un difetto da evitare, una cacofonia. Es.: *fra fratelli* (dirai: tra); *tre treni* (tre convogli); *per perfidia* (per cattiveria). Per evitare l'allitterazione si cambia una delle due parole; oppure si ricorre alle lettere eufoniche. Es.: *ad attendere* (invece che: a attendere).

allo-: prefisso d'origine greca che concorre alla formazione di parole che indicano diversità, differenza. Es.: *alloglotta* (di altra lingua), *allotropo, allotrapianto, allomorfo.*

àllo: preposizione articolata composta dalla preposizione semplice *a* e dall'articolo *lo* (cui corrisponde per l'uso ortografico), con raddoppiamento dell'iniziale dell'articolo.

allocutívi: sono cosí chiamati i pronomi personali reverenziali o di cortesia, come il *lei* o *ella* e il *voi* riferiti a 2ª persona singolare. Anche *loro* è pronome reverenziale per il plurale. Il *noi* allocutivo è usato quando si vuol ottenere un effetto di coinvolgimento, per sdrammatizzare o esortare. Es.: *Non disperarti, beviamoci su; La vogliamo smettere? Come la mettiamo?*

allòfono: variante combinatoria di un fonema, determinata cioè dal contesto fonetico. Per esempio, in *tengo* e *tendo* il fonema /*n*/ si realizza in modo distinto nel primo caso come *n* velare, nel secondo come *n* dentale.

allògrafo: variante combinatoria di un grafema, determinata cioè dal contesto. Per esempio, il fonema /*k*/ in italiano ha come realizzazioni tre diversi grafemi a seconda del contesto, che si dicono perciò allografi: *c* (+*a, o, u*); *ch* (+*e, i*); *q* (+*ua, ue, ui, uò*). Anche la distinzione funzionale maiuscola/minuscola dà luogo a due distinti allografi; per es.: *R* (*Riccardo*) e *r* (*rosso*).

allontanaménto o **separazióne (complemento di)**: il complemento che indica la persona o la cosa dalla quale ci si allontana o ci si separa (anche moralmente). Dipende da verbi, avverbi o aggettivi indicanti separazione, allontanamento, divisione e simili; è retto dalla preposizione *da*. Es.: Mi allontanai *dai presenti*; Tu ti separasti *da noi*; Mi liberai *dagli importuni*; Le mie opinioni erano discordanti *dalle tue*; Aristide fu bandito *dalla patria*; Meglio stare lungi *da loro*. Si badi a non confonderlo con altri complementi anch'essi retti dalla preposizione *da* (V.).

allóra: avverbio di tempo. Indica generalmente il passato. Es.: *Allora* (in quel tempo) *eravamo amici*. Nell'uso ha assunto vari significati. È venuto ad indicare anche il futuro (*Quando tornerò, allora ci vedremo*). Ha poi acquistato valore di congiunzione conclusiva, ora indicando eventualità (*Se tu parli, allora io mi vendico*) ora conseguenza (*Tu negavi, e allora ti portai le prove*). Nelle interrogazioni e nelle frasi esclamative ed esortative si colora di sfumature comprensibili dal contesto, esprimendo sollecitazione, apprensione e simili (*Allora, è tutto perduto? Allora racconta! Allora? Che decisione prendiamo?*). Si rafforza ripetuto (*L'avevo ammonito allora allora*).

allorché: congiunzione che introduce una proposizione temporale. Regge il modo indicativo. Es.: *Allorché arrivò la madre, i figli le andarono incontro*; *Aspettavo il treno, allorché scorsi la sua figura*. Vale: quando, nel momento in cui.

allorquàndo: congiunzione che introduce una proposizione temporale. Regge il modo indicativo. Es.: *Allorquando mi accorsi del suo arrivo, gli andai incontro.* È di uso antiquato. Meglio usare i sinonimi: quando, quand'ecco, allorché.

allòtropi: parole che differiscono tra loro solo in minima parte nella forma, per una vocale o per una consonante. Hanno però lo stesso significato. Es.: *anatra* e *anitra, cuna* e *culla, danaro* e *denaro, gioventù* e *giovinezza, succo* e *sugo* ecc. Sono detti anche *doppioni*. Più specificamente, si dicono *allotropi etimologici* quelle coppie di parole che, pur avendo la stessa origine, hanno assunto diversa forma, e in genere diverso significato, secondo che la derivazione avvenga per via ininterrotta (voce popolare) o per via indiretta e colta (voce dotta). Es.: *cosa* (popolare) e *causa* (dotta), *pieve* e *plebe*, *vezzo* e *vizio* ecc.

allúdere: verbo irregolare della seconda coniugazione, intransitivo. Ausiliare: avere. *Pass. rem.*: allusi, alludesti, alluse, alludemmo, alludeste, allusero. *Part. pass.*: allúso. Si costruisce con la preposizione *a*. Es.: *Alludeva a me; Con quelle parole alluse al nostro patto.*

allunàre: verbo della prima coniugazione, intransitivo (ausiliare: essere o avere). Neologismo che significa: posarsi sulla superficie lunare, sbarcare sulla Luna.

allungaménto: l'aumento della durata del suono di una vocale di una parola, che non ne modifica la morfologia, ma solo la pronuncia. Di solito ha una funzione enfatica. Es. *Noooo! Baaasta! Sceeemo!*

allusiòne: figura retorica di tipo logico che consiste nel dire una cosa per farne intendere un'altra. Si tratta dunque di una figura che ha una componente enigmatica, spesso giocosa; questa si serve, in genere, di riferimenti a personaggi o eventi tratti dalla storia o dalla letteratura ovvero dal senso e dall'esperienza comune. Es.: *Trasforma in oro tutto ciò* *che tocca; La tua è stata una vittoria di Pirro; Quell'uomo è un Don Abbondio; Quell'uomo ha sette vite.*

almànco: voce antiquata o regionale per *almeno* (V.).

alméno: avverbio quantitativo, che limita un'espressione alle minime proporzioni. Es.: *Dammi almeno cento lire; Avrei voluto almeno salutarlo.* Si rafforza se ripetuto. Es.: *Passeranno almeno almeno sei mesi.* Seguito dal congiuntivo, acquista valore ottativo. Es.: *Almeno smettesse di piovere!* Usato per la correlazione in un periodo ipotetico, con valore concessivo. Es.: *Se non fece del bene, almeno non fece del male.*

alo-: prefisso usato per la formazione di parole scientifiche o tecniche. D'origine greca, vale, secondo i casi, sole o mare. Es.: *alògeno* (che dà sole), *alofauna* (fauna delle acque marine), *alobio* (essere vivente nel mare).

àloe: nome di una pianta della famiglia Liliacee e dei relativi fiori. È di genere maschile (meno comunemente femminile), con plurale invariabile. Poetica e ormai antiquata la pronuncia *aloè.*

alopecía: sostantivo femminile. Meno corretta la pronuncia *alopècia.*

alquànto: come aggettivo quantitativo indica una non grande quantità indeterminata. Es.: *Bevve alquanto vino.* Antico e letterario con valore di pronome neutro, seguito da *di* partitivo. Es.: «*Alquanto di buon vino*» (Boccaccio). Al plurale, si usa come aggettivo o pronome (*Alquante mosche; Ho parlato con alquanti di loro*). Infine, come avverbio, è sinonimo di: un poco. Es.: *Lo spettacolo è alquanto noioso.*

alt: parola di origine tedesca, ma ormai di uso internazionale. Significa fermata. Es.: *Faremo alt al prossimo incrocio.* Più frequentemente viene usato come comando di fermata, anche nelle segnalazioni stradali. Ormai disusato l'adattamento italiano *àlto,* che compare nel composto *altolà* (frequente nell'uso militare).

alterazióne dei nomi e degli aggettivi: i nomi e gli aggettivi si dicono *alterati* quando subiscono una modificazione con l'aggiunta di speciali suffissi, i quali alterano (non sostanzialmente) il significato della parola, riflettendovi il giudizio di chi parla. Tali suffissi aggiungono al termine l'idea di grandezza (*accrescitivi*) o di piccolezza (*diminutivi*); esprimono la simpatia (*vezzeggiativi*) o il disprezzo (*peggiorativi* o *spregiativi*). Le possibili alterazioni sono dunque quattro: *accrescitivo, diminutivo, vezzeggiativo* e *peggiorativo.* Per ogni tipo di alterazione vi sono suffissi particolari.

I suffissi caratteristici dell'accrescitivo sono: *-one, -oni* (maschile), *-ona, -one* (femminile). Es.: da piatto, *piattone;* da casa, *casona.* V. anche *Accrescitivo.*

I suffissi del diminutivo sono: *-ino, -ello, -etto* (maschile) e *-ina, -ella, -etta* (femminile). Es.: da gatto, *gattino;* da vino, *vinello;* da giovane, *giovanetto;* da casa, *casina;* da villa, *villetta.* V. anche *Diminutivo.*

I suffissi del vezzeggiativo sono: *-uccio, -uzzo* (maschile) e *-uccia, -uzza* (femminile). Es.: da cavallo, *cavalluccio;* da labbro, *labbruzzo;* da casa, *casuccia;* da bocca, *boccuzza.* V. anche *Vezzeggiativo.*

I suffissi del peggiorativo o spregiativo sono: *-accio, -astro, -onzolo, -ucolo.* Es.: da ragazzo, *ragazzaccio;* da giovane, *giovinastro;* da medico, *mediconzolo;* da ragioniere, *ragionierucolo;* da donna, *donnaccia.* V. anche *Peggiorativo.*

Sono poi da ricordare le contaminazioni tra le varie forme di alterazione. Talora si aggiunge infatti alla determinazione dell'accrescitivo quella del peggiorativo (esempio: *portonaccio,* accrescitivo di porta e peggiorativo di portone; *omaccione,* accrescitivo e peggiorativo di uomo) o quelle del diminutivo e del vezzeggiativo (*librettuccio,* diminutivo e vezzeggiativo di libro).

Gli alterati accrescitivi e diminutivi possono subire cambiamento di genere (Es.: *portone,* maschile, da porta, femminile; *testino* da testa). In qualche caso l'alterato può anche assumere un significato nettamente distinto dal termine primitivo. Es.: *cannone* da canna, *cartella* da carta ecc.

Bisogna poi fare attenzione alle *false alterazioni,* cioè a quei nomi che, pur avendo una terminazione con suffissi di nomi alterati, non sono alterati o almeno hanno perduto l'originario significato di alterazione. Es.: *burrone* non è accrescitivo di burro; *agone* non è accrescitivo di ago; *nasello* non è diminutivo di naso; *postino* non è il diminutivo di posta; *merluzzo* non è il vezzeggiativo di merlo ecc. Per quanto riguarda gli aggettivi, non tutti possono subire alterazioni. Talora il suffisso conferisce significato scherzoso (*belloccia* da bella, *grassotto* da grasso). L'aggettivo alterato con suffisso accrescitivo o peggiorativo acquista spesso valore di sostantivo (un *credulone*, da credulo; una *golosaccia*, da goloso). Meno frequente l'alterazione degli avverbi e dei verbi (*benone* da bene, *sputacchiare* da sputare ecc.).

altèrco: sostantivo maschile. Al plurale: alterchi.

alter ego: locuzione latina (pr.: àlter ego) che significa propriamente: un altro io. Si usa come sostantivo maschile invariabile, per indicare una persona che fa le veci di un'altra.

alternànza: variazione che subisce un fonema vocalico o consonantico nell'ambito di un dato sistema morfologico. Es: faccio, feci (*alternanza vocalica*); perdo, persi (*alternanza consonantica*).

alternàta (rima): V. Rima.

altipiàno: V. Altopiano.

àlto: aggettivo qualificativo, che significa: elevato (*un muro alto*), profondo (*un pensiero così alto*), elevato in grado (*un alto funzionario*), caro di prezzo (*un prezzo alto*). Al comparativo: *più alto* o *superiore*. Al superlativo: *altissimo* o *sommo* o anche *supremo*.

altocúmulo: nome composto da un aggettivo (alto) e da un sostantivo maschile singolare (cumulo). Plurale: alticumuli o altocumuli. L'analogo composto *altostràto* fa a sua volta al plurale altistrati o altostrati. V. anche Composti (Nomi).

altofórno: nome composto da un aggettivo (alto) e da un sostantivo maschile singolare (forno). Plurale: altiforni. Per la regola relativa V. Composti (Nomi).

altolocàto: aggettivo composto da due aggettivi (alto e locato), di cui il primo ha valore di avverbio (= in alto) e il secondo è propriamente part. pass. di locare (= collocare).

altopiàno: nome composto di un aggettivo (alto) e un sostantivo maschile (piano). Più letteraria, ma parimenti lecita, la variante *altipiàno*. Plurale: altopiani o altipiani. V. anche Composti (Nomi).

altorilièvo: nome composto da un aggettivo (alto) e un sostantivo maschile (rilievo). Plurale: altorilievi. V. anche Composti (Nomi).

altostràto: V. Altocumulo.

altresí: avverbio. Sinonimo di inoltre, ancora, anche. Es.: *Quell'uomo è altresí bugiardo.*

altrettànto: aggettivo quantitativo, usato correlativamente. Es.: *Dieci uomini e altrettante donne.* Anche avverbio; indica eguaglianza quantitativa. Es.: *La sua risposta è altrettanto imprecisa della sua.*

àltri: pronome indeterminativo di terza persona singolare. È indeclinabile, e perciò non va confuso con il declinabile *altro* (V.) Es.: *Altri dirà che abbiamo fatto male* (significa: un'altra persona; non mai un'altra cosa). È pure adoperato in correlazione di taluno, alcuno. Es.: *Taluno sostiene questa tesi, altri un'altra. Non altri che* significa: nessun altro. Es.: *Non può essere altri che lui.*

àltro: aggettivo indefinito, variabile. Indica diversità indeterminata (*Giocheremo a un altro gioco*) o ripetizione e aggiunta (*Facciamo un altro tentativo*). Nelle espressioni temporali indica sia il prossimo futuro (*Verremo l'altra settimana*) sia il passato prossimo (*l'altro giorno, l'altro anno*). Può anche avere funzione di pronome personale o neutro, con il senso di: altra persona o cosa. Es.: *Stavo pensando ad altro*; *Un altro al tuo posto non lo farebbe. Altro è parlare, altro è fare.* Usato assolutamente, ha valore di esclamazione risolutamente affermativa: *Sei d'accordo? Altro!* (in questo senso più frequente la forma rafforzata *altro che* o *altroché*). Può avere infine valore rafforzativo di altri pronomi: *noi altri* o *noialtri*. V. Noi.

altrónde: avverbio di luogo, di uso letterario e antiquato. Indica moto da luogo e significa: da un altro posto. Più comune la locuzione avverbiale *d'altrónde*, che vale: peraltro, del resto, d'altra parte. Es.: *D'altronde hai ragione.*

altróve: avverbio di luogo. Indica moto a luogo (*Mi recherò altrove*) e stato in luogo (*Eravamo altrove*). Il suo significato è: in altro luogo.

altrúi: aggettivo possessivo indeclinabile indicante un possessore indefinito, a differenza degli altri aggettivi possessivi che sono in rapporto ai pronomi personali e determinano perciò la persona del possessore. Significa: di altri, degli altri. Es.: *Andare in casa altrui*; *Seguire l'opinione altrui.* Come pronome personale indefinito (sempre invariabile) è di uso antiquato e significa: un'altra persona. Può essere preceduto da preposizione; es.: «*Havvi / chi d'altrui danni si conforta*» (Leopardi); usato assolutamente, è raro come soggetto ed ha valore di complemento oggetto e specialmente di termine; es.: «*fai di te pietà venire altrui*» (Dante).
Come sostantivo maschile indica la roba d'altri. Es.: *Consuma il tuo e lascia stare l'altrui.*

alveolàre: in fonetica, detto di suono pronunciato con la punta o la corona della lingua rivolta, come luogo di articolazione, verso gli alveoli degli incisivi superiori. In italiano, per es., sono tali le consonanti *l, r, s, z.*
Come modo di articolazione, la *z*, sia quella sorda: /ts/ (es.: *zappa, zio*), sia quella sonora: /dz/ (es.: *zona, zero*), è un'affricata; la *s*, sia quella sorda: /s/ (es.: *salute, sopra*), sia quella sonora: /z/ (es.: *sbandato, snidare*), è una costrittiva spirante; la *l*: /l/ (es.: *leone, lato*), una costrittiva laterale; la *r*: /r/ (es.: *rete, rucola*), una costrittiva vibrante.

amàca: sostantivo femminile che significa giaciglio sospeso di rete o di fibre. Scorretta la pronuncia *àmaca.*

amàre: verbo della prima coniugazione, transitivo. Quando esprime desiderio, preghiera, si costruisce con il congiuntivo. Es.: *Amerei che si facesse in questo modo.*

amatóre: francesismo, sinonimo di dilettante, appassionato, intenditore, collezionista.

ambàge: sostantivo femminile, che significa tortuosità; in senso figurato: giro vizioso o equivoco. Plurale: le ambagi. Errato l'uso al maschile.

ambàscia: sostantivo femminile. Plurale: ambàsce.

ambedúe: aggettivo numerale indeclinabile. Significa: tutt'e due. È seguito dall'articolo, che precede il nome cui si riferisce. Es.: *Ambedue i consoli*; *Ambedue le zie.* Usato anche come pronome maschile o femminile. Es.: *Ambedue stavano zitti.*

ambigènere: aggettivo che designa i nomi di *genere comune* (V.).

ambíre: verbo della terza coniugazione. In alcuni tempi si coniuga con la forma incoativa *-isc-* tra il tema e la desinenza. *Pres. indic.*: ambisco, ambisci, ambisce, ambiàmo, ambite, ambiscono. *Pres. cong.*: ambisca, ambisca, ambisca, ambiàmo, ambiàte, ambiscano. *Part. pass.*: ambíto. È transitivo, ma si usa anche intransitivamente (ausiliare: avere). Es.: *Tu hai sempre ambito quella carica*; *Egli ambiva cogliere una vittoria nella gara*; *Avevo ambíto alla sua mano.*

àmbito, ambíto: parole che mutano significato con il variare della posizione dell'accento: *àmbito* significa infatti: spazio delimitato, cerchia; *ambíto* è invece participio passato di ambíre e significa: bramato, desiderato. Es.: *Non trovammo un dottore nell'àmbito di tre chilometri*; *Questo è proprio un premio ambíto.*

àmbo: aggettivo o pronome numerale. Le forme *ambi* e *ambe* per il plurale sono poco usate, specie al maschile. Vuole l'articolo davanti al nome a cui si riferisce. Es.: *Ambo le mani* (o ambe le mani). Sinonimo di *ambedue* (V.). Come sostantivo maschile, indica invece la combinazione di due numeri sulla stessa ruota (nel gioco del lotto) o sulla stessa fila (nella tombola).

-ame: suffisso che forma molti nomi collettivi; talora ha però senso dispregiativo. Es.: *bestiame, ossame, pollame, culturame.*

amíco: è uno dei nomi piani terminanti in *-co* che al plurale finiscono in *-ci*. Plurale: amici. Al femminile invece: amica, amiche. Si costruisce con le preposizioni *a* o *di* (più usata). Usato anche come aggettivo. Es.: *I veri amici si vedono nel bisogno*; *Una nazione amica*; *Un amico del popolo*; *Sai che ti sono amico*.

amína: V. AMMINA.

ammanníre: verbo della terza coniugazione, transitivo. In alcuni tempi si coniuga con la forma incoativa *-isc-* tra il tema e la desinenza. *Pres. indic.*: ammannisco, ammannisci, ammannisce, ammanniamo, ammannite, ammanniscono. *Pres. cong.*: ammannisca, ammannisca, ammannisca, ammanniàmo, ammanniate, ammanniscano. *Part. pass.*: ammanníto.

ammansàre e **ammansíre:** verbi sovrabbondanti che non mutano significato secondo che seguano la prima o la terza coniugazione. Sono transitivi e significano entrambi calmare. *Pres. indic.* di ammansare: ammànso; di ammansire: ammansísco (nel presente indicativo e nel presente congiuntivo, ha la forma incoativa *-isc-*).

ammazzasètte: nome composto da una forma verbale (ammazza) e un numerale (sette). Plurale invariabile. V. anche COMPOSTI (NOMI).

ammèttere: verbo irregolare della seconda coniugazione, composto di *mèttere*. Transitivo. *Pass. rem.*: ammisi, ammettesti, ammise, ammettemmo, ammetteste, ammisero. *Part. pass.*: amméssо. Se regge un'oggettiva, è possibile sia il costrutto esplicito (*Ammetto che questo è vero*) sia implicito, con la preposizione *di* (*Ammise di non aver detto la verità*). La locuzione congiuntiva *ammesso che* regge il congiuntivo e ha talora valore concessivo. Es.: *Ammesso che tu abbia detto la verità, è meglio sentire anche gli altri.*

ammezzàre: verbo della prima coniugazione, transitivo. Deriva da mèzzo e si pronuncia con la z sonora o dolce (*pres. indic.*: ammèzzo). Significa: dividere o eseguire a metà. Il *part. pass.* si usa come aggettivo e sostantivo maschile (specie nella lingua regionale settentrionale) per indicare il piano ridotto di un edificio posto tra il pianterreno e il primo piano o in genere tra due piani maggiori (e detto anche, in più schietto toscano, *mezzanino*). Diverso è il verbo *ammezzire*, della terza coniugazione, di uso specialmente toscano, che deriva da mézzo (=fradicio), si pronuncia con la z sorda (o aspra) e si coniuga con la forma incoativa *-isc-* (*pres. indic.*: ammezzísco); è intransitivo (ausiliare: essere) e significa: diventare fradicio, marcire.

ammína: sostantivo femminile che indica un composto chimico derivato dall'ammoniaca. Meno propria, anche se diffusa, la variante *amína*. Lo stesso dicasi per il prefisso chimico *ammino-* rispetto alla variante *amino-*.

ammòdo: avverbio di modo. Usato anche come aggettivo, invariabile al femminile e al plurale, nel senso di educato, compíto, dabbene. Es.: *Un giovane ammòdo, una signorina ammòdo, persone ammòdo.*

ammollàre e **ammollíre:** verbi sovrabbondanti che hanno significato distinto. *Ammollare*, della prima coniugazione, transitivo, significa: render molle (specie bagnando con acqua). Es.: *La mamma ammòlla il bucato*. Anche allentare, appioppare, lasciar partire (ma è uso familiare o regionale). Es.: *Gli ammollò due ceffoni*. *Ammollíre*, della terza coniugazione (coniugato con la forma incoativa *-isc-* tra il tema e la desinenza nel presente indicativo e nel presente congiuntivo), transitivo, significa: ammorbidire, ed è usato soprattutto nella forma riflessiva e in senso figurato: diventar molle, intenerirsi, svigorirsi. Es.: *Il suo animo si è ammollito nel vizio*. Più usata è però la forma intensiva *rammollire*.

ammoníre: verbo della terza coniugazione, transitivo. In alcuni tempi si coniuga con la forma incoativa *-isc-* tra il tema e la desinenza. *Pres. indic.*: ammonisco, ammonisci, ammonisce, ammoniamo, ammonite, ammoniscono. *Pres. cong.*: ammonisca, ammonisca, ammonisca, ammoniamo, ammoniate, ammoniscano. *Part. pass.*: ammoníto.

ammutinàre: verbo transitivo e riflessivo della prima coniugazione. L'esatta accentazione del *pres. indic.* è: ammutíno, ammutíni... ammutínano; meno propria, benché frequente, la pronuncia: ammútino ecc.

àmpio: aggettivo qualificativo. Plurale: ampi. Non più usata la forma *amplo* che, al plurale, fa *ampli*. Da essa però deriva il superlativo irregolare: *amplissimo* (più comune della forma regolare *ampissimo*).

amplificazióne: procedimento espressivo consistente nello sviluppo di un'idea, o di un sentimento o di un'immagine, mediante la sua riproposizione ad un grado di estensione o di approfondimento maggiore, secondo una gradazione non lineare come avviene nel caso del climax. Es.: *Abbiamo raggiunto il rifugio a piedi, lungo la via che dal paese sale attraverso il bosco, camminando di buona lena tra i faggi secolari, un passo dopo l'altro sul ritmo scandito da quegli alberi secolari messi in fila dal tempo, come ad una parata, lungo il sentiero.*

anàclasi: nella metrica classica, la variazione del ritmo di un verso, perciò detto anaclomeno, ottenuta attraverso lo scambio tra sillabe lunghe e brevi all'interno dello stesso piede o al confine di due piedi successivi, come nel caso del verso anacreonteo. Fenomeno pressoché esclusivo dei metri ionici, in particolare del dimetro ionico a minore o galliambo.

anacolùto: figura dell'espressione, che modifica la struttura della frase. In quanto solecismo è tipica del linguaggio parlato e di quello scritto delle persone poco avvezze a scrivere. Es.: *Il vincitore fu festeggiato con una bottiglia di spumante che durante l'apertura il tappo colpì l'occhio del campione; Nella mia famiglia si dicono certe frasi che chi le sentirebbe per la prima volta, sarebbero senza significato; Invece io, che per la seconda volta feci una scalata, andò tutto bene.*

In quanto licenza, l'anacoluto è utilizzato dagli autori quando si vogliano raggiungere particolari effetti, in particolare ricalcare la forma orale o lo stile popolareggiante. Si tratta di una vera e propria infrazione alle norme della sintassi, in quanto consiste nel cominciare un periodo con un costrutto che resta in sospeso e proseguirlo con un altro con un nuovo soggetto: ciascuno dei due costrutti è in sé corretto seppure parziale, ma la loro unione dà luogo ad una proposizione sintatticamente scorretta. Numerosi esempi si trovano ne *I Promessi sposi* di A. Manzoni: *Quelli che muoiono, bisogna pregare Iddio per loro, Non sapete che i soldati è il loro mestiere di prender fortezze, Lei sa che noi altre monache, ci piace di sentir le storie per minuto.* Anche in una sola proposizione si può verificare un anacoluto. Es.: *Renzo sentendo questo, gli venne un brivido.* In poesia, l'anacoluto è raro, ma resta celebre quello di F. Petrarca, contenuto nelle due quartine del primo sonetto del *Canzoniere*, in cui il soggetto oscilla dal *voi* all'*io*: *Voi ch'ascoltate in rime sparse il suono [...] spero trovar pietà, non che perdono.*

L'anacoluto caratterizza anche la sintassi di molti proverbi: *Chi pecora si fa, il lupo se lo mangia*; *Chi s'aiuta, Dio l'aiuta.*

anacreòntica (ode): ode classicheggiante, improntata ai modelli del poeta greco Anacreonte, da cui prese il nome. Fu ideata nel sec. XVII da Gabriello Chiabrera, che volle rinnovare la struttura della *canzonetta* (V.), rendendola più scorrevole e musicale. Si possono distinguere due tipi di anacreontiche. Una, detta anche *canzonetta melica*, cantabile, adatta per i contenuti leggeri e talora svenevoli del '600; l'altra, detta anche *aria* o *arietta*, che fu introdotta nel melodramma settecentesco. La prima (anacreontica propriamente detta) ebbe strofe costituite di sei versi (ottonari e quaternari, oppure settenari e quinari). L'arietta fu invece composta di due o più strofette di quattro o sei versi ciascuna, settenari e quinari. Esempio di anacreontica:

«*La violetta*
che in sull'erbetta
s'apre al mattin novella,
di', non è cosa
tutta odorosa,
tutta leggiadra e bella?
Sí certamente,
ché dolcemente
ella ne spira odori;
e n'empie il petto
di bel diletto
col bel de' suoi colori...»

(Chiabrera)

Esempio di arietta:

«*Tu di saper procura*
dove il mio ben s'aggira;
se più di me si cura,

se parla più di me.
Chiedi se mai sospira,
quando il mio nome ascolta;
se il profferí talvolta
nel ragionar fra sé»
(Metastasio)

anacrùsi: in metrica, l'anacrusi, meglio definita come anacrusi mobile per distinguerla dai casi di anacrusi regolare, è l'aggiunta irregolare di una o due sillabe atone all'inizio del verso o del suo secondo emistichio. Per esempio, la strofe seguente è formata da versi dattilici che portano l'anacrusi iniziale (i primi due formano un esametro, gli altri sono tetrametri, con catalessi monosillabica il terzo e bisillabica il quarto):

O *fálce di lúna calánte*
che *brílli sull'ácque desérte*
o *fálce d'argénto, qual mésse di sógni*
ondéggia al tuo míte chiaróre qua giú
(D'Annunzio)

Opposto di acefalia.

anadiplòsi: figura retorica che consiste nella ripetizione - all'inizio di un nuovo verso o di una nuova proposizione - di una o più parole, talora di un'immagine, che concludono il verso o la proposizione precedente, allo scopo di darne maggior rilievo ritmico o semantico: *Ho passato l'estate* in città, città *che non amo neppure d'inverno*; «*E vidile guardar per meraviglia* pur me / pur me *e il lume che era rotto*» (Dante Alighieri); «*Tra un lungo dei fanciulli urlo* s'innalza / S'innalza; *e ruba il filo della mano*» (Giovanni Pascoli). Nel linguaggio del giornalismo televisivo l'anadiplosi è ricorrente oltre la misura che ne fa perdere la valenza espressiva e che la rende invece una fastidiosa ripetizione sebbene parafrasata: «*Sulla via Cassia il traffico è rimasto bloccato per un incidente stradale, un incidente stradale che sembra simulato...*», «*...sottolineandone i concetti ispiratori, concetti che derivano...*», «*Queste sono le stazioni RAI, stazioni del Terzo programma...*», «*Il PSI ha riunito la direzione, direzione che si occuperà...*».

anàfora: figura retorica che consiste nel ripetere più volte, in un periodo o in una strofa, lo stesso vocabolo o membro iniziale di una proposizione allo scopo di enfatizzarne il valore semantico o metrico. Es.:

«Egli *v'assisterà*; Egli *vede tutto*; Egli *può servirsi anche d'un uomo da nulla come son io per confondere un...*»
(A. Manzoni)

«S'i' fosse *foco, ardare' lo mondo;*
s'i' fosse *vento, lo tempestarei;*
s'i' fosse *acqua, i' l'annegarei;*
s'i' fosse *Dio, mandareil' en profondo*»
(Cecco Angiolieri)

«Per me si va *nella città dolente,*
Per me si va *nell'eterno dolore,*
Per me si va *tra la perduta gente*»
(Dante Alighieri)

In grammatica, con anafora si intende il procedimento sintattico con cui precedenti elementi del discorso vengono ripresi e sostituiti con altri elementi pronominali. Es.: *Ho chiamato Laura e le ho detto di fischiare al cane per avvertirlo che è pronta per lui la pappa* (*le* è l'elemento anaforico che riprende sotto forma di pronome *Laura* - *lo* e *lui* riprendono *cane*); *Delle tue storie con Luigi, non ne voglio più sapere* (*ne* riprende *storie*); *Ai giardini ho incontrato Laura, Edoardo, Giulia e Alessandro e tutti volevano il gelato (tutti* riprende *Laura, Edoardo, Giulia e Alessandro*).

anafórico: si dice di una persona o di un oggetto che rimanda a un elemento che precede. Sono in particolare anaforici gli aggettivi e pronomi dimostrativi: *citato, anzidetto, suaccennato, suddetto* e simili.

anàglifo, anaglíttica: sostantivi in cui il gruppo consonantico *gl-* mantiene il doppio suono distinto (gutturale + liquida) sebbene seguito dalla vocale *i*. Si leggono cioè come *glucosio* e non come *aglio*.

anagràmma: permutazione delle lettere di una o più parole per formarne altre di diverso significato; es.: *argenti: granite: ingrate, I draghi locopei: I giochi di parole.* Procedimento di origine antichissima, volto a scoprire i segreti celati nelle parole e nei nomi per trarne motivi celebrativi o profetici, l'anagramma ebbe in tutti i secoli dei cultori, tra cui quegli scrittori che usavano anagrammare il loro nome: *Salustri* (*Trilussa*), *Renato Fucini* (*Neri Tanfucio*), *Arrigo Boito* (*Tobia Gorrio*). A seguito delle suggestioni di Saussure sull'esistenza di strutture anagrammatiche nel discorso poetico si è accesa presso gli studiosi moderni la ricerca sui testi di forme anagrammate di elementi linguistici portanti: in Leopardi, *Silvia, ... / ... / ...salivi?*

L'anagramma si dice semplice quando da una singola parola si ottengono una o più singole parole (*strategia: sigaretta, copricapo: approccio*); si dice a frase o a frasi quando da una singola parola si ottiene una o più frasi o locuzioni (*calendario: l'ora di cena*); si dice frase anagrammata quando da una frase o locuzione se ne ottiene un'altra (*mangiare del riso: il magro desinare, il mese mariano: salmi e armonie*).

analèssi: nell'analisi del testo, si intende con l'analessi (o retrospezione) l'interruzione della narrazione ad un certo punto della storia per rievocare un evento accaduto in precedenza. Lo stesso di *flashback.* Contrario di prolèssi.

anàlisi grammaticale: consiste nel classificare le parole considerandole in sé, facendo cioè astrazione dal resto della frase in cui si trovano solitamente incluse. La classificazione si compie determinando a quale parte del discorso la parola appartenga, precisandone la forma con quanti più elementi è possibile.

Se, ad esempio, si fa l'analisi grammaticale della parola *uomo,* si dovrà dire non solo che è un nome, ma anche che è un nome concreto, maschile, singolare; parimenti, della parola *stava* si dovrà dire non solo che è una voce del verbo stare, ma si dovrà altresì precisare il modo (indicativo), il tempo (imperfetto), la persona (terza singolare) e dire che il verbo stare è intransitivo e irregolare.

Esempi:

1. - *Oh, come vorrei vederti insieme con gli altri tuoi compagni mentre sei a scuola!*

Oh = interiezione semplice;

come = avverbio di quantità;

vorrei = voce del verbo volere, seconda coniugazione, verbo servile, transitivo, irregolare, modo condizionale, tempo presente, prima persona singolare;

vedere = voce del verbo vedere, seconda coniugazione, transitivo, irregolare, modo infinito, tempo presente;

ti = particella pronominale di seconda persona singolare;

insieme con = locuzione prepositiva;

gli = articolo determinativo maschile plurale;

altri = aggettivo indefinito maschile plurale;

tuoi = aggettivo determinativo possessivo, seconda persona maschile plurale;

compagni = nome comune, concreto, maschile, plurale;

mentre = congiunzione temporale;

sei = voce del verbo essere, intransitivo, modo indicativo, tempo presente, seconda persona singolare;

a = preposizione semplice;

scuola = nome comune, concreto, femminile, singolare.

2. - *Io avevo accolto Giulio affettuosamente, perché era appena guarito.*

Io = pronome personale, prima persona singolare.

avevo accolto = voce del verbo accogliere, transitivo, irregolare, modo indicativo, tempo trapassato prossimo, prima persona singolare;

Giulio = nome proprio di persona, concreto, maschile, singolare;

affettuosamente = avverbio di modo;

perché = congiunzione causale;

era guarito = voce del verbo guarire, terza coniugazione, intransitivo, regolare (incoativo), modo indicativo, tempo trapassato prossimo, terza persona singolare;

appena = avverbio di tempo.

3. - *Nella casina vivevano due nanetti graziosi.*

Nella = preposizione articolata;

casina = nome comune di cosa, concreto, diminutivo, femminile, singolare;

vivevano = voce del verbo vivere, seconda coniugazione, intransitivo, irregolare, modo indicativo, tempo imperfetto, terza persona plurale;

due = aggettivo numerale cardinale;

nanetti = nome comune di persona, concreto, vezzeggiativo, maschile, plurale;

graziosi = aggettivo qualificativo di grado positivo, maschile, plurale.

anàlisi logica della proposizione: consiste nello scomporre la proposizione nei suoi elementi (*soggetto, predicato, complemento*) individuando la funzione sintattica compiuta da ciascuno di essi. Si tratta dunque di indicare quale parola compie la funzione di soggetto, quale di predicato, quale di complemento (e che complemento). Poiché ogni proposizione è almeno costituita da un verbo, per prima cosa si analizzerà il predicato verbale o nominale; in secondo luogo, tenendo conto che il verbo concorda con il soggetto nella persona e nel numero, si potrà facilmente individuare il soggetto, il quale indica la persona, l'animale o la cosa che compie o subisce l'azione. Se la proposizione è attiva, si indicherà subito il complemento oggetto; se passiva, si indicherà il complemento d'agente. Seguirà poi l'indicazione degli altri complementi. È buona norma, prima di procedere all'analisi logica, disporre (anche solo mentalmente) i vari elementi della proposizione in *costruzione diretta* (V.), cioè prima il soggetto (con apposizioni, attributi e complementi che si riferiscono ad esso), poi il predicato nominale o verbale (con negazioni, pleonasmi, avverbi che lo accompagnano), infine il complemento diretto e gli altri complementi. Se la proposizione è ellittica, cioè se vi sono elementi sottintesi, è bene indicarli almeno tra parentesi. Per l'analisi logica si pongono solitamente in colonna i vari elementi della proposizione scomposta e si indica alla loro destra la funzione da ciascuno compiuta nella proposizione. Si tengano presenti alcune norme di carattere generale: a) gli articoli e le preposizioni sono uniti alle parole a cui si riferiscono e non vengono analizzati separatamente; b) l'ausiliare e il verbo servile si analizzano col verbo a cui sono uniti; c) le negazioni si uniscono al verbo o al nome a cui si riferiscono; d) le locuzioni avverbiali si considerano come una sola parola; e) le particelle pleonastiche non si analizzano. Ecco alcuni esempi illustrativi di analisi logica. 1) *Achille, eroe dei Greci, aveva armi splendide.* Achille = soggetto; eroe = apposizione del soggetto; dei Greci = complemento di specificazione; aveva = predicato verbale; armi = complemento oggetto; splendide = attributo del complemento oggetto. 2) *Non ci sembra adatto all'incarico.* (Egli) = soggetto sottinteso; non sembra = negazione e copula; adatto = complemento predicativo del soggetto; ci = complemento di termine; all'incarico = complemento di fine. 3) *Me ne partii dall'Olanda.* (Io) = soggetto sottinteso; (me ne) partii = predicato verbale; dall'Olanda = complemento di moto da luogo. V. anche PROPOSIZIONE, SOGGETTO, PREDICATO, COMPLEMENTI.

anàlisi logica del periodo: consiste nello scomporre il periodo nelle proposizioni che lo compongono e indicare la specie di ciascuna proposizione. Si dovrà dunque dividere e distinguere le varie proposizioni, individuando soprattutto la *principale*; specificare il tipo della principale (se *affermativa* o *negativa*, o *enunciativa* o *esclamativa* o *imperativa* ecc.), indicare le *coordinate* alla principale; indicare tutte le proposizioni *subordinate*, con il grado di subordinazione e la specie a cui appartengono; definire il tipo di periodo (*semplice* o *composto* o *complesso*; *sciolto* se formato per coordinazione, *legato* se contiene proposizioni subordinate). Nello specificare le varie proposizioni circostanziali occorre soprattutto tener presente il loro significato e la loro funzione nel periodo, per non farsi trarre in inganno dal pronome o dalla congiunzione che le regge (il pronome relativo può introdurre una relativa o una causale o una finale; la congiunzione *perché* può introdurre una finale o una causale). Occorre pure tener presente che in un periodo vi sono tante proposizioni quanti sono i verbi in esso contenuti; perciò si dovrà attentamente individuare tutte le proposizioni del periodo, *implicite* o *esplicite*, trasformando eventualmente le implicite in esplicite. Ecco alcuni esempi illustrativi. 1) *Il conduttore tirò il campanello, chiamò il padre guardiano; questo venne subito e ricevette la lettera sulla soglia.* Periodo composto e sciolto. Il conduttore tirò il campanello = proposizione principale enunciativa affermativa; chiamò il padre guardiano = coordinata alla principale per asindeto; questo venne subito = coordinata alla principale per asindeto; e ricevette la lettera sulla soglia = coordinata alla principale per polisindeto. 2) *Quando l'adunata fu finita, tutti, uditi i vari discorsi, ritornarono alle loro cose, perché erano già calate le tenebre*. Periodo composto e legato. Tutti ritornarono alle loro case = proposizione principale enunciativa; quando l'adunata fu finita = proposizione subordinata di primo grado, temporale, esplicita; uditi i vari discorsi (dopo aver udito i vari discorsi) = proposizione subordinata di primo grado, temporale, implicita; perché erano già calate le tenebre = proposizione subordinata di primo grado, causale, esplicita. 3) *Tutti desideriamo che l'esplorazione abbia esito fortunato per sapere cosa è successo in quel posto, donde son giunti gli spari.* Periodo composto, complesso e legato. Tutti desideriamo = proposizione principale enunciativa; che l'esplorazione abbia esito fortunato = proposizione subordinata di primo grado, oggettiva, esplicita; per sapere (affinché sappiamo) = proposizione subordinata di secondo grado, finale, implicita; cosa è successo in quel posto = proposizione subordinata di terzo grado, interrogativa indiretta, esplicita; donde son giunti gli spari = proposizione subordinata di quarto grado, relativa, esplicita. V. anche PERIODO, SUBORDINATA (PROPOSIZIONE), SECONDARIA (PROPOSIZIONE) e le altre voci relative.

analogía: sostantivo femminile che in linguistica ha due distinte accezioni fondamentali: a) fenomeno per cui un elemento linguistico si evolve in contrasto con la norma consueta, per l'influsso assimilatore di altre forme dotate di particolare potere attrattivo. Per es., il part. pass. *vinto* (invece del *vitto*, che dovrebbe risultare dal latino *victus*, come afflitto da *afflictus* e fatto da *factus*) si spiega per l'analogia con il pres. indic. vinco (lat. *vinco*). Così le forme del cong. *stasse* e *vadi* (frequenti errori dell'uso popolare in luogo dei corretti *stesse* e *vada*) derivano da analogia con le corrispondenti forme dei verbi regolari della prima coniugazione (*cantasse, canti*); b) particolare forma di *metafora* (V.), frequente nella poesia moderna (specialmente ermetica) che, per esprimere un certo concetto (per lo più astratto), ricorre a termini comunemente usati con significato totalmente diverso. Rispetto alla metafora, l'accostamento tra il concetto che si vuole rappresentare e le parole impiegate risulta assolutamente inconsueto e originale e non sempre si fonda su una relazione di affinità. Es.: «*Non ho voglia / di tuffarmi / in un gomitolo / di strade*» (Ungaretti).

ananàs: sostantivo maschile invariabile. Meno propria, anche se forse più diffusa, la pronuncia *ànanas*. Non comune l'adattamento declinabile *ananàsso.*

anapésto: nella metrica classica, piede di quattro tempi, formato da due sillabe brevi e da una lunga, di struttura quindi inversa rispetto al dattilo, con intonazione ascendente, che gli conferisce un ritmo vibrante, quasi una marcia. Il suo metro è costituito da una dipodia. Nella metrica moderna, con *ritmo anapestico* s'intende la successione di due sillabe atone e di una tonica, come nel celebre esempio di A. Manzoni: *Soffermati sull'arida sponda, / volti i guardi al varcato Ticino.*

anaptíssi: inserzione di una vocale fra due consonanti, così da formare una sillaba in più, di solito per facilitazione di pronuncia nell'uso dialettale o trascurato. Es.: *averebbe* per avrebbe, *pisicologo* per psicologo ecc. Si tratta dunque di un'*epentesi* (V.) vocalica.

anàstrofe: figura grammaticale che consiste nell'invertire l'ordine naturale di due o più vocaboli in una proposizione. Es.: «*O belle agli occhi miei tende latine*» (Tasso). L'ordine naturale sarebbe: O tende latine belle ai miei occhi. Altri esempi, tratti dalla lingua comune: *eccezion fatta, vita natural durante.*

ànatra e **ànitra:** forme entrambe legittime e convalidate da esempi autorevoli risalenti alla più antica tradizione. La prima è forse di uso più letterario, in quanto conforme alla variante latina più classica (*anas-ătis*); la seconda è più vicina alla trasmissione popolare della lingua.

ancestràle: aggettivo qualificativo di derivazione anglosassone e francese. Si può sostituire con: avito, primitivo, pristino o atavico, se si vuol rilevare un carattere fisico e spirituale ereditato dagli avi. Però si deve considerare insostituibile in certe locuzioni di carattere scientifico, essendo più comprensivo di altri termini. Es.: *L'ancestrale terrore delle tenebre.*

ànche: particella copulativa (con valore di avverbio e congiunzione) che ha vari significati: a) serve ad aggiungere qualcosa a quel che si è già detto: *Anche tu lo sai*; b) equivale ad inoltre: *Si può anche dire diversamente*; c) indica possibilità: *Potevate anche pensar male*; d) con il gerundio o con l'infinito preceduto da *a* introduce una proposizione concessiva implicita: *Anche a trattarlo con le buone* (=Benché lo si tratti con le buone), *non ci si ricava nulla.* Lo stesso significato si può rendere con *anche se* e il verbo al congiuntivo o all'indicativo. Es.: *Anche se te lo dicessi, non potresti far nulla.*

ancípite: nella metrica antica, sillaba che può essere breve o lunga, soprattutto alla fine di un piede. Indicato con ⏑̄ o ⏓.

ànco: forma antiquata o toscana per *anche.*

ancóra: avverbio di tempo. Si usa per indicare la continuità di un'azione nel presente, nel passato o nel futuro (*Stavo ancora scrivendo*; *Mi conosci ancora*; *Lavoreremo ancora*). Nell'uso ha acquistato anche altri significati: finora, fino adesso (*Non l'ho visto ancora*), una seconda volta, di nuovo (*Provai ancora*), in più, dell'altro (*Vorrei ancora arrosto*); può acquistare anche valore di congiunzione nel senso di inoltre (*Ricorda ancora di comprare il pane*).

Questo avverbio si differenzia dall'omografo sostantivo femminile *àncora* (che indica il noto strumento marinaro) per la diversa posizione dell'accento. All'accento grafico si ricorre per distinguere le due parole solo in caso di possibile ambiguità.

ancoraché: congiunzione letteraria che regge il modo congiuntivo e introduce una proposizione concessiva. Più comune la forma sincopata *ancorché*. Es.: *Ancorché non fosse più nostro socio, lo accogliemmo volentieri.*

andàre: verbo irregolare della prima coniugazione, intransitivo. Ausiliare: essere. *Pres. indic.*: vado (o vo), vai, va, andiamo, andate, vanno. *Fut. semplice*: andrò, andrai, andrà, andremo, andrete, andranno. *Pass. rem.*: andai, andasti, andò, andammo, andaste, andarono. *Pres. cong.*: vada, vada, vada, andiamo, andiate, vadano (non: vadi e vadino!). *Pres. condiz.*: andrei, andresti, andrebbe, andremmo, andreste, andrebbero. *Imper.*: vai (va', va), vada, andiamo, andate, vadano. Significa muoversi da un luogo all'altro, camminare. Es.: *Noi andiamo a Roma*; *Andavano a passo lento.* Altri significati e locuzioni particolari: procedere (*Non vanno più bene i miei affari*), essere (*Va fiero del suo lavoro*), piacere, gradire (*Non mi va che tu sia bugiardo*), dover essere (*Questo ragazzo va punito*), arrivare (*Se la notizia gli va all'orecchio*), consumarsi, sparire (*La gioventù se ne è andata*), morire (*Il nostro amico se ne è andato in pochi giorni*), rovinarsi (*La conserva è andata a male*). *Andare* si usa con il gerundio di altro verbo per indicare azione continuata o insistente. Es.: *Andava dicendo sciocchezze*; *Andava chiedendo a tutti le stesse cose.* La costruzione del verbo andare con *a* e l'infinito di un altro verbo, per dire che si sta per compiere l'azione indicata da esso, è francesismo assai poco raccomandabile. Es.: *Si va ad incominciare* (dirai: Si sta per cominciare); *Vado a dire* (Sto per dire; mi accingo a dire). Si può invece costruire il verbo andare con *a* e l'infinito quando si vuol esprimere una proposizione finale. Es.: *Adiamo a* (per) *passeggiare.*

andicappàto: V. HANDICAPPATO.

-àndo: suffisso derivato dal gerundio latino che forma aggettivi e nomi indicanti necessità passiva. Es.: *venerando* (che si deve venerare), *educanda* (che si deve educare).

-andría, andro-, -andro: suffissi o prefissi derivati dal greco, che entrano nella formazione di parole per indicare maschio, elemento maschile: *androcèo* (parte della casa riservata agli uomini), *andrògeno* (ormone maschile), *andrògino* (ermafrodito), *andropausa* (declino fisico-psichico dell'uomo anziano), *poliandria* (legami di un donna con più uomini).

anèllo: nome sovrabbondante o eteroclito. Ha due desinenze al plurale: anelli (anelli di una catena, gli anelli per le dita) e le anella (nell'uso letterario: anella di una capigliatura).

-àneo: suffisso di vari aggettivi di relazione, quasi tutti di origine latina. Es.: *estraneo, mediterraneo, temporaneo.*

anfi-, amfi-: prefisso che entra nella formazione di parole col significato di: intorno, da tutte e due le parti. Es.: *anfiteatro* (teatro a forma ovale o circolare), *anfibio* (che vive in terra e in acqua).

anfibología: parola o frase ambigua (detta anche anfibolia) che, per la pluralità delle eccezioni della parola o per l'ambiguo o errato ordine sintattico della frase, può intendersi in due modi diversi. Notissimo l'esempio del Petrarca: *Vincitore Alessandro l'ira vinse* (Alessandro vinse l'ira? o l'ira vinse Alessandro?). Altri esempi: *La vecchia porta la sbarra* (vecchia è aggettivo o sostantivo? porta è nome o verbo? la è articolo o pronome? sbarra è verbo o nome?); *Ella vi prega di ospitare sua figlia e di farle compagnia* (a ella o a sua figlia?); *Si accasciò sulla sedia ferita* (la sedia? dirai meglio: Si accasciò ferita sulla sedia), ma *Si accasciò sul cavallo ferito*?
Come si vede da questi esempi l'incertezza è soprattutto dovuta alla sintassi poco felice oltre che alla polisemia di certe parole. Anche se il buon senso, aiutato dal contesto, può far capire il vero significato delle parole o delle frasi, occorre sempre disporre le parole nella proposizione o nel periodo in modo che il pensiero sia espresso in maniera non ambigua.
In pubblicità, l'anfibologia è talora cercata per conferire una doppia valenza semantica al messaggio: *Il Secolo XIX - Il quotidiano che legge la Liguria* (il quotidiano che viene letto dai Liguri / il quotidiano che legge [in senso figurato = interpreta] la realtà ligure).

anfíbraco: nella metrica classica, piede di quattro unità formato da tre sillabe: una breve, una lunga e una breve.

àngere: verbo difettivo della seconda coniugazione, transitivo. Si usa quasi solo nella terza persona singolare dell'indicativo presente: ange, che è di uso poetico. Significa: affliggere, angosciare.

angio-: primo elemento di parole del linguaggio medico; vale: vaso sanguigno. Es.: *angiologo* (specialista nello studio della circolazione sanguigna), *angiopatía* (malattia del sistema vascolare), *angiòma* (tumore originatosi dai tessuti vascolari).

anglísta: aggettivo o aggettivo sostantivato che indica lo studioso di lingua inglese. È uno dei nomi in cui il digramma *gl-* conserva il doppio suono distinto (gutturale + liquida) davanti alla vocale *i*. Allo stesso modo si pronunziano le parole *anglicano, ànglico* e derivati.

animàli (nomi degli): i nomi di animali formano il femminile in modo vario. Alcuni mutano la desinenza *-o* del maschile in quella in *-a* del femminile. I principali sono: *asino* (asina); *cammello* (cammella); *cavallo* (cavalla); *cervo* (cerva); *colombo* (colomba); *coniglio* (coniglia); *daino* (daina); *fagiano* (fagiana); *gatto* (gatta); *lupo* (lupa); *merlo* (merla); *passero* (passera); *tacchino* (tacchina). Alcuni altri, terminanti in *-e*, mutano tale desinenza in *-essa*. Es.: *leone*, leonessa; *elefante*, elefantessa. Altri ancora hanno, per il femminile, una forma completamente diversa. Es.: *bue* (mucca), *montone* (pecora), *maiale* (scrofa). La maggior parte dei nomi di animali è però di genere promiscuo, valido cioè per indicare sia il maschio che la femmina. Nomi come *aquila, foca, serpe, rondine, pantera, istrice, tigre, gru, mosca, balena, ape, zanzara, libellula, marmotta, cicala, lepre, scimmia, rana, iena, volpe, vipera*, ecc. sono grammaticalmente di genere femminile, ma si usano anche per l'animale maschio. Si potrà tuttavia precisare: *il maschio della lepre, la rondine maschio, l'ape maschio* ecc. Altri nomi sono invece di genere maschile, dal punto di vista grammaticale: *corvo, falco, cigno, leopardo, canguro, scorpione, pinguino, scoiattolo, ragno, rospo, orso, topo, coccodrillo, pescecane.* Anche in questo caso, per indicare l'animale femmina, si dirà: *la femmina del leopardo* o *il leopardo femmina.*
VOCI DEGLI ANIMALI. Elenchiamo i principali verbi che indicano voci di animali.

Sono tutti intransitivi e si coniugano con l'ausiliare avere. Quelli della terza coniugazione si coniugano con la forma incoativa *-isc-* tra il tema e la desinenza del presente indicativo e del presente congiuntivo. Tra parentesi il nome dell'animale a cui si riferisce ciascun verbo: *abbaiàre* (cane), *barríre* (elefante), *belàre* (pecora), *bramíre* (cervo), *chiocciare* (chioccia), *chioccolàre* (merlo), *chiurlàre* (chiurlo), *cinguettàre* (passero e uccelli in genere), *friníre* (cicala), *garríre* (rondine), *gnaulàre* (gatto), *gorgheggiàre* (uccelli, in genere), *gracchiàre* (corvo), *gracidàre* (rana), *grillàre* (grillo), *grugníre* (maiale), *guaíre* (cane), *latràre* (cane), *miagolàre* (gatto), *mugghiàre* (bue), *muggíre* (bue), *nitríre* (cavallo), *rignàre* (cavallo), *ringhiàre* (cane), *ronzàre* (mosca, zanzara, ape), *ruggíre* (leone), *rugliàre* (cane, cinghiale, orso), *sfringuellàre* (fringuello), *sibilàre* (serpente), *squittire* (topo e vari uccelli), *tubàre* (colombo, tortora), *uggiolàre* (cane), *ululàre* (lupo e cane), *zirlàre* (tordo).

aniso-: primo elemento di parole composte; indica disuguaglianza. Usato soprattutto nella terminologia scientifica. Es.: *anisometrápia* (diversità del potere di rifrazione degli occhi), *anisotropìa* (caratteristica di un cristallo che presenta proprietà fisiche diverse nelle varie direzioni).

anisosillabísmo: fenomeno di irregolarità metrica, tipico della poesia classica e che ritorna in quella italiana popolare, soprattutto in quella giullaresca e religiosa delle origini (in particolare nella lauda), ma esempi d'anisosillabismo, con diverso valore, li troviamo anche presso i moderni, a cominciare da Pascoli e Gozzano. In origine, l'anisosillabismo è probabilmente dovuto al caotico assorbimento dei versi ottonari e novenari provenienti rispettivamente dalla tradizione latina e dalla letteratura francese, per cui nello stesso componimento o nella stessa strofa si trovano versi che non hanno lo stesso numero delle sillabe come in teoria la loro identità metrica prescriverebbe. Per quanto riguarda invece la fortuna presso i moderni, essa va interpretata come un motivo di violazione intenzionale delle convenzioni metriche. L'andatura del verso anisosillabico non diverge sotto il profilo del ritmo, che in ogni caso può essere aggiustato nell'interpretazione di chi canta o recita il componimento, bensì nel computo aritmetico delle sillabe, che può essere maggiore nel caso di anacrusi, cioè l'aggiunta di una o due sillabe atone all'inizio di un verso o di una sua parte, e minore nel caso di acefalia, cioè la mancanza di una sillaba all'inizio del verso, mascherata dall'interpretazione cantata o recitata.

ànitra: V. ANATRA.

annàli: nome maschile usato esclusivamente al plurale.

annegàre: verbo della prima coniugazione. È usato sia come transitivo (*Annegare i dispiaceri*), sia come intransitivo con l'ausiliare essere (*È annegato nel Tamigi*).

annèttere: verbo irregolare della seconda coniugazione, transitivo. *Pass. rem.*: annettei, annettesti, annetté, annettemmo, annetteste, annetterono. *Part. pass.*: annèsso. Significa unire, attaccare, accludere. Es.: *L'Istituto è annesso alla Scuola media.* Aggiungere un territorio ad uno Stato. Es.: *La Germania voleva annettere l'Austria.* È un francesismo la locuzione, invalsa nell'uso, *annettere importanza* per: dare, attribuire importanza. Es.: *Annetteva molta importanza* (meglio: dava molta importanza) *alle forme esteriori.*

annominazióne: figura retorica che consiste nella ripresa di un termine in forma grammaticalmente variata, nella stessa frase o nello stesso verbo. Es.: *Cred*'io ch'ei *credette* ch'io *credessi* (Dante); amor, ch'a nullo *amato amar* perdona (Dante); *Piangete*, donne, e con voi *pianga* Amore (Petrarca).

annuíre: verbo della terza coniugazione, intransitivo. Ausiliare: avere. In alcuni tempi si coniuga con la forma incoativa *-isc-* tra il tema e la desinenza. *Pres. indic.*: annuisco, annuisci, annuisce, annuiàmo, annuite, annuiscono. *Pres. cong.*: annuísca, annuísca, annuísca, annuiamo, annuiàte, annuiscano. *Part. pass.*: annuíto.

annunciàre: verbo della prima coniugazione. Ammette sia il costrutto esplicito (*Annunciò che si sarebbe dimesso*) sia quello implicito con la preposizione *di* (*Annunciò di volersi dimettere*).

-ano: suffisso che forma nomi e aggettivi indicanti l'origine, l'ufficio, la condizione di una persona. Es.: *palermitano, napoletano, romano, italiano*; *metropolitano, scrivano, cappellano*; *villano, cristiano, repubblicano.*

anòdino: aggettivo, riferito a farmaco antidolorifico, calmante. Impropria la pronuncia *anodíno.*

anòmali, verbi: verbi irregolari le cui forme derivano da temi diversi (per es.: *odo, udire*; *vado, andare*).

antanàclasi: ripetizione nello stesso verso o nella stessa proposizione di una stessa parola con significati differenti. Es.: *La rosa non è sempre rosa.* Nel dialogo, si verifica quando un interlocutore ripete una parola o una locuzione appena pronunciata dal dialogante allo scopo di rovesciarne il senso. Es.: *Perché non ti compri una barca? Perché ho già una barca di debiti.* In questi casi l'antanaclasi è detta anche *diafora dialogica.*

ante-: prefisso (derivato dal latino *ante* = davanti, prima) che indica precedenza temporale, o spaziale. Comune anche la variante *anti-*. Es.: *anteguerra* (prima della guerra), *anticamera* (davanti alla camera), *antiporta* (davanti alla porta).

-ànte: suffisso di vari aggettivi verbali o di nomi analoghi a participi presenti della prima coniugazione. Es.: *ignorante, garante, volante, birbante, pedante.*

antepórre: verbo irregolare della seconda coniugazione con l'infinito sincopato (originariamente: anteponere). Transitivo, segue la coniugazione di *porre* (V.), di cui è composto.

anterióre: aggettivo qualificativo, in origine forma latina di comparativo, che però nell'uso ha perso. Vuol dire semplicemente: precedente, che sta davanti. Suoni anteriori in fonetica sono così detti i suoni articolati nella zona più avanzata del palato (per es. le vocali italiane *e* ed *i*). Per il *futuro anteriore* V. voce relativa.

anti-: prefisso (derivato dal greco *antí* = contro) che indica avversione, opposizione, azione o essenza contraria. Es.: *antidemocratico, antincendio, antimateria.* Non va confuso con l'omonimo *anti-*, variante di *ante-* (V.).

anticipazióne: significa propriamente il compiere un'azione o il verificarsi di un evento prima del tempo previsto o stabilito. Per influsso dell'inglese si usa oggi talvolta e non molto opportunamente nel senso di previsione (Es.: *Non posso fare anticipazioni*). In linguistica equivale a *prolessi* (V.).

antífrasi: figura retorica consistente nell'usare una parola o una locuzione nel senso contrario a quello proprio per eufemismo o per ironia. Es.: *Quel benedetto uomo!* (per dire maledetto); *Che bella figura* (brutta) *abbiamo fatto!*

antimetàbole: figura retorica di pensiero, detta anche *chiasmo complicato*, che consiste nella riproposizione delle stesse parole, in un ordine rovesciato e speculare. Es.: *Tecnologia della comunicazione e comunicazione nella tecnologia*; *Debole con i forti e forte con i deboli.*

antispàsto: nella metrica classica, piede di sei tempi, composto da quattro sillabe, due lunghe fra due brevi, ovvero dalla successione di un giambo e di un trocheo: ∪ — — ∪ . In realtà, l'antispasto non è un piede in senso proprio, bensì si tratta di una figura anaclastica, consistente nella successione di un giambo e di un trocheo.

antístrofe: nella metrica classica, il secondo membro della triade strofica in cui sono ripartiti la lirica corale e i cori della tragedia greca, dopo la *strofe*, con cui condivide il metro, e prima dell'*epodo*. Nella metrica italiana classicista è la seconda parte dell'ode o canzone pindarica.

antítesi: figura retorica consistente nel porre a contrasto due concetti opposti, per dar maggior risalto all'espressione. Ecco un esempio poetico di antitesi, del Petrarca:

«*Pace non trovo, e non ho da far guerra;*
E temo e spero, ed ardo e sono un ghiaccio;
E volo sopra il cielo, e giaccio in terra;
E nulla stringo, e tutto il mondo
abbraccio».

anto-: primo elemento di parole composte, che indica: fiore, relativo ai fiori. Usato soprattutto per termini scientifici. Es.: *antografía* (espressione mediante i fiori), *antología* (florilegio).

antònimo: parola di significato contrario rispetto ad un'altra, poste entrambe rispettivamente agli estremi opposti di una serie graduata i cui valori presuppongono il riferimento implicito ad una norma: *bello/brutto, alto/basso, lungo/corto, ricco/povero, nero/bianco*. Un criterio per determinare il rapporto di antonomìa tra due parole è il seguente: *x e y sono antonimi se x implica non-y e non-x non implica y*. Applicata alle parole, la stessa regola dà: *alto e basso sono antonimi se alto implica non basso e non alto non implica basso*, per cui *alto* e *basso* risultano antonimi. Contrario di *sinonimo*. Non sempre facile né comune è la distinzione tra antonimo, *reciproco* o *inverso*: comprare/vendere, marito/moglie, e *complementare*: maschio/femmina, assassino/vittima, celibe/sposato.

antonomàsia: figura retorica consistente nell'indicare un personaggio famoso con un nome comune, preceduto dall'articolo, invece che col nome proprio. Si fonda su un rapporto di preminenza e di eccellenza: si indica cioè la persona con un appellativo che allude alla sua virtù principale o a un fatto che l'ha resa celebre. Es.: *il Poeta* (Dante Alighieri), *l'Eroe dei due mondi* (Garibaldi), *il poverello di Assisi* (S. Francesco), *il cantor di Laura* (Petrarca), *l'Apostolo* (S. Paolo). Talora si ricorre al luogo di origine: *lo Stagirita* (Aristotele), *l'Aquinate* (S. Tommaso), oppure al patronimico: *il Pelide* (Achille), *il Laerziade* (Ulisse), *l'Alcide* (Ercole). Al contrario, per designare un nome comune di persona o anche di cosa, si può usare un nome proprio che simboleggi il massimo grado di una certa qualità o condizione. Es.: *un Cicerone* (un oratore), *un Mecenate* (protettore d'artisti), *un Perú* (un paese ricco), *un donchisciotte* (un cavaliere dell'illusione), *un Apollo* (un bell'uomo), *un Adone* (un bel ragazzo).

antropo-: primo elemento di parole composte. D'origine greca, significa: uomo. Es.: *antropomorfismo* (l'aver aspetto umano), *antropología* (studio dell'uomo).

-ànza: suffisso di nomi astratti. Es.: *ignoranza, baldanza, creanza, speranza.*

ànzi: avverbio e preposizione. Nel primo caso ha valore avversativo e significa: invece, al contrario. Es.: *Non mi consoli, anzi mi scoraggi.* Anche con valore correttivo: o meglio (Es.: *È giovane, anzi giovanissimo*). La locuzione *anzi che* (spesso con grafia unita: *anziché*), per lo più con valore di congiunzione, significa: piuttosto che. Es.: *Lavora, anziché lamentarti!* La locuzione *anzi che no* (di uso scherzoso) vale: piuttosto. Es.: *È noiosa anzi che no.* Come preposizione, è di uso letterario e significa: prima. Es.: *Arrivò anzi tempo* (= prima del tempo previsto).

a patto che: locuzione congiuntiva con valore condizionale e restrittivo. Si usa nel periodo ipotetico, sempre seguita dal verbo al congiuntivo. Es.: *Io lo farò, a patto che però lo faccia anche tu.*

apici: segno grafico (' ') consistente in una virgoletta alta all'inizio ed un'altra alla fine della parola che si vuol mettere in evidenza. Es.: *Io non chiamerei questo comportamento 'permissivo'*; *Lo colpì la parola 'moratoria'.*

aplología: in fonetica, contrazione di una parola per caduta di una sillaba in prossimità di un'altra uguale o simile. Es.: *mineralogia* per mineralologia, *idolatria* per idololatria.

apòcope: in grammatica, la caduta di uno o più suoni finali (una vocale o una sillaba) della parola. Es.: *A* onor *del vero; un bicchiere di* vin *buono*; *a* maggior *ragione*; fa quel *che vuoi.* Alcune parole tronche molto comuni nella nostra lingua derivano per apocope da antiche forme ormai desuete. Es.: *virtù* da *virtute*, *città* da *cittade*, *gioventù* da *gioventute*. Non va confusa con l'elisione (a questo scopo, si suole talora definire come apocope la caduta del suono finale di una parola che ne precede un'altra che comincia con consonante). Detta anche troncamento. V. voci relative.

In poesia, l'apocope risponde prevalentemente ad esigenze metriche e ritmiche. Es.: *Ahi! quanto a* dir *qual era è cosa dura / ... / che nel* pensier *rinnova la pau-*

ra! / ... / ma per trattar *del* ben *chi' vi trovai* (D. Alighieri); Han *bevuto profondamente ai fonti / alpestri, che* sapor *d'acqua natia / ... / che lungo illuda la* lor *sete in via. / ... / Ah perché non* son *io* co' *miei pastori?* (G. D'Annunzio).
La stessa caduta di suoni all'inizio della parola si dice aferesi, mentre all'interno della parola si dice sincope.

apòdosi: nel *periodo ipotetico* (V.), la proposizione reggente. Il nome deriva dal greco e significa: restituzione, spiegazione; indica infatti la conclusione della premessa (*protasi*) rappresentata dalla proposizione condizionale. Es.: Se non ci fossi tu, *sarei un uomo inutile*.

apofonía: alternanza della vocale in parole che appartengono allo stesso sistema morfologico. Si dicono *gradi* le forme diverse a cui dà luogo l'apofonia. V. anche *alternanza*.

apòlogo: nome sdrucciolo terminante in *-go*, che al plurale finisce in *-ghi* (apologhi). Significa: favola allegorica, parabola, narrazione breve e avente scopi educativi e morali, nella quale possono venir introdotti a parlare animali o cose inanimate.

aposiopèsi: lo stesso che *reticenza* (V.).

apòstolo: sostantivo maschile. Al femminile fa *apòstola*; in senso ironico si trova anche *apostolèssa*. Si usa però spesso il maschile anche se riferito a donna, specie in senso figurato. Es.: *Quella donna è un apostolo della libertà*.

apostrofàre: verbo della prima coniugazione, transitivo. Significa mettere l'apostrofo, segnare con l'apostrofo. Es.: *Po' si apostrofa sempre*. Significa anche rivolgere la parola a qualcuno con veemenza. In questo caso la costruzione tradizionale sarebbe con *a* o *contro*, usando il verbo come intransitivo (ausiliare: avere), ma è invalso ormai l'uso della costruzione diretta. Es.: *Lo apostrofò con parole molto offensive*.

apòstrofe: figura retorica di pensiero che consiste nell'abbandonare improvvisamente la forma espositiva del discorso, rivolgendosi direttamente e con enfasi a persona o cosa personificata, anche lontana e immaginata come presente.
Esempio:

«*Salve dea Roma, chi disconósceti*
cerchiato ha il senno di fredda tenébra...»
(Carducci)
«*Ahi, serva Italia, di dolore ostello*».
(Dante)

apòstrofo: segno ortografico (') che viene usato per indicare l'avvenuta *elisione* (Es.: *l'amore, d'oggi, t'amo*) o particolari tipi di *troncamento* (V.). Es.: *fe', va'*. Non si segna invece per indicare il troncamento normale (Es.: *un amore, un altro, qual è*). Contro l'uso tipografico prevalente, i linguisti tendono oggi a riproporre l'apostrofo in fin di riga. Es.: *dall' / alto*. L'apostrofo si usa altresì davanti ai numeri che cominciano per vocale. Es.: *L'8 settembre*; *L'11 novembre*. Con l'apostrofo si abbrevia anche l'indicazione dell'anno. Es.: *Nel '45*; *i moti del '21*; *la rivoluzione dell' '89* (questo caso da evitare, venendosi a trovare vicini due apostrofi).

apparíre: verbo della terza coniugazione, intransitivo. Ausiliare: essere. In alcuni tempi si coniuga anche con la forma incoativa *-isc-* tra il tema e la desinenza. *Pres. indic.*: appaio (apparisco), appari (apparisci), appare (apparisce), appariamo, apparite, appaiono (appariscono). *Pass. rem.*: apparvi (apparii, apparsi), apparisti, apparve (apparì, apparse), apparimmo, appariste, apparvero (apparirono, apparsero). *Pres. cong.*: appaia (apparisca), appariamo, appariàte, appàiano (appariscano). *Part. pass.*: appàrso.

appartenére: verbo irregolare della seconda coniugazione, composto di *tenére* (V.). *Pres. indic.*: appartengo, appartieni, appartiene, apparteniamo, appartenete, appartengono. *Fut. semplice*: apparterrò, apparterrai, apparterrà, apparterremo, apparterrete, apparterranno. *Pass. rem.*: appartenni, appartenesti, appartenne, appartenemmo, apparteneste, appartennero. *Pres. cong.*: appartenga, appartenga, appartenga, apparteniamo, apparteniate, appartengano. *Pres. condiz.*: apparterrei, apparterresti, apparterrebbe, apparterremmo, apparterreste, apparterrebbero. *Imper.*: appartieni, appartenete. *Part pass.*: appartenúto. È intransitivo; ausiliari: essere e avere (*Questo li-*

bro è appartenuto a mio padre, oppure: *Questo libro ha appartenuto a mio padre*).

appassionàto: participio passato del verbo *appassionare*. Indica persona che si interessa vivamente a qualcosa e in questo caso si costruisce con le preposizioni *per, di* o *a*. Es.: *Sono appassionato per la caccia*; *È appassionato alla raccolta dei francobolli*. Vale anche: sopraffatto dalla passione, poetico. Es.: *Sei troppo appassionato nelle discussioni*; *Cantò una canzone appassionata*.

appellatívi, verbi: verbi copulativi che entrano nella formazione del complemento predicativo. Es.: *Mi chiamo Miriam*; *Era soprannominata la gentilissima*.

Sono appellativi, per esempio: chiamare, soprannominare, nominare, denominare.

appéna: avverbio di modo, che significa: a fatica, a stento. Es.: *Riuscivo appena a vederlo*. Indica anche, per estensione, fatto o fenomeno di piccola entità (cioè percepibile con difficoltà). Es.: *Era appena macchiato*. Si rafforza, se ripetuto. Es.: *Feci appena appena in tempo a vederlo*.

Anche avverbio di tempo, usato per indicare azione compiuta da pochissimo tempo. Es.: *L'ho appena visto*. Come congiunzione, significa: subito dopo che. Es.: *Appena giunse, tutti lo salutarono*.

appèndere: verbo irregolare della seconda coniugazione, transitivo. *Pass. rem.*: appesi, appendesti, appese, appendemmo, appendeste, appesero. *Part. pass.*: appéso.

appetíre: verbo della terza coniugazione, transitivo. In alcuni tempi si coniuga con la forma incoativa *-isc-* tra il tema e la desinenza. *Pres. indic.*: appetisco, appetisci, appetisce, appetiamo, appetite, appetiscono. *Pres. cong.*: appetisca, appetisca, appetisca, appetiamo, appetiate, appetiscano. *Part. pass.*: appetíto. Significa: desiderare vivamente. Es.: *I poeti appetiscono la gloria*. Usato intransitivamente (ausiliari: essere e avere) significa: piacere, destare appetito (detto soprattutto di cibi). Es.: *Quella pietanza mi ha sempre appetito* (o *mi è sempre appetita*).

appiè o **a piè:** preposizione impropria, specifica di luogo che significa: sotto, nella parte inferiore. Es.: *A piè del campanile*; *A piè di pagina*. Non comune come avverbio nel senso di: in fondo.

applaudíre: verbo della terza coniugazione, transitivo. In alcuni tempi si coniuga anche con la forma incoativa *-isc-* tra il tema e la desinenza. *Pres. indic.*: applaudo (applaudisco), applaudi (applaudisci), applaude (applaudisce), applaudiamo, applaudite, applaudono (applaudiscono). *Pres. cong.*: applauda (applaudisca), applaudiàmo, applaudiate, applaudano (applaudiscano). *Part. pass.*: applaudito. Usato anche intransitivamente, con l'ausiliare avere. Es.: *Applaudirono lo spettacolo*; *Hanno applaudito alla battuta*.

appòggio: sostantivo maschile, che significa sostegno; in senso figurato: aiuto, favore. Es.: *Ha l'appoggio del suo partito; Dicono che abbia molti appoggi al Ministero*. È da evitarsi l'espressione *in appoggio* per: a sostegno di, a difesa di, e simili. Es.: *Egli affermò questo a sostegno* (non: in appoggio) *della sua tesi*; *Dichiaro, a sostegno* (non: in appoggio) *della mia domanda, che non ho avuto mai sussidi*. Nel linguaggio militare tuttavia la locuzione è ammessa. Es.: *Le artiglierie vennero in appoggio alla fanteria*.

appórre: verbo irregolare della seconda coniugazione con l'infinito sincopato (originariamente: apponere), composto di *porre* (V.). Transitivo. *Pres. indic.*: appongo, apponi, appone, apponiamo, apponete, appongono. *Imperf.*: apponevo, apponevi, ecc. *Pass. rem.*: apposi, apponesti, appose, apponemmo, apponeste, apposero. *Fut. semplice*: apporrò, apporrai, apporrà, apporremo, apporrete, apporranno. *Pres. condiz.*: apporrei, apporresti, apporrebbe, apporremmo, apporreste, apporrebbero. *Pres. cong.*: apponga, apponga, apponga, apponiamo, apponiate, appongano. *Imperf. cong.*: apponessi, apponessi, apponesse, apponessimo, apponeste, apponessero. *Imperat.*: apponi, apponete. *Part. pass.*: appòsto. *Gerundio*: apponendo.

apposizióne: apposizione o *complemento appositivo* è quel sostantivo che precede o segue il soggetto o un altro complemento per meglio specificarli. Può anche essere costituita da un aggettivo, ma in questo caso si distingue dall'*attributo* (V.) perché l'aggettivo è sempre sostantivato e per di più con l'articolo. Si pone spesso tra due virgole, quasi in posizione incidentale. Es.: Francesco Petrarca, *celebre poeta*, cantò l'amore per Laura; Garibaldi, *il condottiero dei Mille*, liberò la Sicilia. Quando l'apposizione, che concorda possibilmente con il nome nel genere e nel numero, è rappresentata da un aggettivo sostantivato, questo può essere un soprannome (*Scipione l'Africano*; *Ivan il terribile*), un patronimico (*l'Alcide Ercole*; *l'Atride Menelao*), o può indicare il luogo d'origine (*il recanatese Leopardi*; *il veneziano Tiepolo*). Può essere altresì costituita da locuzioni avverbiali (*Pietro da vecchio* - o semplicemente: *vecchio - fu onorato da tutti*; *Come scrittore egli vale poco*). Ha spesso valore analogo al *complemento di denominazione*.

L'apposizione si dice: *semplice*, se è formata da una sola parola (*S. Cecilia vergine*; *Catone il censore*), *composta*, se formata da due o più parole (*G. D'Annunzio, poeta e soldato*), *complessa*, se formata da un'espressione comprendente più elementi (*Bologna, la città madre del diritto*; *Il Boccaccio, antico e famoso narratore*).

appòsta: avverbio di modo. Significa: con intenzione, consapevolmente. È da preferirsi, come forma più rapida, ad *appositamente*. Es.: *Non l'ho fatto apposta*. Antiquata la grafia staccata: a posta.

apprèndere: verbo irregolare della seconda coniugazione, composto di *prendere* (V.). Transitivo. *Pass. rem.*: appresi, apprendesti, apprese, apprendemmo, apprendeste, appresero. *Part. pass.*: appréso.

apprèsso: avverbio e preposizione. Significa: vicino, dopo. È di uso antiquato o regionale. Es.: *Segui d'appresso la questione*. Come preposizione è un doppione di *presso* (V.). Anche aggettivo, col significato di: seguente, successivo. Es.: *La rividi l'anno appresso*.

approdàre: verbo della prima coniugazione, intransitivo. Ausiliari: essere o avere. Es.: *Il piroscafo è approdato* (o: ha approdato) *a Napoli*. Significa anche riuscire. Es.: *A cosa hai approdato?*

approfittàre: verbo della prima coniugazione. Intransitivo, ausiliare: avere. Es.: *Ho approfittato della sua cortesia*. Con il pronome atono, nella forma di intransitivo pronominale, ha anche una costruzione esplicita, con la congiunzione *che* (Es.: *Si approfittava che io non ci fossi*) e assume una sfumatura di significato peggiorativo. Es.: *Si è approfittato della mia buona fede*.

approfondíre: verbo della terza coniugazione, transitivo. In alcuni tempi si coniuga con la forma incoativa *-isc-* tra il tema e la desinenza. *Pres. indic.*: approfondisco, approfondisci, approfondisce, approfondiamo, approfondite, approfondiscono. *Pres. cong.*: approfondisca, approfondisca, approfondisca, approfondiamo, approfondiate, approfondiscano. *Part. pass.*: approfondíto. Usato anche come intransitivo pronominale: *Approfondirsi in una cosa* = impararla bene, studiarla a fondo.

appropriàre: verbo della prima coniugazione, transitivo. Significa: adattare. Es.: *Appropriare un quadro all'ambiente*. Più comune la costruzione con particella pronominale indiretta, con significato di: impadronirsi, far propria cosa d'altri, arrogarsi. Es.: *Si è appropriato la macchina* (non: della macchina); *Chi si è appropriato il diritto di entrare in casa mia?*

appúnto: avverbio di affermazione. Vale: esattamente, giusto, proprio cosí. Es.: *Volevi dire questo? Appunto*. Si usa anche per rinforzare il discorso o per accompagnare qualcosa che capita nel momento opportuno. Es.: *È appunto in questo modo che si rovina la gente*; *Stavo appunto parlando di lei*.

Come sostantivo maschile significa: nota, promemoria, biasimo. Es.: *Ho scritto alcuni appunti*; *Mi ha mosso alcuni gravi appunti*.

apríco: aggettivo qualificativo. Al plurale: apríchi.

apríre: verbo irregolare della terza coniugazione, transitivo. *Pass. rem.*: aprii, apristi, aprí, aprimmo, apriste, aprirono, oppure: apersi, apristi, aperse, aprimmo, apriste, apersero. *Part. pass.*: aperto. Significa: dischiudere (*Aprire una porta, una finestra*), cominciare, dare inizio (*Aprire una riunione, un discorso*), scoprire, manifestare (*Aprire il proprio animo*).

arància: sostantivo femminile, che indica il frutto dell'arancio. Plurale: arance. È errore assai comune usare *arancio* (pianta) invece di arancia (frutta). Es.: *Ho mangiato un'arancia* (non: un arancio).

-arca: secondo elemento di parole composte, indicanti persona che comanda: *patriarca, gerarca, monarca.*

àrca, àrco: nomi che mutano significato secondo il genere. *Arco* (plurale: archi) significa arma per tirar le frecce, o in geometria, parte di una circonferenza, o un particolare elemento architettonico (Es.: *arco acuto, rampante*). *Arca* (plurale: arche) vuol dire invece: sepolcro o cassa (d'uso antiquato o riferentesi a cose antiche). Però si dice: *un'arca di scienza*, per: dottissimo, un pozzo di scienza.

arcaísmo: parola, forma o locuzione antica, ormai esclusa dall'uso comune. Esempi di arcaismi: *almanco* invece di almeno, *appo* invece di presso, *nequizia* per malvagità, *messere* per signore, *oste* per esercito, *procombere* per cadere, *onusto* per carico, *repleto* per pieno, *redimito* per incoronato, *suso* per su, *frate* per fratello, *allotta* per allora, *furo* per furono, *farebbono* per farebbero, *magione* per casa, *unquanco* per giammai, *sanza* per senza, *priego* per preghiera, *parlossi* per si parlò, *fecegli* per gli fece.

-archía: suffisso di origine greca che significa: comando. Usato per comporre parole di significato politico. Es.: *monarchia* (governo di uno solo), *oligarchia* (comando di pochi), *diarchia* (governo di due persone), *esarchia* (governo di sei).

archilochía (strofe): strofe classica che prende il nome dal poeta greco Archiloco. Fu resa dal Carducci con un endecasillabo sdrucciolo e con un secondo verso composto di un settenario pieno e di uno sdrucciolo. Es.:

«*Volate, e ansiosi interrogate il murmure*
che giù per le Alpi Giulie, che giù per l'Alpi Retiche
da i verdi fondi i fiumi a i venti mandano,
grave d'epici sdegni, fiero di canti eroici».
(Carducci)

arci-: prefisso che indica superiorità, abbondanza, eccesso. Es.: *arciduca* (superiore al duca), *arcinoto* (notissimo), *arciricco* (molto ricco), *arcivecchio* (vecchissimo). Spesso d'uso scherzoso (*arcifesso, arcistravecchio*).

arcipèlago: nome sdrucciolo terminante in *-go*, che al plurale finisce in *-ghi* (arcipelaghi).

àrdere: verbo irregolare della seconda coniugazione. *Pass. rem.*: arsi, ardesti, arse, ardemmo, ardeste, arsero. *Part. pass.*: arso. È transitivo nel senso di consumare qualcosa col fuoco, inaridire. Es.: *La calura ha arso le terre*. Ma più frequente è l'uso intransitivo (ausiliare: essere) nel senso di: bruciare, essere infiammato, anche in senso figurato. Es.: *Il bosco è arso tutta la notte; Ardevo dal desiderio di vederti*; *Ardere di sdegno*.

ardíre: verbo della terza coniugazione, transitivo. In alcuni tempi si coniuga con la forma incoativa *-isc-* tra il tema e la desinenza. *Pres. indic.*: ardisco, ardisci, ardisce, ardiamo, ardite, ardiscono. *Pres. cong.*: ardisca, ardisca, ardisca, ardiamo, ardiate (1ª e 2ª persona plurale sono poco usate perché simili a quelle di *àrdere*, bruciare), ardiscano. Manca il part. presente. *Part. pass.*: ardíto. Si costruisce direttamente o con la preposizione *di*. Es.: *Non ardiva farsi avanti*; *Non ardivano di parlare.*

-àrdo: suffisso di nomi e aggettivi; ha per lo più valore dispregiativo. Es.: *patriottardo* (patriota falso e fazioso), *codardo* (vile), *testardo* (cocciuto).

-àre: suffisso che forma aggettivi dai sostantivi. Es.: *parlamentare* (da parlamento), *salutare* (da salute), *popolare* (da popolo), *familiare* (da famiglia), *solare* (da sole), *lunare* (da luna), *esemplare* (da esempio). È anche terminazione dell'infinito presente dei verbi della prima coniugazione (*amare, lodare, sognare*).

areo-: prefisso per vocaboli di significato aeronautico. È da considerarsi errore. V. AERO-.

argoménto (complemento di): il complemento di argomento indica l'oggetto, persona o cosa, di cui si parla. Risponde alle domande: su che cosa? di che cosa? intorno a quale argomento? È retto dalle preposizioni *di, su, circa, riguardo a, intorno a* (meno consigliabile). Es.: Parliamo un poco *di noi*; Un libro *sulla storia* dell'umanità; Mi riferì le sue idee *circa il progetto*; Mi diede un giudizio *intorno all'arte* (meglio: sull'arte) *moderna*.

arguíre: verbo della terza coniugazione, transitivo. In alcuni tempi si coniuga con la forma incoativa *-isc-* tra il tema e la desinenza. *Pres. indic.*: arguisco, arguisci, arguisce, arguiamo, arguite, arguiscono. *Pres. cong.*: arguisca, arguisca, arguisca, arguiàmo, arguiate, arguiscano. *Part. pass.*: arguíto.

ària, ariétta: breve canzonetta, solitamente di due strofe di quattro o sei versi, che, imitata dai modelli del poeta greco Anacreonte (V. *Anacreòntica*), fu usata dal Metastasio e da altri librettisti per i melodrammi.

-ario: suffisso che forma molti aggettivi (spesso sostantivati) tratti da nomi. Indica partecipazione, relazione, azione. Es.: *funzionario* (da funzione); *giudiziario* (da giudizio), *impresario* (da impresa), *sanguinario* (da sangue).

a rischio di: locuzione che introduce una proposizione concessiva implicita. Es.: *Andrò all'appuntamento, a rischio di cadere in trappola.*

aristofànio: verso della metrica classica formato da un dattilo e due trochei. Usato soprattutto da Aristofane.

àrma: sostantivo femminile. Al plurale: le armi. Indica i corpi o le specialità dell'esercito. Es.: *l'Arma del Genio*; *l'Arma azzurra*. Più spesso designa l'oggetto che serve per offesa o per difesa. Es.: *all'arma bianca, ferita d'arma da fuoco*. Antiquata la variante ARME, anch'essa femminile (plurale: le armi) che sopravvive però nell'uso araldico per indicare lo scudo unitamente alle pezze e agli smalti.

armonía imitativa: capacità di riprodurre con il suono delle parole il suono delle immagini indicate o rappresentate. Si dice anche *onomatopea* (V.), ma mentre questa consiste in un'unica parola, l'armonia imitativa si ottiene di solito con una intera frase o strofa poetica. Ecco ad esempio la rappresentazione di una scena di caccia:

«*Ogni varco da lacci e can chiuso era;*
di stormir, d'abbaiar cresce il rumore;
di fischi e bussi tutto il bosco suona,
del rimbombar de' corni il ciel rintrona».
(Poliziano)

aro-: suffisso, variante di -aio, usato nella formazione di parole indicanti mestieri o categorie, talvolta con qualche sfumatura ironica o spregiativa: *montanaro, rockettaro, gruppettaro, magliaro.*

arrèndersi: verbo riflessivo irregolare della seconda coniugazione, composto di *rendere* (V.), di cui segue la coniugazione.

arrídere: verbo irregolare della seconda coniugazione, composto di *ridere* (V.). Intransitivo. Ausiliare: avere. *Pass. rem.*: arrisi, arridesti, arrise, arridemmo, arrideste, arrisero. *Part. pass.*: arriso.

arrivederci: formula cortese di congedo, più confidenziale di *arrivederla*, che presuppone un interlocutore cui ci si rivolge col lei.

arrossàre e **arrossíre:** verbi sovrabbondanti che mutano significato secondo che seguano la prima o la terza coniugazione. *Arrossare* significa: render rosso; *arrossire* significa: diventar rosso per vergogna o pudore. *Pres. indic.* di arrossare: arrosso, arrossi, arrossa, arrossiamo, arrossate, arrossano; di arrossire: arrossisco, arrossisci, arrossisce, arrossiamo, arrossite, arrossiscono (con la forma incoativa *-isc-* tra il tema e la desinenza, anche nel presente congiuntivo e nell'imperativo). *Part. pass.* di arrossare: arrossato; di arrossire: arrossito. Arrossare è transitivo: Es.: *Il sangue dei nostri morti ha arrossato l'acqua del fiume.* Arrossire è intransitivo e si coniuga con l'ausiliare essere. Es.: *A queste parole la fanciulla è arrossita.*

arròsto: sostantivo maschile. Come aggettivo è invariabile: *patate arrosto, vitello arrosto.*

àrsi: nell'antica metrica greca, il tempo debole, 'in levare', contrapposto a quello forte, 'in battere' (detto tesi), con allusione alla scansione musicale del ritmo, segnata da un colpo del piede o della mano. Già presso i latini, tuttavia, il significato dei due termini era invertito (e il processo andò poi di pari passo con la confusione tra metrica quantitativa e metrica accentuativa), cosicché arsi aveva assunto il significato di sillaba su cui batte l'ictus (ovvero la voce si eleva) e tesi di quella in cui la voce si abbassa. Tale distinzione si è mantenuta tra i metricisti moderni, che tendono altresì a identificare il tempo forte con la sillaba lunga e il tempo debole con quella (o quelle) breve. Al di là di queste precisazioni filologiche, in senso corrente, s'intende in arsi la sillaba su cui cade l'accento anche nella metrica moderna e contemporanea.

articolàte (preposizioni): si dicono articolate le preposizioni *di, a, da, in, con, su, per,* quando si compongono con gli *articoli determinativi* (V.). Es.: *al, del, nel, col, sui,* ecc. V. PREPOSIZIONI e le singole voci relative.

artícolo: parte variabile del discorso usata per indicare il nome a cui si premette. Se si riferisce a un nome di cosa che risulta nota o che si indica specificamente, si dice *determinativo* (*il* libro); se invece lascia il nome indefinito, si chiama *indeterminativo* (*un* libro). L'articolo *determinativo* (V.) ha due forme per il singolare maschile (*il, lo*) e due per il plurale maschile (*i, gli*); una forma per il femminile singolare (*la*) e una per il femminile plurale (*le*). Quello *indeterminativo* (V.), usato solo al singolare, ha le forme *un* e *uno* per il maschile, *una* per il femminile (V. le voci relative).

Sull'uso dell'articolo in generale si noti:

a) l'articolo si omette:

1) davanti a nomi di città (*Roma è grande*) salvo alcuni casi in cui l'articolo fa parte del nome proprio: *L'Aia, La Spezia, La Valletta, Il Cairo, L'Aquila.* Si mette invece l'articolo (sempre femminile) quando il nome di città è seguito da un attributo e da un complemento di specificazione: *La Napoli di altri tempi*; *La Torino del Risorgimento*; *La Venezia romantica*; *Una Firenze incantevole*;

2) davanti ai nomi propri di persona (*Giulio è buono*); però nell'uso popolare e familiare tali nomi possono essere preceduti dall'articolo (*È arrivata la Giuditta*);

3) nelle espressioni modali: *con disperazione, con timore, con gioia*;

4) nei complementi circostanziali, in modi di dire quali: *vivere in campagna, andare a casa, chiudersi in chiesa*;

5) davanti ai nomi che formano col verbo una sola espressione predicativa, solitamente per indicare una sensazione o un moto dell'animo: *aver fame, sentir paura, prendere congedo, far pietà*;

6) nelle espressioni che indicano una nostra condizione materiale: *in pantaloni, in camicia, senza cappotto*;

7) nelle locuzioni in cui un sostantivo integra il significato di un altro: *abito da sera, gelato da passeggio*, oppure: *comportarsi da eroi, parlare da esperto*;

8) davanti ai nomi di parentela preceduti da un aggettivo possessivo che non sia *loro* (*mio padre, mia madre*), a meno che il nome non sia plurale (*i miei fratelli*) o preceduto da un aggettivo qualificativo (*la mia vecchia madre*), o che il possessivo segua il nome (*il padre mio*). *Babbo e figliolo* vogliono l'articolo; *mamma, nonno*, lo ammettono.

b) L'articolo si pone:

1) davanti ai nomi dei continenti, delle nazioni, delle regioni, delle province, delle isole, dei monti, dei fiumi, dei laghi, salvo se preceduti da *in* (*in Italia*) o in alcune espressioni particolari (*il re d'Inghilterra, l'olio di Spagna*). Anche alcune isole (*Rodi, Cipro, Corfù, Creta, Malta*) fanno eccezione;

2) davanti ai cognomi non preceduti dal nome (*il Carducci, il Marx*; ma: *Luigi Pirandello, Carlo Goldoni*). Non però, di solito, davanti a cognomi comuni (*Oggi ho visto Rossi*); talora neppure davanti a cognomi di uomini famosi (*Petrarca, Boccaccio, Colombo, Garibaldi, Calvino, Bacone, Mazzini*; *le opere di Verdi*);

3) davanti ai soprannomi e agli appellativi di patria (*il Botticelli, il Tintoretto, il Veronese, l'Astigiano*).

V. anche ARTICOLO DETERMINATIVO, ARTICOLO INDETERMINATIVO, ARTICOLO PARTITIVO.

artícolo determinativo: l'articolo che indica in maniera determinata il nome a cui è premesso; si riferisce ad un nome che si presuppone in qualche modo già noto.

Ha due forme per il maschile, sia al sin-

ARTICOLO

		Singolare	Plurale	Uso	Esempi
DETERMINATIVO	MASCHILE	*il*	*i*	davanti alle consonanti, eccettuate *z*, *s* impura, *x*, *ps*, *gn*	*il gatto, il tavolo, i gatti, i tavoli*
		lo		davanti a *z*, *s* impura, *x*, *ps*, *gn*	*lo zero, lo stato, lo xilografo, lo psicologo, lo gnorri*
		l'		davanti a vocale	*l'ozio, l'amico*
			gli	davanti a vocale, *z*, *s* impura, *gn*, *ps*, *x*	*gli orari, gli zeri, gli stati, gli psicologi*
			gl'	davanti ad *i* (non obbligatorio)	*gl'idioti, gl'interessi*
	FEMMINILE	*la*		davanti a consonante	*la storia, la donna*
		l'		davanti a vocale	*l'amica, l'artista*
			le	davanti a vocale o consonante	*le amiche, le donne, le figlie*
			l'	davanti ad *e* (e raramente)	*l'erbe, l'eliche*
INDETERMINATIVO	MASCHILE	*un*	*	davanti a vocali e consonanti, eccettuate *z*, *s* impura, *x*, *ps*, *gn*	*un uomo, un amico, un lavoro, un sole*
		uno	*	davanti a *s* impura, *z*, *x*, *ps*, *gn*	*uno stato, uno zaino, uno xilofono, uno psichiatra, uno gnocco.*
	FEMMINILE	*una*	*	davanti a consonante	*una nazione, una foresta, una casa*
		un'	*	davanti a vocale	*un'amica, un'ancora, un'elica*
			(*) le forme plurali degli articoli indeterminativi esistono, ma hanno valore di pronomi: *gli uni, le une.*		

golare (*il, lo*) che al plurale (*i, gli*), una forma per il femminile singolare (*la*) e una forma per il femminile plurale (*le*).
Il maschile ha due forme per adattarsi eufonicamente all'iniziale della parola successiva. Le regole dell'uso sono le seguenti:
Il: davanti ai nomi che cominciano per consonante, salvo *s* impura, *z, x* o i gruppi *gn, ps,* e talora *pn.* Al plurale corrisponde la forma *i* (*il fanciullo, i fanciulli*).
Lo: davanti ai nomi che cominciano per *z, s* impura, *x, gn, ps* e *i* semiconsonante. Al plurale: *gli* (*Lo zero, gli scienziati, lo xilografo, gli psicologi, gli gnomi, lo schianto, gli iettatori*). Lo si usa anche dinanzi a vocale, ma si elide (*l'inno, l'odio*); al plurale si usa *gli*, che si apostrofa soltanto, e non necessariamente, davanti ad *i* (*gli uomini, gl'idioti*).
Il femminile ha un'unica forma. Al singolare, *la* si apostrofa davanti a vocale (*la donna, l'anima*); al plurale *le* non si apostrofa, specialmente se il nome non cambia al plurale (*le carni, le anime, le artiste, le estasi*).
L'articolo determinativo è usato solitamente quando si presuppone che il nome a cui ci si riferisce sia noto. Es.: *Ho letto il libro*; *Ho detto la frase* (sono espressioni in cui si sottintende che il libro e la frase siano noti). Talora un complemento o una proposizione relativa rendono esplicita questa notorietà. Es.: *Ho riportato la frase del giudice*; *Ho letto il libro che mi è stato suggerito.*
L'articolo determinativo può anche riferirsi a termini ormai noti per l'uso comune: *prendo il pane, bevo il vino, odio il fumo.*
L'articolo determinativo viene pure usato per indicare tutta una categoria (*il pesce vive nell'acqua*) o un astratto (*io amo l'arte, tu segui la virtù*).
L'articolo può poi assumere la funzione di un aggettivo dimostrativo (*sentite l'ipocrita!* - questo ipocrita) o di un pronome (*tra due mali preferisco il minore* - quello minore). Talora ha significato distributivo. Es.: *Costavano dieci lire il chilo* (ogni chilo).

artícolo indeterminativo: l'articolo che si premette ad un nome che si presuppone ignoto e che si lascia indeterminato. Ha solo il singolare: due forme per il maschile (*un, uno*) e una per il femminile (*una*). Al plurale si usano le forme dell'*articolo partitivo* (V.).
Un: si premette ai nomi che cominciano per consonante e per vocale. Non si apostrofa mai (*un genio, un figlio, un uomo, un amore*).
Uno: si premette ai nomi comincianti per *s* impura, *z, gn, ps, x* (*uno sciopero, uno zaino, uno psichiatra, uno gnomo, uno xilofono*).
Una: si premette ai nomi femminili e davanti a vocale si elide (*una donna, un'anima, un'elica*).
L'articolo indeterminativo *uno* indica l'unità rispetto alla molteplicità, ma ha assunto anche la funzione dell'indefinito. Es.: *Ho preso uno scaffale*, significa tanto che ho preso numericamente uno scaffale, quanto che ne ho preso uno qualsiasi.
Come l'articolo *determinativo* (V.) anche quello indeterminativo è passato nell'uso a indicare il genere, la categoria e vale *ogni*. Es.: *Un uomo non deve piangere* (ogni uomo, gli uomini non devono piangere).
In un uso speciale l'articolo indeterminativo intensifica il significato di un termine acquistando valore consecutivo. Es.: *Una fame da morire*; *Un coraggio da leone.*
Infine, nell'uso parlato, si trovano espressioni in cui l'articolo ha una particolare sfumatura, indicando ammirazione e rafforzando il senso del termine. Es.: *Una fame!*; *Quella bimba è una disperazione!*

artícolo partitivo: l'articolo composto con la preposizione *di* (cioè le preposizioni articolate *dello, del, della, delle, degli, dei*) usato per indicare la parte di un tutto. Es.: *Mi occorre del denaro* (= un po' di denaro); *Mangiamo delle pesche* (alcune pesche); *Ci sono degli uomini* (alcuni uomini) *che pensano solo a sé stessi.* L'articolo partitivo sostituisce l'indeterminativo davanti a nomi di valore collettivo indicanti materia. Es.: *Comprasti del ferro*; *Avevate del denaro*; *Occorre del legno.* Come si vede dagli esempi, la preposizione articolata, che solitamente indica il complemento di specificazione, quando è usata con valore partitivo, introduce il complemento oggetto (*Mangio del pane*) o anche il soggetto (*Son nati degli equivoci*), ma è uso questo da evitare. Il partitivo funge poi da plurale dell'articolo indeterminativo. Es.: *Ho scritto una lettera*; *Ho scritto delle lettere*. Per buona regola stilistica, si evita il partitivo quando dovrebbe essere preceduto da altra preposizione. Es.: *Lo trovammo con delle armi* (si dovrà dire: con armi); *Scriverò a degli amici* (dirai: ad alcuni amici).

artro-: primo elemento di parole composte, usate soprattutto nel linguaggio medico, che si riferiscono ad articolazioni: *artropatia, artrosi, artroplastica*.

ascendènte: participio presente di *ascendere*. Come aggettivo sostantivato, indica la persona da cui un'altra discende nella linea della generazione. Es.: *Il nonno è l'ascendente di secondo grado*. Termine dell'astrologia per indicare la costellazione sotto cui si è nati e che avrebbe influenza sulla vita umana. Avere buon ascendente: aver buona fortuna. Da esso, per estensione, il significato, legittimo, di influenza, autorità, potere. Es.: *Avere un certo ascendente su qualcuno*; *L'ascendente delle nuove idee sulle giovani generazioni*.

Nella metrica classica, si dice di un ritmo formato da un tempo debole seguito da uno forte, come per esempio nell'*anapesto* (V.). Nella metrica italiana, lo stesso ritmo, scandito dagli accenti. Es., sempre in serie anapestica:

«*E s'aprono i fiori notturni,*
nell'ora che penso ai miei cari.»

(G. Pascoli)

Contrario di *discendente*.

ascéndere: verbo irregolare della seconda coniugazione, composto di *scendere*. Intransitivo (ausiliare: essere). *Pass. rem.*: ascesi, ascendesti, ascese, ascendemmo, ascendeste, ascesero. *Part. pass.*: ascéso. Significa: salire, andare verso l'alto. Es.: *Ella è ascesa al cielo*. Anche in senso figurato. Es.: *Voi siete ascesi alle alte cariche*. Talora anche transitivo nel senso di salir sopra. Es.: *Abbiamo asceso quel monte*.

àscia: sostantivo femminile. Plurale: asce.

asciòlvere: verbo irregolare della seconda coniugazione. Intransitivo. Ausiliare: avere. *Pass. rem.*: asciolsi, asciolvesti, asciolse, asciolvemmo, asciolveste, asciolsero. *Part. pass.*: asciòlto. Significa far la prima colazione, ma è poco usato. Talora sostantivo: *l'asciolvere* (la prima colazione).

asciugamàno: nome maschile composto da una forma verbale (asciuga) e da un sostantivo femminile (mano). Plurale: asciugamani. Per la regola relativa V. COMPOSTI (NOMI).

asclepiadèa (strofe): strofe classica che prende il nome dal poeta greco Asclepíade. Il Carducci, nelle sue *Odi barbare*, la rese in tre modi diversi. Il primo tipo è costituito da tre endecasillabi sdruccioli o da tre quinari doppi (*asclepiadei minori*) e da un quarto verso (*glicònio*) che è un settenario sdrucciolo. Es.:

«*Tu parli; e, de la voce*
o la molle aura
lenta cedendo si abbandona l'anima
del tuo parlar su l'onde carezzevoli,
e a strane plaghe naviga».

(Carducci)

Il secondo tipo è costituito da due versi (*asclepiadei minori*) formati da una coppia di quinari sdruccioli; da un settenario piano (*ferecràzio*) e da un settenario sdrucciolo (*gliconio*). Es.:

«*Tra i pingui pascoli - sotto il sole aureo*
tu con l'Eridano - scendi a confonderti:
precipita a l'occaso il sole infaticabile».

(Carducci)

Il terzo tipo è formato da due settenari sdruccioli (primo e terzo verso) e da una coppia di quinari sdruccioli (nel secondo e quarto verso). Es.:

«*Non penseremo, o tenero,*
a te non reduce. - Sotto la candida
luna d'april trascorrere
vedrem la imagine - cara accennandone».

(Carducci)

ascoltare: verbo della prima coniugazione. È un verbo di percezione che preferisce il costrutto implicito (*Ascolto la pioggia cadere*, non: *Ascolto che cade la pioggia*). Per il costrutto esplicito userai: sentire, udire.

ascóndere: verbo irregolare della seconda coniugazione transitivo. Si coniuga come *nascondere* (V.). Oggi si usa solo il participio passato *ascóso* che vale nascosto, segreto.

-asi: suffisso per la formazione di parole relative agli enzimi: *lipasi, diastasi.*

asinartéto: nella metrica classica, verso formato da due membri, di regola di metro diverso se non contrario, quindi non amalgamabili, spesso separati da uno iato. È un procedimento usato anche nella poesia moderna e contemporanea.

asíndeto: figura grammaticale che si ha quando vari elementi (parole o proposizioni) sono coordinati senza alcuna congiunzione ma per mezzo di virgole. Assai comune è l'omissione della congiunzione *e*, specie nelle enumerazioni. Es.: *Nello studio c'erano libri, quaderni, fogli, almanacchi, tutti dispersi*; *Gli uomini camminavano, tacevano, avanzavano.* Oggi frequente anche il caso di enumerazione senza neppure la virgola. Es.: *Sul campo di battaglia si vedevano cadaveri rottami automezzi fuochi.* Il contrario dell'asindeto è il POLISINDETO (V.).

asma: sostantivo, in origine di genere maschile, oggi usato al femminile. Il maschile è rimasto nella prosa medico-scientifica.

aspàrago: sostantivo maschile. Meno comune la forma *aspàragio.* Plurale: aspàragi.

aspèrgere: verbo irregolare della seconda coniugazione. Transitivo. *Pres. indic.*: aspèrgo, aspergi, asperge, aspergiamo, aspergete, aspergono. *Pass. rem.*: aspersi, aspergesti, asperse, aspergemmo, aspergeste, aspersero. *Part. pass.*: aspèrso.

aspettàre: verbo della prima coniugazione. Ha sia il costrutto esplicito (*Aspetto che passi il dolore*) sia implicito con o senza la preposizione *di* (*Aspettava passare la gente*; *Aspetto di essere ricevuto*).

aspetto del verbo (o verbale): categoria che contrassegna l'atto verbale secondo la durata e la compiutezza dell'azione descritta. Gli aspetti sono: abituale (azione regolarmente ripetuta: *passavo di lì ogni sera, passo di lì ogni sera*), conativo (*cercavo di passare di lì*), imperfettivo (*scrivevo, dormivo*), incoativo o ingressivo (*si imbruttiva, si arrabbiava*), iterativo (*canticchiava, scribacchiava*), perfettivo (*cadde, ruppe, terminò*), puntuale (*gli sparò un colpo*). Come si vede l'aspetto è indipendente dal tempo del verbo, ma tiene conto della prospettiva della durata, della momentaneità, della ripetitività o della compiutezza o incompiutezza dell'azione.

aspirapólvere: nome maschile composto da una forma verbale (aspira) e da un sostantivo femminile (polvere). Plurale invariabile. V. anche COMPOSTI (NOMI).

àspro: aggettivo qualificativo. Superlativo: asperrimo.

assài: avverbio di quantità. Significa: abbastanza o molto. Es.: *Ho bevuto assai*; *Quell'uomo era assai stanco.* Usato talora anche come aggettivo. Es.: *Erano presenti assai persone.* Superlativo: assaíssimo.

assalíre: verbo irregolare della terza coniugazione, composto di *salire* (V.). Transitivo. *Pres. indic.*: assalgo (o assalisco), assali (assalisci), assale (assalisce), assaliamo, assalite, assalgono. *Pass. rem.*: assalii (meno usato: assalsi), assalisti, assalí (assalse), assalimmo, assaliste, assalirono (assalsero). *Pres. cong.*: assalga, assalga, assalga, assaliamo, assaliate, assalgano. *Imperativo*: assali, assalite. *Part. pass.*: assalíto.

àsse: sostantivo femminile (plurale: assi). Significa tavola di legno. Al diminutivo: assicella o assicina. Si ricordi invece che ÀSSE come sostantivo maschile ha vari altri significati: asse di rotazione, asse terrestre, asse della ruota, asse patrimoniale, asse (moneta romana).

asseríre: verbo della terza coniugazione, transitivo. In alcuni tempi si coniuga con la forma incoativa *-isc-* tra il tema e la desinenza. *Pres. indic.*: asserisco, asserisci, asserisce, asseriamo, asserite, asseriscono. *Pass. rem.*: asserii, asseristi, asserí, asserimmo, asseriste, asserirono. *Pres. cong.*: asserisca, asserisca, asserisca, asseriamo, asseriate, asseriscano. *Part. pass.*: asseríto.

assicuràrsi: verbo riflessivo della prima coniugazione. Nella proposizione dipendente vuole il verbo al congiuntivo. Es.: *Assicurati che le porte siano chiuse.* Con la preposizione *di* e l'infinito ha il costrutto implicito. Es.: *Si assicurò d'aver chiuso la porta.*

assídersi: verbo riflessivo, irregolare, della seconda coniugazione. *Pass. rem.*: mi assisi, ti assidesti, si assise, ci assidemmo, vi assideste, si assisero. *Part. pass.*: assíso.

assième: avverbio modale. Es.: *Andremo a Roma assieme*; *Il contadino aveva messo assieme un po' di danaro.* Anche preposizione impropria. Es.: *Si recò a Bologna assieme al fratello* (o *assieme con il fratello*).

assimilazióne: il cambiamento di una vocale in un'altra vocale o di una consonante in altra consonante, dovuto all'azione reciproca di due suoni vicini che da diversi che erano in una forma antica della parola si fanno identici. Per es., le vocali *e* ed *a* in *denaro* si sono assimilate: danaro. Altri esempi: *tenaglia* e *tanaglia*, *pragmatico* e *prammatico*. Il fenomeno inverso si dice *dissimilazione*. Es.: le due *i* di *nimico* si sono diversificate: *nemico*.

assísa: sostantivo femminile che significa: divisa, uniforme. ASSISE, sostantivo femminile plurale, è invece un tribunale per delitti di particolare gravità. Anche genericamente giuria, e talora assemblea. Es.: *L'assisa dei domenicani*; *Il processo sarà celebrato alle Assise* (o *alla Corte di Assise*; non *d'Assisi!*); *Solenni assise politiche* (non: *assise politica*, al singolare).

assístere: verbo irregolare della seconda coniugazione. *Pass. rem.*: assistei (o assistetti), assistesti, assisté (assistette), assistemmo, assisteste, assisterono (assistettero). *Part. pass.*: assistíto. Intransitivo, vuole l'ausiliare avere (*Il presidente ha assistito alla cerimonia*). Usato transitivamente ha il significato di aiutare, soccorrere (*Lo assistei in quel frangente*).

assòlvere: verbo irregolare della seconda coniugazione, transitivo. *Pass. rem.*: assolvei (o assolvetti o assolsi), assolvesti, assolvé (assolvette o assolse), assolvemmo, assolveste, assolverono (assolsero o assolvettero). *Part. pass.*: assolto o assolúto. Significa: liberare da un'accusa, rimettere i peccati. Es.: *Il tribunale assolse gli imputati dall'accusa di associazione a delinquere*; *Il confessore ti ha assolto da tutti i peccati.* Anche soddisfare i propri impegni. Es.: *Ha assolto gli obblighi di leva.*

assonànza: letteralmente: somiglianza di suono. Rima imperfetta ottenuta con due parole in cui siano uguali solo le vocali accentate e quelle finali. Per assonanza possono perciò rimare *decòro* e *stuòlo*, *bèllo* e *sénno*, *tímido* e *lírico*, *vétta* e *sècca*. V. invece CONSONANZA.

assorbíre: verbo della terza coniugazione, transitivo. In alcuni tempi si coniuga anche con la forma incoativa *-isc-* tra il tema e la desinenza. *Pres. indic.*: assorbo (assorbisco), assorbi (assorbisci), assorbe (assorbisce), assorbiamo, assorbite, assorbono (assorbiscono). *Pres. cong.*: assorba (assorbisca), assorbiamo, assorbiate, assorbano (assorbiscano). *Part. pass.*: assorbíto e assòrto.

assordàre e **assordíre:** verbi sovrabbondanti che mutano significato secondo che seguano la prima o la terza coniugazione. *Assordare* (per lo più transitivo) significa: render sordo; *assordire* (poco usato) vale: diventare sordo. *Pres. indic.* di assordare: assórdo ecc.; di assordíre: assordísco, ecc. Assordire è intransitivo e vuole l'ausiliare essere.

assortíre: verbo della terza coniugazione, transitivo. In alcuni tempi si coniuga con la forma incoativa *-isc-* tra il tema e la desinenza. *Pres. indic.*: assortisco, assortisci, assortisce, assortiamo, assortite, assortiscono. *Pres. cong.*: assortisca, assortisca, assortisca, assortiamo, assortiàte, assortiscano. *Part. pass.*: assortíto.

assuefàre: verbo irregolare della seconda coniugazione, con infinito sincopato (originariamente: assuefacere). Composto di *fare* (V.). Transitivo. *Pres. indic.*: assuefò (o assuefaccio), assuefai, assuefà, assuefacciamo, assuefate, assuefanno. *Pass. rem.*: assuefeci, assuefacesti, assuefece, assuefacemmo, assuefaceste, assuefecero. *Part. pass.*: assuefàtto. È usato soprattutto al riflessivo. Es.: *Non ci siamo ancora assuefatti al clima.*

assúmere: verbo irregolare della seconda coniugazione, transitivo. *Pass. rem.*: assunsi, assumesti, assunse, assumemmo, assumeste, assunsero. *Part. pass.*: assunto. Significa: prendere cariche, uffici; usato anche con la particella pronominale indiretta (riflessivo apparente). Es.: *Assumere il comando dell'esercito*; *Assumersi l'incarico di istruire gli allievi.*

assúrgere: verbo irregolare della seconda coniugazione, intransitivo. Ausiliare: essere. *Pass. rem.*: assursi, assurgesti, assurse, assurgemmo, assurgeste, assursero. *Part. pass.*: assurto. Significa: levarsi in alto, innalzarsi. Es.: *È assurto alla gloria dei beati.*

astenérsi: verbo riflessivo irregolare della seconda coniugazione, composto di *tenere* (V.). *Pres. indic.*: mi astengo, ti astieni, si astiene, ci asteniamo, vi astenete, si astengono. *Pass. rem.*: mi astenni, ti astenesti, si astenne, ci astenemmo, vi asteneste, si astennero. *Fut. semplice*: mi asterrò, ti asterrai, si asterrà, ci asterremo, vi asterrete, si asterranno. *Pres. condiz.*: mi asterrei, ti asterresti, si asterrebbe, ci asterremmo, vi asterreste, si asterrebbero. *Pres. cong.*: mi astenga, ti astenga, si astenga, ci asteniamo, vi asteniate, si astengano. *Part. pass.*: astenuto. Si costruisce con la preposizione *da*. Es.: *Si è astenuto da ogni commento*; *Ci asterremo dal votare.* Anche assolutamente: non pronunciarsi, non prender partito. Es.: *Due commissari votarono contro, due a favore, uno si astenne.*

asterísco: segno grafico, quasi sempre ripetuto tre volte (***), che viene usato al posto di un nome che l'autore non può o non vuole citare, oppure cita con la sola iniziale. Es.: *La sosta era prevista a* ***; *Il tale è figlio del conte* ***. Questo segno si usa anche per lo più tra parentesi (*) per richiami alle note; nei cataloghi e negli elenchi ha funzioni speciali, esplicitamente dichiarate in nota (Es.: *I libri con * indicano le novità; o le edizioni rare o le pubblicazioni esaurite*).

astíccio: procedimento metrico e stilistico per cui la parola in rima viene anticipata all'inizio del verso, o subito dopo, da una parola omonima o quasi omonima. *Eo viso, e son diviso da lo viso* (G. da Lentini). Di origini provenzali, ebbe larga fortuna tra i poeti italiani del Due e Trecento, per poi decadere sino all'ultima vera fioritura in età barocca.

àstio: sostantivo maschile. Plurale: asti o anche àstii.

astràrre: verbo irregolare della seconda coniugazione con l'infinito sincopato (originariamente: astraere). *Pres. indic.*: astraggo, astrai, astrae, astraiamo, astraete, astraggono. *Imperf. indic.*: astraevo, astraevi, astraeva, astraevamo, astraevate, astraevano. *Fut. semplice*: astrarrò, astrarrai, astrarrà, astrarremo, astrarrete, astrarranno. *Pass. rem.*: astrassi, astraesti, astrasse, astraemmo, astraeste, astrassero. *Pres. condiz.*: astrarrei, astrarresti, astrarrebbe, astrarremmo, astrarreste, astrarrebbero. *Pres. cong.*: astragga, astraiamo, astraiate, astraggano. *Imperf. cong.*: astraessi, astraessi, astraesse, astraessimo, astraeste, astraessero. *Imperativo*: astrai, astraete. *Part. pres.*: astraente; *pass.*: astratto. *Gerundio*: astraendo. È verbo transitivo (*Egli astrae l'uno dal molteplice*). È usato anche intransitivamente (ausiliare: avere) nel senso di prescindere, non considerare. Es.: *Voi avete astratto dalle condizioni reali della vita.*

astràtti (nomi): si dicono *astratti*, in contrapposizione a *concreti* (V.), i nomi che indicano idee, sentimenti, passioni, e in generale le cose che non possono essere percepite dai sensi, ma solo pensate o immaginate. Sono tali i nomi di qualità (*bontà, sapienza, virtù, castità*), i nomi di stato e di condizione (*vita, morte, rischio, povertà, celibato*), i nomi delle facoltà o posizioni dell'animo (*volontà, intelligenza, odio, amore*), i nomi delle azioni o fatti (*perdono, Risorgimento, punizione*), i nomi generici delle arti e delle scienze (*pittura, filosofia, medicina, storia*). Talvolta, nel linguaggio figurato questi nomi hanno però significato concreto. Es.: *La gioventù* (= i giovani) *è desiderosa del nuovo*; *Tu sei la mia rovina* (colui che mi rovina). Ciò accade soprattutto quando vengono usati al plurale. Es.: *Le musiche* (= le opere musicali) *di Rossini sono piaciute a tutti*; *I nemici ebbero molte perdite* (= soldati perduti). I nomi astratti subiscono raramente alterazioni. Essi infatti quando sono alterati tendono ad assumere un valore concreto (*vizietto, passioncella, amorazzo, capriccetti*).

àstro: sostantivo maschile, che indica ogni corpo celeste. Nel significato originario *astro* è il primo elemento di molte parole composte che indicano cose attinenti agli astri, ai corpi celesti. Es.: ASTROCHIMICA (scienza che studia la composizione chimica degli astri); ASTRODINAMICA (studio dei movimenti degli astri); ASTROGRAFÍA (fotografia dei corpi celesti); ASTROLATRÍA (religione che adora gli astri); ASTROLOGÍA (arte di indovinare il futuro dall'osservazione degli astri); ASTRONOMÍA (scienze dei fenomeni celesti). Neologismi sono ASTRONÀUTICA (scienza e tecnica della navigazione interplanetaria), ASTRONAVE (nave per viaggi interplanetari) e ASTRONAUTA (pilota di apparecchi interplanetari).

-àstro: suffisso con significato peggiorativo. Es.: da giovine, *giovinastro*; da poeta, *poetastro*. Usato soprattutto per gli aggettivi di colore per indicare impurità. Es.: da blu, *bluastro*; da rosso, *rossastro*.

astròlogo: sostantivo maschile sdrucciolo terminante in *-go*. Al plurale è ammessa tanto la forma in *-gi* (astròlogi) quanto quella (più popolare) in *-ghi* (astrologhi).

-àta: terminazione di nomi e aggettivi di vario significato. Indica azione (da ragazzo, *ragazzata*: azione da ragazzo; da smargiasso, *smargiassata*; da rivoltella, *rivoltellata*), oppure pienezza di contenuto (da mano, *manata*), oppure periodo complessivo di tempo (da anno, *annata*; da giorno, *giornata*). Indica anche l'azione di un verbo: *telefonata* (da telefonare), *nevicata* (da nevicare), *graffiata* (da graffiare), *lavata* (da lavare), *leccata* (da leccare).

-àto: suffisso che può formare: a) nomi astratti indicanti carica, funzione, condizione anche collettiva (da apostolo, *apostolato*; da principe, *principato*; da bracciante, *bracciantato*); b) aggettivi indicanti possesso di qualità fisiche o morali (da corazza, *corazzata*; da garbo, *garbato*); c) i participi passati dei verbi della prima coniugazione (*amato, lodato, parlato*, ecc.).

àtona: la sillaba priva di accento. Se si appoggia alla parola successiva è una *proclitica* (Es.: *la* vedo, *mi* segue), se alla precedente è una *enclitica* (sègui*mi*, àma*mi*). Vocale atona è una vocale non accentata. V. ACCENTO.

attaccabríghe: nome composto da una forma verbale (attacca) e un sostantivo femminile plurale (brighe). Invariato al maschile, al femminile e al plurale. V. anche COMPOSTI (NOMI).

attaccapànni: nome composto da una forma verbale (attacca) e un sostantivo maschile plurale (panni). Plurale: attaccapanni. V. anche COMPOSTI (NOMI).

attecchíre: verbo della terza coniugazione, intransitivo. Ausiliare: avere. In alcuni tempi si coniuga con la forma incoativa *-isc-* tra il tema e la desinenza. *Pres. indic.*: attecchisco, attecchisci, attecchisce, attecchiamo, attecchite, attecchiscono. *Pres. cong.*: attecchisca, attecchisca, attecchisca, attecchiamo, attecchiate, attecchiscano. *Imperativo*: attecchisci, attecchisca, attecchite. *Part. pass.*: attecchíto.

atténdere: verbo irregolare della seconda coniugazione, composto di *tendere* (V.). Transitivo. *Pass. rem.*: attesi, attendesti, attese, attendemmo, attendeste, attesero. *Par. pass.*: attéso. Significa aspettare. È verbo transitivo (*Ha atteso la tua lettera*; *Attendeva ansioso l'esito dell'esame*). Usato intransitivamente, con significato di: dedicarsi a, vuole l'ausiliare avere (*Per un anno ha atteso alla stesura del suo libro*).

atterríre: verbo della terza coniugazione, transitivo. In alcuni tempi si coniuga con la forma incoativa *-isc-* tra il tema e la desinenza. *Pres. indic.*: atterrisco, atterrisci, atterrisce, atterriamo, atterrite, atterriscono. *Pres. cong.*: atterrisca, atterrisca, atterrisca, atterriamo, atterriate, atterriscano. *Part. pass.*: atterríto. Falso sovrabbondante è ATTERRARE, che significa: gettare a terra, scendere a terra (dell'aeroplano; in questo senso è intransitivo con ausiliare avere o, meno comunemente, essere). Atterrire infatti deriva da *terrore*, atterrare da *terra*.

atteso che: locuzione participiale che introduce una proposizione causale. Es.: *Atteso che gli altri non si muovevano, prese egli stesso l'iniziativa.*

attestàre: verbo della prima coniugazione, regolare, transitivo. Significa: testimoniare (Es.: *Attestare la verità dei fatti*). Non va confuso con il verbo omonimo di uso militare, che significa: disporre le truppe su una linea d'attacco o di difesa (per tener testa al nemico); più frequente la forma riflessiva. Es.: *Le truppe si attestarono sulla riva del fiume.*

attìngere: verbo irregolare della seconda coniugazione, composto di *tingere* (V.). Transitivo. *Pres. indic.*: attingo, attingi, ecc. *Pass. rem.*: attinsi, attingesti, attinse, attingemmo, attingeste, attinsero. *Part. pass.*: attinto.

attino-: primo elemento di parole composte del linguaggio scientifico usato per indicare attinenza con i raggi, le radiazioni, la struttura raggiata. Es.: *attinopterigi, attinoterapia, attinometria*. Comune anche la grafia *actino-*.

attíva (forma): il verbo è nella forma attiva quando il suo soggetto compie l'azione (che passa sull'oggetto) o si trova nello stato indicato dal verbo stesso. Nella lingua italiana tutti i verbi hanno la forma attiva, che comprende anche la forma *riflessiva* e *pronominale* (V. voci relative). Es.: (*forma attiva*) Io lavoro; Tu punisci; Noi mangiamo; Gli alberi crescono; Le mele sono maturate; Il gatto miagola; (*riflessiva*) Egli si pente; Noi ci vergogniamo; Io me ne vado. V. anche VERBO.

attività: sostantivo femminile che indica l'operosità. Es.: *Dimostra un'attività notevole*. Anche: incarico, mestiere, occupazione. Es.: *Ha troppe attività*. Al plurale (le *attività*, contrapposto alle *passività*) indica le parti attive di un bilancio. Sono sconsigliate le locuzioni: *mettere in attività* per mettere in vigore; *essere in attività* per funzionare, essere in servizio.

attórno: avverbio di luogo che equivale a *intorno* (V.). Es.: *Essi sedettero attorno.* Anche preposizione costruita con la preposizione semplice *a*. Es.: *Voi stavate sempre attorno al capo*.

attràrre: verbo irregolare della seconda coniugazione con l'infinito sincopato (originariamente: attraere), composto di *trarre* (V.) di cui segue la coniugazione. È transitivo.

attravèrso: avverbio di luogo, che significa: per traverso, di travero. Es.: *Il boccone gli è andato attraverso*. Più comune come preposizione, talora costruita con *a*. Es.: *Passammo attraverso il giardino* (o *al giardino*).

attribuíre: verbo della terza coniugazione, transitivo. In alcuni tempi si coniuga con la forma incoativa *-isc-* tra il tema e la desinenza. *Pres. indic.*: attribuisco, attribuisci, attribuisce, attribuiamo, attribuite, attribuiscono. *Pres. cong.*: attribuisca, attribuisca, attribuisca, attribuiamo, attribuiate, attribuiscano. *Part. pass.*: attribuíto.

attribúto: attributo o complemento attributivo è quell'aggettivo che, in una proposizione, precede o segue un nome per indicarne una qualità essenziale o per chiarirne meglio il significato. Ad es., per il senso della proposizione *Gli animali sono pericolosi* è opportuno specificare *Gli animali feroci sono pericolosi*. In tal caso l'attributo si dice necessario. È invece accessorio nella proposizione *Goethe era un poeta tedesco*, in cui la specificazione *tedesco* aggiunge un elemento chiarificatore, pur non essendo indispensabile per il senso compiuto della proposizione.
L'attributo può essere costituito da un aggettivo o anche da una locuzione (attributiva). Es.: Ho visto una statua *di bronzo* (=bronzea). Nel caso si tratti di aggettivo, esso concorda con il nome a cui si riferisce nel genere e nel numero. Es.: *La statua bronzea fu scoperta*; *Paolo e Carlo erano ragazzi diligenti*.
Secondo che si riferisca al soggetto, al predicato nominale o al complemento, l'attributo si chiama *attributo del soggetto, del predicato* o *del complemento*.
Si noti infine che talora l'attributo può essere costituito da due aggettivi che formano un'idea unica. Es.: Si vedeva una distesa di color *verde cupo*. Altre volte, invece, gli attributi sono più di uno. Es.: Ho letto un libro *utile, divertente e interessante*. Non si confonda attributo con *apposizione* (V.).

attristàre e **attristíre:** verbi sovrabbondanti che mutano significato secondo che seguano la prima o la terza coniugazione. *Attristare* (per lo più transitivo) significa: render triste; *attristire* (per lo più intransitivo; ausiliare: essere) invece: diventar triste. *Pres. indic.* di attristare: attristo, ecc.; di attristire: attristisco ecc. Più usato di attristire è però *intristíre*.

attutíre: verbo della terza coniugazione, transitivo. In alcuni tempi si coniuga con la forma incoativa *-isc-* tra il tema e la desinenza. *Pres. indic.*: attutisco, attutisci, attutisce, attutiamo, attutite, attutiscono. *Pres. cong.*: attutisca, attutisca, attutisca, attutiamo, attutiàte, attutiscano. *Part. pass.*: attutíto.

audàcia: nome femminile terminante in *-ia*, che al plurale conserva la *i* atona (audàcie) anche per distinguersi da *audace* che è aggettivo.

audio-: primo elemento di parole composte, per indicare suono, ascolto, udito. Es.: *audioleso, audiocassetta, audioprotesi, audiovisivo, audiometro.*

auguràre: verbo della prima coniugazione. Regge il congiuntivo nella proposizione dipendente o, nel costrutto implicito, l'infinito con la preposizione *di*. Es.: *Auguro a tutti di passare una buona vacanza*; *Auguriamoci che ciò possa accadere.*

àuguri, augùri: parole che mutano significato con il variare della posizione dell'accento. Àuguri è infatti il plurale di *àugure* e indicava anticamente l'indovino; augùri è plurale di *augùrio*, e significa: voti, auspici. Es.: *Gli àuguri previdero la vittoria; Vi invio gli augùri di ogni bene.*

ausiliàri (verbi): si chiamano ausiliari i verbi *essere* ed *avere* perché ci «aiutano» a formare i tempi composti degli altri verbi. L'ausiliare *essere* si usa per tutti i tempi della forma *passiva* e per i tempi composti della forma *riflessiva* o *pronominale*. Si usa altresì con molti verbi *impersonali* e nei tempi composti della forma *attiva* di numerosi verbi *intransitivi* (sui quali vedrai le regole qui avanti, e ricorrerai anche, in caso di dubbio, alle voci relative ai singoli verbi). Esempi: a) *forma passiva*: Io sono abbandonato; Il libro era scritto; Voi siete lodati; b) *forma riflessiva*: Noi ci siamo aiutati; Essi si sono lasciati; Tu ti sei convinto; c) *verbi impersonali*: Era nevicato; Si è combattuto; È stato detto; d) *verbi intransitivi*: Siamo venuti; Eravate andati; Sono scesi in cantina.

L'ausiliare *avere* si usa nei tempi composti dei verbi *transitivi* nella forma *attiva*. Es.: *Noi abbiamo vinto*; *Tu hai detto cose giuste*; *Essi avevano rivelato il loro nome*. Si usa altresì con alcuni intransitivi e impersonali (per i quali bisogna consultare caso per caso il dizionario). Es.: *Voi avete dormito troppo*; *Essi hanno vissuto a lungo.*

I verbi *servili* (volere, potere, dovere) costituiscono un caso particolare. Usati assolutamente, cioè senza reggere un altro verbo all'infinito, essi vogliono sempre l'ausiliare avere. Es.: *Non ho voluto*; *Egli ha dovuto*; *Perché non hai potuto?* Quando sono invece usati come servili, essi si coniugano con l'ausiliare del verbo che reggono. Es.: *Ho dovuto lasciarti*; *Tu sei dovuto andare*; *Hai potuto scrivere*; *Non è potuto uscire*; *Egli è voluto partire*; *Voi avete voluto decidere.*

Si noti tuttavia che quando si vuol mettere in particolare rilievo l'idea di possibilità, di volontà e di necessità espressa dai tre verbi, si usa l'ausiliare avere, anche con verbi che richiederebbero l'ausiliare essere. Es.: *Eppure ho dovuto partire*; *Hai proprio voluto andare*; *Non ho assolutamente potuto uscire.*

Da quanto si è detto, si può concludere che l'uso dei due ausiliari obbedisce a regole fisse quando si tratta di verbi transitivi nella forma attiva o dei verbi passivi o riflessivi; quando invece si tratta di verbi intransitivi o impersonali occorre consultare il vocabolario. Il presente dizionario dà ad ogni voce riguardante un verbo intransitivo l'indicazione dell'ausiliare da usare.

Vi sono poi verbi intransitivi che possono usare secondo i casi l'ausiliare avere o l'ausiliare essere. A questa categoria appartengono:

a) i verbi che indicano attività fisica della materia o attività biologica nel campo animale o vegetale: usano *essere* quando si considera il risultato dell'azione espressa; *avere*, quando si vuol invece richiamare l'attenzione sull'azione stessa (Es.: *Voi avete vissuto tranquillamente*; *Noi siamo vissuti a lungo in campagna*).

I principali verbi di questo tipo sono: accestire, allignare, degenerare, divampa-

Ess-ere	**Av-ere**
MODO INDICATIVO	
Presente io sono tu sei egli è noi siamo voi siete essi sono	*Presente* io ho tu hai egli ha noi abbiamo voi avete essi hanno
Imperfetto io ero tu eri egli era noi eravamo voi eravate essi erano	*Imperfetto* io avevo tu avevi egli aveva noi avevamo voi avevate essi avevano
Passato prossimo io sono stato o stata tu sei stato egli è stato noi siamo stati o state voi siete stati essi sono stati	*Passato prossimo* io ho avuto tu hai avuto egli ha avuto noi abbiamo avuto voi avete avuto essi hanno avuto
Passato remoto io fui tu fosti egli fu noi fummo voi foste essi furono	*Passato remoto* io ebbi tu avesti egli ebbe noi avemmo voi aveste essi ebbero
Futuro semplice io sarò tu sarai egli sarà noi saremo voi sarete essi saranno	*Futuro semplice* io avrò tu avrai egli avrà noi avremo voi avrete essi avranno
Trapassato prossimo io ero stato o stata tu eri stato egli era stato noi eravamo stati o state voi eravate stati essi erano stati	*Trapassato prossimo* io avevo avuto tu avevi avuto egli aveva avuto noi avevamo avuto voi avevate avuto essi avevano avuto

Trapassato remoto io fui stato o stata tu fosti stato egli fu stato noi fummo stati o state voi foste stati essi furono stati	*Trapassato remoto* io ebbi avuto tu avesti avuto egli ebbe avuto noi avemmo avuto voi aveste avuto essi ebbero avuto
Futuro anteriore io sarò stato o stata tu sarai stato egli sarà stato noi saremo stati o state voi sarete stati essi saranno stati	*Futuro anteriore* io avrò avuto tu avrai avuto egli avrà avuto noi avremo avuto voi avrete avuto essi avranno avuto
MODO CONGIUNTIVO	
Presente io sia tu sia egli sia noi siamo voi siate essi siano	*Presente* io abbia tu abbia egli abbia noi abbiamo voi abbiate essi abbiano
Imperfetto io fóssi tu fóssi egli fósse noi fóssimo voi fóste essi fóssero	*Imperfetto* io avessi tu avessi egli avesse noi avessimo voi aveste essi avessero
Passato io sia stato o stata tu sia stato egli sia stato noi siamo stati o state voi siate stati essi siano stati	*Passato* io abbia avuto tu abbia avuto egli abbia avuto noi abbiamo avuto voi abbiate avuto essi abbiano avuto
Trapassato io fossi stato o stata tu fossi stato egli fosse stato noi fossimo stati o state voi foste stati essi fossero stati	*Trapassato* io avessi avuto tu avessi avuto egli avesse avuto noi avessimo avuto voi aveste avuto essi avessero avuto

<table>
<tr><th colspan="2">MODO CONDIZIONALE</th></tr>
<tr><td>Presente
io sarei
tu saresti
egli sarebbe
noi saremmo
voi sareste
essi sarebbero

Passato
io sarei stato o stata
tu saresti stato
egli sarebbe stato
noi saremmo stati o state
voi sareste stati
essi sarebbero stati</td><td>Presente
io avrei
tu avresti
egli avrebbe
noi avremmo
voi avreste
essi avrebbero

Passato
io avrei avuto
tu avresti avuto
egli avrebbe avuto
noi avremmo avuto
voi avreste avuto
essi avrebbero avuto</td></tr>
<tr><th colspan="2">MODO IMPERATIVO</th></tr>
<tr><td>Presente
....
sii
sia
siamo
siate
siano

Futuro
....
sarai
sarà
saremo
sarete
saranno</td><td>Presente
....
abbi
abbia
abbiamo
abbiate
abbiano

Futuro
....
avrai
avrà
avremo
avrete
avranno</td></tr>
<tr><th colspan="2">MODO INFINITO</th></tr>
<tr><td>Presente: essere
Passato: essere stato</td><td>Presente: avere
Passato: avere avuto</td></tr>
<tr><th colspan="2">PARTICIPIO</th></tr>
<tr><td>Presente: ....
Passato: stato, stata, stati, state</td><td>Presente: avente
Passato: avuto</td></tr>
<tr><th colspan="2">GERUNDIO</th></tr>
<tr><td>Presente: essendo
Passato: essendo stato</td><td>Presente: avendo
Passato: avendo avuto</td></tr>
</table>

re, espatriare, esulare, finire, germinare, germogliare, girare, gravitare, pullulare, rimbombare, straripare, sussistere, tallire, vivere.

b) i verbi che indicano abbondanza o difetto. Usano l'ausiliare *essere* quando ciò che abbonda o ciò che manca è espresso dal soggetto; usano l'ausiliare *avere* negli altri casi (Es.: *A tavola era abbondato il pane*; *Al momento opportuno son mancati gli aiuti*; *Quel paese non ha mai abbondato di frutti*).
I principali verbi di questo tipo sono: abbondare, colare, evaporare, gocciolare, grondare, ridondare, rigurgitare, stillare, traboccare, traspirare, trasudare.

c) alcuni verbi che usano *avere* se il soggetto è espresso da un essere animale, *essere* se il soggetto è espresso da una cosa (Es.: *Egli ha cominciato presto*; *La lettura è cominciata*; *Chi ha suonato male?*; *Sono suonate le nove*).
I principali verbi di questo tipo sono: cessare, cominciare, continuare, durare, echeggiare, giovare, indietreggiare, mutare, proseguire, raddoppiare, suonare, variare.

d) alcuni verbi che usano indifferentemente entrambi gli ausiliari (Es.: *Egli ha appartenuto all'esercito*; *Egli è appartenuto all'esercito*; *Ha piovuto*; *È piovuto*; *Ha circolato per la città*; *È circolato per la città*).
I principali verbi di questo tipo sono: accomodare, appartenere, circolare, confluire, diluviare, disertare, grandinare, gustare, lampeggiare, luccicare, naufragare, nevicare, piovere, progredire, quadrare, rabbrividire, retrocedere, rifluire, rintoccare, rintronare, risonare, risplendere, salpare, soggiacere, somigliare, tempestare, trasalire, trasecolare, trasmigrare, tuonare.

e) certi verbi, infine, mutano significato secondo che si coniughino con l'ausiliare essere o con l'ausiliare avere (Es.: *La cavalleria aveva avanzato oltre il fiume*; *Non è avanzato nulla*; *Ha mancato alla parola data*; *Sono mancati cinque soldati*).
I principali verbi di questo tipo, per i quali si rimanda alle voci relative, sono: avanzare, convenire, fallire, frullare, incrudelire, intercedere, mancare, montare, precipitare, procedere, ricorrere, riparare, risaltare, scattare, scomparire, servire, soccorrere, spirare, volgere.
Per i verbi di moto V. MOTO (VERBI DI).

aut aut: espressione latina (pr.: àut àut) che significa propriamente «o... o». Si usa come sostantivo maschile nel senso di: alternativa, dilemma, ultimatum. Es.: *Mi ha posto di fronte a un aut aut.*

auto-: prefisso usato per comporre numerose parole. Significa: da sé stesso, per sé stesso. Es.: *automobile* (che si muove da sé), *autocritica* (critica su sé stesso), *autobiografia* (biografia di sé stesso), *autògeno* (che si genera da sé), *autolesionismo* (il ferirsi da sé), *autocontrollo* (controllo delle proprie reazioni), *autodeterminazione, autonomia* (indipendenza, facoltà di decidere), *autogestione* (gestione autonoma), *autorete* (autogol, punto segnato contro sé stessi), *autoritratto* (ritratto di sé stesso).
Auto è anche sostantivo femminile, abbreviazione di automobile. È uno dei nomi femminili terminanti in *-o*. È prefisso di molte parole composte indicanti cose che hanno attinenza con l'automobile. Es.: *autolettiga* e *autoambulanza* (automobile con lettiga), *autorimessa* (rimessa per automobili), *autostrada* (strada per automobili), *autostop* (passaggio in automobile), *autoparcheggio* (parcheggio di automobili).

autoblíndo: sostantivo femminile invariabile al plurale.

àutobus: forestierismo ormai invalso nell'uso per: torpedone, corriera e simili.

autòdromo: sostantivo maschile. Errata la pronuncia autodròmo.

automazióne: sostantivo femminile. Neologismo derivato dalla parola inglese *automation*. Il termine ha però la sua radice nella parola greca *autómatos* che significa: che si muove da sé, spontaneo. Più tardi dal plurale neutro del vocabolo greco, accorciato, derivarono il sostantivo AUTÒMA, indicante una macchina semovente che imita i movimenti di un animale o di un uomo, e l'aggettivo AUTOMÀTICO, riferibile a movimento compiuto per mezzo di un meccanismo. Il vocabolo *automazióne* indica infatti l'applicazione sempre più estesa di macchine che agiscono senza l'intervento dell'uomo nel campo della produzione industriale e dei servizi pubblici e privati. Si può anche dire: AUTOMATIZZAZIÓNE; non però AUTOMATISMO, che ha già un suo preciso significato nel linguaggio medico, indicando il compiersi di una funzione senza l'intervento consapevole della volontà.

autorizzàre: verbo della prima coniugazione, transitivo. Si costruisce con la preposizione *a*. Es.: *Chi lo ha autorizzato a parlare in nostro nome?*

avànti: preposizione e avverbio di tempo indicante anteriorità. Come preposizione è di uso poco comune e talora sconsigliabile. Es.: *Ti scrissi avanti di lui* (meglio: prima di lui); *Nel 44 avanti Cristo.* Anche avverbio di luogo. Es.: *Virgilio camminava avanti*; *Egli si fece avanti*; *Bisogna andare avanti.* Anche interiezione: *Avanti!* V. anche DAVANTI.

Nel linguaggio sportivo si usa come sostantivo maschile (plurale invariabile) per indicare il giocatore di prima linea in alcuni sport di squadra (calcio, rugby, ecc.).

avanzàre: verbo della prima coniugazione, transitivo nel senso di: risparmiare, tener da parte. Es.: *Non mi avete avanzato nulla*; *Gli abbiamo avanzato la minestra.* Anche essere creditore. Es.: *Tu non avanzi nulla da me.* Nel senso di essere d'avanzo, soprabbondare, è intransitivo e vuole l'ausiliare essere. Es.: *È avanzata poca roba*; *Questa minestra è avanzata.* Come verbo di moto, nel senso di progredire, si coniuga con tutti e due gli ausiliari. Es.: *I nostri hanno avanzato oltre il confine*; *I nostri sono avanzati oltre il confine.*

avére: verbo ausiliare. Si usa per formare i tempi composti di tutti i verbi transitivi nella forma attiva. Es.: *Tu hai scritto una lettera*; *Noi avevamo vinto una corsa*; *Se voi aveste letto il giornale*; *Io so di aver amato*; *Egli avrà comperato la casa.*

Si usa altresì coi verbi intransitivi che esprimono una attività fisica o morale (Es.: *Voi avete respirato*; *Essi hanno riso*; *Avrei sognato*; *Tu hai immaginato*; *Voi avete gioito*) e, in alcuni casi, con i *verbi di moto* (V.).

Anche alcuni verbi impersonali, indicanti fenomeni atmosferici, si coniugano con l'ausiliare avere (Es.: *Ha diluviato*; *Aveva piovuto*).

Tra i verbi intransitivi che vogliono l'ausiliare avere si devono includere quelli esprimenti le voci degli *animali* (V.).

Il presente dizionario in ogni voce relativa a un verbo intransitivo dà l'indicazione dell'ausiliare da usarsi. Tuttavia elenchiamo qui di seguito i più comuni verbi intransitivi (o transitivi che si possono usare intransitivamente) che si coniugano con l'ausiliare avere (il quale nell'uso tende a prevalere):

Abboccare, abitare, abiurare, aborrire, abusare, accattare, accennare, acclamare, accompagnare, accondiscendere, acconsentire, accordare, accudire, aderire, agire, agonizzare, alloggiare, almanaccare, ammiccare, anelare, annaspare, annuire, ansimare, anticipare, approfittare, ardire, arginare, armare, arridere, aspirare, assistere, astrarre, attaccare, attecchire, attendere, attentare, avvertire;

Ballare, banchettare, barare, barcollare, battagliare, bazzicare, belare, bestemmiare, bisbigliare, bisticciare, bivaccare, brancolare, brigare, brontolare, bussare;

Cacciare, camminare, campeggiare, capitolare, cavalcare, cedere, celiare, cenare, chiacchierare, cicalare, civettare, coincidere, collaborare, collimare, combaciare, combattere, combinare, commerciare, comunicare, concionare, concordare, confabulare, conferire, confidare, confinare, confrontare, contendere, contravvenire, contribuire, conversare, corrispondere, cospirare, cozzare, crepitare, cucinare;

Dare, degenerare, derogare, desinare, desistere, deviare, differire, diffidare, digiunare, dimorare, discorrere, discutere, disperare, disputare, dissentire, dissertare, disubbidire, divagare, dominare, dondolare, dormire, dubitare, duellare;

Eccedere, elemosinare, equivocare, errare, esclamare, esitare, esordire, esultare;

Fantasticare, farneticare, faticare, favoleggiare, fermentare, festeggiare, fiatare, fidare, fischiare, fluttuare, folleggiare, foraggiare, forzare, fremere, fre-

quentare, friggere, frugare, fruttificare, funzionare;
Galleggiare, galoppare, gareggiare, gesticolare, ghignare, giocare, gioire, godere, gongolare, gorgheggiare, gorgogliare, gozzovigliare, gridare, guadagnare, guardare, guazzare;
Lagrimare, languire, largheggiare, lavorare, lesinare, leticare, lievitare, litigare, lottare, lussureggiare;
Malignare, mareggiare, martellare, mendicare, mentire, mercanteggiare, militare, mirare, molleggiare, mulinare, murare;
Narrare, navigare, negoziare, nereggiare, nicchiare, nidificare, niellare, nuocere, nuotare;
Obbedire, odorare, olezzare, ondeggiare, operare, opinare, optare, orecchiare, origliare, orinare, oscillare, ostare, ottemperare, ovviare, oziare;
Palpitare, pareggiare, parlare, partecipare, parteggiare, partorire, pascere, pascolare, passeggiare, patteggiare, pattinare, pattugliare, pattuire, pazientare, peccare, pellegrinare, penare, pencolare, pensare, penzolare, perdere, periodare, perseverare, persistere, pianeggiare, piangere, picchiare, piegare, pieghettare, pirateggiare, pispigliare, pitoccare, poetare, poltrire, pontificare, posare, pranzare, praticare, predicare, predominare, preludere, preponderare, presiedere, presumere, pretendere, prevaricare, primeggiare, procrastinare, profittare, prolificare, propinare, prorompere, protestare, provvedere, puntare, puzzare;
Questionare, questuare;
Racimolare, radicare, ragionare, ramificare, rantolare, raschiare, raspare, raziocinare, razzolare, reagire, recalcitrare, reclamare, regnare, remare, resistere, respirare, ridere, riflettere, rimediare, rimuginare, riposare, ripugnare, rischiare, risiedere, rispondere, rissare, ritrarre, rompere, rosseggiare, roteare, rullare, ruminare, rumoreggiare, russare, ruttare;
Salmodiare, saltellare, sanguinare, sapere, sbadigliare, sbagliare, sbandierare, sbattere, sbraitare, sbruffare, scalciare, scalpitare, scampanare, scampanellare, scarabocchiare, scatarrare, scherzare, schiamazzare, schioccare, schitarrare, sciabordare, scialare, sconfinare, scoppiettare, scorrazzare, scorrere, scricchiolare, sdottorare, sedere, sentire, serpeggiare, sfacchinare, sfangare, sfarfallare, sfoggiare, sgambettare, sgarrare, sghignazzare, sgobbare, sgrammaticare, sguazzare, signoreggiare, sloggiare, smaniare, soffiare, soffrire, sofisticare, sogghignare, soggiornare, solfeggiare, sonnecchiare, sopperire, soprassedere, soprintendere, sorridere, sorvolare, sospettare, sospirare, sostare, sottilizzare, sparare, sparlare, spasimare, spaziare, sperare, spergiurare, spiccare, spigolare, sposare, sputare, stagnare, stanziare, starnutire, stentare, sterzare, stonare, stormire, stornare, strabiliare, strepitare, strillare, strisciare, supplire, sussurrare, svernare, sviare, svolazzare, svoltare;
Tacere, temere, temporeggiare, tenere, tentennare, tergiversare, tirare, titubare, toscaneggiare, tossire, traballare, transitare, trasgredire, trattare, traviare, tremare, trepidare, trescare, tribolare, trillare, trionfare, tripudiare, trottare, tumultuare, turbinare;
Ubbidire, urlare, urtare;
Vacillare, vagabondare, vagare, vagire, vaneggiare, vedere, vegliare, veleggiare, vendemmiare, verdeggiare, versare, verseggiare, vestire, viaggiare, vibrare, vigilare, villeggiare, vincere, vogare, voltare, volteggiare, votare;
Zampettare, zoppicare, zufolare.

Per gli intransitivi che possono usare sia l'ausiliare essere che l'ausiliare avere V. *Ausiliari* (*Verbi*) e *Intransitivi* (*Verbi*).

Quando non è usato come ausiliare, il verbo avere significa: possedere, tenere. Es.: *Egli ha una casa; Voi avete molti meriti.*

Altri significati e usi di avere: sentire, provare (*aver compassione, aver paura*), ottenere (*aver ragione, aver diritto*), indossare (*avere il cappotto, avere un abito nuovo*), comperare (*avere una cosa per poco*), stimare (*avere uno per onesto*). Con la preposizione *da* e l'infinito di un altro verbo indica dovere, bisogno, necessità: *aver da fare, aver da rispondere a qualcu-*

no, aver da finire. Anche con la preposizione *a*: *aver a che fare*: essere in rapporto. *Avere a cuore*: essere assai affezionato, interessato. *Aversela a male*: ritenersi offeso, offendersi. *Averla con uno*: essere in collera con lui, serbar rancore.

avi-: primo elemento di parole composte attinenti agli uccelli. Es.: *avifauna, avicoltore.*

avio-: primo elemento di parole composte attinenti agli aerei e all'aviazione: *aviogetto, aviolinea, avionica, aviorimessa.*

avv.: abbreviazione di avvocato. Si pone prima del nome e cognome (avv. Luigi Maino) oppure tra il cognome e il nome (Maino avv. Luigi). Nel caso che vi siano altri titoli viene sempre posposto. Es.: *on. avv.; comm. avv.*

avvegnaché, avvègna che: congiunzione, ormai non più usata. Se seguita dal congiuntivo ha valore concessivo e può essere sostituita da *benché* (V.); se seguita dall'indicativo ha valore causale e può essere sostituita da *giacché, perché.*

avveníre: verbo irregolare della terza coniugazione, composto di *venire* (V.) di cui segue la coniugazione. Impersonale, è usato solo nelle terze persone. Vuole l'ausiliare essere. Es.: *Allora avvenne che tutti si alzarono*; *È avvenuto quello che prevedevamo.* Anche sostantivato. Es.: *L'avvenire* (il futuro) *è nelle mani dei giovani.* Talora aggettivo invariabile. Es.: *Bisogna pensare al tempo avvenire.* Estensivo l'uso sostantivato nel senso di: fortuna, prosperità. Es.: *Si è preparato un grande avvenire*; *L'avvenire del nostro popolo è sul mare.*
Da avvenire deriva il neologismo AVVENIRISMO (e l'aggettivo AVVENIRISTA) indicante l'atteggiamento di chi in politica, in arte o in filosofia guarda al futuro, spera e lotta per l'affermarsi di dottrine o sistemi sociali nuovi. Es.: *Le correnti avveniriste della pittura moderna*; *Le teorie economiche avveniriste*; *L'avvenirismo dominante nell'astronautica.*

avvèrbio: parte invariabile del discorso che determina, modifica o specifica il significato del verbo, e anche del nome, dell'aggettivo o di un altro avverbio, ai quali è riferito. Esso può indicare la qualità di una azione o le sue circostanze di luogo, di tempo, di misura o anche l'affermazione, la negazione o il dubbio nei riguardi dell'azione stessa. Si distingue perciò in varie categorie: avverbi di *modo e maniera* (o qualificativi), avverbi di *luogo*, avverbi di *tempo*, avverbi di *quantità*, avverbi di *affermazione, negazione, dubbio*, avverbi *relativi* e *interrogativi.* Per osservazioni particolari V. le voci relative. L'avverbio si pone prima del verbo, quando si vuol conferirgli risalto ed efficacia espressiva (*Gravemente mi pento di quel che ho fatto*). Si pone all'inizio o alla fine di una frase (separato dal resto mediante una virgola) quando, indicando una probabilità o un giudizio, modifica il senso dell'intera proposizione (Es.: *Probabilmente non aveva mai sentito nulla di simile*; *Gli altri non gli diedero ragione, giustamente*). Riferito ad un aggettivo o ad un altro avverbio, si colloca davanti (*Sono lietamente sorpreso del tuo arrivo*; *Tu mi hai capito molto bene*). Nei casi in cui il verbo è composto, l'avverbio si colloca tra l'ausiliare e il participio (*Tu mi hai gravemente offeso*) oppure dopo il participio (*Egli mi ha risposto sgarbatamente*) o anche prima dell'ausiliare (*Io subito ho risposto*). La prima forma dà tuttavia maggior risalto al valore dell'avverbio. I gradi di *comparazione* (V.) sono possibili per quasi tutti gli avverbi di modo o maniera e per alcuni di altra specie. Il comparativo si forma premettendo *più, meno, tanto, quanto, così, come, altrettanto* (*più piacevolmente, così allegramente come..., tanto presto quanto..., meno spesso* ecc.); il superlativo aggiungendo il suffisso *-mente* al superlativo dell'aggettivo (*dolcissimamente, facilissimamente*), o ripetendo il positivo (*presto presto, piano piano, poco poco*).
Locuzioni avverbiali (V.) sono detti gli avverbi formati da più parole (*al più presto, di buon grado*).

avversatíve (congiunzioni): le congiunzioni che stabiliscono un legame tra termini contrapposti. Esse sono: ma (*Piegato, ma non vinto*), anzi (*Non lieto, anzi malinconico*), tuttavia (*Era stanco, tuttavia continuò a lavorare*), però (*Era vero, però conservai i miei dubbi*), pure (*Sono forte, pure il dolore mi tormenta*). V.

AVVERBI

QUALIFICATIVI O DI MODO formati con	a) il suffisso *-mente*: *fortemente, gentilmente.* b) il maschile dell'aggettivo: *lontano, basso, alto.* c) forme proprie: *male, bene, adagio.* d) locuzioni con preposizioni semplici o articolate (*locuzioni avverbiali*): *in pieno, di certo, in mezzo, alla buona, a quattr'occhi.*
SPECIFICI O CIRCOSTANZIALI	relativi e interrogativi: Es.: *dove, dovunque, donde.* di tempo: Es.: *ora, adesso, mai, oggi, ieri, domani, sempre, presto, subito, tosto, tardi, prima, dopo, ancora, allora, spesso, già, poi, finora*, ecc. di luogo: Es.: *qui, là, su, giù, sopra, sotto, vicino, lontano, davanti, dietro, fuori, dentro, costì, costà, quaggiù, lassù.* di quantità: Es.: *molto, poco, troppo, tanto, niente, nulla, almeno, quasi, parecchio, alquanto, più, meno.* di affermazione: Es.: *sì, certo, appunto, giusto, sicuro, esatto.* di negazione: Es.: *no, non, neppure, nemmeno, non mai, neanche, punto, affatto.* di dubbio: Es.: *forse, chissà, probabilmente, quasi.* di somiglianza: Es.: *come, così.* indicativi: Es.: *ecco.* conclusivi: Es.: *insomma.*

anche le voci relative alle varie congiunzioni.

avvertíre: verbo della terza coniugazione. Transitivo. Ha sia il costrutto esplicito (*Avvertì che sarebbe tornato tardi*), sia implicito con *di* e l'infinito (*Avvertì di non provocarlo oltre misura*).

avvilíre: verbo della terza coniugazione, transitivo. In alcuni tempi si coniuga con la forma incoativa *-isc-* tra il tema e la desinenza. *Pres. indic.*: avvilisco, avvilisci, avvilisce, avviliamo, avvilite, avviliscono. *Pres. cong.*: avvilisca, avvilisca, avvilisca, avviliamo, avviliate, avviliscano. *Part. pass.*: avvilíto. Molto usato nella forma riflessiva. Es.: *Si avvilisce per poco*; *Ci avvilimmo per la netta sconfitta subita.*

avvíncere: verbo irregolare della seconda coniugazione, composto di *vincere* (V.). Transitivo. *Pass. rem.*: avvinsi, avvincesti, avvinse, avvincemmo, avvinceste, avvinsero. *Part. pass.*: avvínto. Es.: *Lo ha avvinto con la corda.* Molto usato in senso figurato. Es.: *Le sue parole ci avvinsero.*

avvizzíre: verbo della terza coniugazione, intransitivo. Ausiliare: essere. In alcuni tempi si usa la forma incoativa *-isc-* tra il tema e la desinenza. *Pres. indic.*: avvizzisco, avvizzisci, avvizzisce, avvizziamo, avvizzite, avvizziscono. *Pres. cong.*: avvizzisca, avvizzisca, avvizzisca, avvizziamo, avvizziàte, avvizziscano. *Part. pass.*: avvizzíto.

avvòlgere: verbo irregolare della seconda coniugazione, composto di *volgere* (V.). Transitivo. *Pass. rem.*: avvolsi, avvolgesti, avvolse, avvolgemmo, avvolgeste, avvolsero. *Part. pass.*: avvòlto.

azióne: in grammatica, ciò che è espresso dal verbo. In ragione della durata, dello svolgimento e del grado di compiutezza dell'azione, varia l'aspetto del verbo: azione momentanea, espressa con il presente (*gioco*), il passato prossimo (*ho giocato*) o il passato remoto (*giocai*), il futuro semplice (*giocherò*); azione durativa, espressa, per il passato, con l'imperfetto (*giocavo*).
La stessa azione durativa, unitamente ad altri tipi di azione (ingressiva, iniziale, iterativa, conclusiva) sono espresse con perifrasi in cui compare un verbo, o una locuzione con valore fraseologico, seguito dall'infinito o dal gerundio del verbo indicante il contenuto dell'azione (*sto giocando, sto per giocare, sono sul punto di giocare, comincio a giocare, continuo a giocare, vado avanti a giocare, smetto di giocare*).
Nel caso di azione intermittente, l'espressione avviene con la modificazione del verbo mediante certi suffissi, quali *-icchiare* o *-erellare.*

azzàrdo: parola derivata dal francese *hasard* (pr.: asàr), ma accolta nell'uso nostro. Potrai sostituirlo con: rischio, pericolo. Insostituibile però nell'espressione: gioco d'azzardo (tuttavia è stata proposta la locuzione: gioco rischioso). Dal sostantivo è derivato il verbo AZZARDARE, che vale: arrischiare o anche rischiare. Si usa transitivamente (Es.: *Ho azzardato un giudizio*) e anche intransitivamente con l'ausiliare avere (Es.: *Abbiamo azzardato troppo*). Anche riflessivo. Es.: *Si è azzardato a dire queste cose?*
L'aggettivo AZZARDOSO potrai sostituirlo con: rischioso, pericoloso; AZZARDATO con: avventato, temerario, imprudente. Es.: *Questo è un progetto azzardoso* (rischioso); *I suoi giudizi sono spesso azzardati* (avventati, imprudenti).

-azzare: suffisso che si usa per formare verbi frequentativi o iterativi, talora con senso attenuativo o peggiorativo. Es.: *scopiazzare, scorrazzare.*

-azzo: suffisso che conferisce alla parola un valore spregiativo. Es.: *amorazzo, codazzo, damazza.*

B

b: seconda lettera dell'alfabeto italiano. È una consonante; il segno b si legge *bi*. Può essere di genere femminile o maschile secondo che si sottintenda «lettera» o «segno». Es.: *una b* o *un b*. È una consonante *labiale*, perché si pronuncia con il particolare aiuto delle labbra: *esplosiva* perché si forma con una specie di esplosione attraverso la bocca; *sonora*, perché ha una certa risonanza, a differenza, per esempio, dell'altra labiale *p*.
Davanti a questa consonante non può trovarsi la *n*, ma sempre la *m*. Es.: *imbevuto* (e non inbevuto), *imbecille* (e non inbecille), *combattere* (e non conbattere).

bàbbo: sostantivo maschile, che significa padre. Usato con un significato più familiare e affettuoso di padre. Si usa di norma l'articolo, anche quando è accompagnato da un aggettivo possessivo. Es.: *il mio babbo* (non: mio babbo). Nelle esclamazioni, si può trovare senza articolo. Es.: *Babbo mio!*; *Di', babbo, quando parti?* È più diffuso attualmente l'uso di *papà*.

baby talk: espressione inglese che indica la particolare varietà di lingua che gli adulti sovente usano con i bambini più piccoli. Consiste sia nella parodia dei suoni del linguaggio infantile, per esempio: *piri-piri-piri, ghe-ghe-ghe*, sia nella alterazione delle parole; per esempio, con suffissi diminutivi o vezzeggiativi: *bellino, piccolino, cucciolino della mammuccia tua!*

bacchèo: nella metrica classica, piede costituito da una sillaba breve e da due lunghe; il nome deriva dai canti in onore di Bacco.

bàcio e **bacío:** parole che mutano significato secondo la posizione dell'accento. Bàcio (plurale: baci) indica l'atto del baciare; bacío (plurale: bacíi) indica invece luogo non esposto al sole. Oggi però si usa soprattutto la locuzione avverbiale *a bacío*, mentre è caduto dall'uso il plurale *bacíi*. Es.: *un campo a bacío*; *i campi a bacío*.

bacòlogo: nome maschile sdrucciolo terminante in *-go*. Plurale: bacòlogi.

bactèrio: più usata la forma *batterio*.

bàda: sostantivo femminile, che significa indugio. Si usa solo nell'espressione *tenere a bada*, col significato di: sorvegliare, trattenere, controllare, o anche intrattenere qualcuno per fargli perder tempo e tirare così a lungo una faccenda.

badàre: verbo della prima coniugazione, intransitivo (ausiliare: avere). Si costruisce con l'infinito preceduto dalla preposizione *a*. Es.: *Benché avvertito del pericolo, badava a correre*; *Voi fate come volete, ma io bado a trattenere i nemici*. Si costruisce anche con *che* e il congiuntivo (Es.: *Bada che non ti prenda*) o l'indicativo (Es.: *Bada che ti fai male*); oppure con *di* e l'infinito di un altro verbo (Es.: *Bada di non farti più vedere*; *Badiamo di non farci prendere*); oppure con un *a che* e il congiuntivo (Es.: *Badava a che tutto andasse bene*). Talora anche transitivo nel senso di vigilare, sorvegliare. Es.: *Bada le bestie*; *La governante bada i bambini*. Ma più comunemente: badare *alle* bestie; badare *ai* fatti propri; badare *ai* figli.

bagnàre: verbo della prima coniugazione, transitivo. La prima persona plurale del pres. indicativo si scrive *bagniàmo* meglio che *bagnàmo*. Spesso usato al riflessivo. Es.: *Mi son tutto bagnato*.

bah: interiezione primaria, usata per esprimere scetticismo, rassegnazione, indifferenza.

bàio: aggettivo o sostantivo maschile (plur.: bài) che indica il mantello rosso bruno, simile al colore della castagna, proprio di un tipo di cavallo. Anche il cavallo stesso che ha il mantello di quel colore. Il sostantivo femminile BAIA (plurale: bàie), di diversa origine, indica invece un'insenatura nella costa del mare, oppure: scherzo, burla. Es.: *Ho visto un bel cavallo baio*; *Ha comprato due bai*; *La barca si inoltrò nella baia*; *I ragazzi davano la baia ad un vecchio.*

balenàre: verbo della prima coniugazione, usato per lo più impersonalmente. Ausiliare: essere o avere. Es.: *È balenato tutta la notte* o *Ha balenato tutta la notte.* Usato al figurato per indicare l'improvviso lampeggiare di un'idea nella mente. Es.: *Mi è balenata un'idea.*

bàlia e **balía:** sostantivi femminili che mutano significato secondo la posizione dell'accento. Il primo indica la nutrice o bambinaia; il secondo significa: potere, signoría. Es.: *Fu affidato alla bàlia per essere allevato*; *Fu lasciato in balía delle onde.*

ballàta: composizione poetica italiana d'origine popolare elaborata e innalzata a dignità letteraria dai poeti stilnovisti. In origine era un canto per danza (Canzone a ballo); da ciò il nome.

La ballata è formata da un organismo ritmico assai complesso, composto di una *ripresa* e di una o più strofe dette *stanze.* Le stanze erano cantate da una voce sola, le riprese dai danzatori, in coro, prima del ballo.

La stanza è composta di due *mutazioni* uguali e di una *volta*, quest'ultima sempre uguale, nel numero dei versi e nella disposizione delle rime, alla ripresa. Il primo verso della *volta* rima sempre con l'ultimo verso della *seconda mutazione*; l'ultimo verso della *volta* rima sempre con l'ultimo verso della *ripresa*. I versi usati nella ballata sono gli endecasillabi, misti a settenari.

La ballata si dice *maggiore, mezzana, minore, piccola*, secondo che la ripresa sia composta di quattro, tre, due o di un solo verso, tutti endecasillabi. Si dice *minima* se la ripresa è di un solo verso breve, solitamente un settenario o un ottonario. Si dice *stravagante* se la ripresa ha più di quattro versi.

Diamo ora alcuni esempi di ballata:

Il Mago

ripresa
«Rose al verziere, rondini al verone
1ª mutazione
Dice, e l'aria alle sue dolci parole
sibila d'ali, e l'irta siepe fiora.
2ª mutazione
Altro il savio potrebbe; altro non vuole,
pago se il ciel gli canta e il suol gli odora.
volta
Suoi nunzi manda alla nativa aurora,
o biondi capi intreccia sue corone».

(Pascoli)

Questa è una ballata piccola o *ballatetta.* Ora invece un esempio di ballata maggiore:

ripresa
«Ballata, io vo' che tu ritrovi Amore,
e con lui vade a madonna davante,
sì che la scusa mia, la qual tu cante,
ragioni poi con lei mio segnore.
1ª mutazione
Tu vai, ballata, sì cortesemente
che sanza compagnia
dovresti avere in tutte parti ardire,
2ª mutazione
Ma se tu vuoli andar sicuramente,
retrova l'Amor pria,
che forse non è bon sanza lui gire,
volta
Però che quella che ti dee audire,
sì com'io credo, è ver di me adirata:
se tu di lui fossi accompagnata,
leggermente ti farìa disnore».

(Dante)

Infine un esempio di ballata stravagante, con ripresa di più di quattro versi:

ripresa
«Perch'i no spero di tornar giammai
ballatetta, in Toscana,
va tu, leggera e piana
dritt'a la donna mia,
che, per sua cortesia,
ti farà molto onore.
1ª mutazione
Tu porterai novelle di sospiri,
piene di doglia e di molta paura;
2ª mutazione
ma guarda che persona non ti miri
che sia nemica di gentil natura
volta
ché certo, per la mia disavventura,

tu saresti contesa,
tanto da lei ripresa
che mi sarebbe angoscia,
dopo la morte poscia
pianto a novel dolore».

(Cavalcanti)

La ballata fu usata per argomenti amorosi, politici e morali, e anche per canti giocondi e popolari.

balzàre: verbo della prima coniugazione, intransitivo. Può essere coniugato con l'ausiliare essere o, più raramente, con avere. Es.: *Il fantino è balzato in sella*; *Il pallone non ha balzato molte volte.*

bàlzo: sostantivo maschile. Al maschile è sinonimo di salto. BALZA, al femminile, indica un tratto scosceso di monte.

bambàgia: sostantivo femminile, sinonimo di ovatta. Al plurale: bambàgie o bambàge.

bànco: sostantivo maschile. Indica, al maschile, tavolo da lavoro, posto per lo scolaro in aula. Al femminile, BANCA è istituto di credito. Tuttavia esistono il Banco di Napoli, la Banca d'Italia. In effetti banca e banco derivano entrambi dal medievale banco di prestito.

banconòta: nome composto da un sostantivo maschile (banco) e uno femminile (nota). Plurale: banconote. Per la regola relativa V. *Composti* (*Nomi*). Deriva dall'inglese *bank-note.*

bandíre: verbo della terza coniugazione, transitivo. In alcuni tempi si coniuga con la forma incoativa *-isc-* tra il tema e la desinenza. *Pres. indic.*: bandisco, bandisci, bandisce, bandiamo, bandite, bandiscono. *Pres. cong.*: bandisca, bandisca, bandisca, bandiamo, bandiate, bandiscano. *Part. pass.*: bandíto. Es.: *È stato bandito un concorso.* Significa inoltre: scacciare, mettere al bando, metter da parte. Es.: *Dante fu bandito da Firenze*; *Ha bandito i complimenti.*

bàr: voce inglese, ormai entrata nell'uso. Al plurale resta invariata.

bàrbara (poesia): nome dato dal Carducci alla sua poesia di imitazione classica che, a suo avviso, barbara sarebbe suonata agli orecchi dei Greci e dei Romani e a moltissimi in Italia sebbene composta e armonizzata con versi e accenti italiani. Nelle *Odi barbare* infatti il Carducci rinunciò al criterio antico della quantità delle sillabe e armonizzò i suoi versi con l'accento, pur curando che rendessero un suono simile a quello dei corrispondenti versi classici. In questo consisteva la «contaminazione» tra l'antico e il moderno. Così, ad esempio, il Carducci rese l'esametro latino accoppiando un settenario con un novenario, oppure un settenario con un ottonario, o anche un senario più un novenario. Il Carducci riprese anche le antiche forme metriche e le sue odi barbare furono ispirate ai modelli di Saffo, Alceo, Archiloco, Asclepiade. V. SAFFICA, ALCAICA, ARCHILOCHIA, PITIAMBICA, ALCMANIA (STROFE).

barbàrie: sostantivo femminile singolare. Indeclinabile (plur.: barbarie, ma poco usato). Dialettale la forma *barbària.*

barbarísmi: così in passato erano definiti parole o costrutti tolti senza necessità da un'altra lingua. Non tutte le parole straniere sono da evitare, ma solo quelle che sono usate inutilmente, esistendo il corrispondente termine italiano. Gli studiosi della lingua hanno abbandonato il criterio rigorosamente purista, che difendeva la purezza della lingua contro ogni inquinazione esotica. Si va estendendo il principio che la collaborazione linguistica fra i vari popoli può favorire un arricchimento lessicale, anche in relazione ai progressi continui della scienza e della tecnica, che richiedono oggi giorno la formazione di parole nuove. Spesso un oggetto, un fatto, un concetto conservano in tutto il mondo il nome ricevuto nel paese in cui sono stati inventati o sono nati. L'accusa di malparlante era rivolta dai puristi di un tempo a tutti coloro che usavano parole straniere, in luogo di parole italiane perfettamente idonee allo scopo (per esempio, *coiffeur* invece di parrucchiere, *plateau* invece di vassoio, *chauffeur* invece di autista). Barbarismi erano considerate anche le parole straniere italianizzate. Esempi: *azzardo* (rischio), *debutto* (esordio), *al dettaglio* (al minuto), *griglia* (inferriata), *pantaloni* (calzoni), *rimarchevole* (notevole), *tiretto* (cassetto). Secondo la lingua di provenienza, i barbarismi sono detti *america-*

nismi, francesismi, inglesismi, spagnolismi, germanismi. Barbarismi sono infine anche le locuzioni e i costrutti italiani usati alla maniera straniera, specialmente francese. Es.: *poco a poco* per: a poco a poco, *vengo dal dirvi* per: vi ho detto, *si va a incominciare* per: si è in procinto di incominciare, *la cosa la più bella* per: la cosa più bella, *a mezzo del corriere* invece di: per mezzo del corriere.

barbéra: nome di un vino piemontese. Nell'uso si trova sia come maschile che come femminile.

bari-: primo elemento di parole composte, che vale: peso, pesante. Es.: *baricentro, barimetro, barisfera.*

barítona: si dice di una parola che non ha l'accento sull'ultima sillaba.

baritonési: pronuncia errata derivante dalla tendenza a spostare l'accento verso l'inizio della parola. Es.: *Béngasi* in luogo di *Bengàsi, Fríuli* per *Friúli, persuàdere* per *persuadére.*

baro-: primo elemento di parole composte, che vale: peso, gravità, pressione. Es.: *barometro, baroscopio.*

bàro: sostantivo maschile che indica chi truffa, inganna nel gioco. Di origine diversa è il sostantivo femminile BARA che indica la cassa da morto. Es.: *Mi accorsi che i giocatori erano bari; Il cadavere fu deposto nella bara.*

barrièra linguistica: l'impossibilità, o quantomeno la difficoltà, di promozione sociale dovuta ad un'insufficiente competenza linguistica, che si manifesta nel cosiddetto codice ristretto: lessico ridotto, sintassi semplice, con poche alternative espressive.

basàre: verbo della prima coniugazione, transitivo. Usato anche al figurato, sul modello del francese, benché ritenuto poco elegante. Es.: *Basava* (meglio: fondava) *la sua accusa solo su indizi; La sua teoria si basa* (meglio: si fonda) *sul principio di identità.*

bàse: sostantivo femminile. Forma la locuzione *in base a*. Es.: *In base alle tue teorie; In base a quanto guadagni.* È consigliabile preferire: secondo, in conformità a, in ordine a.

bàse: si dice base lessicale la parte della parola, detta anche radicale, a cui è connesso il significato e da cui si formano nuove parole mediante affissi. La base si dice nominale, aggettivale, verbale se appartiene rispettivamente ad un nome (*can-, amor-, computer-*), un aggettivo (*bell-, stanc-*), un verbo (*abbond-, elud-, calm-*). Si parla altresì di base modificata nei casi in cui, durante il processo di nuova formazione, il radicale viene modificato: nei casi dell'alternanza dittongo-vocale o dittongo mobile (*nuov → novità, innovare, innovazione*), dell'alternanza occlusiva-affricata (*violento → violenza, critico → criticismo, mago → magia*), della conservazione di elementi della parola latina originaria del radicale (*figlio* [*filium*] *→ filiale, piede* [*pedem*] *→ pedestre*).
Se si adotta una prospettiva non storica, a questa nozione di base come radice si preferisce quella di base come unità lessicale intera e come tale nota al parlante nei confronti dei suoi derivati: *bellezza*, per esempio, deriva da *bello* non da *bell-* per il parlante che non assume una prospettiva etimologica.
Si dice base anche l'elemento reggente o determinato di un sintagma che contenga una preposizione: *l'albero* (base) *degli* (preposizione) *zoccoli* (aggiunto o retto o determinatore).

bàse comune: è l'insieme delle parole o locuzioni largamente usate e comprese da tutti i parlanti una data lingua.
Ad esempio, nel caso dell'italiano, esiste un «Vocabolario di base» che contiene 6990 parole. Si tratta di un vocabolario costituito sulla base di rilevazioni statistiche condotte su un campione di testi stampati, da cui si sono tratte delle liste di frequenza delle parole. Oltre all'indice di frequenza è stato calcolato un indice di dispersione sulla base del numero di testi su cui ogni parola compare. Moltiplicando frequenza con dispersione è stata ottenuta una nuova lista ordinata per un valore, detto indice d'uso. A questa lista, mediante un'analisi dei dizionari dell'italiano comune, ne è stata aggiunta un'altra, quella delle parole cosiddette «di maggiore disponibilità»: si tratta di quelle parole non frequenti nei testi scritti e talora rare anche nei discorsi

orali, ma legate ad aspetti della vita quotidiana tali da far ritenere che tutti le conoscano. Es.: *abbaiare, borotalco, mignolo, zuppa.*

basísta: sostantivo maschile e femminile. Plurale maschile: basisti.

bàsso: aggettivo qualificativo. Comparativo: *inferiore* (o più basso). Superlativo: *infimo* (o bassissimo). Nell'uso letterario anche il superlativo *imo* (Es.: *nell'ima valle*).

bassofóndo: sostantivo maschile, composto da un aggettivo (basso) e da un sostantivo maschile (fondo). Plurale: bassifondi. Anche figurato: gli strati inferiori della società. Es.: *I bassifondi della città.*

bassopiàno: nome composto da un aggettivo (basso) e un sostantivo maschile (piano). Plurale: bassopiani o bassipiani. Per la regola relativa V. *Composti* (*Nomi*).

bassorilièvo: nome composto da un aggettivo (basso) e un sostantivo maschile (rilievo). Plurale: bassorilievi o bassirilievi.

bastàre: verbo della prima coniugazione, intransitivo. Ausiliare: essere. Es.: *Mi bastano pochi soldi*; *L'acqua è bastata per due giorni*; *Mi basterebbero due ore di tempo per uscire da questa situazione*; *Devi imparare a bastare a te stesso*; *Non mi basta il cuore* (non ho il coraggio) *di dirgli una cosa simile.* L'imperativo *bàsta* è usato nelle esclamazioni per imporre la fine di qualcosa. Es.: *Basta con queste accuse!*; *Basta mentire!* Significa anche: insomma, per farla breve. Es.: *Basta, sarà quel che sarà.*

Basta che è congiunzione e vale purché. Es.: *Ti lascio uscire stasera, basta che torni prima di mezzanotte.* Da evitare l'uso dialettale di basta per *abbastanza*. Es.: *Ne hai a basta?* (meglio: abbastanza).

bati-: primo elemento di parole composte, che indica: profondità. Es.: *batiscafo, batimetria, batigrafia, batiplancton.*

battàglio: nome maschile che indica il percussore della campana. Di diversa origine il sostantivo femminile BATTAGLIA (combattimento, lotta).

bàttere: verbo della seconda coniugazione, regolare, transitivo. Es.: *Ha di stretta misura battuto il campione.* Usato anche intransitivamente (Es.: *Ho battuto alla porta*), nella forma riflessiva (Es.: *Si battevano il petto*; *Visto il pericolo, se la batterono*) e in quella reciproca (Es.: *Ci batteremo a duello*). Anche in senso figurato. Es.: *Si batteranno ad armi cortesi.*

battèrio (o bactèrio): sostantivo maschile col quale si designano i microrganismi, ossia esseri viventi piccolissimi che determinano spesso malattie. Si dicono *bacilli*, se han forma di bastoncino, *cocchi*, se han forma sferica, e *spirilli*, se han forma a spirale. Si dice anche *micròbio* o *mícrobo* (V.).

batteriòlogo: sostantivo maschile, che indica lo studioso dei *battèri* (V.). Al plurale: batteriòlogi.

batti-: prefisso, derivato dal verbo *battere*, con il quale si formano varie parole composte. Eccone un elenco con la forma del plurale e il significato tra parentesi: BATTIBECCO (battibecchi; litigio, alterco), BATTIBALENO (usato solo nell'espressione: in un battibaleno; in un attimo), BATTICARNE (batticarne; utensile per pestare la carne), BATTICUORE (batticuori; palpitazione di cuore), BATTIFIANCO (battifianchi; stanga posta nelle stalle per dividere i cavalli e impedire che si rechino molestia a vicenda), BATTIFONDO (battifondi; gioco di biliardo), BATTILANO O BATTILANA (battilani; operaio che unge e batte la lana), BATTILORO (battilori o battiloro; operaio che riduce in lamina l'oro e l'argento), BATTIMANO (battimani; applauso), BATTIMARE (battimare; riparo opposto all'irrompere delle onde sulla nave), BATTIPANNI (battipanni; arnese per battere i panni e farne uscir la polvere), BATTISCARPA (usato nella locuzione: a battiscarpa: in fretta, alla lesta), BATTISTRADA (battistrada; staffetta, anche la parte della ruota che tocca la strada). V. anche COMPOSTI (NOMI).

baúle: sostantivo maschile. Errata la pronuncia dialettale *bàule.*

be': è l'apocope dell'avverbio *bene*. Usato nelle esclamazioni. Es.: *Be', sentiamo!*; *Be', come è andata?* Anche ripetuto. Es.: *Be', be', come è andata?* Non rara la variante grafica *beh.*

bébé: parola francese (pr.: bebé): bambino, piccino, bimbo. S'incontra anche la pronuncia italianizzata *bebè*.

bèlga: nome maschile che termina in *-a*. Plurale: belgi. Femminile: la belga, le belghe. Anche aggettivo.

bèllico e **bellíco:** parole che mutano significato secondo la posizione dell'accento. Bèllico (plurale: bellici) è aggettivo che significa guerresco; bellíco (plurale: bellichi) è sostantivo e significa ombelico. Da ciò *sbellicarsi* (rompersi il bellíco).

bèllo: aggettivo qualificativo. Si elide dinanzi a vocale e si tronca davanti a consonante, purché non sia *s* impura, *ps, z, gn* (oppure l'aggettivo non sia posposto al nome). Es.: *bell'azione* (però anche : *bella azione*), *bell'animale*; *bel quadro, bel consiglio*; ma: *un bello zero, bella psicologia, bello scopo, un libro bello*. Al plurale: *begli* davanti a vocale, *s* impura, *z, ps, gn*; *bei* davanti alle altre consonanti; *belli*, quando è posposto al nome ed è usato come predicato nominale. Es.: *begli occhi, begli scherzi, begli zaini*; *bei cavalli, bei soldati; uomini belli*; *I fiori sono belli*; *Tutti gli sport sono belli*. Al femminile: *bella, belle*. Si notino le espressioni: *bell'e fatto* (finito, compiuto), *bell'e morto*; *bello e buono* (anche: bell'e buono) per: completo, perfetto (*È un ladro bello e buono*); *aver un bel dire* (parlare inutilmente); *oh, bella!* (e anche: *questa è bella!*) esclamazione indicante meraviglia e ironia; *bel bello* per: adagio, tranquillamente (*Arrivò bel bello*).
L'aggettivo *bello* può reggere un verbo passivo o con la preposizione *a* e l'infinito (*È bello a vedere*), o con *a* e l'infinito con il si passivante (*Bello a vedersi*) o con *da* e l'infinito (*Bello da vedere*) o con *da* e l'infinito con il si passivante (*Bello da vedersi*).

bellospírito: nome composto da un aggettivo (bello) e da un sostantivo (spirito). Al plurale: begli spiriti.

benché: congiunzione subordinante composta che introduce una proposizione concessiva. Regge il verbo al congiuntivo, salvo rare eccezioni in poesia. Es.: *Benché l'avessi avvertito, commise gli stessi errori*; *Benché tu sia stanco, ora devi partire*; ma: *Benché la gente ciò non sa né crede* (Petrarca). Senza verbo vale: per quanto. Es.: *Benché stanco, mi parlò a lungo.*

bène: sostantivo e avverbio. Come sostantivo indica ciò che è buono ed è usato con vari significati: beneficio (*Faccio questo per il tuo bene*), dovere (*Bisogna fare il bene e fuggire il male*), utilità, ricchezze (*Mi lasciò tutti i suoi beni*), affetto (*Il bene che ti voglio*).
Come avverbio significa: secondo ragione, correttamente, perfettamente. Si notino le espressioni: *per bene* (a modo, correttamente), *dabbene* (detto di persona onesta, corretta), *star bene* (convenire, addirsi), *ben bene* (assai, moltissimo). Es.: *Erano proprio vestiti per bene*; *Ho conosciuto una persona dabbene* (non: per bene); *Sta bene salutare prima i vecchi*; *Si rimpinzò ben bene*; *Lo chiamai per ben dieci volte*. Nelle risposte, usato assolutamente, può assumere diverse sfumature. Es.: *Come va? Bene, grazie* (convenevole); *Come va? Abbastanza bene* (per evitare di specificare cosa non va); *Ha detto che non viene, sai? Bene* (presa d'atto, sì affermativo). Talvolta all'inizio di frase vale: dunque. Es.: *Bene, incominciamo.*
Il comparativo di *bene*, si ricordi, è *meglio*; il superlativo: *ottimamente*. Usate però anche le forme *più bene* e *benissimo*. Bene serve pure a formare molte parole composte. Es.: *beneamato, benearrivato, benedetto, benefattore, benpensante.*

benedíre: verbo della terza coniugazione, transitivo. *Pres. indic.*: benedíco, benedíci, benedice, benediciamo, benedite, benedicono. *Imperf.*: benedicevo (o benedivo), benedicevi (benedivi), benediceva (benediva), benedicevamo (benedivamo), benedicevate (benedivate), benedicevano (benedivano). *Pass. rem.*: benedissi (o benedii), benedicesti, benedisse, benedicemmo, benediceste, benedissero. *Imperf. cong.*: benedicessi (o benedissi), benedicessi, benedicesse, benedicessimo (benedissimo), benediceste, benedicessero (benedissero). *Imper.*: benedici, benedite. *Part. pass.*: benedétto. È un composto di *dire* (V.). Es.: *Beneditemi, padre!*; *Il padre benedisse la nostra impresa*. Mandare o andare *a farsi benedire*:

mandare o andare alla malora, all'inferno. Es.: *Mi ha mandato a farmi benedire. Benedetto* significa, usato anche come aggettivo: protetto da Dio, desiderato, consacrato. Es.: *Mi porse l'ulivo benedetto*; *È arrivato il benedetto giorno delle nozze*. Per antifrasi anche: maledetto, strano, con tono di rimprovero o sdegno. Es.: *Quel benedetto uomo ha compiuto troppi errori!*; *Questa benedetta automobile, quanti fastidi mi ha procurato!*

benefattóre: sostantivo maschile che significa: uomo caritatevole, generoso. Il femminile è benefattríce. Usato spesso con l'aggettivo possessivo. Es.: *Tu sei il mio benefattore.*

benèfico: aggettivo qualificativo. Indica colui o ciò che reca beneficio. Al plurale: benèfici. Invece benefíci è il plurale di *benefício*, che indica l'atto del beneficare, vantaggio, favore, utile. Si ricordi poi che il superlativo di benèfico è *beneficentissimo* o *molto benèfico*. Es.: *La tua opera ha avuto benèfici effetti*; *Tu godrai i benefíci della tua condizione*; *Era un uomo molto benefico* (o *beneficentissimo*).

benèvolo: aggettivo qualificativo. Il superlativo è *benevolentissimo* o *molto benevolo*.

bengàla: è uno dei nomi maschili che terminano in *-a*. Al plurale: bengala o bengali. Significa fuoco d'artifizio. Anche nome geografico: indica una regione dell'India. Gli abitanti del Bengala sono detti *bengalini* o *bengalesi*.

benintéso: avverbio di affermazione. Es.: *Verrete a casa mia, beninteso*; *Chiederò il tuo parere, beninteso*. Vale, in questo caso: certamente, certo, naturalmente, sicuramente. È scorretto l'uso nel senso di: restando inteso, a patto che. Es.: *Non farò nulla, beninteso* (meglio: purché, a patto che) *che non sia costretto ad intervenire*; *Ti presto i dischi, beninteso che me li restituirai tra qualche giorno*.

Quando *inteso* ha valore di compreso, interpretato, si scrive staccato: ben inteso (contrario di mal inteso). Significa allora: retto, giusto, conveniente. Es.: *Un ben inteso senso dell'onore*; *Un ben inteso amor proprio*.

bensí: congiunzione affermativa che significa: sì bene, sì certamente. Es.: *Molti mali che ora ci affliggono non debbono attribuirsi alla sorte, bensí ai nostri difetti e alle nostre colpe*. Ha anche valore avversativo in correlazione con una frase negativa. Es.: *Non è il caso d'indugiare, bensí di affrettarsi.*

bére: verbo irregolare della seconda coniugazione, transitivo. *Pres. indic.*: bevo, bevi, beve, beviamo, bevete, bevono. *Imperf.*: bevevo, bevevi, beveva, bevevamo, bevevate, bevevano. *Fut. sempl.*: berrò, berrai, berrà, berremo, berrete, berranno. *Pass. rem.*: bevvi (bevetti), bevesti, bevve (bevette), bevemmo, beveste, bevvero. *Pres. cong.*: beva, beva, beva, beviamo, beviate, bevano. *Imperf.*: bevessi, bevessi, bevesse, bevessimo, beveste, bevessero. *Pres. condiz.*: berrei, berresti, berrebbe, berremmo, berreste, berrebbero. *Imper.*: bevi, beva, beviamo, bevete, bevano. *Part. pres.*: bevente. *Part. pass.*: bevúto. In senso figurato e scherzoso: credere facilmente. Es.: *L'ha bevuta*; *Le beve proprio tutte!*

bevúto: participio passato di *bere*. Usato come aggettivo nel linguaggio familiare con valore di participio attivo, nel senso di ubriaco. Es.: *Mi sembri un po' bevuto.*

bi-: V. Bis-.

biancospíno: nome composto da un aggettivo (bianco) e un sostantivo maschile (spino). Plurale: biancospini. V. anche Composti (Nomi).

biberon: termine francese (pr.: bib'rón) invalso nell'uso in luogo del toscano, disusato, poppatoio. Es.: *È stato allevato col biberon*. Frequente la pronuncia italianizzata *biberòn*.

biblio-: prefisso di origine greca che significa: libro. Forma molte parole composte che hanno attinenza con i libri. Ecco le più comuni: bibliofilía (ricerca di libri rari, amore per la collezione di libri), bibliografía (scienza dei libri; libro in cui si elencano le pubblicazioni relative ad un determinato argomento; notizia intorno ad un libro nuovo), biblioiàtrica (l'arte di riparare i libri), bibliología (parte della bibliografia, insegna a conoscere la storia e i pregi del libro), bibliomanía (passione di comperare e accumulare libri), bibliomanzía (superstizione, consistente nell'attribuire valore divinatorio alla prima pagina aperta a caso di un libro, specie della Bibbia), BIBLIOTÈCA (raccolta di libri; luogo ove si custodiscono i libri), BIBLIOTECONOMÍA (scienza che insegna l'ordinamento e la conservazione delle biblioteche). Naturalmente a questi termini occorre aggiungere i derivati, molto in uso: bibliòfilo, bibliogràfico, bibliolàtra, bibliòmane, bibliotecàrio.

bidóne: sostantivo maschile derivato dal francese *bidon* (pr.: bidón). Indica un recipiente di latta per lo più di forma cilindrica per liquidi, immondizie o altro. In senso figurato (anche *bidonata*), vale oggi: imbroglio, inganno, buggeratura. *Prendere un bidone*: esser buggerato, imbrogliato. *Fare un bidone* o addirittura *bidonare*: ingannare, imbrogliare, mancare all'appuntamento. *Bidonista*: specialista in imbrogli, imbroglione. Ne deriva il recente francesismo *bidonville* (letteralmente: città di bidoni) che indica gli insediamenti di baracche alla periferia delle grandi città.

bifrònte: la parola che anche letta al contrario mantiene la stessa forma (*anilina, ossesso, radar*), ovvero cambia la forma ma dà luogo ad un'altra parola con un proprio significato (*asso:ossa, erede:edere, otre:erto*).

Se da una singola parola si ottiene un gruppo di parole o una frase, il bifronte si dice a frase (*attorniare:era in rotta*), se da un gruppo di parole o una frase si ottiene un altro gruppo o frase allora si parla di frase bifronte (*eran i modi di dominare, aedi di Roma:amori di Dea*). Si considera infine bifronte, e perciò viene detto sillabico, la parola che si rovescia nella sua stessa forma o in un'altra, sillaba per sillaba (*comico, canicola:laconica*).

Il bifronte che mantiene la stessa forma si dice più volentieri palìndromo, dal greco *palindromon* che letteralmente significa *correre all'indietro*. Gli antichi greci e latini produssero versi bifronti che si chiamarono anche cancrini, dal nome latino del gambero (*cancer*) che procede a ritroso, oppure anacìclici, di cui il più celebre è il seguente dedicato alle falene e attribuito a Sidonio Apollinare: «In girum imus nocte, ecce et consumimur igni (*Andiamo in giro di notte, ed ecco ci consumiamo nel fuoco*).»

bígio: aggettivo qualificativo o sostantivo, indicante un colore tra il bianco e il nero. Plurale: bigi per il maschile, bigie per il femminile. È un doppione di *grigio*.

bigiottería: sostantivo femminile. Deriva dal francese *bijou* (gioiello). In italiano dirai: gioielleria (o talora, chincaglieria).

bigràmma: nella teoria dell'informazione si indica la coppia di lettere contigue rilevata nell'analisi statistica del testo. Per esempio, in *pendendo* si trovano i seguenti bigrammi (tra parentesi il numero di occorrenze): en(2), nd(2), pe(1), de(1), do(1).

Diverso e più specifico è il significato grammaticale di *digramma* (V.).

bilabiàle: consonante occlusiva articolata mediante la chiusura delle labbra. A seconda della risonanza, si hanno le seguenti labiali: sorda la *p*, sonora la *b* e nasale la *m*.

biliàrdo: sostantivo maschile. Nome di un noto gioco. Anche il tavolo su cui si svolge. È errata la forma bigliardo, così come è errato biglia per *bilia*.

bilinguísmo, bilíngue: si parla di bilinguismo a proposito di una persona o di un popolo che parlano correntemente due lingue, alternandone l'uso a seconda delle circostanze. Tipico è il caso dei figli di genitori di diversa madre-lingua che hanno ricevuto l'educazione in entrambi gli idiomi; altrettanto tipico è il caso dei popoli che hanno subito la sovranità o la colonizzazione di uno stato che ha imposto la propria lingua accanto a quella originaria. In quest'ultimo caso, quando il bilinguismo segnala una gerarchia di importanza tra le due lingue, allora si preferisce parlare di diglossia.

Si dice bilingue il dizionario che fornisce la reciproca traduzione dei vocaboli di due lingue: *il dizionario italiano-inglese, il dizionario francese-tedesco*.

bio-: prefisso di origine greca che significa: vita. Usato per comporre varie parole, specie di carattere scientifico. Es.: BIOCHIMICA (scienza chimica della materia vivente), BIOFILÍA (attaccamento alla vita, istinto di conservazione), BIO-

GENESI (origine della vita), BIOGRAFÍA (scienza che studia i fenomeni della vita), BIOLOGO (plur.: biòlogi: studioso di biología). Anche come suffisso: *anfibio, anerobio, microbio.*

bírba: nome femminile che si riferisce però a uomini. Indica infatti ragazzo scioperato, allevato male. Anche persona adulta trista e maligna. Voce antica è *birbo*, indicante uomo imbroglione, furbo e capace di ogni cattiva azione. Più usato il sostantivo *birbone* (chi fa male azioni); anche aggettivo per rafforzare alcuni nomi. Es.: *Un freddo birbone, una paura birbona* (eccessiva).

bíro: sostantivo femminile invariabile (*la biro, le biro*). Neologismo dal nome dell'inventore ungherese Biró. Anche aggettivo (Es.: *Scrivo con la penna biro*).

bís: parola latina, usata come avverbio numerale, col significato: due volte. Interiezione usata per richiedere replica, ripetizione. Come aggettivo, vale: ripetuto due volte. Es.: *Treno bis, Pagina 19 bis.* Anche sostantivo, nel senso di: ripetizione, seconda volta, replica. Es.: *Chiedere il bis, Fare il bis.*

bis- e bi-: prefissi che indicano ripetizione, raddoppiamento. Es.: BIFORCUTO (che si divide in due punte), BIMOTORE (con due motori), BISETTIMANALE (due volte alla settimana), BIMESTRE (due mesi), BISCOTTO (letteralmente: cotto due volte), BISECOLARE (che dura due secoli), BISENSO (parola che ha doppio significato), BISILLABO (che ha due sillabe), BISNONNO (padre del nonno).

bisdrùcciola: parola che ha l'accento tonico sulla quartultima sillaba: *íterano, scrívimelo, cèlebrino.* Si tratta di parole rare e sempre derivate dalla coniugazione di un verbo, più facilmente in unione con particelle enclitiche.

bisíllaba (parola): parola composta da due sillabe. Es.: *re-mo, to-ro.* Per il computo delle sillabe di una parola V. SILLABA.

bisíllabo (verso): verso composto di due sole sillabe, molto raro nella nostra poesia (tanto che se ne discute la legittimità in quanto struttura metrica, se non come componente di metri maggiori), in genere alternato a versi liberi maggiori e frequentato da poeti del Novecento:

«*Quando bevuto egli abbia ad ogni pozza*
guasta,
più nessuno lo cerchi per la casa
vuota
come in madre in te possa rifugiarsi».
(C. Sbarbaro)

bisognàre: verbo della prima coniugazione, intransitivo. Ausiliare: essere. Es.: *Sarebbe bisognato il tuo aiuto.* Si usa più frequentemente nella forma impersonale, costruito con l'infinito del verbo senza preposizione. Es.: *Bisogna educare i figli*; *Bisognerà provvedere presto.* È pure costruito con la particella pronominale che esprime la persona a cui bisogna qualcosa, mentre ciò di cui si ha bisogno è rappresentato dal soggetto. Es.: *Mi bisognerebbero alcuni libri*; *Ti bisognava il nostro aiuto.*

bistíccio: il gioco di parole, antico quanto universale, consistente nell'accostamento di voci fonicamente affini ma diverse per significato. Sfruttato nella lingua comune, e i proverbi lo testimoniano (Es.: *Il troppo stroppia, Chi non risica non rosica, Chi si scusa si accusa*). Ricorre spesso anche in poesia ed in particolare come rima. Es.: *aurora: aura ora* (F. Petrarca), *Ulisse, o lasso, o dolce amore, io moro!* (L. Pulci), *rosa: riso d'amor* (Marino), *Ben tu puzzi di pazzo già da un pezzo* (L. Lippi). In retorica il bisticcio va comunemente sotto il nome di *paronomàsia.*

bísturi: sostantivo maschile invariabile. Adattamento del francese *bistouri*, che indica lo strumento dei chirurghi. La pronunzia *bisturì*, derivata dal francese, è oggi caduta in disuso.

blandíre: verbo della terza coniugazione, transitivo. In alcuni tempi si coniuga con la forma incoativa *-isc-* tra il tema e la desinenza. *Pres. indic.*: blandisco, blandisci, blandisce, blandiamo, blandite, blandiscono. *Pres. cong.*: blandisca, blandisca, blandisca, blandiamo, blandiate, blandiscano. *Part. pass.*: blandito. Es.: *Lo blandisce con molte promesse.*

blasto- e -blasto: prefisso o suffisso usato soprattutto nel linguaggio medico per indicare germe, embrione, crescita. Es.:

blastoma, blastofaga, blastogenesi, blastomicosi, eritroblasto.

blefaro-: primo elemento di parole composte, usate soprattutto nel linguaggio medico. Indica attinenza con le palpebre. Es.: *blefaroplastica, blefarospasmo.*

bleno-: primo elemento di parole composte, usate soprattutto nel campo medico. Significa: pus, muco. Es.: *blenorrea, blenorragia.*

bleu: parola francese (pr.: blê) per indicare genericamente i colori azzurri, celeste, turchino. L'uso ha legittimato la forma italianizzata *blu* (che non si deve mai accentare).

bluff: parola inglese (pr.: blèf) che significa: inganno. Originariamente usata per indicare l'atteggiamento del giocatore di poker che induce l'avversario a una mossa sbagliata facendogli credere, con la sua condotta di gioco, di aver in mano carte di valore. Per estensione il termine oggi è usato in luogo di montatura, imbroglio, smargiassata. Es.: *Per me quell'uomo politico è un bluff* (vale molto meno di quel che si crede, è una montatura); *Dice che è pronto a scommettere, ma è un bluff* (è una finta). Da bluff si è coniato BLUFFARE per: ingannare, simulare, abbagliare, abbindolare. Es.: *Con quel suo atteggiamento vuol bluffare* (far credere quel che non è, ingannare).

bòa: è uno dei pochi nomi maschili che terminano in *-a*. È il nome di un genere di serpenti. Invariabile al plurale. Il sostantivo femminile BOA indica una cassa o una sfera galleggiante per uso marinaro. Plurale: boe. Es.: *Ho visto un serpente boa*; *I motoscafi giravano intorno alla boa.*

boccapòrto: nome composto da un sostantivo femminile (bocca) e uno maschile (porto = porta). Plurale: boccaporti. V. anche COMPOSTI (NOMI).

boccascèna: nome femminile composto da due sostantivi femminili (bocca e scena). Plurale: boccascene. Anche come maschile invariabile. V. COMPOSTI (NOMI).

bòccia: sostantivo femminile che indica una palla di legno o di metallo per il noto gioco. Nell'uso toscano anche bottiglia o ampolla (di forma rotonda). Es.: *La boccia dell'acqua.* Plurale: bocce.

boh: interiezione primaria, oggi assai diffusa nell'uso comune e familiare. Esprime reticenza, indifferenza, dubbio.

bòia: è uno dei pochi nomi maschili terminanti in *-a*. È invariato al plurale. Talvolta è usato come aggettivo, sinonimo di assassino, malvagio, cattivo, specie nelle imprecazioni. Es.: *Mondo boia.*

bollíre: verbo della terza coniugazione, intransitivo. Ausiliare: avere. Es.: *L'acqua ha bollito per mezz'ora.* Al figurato significa: ardere, sentir gran calore in sé, oppure: agitar qualcosa nella mente. Es.: *Bolliva di sdegno*; *Deve meditar qualche sorpresa, certo qualcosa bolle in pentola* (ha qualche progetto in mente). Usato anche transitivamente. Es.: *Ho appena bollito la gallina.*

Il participio passato *bollíto* è usato nel senso di carne bollita. Ma è meglio dire: lesso. Es.: *Vi ho preparato un piatto di bollíto* (meglio: di lesso).

bóllo: nome maschile che significa timbro. Il sostantivo femminile BOLLA significa invece vescica oppure sigillo. Es.: *Il cancelliere appose il bollo sul documento*; *I bimbi giocavano facendo bolle di sapone*; *I legati portavano la bolla pontificia.* Si ricordi che in luogo di carta da bollo, che è espressione scorretta, si deve dire: carta bollata. Nell'uso familiare *bollo* vale anche lividura. Es.: *Si è fatto un bollo in fronte.*

bolscevíco: aggettivo o sostantivo derivato dal russo *bolscevik* (che vale: maggioritario). Meno corretta la pronuncia bolscévico.

bombonièra: sostantivo femminile. È derivato dal francese *bonbon* (caramella, dolcetto, zuccherino, confetto) ed ha sostituito *confettiera.*

bonàccia: sostantivo femminile. Al plurale: bonacce.

bórdo: sostantivo maschile. È francesismo da evitare quando è usato in luogo di: margine (estremità di una superficie), giro o bocca di una apertura circolare, estremità, orlo di una veste, guarnizione. È invece di uso legittimo nel linguaggio marinaro, per indicare i fianchi di un bastimento.

Alto bordo si usa per designare una nave dai fianchi alti. Locuzione da evitare invece: *persona di alto bordo* (si dovrà dire: persona di elevata condizione, di gran classe).

bordúra: sostantivo femminile. Francesismo da *bordure* (pr.: bordür). Dirai: orlatura, guarnizione, frangia.

bòtolo: nome maschile che indica un tipo di cane piccolo e ringhioso. Il sostantivo femminile BOTOLA significa: trabocchetto. Es.: *Sulla porta mi venne tra i piedi un botolo ostinato*; *Nel corridoio si apriva una botola.*

botrio-: primo elemento di parole composte usate nel linguaggio scientifico. Vale: piccola fossa, solco (*botriocefalo* = verme con due solchi laterali), oppure grappolo (*botriomicosi* = infezione cutanea del cavallo, caratterizzata dalla comparsa di grappoli di noduli e fistole).

bótte e **bòtte:** parole omografe, cioè di scrittura simile, ma di diverso significato. Se si pronuncia l'*ó* chiusa (bótte) ci si riferisce al sostantivo femminile singolare che indica un caratteristico recipiente per vino e altri liquidi. Se si pronuncia invece l'*ò* aperta ci si riferisce al plurale di *bòtta* e si vuol indicare: colpi, percosse.

bótti e **bòtti:** parole omografe, cioè di scrittura simile, ma di diverso significato. Se si pronuncia l'*ó* chiusa (bótti) si intende il plurale di bótte, recipiente per liquidi; se si pronuncia l'*ò* aperta (bòtti) si intende il plurale di *bòtto*, sinonimo di colpo.

bòve: V. BUE.

bovíndo: italianizzazione dell'inglese *bow window* (pr.: bouíndo). Usato in architettura per indicare balcone chiuso, veranda.

bràccio: nome sovrabbondante o eteroclito. Ha due plurali: i bracci (per l'uso figurato: i bracci della sedia, del fiume) e le braccia (per l'uso proprio: le braccia del corpo).

bràce: sostantivo femminile. Anche *bracia* o *bragia* (ma son forme dialettali). Plurale: braci o bràcie. Es.: *Cader dalla padella nella brace*; *Caron dimonio con occhi di bragia* (Dante).

brachi-: primo elemento di parole composte. Dal greco, significa breve, corto. Es.: *brachicefalo, brachiblasto, brachilogia.*

brachilogía: sostantivo femminile. Nella retorica antica, significa concisione o *brevitas*, ossia lo stile di un discorso che riduce le idee espresse all'essenziale, attraverso particolari figure di pensiero (la laconicità, la percursio, la preterizione, la reticenza).

Con brachilogia si intende però anche un procedimento espressivo, simile all'ellissi, volto a dare concisione alla costruzione di due o più proposizioni coordinate, mediante l'eliminazione dalle proposizioni seguenti degli elementi comuni alla prima proposizione. Es.: *Ieri, io sono andato allo stadio, mia moglie al cinema, i miei figli a casa di amici; La mancanza di piogge sta prosciugando le riserve idriche delle città, minacciando l'agricoltura e mettendo a repentaglio la sorte di alcune specie animali e la riproduzione di alcune rare piante selvatiche.*

bradi-: primo elemento di parole composte, che significa lento, tardo. Es.: *bradicardia, bradipo, bradipnea.*

bramàre e **bramíre:** il primo è verbo della prima coniugazione, transitivo; significa: desiderare ardentemente. Es.: *Bramava la gloria con tutte le sue forze.* Il secondo è verbo della terza coniugazione, intransitivo (ausiliare: avere); indica l'urlare delle belve, soprattutto l'urlo del cervo. In alcuni tempi si coniuga con la forma incoativa *-isc-* tra il tema e la desinenza. *Pres. indic.*: bramisco, bramisci, bramisce, bramiamo, bramite, bramiscono. *Pres. cong.*: bramisca, bramisca, bramisca, bramiamo, bramiate, bramiscano. *Part. pass.*: bramíto. Es.: *Il cervo ha bramíto.*

brànca: sostantivo femminile. Indica la zampa anteriore di un animale o artiglio. Anche rampata di scale. Ramo di albero o, in senso figurato, ramo del sapere. Es.: *Conosceva bene ogni branca della medicina.* Non va confuso con *brànchia*, che indica invece l'organo respiratorio dei pesci e degli anfibi larvali.

brandíre: verbo della terza coniugazione, transitivo. In alcuni tempi si coniuga con la forma incoativa *-isc-* tra il tema e la desinenza. *Pres. indic.*: brandisco, brandisci, brandisce, brandiamo, brandite, brandiscono. *Pres. cong.*: brandisca, brandisca, brandisca, brandiamo, brandiate, brandiscano. *Part. pass.*: brandíto. Es.: *Nell'ira brandiva minacciosamente il pugnale.*

bréccia: sostantivo femminile, che significa: apertura fatta con la forza, rottura. Al plurale: brécce. Es.: *I bersaglieri entrarono in Roma attraverso la breccia di Porta Pia*; *Le artiglierie battevano in breccia* (per aprire una breccia) *il fronte avversario*. Usato anche al figurato. Es.: *Facemmo breccia su lui* (lo persuademmo, facemmo buona impressione).

brève: aggettivo qualificativo che significa: di poca durata, corto. *Sillaba breve* nella metrica quantitativa era la sillaba ad un tempo solo che conteneva una corrispondente *vocale breve*. Si dice *consonante breve* la consonante intervocalica scempia o tenue (es.: tu*f*o), in opposizione a lunga, doppia o intensa (tu*ff*o).

brillàre: verbo della prima coniugazione, intransitivo. Ausiliare: avere. Es.: *Le stelle brillano in cielo.* Al figurato, nel senso di: far bella mostra di sé, spiccare, farsi notare. Es.: *La sua intelligenza ha brillato.* Di uso corrente l'espressione: *brillare per l'assenza* (farsi notare, distinguersi per l'assenza). Usato anche transitivamente per: far esplodere una mina o conferire aspetto brillante ai chicchi di riso. Il participio presente *brillante* è ormai usato come aggettivo nel senso di: notevole, vivace, brioso, spiritoso. Es.: *Ha ottenuto un brillante successo*; *È un brillante conversatore*; *Ho conosciuto un uomo brillante. Attore brillante* (e talora semplicemente: il brillante, sostantivato) è l'attore che interpreta le parti allegre. BRILLANTE, sostantivo maschile, è anche un diamante sfaccettato da due parti.

brinàre: verbo della prima coniugazione, intransitivo. Ausiliare: essere. Usato solo alla terza persona singolare. Es.: *Questa notte è brinato.*

bríndisi: breve componimento poetico che si usava leggere o improvvisare alla fine dei banchetti. Di varia struttura metrica, ha contenuto brioso e spiritoso. Tra i moderni si ricorda il lungo e accalorato brindisi di Carducci che così comincia:

«*Beviam, se non ci arridano*
Le sacre Muse indarno,
Ora che artoa caligine
Preme i laureti in Arno.»

Il nome indica anche le formule augurali che ci si scambia bevendo insieme in segno di festa o di onore, specie fra commensali.

brio-: prefisso che significa muschio. Usato nella formazione di parole di botanica: *briofite, briozoi.*

bròdo: sostantivo maschile. Nell'uso anche il femminile *bròda*, che però ha valore spregiativo.

bronco-: in medicina, primo elemento di termini attinenti ai bronchi. Es.: *bronchite, broncopolmonite, broncopleurite, broncoscopia, broncostenosi.*

bruciàre: verbo della prima coniugazione, transitivo. Es.: *Bruciammo tutta la legna*; *Bruciai l'arrosto per dimenticanza.* Si notino alcuni usi particolari: *bruciare il paglione* (mancare a una promessa), *bruciare* o *bruciarsi le cervella* (uccidere o uccidersi), *bruciare le tappe* (far presto, affrettarsi). Al riflessivo significa: scottarsi (*Mi son bruciato con l'accendino*) e, al figurato: rovinarsi, far brutta figura (Es.: *Con quella candidatura si è bruciato*). Intransitivo (ausiliare: essere) significa: andare in fiamme. Es.: *La casa è bruciata.* Anche: ardere, esser arido, infiammarsi. Es.: *Bruciava dalla sete*; *Brucio dal desiderio di vederti.*

brutto: aggettivo qualificativo. Per la costruzione nelle proposizioni limitative si comporta come *bello* (V.).

bucanéve: nome composto da una forma verbale (buca) e un sostantivo femminile (neve). Plurale: bucaneve. V. anche COMPOSTI (NOMI).

búccia: sostantivo femminile che indica l'involucro di taluni frutti. Plurale: búcce. Es.: *Il piatto era pieno di bucce di mele.* Usato in talune espressioni figurate. Es.: *Riveder le bucce ad uno* (criticarlo); *Guardar solo alla buccia* (fermarsi alle apparenze); *Esser tutti in una buccia* (esser tutti di una qualità).

búco: sostantivo maschile che vuol dire: foro. Il sostantivo femminile BUCA significa invece: fossa. Es.: *Il padre fece un buco nel muro della stanza*; *La strada era tutta interrotta da buche.*

bucòlica: componimento poetico, spesso svolto in forma di dialogo e di brevi idilli, in cui vengono idealizzati la vita e i costumi dei pastori e vagheggiato il mondo pastorale e silvano come aspirazione e meta della felicità umana. Di tradizione antica (modello tra i Greci fu Teocrito e tra i Latini Virgilio), la poesia bucolica ha influenzato in quanto genere e gusto molta della poesia italiana sino al Settecento. Sinonimo di *egloga.*

budèllo: sostantivo maschile che indica: intestino. Usato però soprattutto al plurale, per indicare l'intestino dell'uomo, raramente degli animali. Al plurale ha due forme: le *budella* per il senso proprio, i *budelli* per quello figurato. Es.: *Dal ventre squarciato uscirono le budella*; *Avevano i budelli di gomma delle nostre ruote.*

búe: sostantivo maschile, che indica un quadrupede dei Bovidi. Al plurale: buoi. Usata anche la forma *bove* (plurale: bovi). Per il femminile si usa *mucca.*

búlo o **búllo:** sostantivo maschile. Voce del linguaggio familiare per smargiasso, bravaccio, gradasso. *Fare il bulo, comportarsi da bulo*: dire o fare smargiassate, bravate. *Essere un bulo* in qualche cosa: espressione d'uso familiare per dire che uno è molto bravo in qualche cosa.

bum!: interiezione primaria. È onomatopeica per alludere a uno scoppio, a una detonazione. Viene usata anche scherzosamente per commentare e interrompere una esagerazione o una vanteria di chi stava parlando.

buonanòtte: interiezione di saluto, congedo a fine serata e prima di dormire. Anche sostantivo femminile per indicare la formula di saluto. Es.: *Veniva a darmi la buonanotte.*

buonaséra: interiezione di saluto, usata nel centro e nel sud d'Italia a partire da mezzogiorno; nel nord dal tardo pomeriggio. Anche sostantivo femminile per indicare la formula di saluto e di augurio. Ritenuto maschile se si sottintende: saluto. Ma la forma più comune è quella femminile. Es.: *Mi diede la buonasera*; *Vi preghiamo di accogliere il nostro più cordiale buonasera.* È aggettivo nell'espressione *Signorine Buonasera*, per indicare le annunciatrici della televisione.

buongiórno: interiezione di saluto e di augurio. Anche sostantivo maschile. Es.: *Diedi il buongiorno a mio padre.* Per la regola del dittongo mobile, anche *bongiórno.* Si usa anche la forma: *buon giorno.*

buòno: aggettivo qualificativo, con vari significati: adatto, utile, efficace (*Ho un buon fucile*), affettuoso (*È stato molto buono con noi*), lieto (*È una buona notizia*), abbondante (*Guadagna un buono stipendio*). Talvolta il significato di questo aggettivo dipende dalla posizione rispetto al nome a cui si riferisce; non sono la stessa cosa infatti *un uomo buono* e *un buon uomo*: il primo è un uomo dabbene, onesto; il secondo (e l'espressione contiene quasi un apprezzamento ironico) è un mite, un ingenuo. Altro esempio: *l'ora buona*, è il tempo opportuno; *buon'ora* significa invece: presto; *un'ora buona* significa: più di un'ora. Es.: *Questa è l'ora buona per chiamarlo*; *Mi sono alzato di buon'ora*; *È un'ora buona che aspetto.*

Buono come attributo si tronca davanti a vocale o a consonante, eccetto *s* impura, *z, ps, gn.* Es.: *buon amico, buon cuore, buon anno* (senza mai l'apostrofo, s'intende) e *buono sposalizio, buono zefiro, buono psicologo. Buona* si elide sempre davanti a vocale: *buon'anima, buon'attesa*, e invece *buona continuazione, buona festa, buona passeggiata.* Al comparativo ha due forme: *più buono* e *migliore*; al superlativo, tre: *il più buono, buonissimo* e *ottimo.*

È grave errore, come è noto, dire *più migliore* o *più ottimo*, in quanto *migliore* è già comparativo e *ottimo* è il superlativo assoluto.

Nelle voci composte, per la regola del dittongo mobile, *buono* diventa *bon*, quando l'accento non cade sul dittongo *uò.* Es.: *bontempone, bonsenso, bongiorno.* Ma la regola viene oggi sempre meno applicata.

Come sostantivo maschile, *buono* vale: obbligazione (*buono del Tesoro*), polizza, ricevuta, tagliando (*i buoni per la benzina, i buoni-acquisto*).

Il linguaggio burocratico

Il linguaggio burocratico è usato da enti pubblici o dai privati quando si devono rivolgere agli enti stessi. È un linguaggio cristallizzato dalla tradizione e caratterizzato da alcune formule espressive ritenute adatte agli scopi della comunicazione nell'ambito dei rapporti formali, impersonali e comunque ufficiali: è quindi usato nella redazione di leggi, circolari, verbali, atti, certificati, cioè di documenti pubblici, nonché di domande o dichiarazioni dei privati destinate ad autorità ed istituzioni. Legittimo, e anzi appropriato, nei molteplici rapporti con la burocrazia, è invece sconsigliabile in altre circostanze, quando cioè sono diverse le formalità della comunicazione e il tipo di lettore o interlocutore. Il linguaggio burocratico è riconoscibile per i seguenti usi caratteristici:

1) "sottoscritto" o "lo scrivente" in luogo del pronome di prima persona singolare (*Il sottoscritto dichiara...* invece di *Io dichiaro*);
2) l'articolo *li* davanti alla data (*Milano, li 29 luglio 1989*) invece di *il* o niente addirittura;
3) l'espressione *in data odierna* al posto di *oggi*;
4) il cognome anteposto al nome proprio (*Rossi Giorgio, Bianchi Pietro, ecc.*) come negli elenchi;
5) il pronome allocutivo *Ella*, in sostituzione del *lei*, con accentuato valore reverenziale;
6) l'aggettivo dimostrativo *codesto*, che è invece generalmente disusato fuori di Toscana (*Il sottoscritto fa presente a codesto ministero*);
7) l'abuso di appellativi reverenziali (*illustrissimo, pregiatissimo, eccellenza, onorevole, chiarissimo* e simili);
8) abuso di aggettivi anaforici (*suddetto, sopracitato, anzidetto, prefato, sullodato, predetto*);
9) la posposizione del numerale (*anni 3 di reclusione, lire centomila di multa, una donna di anni 42*);
10) abuso del verbo più un nome invece del semplice verbo (*apportare modifiche*, per modificare; *render noto* per notificare; *prendere in esame* per esaminare; *fare invio* per inviare; *procedere a un controllo* per controllare; *assumere informazioni* per informarsi; *effettuare l'asportazione* per rubare, prendere);
11) participi presenti con valore verbale (*aventi causa, rispondenti allo scopo, derivanti dal comma precedente*);
12) eccesso di deverbali terminanti in –zione (*strutturazione, fiscalizzazione,* ecc.) o in –mento (*espletamento, coordinamento, conferimento, stanziamento, rinvenimento, accertamento*);
13) lunghe perifrasi per introdurre un complemento di argomento (*con riferimento a, per quanto attiene a, per quanto concerne, in relazione a, in ordine a,* e simili);
14) uso di subordinate col gerundio (*non essendo a conoscenza, fermo restando, rendendosi necessario*, e simili);
15) frequenza di parole con suffisso –ivo (*quantitativo, conservativo, locativo, suppletivo, abitativo*);
16) largo uso di acronimi (*Federconsorzi, Dirstat, Postelegrafonici, Supermarina, Artigiancassa,* ecc.).

Il tono burocratico di uno scritto è infine caratterizzato da un lessico particolare. Ricorrono spesso, per esempio, verbi come *evidenziare, approntare, procrastinare, relazionare, inoltrare, protocollare, addebitare, usufruire, incentivare, emergere, procedere, vidimare,* locuzioni come *mettere al corrente, portare a conoscenza, dare adito a, compatibilmente con, ai sensi di, in vigore a decorrere, in riferimento alla circolare di cui all'oggetto, dar luogo a procedere, risultare agli atti, l'ufficio di competenza,* ecc.

burocratése: neologismo usato per indicare il linguaggio tipico della burocrazia. V. SCHEDA LINGUISTICA qui a fianco.

bústo: sostantivo maschile, che indica la parte superiore del corpo, dal collo ai fianchi, anche raffigurata in bronzo o in marmo o altro materiale. Anche indumento femminile. Es.: *Aveva fasciato tutto il busto*; *Fu inaugurato un busto a Leonardo da Vinci*; *Le donne portavano il busto.*
Di diversa origine è il sostantivo femminile BUSTA che indica una custodia di cartone o di pelle per contenere e trasportare fogli; anche sacchettino di carta per lettere e fogli. Es.: *Chiuse la lettera nella busta.*

bustrofèdica: scrittura di tipo antico, in cui una riga procede da sinistra a destra, la riga successiva da destra a sinistra, e così via, una riga dopo l'altra a direzioni alternate. Prende il nome dell'analogo andamento dei buoi quando arano: un solco in un senso, il solco successivo nel senso opposto. Es.:
Questo è un esempio di scrittura
avoun allen otiresni acidefortsub
edizione del presente dizionario

butta-: primo elemento di parole composte, in cui indica l'azione di buttare. Il secondo elemento può essere un nome, che indica ciò che è l'oggetto del buttare. Es.: *buttafuoco* (pl. *buttafuochi*), *buttasella* (pl. buttasella). Oppure il secondo elemento può essere un avverbio di luogo che indica la direzione in cui si butta (Es.: *buttafuori, buttadentro*).

buttafuòri: nome composto da una forma verbale (butta) e un avverbio (fuori). Plurale: buttafuori. V. anche COMPOSTI (NOMI).

buttàre: verbo della prima coniugazione, transitivo. Significa: gettare, lanciare con forza, sciupare. Es.: *Ho buttato via i miei anni migliori*; *Ha buttato dalla finestra i mobili*; *Quelli sono proprio denari buttati. Buttare all'aria*: scompigliare, demolire, annullare. Es.: *Ha buttato all'aria tutti i progetti. Buttar giù* significa screditare, avvilire, ed è usato anche al riflessivo. Es.: *Mi ha buttato giù la merce*; *Dopo la disgrazia si è buttato giù. Buttar giù* indica anche un modo di lavorare o compiere un'azione senza cura o senza voglia. Es.: *Questo tema è buttato giù*; *Ho buttato giù alcuni appunti.*
Intransitivo (ausiliare: avere) significa: germogliare, detto di pianta (*Quest'anno il mandorlo tarda a buttare*), e, in senso figurato: fruttare, rendere, dar esito. In forma riflessiva anche: darsi, dedicarsi. Es.: *Si è buttato nella politica*; *Il tempo si butta* (si volge) *al peggio.*

buttasèlla: nome composto da una forma verbale (butta) e un sostantivo femminile (sella). Plurale: buttasella.

bylina: canto popolare epico russo, di origini antiche, tramandatosi oralmente e diffuso, soprattutto nei secc. XI-XVI, in tutta l'area slava da cantori girovaghi.

C

c: terza lettera del nostro alfabeto. Si chiama *ci* ed è considerata di genere femminile o maschile, sottintendendo rispettivamente *lettera* o *segno*: una *c*, il *c*. La *c* ha suono *palatale* davanti alle vocali *i* ed *e* (*ci, ce*); in questo caso ha carattere di consonante *affricata* (V.). Ha invece suono *gutturale* davanti ad *a, o, u, he, hi* (*ca, co, cu, che, chi*) o davanti ad altra consonante (*acclamare, tecnico*): in questo secondo caso si considera muta ed *esplosiva* (V. *Consonanti*). Per mantenere il suono palatale davanti alle vocali *a, o, u* si deve porre una *i* tra la *c* e la vocale (*cia, cio, ciu*). La *c* palatale preceduta dalla *s* assume un suono simile ad una *s* schiacciata (*scio, scia, sce, sci, sciu*).

Come abbreviazione, nelle iscrizioni latine C significa: *Caesar, Caius, consul, censor*. Come numero romano vale 100, con una lineetta sopra ($\overline{C}$) 1000. In chimica è il simbolo del carbonio. Nelle abbreviazioni significa: codice (C.P. = Codice Penale), corrente (c.m. = corrente mese), conto corrente (c.c.), conto (c.).

-ca (nomi in): i nomi terminanti in *-ca* conservano al plurale il suono gutturale e inseriscono la consonante *h*. Es.: *arca, arche*; *barca, barche*; *greca, greche*; *oca, oche*; *patriarca, patriarchi*.

V. anche NOME e PLURALE (FORMAZIONE DEL).

càcchio: interiezione primaria, che esprime sorpresa o disappunto. È un eufemismo, oggi in gran parte superato nell'uso del termine che si vorrebbe eludere (*cazzo*) e in concorrenza con il più valido *cavolo!* In netto regresso l'uso di *càspita*.

càccia: componimento poetico polimetro, cioè senza metro determinato, ma consistente in una specie di libera cantilena e si può cantare a più voci. I versi sono generalmente brevi: trisillabi, quinari, settenari. Sebbene sia priva di concatenamenti e di regolarità metriche, la caccia è affine alla *frottola* e alla *barzelletta*. Usata soprattutto per descrivere scene di caccia, ma anche feste e idilli, oppure scene di vita comune (pesca, mercato) e persino eventi tumultuosi (battaglie, incendi). La più celebre caccia è quella di Franco Sacchetti intitolata «In un boschetto»:

«Passando con pensier per un boschetto,
donne per quello givan fior cogliendo,
"To' quel, to' quel" dicendo.
"Eccolo, eccolo!"
"Che è, che è?"
"È fior alliso"
"Va là per le viole".
"O' me, che 'l prun mi punge!"
"Quell'altra me' v' aggiunge"
"Uh, uh! o che è quel che salta?"
"È un grillo"
"Venite qua, correte:
raponzoli cogliete".
"È non son essi".
"Sì, sono!"
"Colei,
o colei,
vie' qua, vie' qua pe' funghi:
costà, costà, pe' l sermolino".
"No' starem troppo, che 'l tempo si [turba,
e balena
e tuona
e vespero già suona".
"Non è egli ancor nona!"
"Odi, odi:
è l'usignol che canta:
"Più bel v'è,
più bel v'è".
"I' sento, e non so che".
"Ove?"
"Dove?"
"In quel cespuglio".

Tocca, picchia, ritocca:
mentre che 'l busso cresce,
ed una serpe n'esce
"O' me trista!" "O' me lassa!"
"O' me!"
Fuggendo tutte di paura piene,
una gran piova viene.
Qual sdrùcciola, qual cade,
qual si punge lo piede:
a terra van ghirlande:
tal ciò c'ha còlto lascia, e tal percuote:
tiensi beata chi più correr puote.
Sì fiso stetti il dì che lor mirai,
ch'io non m'avvidi, e tutto mi bagnai».

càccia: sostantivo femminile. Plurale: cacce. Come sostantivo maschile è abbreviazione di cacciatorpediniere (piccola nave da guerra) e di aeroplano da caccia. È uno dei nomi maschili in *-a*; indeclinabile. Es.: *Il convoglio era protetto dai caccia*; *Si levarono in volo tre nostri caccia.*

càchi: sostantivo maschile indeclinabile. Indica un noto frutto di origine giapponese. Nel linguaggio familiare si usa anche il singolare *caco.*
Cachi o *kaki* è anche il nome di un colore di stoffa giallo sabbia usato per le divise coloniali.

caciocavàllo: nome maschile composto da due sostantivi. Plurale: caciocavalli. È un tipo di formaggio prodotto nell'Italia meridionale. V. anche COMPOSTI (NOMI).

caco-: primo elemento di parole composte. Vale: brutto, sgradevole. Es.: *cacofonia, cacosmia.*

cacofonía: termine di origine greca che significa letteralmente «cattivo suono». Indica l'impressione sgradevole provocata dall'incontro o dalla ripetizione di certi suoni (fonemi o sillabe) nella parola o nella frase. Spesso si può evitare invertendo l'ordine dei termini o sostituendoli o modificandoli mediante aggiunta di appositi suoni detti per contrasto *eufonici.* Per es., invece di *a Ancona, col coltello, fra fratelli* si dirà meglio: *ad Ancona* (con la *d* eufonica), *con il coltello, tra fratelli.*

cadaúno: pronome collettivo, oggi caduto in disuso, sostituito da *ciascuno.* Si trova quasi esclusivamente nelle indicazioni di prezzi: *mille lire cadauno.*

cadére: verbo irregolare della seconda coniugazione, intransitivo (ausiliare: essere). *Fut. semplice*: cadrò, cadrai, cadrà, cadremo, cadrete, cadranno. *Pass. rem.*: caddi, cadesti, cadde, cademmo, cadeste, caddero. *Pres. condiz.*: cadrei, cadresti, cadrebbe, cadremmo, cadreste, cadrebbero. *Part. pass.*: caduto.

cadúco: aggettivo qualificativo. È errata la pronunzia càduco. Al plurale: cadúchi.

caffellàtte: sostantivo maschile. Meno propria la variante *caffelatte.*

calabrése: componimento poetico del sec. XV, in forma di canzonetta amorosa di tono popolare, di origine regionale come le affini: ciciliana, napolitana e giustiniana o veneziana. Ce ne resta un esempio in forma di contrasto, opera di Anonimo.

calàre: verbo della prima coniugazione. Usato transitivamente significa: mandar giù, abbassare, diminuire. Es.: *Calarono una corda dalla finestra*; *Hanno calato il prezzo della verdura*; *Gli calò un fendente*; *Calai le vele.* Usato intransitivamente (ausiliare: essere) significa: discendere, declinare, tramontare, diminuire di peso. Es.: *Il sole è calato dietro i monti*; *Son calato di dieci chili.* Nella forma riflessiva indica lo scendere lentamente. Es.: *Mi calai dalla finestra con una corda.*

calcàgno: sostantivo maschile. Al plurale: le calcàgna, se riferito in senso figurato al corpo umano; i calcagni negli altri casi. Es.: *Avevamo il nemico alle calcagna*; *Mi stette tutta la sera alle calcagna*; *Aveva rotto i calcagni delle calze.*

calcàre: verbo della prima coniugazione, transitivo. Si notino alcune locuzioni: *calcar la mano* (opprimere), *calcare le orme dei grandi* (seguirne l'esempio), *calcar le scene* (esercitar l'arte drammatica), *calcare una parola, una frase* (farla notare con la voce). Nel senso di imitare, copiare, si usa il verbo *ricalcare*, che indica il ripassare i contorni di un disegno premendo con una matita in modo che ne resti impressionato un foglio sottostante. *Ricalcare* si usa anche al figurato. Es.: *Ho ricalcato una carta geografica*; *Ricalca il pensiero dei suoi predecessori.*

càlce: nome di genere comune; muta significato cambiando di genere. Il *calce*, sostantivo maschile, indica la parte bassa di una cosa (dal latino *calx*, calcagno). Usato nell'espressione: *in calce* (a pie' di

pagina). Più comunemente si usa il sostantivo CALCIO, che ha la stessa etimologia. Es.: *il calcio del fucile* (la parte inferiore dell'arma). Calcio, in particolare, è termine botanico che indica la base dell'albero. Indica poi pedata, colpo dato col piede (*Mi diede un calcio*) ed è il nome di uno sport (*gioco del calcio*) e anche di un elemento chimico (*cura a base di calcio*).
La *càlce*, sostantivo femminile, indica invece l'ossido di calcio (elemento chimico), cioè una sostanza bianca e caustica usata specialmente nell'edilizia. Es.: *Il muratore preparava la calce spenta.*

càlco: tipo particolare di prestito, cioè di interferenza di una lingua straniera sul lessico di un'altra lingua con cui entra in contatto. Il calco è il fenomeno per cui una parola sostituisce il proprio significato o ne aggiunge uno nuovo per effetto o della somiglianza formale o dell'imitazione semantica di una parola straniera (in quest'ultimo caso, detto anche prestito semantico). Es.: *parlamento*, dall'inglese *parliament = assemblea*, si sostituisce al vecchio significato di *discorso; angolo* aggiunge il significato calcistico di *calcio d'angolo* per imitazione dell'inglese *corner*; *stella* aggiunge il significato di *personaggio di successo* per imitazione dell'inglese *star.*
Un altro tipo di calco consiste nella riproduzione di parole o locuzioni straniere con le forme corrispondenti sul piano semantico. Es.: *ferrovia* dal tedesco *Eisenbahn* (da *Eisen*, ferro e *Bahn*, via); *supermercato* dall'inglese *supermarket*; *grattacielo* dall'inglese *skyscraper.*

calco-: primo elemento di parole composte, usato nel linguaggio tecnico per indicare attinenza o somiglianza al rame. Es.: *calcografia*, *calcocite*.

calcolàre: verbo della prima coniugazione. Usato transitivamente significa: determinare una quantità, un numero, una misura. Es.: *Ho calcolato la distanza da qui a Roma*; *Bisogna calcolare l'altezza del triangolo*. Usato intransitivamente (ausiliare: avere) significa: computare, eseguire le operazioni matematiche. Es.: *Lo scolaro ha imparato a calcolare*. Si usa poi nel senso di: prevedere, giudicare per via di indizi. Es.: *Si calcola che saranno presenti centomila spettatori; Calcoliamo pure una spesa di cento milioni*. Talora il verbo significa anche: valutare. Es.: *Hai calcolato bene tutte le difficoltà?*

calembour: parola francese (pr.: calambúr) che significa: equivoco, bisticcio, gioco di parole, freddura.

calendimàggio: nome composto da un sostantivo femminile (calende) e uno maschile (maggio). Plurale: calendimaggio. V. anche COMPOSTI (NOMI).

calére: verbo difettivo della seconda coniugazione. Poco usato, e solo in poesia; ha solo la forma impersonale. *Pres. indic.*: cale (mi cale, ti cale, ecc.). *Imperfetto*: caleva. *Pass. rem.*: calse. *Pres. cong.*: càglia. *Imperfetto*: calesse. *Gerundio presente*: calendo. Significa importare. Es.: *Di ciò non mi cale*; *Poco mi caleva*; *Ha messo la cosa in non cale* (= non gli ha dato importanza).

càlibro: sostantivo maschile. È ormai caduta in disuso la pronuncia *calíbro*. Indica il diametro delle bocche da fuoco. Figuratamente, la misura e quindi il valore di persone o di cose. Es.: *Il calibro del cannone*; *Sono quasi tutti uomini dello stesso calibro*; *Domani scenderanno in campo i grossi calibri della lirica.*

callífugo: sostantivo maschile. Nome composto. Al plurale: callífughi. La pronunzia *callifùgo* è nell'uso, ma non è corretta.

calzàre: verbo della prima coniugazione. Usato transitivamente significa: infilare calze o scarpe nel piede di uno (Es.: *La mamma calzò il bambino*). Anche: avere o indossare calze, scarpe, guanti e simili. Es.: *Ho calzato bellissimi stivali*. Come intransitivo (ausiliare: avere) significa: aderire bene alle varie parti del corpo. Al figurato (ausiliare: essere) vale: adattarsi bene. Es.: *I guanti calzano perfettamente*; *Quella predica è calzata benissimo a quei due.*
CALZARE (plurale: calzari), sostantivo maschile, indicava una calzatura a stivale. Termine oggi disusato.

cambiàre: verbo della prima coniugazione. Usato transitivamente significa: mutare, variare, modificare. Es.: *Ho cambiato indirizzo*; *Aveva cambiato vita*. Usato anche intransitivamente (ausiliare: essere). Es.: *Il tempo cambierà; Quel ragazzo è cambiato molto in pochi anni; Non è cambiato sino ad ora, non cambierà più.* La forma riflessiva è usata soprattutto per indicare il mutar d'abito. Es.: *Si cambia due volte al giorno.*

cambiavalúte: nome composto da una forma verbale (cambia) e un sostantivo femminile plurale (valute). Plurale: cambiavalute. V. anche COMPOSTI (NOMI).

càmera: sostantivo femminile. La parola designa propriamente la stanza per dormire. È quindi errato dire: camera da pranzo. Si dirà: sala da pranzo, stanza per ricevere. Invece di: alloggio di sette camere, dirai: alloggio di sette vani, di sette locali o stanze. Camera era un tempo il luogo ove si conservava il denaro pubblico, oggi detto *erario*. Camera ha però conservato il significato di luogo ove si trattano affari pubblici. Es.: *Camera dei deputati, Camera di commercio, Camera di consiglio.*

Nel linguaggio tecnico il termine ha vari usi e significati: *camera di caricamento* (parte dell'arma destinata alla carica e al proiettile), *camera oscura* (scatola chiusa con lenti convesse attraverso le quali la luce forma immagini capovolte degli oggetti esterni su uno schermo speciale), *camera di scoppio* (parte del motore), *camera d'aria* (tubo o vescica di gomma per le ruote dei veicoli o per i palloni usati dagli sportivi), *camera televisiva* o *telecamera* (apparecchio per la ripresa televisiva). Da quest'ultima accezione (di provenienza inglese) deriva un altro diffuso anglicismo: *cameraman* (pr.: chèmeramen), che designa l'operatore televisivo.

cameràta: sostantivo femminile che indica il dormitorio delle caserme o dei collegi. Come sostantivo maschile (uno dei nomi in *-a* con plurale in *-i*) significa: compagno, commilitone. Es.: *I soldati eran tutti in camerata; Ritrovai un mio camerata.*

camícia: nome femminile terminante in *-ia* che al plurale conserva la *i* atona (camície) per distinguersi da CÀMICE, che è sostantivo maschile singolare indicante un indumento per sacerdoti oppure un camiciotto, solitamente bianco, di medici, farmacisti, parrucchieri, pittori ecc.

camion: parola francese (pr.: camión) per: autocarro. Usata anche all'italiana: càmion. Ma il termine straniero è inutile. Nel linguaggio militare si è diffuso il derivato *camionetta*, traduzione dell'americano *jeep*. Il piccolo automezzo è detto anche *campagnola*. Da camion son derivati termini ormai accettati come: *camioncino* (piccolo autocarro, motocarro o, con altro francesismo, furgoncino), *camionale* o *camionabile* (strada adatta agli autocarri), *camionista* (autista, guidatore di autocarri).

campàre: verbo della prima coniugazione, transitivo. Significa: salvare. Nel senso invece di distribuire il colore che fa da sfondo in un quadro è più usato CAMPÍRE. L'uso più comune di *campare* è come intransitivo nel senso di vivere. Si coniuga con entrambi gli ausiliari. Es.: *È campato sempre di espedienti; Ho campato abbastanza.*

camposànto: nome composto da un sostantivo maschile (campo) e un aggettivo (santo). Plurale: camposànti. V. anche COMPOSTI (NOMI).

càmpo semàntico: un'area del lessico formata da parole delimitate sulla base di criteri diversi. Un criterio può essere la complementarità rispetto ad un significato unico (per es.: *automobile → carrozzeria, motore, accessori, gomme, fanali ecc.*); un altro la comune attinenza con un certo concetto (per es.: *andare → recarsi, veloce, lento, portarsi, raggiungere, movimento, spostamento, meta ecc.*); oppure anche l'insieme dei sensi (le accezioni e le sfumature) del significato di una parola (per es.: *massa → quantità di materia, moltitudine di persone, un conduttore elettrico, volume di una costruzione, il popolino ecc.*). Costituisce un campo semantico anche una struttura paradigmatica di unità lessicali che hanno una comune zona di significato, ma si trovano in opposizione immediata tra loro (per es.: *secondo, minuto, ora, giorno, settimana, anno, secolo*).

canàle: nella teoria della comunicazione è il mezzo fisico attraverso il quale avviene la trasmissione del messaggio ovvero il suo supporto fisico. Es.: nella comunicazione orale, è l'aria attraverso cui passano le onde sonore che costituiscono le parole; nella comunicazione scritta, è la pagina con i segni grafici che vengono visti e perciò letti; nella comunicazione telefonica, è il cavo elettrico attraverso cui passano i segnali tradotti all'origine nell'apparecchio di partenza, che vengono di nuovo ritradotti nell'apparecchio di arrivo.

cancan: parola francese (pr.: cancàn) che indica un ballo fragoroso e vivace. Anche: rumore, scandalo, baccano. Es.: *Ha fatto un cancan per così poco!*; *Se non mi dà soddisfazione faccio un cancan!* I termini italiani possono benissimo sostituire la voce straniera, che poi deriva dalla congiunzione latina *quamquam*, pronunziata alla francese e passata nell'uso a simboleggiare le lunghe discussioni filosofiche medioevali.

candíre: verbo della terza coniugazione, transitivo. In alcuni tempi si coniuga con la forma incoativa *-isc-* tra il tema e la desinenza. *Pres. indic.*: candisco, candisci, candisce, candiamo, candite, candiscono. *Pres. cong.*: candisca, candisca, candisca, candiamo, candiate, candiscano. *Part. pass.*: candíto. Significa: confettare le frutta facendole bollire nello zucchero. Es.: *Candire le ciliegie*; *Mi piace la frutta candita. Candire lo zucchero* significa: purificarlo, renderlo in cristalli trasparenti. Antiquato è l'uso di *candire* nel senso di: render bianco, sbiancare, candeggiare.

cannocchiàle: sostantivo maschile. Nome composto da *canna* e *occhiale*. È errata la grafia *canocchiale*.

cannóne: sostantivo maschile, che indica un'arma da fuoco. Anche tubo: *il cannone della stufa*. Nel linguaggio familiare il termine ha assunto il significato di persona di eccezionali qualità, abilissima, ferratissima in qualche cosa. Es.: *Nelle discussioni filosofiche è un cannone*; *È un cannone nel risolvere parole incrociate*; *Per questa causa ci vuole un penalista che sia un cannone*. Da cannone è poi derivato CANNONATA per indicare: eccellenza, superiorità, meraviglia. Es.: *Aveva un vestito che era proprio una cannonata!*; *Che cannonata quel film!*; *Nel gioco dei quiz sei stato una cannonata*.

cantàre: componimento poetico che narra, in ottava rima di intonazione popolare, temi cavallereschi o religiosi, tratti in prevalenza dalla tradizione francese. Fiorito nei secoli XIV e XV, per opera di anonimi, veniva recitato in pubblico da un cantastorie che si accompagnava con strumenti musicali. Fra i più noti, il *Cantare di Florio e Biancofiore* e il *Cantare dei Cantori*.

cantastórie: nome composto da una forma verbale (canta) e un sostantivo femminile plurale (storie). Plurale: cantastorie. V. anche COMPOSTI (NOMI).

càntica: componimento poetico di genere narrativo, solitamente in terza rima. In particolare, ciascuna delle tre parti della *Divina Commedia*. CANTICO è invece un canto liturgico; inno di lode a Dio. Il più celebre è *Il Cantico delle Creature*.

cantilèna: componimento poetico, di origine e carattere popolare, di metro vario e piuttosto libero anche quando ha la struttura della canzone e della ballata.

cànto: la partizione di un poema o delle sue cantiche; l'analogo dei capitoli nelle opere in prosa. La *Divina Commedia* è suddivisa in tre cantiche, ciascuna ripartita in canti.

canzóne: forma metrica di antica origine, usata dai maggiori poeti italiani per trattare argomenti politici, morali e d'amore. Si distinguono, secondo la struttura metrica, vari tipi di canzone: canzone petrarchesca, canzone leopardiana, la sestina lirica, canzone pindarica.

La *canzone petrarchesca* ha un numero variabile di strofe (da 5 a 9) di eguale schema e un *commiato* che serve per chiusura. La *strofe* è composta di tutti endecasillabi oppure da versi di varia misura (endecasillabi e settenari, endecasillabi e quinari, settenari e quinari). Ogni stanza si divide in due parti o periodi: la *fronte* e la *sirma* o *siríma*. La fronte è a sua volta divisa in due *piedi*; la sirma si distingue in due *volte*. La fronte e la sirma sono poi collegate da un verso detto *chiave* o *concatenazione*. In totale, tredici versi, il cui schema, per quel che riguarda la rima, è il seguente: ABC ABC e DEE DFF. Un esempio classico è costituito dalla canzone petrarchesca

«*Chiare, fresche e dolci acque*» di cui riportiamo la prima stanza:

FRONTE

1° piede

Chiare, fresche e dolci acque A
ove le belle membra B
pose colei che sola a me par donna; C

2° piede

gentil ramo, ove piacque, A
con sospir mi rimembra, B
a lei di fare al bel fianco colonna; C

chiave / erba e fior che la gonna C

SIRMA

1° piede

leggiadra ricoverse D
co' l'angelico seno; E
aere sacro, sereno, E

2° piede

ove Amor co' begli occhi il cor m'aper- D
[se;
date udienza insieme F
a le dolenti mie parole estreme. F

La stessa struttura metrica è osservata in tutte le cinque stanze della celebre canzone, che si chiude con il seguente *commiato*:

Se tu avessi ornamenti, quant'hai voglia
potresti arditamente
uscir del bosco, e gir in fra la gente.

La *canzone leopardiana* (che prende nome da Giacomo Leopardi che la ideò) è detta anche *libera* perché è sciolta da ogni legge: le stanze sono di varia lunghezza e le rime sono collocate con piena libertà del poeta. È quindi impossibile indicare lo schema metrico della canzone leopardiana, di cui sono splendidi esempi i canti intitolati «*A Silvia*», «*Il sabato del villaggio*», «*La quiete dopo la tempesta*», «*Amore e morte*» e altri pure notissimi.

La *sestina lirica* o *provenzale* è una varietà della canzone antica, con uno schema fisso: sei strofe di sei endecasillabi più un commiato di tre endecasillabi. Non vi è rima, ma in ogni sestina si ripetono le sei parole finali della prima strofe secondo il seguente schema: ABCDEF, FAEBDC, CFDABE, ECBFAD, DEACFB, BDFECA. Nel commiato le sei parole si ripetono: tre nel mezzo dei versi, tre alla fine. Si tratta dunque di un componimento alquanto artificioso. Ecco un esempio moderno, tratto dal *Poema paradisiaco* di G. D'Annunzio (riportiamo solo le prime due stanze della sestina lirica intitolata "*Suspiria de profundis*"):

Chi finalmente a l'origliere il sonno A
può ricondurmi? Chi mi dà riposo? B
Voi, care mani, voi che ne la morte C
mi chiuderete gli occhi senza luce D
(io non vedrò quel gesto ultimo, o Dio!) E
voi non potete non farmi dormire? F
Oh, dolce, ne la notte alta, dormire! F
oh, dolce, nel profondo letto, il sonno! A
Che mai feci, che mai feci, mio Dio? E
Perché mi neghi tu questo riposo B
ch'io ti chieggo? Rinuncio, ecco, a la luce. D
Ben, io sia cieco. Io m'offro; ecco,
[a la morte. C

Le sei parole finali - sonno, riposo, Dio, morte, luce, dormire - sono ripetute anche nel *commiato*:

Non chiedo il sonno. Io sol chiedo il riposo
de la morte; non più veder la luce
orrida; eternamente, o Dio, dormire.

La *canzone* o *ode pindarica* fu così chiamata perché imitata dai modelli del poeta greco Pindaro. Fu creata nel '600 dal poeta Gabriello Chiabrera e ripresa in tempi recenti da Gabriele D'Annunzio. Si divide in tre parti chiamate *strofe, antistrofe, epòdo*. Strofe e antistrofe sono uguali nel numero, nella distribuzione dei versi e nello schema delle rime; l'epodo è invece più breve. Ecco un esempio di stanza di una canzone pindarica:

STROFE

Sulla terra quaggiù l'uom peregrino, A
da diversa vaghezza b
spronato a ciascun ora c
fornisce traviando il suo cammino. A

ANTISTROFE

Chi tesor brama, chi procaccia onori, D
chi di vaga bellezza b
fervido s'innamora; c
altri di chiuso bosco ama gli orrori; D

EPODO

ed in soggiorno ombroso e
mena i giorni pensoso. e

(G. Chiabrera)

canzonétta: componimento poetico, variazione della *canzone* (V.). In origine si distingueva solo perché formata di versi brevi (settenari e ottonari). Nel '600 fu ripresa e modificata nella sua struttura metrica secondo i modelli del poeta greco Anacreonte: e prese il nome di *anacreontica* (V.). Fu poi adattata alle esigenze della musica del melodramma, ridotta a due sole strofette di quattro o sei versi ciascuna: e fu chiamata *aria* o *arietta* (V.).

capíre: verbo della terza coniugazione, transitivo. In alcuni tempi si coniuga con la forma incoativa *-isc-* tra il tema e la desinenza. *Pres. indic.*: capisco, capisci, capisce, capiamo, capite, capiscono. *Pass. rem.*: capii, capisti, capí, capimmo, capiste, capirono. *Pres. cong.*: capisca, capisca, capisca, capiamo, capiate, capiscano. *Part. pass.*: capíto. Significa: intendere, comprendere. Usato intransitivamente (ausiliare: essere) significa: entrare, aver posto. Ma in questo senso è usata quasi solo la terza persona singolare del presente (*cape*) rimasta dall'originario *capere*. Es.: *Non ci cape* (non c'entra).

capitàle: aggettivo qualificativo che significa: che riguarda la vita, il capo (Es.: *pena capitale, peccato capitale*). Anche: importante (Es.: *Questo è un punto capitale*). *Città capitale*: la città ove ha sede il governo di uno stato. Usato soprattutto come sostantivo femminile. Es.: *Roma è la capitale d'Italia.* Il sostantivo maschile CAPITALE indica invece: somma di danaro impiegata in una impresa, fondo. In senso figurato (*È un bel capitale*) significa: uomo allegro o, ironicamente, uomo tristo. *Far capitale* su uno: farci assegnamento.

capitàre: verbo della prima coniugazione. Usato intransitivamente ha l'ausiliare essere (*È capitato spesso a casa mia*). Nell'uso impersonale il costrutto implicito vuole la preposizione *di*: *Capita di sentir dire.*

capíto: participio passato di *capire* (V.). *Capíti* è il plurale, *capíta* il femminile singolare. Mutando la posizione dell'accento si hanno invece le forme del verbo capitare: io *càpito*, tu *càpiti*, egli *càpita*.

capítolo: forma metrica derivata dalla terzina dantesca, costituita da una serie di ternari a rima incatenata, conclusa da un verso che rima con il secondo dell'ultima terzina (ABA BCB... YZY-Z). Detto anche capitolo ternario. Prende il nome dai capitoli dei *Trionfi* di Petrarca. Fino al Cinquecento fu un metro rivolto a trattare argomenti didascalici e politici, poi anche amorosi. Con il Berni fu piegato alla poesia burlesca (capitolo bernesco) e con l'Ariosto divenne il metro per eccellenza della satira classica. In molti dei *Primi poemetti* Pascoli si serve della struttura del capitolo.

càpo: sostantivo maschile. Significa: testa, parte superiore del corpo umano. Es.: *Chinare il capo* (abbassar la testa, rassegnarsi); *Non saper dove battere il capo* (non saper dove rivolgersi); *Si è messo in capo* (si è messo in mente) *certe idee strane*; *Farete capo* (vi dirigerete) *a me*; *Non è venuto a capo di nulla* (non ha concluso nulla); *Mi fece una lavata di capo* (mi rimproverò).

Capo significa anche: cima, estremità, principio. Es.: *Capo d'anno* (primo giorno dell'anno); *Cominciare da capo* (da principio o di nuovo); *Da un capo all'altro* (da una estremità all'altra); *Andare a capo* (cominciare un nuovo capoverso).

Capo indica poi promontorio, punta di terra. Es.: *Capo Posillipo*; *Capo di Buona Speranza*; *Capo Miseno.*

Di un nome collettivo indica una unità, un oggetto. Es.: *capo di bestiame, capo di biancheria.*

Infine, capo significa: guida, comandante, direttore. Es.: *Il capo della spedizione*; *Il capo dei banditi*; *Il capo della provincia.*

Forma numerosi composti. Ne diamo un elenco comprendente i più comuni con l'indicazione, tra parentesi, del plurale.

CAPOBÀNDA (capibanda), CAPOBÀRCA (capibarca), CAPOCÀCCIA (capicaccia), CAPOCLÀSSE (capiclasse), CAPOCÓFFA (capicoffa), CAPOCÒLLO (capicolli), CAPOCÒMICO (capocomici), CAPOCONVÒGLIO (capiconvoglio), CAPOCORDÀTA (capicordata), CAPOCRÓNACA (capicronaca), CAPOCRONÍSTA (capocronisti), CAPOCUÒ-

CO (capicuochi), CAPODIPARTIMÉNTO (capidipartimento), CAPODIVISIÓNE (capidivisione), CAPOFÁBBRICA (capifabbrica), CAPOFÍLA (capifila), CAPOGÍRO (capogiri), CAPOGUÀRDIA (capiguardia), CAPOLAVÓRO (capolavori o capilavori), CAPOLÍSTA (capilista), CAPOLUÓGO (capiluoghi o capoluoghi), CAPOMACCHINÍSTA (capomacchinisti), CAPOMANÒVRA (capimanovra), CAPOMÀSTRO (capimastri e capomastri), CAPOPÀRTE (capiparte), CAPOPÈZZO (capipezzo), CAPOPÒPOLO (capipopolo), CAPOPÓSTO (capiposto), CAPOREPÀRTO (capireparto), CAPOSÀLDO (capisaldi), CAPOSCUÒLA (capiscuola), CAPOSÈTTA (capisetta), CAPOSEZIÓNE (capisezione), CAPOSQUÀDRA (capisquadra), CAPOSTAZIÓNE (capistazione), CAPOTÀVOLA (capitavola), CAPOTÈCNICO (capitecnici), CAPOTRÈNO (capitreno), CAPOTÚRNO (capiturno), CAPOUFFÍCIO (capiufficio), CAPOVÈRSO (capoversi), CAPOVÓGA (capivoga).

Si noti però che alcuni di questi nomi composti, quando sono usati al plurale femminile restano invariati. Es.: capofila (plur. masch.: capifila; plur. femm.: capofila), capolista (capilista e capolista), caposquadra (capisquadra e caposquadra), capotavola (capitavola e capotavola).

capòccia: sostantivo maschile. È uno dei nomi maschili in *-a*, invariabile al plurale.

càpo d'òpera: francesismo in luogo di: capolavoro. Indica l'opera principale di un artista o l'esemplare presentato dall'apprendista al termine del tirocinio.

caposcàrico: nome composto da un nome (capo) e da un aggettivo (scarico). Plurale: capiscarichi. Per la regola relativa V. COMPOSTI (NOMI). È uno dei nomi sdruccioli terminanti in *-co* che hanno il plurale in *-chi*.

capovèrso: nel testo scritto, l'inizio a capo di un periodo (talora graficamente fatto rientrare o indentato nella prima riga). Anche il blocco di testo (o paragrafo o comma) che va da un capoverso all'altro, ossia da un'andata a capo all'altra. Plurale: capoversi.

cappèllo: sostantivo maschile che indica il copricapo. Si notino alcune locuzioni figurate: *cavarsi tanto di cappello* (ammirare, riconoscere il merito altrui), *prender cappello* (adirarsi, impermalirsi), *far tanto di cappello* (salutare togliendosi il cappello). Cappello è anche l'introduzione, la premessa di uno scritto; specialmente la nota esplicativa posta prima dello scritto di altri. Il sostantivo femminile CAPPELLA indica invece una piccola chiesa. In senso scherzoso (anche nella forma accrescitiva *cappellóne*) indica la recluta.

capróne: sostantivo maschile. È il maschile di *capra* ottenuto con un suffisso accrescitivo. Si trova però anche il maschile *capro.*

captatio benevolentiae: locuzione latina che indica un procedimento retorico per cui un oratore o uno scrittore, solitamente all'inizio di un discorso o di una opera letteraria, cerca di conquistarsi il favore dell'uditorio o dei lettori, con uno sperticato complimento o con una professione di modestia o con una battuta spiritosa.

carbo-: primo elemento di parole composte, tipiche nel linguaggio scientifico e tecnico. Indica relazione con il carbonio o con il carbone: *carbosiderurgico, carbossilazione.*

càrcere: sostantivo maschile e femminile. Al singolare è usato comunemente al maschile; al plurale è sempre femminile. Es.: *È stato condannato a dieci anni di carcere duro*; *Fu tradotto alle carceri.*

-cardia, cardio-, -cardio: elementi di parole composte, tipiche del linguaggio medico, che indicano attinenza al cuore: *tachicardia*, *cardiopatico*, *cardiogramma*, *miocardio*.

cardinàli (numeri): aggettivi numerali, così chiamati perché fondamentali (da cardine = base, fondamento), che indicano la quantità numerica. Es.: *due* litri, *dieci* uomini, *cento* casse. Usati assolutamente hanno valore di sostantivo e sono detti semplicemente *numeri*. Es.: *il due, il sette, il dieci, un nove.*

I composti di *uno* si concordano nel genere col nome che segue, il quale può essere usato al plurale o al singolare. Es.: *ventun soldati, quarantuna lire*. Il nome va però sempre al plurale se il numerale segue. Es.: *lire settantuno, uomini trentuno.*

I numeri, oltre al loro nome, hanno un segno che li indica. Quando un numero si indica col nome si dice che lo si indica in lettere: *uno, sette, nove*; quando lo si indica in cifra: 1, 7, 9. I segni sono detti *cifre arabe*, perché ci provengono dalla cultura araba.

I cardinali si usano nelle espressioni di tempo: *il 16 gennaio 1928, il 27 luglio, le tre del mattino.* Sono pure usati sottintendendo un sostantivo che si suppone noto. Es.: *I Mille* (garibaldini). Si noti che l'aggettivo cardinale deve essere ripetuto davanti a ciascun nome. Es.: *due artiglieri e due fanti* (non: due artiglieri e fanti). V. anche NUMERALI (AGGETTIVI).

cardiopàlma: sostantivo maschile. Grafia errata per *cardiopàlmo.*

-care (verbi in): i verbi della prima coniugazione che all'infinito presente terminano in *-care* conservano il suono gutturale della *c* in tutti i tempi. Perciò inseriscono la consonante *h* tra il tema verbale e quelle desinenze che cominciano con le vocali *e* ed *i*, le quali conferirebbero alla *c* suono palatale. Es.: stancare (*stancheremo, stanchi*), caricare (*caricherei, carichiamo*).

càrico: nome (e aggettivo) sdrucciolo terminante in *-co*, che finisce al plurale in *-chi*: càrichi.

càrme: sostantivo maschile. Componimento poetico di contenuto solenne. Non ha struttura metrica fissa; solitamente in versi sciolti. Es.: *I Sepolcri* di Ugo Foscolo. Indica in generale qualunque tipo di poesia. CARMINA sono stati chiamati da vari autori (Petrarca, Pascoli), componimenti in lingua latina.

càrme figurato: componimento poetico in cui l'autore ha ottenuto intenzionalmente una certa forma grafica dalla diversa lunghezza dei versi e dal loro allineamento, a fini iconici o allegorici. Secondo alcuni, appartengono alla categoria anche i componimenti in cui sono applicati particolari ordinamenti o calcoli alla disposizione delle lettere: abbecedari, acrostici, anaciclici, ropalici. In auge nella poesia alessandrina e successivamente abbastanza trascurato, il carme figurato fu riscoperto dalle avanguardie letterarie del Novecento, in particolare da Guillaume Apollinaire con i suoi *Calligrammes*, da cui il sinonimo moderno CALLIGRAMMA O POESIA VISIVA.

carpíre: verbo della terza coniugazione, transitivo. In alcuni tempi si coniuga con la forma incoativa *-isc-* tra il tema e la desinenza. *Pres. indic.*: carpisco, carpisci, carpisce, carpiamo, carpite, carpiscono. *Pres. cong.*: carpisca, carpisca, carpisca, carpiamo, carpiate, carpiscano. *Part. pass.*: carpíto. Es.: *Riuscì a carpirgli il portafogli*; *Quella firma è stata carpita.*

càrta da bóllo: locuzione scorretta; meglio: carta bollata.

cartèllo: sostantivo maschile che significa: manifesto, avviso, iscrizione. Es.: *Sulla porta vi era un cartello che vietava l'ingresso agli estranei.* Nel linguaggio commerciale significa: lega, accordo di produttori (corrispondente all'inglese *trust*). Es.: *Il cartello delle industrie automobilistiche.* Il sostantivo femminile CARTELLA indica invece: scheda, polizza, titolo di credito (*la cartella delle tasse, le cartelle di rendita*); pagina, foglio scritto (*un articolo di un paio di cartelle*); custodia di cartone o di cuoio, per il trasporto di libri, quaderni, fogli (*la cartella degli scolari*).

cartóne (animato): traduzione imprecisa della locuzione inglese (*animated*) *cartoon* in cui *cartoon* significa propriamente: schizzo, bozzetto, vignetta. L'espressione straniera, che indica il film d'animazione (in cui i fotogrammi riproducono disegni anziché oggetti reali), va dunque resa esattamente con *disegno animato.*

càsa: sostantivo femminile. Es.: *Ho costruito la casa*; *Vieni in casa.* Si notino alcune locuzioni: metter su casa (sposarsi, aprire una casa), a casa mia (secondo me: *Questo, a casa mia, si chiama imbroglio*), a casa del diavolo (lontano: *Abita a casa del diavolo*), esser di casa (esser amico intimo). *Casa* significa anche famiglia (*Casa Savoia*) e ditta (*casa editrice*).

Di diversa origine è il sostantivo maschile *caso* (V.) che significa: sorte, fortuna, evenienza.

cascamòrto: nome composto da un verbo (casca) e un participio sostantivato (morto). Plurale: cascamorti. V. anche COMPOSTI (NOMI).

càso: sostantivo maschile, che significa: fortuna, fatalità, combinazione, congiuntura, occasione. Es.: *Questo è proprio un caso strano*; *Il caso ha voluto così*; *Questo è un caso di coscienza*; *In ogni caso dovevi parlare*; *Poniamo il caso che sia vero*; *E se per caso arrivassero prima gli altri?* Si notino inoltre le seguenti locuzioni: a caso o per caso (casualmente: *Li ho scelti a caso*; *Lo vidi per caso*), al caso (opportuno: *Quest'uomo fa al caso nostro*), far caso o farci caso (meravigliarsi, tener conto, far attenzione: *Non farci caso, dice sempre così*; *Non bisogna far caso a tutte le voci che si sentono*), essere il caso (essere il momento opportuno: *Non è il caso di intervenire*), del caso (abbreviazione poco raccomandabile della locuzione: che il caso richiede; *Prese i provvedimenti del caso*). In grammatica greca o latina *caso* indicava la forma che il nome, il pronome, l'articolo e l'aggettivo assumevano variando la desinenza nel corso della declinazione e quindi la funzione sintattica nel contesto della frase (*caso nominativo, caso genitivo, caso ablativo* ecc.).

casomài: congiunzione ipotetica che regge il congiuntivo, rafforzando il carattere ipotetico della proposizione condizionale. Es.: *Casomai non l'avesse capito, glielo ripeté tre volte*. Si scrive anche staccato *caso mai*.

cassafórte: nome femminile composto da un sostantivo (cassa) e da un aggettivo (forte). Al plurale: casseforti. V. anche COMPOSTI (NOMI)

cassapànca: nome femminile composto da due sostantivi femminili (cassa e panca). Plurale: cassapanche. Per la regola relativa V. COMPOSTI (NOMI).

cassètto: sostantivo maschile. È uno dei nomi che hanno alternanza di genere e significato. Al maschile è sinonimo di tiretto (di mobile); al femminile CASSETTA è una piccola cassa.

castèllo: sostantivo maschile che indica un vasto edificio fortificato. Al plurale: i castelli e le castella (questa seconda forma è però antiquata). La parola concorre a formare molti toponimi. Si noti che non sempre è preceduto dall'articolo. Es.: *Siamo stati a Castelsantangelo; Visitiamo il Castelvecchio di Verona.*

castigamàtti: nome maschile composto da un verbo (castiga) e un sostantivo maschile plurale (matti). Plurale: castigamatti. V. anche COMPOSTI (NOMI).

casus belli: locuzione latina che significa: caso di guerra, avvenimento che può provocare guerra tra gli Stati. Usato anche nel senso di: motivo di litigio, causa di conflitto.

cata-: prefisso di origine greca, che può valere: in basso, giù (*catabasi, catacomba*) oppure in rapporto, in relazione a (*cataforesi*).

catacrèsi: figura retorica. È un tipo di metafora consistente nell'usare il nome specifico di una cosa per designarne un'altra per la quale la lingua non ha termine proprio. In tal modo il vocabolo è usato con un significato diverso da quello consueto. Es.: *i denti del pettine, la testa del chiodo, la bocca del cannone, la gamba del tavolo, un braccio di mare, una lingua di fuoco*. È detta anche *abusione*.

catafòrico: si dice di un pronome che si riferisce a qualcuno o a qualcosa di cui si parla successivamente, ossia che anticipa l'elemento sostituito. Es.: *Si tratta di* questo: *devo partire; Non saranno certo loro a convincermi del contrario, a* quelli *io non credo, i fratelli Rossi sono sempre stati dei bugiardi*. È opposto di *anaforico*.

catalèssi: nella metrica classica, catalessi è il fenomeno per cui un verso è tronco e quindi manca di una o due sillabe alla fine; perciò si dice *catalèttico*. I due termini sono l'opposto rispettivamente di acatalèssi e di acatalèttico (o acatalètto). Nella nostra letteratura, trasposto dai modelli classici antichi, il fenomeno si ritrova nella «metrica barbara» che cerca di adattare alla metrica accentuativa le strutture quantitative della poesia classica. Es.: *o falce d'argento, qual messe di sogni / ondeggia al tuo mite chiarore qua giù* (G. D'Annunzio), dove, sul modello del tetrametro dattilico, il primo verso è catalettico di una sillaba, il secondo di due.

catàlogo: nome maschile sdrucciolo terminante in *-go*, che al plurale finisce in *-ghi*: catàloghi.

catàsta: sostantivo femminile che significa: mucchio. Di diversa origine è il sostantivo maschile CATASTO che significa: censimento, estimo e anche l'ufficio pubblico che cura il catasto. Es.: *Ho visto una catasta di legna*; *È impiegato al Catasto.*

caténa: in linguistica, la successione di suoni e pause che dà luogo all'emissione del messaggio verbale; si dice *catena parlata*. In letteratura, *catena* è il legame che si realizza tra strofe successive dello stesso componimento. È detto anche monile.
Anche la serie di uno stesso tipo di componimenti dello stesso autore: *una catena di sonetti.* Se ad accomunare i componimenti della serie è anche il tema a catena si preferisce corona; per es.: *Il fiore*, poema costituito da una corona di 232 sonetti che riprendono il *Roman de la Rose.*

catetère: sostantivo maschile. Meno corretta la pronuncia *catètere.*

càtodo: sostantivo maschile che indica l'elèttrodo negativo di una corrente elettrica di un voltametro. Non è corretta la pronunzia *catòdo.*

cattívo: aggettivo qualificativo. Ha comparativo e superlativo irregolari. Comparativo: *peggiore*. Superlativo: *pessimo*. Anche usate però le forme: *più cattivo* e *cattivissimo*. Significa: malvagio (*un uomo cattivo*), brutto (*cattivo tempo*), infausto (*un cattivo presagio*), amaro, spiacevole (*un cattivo odore, un cattivo sapore*).

caudàto (sonetto): sonetto che ha un'aggiunta di uno o due versi, detta coda, oltre i quattordici della forma normale. In origine, la coda era costituita di due endecasillabi a rima baciata, senza concatenamenti di rima con il sonetto. In seguito, si passò alla coda di tre versi, di cui il primo un settenario che riprendeva l'ultima rima del sonetto. Questa forma fiorì con la poesia giocosa del Quattro e Cinquecento. Quando la coda veniva ripetuta, si aveva la sonettessa, con cui si cimentò in particolare il Berni.

càusa: sostantivo femminile che indica ciò che produce un effetto; motivo, ragione. Si notino alcune locuzioni: a causa di (in conseguenza di: *Non uscimmo a causa della pioggia*; *A causa di un incidente, lo spettacolo fu rinviato*), per causa di (per colpa di: *Ha pianto per causa tua*; *Ha sofferto per causa di un insolente*), far causa (intentare una lite: *Gli ha fatto causa*; *Vuol fare causa allo Stato*), far causa comune (allearsi: *Fece causa comune con i suoi antichi avversari*), con cognizione di causa (con conoscenza profonda, per esperienza: *Parlo con cognizione di causa*).

càusa (complemento di): indica la ragione per la quale si verifica l'azione espressa dal verbo. Risponde alla domanda: perché? per qual motivo? È retto dalle preposizioni *a, da, di, per* o dalle locuzioni *a causa di, per motivi di*, e simili. Es.: Voi tremavate *dal freddo*; Morire *di fame*; Non sono uscito *per la pioggia*; *A causa della mia infermità* non son venuto a scuola; *Per motivi personali* ho presentato le dimissioni; Impallidì *a quella vista.*

càusa efficiènte (complemento di): complemento che indica la cosa (e non la persona, l'animale o la cosa personificata) da cui è compiuta l'azione espressa da un verbo passivo e che il soggetto subisce. È retto dalla preposizione *da* e risponde alla domanda: da che cosa? Es.: La casa fu travolta *dalla valanga*; La stanza è invasa *dall'acqua*; Tu fosti colpito *dal bastone.*
Se la frase si trasforma in attiva, la parola che esprime il complemento di causa efficiente diviene il soggetto della nuova proposizione. Es.: (passivo) *La legna è tagliata dalla scure*; (attivo) *La scure taglia la legna.*
Si badi a non confondere con questo altri complementi retti dalla preposizione *da*. Es.: Dammi *da bere* (complemento oggetto), Viene *dalla campagna* (complemento di moto da luogo). V. anche AGENTE (COMPLEMENTO DI).

causàle (proposizione): proposizione subordinata che indica la causa per cui avviene l'azione della proposizione reggente. È introdotta dalle congiunzioni *perché, giacché, poiché, siccome*. Nel linguaggio burocratico si usano locuzioni quali: *considerato che, dato che, per il fatto che, posto che, per il fatto di, visto che*. Nella lingua parlata si trova non raro un costrutto causale retto da *che* (che alcuni accentano come abbreviativo di *perché*). Es.: *Andiamo che è tardi*; *Me ne vado ché sono stanco*. Anche la proposizione *relativa* (V.) ha talora valore causale. Es.: Mi congratulai con lui, *che aveva vinto*; Egli, *che era triste*, fu confortato da tutti. È costruzione elegante esprimere la causa collegando direttamente le due frasi mediante un sapiente uso della punteggiatura. Es.: *Non gli dissi nulla: non lo vidi*; *Mi rifiutai, non volevo commettere un delitto*; *Non aveva mangiato e aveva molta fame*; *Non sapeva cosa dire e cercò di guadagnar tempo*.

La proposizione causale ha il verbo al modo indicativo se la causa è certa e reale. Es.: *Non vengo perché piove*; *Si difese perché aveva ragione*; *Non capisco, perché tu parli difficile*.

Il modo condizionale si usa per esprimere una causa ipotetica, solo possibile. Es.: *Ho rimandato la partenza, perché vorrei vedere anche te*; *Prestami l'ombrello, perché potrebbe servirmi*.

Il modo congiuntivo si usa per le proposizioni che indicano causa possibile, ma negativa. Es.: *Non perché ti voglia punire, ma perché devi adattarti alla disciplina*; *Non che egli non sia meritevole, ma è meglio aspettare*; *Non perché tu sia stanco, ma perché sei pigro*.

Nella forma implicita la proposizione causale si esprime: a) con l'infinito preceduto dalla preposizione *per* (Fu punito *per avere tradito la patria*; Sono lodati *per avere salvato quel bambino*); b) con il gerundio presente o passato (*Essendo triste*, non andai allo spettacolo; *Avendo avuto notizia dell'accaduto*, non chiesi altro; *Essendo pentito*, fu perdonato); c) con il participio passato (*Venuto a Roma*, non potei evitare di vederlo; *Animato da buoni propositi*, non può fallire).

causàli (congiunzioni): congiunzioni subordinanti, in forma anche di locuzioni, che stabiliscono un rapporto di causalità tra i due termini, parole o proposizioni, congiungendo l'elemento di causa con quello di effetto. Le principali sono: *poiché, perché, giacché, siccome, che, visto che, dato che, dal momento che, per il fatto che*. Es.: *Tranquillo* perché *innocente*; *Ho preso l'ombrello* dato che *il cielo si era rannuvolato*; *Fai presto* che *è tardi*.

causativi (verbi): verbi che esprimono un'azione non compiuta, ma fatta compiere dal soggetto. Es.: *Te la faccio pagare*; *Le faccio fare tutto*; *Non glielo lascio dire*.

Si dicono anche *causativi* i suffissi (-ificare, -izzare) che danno alla parola derivata il significato di rendere qualcosa o qualcuno con la caratteristica espressa dalla base. Es. *notificare* (rendere noto); *polverizzare* (rendere polvere); *certificare* (rendere certo).

cavadènti: nome maschile composto da un verbo (cava) e un sostantivo maschile plurale (denti). Plurale: cavadenti. V. anche COMPOSTI (NOMI).

cavalcavía: nome maschile composto da un verbo (cavalca) e un sostantivo femminile singolare (via). Plurale: cavalcavia. Significa: ponte, arco sopra una strada. V. anche COMPOSTI (NOMI).

cavallétta: sostantivo femminile. È il nome volgare di un insetto degli Ortotteri. Nell'uso figurato, *fare la cavalletta a uno* significa: fare un torto, una ingiustizia. Di diverso significato è il sostantivo maschile CAVALLÉTTO, che indica un sostegno a tre o quattro piedi, usato soprattutto dai pittori.

cavatàppi: nome maschile composto da un verbo (cava) e un sostantivo maschile plurale (tappi). Plurale: cavatappi. Si usa anche, ma è più antiquato, *cavaturaccioli*. V. anche COMPOSTI (NOMI).

càvo: sostantivo maschile che indica una grossa corda o grosso conduttore per il telefono, la luce, il telegrafo. Es.: *Le due stazioni trasmittenti sono unite da un cavo sottomarino*. Il sostantivo femminile CÀVA significa invece: scavo del terreno, buca, grotta, miniera. Es.: *Lavorava in una cava di marmo*.

ce: particella pronominale di prima persona plurale. Significa: a noi. È usata per il complemento di termine in luogo della forma *ci*, quando questa dovrebbe accoppiarsi con altre particelle. Es.: *Ce lo disse*; *Ce lo avrebbe dato*; *Ce le consegnarono*; *Ce*

ne fece cenno; *Non ce ne importa più nulla.*
Ce è una particella atona di prima persona; è quindi errato l'uso dialettale di *ce* in luogo di *gli, le, loro*. Es.: *Non gli ho scritto, ma ce lo* (dirai invece: glielo) *farò sapere.*
Ce è anche quella particella avverbiale di luogo che sostituisce *ci* davanti a *lo, la, li, gli, le, ne*. Es.: *Non ce ne sono*; *Non ce lo trovai.*

cèdere: verbo della seconda coniugazione, intransitivo. Ausiliare: avere. *Pres. indic.*: cedo, cedi, cede, cediamo, cedete, cedono. *Pass. rem.*: cedei (cedetti), cedesti, cedé (cedette), cedemmo, cedeste, cederono (cedettero). *Fut. semplice*: cederò, cederai, cederà, cederemo, cederete, cederanno. *Part. pass.*: cedúto. Significa: indietreggiare, non resistere, abbandonare, concedere. Es.: *Il fronte ha ceduto*; *Non voleva assolutamente cedere*; *Ha ceduto alle tue preghiere, non alla forza.* Usato transitivamente significa: consegnare, lasciare, abbandonare. Es.: *Gli ho ceduto il passo*; *Ti cedo il mio biglietto d'invito.*

cedíglia: sostantivo femminile risalente allo spagnolo *cedilla* (propriamente: piccola zeta). Nell'alfabeto francese e di altre lingue indica il segno ortografico costituito da una piccola virgola che, posta sotto la lettera *c* davanti ad *a, o* e *u*, le dà il valore di *s* sorda o aspra. Es.: *ça* (pr.: sa).

-cefalía, -cefalo, cefalo-: elementi di parole composte, attinenti alla testa, al capo. Es.: *macrocefalia, oligocefalo, cefalocordati.*

-cele: secondo elemento di parole composte, in uso nel linguaggio medico, indicanti tumefazione, gonfiore. Es.: *meningocele.*

cèlebre: aggettivo qualificativo. Al superlativo: *celeberrimo*. Il sostantivo astratto CELEBRITÀ è usato talora riferito a persona invece di uomo celebre. Es.: *È una celebrità nel campo medico*; *Erano presenti varie celebrità.*

cénere: sostantivo femminile che indica i resti di materie bruciate. Al plurale, le *ceneri*, indica i resti mortali dei defunti, ciò che resta di un cadavere cremato o sepolto da molto tempo. In questo senso è di uso letterario, al singolare, il sostantivo maschile CENERE. Es.: *Ho tolto la cenere dal camino*; *Il sepolcro che contiene le ceneri del grande poeta*; *Didone ruppe fede al cenere di Sichéo.*

ceno-: primo elemento di parole composte. In alcuni casi vuol dire nuovo, giovane (*cenozoico*); in altri, vuoto (*cenotafio*).

centòne: componimento poetico formato con versi o parti di verso presi a prestito dai testi di un altro autore, secondo certe regole, per esercizio retorico, per parodia e per significare altre cose.
Proveniente dalla tradizione antica greco-latina, ha nella nostra letteratura esempi più celebri nell'opera di I. Sannazzaro che scrisse sonetti utilizzando versi di F. Petrarca.
Si dice centone anche un'opera poco originale, che ha utilizzato oltre misura citazioni o calchi tratti da testi di altri autori.

cercàre: verbo della prima coniugazione, transitivo. Significa: andare in cerca, indagare, frugare, esplorare. Es.: *Cercano un alloggio*; *Cercava i fogli nel cassetto.* Anche: chiedere, domandare. Es.: *Cercava la carità.* Usato intransitivamente nel senso di sforzarsi, si costruisce con la preposizione *di* (ausiliare: avere). Es.: *Cercai con tutte le forze di convincerlo*; *Cercherò di vincere*; *Ha cercato di far prevalere le sue tesi all'ultimo congresso del partito.*

cerco-: primo elemento di parole composte. Nel linguaggio della zoologia significa: coda. Es.: *cercopiteco* (animale dalla lunga coda).

-cere (verbi in): i verbi della seconda coniugazione terminanti in *-cere* conservano il suono palatale della consonante *c* davanti alle desinenze che cominciano con *e* o *i*; lo perdono invece davanti alle desinenze che cominciano con *a* od *o*. Es.: vincere (*vinci, vincete, vincano, vincono*). Fanno eccezione *cuocere* e *nuocere*, che mantengono sempre il suono palatale. V. i relativi lemmi.

cerebro-: primo elemento di parole composte del linguaggio medico, attinenti al cervello. Es.: *cerebroleso, cerebrospinale.*

céro: sostantivo maschile che indica una

grossa candela. Il sostantivo femminile CÉRA indica invece la sostanza molle con cui si fabbricano candele. In senso figurato: aspetto, sembianza, faccia. Es.: *Dovrò accendere un cero a S. Antonio*; *Le api producono la cera*; *Stasera hai una bella cera*. L'aggettivo CÉREO vale: del color della cera, pallido.

certàme: gara o sfida tra poeti che compongono poesie su un tema comune. Il più celebre della nostra letteratura è il Certame coronario, indetto nel 1441 a Firenze dall'università, per iniziativa di L.B. Alberti e con la *sponsorizzazione* di Piero di Cosimo de' Medici sul tema «La vera amicizia», allo scopo di promuovere la lingua volgare come lingua letteraria, in quei tempi (l'umanesimo) di egemonia del latino. L'importanza di questo certame è rappresentata in particolare dal fatto che per la prima volta alcuni poeti si cimentarono a riprodurre i metri classici in lingua volgare.

cèrto: aggettivo indefinito variabile. Indica, secondo che sia usato al singolare o al plurale, una unità o una molteplicità indeterminate (*Un certo generale Farina*; *Certi signori austriaci*). Talora ha valore allusivo (*Certe cose non si dicono*), oppure dimostrativo, se in relazione con qualcosa già citata (*Quella certa signora Rossi*). Come aggettivo qualificativo (con il significato di: vero, sicuro, non dubbio) è solitamente posposto al nome (*Una risposta certa, un proposito certo*).

Come pronome, significa, al plurale: taluni, alcuni. Es.: *Certi pensano che io menta*; *Certi dicono anche il contrario*.

Usato come avverbio vale: certamente, in modo certo, sicuramente. Es.: *Certo si opporrà*; *Non cambierà certo prima di domani*. Sostantivato vale: la cosa certa. Es.: *Nessuno lascia il certo per l'incerto*.

certúno: pronome indefinito che significa: alcuno, taluno, qualche persona. È usato quasi esclusivamente al plurale. Es.: *Certuni sanno queste cose*; *Non è come pensano certuni*.

cervèllo: nome maschile sovrabbondante o eteroclito. Ha due desinenze al plurale: i cervelli (intelligenze: *i migliori cervelli del parlamento*) e le cervella (materia cerebrale: *bruciarsi le cervella*). Si usa popolarmente anche un femminile singolare (la cervella) per indicare il cervello di agnello cotto. Es.: *Una porzione di cervella*. È più corretto dire: *Una porzione di cervello*.

cèspite: sostantivo maschile. Indica un gruppo d'erbe, foglie, virgulti che han radice comune. È oggi usato, in senso figurato, per: fonte di guadagno, entrata, guadagno. Non dirai però: cèspite d'entrata. Es.: *Per me questo è un cespite*.

cessàre: verbo della prima coniugazione, intransitivo. Ausiliari: essere e avere. Es.: *Il vento è cessato*; *È cessato l'allarme*; *Ha cessato di piovere*; *Cesserà di tormentarti*. Talora usato anche transitivamente. Es.: *I nemici avevano cessato il fuoco*.

cesùra: pausa ritmica all'interno di un verso. Nella metrica classica essa può cadere alla fine di una parola, all'interno di un piede o alla fine di esso (in questo caso si chiama dieresi); è detta maschile se cade su una sillaba in arsi, femminile se segue una sillaba in tesi. Nella metrica moderna cade sempre alla fine di una parola e, nei versi composti, segna il distacco tra due emisticchi. L'endecasillabo in particolare è detto a minore, se la cesura cade dopo il quinario, a maiore se cade dopo il settenario, che lo compongono. Tuttavia non solo nel caso dell'endecasillabo, la cesura risponde, oltre che a ragioni metriche, a particolari esigenze di carattere semantico, serve cioè per mettere in evidenza una parola o una situazione emotiva, e quindi può cadere nelle sedi più diverse. Possono esistere così, all'interno di uno stesso verso, cesure primarie e cesure secondarie.

che: come aggettivo significa: quale, quanto. Usato nelle esclamazioni e interrogazioni, sempre unito ad un nome. È considerato errore, benché diffuso in certi dialetti, l'uso di *che* unito ad altro aggettivo. Es.: *Che meraviglioso regalo!*; *Che splendore!*; *Che cosa fai?*; *Che ora è?*; *Che tempo fa?* Non si dirà invece: Che bello! Che strano! Che buono! ma: *Che bella cosa!*; *Che fatto strano!*; *Com'è buono!*

ché: con l'accento acuto è aferesi di *perché*. Congiunzione causale. Es.: *Me ne vado, ché non ne posso più*. Con la pronuncia aperta (chè) si usa nelle esclamazioni per indicare meraviglia. Es.: *Chè! Non ti fermi un poco?*; *Chè, te la prendi per una sciocchezza?*

che?: pronome interrogativo, usato per indicare cose, oggetti, idee, fatti. Es.: *Che fai?*; *Che hai comperato?*; *A che pensi?*; *Che è successo?*; *Di che ti preoccupi?* V. INTERROGATIVI (PRONOMI).

che: pronome relativo indeclinabile. Vale per il maschile e per il femminile, il singolare e il plurale. Può essere usato solo come soggetto o complemento oggetto. Es.: *Il libro che mi hai dato* (maschile singolare, complemento oggetto); *Il ragazzo che parla* (maschile singolare, soggetto); *La casa che hai costruito* (femminile singolare, complemento oggetto); *La donna che ride* (femminile singolare, soggetto); *Gli uomini che hanno marciato* (maschile plurale, soggetto); *Gli uomini che hai tradito* (maschile plurale, complemento oggetto); *Le fanciulle che pregano* (femminile plurale, soggetto); *Le prigioniere che noi liberammo* (femminile plurale, complemento oggetto). Per gli altri complementi si devono usare le forme del pronome relativo: *il quale, la quale, cui, i quali, le quali*. Tuttavia si può usare ancora *che* per indicare circostanza temporale. Es.: *Nell'anno che* (= in cui) *nascesti tu*; *Nel tempo che* (= in cui) *tu eri in esilio*. L'uso di *che* è poi ammesso in talune locuzioni proverbiali o di uso familiare: *Paese che* (= in cui) *vai, usanze che trovi*; *La pentola che* (= con la quale) *ci si fa il brodo*.

Che può riferirsi ad una intera frase, con valore di neutro e significa allora: la qual cosa. È usato oggi con l'articolo. Es.: *Ti sei messo a lavorare: il che è giusto*; *Hai vinto il concorso: del che mi rallegro*. Forma anche varie locuzioni: un non so che, un certo che, un che, un gran che (per indicare un qualcosa d'indeterminato o una persona o cosa di grande importanza). Es.: *Ha un non so che di falso*; *Mi suggerisce un certo che*; *Mi sono accorta che non è poi un gran che*.

L'uso del pronome relativo *che* può talora generare confusione o ambiguità; è bene allora sostituirlo con le forme *il quale, la quale* ecc. Es.: *Il caso della signora che abbiamo esaminato* (il caso o la signora?); *Il figlio della signora che mi hai presentato* (il figlio o la signora?). Dirai: *Il caso della signora, il quale abbiamo esaminato*; *Il figlio della signora, alla quale mi hai presentato*. Talvolta occorrerà invece mutare la costruzione per evitare ambiguità. Es.: *L'eroe che più onora il popolo italiano è Garibaldi* (è il popolo che onora Garibaldi o viceversa?). Dirai: *L'eroe che il popolo italiano onora di più è Garibaldi*.

Davanti a vocale *che* si può elidere. Es.: *Il fuoco ch'arde*; *La frase ch'ogni giorno ripete*. V. anche RELATIVI (PRONOMI).

che: congiunzione semplice subordinante: può avere vari significati. Da non confondersi con *che* pronome (V.), il quale può sempre essere sostituito dalle altre forme del pronome relativo (il quale, con il quale, al quale, la quale ecc.). Nel caso di ambiguità occorre badare al valore che ha *che* nel testo per comprenderne l'esatta funzione grammaticale.

La congiunzione *che* introduce le seguenti proposizioni: oggettiva (*Dico che tu sei buono*); soggettiva (*Bello che tu obbedisca ai genitori*); causale (*Mi spiace che tu sia lontano*); imperativa (*Che nessuno parli*); consecutiva (*Era tanto stanco che pareva più vecchio*); finale (*Stai attento che non ti faccia male*); temporale (*Visto che ebbi mio padre, mi avvicinai a lui*); comparativa (*È meglio essere amati che temuti*).

Forma anche le seguenti congiunzioni composte o locuzioni congiuntive: allorché, poiché, perché, giacché, affinché, benché, sicché, talché, appena che, ancorché, fuorché, sennonché, così che, in guisa che, tosto che, sempre che, prima che, nonostante che, in quanto che, secondo che, tranne che, senza che, salvo che (V. voci relative).

checché: pronome indeclinabile. Vale: qualunque cosa. Es.: *Checché ne dica l'Autore, io la penso così*; *Checché tu dica*. Ormai in disuso la forma CHECCHESSÍA.

chemio-: primo elemento di termini medici e scientifici usato per indicare attinenza con sostanze o reazioni chimiche. Es.: *chemioterapia, chemiosintesi, chemiurgia*.

cherato-: primo elemento di parole composte, tipiche del linguaggio scientifico. Vale: corneo, sostanza cornea. Es.: *cheratogeno, cheratoplastica.*

cherilèo: nella metrica classica greca, il verso formato da un hemiepes associato ad un prosodiaco dodecasemo o saffico. Detto anche difilio, dal poeta ellenistico Difilo.

chi: pronome relativo e dimostrativo, indeclinabile. Equivale a un dimostrativo più un relativo (colui il quale). Può essere: a) soggetto di due proposizioni (*Chi crede spera* = colui spera, il quale crede); b) complemento oggetto nella proposizione precedente e soggetto nella relativa (*Noi ammiriamo chi aiuta* = Noi ammiriamo colui, il quale aiuta); c) complemento indiretto nella proposizione principale e soggetto, o complemento, nella relativa: *Sii buono con chi* (= con colui il quale) *ti aiuta*; *Io mi rivolgo a chi* (= a colui al quale) *si rivolgono gli altri.*
Significati speciali di *chi* sono: se uno (*Chi ama teme*); qualcuno o nessuno che (*Non c'è chi mi ascolti*); gli uni... gli altri (*Chi urlava, chi pregava, chi combatteva*).
Pronome interrogativo, usato per indicare persona o animale. Es.: *Chi ha parlato?*; *Chi ha mangiato la carne?*; *Ho chiesto chi ha mangiato la carne*; *Chi sono quelli che ci hanno offeso?* V. RELATIVI e INTERROGATIVI (PRONOMI).

chiàcchiera: sostantivo femminile, che indica un discorso leggero, fatto per passare il tempo. Es.: *Solo per far due chiacchiere.* Anche maldicenza, voce maligna e falsa. Es.: *Son chiacchiere della gente*; *È una chiacchiera messa in giro dagli avversari.* Da chiacchiera derivano *chiacchierata* e *chiacchierare.* Errate le forme: chiacchera, chiaccherata, chiaccherare.

chiaríre: verbo della terza coniugazione, transitivo. In alcuni tempi si coniuga con la forma incoativa *-isc-* tra il tema e la desinenza. *Pres. indic.*: chiarisco, chiarisci, chiarisce, chiariamo, chiarite, chiariscono. *Pres. cong.*: chiarisca, chiarisca, chiarisca, chiariamo, chiariate, chiariscano. *Part. pass.*: chiaríto.

chiaríssimo: superlativo di *chiaro.* Aggettivo onorifico attribuito solitamente ai professori, specie se universitari (*Chiarissimo Prof. Carlo Rossi*). Si abbrevia: Chiar.mo.

chiàsmo: in retorica, figura di pensiero consistente nel presentare due o più termini, parole o concetti o elementi sintattici, nell'ordine inverso, o antitetico, a quello in cui sono stati precedentemente esposti. È perciò una disposizione riassumibile con la forma di una *X*, come indica l'origine del nome, dal greco *chiasmós* = figura a forma di X di due concetti tra loro collegati. Es.:

Le donne, i cavallier,
l'arme, gli amori

Tutti per uno, uno per tutti, Le perle migliori ai peggiori porci, Ovidio è 'l terzo, e l'ultimo Lucano (D. Alighieri); *Fuggì tutta la notte, e tutto il giorno errò* (T. Tasso); *Odi greggi belar, muggir armenti* (G. Leopardi). Si chiama *chiasmo complicato* o *antimetabole* (V.) quando con tale figura si ottiene anche un capovolgimento di senso.

chiàve: in poesia, il verso che collega la fronte e la sirima della strofe della canzone. Detta anche *concatenazione* o *diesi.* V. CANZONE.

chicchessía: pronome indefinito indeclinabile. Significa: qualunque persona, chiunque. Si usa solo al singolare riferito a persona. È preferito talora a *chiunque* per sottolineare il carattere indeterminato dell'espressione. Es.: *In questo campo è superiore a chicchessia.* In frasi negative vale: nessuno. Es.: *Non lo dirò a chicchessia.*

chícco: sostantivo maschile. Significa: granello. Es.: *Chicco di grano, di caffè, di grandine.* Acino di uva. Il sostantivo femminile CHICCA significa invece confetto ed è usato per indicare cosa dolce. Anche: curiosità, perla.

chièdere: verbo irregolare della seconda coniugazione, transitivo. *Pres. indic.*: chiedo (chieggo, poco usato), chiedi, chiede, chiediamo, chiedete, chiedono (chieggono). *Pass. rem.*: chiesi, chiedesti, chiese, chiedemmo, chiedeste, chiesero. *Fut. semplice*: chiederò, chiederai, chiederà, chiederemo, chiederete, chiederanno. *Part. pass.*: chièsto. Indica il chiedere per ottenere. Es.: *Gli ho chiesto un prestito*; *Mi chiese il permesso di uscire*; *Deve chiedermi perdono*; *Mi chiede tremila lire al chilo di quelle mele!* Oggi però l'uso del verbo si è esteso. Vale infatti anche: chiedere per sapere, domandare, interrogare. Es.: *Gli ho chiesto l'ora*; *Mi ha chiesto dove andavo*; *All'esame mi chiesero le opere del Parini.*

chilo: sostantivo maschile che indica l'alimento assorbito dal sangue dopo la digestione. *Fare il chilo*: star riposati durante la digestione.

Chilo è poi parola di origine greca che significa: mille. È usata per comporre i nomi di varie unità di misura. Es.: *chilogrammo* (familiarmente: chilo; mille grammi), *chilogrammetro* (unità di lavoro; il lavoro necessario per innalzare un chilogrammo all'altezza di un metro), *chilociclo* (misura di frequenza delle radioonde; mille periodi di corrente alternata), *chilometro* (misura di lunghezza: mille metri), *chilòlitro* (misura di mille litri), *chilowatt* (misura della potenza elettrica: mille watt).

chiro-: primo elemento di parole composte. Significa: mano. Es.: *chiromanzia* (lettura della mano), *chirografo* (autografo), *chirospasmo* (crampo della mano).

chirúrgo: sostantivo maschile indicante il medico che esercita la chirurgia. Al plurale ha due forme: chirurgi e chirurghi. Preferibilmente la seconda.

chissà o **chi sa:** le due forme sono ormai entrambe invalse nell'uso. Hanno valore di interiezione dubitativa o di avverbio, seguite spesso dal punto esclamativo o da quello interrogativo. Es.: *Chi sa se ritornerà!*; *Può darsi, chissà, che sia eletto*; *Chissà quanto ha sofferto!*; *Chissà quanti errori hai fatto!*

chiúdere: verbo irregolare della seconda coniugazione. Transitivo. *Pass. rem.*: chiusi, chiudesti, chiuse, chiudemmo, chiudeste, chiusero. *Part. pass.*: chiuso. Significa: serrare, ostruire, concludere. Es.: *Chiudiamo la porta*; *La strada è chiusa al traffico*; *Ha chiuso così il discorso.* Intransitivamente significa: combaciare bene (ausiliare: avere). Es.: *Questo coperchio non chiude bene.*

chiúnque: pronome indefinito, usato al singolare maschile, ma riferibile anche ad esseri femminili. Significa: qualunque persona. Es.: *Chiunque farebbe la stessa cosa*; *Non lo dirò a chiunque*; *Chiunque di voi è pronto a rinunciare alla sua parte.* È anche relativo e regge una proposizione relativa. Es.: *Accetterò chiunque si offra*; *Chiunque voglia, può esaminare i registri.*

chiúsa (vocale): vocale che si pronuncia con suono chiuso (o stretto). Il suono chiuso è indicato dall'accento acuto (´). Non esistono regole precise per distinguere il suono chiuso da quello aperto. L'uso insegna a riconoscere la *é* chiusa dalla *è* aperta, l'*ó* chiusa dalla *ò* larga o aperta. Nelle parole *omonime* (V.), ove il diverso timbro delle vocali *e* ed *o* determina il diverso significato, si deve segnare sempre l'accento acuto o grave. Es.: *affétto* (*é* chiusa) da affettare, tagliare a fette; *affètto* (*è* aperta) da affettare, ostentare. *Io affétto la torta*; *Io affètto noncuranza.*

Si dice chiusa o *implicata* la sillaba che termina in consonante chiusa. CHIUSA è anche la conclusione di un componimento letterario, in particolare poetico (v. *commiato*), di una lettera, di un'orazione.

ci: particella pronominale atona di prima persona plurale. Si usa per il complemento oggetto e quello di termine (*Egli ci vide*; *Voi ci inviate un pacco*). Con le forme verbali dell'infinito, del gerundio e dell'imperativo e con *ecco* diventa enclitica (*Combatterci, Aiutandoci, Facci, Eccoci*). V. anche PERSONALI (PRONOMI). È anche particella avverbiale, con valore di: in quel luogo, in questo luogo. Es.: *Sono andato a Roma e ci tornerò*; *Non ci sono mai stato.* Talvolta ha valore di pronome dimostrativo neutro. Es.: *Ci penserò* (=penserò a ciò). Anche semplicemente pleonastico. Es.: *Bisogna pensarci*; *Non ci vede più*; *Ci senti?* Errate le forme dialettali in cui *ci* è usato come pronome di terza persona (*Ci hai parlato?*; *Ci dissi*; dirai: *Gli hai parlato?*; *Gli dissi*).

Ci diventa *ce* davanti ad altra forma atona pronominale (*Ce lo dissero*).

-cia (nomi terminanti in): i nomi terminanti al singolare in *-cia* formano il plurale secondo le seguenti regole: se la *i* è tonica (*-cìa*), fanno il plurale in *cìe* (*far-*

macìa, farmacìe); se la *i* è atona, fanno il plurale in *-cie* quando la *c* è preceduta da vocale (*audacia, audacie; fiducia, fiducie; socia, socie*), in *-ce*, quando la *c* è preceduta da consonante (*faccia, facce; caccia, cacce; lancia, lance*).
In generale si può notare che la *i* cade al plurale quando non è altro che un segno grafico per conservare il suono palatale della consonante *c* davanti alla vocale *a*. Es.: *freccia, frecce; mancia, mance*. La vocale *i* resta invece nel plurale quando originariamente aveva valore sillabico. Es.: *provincia, provincie* (accanto al più comune *province*); *acacia, acacie*.
Talora si conserva la *i* per distinguere il plurale del sostantivo dal singolare dell'aggettivo: *audacie* e *audace*; *perspicacie* e *perspicace*; *efficacie* e *efficace*.
Nei casi dubbi è bene consultare il dizionario (nel presente i nomi in *-cia* che potrebbero far sorgere dubbio sono trattati ciascuno in apposita voce). Diamo un elenco dei più comuni nomi in *-cia* con la corrispondente forma del plurale: *acàcia* (acàcie), *arància* (arance), *audàcia* (audacie), *bertúccia* (bertúcce), *bigóncia* (bigonce), *bisbòccia* (bisbòcce), *bòccia* (bocce), *bonàccia* (bonàcce), *borràccia* (borracce), *bréccia* (brecce), *búccia* (bucce), *càccia* (cacce), *camicia* (camicie), *cannúccia* (cannucce), *cartúccia* (cartucce), *chiòccia* (chiocce), *ciància* (ciance), *cíccia* (cicce), *cíncia* (cince), *ciòccia* (ciocce), *còccia* (cocce), *cóncia* (conce), *contumàcia* (contumàcie), *cortéccia* (cortécce), *cúccia* (cucce), *dóccia* (docce), *efficàcia* (efficàcie), *fàccia* (facce), *fèccia* (fecce), *feròcia* (ferocie), *fettúccia* (fettucce), *fidúcia* (fiducie), *focàccia* (focacce), *fréccia* (frecce), *góccia* (gocce), *grúccia* (grucce), *guància* (guance), *inefficàcia* (inefficacie), *lància* (lance), *levatàccia* (levatacce), *limàccia* (limacce), *linguàccia* (linguacce), *mància* (mance), *màrcia* (màrce), *melarància* (melarance), *metíccia* (meticce), *míccia* (micce), *micia* (mice o micie), *minàccia* (minacce), *muríccia* (muricce), *pelliccia* (pellicce), *perspicàcia* (perspicàcie), *pertinàcia* (pertinàcie), *pervicàcia* (pervicacie), *píccia* (picce), *procàcia* (procàcie), *pronúncia* (pronunce), *provincia* (province e provincie), *ramàccia* (ramàcce), *rinúncia* (rinunce), *sagácia* (sagacie), *salsiccia* (salsicce), *scaramúccia* (scaramucce), *sfidúcia* (sfiducie), *sócia* (socie), *spallúccia* (spallucce), *spilórcia* (spilorce), *súdicia* (sudice o sudicie), *tenàcia* (tenacie), *tòrcia* (tòrce), *tráccia* (tràcce), *tréccia* (trecce).

ciància: sostantivo femminile. Sinonimo di: chiacchiera, fandonia, discorso vano. Al plurale: ciànce.

-ciàre (verbi in): i verbi che all'infinito presente terminano in *-ciàre* perdono, nel corso della coniugazione, la vocale *i* dinanzi a desinenze che cominciano per *i* o per *e*. In tali casi infatti la *i* non è più necessaria per conservare il suono palatale alla *c*. Es.: baciare (*bacio, bacia, bacerò, baci*), cacciare (*cacciate, caccio, caccerei, cacci*).

ciascúno: aggettivo indefinito di quantità. Significa: tutti, a uno a uno. Precede il nome; si tronca davanti ai nomi maschili comincianti con vocale o consonante semplice; si elide davanti ai nomi femminili comincianti con vocale. Es.: *ciascun uomo, ciascun sacerdote, ciascun'anima, ciascuno zio, ciascuna sera*. È spesso sostituito da *ogni* (V.). Al plurale si usa l'aggettivo *singolo*. Es.: *Consideriamo le singole proposte* (cioè: ciascuna proposta).
Come pronome indefinito indica totalità indeterminata e ha valore distributivo o partitivo. Significa: tutti (*Ciascuno faccia il suo dovere*) o uno per uno (*Diedi gli ordini a ciascuno; Ho discusso con ciascuno di loro*).
Si noti la speciale costruzione del possessivo quando *ciascuno* specifica un soggetto o un oggetto plurale. Si può infatti dire: *Noi abbiamo ciascuno la nostra casa* (possessore è il soggetto: noi); oppure: *Noi abbiamo ciascuno la sua casa* (possessore è il soggetto secondario: ciascuno); oppure anche, ed è la forma più usata: *Noi abbiamo ciascuno la propria casa*.
Poco usata la forma familiare e dialettale *ciascheduno*.

ciciliàna: componimento poetico del sec. XIV, per lo più in forma di ballata amorosa, di tono popolare, di origine siciliana e quindi regionale come le affini: calabrese, napolitana e giustiniana o veneziana. Gli esempi che ci restano sono per lo più anonimi.

ciclo-, -ciclo: primo e, rispettivamente, secondo elemento di parole composte, attinenti al campo della bicicletta (*cicloturismo, ciclocross, ciclocampestre, motociclo*). Indicano anche ruota, giro, periodicità (*ciclotimía, ciclotrone*).

-cida: secondo elemento di parole composte, che vale: uccisore. Es.: *uxoricida, pesticida, topicida, insetticida.*

-cidio: secondo elemento di parole composte, che indicano uccisione, sterminio: *omicidio, genocidio.*

cièco: aggettivo che indica colui che è privo della vista. Anche sostantivato. Es.: *I ciechi devono essere aiutati.* Al figurato, indica persona senza il lume della ragione. Es.: *L'amore l'ha reso cieco.* Si noti che per la regola del *dittongo mobile* (V.) i derivati si scrivono senza il dittongo *iè* quando non è più in sillaba tonica (*cecaménte, cecità, accecare*).

cífra: sostantivo femminile. Segno con cui si rappresentano i numeri (1, 2, 3, 4, 5 ecc.). Un numero in cifre è scritto con le *cifre arabiche* (1, 2, 3, 4, 5 ecc.); in numeri *romani* è scritto con i segni in uso presso i Romani (I, II, III, IV, V ecc.); in *lettere* è scritto con il suo nome (uno, due, tre, quattro, cinque ecc.). Es.: 1928 (in cifre), MCMXXVIII (in numeri romani), *millenovecentoventotto* (in lettere).
Cifra è oggi usato anche con significato di *somma.* Es.: *Hai speso una cifra; Mi ha offerto una bella cifra; I morti han raggiunto la cifra di settecentocinquanta.*
Cifra è anche sinonimo di monogramma, abbreviatura di un nome. Es.: *Mi ha ricamato le cifre* (cioè le iniziali) *sul fazzoletto.*

cíglio: nome sovrabbondante o eteroclito. Ha due desinenze al plurale: i cigli (per l'uso figurato: *i cigli della strada*) e le ciglia (per l'uso proprio: *le ciglia dell'occhio*).

ciliègia: sostantivo femminile che indica il frutto del ciliegio. Al plurale: ciliègie o ciliege.

cine: abbreviazione di *cinema*, a sua volta abbreviazione di cinematografo. Es.: *Andiamo al cine?; Vorrei andare al cine.*
È usato per comporre molte parole indicanti persone o cose che hanno attinenza con il cinematografo. Es.: CINEASTA (professionista nel mondo del cinema), CINECITTÀ (complesso di edifici adibiti alla produzione di film), CINECLUB (associazione di appassionati del cinema), CINEDILETTANTE (dilettante del cinema), CINEDRAMMA (dramma rappresentato cinematograficamente), CINEGIORNALE (giornale che informa per mezzo di documentari cinematografici, giornale visivo), CINELANDIA (città del cinema, mondo del cinema), CINERAMA (cinema a tre dimensioni), CINEROMANZO (romanzo raccontato con una serie di fotografie con brevi didascalie), CINETECA (raccolta di film, luogo ove si conservano i film), CINEVALIGIA (valigia contenente un proiettore di film).

cínema: sostantivo maschile, abbreviazione di *cinematografo.* È uno dei nomi maschili in *-a*, invariabile al plurale. Es.: *Il film è proiettato in tre cinema contemporaneamente.*

cinesi-, -cinesi: primo e, rispettivamente, secondo elemento di parole composte. Indica movimento. Es.: *cinestesia, cinesiterapia, cariocinesi.*

cíngere: verbo irregolare della seconda coniugazione, transitivo. *Pass. rem.*: cinsi, cingesti, cinse, cingemmo, cingeste, cinsero. *Part. pass.*: cínto.

ciò: pronome dimostrativo invariabile. Ha valore neutro e significa: questa cosa, quella cosa. Es.: *Ciò mi piace; Ho sentito ciò che hai detto.* Quando non è usato come soggetto, può essere sostituito dalle forme atone *lo* e *ne*. Es.: *Lo dissi a lui* (= Dissi ciò a lui); *Gliene parlai* (= Parlai di ciò a lui); *Diglielo tu* (= Digli tu ciò).

cioè: avverbio esplicativo, usato per spiegare o correggere le parole precedenti. Es.: *L'eroe dei due mondi, cioè Garibaldi; Verrò con te, cioè no.* Significa: voglio dire, sarebbe come dire, o meglio. Nelle interrogazioni indica richiesta di schiarimenti. Es.: *Cioè?* (= che cosa vuol dire?).

círca: preposizione e avverbio che significa: intorno (*Ho saputo molte cose circa quella compravendita*), presso (*Sono arrivato circa a Milano*), approssimativamente (*Erano presenti circa 20 000 persone*).

Si costruisce direttamente o con la preposizione *a*. In posizione assoluta, nel senso di approssimativamente, a un dipresso, si usa *all'incirca*. Es.: *Quanti saranno stati, mille? - All'incirca.*

circolàre: verbo della prima coniugazione, intransitivo. Ausiliare: essere e avere. Es.: *È circolata una buona notizia*; *Troppe macchine hanno circolato per questa piazza.*

circonflèsso: tipo di accento (^) formato dall'unione di un accento acuto con un accento grave. Per l'uso grafico, V. ACCENTO.

circonlocuzióne: giro di parole usato per esprimere ciò che non si può o non si vuol dire con i vocaboli propri. V. PERIFRASI.

circostanziàli (complementi): i complementi che definiscono le circostanze (tempo, luogo, causa, modo ecc.) in cui accade l'evento descritto dal verbo. Nel loro insieme costituiscono l'espansione della frase. Per es.: Per la sua solita arroganza (*causa*) *Mario ha ricevuto* in campo (*luogo*) *un pugno* da Carlo (*agente*) la settimana scorsa (*tempo*).

circostanziàre: verbo della prima coniugazione, transitivo. È di uso burocratico, poco elegante. Meglio: specificare, particolareggiare, dire con ogni particolare. Una relazione *circostanziata* è una relazione particolareggiata, precisa, completa.

circuíre: verbo della terza coniugazione, transitivo. In alcuni tempi si coniuga con la forma incoativa *-isc-* tra il tema e la desinenza. *Pres. indic.*: circuisco, circuisci, circuisce, circuiàmo, circuíte, circuiscono. *Pres. cong.*: circuisca, circuisca, circuisca, circuiamo, circuiate, circuiscano. *Part. pass.*: circuíto.

circúito: sostantivo maschile. È il recinto circolare per le corse. Anche termine d'elettricità per indicare un sistema di corpi conduttori. CIRCUÍTO invece è il participio passato di *circuire* e significa: ingannato, insidiato. Es.: *La corsa si svolse al circúito di Monza*; *Avvenne un corto circúito*; *Quella ragazza fu circuíta da malviventi.*

circum-, circon-: prefissi che indicano: intorno. Es.: *circumnavigazione* (navigazione intorno a), *circondare* (cingere intorno), *circonlocuzione* (giro di parole), *circonvallazione* (strada che gira intorno alla città).

cis-: prefisso che significa: al di qua. Es.: *cisalpino* (al di qua delle Alpi), *cispadano* (al di qua del Po), *cismarino* (al di qua del mare).

cisto-: primo elemento di parole composte del linguaggio medico, attinenti alla vescica. Es.: *cistoscopia, cistopielite, cistostomia.*

citazióne: inserimento in un'opera di parte del testo di un altro autore, dichiarato e talora evidenziato graficamente, ovvero dissimulato, ma non per impedirne la scoperta, semmai per lasciarla alla sensibilità intertestuale del lettore. Nel primo caso, quello della sua dichiarazione, la citazione può servire come esempio o come comparazione o come conferma di un pensiero; nel secondo caso, quello della sua dissimulazione, essa è implicito riconoscimento di un'ispirazione o di una tradizione o di un debito culturale. Talvolta, la citazione può avere fini di contaminazione stilistica oppure di parodia o di ironia o di satira. Per es., il verso di T. Mamiani inserito da Leopardi nella *Ginestra*: *le magnifiche sorti e progressive.*

cito-: primo elemento di parole composte, usate nel linguaggio scientifico. Indica attinenza alla cellula. Es.: *citochimica, citologo, citologia.*

clado-: nella terminologia botanica, indica ramo, ramificazione. Concorre a formare varie parole: *cladofora.*

clan: parola inglese (pr.: clèn) che nell'etnologia indica la famiglia o tribù discendente da un comune antenato. Oggi il termine, pronunciato all'italiana, clàn, indica: gruppo, congrega, cricca, brigata. Es.: *Ho vissuto per alcuni mesi nel clan degli esistenzialisti*; *Nel clan del campionissimo regna la fiducia.*

clàusola: nell'antica letteratura greca e latina, parte finale di una proposizione o di un periodo in prosa o di un verso in poesia, volta alla ricerca di particolari «effetti» ritmici. Nella metrica italiana, la clausola è legata alla posizione dell'ultimo accento del verso e, a seconda che esso sia tronco, piano, sdrucciolo e

bisdrucciolo, determina la quantità della sillaba e la varietà del verso stesso. Es. (tre settenari: uno piano, uno sdrucciolo, uno tronco):
«orba di tanto spiro,
così percossa, attònita
la terra al nunzio sta». (A. Manzoni)

clíma: sostantivo maschile. È uno dei nomi maschili in *-a*. Es.: *Il clima della Riviera è delizioso*; *Si adatta a tutti i climi.*

clímax: figura retorica di parola, detta anche *gradazione* o *climax ascendente*, consistente nell'intensificazione di un'idea o immagine mediante il progressivo passaggio da una parola, o gruppo di parole, più debole o più generica a una forte o specifica. Es.: *Bene, benissimo, eccellente!*; *Entra in campo, gioca, segna, vince*; *Tu duca, tu signore, tu maestro* (D. Alighieri). *Urta, apre, caccia, taglia, fende* (L. Ariosto); *Prega, esorta, minaccia, pigia, ripigia, incalza di qua di là* (A. Manzoni). Il caso opposto di gradazione o *climax discendente*, quando cioè si verifica una diminuzione dell'intensità dei significati invece che una sua accentuazione, si dice anticlimax. Es.: *Vorrei avere un miliardo, un milione, centomila lire*; *È pur sempre Paolo, un ragazzo, una persona*; *È un mostro, è brutta, non è bella.*

clino-, -clino: primo e, rispettivamente, secondo elemento di parole composte del linguaggio scientifico. Indica inclinazione. Es.: *clinometro* (misuratore dell'inclinazione), *monoclino* (strato con una sola pendenza), *triclino* (in cristallografia, sistema con tre direzioni).

cloro-: primo elemento di parole scientifiche composte. Può indicare: verde (*clorofilla, clorococcàli*), presenza di cloro, relazione col cloro (*cloroformio, clorurato*).

-co (nomi terminanti in): i nomi terminanti al singolare in *-co* conservano al plurale il suono gutturale quando si tratta di parole piane (*bàco, bachi*; *fico, fichi*; *fuóco, fuochi*). Si discostano però da questa regola: *amico* (amici), *nemico* (nemici), *gréco* (greci), *pórco* (porci). Le parole sdrucciole passano invece al suono palatale *-ci*. Es.: *mònaco* (monaci), *mèdico* (medici), *sindaco* (sindaci).
Le eccezioni sono però numerosissime; inoltre alcuni nomi hanno sia la forma in *-ci* che quella in *-chi*. Es.: *fóndaco* (fondaci e fondachi), *traffico* (traffici e traffichi), *mendíco* (mendici e mendíchi), *mànico* (manici e manichi).
Ecco un elenco dei più comuni nomi in *-co* con la corrispondente forma plurale: *Abaco* (abachi), *accademico* (accademici), *acrostico* (acrostici), *albicocco* (albicocchi), *aleatico* (aleatici), *allocco* (allocchi), *almanacco* (almanacchi), *alterco* (alterchi), *amico* (amici), *anatomico* (anatomici), *antisettico* (antisettici), *arsenico* (arsenici), *attacco* (attacchi), *baco* (bachi), *baiocco* (baiocchi), *balco* (balchi), *balocco* (balocchi), *barbiturico* (barbiturici), *basilico* (basilici), *beccafico* (beccafichi), *becco* (becchi), *beco* (bechi), *bifolco* (bifolchi), *bilico* (bilichi o bilici), *bolscevico* (bolscevichi), *bosco* (boschi), *branco* (branchi), *bronco* (bronchi), *bruco* (bruchi), *buco* (buchi), *calco* (calchi), *cantico* (cantici), *capocomico* (capocomici), *caprifico* (caprifichi), *carico* (carichi), *caustico* (caustici), *cercopiteco* (cercopitechi), *chierico* (chierici), *cieco* (ciechi), *companatico* (companatici), *cosmetico* (cosmetici), *critico* (critici), *cuoco* (cuochi), *democratico* (democratici), *distico* (distici), *dittico* (dittici), *domestico* (domestici), *ecclesiastico* (ecclesiastici), *elenco* (elenchi), *equivoco* (equivoci), *eretico* (eretici), *eunuco* (eunuchi), *fanatico* (fanatici), *farmaco* (farmaci o farmachi), *fisico* (fisici), *fondaco* (fondaci o fondachi), *fuoco* (fuochi), *genetliaco* (genetliaci), *giuoco* (giuochi), *gnocco* (gnocchi), *grammatico* (grammatici), *greco* (greci), *impudico* (impudichi), *incarico* (incarichi), *indaco* (indachi), *intonaco* (intonachi o intonaci), *lastrico* (lastrici o lastrichi), *lecco* (lecchi), *lessico* (lessici), *lombrico* (lombrichi), *manico* (manici o manichi), *medico* (medici), *mendico* (mendici o mendichi), *mistico* (mistici), *monaco* (monaci), *mosaico* (mosaici), *musico* (musici), *narcotico* (narcotici), *nemico* (nemici), *ombelico* (ombelichi), *onomastico* (onomastici), *orco* (orchi), *oricalco* (oricalchi), *ostetrico* (ostetrici), *panegirico* (panegirici), *pànico* (pànici), *paníco* (paníchi), *parco* (parchi), *parroco* (parroci o parrochi), *patronimico* (patronimici), *peripatetico* (peripatetici), *picco* (picchi), *pizzico* (pizzichi), *plico* (plichi), *pneumatico* (pneumatici), *policlinico* (po-

liclinici), *porco* (porci), *portico* (portici), *pronostico* (pronostici), *ritocco* (ritocchi), *sacco* (sacchi), *sbieco* (sbiechi), *scacco* (scacchi), *scalco* (scalchi), *scarico* (scarichi), *scettico* (scettici), *sferico* (sferici), *sindaco* (sindaci), *socco* (socchi), *solco* (solchi), *spreco* (sprechi), *stecco* (stecchi), *stinco* (stinchi), *stoico* (stoici), *stomaco* (stomaci o stomachi), *storico* (storici), *strabico* (strabici), *tabacco* (tabacchi), *tossico* (tossici), *traffico* (traffici o traffichi), *transatlantico* (transatlantici), *trasloco* (traslochi), *trittico* (trittici), *tropico* (tropici), *ubriaco* (ubriachi), *unico* (unici), *valico* (valichi), *varco* (varchi), *viatico* (viatici), *villico* (villici), *zotico* (zotici).

co-, com-, con-: prefissi che indicano compagnia, unione. Es.: *commilitone* (compagno d'armi), *coetaneo* (della stessa età), *confederato* (stretto con patto). *Co-* è usato davanti a vocale e a *s* impura (*coetaneo, coabitazione, coeterno, cospirare, coscritto*). *Con-* è usato davanti a consonante che non sia *b, p* o *m*, nel qual caso si usa *com-* (*conterraneo, confluire*; *combaciare, comproprietà*).

còbbola: stanza isolata di canzone, d'origine provenzale (le *coblas exparsas*, costituite da una sola strofa e destinate ad essere musicate), ripresa per breve tempo dagli stilnovisti fiorentini prima di preferirle il sonetto.

Con lo stesso termine interpretando il termine come coppia, si indica anche un componimento di versi accoppiati a due a due, come, per esempio, le 150 c. comprese nei *Documenti d'Amore* di Francesco da Barberino; es.:

Poco val cominciare, o mezzo intrare,
a chi del fin non si puote laudare.

còccio: sostantivo maschile che indica il pezzo di vaso rotto di terra cotta. Es.: *Raccolse tutti i cocci del vaso; Pigliò i cocci* (si impermalì); *Chi rompe paga e i cocci sono suoi*. Il sostantivo femminile COCCIA (plurale: cocce) indica invece la piastra metallica che protegge la mano all'impugnatura della spada. Anche guscio di testaceo.

-cocco: terminazione di parole scientifiche che indicano batteri di forma tondeggiante (*stafilococco, pneumococco*).

còda: aggiunta di uno o più versi al normale schema metrico di un componimento, in particolare al sonetto che viene perciò detto *caudato*.

codardía: sostantivo femminile. Errata la pronuncia *codàrdia*.

codésto: V. COTESTO.

còdice: nella teoria della comunicazione, sistema costituito da un insieme di segni e dalle regole che ne prescrivono la corrispondenza con i significati e la combinazione sotto forma di messaggi. In questo senso, è un codice tanto la lingua italiana quanto l'alfabeto Morse o il linguaggio mimico-gestuale dei sordomuti.

coerènza: una delle due proprietà fondamentali di un testo (l'altra è la *coesione*) sotto il profilo della costruzione logico-linguistica. La coerenza riguarda l'organicità del testo dal punto di vista del significato e la sua uniformità (salvo i casi voluti dall'autore per fini particolari) stilistica e di registro.

coesiòne: una delle due proprietà fondamentali di un testo (l'altra è la *coerenza*) sotto il profilo della costruzione logico-linguistica. Riguarda la connessione sintattica e semantica tra le varie parti del testo.

coesístere: verbo della seconda coniugazione, intransitivo. Ausiliare: essere. *Pass. rem.*: coesistei (coesistetti), coesistesti, coesisté (coesistette), coesistemmo, coesisteste, coesisterono (coesistettero). *Part. pass.*: coesistíto. Significa: esistere insieme con altri.

cógli: forma poco usata di preposizione articolata composta dalla preposizione semplice *con* e dall'articolo *gli*. Si preferisce la forma separata (*con gli sci* meglio che *cogli sci*). Per l'uso V. CON e GLI.

cògliere: verbo irregolare della seconda coniugazione, transitivo. *Pres. indic.*: colgo, cogli, coglie, cogliamo, cogliete, colgono. *Pass. rem.*: colsi, cogliesti, colse, cogliemmo, coglieste, colsero. *Pres. cong.*: colga, colga, colga, cogliamo, cogliate, colgano. *Imper.*: cogli, colga, cogliamo, cogliete, colgano. *Part. pass.*: còlto. Significa: staccare un fiore o un frutto dalla pianta (*Colsero tutte le albicocche*), sorprendere (*La colse in flagrante*), colpire (*Colse tutti i bersagli*).

cognac: parola francese (pr.: cognàc). È il

nome di un liquore ottenuto distillando il vino della regione francese detta Cognac e facendo stagionare il prodotto in botti di quercia. È errata la pronuncia: cògnac. La parola, essendo un nome geografico, è intraducibile in italiano. I toscani usano *cognacche*. Più accettabile *un cognacchino*, come si dice: *un grappino*. In seguito ad una convenzione commerciale con la Francia, essendo proibito dare tal nome al liquore fabbricato allo stesso modo in Italia, le nostre ditte produttrici usano la parola italiana *arzente* o, più spesso, quella inglese *brandy*.

cognóme: sostantivo maschile. Nome della famiglia che si aggiunge al nome proprio di persona. Salvo che negli elenchi in ordine alfabetico, si pospone sempre al nome. Es.: *Vittorio Alfieri*; *Alessandro Manzoni*; *La «Divina Commedia» di Dante Alighieri* (e non: Alighieri Dante); *«I Malavoglia» di Giovanni Verga* (e non: Verga Giovanni). Invece in un elenco: *Rossi Paolo, Bianchi Luigi, Viola Pietro*, ecc.
I cognomi di persone illustri vogliono, di regola, l'articolo. Es.: *Il Petrarca, il Monti, le opere del Parini*. I cognomi di persone non illustri non sono invece preceduti dall'articolo. Es.: *Parlerò a Rossi*; *Oggi ho visto Bianchi*. Nell'uso corrente anche i cognomi illustri possono non essere preceduti dall'articolo. Es.: *Dante, Petrarca e Boccaccio*; *Le musiche di Verdi*; *Gli scritti di Mazzini*. I cognomi vogliono poi sempre l'articolo quando si riferiscono a donne. Es.: *Le poesie della Serao*; *La Duse ha recitato magnificamente*; *Oggi ho visto la Rossi*; *Ha parlato la Bianchi*. Oggi tuttavia si registra anche l'uso senza articolo: *Iotti ha aperto la seduta*. Il cognome è talora preceduto dall'articolo indeterminativo che gli conferisce un significato particolare. Es.: *Ha in casa un Cézanne* (=un quadro di Cézanne); *Un Cavour* (=un uomo politico come Cavour) *avrebbe agito diversamente*.

cói: preposizione articolata, formata dalla preposizione semplice *con* e dall'articolo *i*. Più usata è però la forma staccata: *con i*. Per l'uso V. CON ed I (articolo).

coincídere: verbo della seconda coniugazione, irregolare, intransitivo. Ausiliare: avere. *Pass. rem.*: coincisi, coincidesti, coincise, coincidemmo, coincideste, coincisero. *Part. pass.*: coincíso. Sono usate quasi esclusivamente le terze persone singolari e plurali. Es.: *La festa del Corpus Domini coincide quest'anno con la data del 24 maggio*; *Le tue notizie coincidono con le nostre informazioni.*

cól: preposizione articolata formata dalla preposizione semplice *con* e dall'articolo *il*. Più comune la forma separata: *con il*. Per l'uso V. CON e IL.

cole-: nella terminologia medica, primo elemento di parole composte, attinenti alla bile: *colecisti*, *coledoco*, *colemia*.

colendíssimo: aggettivo qualificativo, grado superlativo. Titolo attribuito un tempo alle persone importanti. Es.: *Il colendissimo monsignor Della Casa*. Forma ormai in disuso. Valeva: onorabilissimo, reverendissimo.

coliàmbo: nell'antica metrica greca e latina, trimetro giambico in cui la sostituzione dell'ultimo piede di un giambo con un trocheo provoca una brusca rottura, donde il nome (in greco *chelós*, *zoppo*, e *íambos*, giambo). È detto anche *ipponatteo*, dal poeta efesio Ipponatte che, secondo la tradizione, l'avrebbe inventato, o *scazonte*, che in greco significa appunto zoppicante.

cólla: preposizione articolata formata dalla preposizione semplice *con* e dall'articolo *la*. Si preferisce la forma separata: *con la*. Anche al plurale: *con le*, più usato di *colle*. Per l'uso V. CON e LA.

collaboràre: verbo della prima coniugazione, intransitivo. Ausiliare: avere. Si costruisce con le preposizioni *con* e *a*. Es.: *Vuoi collaborare con me?*; *Ha collaborato all'Enciclopedia.*

collèga: sostantivo maschile, che significa compagno d'ufficio, di professione, di grado. È uno dei nomi maschili in *-a*; plurale: colleghi. Femminile: collega, colleghe. Es.: *Ho parlato con il mio collega*; *Era in compagnia delle sue colleghe*; *La mia collega ti aiuterà.*

collettívi (aggettivi e pronomi): sono così detti gli aggettivi e i pronomi indefiniti che concettualmente indicano una totalità. Sono: *tutti, ogni, ciascuno, qualsiasi, qualsivoglia*. Es.: *E vediamo tutti i* *giorni* (=la totalità dei giorni), *Ogni sforzo* (=la totalità degli sforzi) *è vano*, *Qualsiasi parola* (=la totalità delle parole) *sarebbe superflua.*

collettívi (nomi): i nomi che indicano un insieme di individui - persone, animali o cose - della stessa specie. Sono *specifici* quelli che bastano da soli per designare la specie degli individui che costituiscono il gruppo (*flotta, esercito, scolaresca, gregge, clientela*). Sono *generici* quelli per cui è necessaria una ulteriore specificazione per indicare la categoria degli individui componenti l'insieme (*una folla di operai, un gruppo di scrittori, un migliaio di domande, un complesso di costruzioni*). Nelle proposizioni in cui il soggetto è espresso da un nome collettivo il verbo può concordare a senso con il soggetto, in relazione all'idea di molteplicità contenuta nella parola. Si coniuga allora al numero plurale. Es.: *Una folla di operai si avvicinarono alla porta della fabbrica*; *La gente, come capita in questi casi, non sapevano dove andare.* V. CONCORDANZA (TEORIA DELLA). V. anche NOME.

collimàre: verbo della prima coniugazione, intransitivo. Ausiliare: avere. Es.: *I due sistemi politici non possono collimare tra loro*; *Le sue idee collimavano con le mie.*

còllo: sostantivo maschile che indica la parte del corpo che unisce la testa al busto. Anche la parte superiore di un recipiente che si restringe verso l'alto. Es.: *Portava al collo una collana*; *Ruppe il collo della bottiglia.* Si notino alcune locuzioni: a rotta di collo (precipitosamente o malissimo: *Si gettò a rotta di collo*; *Gli affari vanno a rotta di collo*), fare allungare il collo (far aspettare: *Gli fece allungare il collo per sei mesi*), tirare il collo (uccidere i polli e, in senso figurato, sfruttare: *Tira il collo ai suoi dipendenti*), capitar tra capo e collo (capitare all'improvviso, detto soprattutto di cose spiacevoli: *Ora mi è capitata tra capo e collo questa spesa*), prendere per il collo (far pagar troppo). Di diversa origine è il sostantivo maschile CÒLLO che significa: pacco, baule, fagotto. Es.: *Ho spedito tre colli per mezzo del corriere.* Pure di diversa origine è il sostantivo femminile CÒLLA che indica una sostanza tenace e vischiosa usata per unire una cosa all'altra. Es.: *Attaccò le foto sull'albo con la colla.*

cóllo: preposizione articolata formata dalla preposizione semplice *con* e dall'articolo *lo.* Più usata la forma staccata: *con lo.* Per l'uso V. CON e LO.

cólmo: aggettivo qualificativo. Oggi ha funzione e significato autonomi; è tuttavia la forma accorciata del participio passato di colmare, cioè *colmato.*

cólpa: sostantivo femminile. Si noti la locuzione: *per colpa di* (per causa di). Es.: *È per colpa* (meno bene: è colpa) *di Giulio se è accaduto ciò*; oppure anche: *Colpa di Giulio se è accaduto ciò.*

cólpa o **delitto (complemento di):** il complemento di colpa o delitto indica, in generale, ciò di cui una persona è imputata. È perciò introdotto da verbi, nomi o aggettivi che indicano accusa o colpa. È costituito da un sostantivo preceduto dalle preposizioni *per* o *di.* Es.: Fu accusato *di uxoricidio*; Egli si è macchiato *di un grave delitto*; Sarai processato *per tradimento*; Fu tacciato *di menzogna*; Egli si dichiarò colpevole *di omicidio*; Fu giudicato colpevole *di furto.*

colpíre: verbo della terza coniugazione, transitivo. In alcuni tempi si coniuga con la forma incoativa *-isc-* tra il tema e la desinenza. *Pres. indic.*: colpisco, colpisci, colpisce, colpiamo, colpite, colpiscono. *Pres. cong.*: colpisca, colpisca, colpisca, colpiamo, colpiate, colpiscano. *Part. pass.*: colpíto. Significa: percuotere, dar colpi, cogliere (*colpire nel segno*, indovinare). In senso figurato: danneggiare, offendere o anche far impressione, meravigliare. Es.: *Lo hai colpito nel vivo*; *Quelle parole mi colpirono molto.*

cólpo: sostantivo maschile che indica l'impressione che fa un corpo sopra un altro; urto, scossa, cozzo, botta. Forma molte locuzioni: *colpo d'aria* (forte corrente di aria), *colpo apoplettico* (congestione di sangue nel cervello, sincope), *colpo di fortuna* (fortuna improvvisa), *colpo di fulmine* (innamoramento a prima vista), *colpo di grazia* (ultima disgrazia), *colpo di mano* (assalto improvviso), *colpo di mare* (maroso che si frange contro la nave), *colpo di scena* (improvviso mutamento della situazione, cambiamento di scena), *colpo di sole* (insolazione), *colpo di stato* (improvvisa, arbitraria e violenta mutazione di governo), *colpo di timone* (repentino mutamento della barra del timone; improvviso cambiamento), *colpo di vento* (ventata, folata improvvisa). Francesismi, sebbene largamente accolte nell'uso, sono quelle locuzioni che non contengono l'idea di urto, di scossa improvvisa, e non sono che la traduzione di modi di dire d'oltralpe: *colpo di penna* (tratto di penna), *colpo d'occhio* (occhiata, batter d'occhio), *colpo di testa* (azione fatta contro il parere altrui, atto inconsulto), *colpo di telefono* (telefonata). Si notino ancora le seguenti locuzioni: *far colpo* (far impressione), *fare un colpo* (concludere un affare, anche un'azione delittuosa), *accusare il colpo* (dimostrare d'aver subíto un'offesa o una perdita), *fallire il colpo* (sbagliare, non riuscire), *morir sul colpo* (morire all'istante), *di colpo* (subito, improvvisamente, di filato).

colpo-: nella terminologia medica, primo elemento di parole composte attinenti alla vagina. Es.: *colposcopia, colporragia.*

cólto: aggettivo qualificativo. Significa: coltivato e, in senso figurato, istruito. CÒLTO è invece il participio passato di cogliere. Es.: *Sembra un uomo cólto; È un uomo còlto in fallo.*

-coltore: terminazione di parole indicanti coltivatore: *agricoltore, floricoltore, avicoltore, viticoltore.*

coltúra: sostantivo femminile che indica: coltivazione, allevamento. Coltivazione dei campi è l'*agricoltura*, uno dei molti composti di *coltura*: *avicoltura* (allevamento degli uccelli), *apicoltura* (allevamento delle api), *bachicoltura* (allevamento dei bachi da seta), *floricoltura* (coltivazione dei fiori), *pollicoltura* (allevamento dei polli), *piscicoltura* (allevamento dei pesci), *silvicoltura* (conservazione e sviluppo dei boschi), *viticoltura* (coltivazione della vite). Meno usate, le forme avicultura, apicultura, bachicultura ecc. essendo la forma CULTURA riferita all'educazione intellettuale. Ma la distinzione, anche se tende a consolidarsi, non è rigida. Es.: *Ha una cultura profonda; È un uomo di vasta cultura.*

colúi: pronome dimostrativo di terza persona. Indica persona lontana da chi parla e da chi ascolta. Plurale: *coloro*. Femminile: *colei, coloro*. Le forme di questo pronome possono essere usate come soggetto e come complemento. Es.: *Colui mi ha offeso; Ho visto colei; Ho parlato a coloro.* Talvolta assume significato dispregiativo. Es.: *Chi è colui?* L'uso più frequente di *colui, colei, coloro* è quello in unione con il pronome relativo *che* formando una speciale locuzione congiuntiva. Es.: *Colui che sa, parla; Ho visto colei che ami; Parlerò a coloro che mi hanno chiamato.*

còma: sostantivo maschile. È uno dei nomi maschili in *-a*. Non usato al plurale.

comandàre: verbo della prima coniugazione, intransitivo. Ausiliare: avere. Es.: *Comandò ai soldati di aprire il fuoco; Ho comandato ai dipendenti di vigilare attentamente.* Usato spesso transitivamente. Es.: *Ho comandato una squadra di audaci; Il medico gli ha comandato riposo assoluto.*

combàttere: verbo della seconda coniugazione, intransitivo. Ausiliare: avere. Si costruisce con le preposizioni *con* e *contro*. Es.: *Dovemmo combattere col freddo; Combatterono contro i barbari.* Usato anche transitivamente. Es.: *Combattere l'ignoranza; Combatté i vizi e il mal costume del suo tempo.*

combinàre: verbo della prima coniugazione, transitivo. Es.: *Combinò i due elementi per ottenerne un terzo; Combineremo un incontro a quattro; Ha combinato un buon affare; Ne combina di tutti i colori.* Usato anche intransitivamente (ausiliare: avere) nel senso di: esser d'accordo. Es.: *I nostri caratteri non combinano.* Anche al riflessivo: *Essi non si combinano nelle loro aspirazioni.*

combinaziòne: il procedimento fondamentale attraverso il quale si formano gli enunciati linguistici sul piano formale: dalla combinazione dei fonemi si ottengono i monemi, dalla combinazione di questi i sintagmi, dalla combinazione di questi le proposizioni, quindi i periodi, sino ai testi. In questo senso la produzione linguistica si configura come una combinatoria, articolata su piani successivi, di elementi via via composti dai precedenti.

cóme: avverbio di maniera e di uguaglian-

za. Indica la somiglianza (*Bianco come la neve*; *Bello come Apollo*) o introduce un complemento appositivo o predicativo (*Come consigliere, voterò contro questa decisione*). Quando il secondo termine di paragone è un pronome, esso va usato nelle forme del complemento oggetto (me, te, lui, lei, loro). Es.: *È grande come te*; *Lavora come lei*; *Guadagna come loro*. *Come* è seguito dal pronome nelle forme soggettive solo nelle espressioni rafforzative. Es.: *Io, come io, non accetterei*. Seguito da *se* e il congiuntivo equivale a *quasi che*. Es.: *Parla come se avesse vinto*; *Fa come se io non ci fossi*. Altri significati di *come*: quanto (*Come è duro subire una sconfitta!*; *Come è caro questo oggetto!*), in qual modo (*Come hai potuto far ciò?*; *Come lo hai saputo?*), appena che (*Come ebbe detto queste cose, se ne andò*; *Come arriva, ti avviso*). È spesso usato in correlazione con *così*, talora, meno correttamente, con *tanto*. Es.: *Come parlava, così agiva; Così forte come sembrava; Tanto gli uni come gli altri hanno sbagliato.*
Usato in funzione di congiunzione vale: in che modo, perché. Es.: *Gli spiegò come avesse fatto*; *Non so come mi disse di no*.
Introduce una proposizione oggettiva (generalmente col verbo al congiuntivo) sostituendo la congiunzione *che*. Es.: *Mi raccontò come avevano fatto*; *Mi domandavo come avessero potuto fare*.
Talvolta introduce una temporale (*Come lo vide, si mise a piangere*) o una causale (*Avaro com'è, non c'è da stupirsi*).
Nelle interiezioni indica stupore, meraviglia. Es.: *Come? Sei ancora qua?*; *Hai rifiutato l'invito? Come mai?*

cominciàre: verbo della prima coniugazione, transitivo. Nella flessione la *i* cade davanti alle desinenze che iniziano con le vocali *e* ed *i* (Es.: *comincerò, comincerai, cominci*). Es.: *Ho cominciato il lavoro*; *Cominciò a parlare*. Usato intransitivamente si coniuga con *essere* quando non ha complemento, con *avere* negli altri casi. Si costruisce con le preposizioni *a, con, da*. Es.: *La festa è cominciata*; *Ha cominciato ad offendermi*; *Cominciò con alcune precisazioni*; *Ha cominciato da capo*.

-comio: terminazione delle parole indicanti casa di cura, ospedale: *nosocomio, manicomio, frenocomio*.

còmma: sostantivo maschile, che significa: paragrafo. È uno dei nomi maschili in *-a*. Plurale: commi.

commando: voce portoghese diffusasi attraverso l'inglese. Indica uno speciale reparto militare addestrato per operazioni rapide e ardite di incursione e sabotaggio.

commiàto: è la conclusione della canzone antica, pari all'intera ultima stanza o ad una sua parte o solo alla sirma o ad una parte di essa. Con il commiato il poeta si accomiatava dal destinatario del componimento o dalla stessa canzone.
Es. di commiato di 8 versi pari alla sirma delle stanze di 14 versi che formano la canzone:

«*Ben sai, canzon, che quant'io parlo è [nulla*
al celato amoroso mio pensiero,
che dì e notte ne la mente porto;
solo per cui conforto
in così lunga guerra anco non pero:
ché ben m'avria già morto
la lontananza del mio cor piangendo;
ma quinci de la morte indugio prendo».
(F. Petrarca)

Il commiato è detto anche congedo o tornata o volta finale o chiusa o ritornello o licenza.
Si chiama commiato o tornata anche la stanza di tre versi che conclude la canzone sestina, mentre si chiama commiato o chiusa anche il verso finale della canzone terzina.

commissionàre: verbo della prima coniugazione, transitivo. Significa, nel linguaggio commerciale, ordinare una merce. Meglio usare COMMETTERE. Es.: *Ho commesso diciotto quintali di carta*; *Gli aveva commesso* (cioè affidato, ordinato) *un nuovo lavoro*. Si ricordi che *commettere* è usato anche nel senso di fare, ma riferito ad azione cattiva. Es.: *Ho commesso un delitto*; *Ha commesso troppi errori*.

commoratio: parola latina che indica un procedimento retorico consistente nell'indugiare ripetitivamente sul concetto espresso in una frase con un'altra frase. Esso dà luogo a due figure retoriche di pensiero: l'*interpretatio* o *parafrasi inter-*

pretativa e l'*expolitio*. La prima si ha quando la seconda frase ripete lo stesso significato della prima (Es.: *Elena e Gigi non ne possono più di avere ospiti in casa. Sono stufi di avere sempre qualcuno tra i piedi*. La seconda si ha quando nella seconda frase varia un po' l'espressione o si aggiunge un'informazione (Es.: *Elena e Gigi non ne possono più di avere ospiti in casa. Ieri è bastato che Andrea suonasse alla loro porta perché perdessero la pazienza*).

commuòvere: verbo della seconda coniugazione, transitivo. Composto di *muovere* (V.), di cui segue la coniugazione. Significa: destare un sentimento di pietà nell'animo altrui, turbare, impressionare. Nella forma riflessiva vale: turbarsi, provare un sentimento di pietà, emozionarsi e si costruisce con le preposizioni tipiche del complemento di causa (per, da, di). Es.: *Sono commosso per le tue parole*; *Era commosso dell'aiuto che gli offrivamo*; *Si lascia commuovere da poche parole*.

compagnía o **uniónc (complemento di):** il complemento di compagnia indica la persona, l'animale o la cosa personificata con cui ci si trova o con cui si compie l'azione espressa dal verbo. È retto dalla preposizione *con* o dalle locuzioni *insieme con, assieme con, in compagnia di*. Es.: Io sono *con te*; Noi andavamo *con i fratelli*; Luigi lavorava *con noi*; Andammo a teatro *in compagnia di amici*; Verrò a Parigi *insieme con Anna*; Studieremo *assieme con gli insegnanti*.

Se il sostantivo indica una cosa inanimata il complemento si dice *di unione*. Es.: Tu cammini *con la borsa*; Egli va a scuola *con la penna*.

comparatíva (proposizione): quella proposizione subordinata che esprime un confronto con ciò che è detto nella reggente. Come il complemento *comparativo* (V.), la proposizione può essere di tre specie: di eguaglianza, di maggioranza, di minoranza.

La proposizione comparativa di *eguaglianza*, assai simile a una proposizione *modale* (V.), è introdotta dalle particelle *come, quanto, quale*, a cui corrispondono nella reggente *così, tanto, tale* (che però si possono anche sottintendere). Il verbo si pone al modo indicativo o, se il confronto è considerato come possibilità, al modo condizionale. Es.: Io lavoro tanto *quanto tu studi*; La fanciulla era *quale l'avevo immaginata*; Non era così stanco *come sembrava*; Era triste *come non era mai stato*; Lo amava *come avrebbe amato un figlio*; Sono sorpreso *quanto non potresti pensare*.

Quando è introdotta da *quasi, quasiché, come se*, si dice *comparativa ipotetica*, perché esprime una possibilità e vuole il verbo al modo congiuntivo. Es.: Mi rimproverò *come se avessi fatto apposta*; Mi fece tanti segni, *quasi volesse parlarmi*.

La proposizione comparativa di *maggioranza* o di *minoranza* è introdotta dalle congiunzioni o locuzioni congiuntive *che non, di quello che*, a cui corrispondono nella reggente gli avverbi *più* e *meno*. Il verbo si pone al modo indicativo o congiuntivo, secondo che l'azione espressa dalla proposizione sia ritenuta certa o meno. Es.: Quell'uomo è più buono *che non sembri*; La spesa è più alta *di quello che si pensava*; Lo spettacolo è stato meno bello *di quel che si prevedeva*; L'esame è meno facile *di quel che tu possa credere*; Ho lavorato più *di quel che tu credi*.

Si noti l'uso pleonastico di *non* che si può indifferentemente esprimere od omettere nelle proposizioni comparative di maggioranza e di minoranza. Es.: *Egli è sincero più di quanto tu non pensi*. Il significato delle due frasi è identico.

Nella forma *implicita* la proposizione comparativa di maggioranza si esprime con il verbo al modo infinito preceduto da *anziché, piuttosto che, meglio che*. Es.: *Anziché piangere*, preferisco agire; *Piuttosto che farvi punire innocenti*, penso che dobbiate difendervi.

Quando la proposizione comparativa e la sua reggente (che formano insieme il *periodo comparativo*) dipendono da un'altra proposizione, si usano le stesse locuzioni (*anziché, piuttosto che, meglio che*), però con il verbo in un modo finito. Es.: È meglio che ti faccia visitare, *piuttosto che tu viva in questo modo*.

comparatívo: uno dei gradi dell'aggettivo qualificativo, e più precisamente quello che serve ad esprimere una gradazione della qualità dell'aggettivo in relazione a un confronto, a un paragone (V. *Gradi dell'aggettivo*). Il comparativo può essere di tre tipi:

a) di *maggioranza*, che si forma con le particelle *più... di, più... che*;

b) di *minoranza*, che si forma con le particelle *meno... di, meno... che*;

c) di *uguaglianza*, che si forma con le particelle *così... come, tanto... quanto*.

Si possono paragonare due persone, cose o animali rispetto ad una qualità (*Tu sei più buono di me*; *Egli è meno buono di te*; *Noi siamo buoni quanto loro*), oppure due qualità rispetto a una persona, cosa o animale (*È un soldato più forte che astuto*; *Era un affare meno utile che rischioso*; *La guerra è terribile quanto inutile*), due circostanze rispetto a una qualità di persone, cose o animali (*Egli era più avido di denaro che di gloria*; *Noi eravamo meno gelosi del nostro che del tuo*; *I soldati erano tanto desiderosi del riposo quanto della vittoria*). Nelle proposizioni contenenti un comparativo o complemento di paragone si distinguono un primo e un secondo termine di paragone. Es.: *L'uomo è più intelligente degli animali. L'uomo* è il primo termine di paragone, *degli animali* è il secondo termine di paragone. Il secondo termine può essere retto da *che* o dalla preposizione *di*. Non vi è regola per stabilire quando si debba usare *di* e quando *che*. Tuttavia il *che* si preferisce davanti ad un aggettivo, a un participio o a un infinito (*Grazia è più buona di Miriam* e invece: *Egli è più generoso che cattivo*; *Egli è più solito tacere che parlare*).

Il comparativo è talora rafforzato da avverbi come *molto, bene, assai* (*Egli è molto più diligente di te*; *Tu sei tanto più buono quanto più sei lieto*).

comparíre: verbo della terza coniugazione, intransitivo. Ausiliare: essere. In alcuni tempi si coniuga, oltre che nella forma normale, anche con la forma incoativa *-isc-* tra il tema e la desinenza. *Pres. indic.*: compaio (comparisco), compari (comparisci), compare (comparisce), compariamo, comparite, compaiono (compariscono). *Pass. rem.*: comparvi, comparisti, comparve (comparí), comparimmo, compariste, comparvero (comparirono). *Pres. cong.*: compaia (comparisca), compaiàmo, compaiàte, compaiano (compariscano). *Part. pass.*: comparso. Significa: presentarsi improvvisamente (*È comparsa una luce intensa nel cielo*), sembrare (*Vuol comparire mite*), mostrarsi (*Non compare più in pubblico*).

compatíre: verbo della terza coniugazione, transitivo. In alcuni tempi si coniuga con la forma incoativa *-isc-* tra il tema e la desinenza. *Pres. indic.*: compatisco, compatisci, compatisce, compatiamo, compatite, compatiscono. *Pres. cong.*: compatisca, compatisca, compatisca, compatiamo, compatiate, compatiscano. *Part. pass.*: compatíto.

compètere: verbo della seconda coniugazione, intransitivo. Ha solo i tempi semplici. *Pass. rem.*: competei, competesti, competé, competemmo, competeste, competerono. Non ha participio passato. Significa: gareggiare, contendere. Es.: *Può competere con i campioni del mondo*. Significa inoltre: spettare, convenire. Es.: *Gli onori che gli competono per la sua alta carica*. Dal secondo significato di *competere* derivano le due accezioni del sostantivo COMPETENZA. Esso infatti significa: conoscenza, esperienza (*Ha una discreta competenza di motori*) e pertinenza, retribuzione (*Non è di competenza di questo ufficio*; *Gli pagarono le sue competenze*).

compiacère: verbo della seconda coniugazione, intransitivo. Ausiliare: avere. Segue la coniugazione del verbo *piacere* (V.), di cui è composto. *Pass. rem.*: compiacqui, compiacesti, compiacque, compiacemmo, compiaceste, compiacquero. *Part. pass*: compiaciúto. Significa fare il piacere altrui, e si costruisce con la preposizione *a*. Es.: *Lo ha fatto per compiacere a suo padre*. Molto usato al riflessivo nel senso di: dilettarsi, degnarsi, rallegrarsi. Es.: *Si compiace delle sue imprese*; *Si sarebbe compiaciuto di accompagnarci*; *Mi compiaccio della vostra vittoria*. Anche come transitivo, nel senso di accontentare, assecondare. Es.: *Lo compiaceva in tutto*.

compiànto: componimento poetico tardo

COMPLEMENTI

NOME	Domanda a cui risponde	Preposizione o locuzione	ESEMPI
ABBONDANZA O PRIVAZIONE	di che? di che cosa?	*di*	L'albero è carico *di frutti*. La regione è priva *d'acqua*.
AGENTE	da chi?	*da*	Il topo è preso *dal gatto*.
ALLONTANAMENTO O SEPARAZIONE	da chi? da che cosa?	*da*	Si separò *dall'amico*. Allontànati *dal fuoco*!
ARGOMENTO	di che? su che? intorno a che?	*di* *su* *intorno a, circa*	Parlavamo *di politica*. Ti riferirò *sull'argomento*. Parlò *intorno all'arte moderna*.
CAUSA	perché? per qual ragione?	*per, da, a causa di, per causa di*	Ti lodo *per la diligenza*. Moriva *di freddo*. Ha pianto *per causa tua*. Tremava *dalla paura*.
CAUSA EFFICIENTE	da che cosa?	*da*	La terra è bagnata *dalla pioggia*.
COLPA O DELITTO	di o per qual colpa o delitto?	*di, per*	È accusato *di tradimento*. Sarà processato *per furto*.
COMPAGNIA	con chi?	*con, fra, tra*	Uscirò *con mia madre*. Stava *fra i suoi colleghi*.
DENOMINAZIONE		*di*	La città *di Roma*. Il comune *di Firenze*. Il mese *di luglio*.
DISTANZA	quanto distante?	*a* *da*	Abita *a dieci chilometri*. La stazione è lontana *cento metri da casa*.
DISTRIBUTIVO		*a, per*	Sfilarono *per tre*. Il due *per cento*. Quattro volte *al giorno*.
ESCLAMATIVO			*Ahi, che dolore!* *Quanta tristezza!*
ESCLUSIONE	eccetto chi? eccetto che cosa?	*senza, fuorché, eccetto, tranne*	Tutti *tranne voi*. Accetto tutto, *fuorché denaro*.
ETÀ	a quanti anni? di quanti anni?	*di, a, all'età di, su*	Un ragazzo *di vent'anni*. Imparò *a trent'anni*. Un uomo *sui cinquanta*.

FINE O SCOPO	per qual fine?	*per, in, da, a, di*	Viaggiare *per affari.* Le portai *in dono* un mazzo di rose.
LIMITAZIONE		*per, in, a, di, da*	È superiore *per memoria.* È migliore *in latino.*
STATO IN LUOGO	dove?	*in, a, su*	Sto *in città.* Ero *a casa.* Rimase *sui tetti.*
MOTO A LUOGO	dove?	*in, a, verso, da*	Vado *in Libia.* Vieni a *casa.* Cammina *verso di me.* Va *da suo padre.*
MOTO DA LUOGO	da dove?	*da*	Torno *dalla campagna.*
MOTO PER LUOGO	per dove?	*per, attraverso*	Passò *per la via.* Marcia *attraverso il campo.*
LUOGO FIGURATO	dove? di dove? per dove?	*in, da, per*	Avere *in mente.* Venne *dal nulla.* Passar *per la testa.*
MATERIA	fatto di che?	*di, in*	Una statua *di gesso.* Libro rilegato *in tela.*
MEZZO O STRUMENTO	con che? per mezzo di che?	*con, per, di, a, in, mediante*	Picchiò *con il bastone.* Si capivano *a gesti.* Lo disse *in poche parole.*
MODO O MANIERA	come?	*con, in, a, per, di, da*	Lavora *con costanza.* Lo disse *per scherzo.* Camminava *a stento.* Si comportò *da vile.*
OGGETTO	chi? che cosa?	—	Ha lodato *gli scolari.* Ha comperato *la casa.*
ORIGINE O PROVENIENZA	da chi? da dove? da che?	*da di*	Proviene *da buona famiglia.* È un difetto *di natura.*
PARAGONE O COMPARATIVO	di chi? di che cosa?	*come, quanto, di, che*	È forte *come te.* Ne sappiamo *quanto voi.* È più bella *di te.* È meno bella *di te.* È più bella *che intelligente.*
PARTITIVO	quale di? quale fra?	*di, fra, tra*	Qualcuno *di noi.* Tre *dei suoi amici.* Venga *uno fra voi.*

PENA	a che pena?	*a, in, per, di*	Sarà condannato *a morte.* Fu multato *di mille lire.*
PESO O MISURA	quanto?	*per, di*	Il sacco pesa *un quintale.* La fiamma si stende *per due chilometri.* La torre è *di cento metri.*
QUALITÀ	come?	*di, con, a*	Un uomo *d'ingegno.*
RELAZIONE	con chi? fra chi?	*con, fra*	Ho discusso *con amici.* Litigano *fra loro.*
SPECIFICAZIONE	di chi? di che cosa?	*di*	Gli amici *del padre* vengono. È lodato l'amore *della patria.* Ho visto la casa *di Carlo.*
STIMA E PREZZO	quanto? a quanto? per quanto?	*a, per*	Non l'ho pagato *caro.* Lo vende *a dieci lire.* L'ho comperato *per poco.*
TEMPO DETERMINATO TEMPO CONTINUATO	quando? per quanto tempo? ogni quanto tempo? quanto tempo fa? in quanto tempo? da quanto tempo? fino a quando? fra quanto tempo?	*di, a, in* *per, durante*	Esco *di mattina.* Partirono *a notte alta.* Governò *per vent'anni.* Studiò *sei ore.* Ritorna *ogni anno.* Fece tutto *in un'ora.* È tornato *tre anni fa.* Venne *tre giorni dopo.* Continua *da due giorni.*
TERMINE	a chi? a che cosa?	*a*	Scriverò *alla mamma.* Egli si rivolge *al pubblico.*
VANTAGGIO	per chi? per che cosa?	*per*	Io lavoro *per la famiglia.* Ha sofferto *per la scienza.*
VOCATIVO	a chi si rivolge il discorso?	*o* (interiezione)	*O mamma*, ascolta. Lasciate ogni vana speranza, *figli miei.*

latino e medioevale di tono lamentoso per la morte di un personaggio illustre.

cómpiere e **compíre:** verbi sovrabbondanti che hanno lo stesso significato. *Compíre* si coniuga con la forma incoativa *-isc-* tra il tema e la desinenza del presente indicativo, del congiuntivo e dell'imperativo. *Pres. indic.*: compisco (compio), compisci (compi), compisce (compie), compiàmo, compite, compiscono (cómpiono). *Pres. cong.*: compisca (compia), compiàmo, compiate, compiscano. *Imperativo*: compisci, compisca (compi, compia). *Part. pass.* di compiere: compiúto; di compíre: compíto. Significato: finire, terminare, soddisfare. Es.: *Ha compiuto il suo dovere*; *Oggi compisce* (o *compie*) *sette anni*. Anche al riflessivo: *Si compie il destino*.

cómpito: sostantivo maschile che significa: dovere, incarico, missione; lavoro scolastico scritto. Es.: *È compito vostro avvertirci in tempo*; *Prima farò il compito, poi studierò la lezione*. COMPÍTO è invece participio passato di *compíre* (V.); come aggettivo indica persona gentile, educata, impeccabile. Es.: *È un uomo compíto*.

compleménti: tutte le parole che completano il senso della proposizione. I complementi servono a precisare il valore delle parole, a rilevare circostanze, a determinare rapporti, a definire in tutte le sue parti un pensiero compiuto. Essi indicano il tempo, il luogo, il modo di un'azione, l'oggetto stesso di questa, il termine a cui tende, lo scopo per cui si effettua, la causa che la origina ecc. Da ciò i vari tipi di complementi: *oggetto, partitivo, vocativo, esclamativo, distributivo*, di *specificazione*, di *denominazione*, di *termine*, d'*agente*, di *causa efficiente*, di *tempo*, di *luogo*, di *origine*, di *separazione*, di *compagnia*, di *relazione*, di *mezzo*, di *modo*, di *quantità*, di *stima e prezzo*, di *peso e misura*, di *distanza*, di *età*, di *limitazione*, di *vantaggio*, di *abbondanza*, di *colpa*, di *pena*, di *esclusione* ecc. (V. voci relative).

I complementi si distinguono in: diretti, indiretti, avverbiali. Si dicono *diretti* quelli che sono collegati direttamente al verbo, *indiretti* quelli che sono preceduti da preposizioni. Complementi *avverbiali* sono quelli costituiti da avverbi o locuzioni avverbiali. Es.: (complemento diretto): *Io mangio il pane*; (complemento indiretto): *Io cammino con te*; (complemento avverbiale): *Io vedevo a stento*. Vi sono inoltre il complemento *appositivo* e il complemento *attributivo* per i quali V. APPOSIZIONE e ATTRIBUTO.

compleménto predicatívo del soggetto: il predicato nominale quando la copula è costituita, invece che dal verbo essere, da un verbo *copulativo* (V.). Es.: *Egli era chiamato padre della patria*; *Voi siete eletti consiglieri*; *Egli fu proclamato campione*.

compléto: aggettivo qualificativo. Significa: compiúto, intero, finito. Es.: *Regnava una completa felicità*; *Ha ottenuto una completa vittoria*; *Ora la collezione è completa*. La locuzione *essere al completo* per: essere tutto pieno, intero, è un francesismo ormai invalso nell'uso. Es.: *Il teatro era al completo* (meglio: era pieno, era gremito); *Era presente la giunta comunale al completo* (meglio: l'intera giunta comunale). Come sostantivo maschile, COMPLETO indica l'abito intero, giacca e calzoni.

compósti (aggettivi): come i nomi anche gli aggettivi possono essere composti, cioè risultare dall'unione di due aggettivi. Es.: *chiaroveggente, sacrosanto, verosimile*. Questi aggettivi al plurale mutano solo la desinenza del secondo aggettivo poiché si considerano una sola parola. Es.: *chiaroveggenti, sacrosanti, verosimili*.

Una speciale forma di composizione è quella costituita dall'unione di due aggettivi uniti per mezzo di un trattino o lineetta. Es.: *politico-militare, anglo-sassone, greco-romano, psico-pedagogico, termodinamico*. Il primo aggettivo, in questo caso, termina sempre in *o* e rimane invariato al plurale. Es.: *fisio-chimici*; *termo-nucleari*. Si scrivono anche come una sola parola: *biogenetico, dermosifilopatico, elettrodomestico*. Più rari gli aggettivi composti da preposizione + avverbio o da preposizione o prefisso + nome o verbo: per questi casi V. AGGETTIVO (declinazione).

compósti (nomi): si dicono *composti* i

nomi che sono costituiti dall'unione di due parole diverse. Le due parole possono essere di vario tipo (aggettivo, sostantivo, preposizione ecc.).
Nella formazione del *plurale* (V.), pur non potendosi stabilire una regola assoluta, si possono verificare i seguenti casi:

a) i nomi si comportano come nomi semplici e mutano solo la desinenza della seconda parola. Es.: *arcobaleni, francobolli, manoscritti, sottocapi, retrovie, reggilumi*;

b) i nomi risultano composti da un sostantivo seguito da un aggettivo e mutano le desinenze di entrambe le parole. Es.: *mezzelune, casseforti, gattemorte*;

c) i nomi risultano composti da due sostantivi di genere diverso e mutano la desinenza solo della prima parola. Es.: *pescispada, capifila, capifamiglia*;

d) i nomi, di genere maschile, composti da una forma verbale, da un avverbio, o da una preposizione seguita da un sostantivo femminile restano invariati. Es.: i *bucaneve* (sing. il bucaneve), i *buttasella*, i *parapioggia*;

e) i nomi composti da forme verbali, seguiti da sostantivi plurali o da un'altra forma verbale o un avverbio, restano invariati. Es.: i *portalettere* (sing. il portalettere), i *paracalci*, i *saliscendi*, i *tressette*, i *viavai*.

Queste regole, come si è detto, non sono rigide. Le parole composte con *capo* (V.) fanno il plurale senza seguire una norma unica. È opportuno, nel dubbio, consultare un vocabolario. Anche il presente dizionario indica, alle voci relative, la forma del plurale dei più comuni nomi composti.

comprímere: verbo irregolare della seconda coniugazione, transitivo. *Pass. rem.*: comprèssi, comprimesti, compresse, comprimemmo, comprimeste, compressero. *Part. pass.*: comprèsso.

comúni (nomi): comuni, in contrapposizione a *propri* (V.), sono i nomi che designano in modo generale le persone, gli animali, le cose della stessa specie. Sono pure nomi comuni i nomi *astratti* (V.), o che indicano elementi naturali. Es.: *fanciullo, pero, cane, pesce, fiume, fuoco, cielo*. V. anche NOME.

comúnque: avverbio che significa: in qualunque modo, ad ogni modo. Es.: *Verrò comunque*; *Comunque tu dovrai rispondere*. Usato più spesso con valore relativo, in funzione di congiunzione. Es.: *Dirò tutto, comunque vada*; *Comunque tu faccia, egli non seguirà il tuo esempio.*

con-: prefisso usato in numerose parole composte, per indicare unione, compagnia, collaborazione. Es.: *concorso, concorrenza, condiscepolo, consuocero*. Davanti a *m, p,* e *b* diventa *com-* per assimilazione: *compaesano, commilitone, combaciare*. Davanti a *l* diventa *col-*: *collaborare, collegare*. Davanti ad *r* diventa *cor-*: *corresponsabile, correlare, corregionale*.

cón: preposizione semplice propria. Composta con l'articolo determinativo forma le preposizioni articolate *col, coi* (meno usate *collo, colla, colle, cogli*). Sia nella forma semplice che in quella articolata introduce i seguenti complementi: compagnia (*Viaggiare con i parenti*; *Parlare con i fratelli*), unione (*Uscire con l'ombrello*; *Libro con figure*); mezzo e strumento (*Scrivere con la penna*; *Lavarsi col sapone*); qualità (*Una bimba con gli occhi azzurri*; *Un vestito con le maniche larghe*); modo o maniera (*Trattare con le buone*; *Ascoltare con meraviglia*). Premesso ai sostantivi forma locuzioni avverbiali. Es.: *Con certezza* (certamente), *con volontà* (volonterosamente), *con paura* (paurosamente).
Ha talora valore concessivo. Es.: *Con tutto quel gridare* (=nonostante quel gridare) *non hai concluso nulla*; *Con tutta la sua sicurezza* (=nonostante la sua sicurezza) *è stato sconfitto.*
L'infinito dei verbi preceduto dalla preposizione *con* si usa in sostituzione del gerundio. Es.: *Col mentire* (=mentendo) *ti sei rovinato*; *Col cantare* (=cantando) *guadagna la vita*. È sconsigliabile l'uso di *con* seguito dal partitivo. Dirai: *Con alcuni uomini*, non: con degli uomini.

conativa (funzione): è stata così definita la funzione del discorso che tenta (dal latino *conari*, tentare) di influire sull'interlocutore. Si ha funzione conativa quando si esprimono comando, preghiera, supplica, divieto, esortazione e simili. Es.: *Andiamo, svelti!*; *Ti prego, ascoltami.*

concèdere: verbo irregolare della seconda coniugazione, transitivo. *Pass. rem.*: concedei (concedetti o concessi), concedesti, concedette (concesse), concedemmo, concedeste, concedettero (concessero). *Part. pass.*: concesso o concedúto. Nel costrutto implicito, che vuole sempre il *di* davanti all'infinito (*Gli concesse di parlare*) il soggetto dell'oggettiva è diverso da quello della reggente ed è espresso dal complemento di termine (*gli*). Se manca il complemento di termine il destinatario è sempre un altro soggetto. Es.: *Fu concesso di mangiare* (sott. a tutti, ai presenti, e simili).

concepíre: verbo della terza coniugazione, transitivo. In alcuni tempi si coniuga con la forma incoativa *-isc-* tra il tema e la desinenza. *Pres. indic.*: concepisco, concepisci, concepisce, concepiamo, concepite, concepiscono. *Pres. cong.*: concepisca, concepisca, concepisca, concepiamo, concepiate, concepiscano. *Part. pass.*: concepito. Significa: generare; in senso figurato: ideare, immaginare o anche capire. Es.: *Il figlio fu concepito in quell'epoca*; *Concepí un piano audacissimo*; *Non si può neanche concepire come possa essere avvenuto un fatto simile.*

concèrnere: verbo della seconda coniugazione, transitivo. Manca del participio passato e dei tempi composti.

concessiòne: in retorica, figura di pensiero che si manifesta nel vivo del discorso, attraverso dapprima l'ammissione della ragionevolezza e della qualità degli argomenti portati dall'avversario o dall'interlocutore, poi con la messa in discussione della loro effettiva importanza e prevalenza rispetto a quelli portati da chi pronuncia il discorso.

concessíva (proposizione): quella proposizione subordinata che indica una circostanza nonostante la quale si verifica l'azione espressa dalla reggente. Nella forma esplicita è introdotta generalmente dalle congiunzioni *sebbene, quantunque, benché, nonostante che, malgrado, ancorché*, o dalle locuzioni *per quanto, anche se, concesso che* e simili, o dai pronomi indefiniti *chiunque, qualunque* e simili.
Le congiunzioni avversative *tuttavia, nondimeno, pure* e le locuzioni *ugualmente, lo stesso* e simili si pongono nella reggente per rafforzare il senso concessivo del periodo. Il verbo va al modo congiuntivo. Es.: *Sebbene tu sia giovane*, tuttavia puoi ormai capire la situazione; *Benché l'avessi ammonito*, egli commise lo stesso quella cattiva azione; *Chiunque tu sia*, pure devi ascoltare; *Checché egli pensi*, noi agiremo ugualmente; *Ammesso che ciò sia vero*, che conseguenza vorresti trarre? Nella forma implicita la proposizione concessiva si esprime con il gerundio preceduto da *pur* (*Pur sapendo la verità*, non la disse) o con il participio passato (*Incalzato da molte domande*, tuttavia non rivelò nulla).

concessíve (congiunzioni): le congiunzioni che introducono una proposizione *concessiva* (V.). Esse sono: sebbene (*Sebbene fosse triste, non cessò di prodigarsi*), quantunque (*Quantunque tu sostenga il contrario, io proseguirò per la via giusta*), benché (*Benché richiamato dagli amici, non si volse a salutarci*), nonostante (*Nonostante l'avessimo ammonita, ella si recò lo stesso a Roma*), ancorché (*Ancorché fosse giovane, aveva un aspetto molto penoso*).

conchiúdere: V. CONCLUDERE.

conciapèlli: nome composto da un verbo (concia) e un sostantivo femminile plurale (pelli). Plurale: conciapelli. Indica chi attende alla concia delle pelli; più comunemente: *conciatore*. V. anche: COMPOSTI (NOMI).

conclúdere: verbo irregolare della seconda coniugazione, transitivo. *Pass. rem.*: conclusi, concludesti, concluse, concludemmo, concludeste, conclusero. *Part. pass.*: conclúso. Significa: condurre a termine, concretare. Es.: *Abbiamo concluso molti affari*. In senso estensivo: venire alla conclusione, dedurre, operare con profitto. Es.: *È ora di concludere* (il discorso); *Concludemmo che non tutto era perduto*; *Oggi non ho concluso nulla*. Antiquata la variante *conchiúdere*.

conclusíva (proposizione): conclusiva o *illativa* è quella proposizione subordinata o coordinata che esprime la conclusione, la deduzione logica, di ciò che è detto nella reggente. È introdotta solitamente dalle congiunzioni *dunque, perciò, pertanto, quindi*. Il verbo si pone all'indicativo se la conclusione è ritenuta certa e reale, al condizionale se è ritenuta solo possibile. Es.: Era ammalato, *perciò non poté partire*; Sei preparato, *dunque dovresti essere promosso*; Siamo colpevoli, *quindi scontiamo la pena.*

conclusíve (congiunzioni): le congiunzioni che uniscono due elementi, il secondo dei quali è dedotto come conclusione o risultato dal primo. Esse sono: dunque (*Io penso, dunque esisto*), pertanto (*Mi hai punito, pertanto non mi stimi più*), perciò (*Non ti avevo visto, perciò non ti ho salutato*), quindi (*Ha sbagliato, quindi deve pagare*).

concordànza (teoria della): il complesso delle regole che determinano l'accordo tra il *soggetto* (V.) e il *predicato* (V.) della proposizione. Esse sono:

1) Il predicato verbale di norma concorda nel numero e nella persona con il soggetto. Es.: *Io lavoro*; *Noi lavoriamo*; *Tu ami*; *Voi amate*; *Egli studia*; *Essi studiano.*

2) Se una proposizione ha più soggetti, alcuni dei quali espressi dai pronomi personali, il predicato verbale deve avere la prima persona plurale se c'è un soggetto di prima persona, la seconda plurale se ci sono soggetti di seconda e terza persona. Es.: *Tu ed io andremo a casa*; *Io e lui partiremo domani*; *Tu ed io scriviamo*; *Tu e lui lavorate.*

3) Il predicato nominale, quando è costituito da un aggettivo, segue le regole di concordanza relative appunto all'*aggettivo* (V.).

4) Se il predicato nominale è costituito da un sostantivo, concorda col soggetto in genere e numero; se però il sostantivo ha un solo genere, concorda con il soggetto solo nel numero, anche questo quando è possibile. Es.: *Paola è una bambina*; *La tigre è una bestia*; *Francesco è un soldato*; *Roma è il centro della civiltà*; *Il proletariato è una classe sociale*; *Tullia e Luigi sono sospesi*; *La peste e il colera sono un flagello.*

Si noti inoltre la costruzione a senso coi nomi *collettivi* (V.) in cui il verbo si può mettere al plurale per riguardo alla idea di molteplicità contenuta nel nome che fa da soggetto. Es.: *Uno stormo di uccelli volarono a bassa quota*; *La gente che vi si incontrava erano omacci.* Altri casi in cui il verbo può porsi indifferentemente al singolare o al plurale (in presenza di più soggetti) sono i seguenti: quando i soggetti sono uniti dalle congiunzioni *o* e *né* (*Orgoglio o timidezza ti rende scontroso*; ma anche: *ti rendono*); quando i soggetti sono uniti dalla preposizione *con* (*Carlo con Maria è tornato a Milano*; ma anche: *sono tornati*); quando i soggetti sono considerati un insieme organico (*Un'ira sorda e un aspro rancore lo invase*; ma anche: *lo invasero*).

V. anche: PARTICIPIO PASSATO (CONCORDANZA DEL) e DIPENDENZA DEI TEMPI.

concordàre: verbo della prima coniugazione, transitivo. In grammatica significa: disporre le parti variabili del discorso nella forma richiesta dalle regole della concordanza, in relazione ai vari *accidenti* (V.). Anche intransitivo con ausiliare avere. Es.: *L'attributo concorda con il sostantivo cui si riferisce in genere e numero.*

concréti (nomi): in contrapposizione ad *astratti* (V.), i nomi che indicano persone, animali, cose che cadono sotto i nostri sensi. Es.: *ragazzo, Maria, cane, fiore, rosa, scatola, libro.* La distinzione, peraltro, tra concreto e astratto non è sempre ben definita per alcuni nomi, e occorre allora affidarsi al ragionamento, tenendo conto del valore che ha la parola nel contesto. V. anche NOME.

concretizzàre: inutile francesismo da sostituire con il più semplice e tradizionale *concretare.*

condíre: verbo della terza coniugazione, transitivo. In alcuni tempi si coniuga con la forma incoativa *-isc-* tra il tema e la desinenza. *Pres. indic.*: condisco, condisci, condisce, condiamo, condite, condiscono. *Pres. cong.*: condisca, condisca, condisca, condiamo, condiate, condiscano. *Part. pass.*: condíto. Significa: dare il condimento; in senso figurato: ornare. Es.: *Bisogna condire l'insalata*; *La mamma condí la minestra*; *Condí il suo discorso di molte metafore* (o: *con molte metafore*).

condizionàle (modo): è uno dei modi finiti del verbo. Esprime in genere un'azione o uno stato che dipendono da una condizione. Ha due tempi: presente e passato.

Il *presente condizionale* si forma aggiungendo al tema le desinenze: *-erei, -eresti, -erebbe, -eremmo, -ereste, -erebbero* (prima e seconda coniugazione) oppure *-irei, -iresti, -irebbe, -iremmo, -ireste, -irebbero* (terza coniugazione).

Il *condizionale passato* si forma con il condizionale presente del verbo avere o del verbo essere e con il participio passato del verbo. Es.: *sarei venuto, saresti venuto, sarebbe venuto* ecc.; *avrei amato, avresti amato, avrebbe amato* ecc.

Il modo condizionale si usa soprattutto nell'apodosi, cioè nella proposizione principale di un *periodo ipotetico* (V.).

Nelle proposizioni dipendenti si usa il condizionale passato quando l'azione è posteriore a quella della reggente. Es.: *Eravamo certi che avreste parlato*; *Ci dissero che sareste arrivati presto*; *Mi è stato detto che avresti pagato tutto.*

Nelle proposizioni indipendenti il condizionale indica dubbio, incertezza, possibilità oppure attenua l'affermazione. Es.: *Vorrei che tu sapessi ogni cosa*; *Avrei voluto che tu avessi saputo ogni cosa*; *Secondo voci sicure, l'attore partirebbe domani*; *Non si direbbe!*; *Direi che la faccenda è interessante.*

condizionàle (proposizione): quella proposizione subordinata che esprime la condizione secondo la quale avviene o può avvenire l'azione della proposizione reggente. La proposizione principale e la condizionale formano insieme il *periodo ipotetico* (V.).

Le congiunzioni che introducono una proposizione condizionale sono *se, qualora, purché, ove*, a cui si devono aggiungere le locuzioni *nel caso che, nell'eventualità che, a patto che*, e simili.

Nella forma esplicita il verbo si pone al modo congiuntivo o al modo indicativo secondo che l'ipotesi sia reale, possibile o irreale (per le regole relative V. *Periodo ipotetico*).

Nella forma implicita la proposizione condizionale si esprime con l'infinito preceduto da *a* o con il gerundio o con il participio passato. Esempi (forma esplicita): *Se tu fossi buono*, tutti ti amerebbero; *Se il mondo è rotondo*, la tua ipotesi è errata; *Se Cesare avesse letto il messaggio*, non sarebbe stato ucciso; (forma implicita): *A dir certe cose* (=se dici certe cose), ti procuri molti nemici; *Esortato dal maestro* (=se il maestro mi esorterà), studierò meglio; *Vedendolo* (=se lo vedessi), forse lo riconosceresti.

condizionàli (congiunzioni): le congiunzioni che introducono una proposizione *condizionale* (V.). Esse sono: se (*Se tu volessi, riusciresti*), purché (*Purché sia lecito, fa come ti pare*), qualora (*Qualora non mi rispondesse, non gli scriverò più*).

condòmini: sostantivo maschile. Plurale di *condòmino*, che indica il comproprietario di una casa. CONDOMÍNI è invece il plurale di *condomínio* che indica il diritto di diversi proprietari su una medesima casa; comproprietà.

condúrre: verbo irregolare della seconda coniugazione, transitivo. *Pres. indic.*: condúco, conduci, conduce, conduciamo, conducete, conducono. *Imperf.*: conducevo, conducevi, conduceva, conducevamo, conducevate, conducevano. *Futuro semplice*: condurrò, condurrai, condurrà, condurremo, condurrete, condurranno. *Pass. rem.*: condussi, conducesti, condusse, conducemmo, conduceste, condussero. *Pres. cong.*: conduca, conduca, conduca, conduciamo, conduciate, conducano. *Cong. imperfetto*: conducessi, conducessi, conducesse, conducessimo, conduceste, conducessero. *Condiz. pres.*: condurrei, condurresti, condurrebbe, condurremmo, condurreste, condurrebbero. *Imper.*: conduci, conduca, conduciamo, conducete, condúcano. *Part. pres.*: conducente. *Part. pass.*: condótto. Significa: guidare, accompagnare, portare avanti in un certo modo. Es.: *Ti condurrò a Parigi*; *Chi ha condotto le trattative per la pace?* Al riflessivo significa: comportarsi. Es.: *Non si è condotto male.* Usato anche intransitivamente (ausiliare: avere) significa: far capo, portare. Es.: *Questa strada conduce al capoluogo.*

conferíre: verbo della terza coniugazione, transitivo. In alcuni tempi si coniuga con la forma incoativa *-isc-* tra il tema e la desinenza. *Pres. indic.*: conferisco, conferisci, conferisce, conferiamo, conferite, conferiscono. *Pres. cong.*: conferisca, conferisca, conferisca, conferiamo, conferiate, conferiscano. *Part. pass.*: conferíto. Significa: dare, assegnare, concedere. Es.: *Gli è stata conferita un'alta onorificenza*; *Quell'abito ti conferisce un aspetto particolare*. Usato intransitivamente (ausiliare: avere) significa: discutere, trattare. Es.: *Il generale ha conferito con il Presidente della Repubblica*. Anche: confarsi, giovare. Es.: *Un clima che conferisce alla salute*.

confermàre: verbo della prima coniugazione. Ammette sia il costrutto esplicito (*Confermò che sarebbe partito*) sia quello implicito con *di* e l'infinito (*Confermò di voler partire*).

confessàre: verbo della prima coniugazione. Si costruisce con *che* e la forma esplicita (*Confessò che aveva letto il diario*) ed anche con *di* e l'infinito (*Confessò di aver letto il diario*).

confidàre: verbo della prima coniugazione, transitivo. Significa: dire qualcosa in segreto ad uno, rivelare, affidare. Es.: *Gli confida tutti i suoi crucci*; *Mi confidò un importante segreto*; *A chi hai confidato i nomi dei congiurati?* Al riflessivo si costruisce con la preposizione *con* e significa: aprir l'animo. Es.: *Non vuoi confidarti con me*; *Confidati con tuo padre*. Usato intransitivamente, nel senso di aver fiducia, si costruisce con la preposizione *in* (ausiliare: avere). Es.: *Confida nella Divina Provvidenza*.

confluíre: verbo della terza coniugazione, intransitivo. Ausiliari: essere e avere. In alcuni tempi si coniuga con la forma incoativa *-isc-* tra il tema e la desinenza. *Pres. indic.*: confluisco, confluisci, confluisce, confluiamo, confluite, confluiscono. *Pres. cong.*: confluisca, confluisca, confluisca, confluiàmo, confluiate, confluiscano. *Part. pass.*: confluíto. Indica il mescolarsi dell'acqua di due fiumi; in senso figurato, detto di idee, correnti, movimenti spirituali che si fondono. Es.: *Le varie correnti filosofiche che confluiscono nel pensiero di Kant*.

confòndere: verbo della seconda coniugazione, transitivo. *Pass. rem.*: confusi, confondesti, confuse, confondemmo, confondeste, confusero. *Part. pass.*: confúso.

confòrto: sostantivo maschile. La parola designa l'atto e l'effetto del confortare. Significa dunque: consolazione, sollievo. Non la si usi in modo di *agi* e *comodità* (e non: con tutti i conforti). Analogamente era sconsigliato dai puristi l'uso degli aggettivi derivati *confortàbile* e *confortévole* nel senso di: comodo, agevole e simili.

congèdo: parte conclusiva di un'opera letteraria o di una lettera o di un'orazione, nella quale l'autore si congeda dal destinatario del testo o dal testo stesso. Per quanto concerne, in particolare, la poesia vedi COMMIATO.

congiuntívo (modo): è uno dei modi finiti del verbo ed esprime azione possibile o incerta o desiderata. Ha quattro tempi: presente, passato, imperfetto, trapassato. Il *presente* si forma aggiungendo al tema le desinenze: *-i, -i, -i, -iamo, -iate, -ino* (prima coniugazione), *-a, -a, -a, -iamo, -iate, -ano* (seconda e terza coniugazione). Il *passato* si forma con le voci del presente congiuntivo di essere o di avere e il participio passato del verbo. Es.: *abbia amato, sia venuto, abbia udito, abbiamo lodato, siano arrivati*. L'*imperfetto* si forma aggiungendo al tema le desinenze: *-assi, -assi, -asse, -assimo, -aste, -assero* (prima coniugazione); *-essi, -essi, -esse, -essimo, -este, -essero* (seconda coniugazione); *-issi, -issi, -isse, -issimo, -iste, -issero* (terza coniugazione). Il *trapassato* si forma con le voci dell'imperfetto congiuntivo di essere o avere e il participio passato del verbo. Es.: *avessi amato, fossi venuto, avesse detto, fossimo venuti*.

Il congiuntivo è usato soprattutto nelle proposizioni dipendenti, quando il verbo è retto dalle congiunzioni causali, finali, concessive, modali, eccettuative, temporali, condizionali che introducono le omonime proposizioni (V. voci relative). Si usa inoltre nelle proposizioni oggettive rette da verbi di dubbio o di opinione o impersonali o al modo condizionale. Es.: *Credo che tu debba partire*; *Pensavamo che fosse tardi*; *Dubito che non sia così*; *Temo che tu abbia sbagliato*; *Si crede che sia morto subito*; *Sembra che non abbia più danaro*; *Si diceva che avesse cambiato vita*;

Si direbbe che ti piaccia condurre una vita simile; *Sembrerebbe che tu abbia ragione*; *Penso che tu debba proprio accettare; Era incerto chi avesse sparato per primo.*
Si usa ancora il congiuntivo quando la reggente contiene un superlativo relativo (*Ho visto il più bel paesaggio che si possa immaginare*; *Il miglior uomo che io abbia conosciuto*) oppure un numerale ordinale (*È il primo che io abbia sentito parlare in quel modo*) oppure un aggettivo o pronome indefinito (*Non ho visto nessuno che sia venuto ad aiutarmi*; *C'è qualcuno che possa aiutarmi?*).
Nelle proposizioni indipendenti il congiuntivo si usa per esprimere comando o esortazione; oppure augurio e desiderio. Es.: *Vada a vedere*; *Ci pensi bene*; *Dio l'assista*; *Possa tu riuscire!*; *Oh, se mi avesse ascoltato!* Talora ha valore concessivo. Es.: *Faccia pur quel che vuole, poi lo tratteremo come merita*; *Camminasse anche cent'anni non arriverebbe mai.*
Quanto all'uso dei tempi del congiuntivo nelle subordinate si devono tener presenti le seguenti regole:

1) se la reggente ha il verbo al presente indicativo si usa il presente congiuntivo se l'azione è contemporanea o posteriore, il congiuntivo passato se l'azione è anteriore. Es.: a) *Temo che venga*; *Temo che venga* (anche: verrà) *il mese prossimo*; b) *Temo che ciò sia già avvenuto*;

2) se la reggente ha il verbo all'imperfetto indicativo si usa il congiuntivo imperfetto se l'azione è contemporanea, il congiuntivo trapassato se l'azione è anteriore. Es.: a) *Temevo che venisse*; b) *Temevo che fosse venuto*;

3) se la reggente ha il verbo al futuro semplice si usa il congiuntivo presente se l'azione è contemporanea, il congiuntivo passato se l'azione è anteriore. Es.: a) *Firmerò quando penserò che sia necessario*; b) *Quando penserò che egli sia già arrivato, partirò subito*;

4) se la reggente ha il verbo al passato remoto si usa il congiuntivo imperfetto se l'azione è contemporanea, il congiuntivo trapassato se l'azione è anteriore. Es.: a) *Credetti che sapesse già tutto*; b) *Credetti che avesse già saputo tutto*;

5) se la reggente ha il verbo al passato prossimo si usa il congiuntivo imperfetto se l'azione è contemporanea, il congiuntivo trapassato se l'azione è anteriore. Es.: a) *Ho creduto che lo sapesse*; b) *Ho pensato che l'avesse già detto.*

V. anche DIPENDENZA DEI TEMPI.

congiuntúra: neologismo coniato su modello tedesco che, in generale, indica l'andamento dell'economia in una determinata fase del ciclo di sviluppo. Può essere *alta* (o favorevole) e *bassa* (o sfavorevole). Nell'uso corrente s'intende tuttavia un insieme di circostanze negative, un periodo di crisi economica, cui conviene reagire con adeguate misure *anticongiunturali.*

congiunzióne: parte invariabile del discorso che serve per unire tra loro due o più parole oppure due o più proposizioni. Si dice *semplice* quando è costituita da una parola semplice (*e*), *composta* quando risulta formata da una parola composta (*perché*). Si dice *locuzione congiuntiva* una congiunzione formata da due o più parole (*di modo che*). Secondo la loro funzione le congiunzioni si distinguono in *coordinanti* e *subordinanti*: le prime stabiliscono un legame tra due termini di eguale importanza, senza fissarne un rapporto di dipendenza; le seconde, usate solo tra proposizioni, stabiliscono la dipendenza tra i termini della relazione e danno luogo alla proposizione *subordinata* (V.).
A loro volta le coordinanti si suddividono in *copulative* (e, né, neppure, nemmeno, neanche), *disgiuntive* (o, ovvero, oppure), *avversative* (ma, anzi, però, tuttavia, peraltro, pure), *dimostrative* o *dichiarative* (cioè, infatti), *conclusive* (dunque, pertanto, perciò), *aggiuntive* (pure, inoltre). V. le voci relative.
Le subordinanti sono anch'esse di varia specie: *dichiarative* (che, come), *temporali* (quando, come, appena che, tosto che, subito che, allorché, sino a che, finché), *causali* (perché, poiché giacché), *finali* (affinché, acciocché, perché), *condizionali* (se, purché, qualora), *concessive* (quantunque, sebbene, benché, ancorché, nonostante che), *modali* (come, quasi, comunque, senza che), *consecutive* (sí... che, cosí... che, talmente... che,

	Specie	Semplici	Composte	Locuzioni congiuntive
a) *COORDINANTI*	AVVERSATIVE	*ma, però, pure, mentre, anzi*	*invece, tuttavia*	*non di meno, pur tuttavia, ciò nonostante, non pertanto, del resto, per altro,* ecc.
	CONCLUSIVE O ILLATIVE	*dunque, però, quindi, onde*	*perciò, pertanto, ebbene, laonde*	*per il che, per la qual cosa,* ecc.
	COPULATIVE	*e, pure, né*	*inoltre, ancora, neppure, neanche, nemmeno*	
	CORRELATIVE	*e... e..., né... né..., o... o..., come... così..., sia... sia..., sia... che, quanto... tanto..., quale... tale*		*non solo... ma anche, non solo non... ma neppure, tanto più... quanto più,* ecc.
	DICHIARATIVE O DIMOSTRATIVE		*infatti, difatti, cioè, invero, ossia*	*vale a dire, voglio dire, cioè a dire,* ecc.
	AGGIUNTIVE	*pure*	*inoltre (eziandio), ancora, altresí*	*oltre a ciò, oltre che*
	DISGIUNTIVE	*o*	*ossia, ovvero, oppure*	

	Specie	Semplici	Composte	Locuzioni congiuntive
b) *SUBORDINANTI*	CAUSALI	*ché*	*perché, giacché, poiché, siccome, perocché,* ecc.	*per il fatto che, dato che, visto che, dal momento che,* ecc.
	CONCESSIVE		*benché, sebbene, quantunque,* ecc.	*quand'anche, per quanto, anche se, malgrado che,* ecc.
	COMPARATIVE	*che*		*cosí come, più che, meno che, altrettanto che,* ecc.
	CONDIZIONALI	*se, ove, quando*	*purché, qualora, seppure*	*in caso che, a meno che, a condizione che,* ecc.
	CONSECUTIVE	*che*	*cosicché, sicché, talché*	*cosí che, tale che, tanto che, di modo che,* ecc.
	DICHIARATIVE	*che, come*		
	DUBITATIVE	*se, che*		
	ECCETTUATIVE		*fuorché, senonché, nonché, tranne*	*eccetto che, salvo che, senza che, solo che,* ecc.
	FINALI	*che, onde*		*perché, affinché, acciocché,* ecc.
	INTERROGATIVE	*se, come*	*perché*	*se non*
	MODALI	*come, quale, cosí*	*siccome, comunque*	*secondo che, altrimenti che, senza che,* ecc.
	TEMPORALI	*mentre, che, come, quando*	*allorché, finché, dacché, appena, allorquando,* ecc.	*appena che, tosto che, prima che, dopo che, fino a che, subito che,* ecc.

tanto... che), *eccettuative* (eccetto che, se non, fuorché, altro che). V. voci relative. Circa il valore e l'uso di queste congiunzioni vedi le singole voci che vi si riferiscono, nel presente dizionario.

conglobàre: verbo della prima coniugazione, transitivo. Significa: ammassare in forma di globo. Nell'uso ha assunto il significato di riunire più cose omogenee in una sola. Es.: *Abbiamo conglobato tutte le spese sotto un solo titolo.* Voce del linguaggio burocratico e amministrativo. Dal verbo si è coniato il sostantivo CONGLOBAMENTO che significa: unione, fusione (detto di spese, stipendi, contributi sindacali e assicurativi).

coniugazióne (del verbo): il sistema di flessione del verbo si chiama coniugazione ed è particolarmente complesso. Il verbo varia: secondo il *modo*, per indicare la maniera in cui l'azione viene presentata (certa, possibile, obbligatoria, condizionata, indeterminata); secondo il *tempo* (presente, passato, futuro); secondo la *persona* che compie l'azione o si trova nello stato indicato dal verbo (prima, seconda, terza); secondo il *numero* (singolare o plurale) del soggetto.

I modi del verbo si distinguono in modi *finiti*, che determinano il tempo e si accordano con la persona e il numero del soggetto, e modi *indefiniti*, che esprimono genericamente e indeterminatamente l'azione o lo stato. I modi finiti sono: *Indicativo, Congiuntivo, Condizionale, Imperativo*. I modi indefiniti sono: *Infinito, Participio, Gerundio*.

Ogni modo ha i suoi tempi *semplici* (formati con una sola voce verbale) e i suoi tempi *composti* (formati con le forme del verbo ausiliare e dal participio passato).

La flessione del verbo avviene dunque secondo il modo, il tempo, la persona e il numero. Le variazioni sono indicate dalla *desinenza* che viene aggiunta alla parte invariabile detta *tema*, il quale si ricava dall'infinito togliendo la terminazione *-are, -ere, -ire* (*am-are, tem-ere, cuc-ire*). Le voci verbali derivate dall'unione della desinenza al tema si dicono *forti* quando l'accento cade sulla sillaba del tema (*àmo, téma, òda*), *deboli* quando l'accento cade sulla desinenza (*amàvo, leggésti, partì*). Si noti tuttavia che nella voce verbale si può distinguere, oltre al tema e alla desinenza, la *vocale tematica*, caratteristica per ciascuna coniugazione (*a, e, i* rispettivamente per la prima, seconda, terza coniugazione), che però non resta invariata per tutta la coniugazione (da amare, *amerebbe*) né è sempre presente. Si può inoltre distinguere la consonante caratteristica di certi tempi: la *v* dell'imperfetto indicativo (*amavo, leggevo, udivo*); la *r* del futuro semplice (*amerò, leggerò, dormirò*); la *s* dell'imperfetto congiuntivo (*lesse, amasse, dormisse*). Analizziamo, per esempio, la voce verbale *turbava*. In essa possiamo distinguere: il tema (*turb-*), la vocale caratteristica della prima coniugazione (*-a*), la consonante caratteristica dell'imperfetto indicativo (*-v-*) e la desinenza della terza persona singolare (*-a*). Più semplicemente si potevano distinguere due soli elementi: il tema (*turb-*) e la desinenza (*-ava*).

I verbi regolari formano i tempi semplici unendo al tema verbale le desinenze tipiche di ciascuna coniugazione e di ciascun modo e tempo, senza alterare né il tema né la desinenza. Si vedano alla voce VERBO i paradigmi delle coniugazioni regolari. Verbi *irregolari* sono quelli che si allontanano dal sistema normale di coniugazione, alterando o il tema o la desinenza.

Le coniugazioni sono tre, distinte dalla terminazione dell'infinito presente: *-are* per la prima coniugazione; *-ere* per la seconda; *-ire* per la terza. A queste bisogna aggiungere le coniugazioni dei due verbi ausiliari, *essere* e *avere*, riportate alle pagg. 56, 57, 58.

I verbi transitivi hanno la coniugazione attiva, passiva, riflessiva. *Attiva* quando il soggetto compie l'azione; *passiva* (con le forme del verbo essere e il participio passato) quando il soggetto subisce l'azione; *riflessiva* (con le particelle pronominali *mi, ti, si, ci, vi*) quando l'azione si riflette sul soggetto che la compie. Es.: (forma attiva) *Io leggo il libro*; (forma passiva) *Il libro è letto da me*; (forma riflessiva) *Io mi lavo*. V. alla voce VERBO i paradigmi della coniugazione passiva e di quella riflessiva.

I verbi intransitivi hanno la coniugazione attiva e quella *pronominale*. Quest'ultima è simile a quella riflessiva perché le voci verbali sono accompagnate dalle particelle *mi, ti, si, ci, vi*, ma senza che queste abbiano una funzione determinata. Es.: (intransitivo attivo) *Io vengo a casa*; (intransitivo pronominale) *Egli si accorge di tutto quello che accade*. V. alla voce VERBO il paradigma della coniugazione pronominale.
V. anche VERBO, MODO (DEL VERBO), TEMPI, TEMA, DESINENZA, e le voci relative ai vari Tempi.

coniugazióne (prima): la prima coniugazione comprende tutti i verbi italiani che terminano all'infinito presente in *-are*. I verbi della prima coniugazione sono molto numerosi e molto usati; a quelli derivati dal latino si debbono aggiungere quelli di più recente formazione, creati unendo a un sostantivo, a un aggettivo o a un avverbio la terminazione *-are* (da sparo, *sparare*; da azzurro, *azzurrare*; da tardi, *tardare*). Molti verbi di prima coniugazione si formano con suffissi: *-acchiare, -ecchiare, -icchiare, -ucchiare, -ugliare* che formano verbi frequentativi o attenuano l'idea del verbo originario (Es.: *rubacchiare, sonnecchiare, rosicchiare, leggiucchiare, barbugliare*); *-azzare, -uzzare, -icolare, -onzolare, -ottare, -erellare*, che pure alterano in senso diminutivo il tema di alcuni verbi (*scorrazzare, tagliuzzare, gesticolare, parlottare, canterellare*). Suffissi molto usati per la formazione di verbi della prima coniugazione sono *-izzare* (da lotto, *lottizzare*; da ghetto, *ghettizzare*) e *-ificare* (da bonifica, *bonificare*; da qualifica, *qualificare*).
Alla voce VERBO si veda il paradigma della prima coniugazione. Ad esso si uniformano tutti i verbi regolari terminanti in *-are*. Tuttavia alcune categorie di verbi regolari della prima coniugazione presentano alcune variazioni che è bene notare:

a) verbi il cui tema termina con la consonante *c* (*marcare*) o la consonante *g* (*negare*) aventi suono gutturale. Tali verbi, dovendo conservare il suono gutturale delle consonanti *c* e *g* anche davanti ad *e* ed *i*, inseriscono una *h* fra il tema verbale e le desinenze che cominciano con le vocali *e* ed *i*. Es.: *marchi, marchiamo, marcherebbe; neghi, negherebbe, neghiate*;

b) verbi il cui tema verbale termina in *ci* (*marciare*) o in *gi* (*inneggiare*). Tali verbi, potendo conservare il suono palatale delle consonanti *c* e *g* davanti ad *e* o *i*, lasceranno cadere la *i* davanti alle desinenze che cominciano con le vocali *e* od *i*. Es.: *marcerò, marceremo, marci; inneggerò, inneggeremo, inneggi*;

c) verbi il cui tema termina in *-i*. Tali verbi, quando la *i* è accentata nella prima persona del presente indicativo, la conservano per tutta la coniugazione, tranne nel caso in cui si trovi atona davanti a desinenza cominciante per *i*. Es.: inviàre (pres. indic.: *invío, invíi, invía* ecc.; pres. cong.: *inv(i)iàmo, inv(i)iàte*); obliare (pres. indic.: *oblío, oblíi, oblía* ecc.; pres. cong.: *obl(i)iàmo, obl(i)iàte*). Quando la *i* del tema non è accentata nella prima persona del presente indicativo, essa si contrae con la *i* delle desinenze che cominciano appunto con *i*. Es.: invidi-are (*invidio, invidi*), studiare (*stúdio, studi*). La *i* si conserva però nelle forme verbali che possono essere confuse con quelle di altro verbo (Es.: tu *varii*, da variare; tu *vari*, da varare);

d) verbi il cui tema termina in *gli*. Tali verbi perdono la *i* del tema davanti alle desinenze che cominciano con la vocale *i*. Es.: consigli-are (*consigli, consiglino*), vegliare (*vegli, veglino*);

e) verbi il cui tema termina in *gn*. Tali verbi conservano il suono palatale di questo gruppo consonantico davanti a qualunque vocale, senza inserire una *i*. Ma al presente indicativo (prima persona plurale) e al presente congiuntivo (prima e seconda persona plurali) la *i* compare, facendo essa parte della desinenza regolare. Es.: sognare (*sogniamo*; *sogniàmo, sogniate*), accompagnare (*accompagniamo, accompagniàte*);

f) verbi che contengono il dittongo mobile *uò* nel tema. La norma è che il dittongo appaia nelle voci verbali in cui esso è in sillaba tonica (*suòno, tuòno, giuòco*) e si riduca ad *o* quando si trova, nel corso della coniugazione, in sillaba atona (*sonàva, tonàva, giocàva*). Tuttavia nell'uso la regola non viene rigorosamente applicata e le forme *suonàva, giuocàva, tuonàva,* che non rispettano la regola del *dittongo mobile* (V.), sono largamente ammesse.

coniugazióne (seconda): la seconda coniugazione comprende tutti i verbi italiani che terminano all'infinito presente in *-ere*. In genere quelli con l'infinito presente *piano* (*temére, sapére, dovére*) derivano dalla seconda coniugazione latina; quelli con l'infinito presente *sdrucciolo* (*cógliere, víncere, pérdere*) derivano invece dalla terza coniugazione latina. Si veda alla voce VERBO il paradigma della seconda coniugazione attiva e passiva. Si tenga presente tuttavia che gran parte dei verbi di questa coniugazione sono irregolari. Si notino inoltre le seguenti osservazioni particolari:

a) il passato remoto della seconda coniugazione regolare ha due desinenze nella prima e terza persona singolare e nella terza persona plurale: *-éi, -é, -érono* oppure *-étti, -étte, -éttero*. Es.: *temei* (temetti), *temé* (temette), *temerono* (temettero);

b) i verbi il cui tema termina in *c* e *g* conservano il suono palatale di tali consonanti davanti alle desinenze che cominciano per *e* o *i*. Es.: vincere (*vincerò, vincete, vinci*). Davanti alle desinenze che cominciano per *a* od *o*, le consonanti *c* e *g* assumono suono gutturale. Es.: *vincono, vincano*. Davanti alla desinenza del participio passato *-uto*, si inserisce una *i* per conservare alla *c* e alla *g* suono palatale. Es.: *taciuto, piaciuto*. I verbi *nuocere* e *cuocere* conservano sempre invece il suono palatale della *c*. Es.: *cuocia, nuociate*;

c) i verbi il cui tema termina col gruppo consonantico *gn-* conservano la *i* delle desinenze del presente indicativo e del presente congiuntivo. Es.: spegnere (*spegniamo, spegniate*);

d) i verbi che hanno nel tema un *dittongo mobile* (V.) lo conservano in tutte le forme verbali in cui esso è in sillaba tonica, lo perdono quando viene a trovarsi in sillaba atona. Es.: possedère (*possieda, possiède, possedète*), muòvere (*movète, muòva, moviàmo*). Nell'uso tuttavia l'applicazione di questa norma non è rigorosa.

coniugazióne (terza): la terza coniugazione comprende tutti i verbi italiani che terminano all'infinito presente in *-ire*. Si veda alla voce VERBO il paradigma della terza coniugazione attiva e passiva. Molti verbi di questa coniugazione sono però incoativi; inseriscono cioè tra il tema e la desinenza il suffisso *-isc-* nella prima, seconda, terza persona singolare e nella terza persona plurale del presente indicativo, congiuntivo e imperativo. Es.: condire (pres. indic.: *condisco, condisci, condisce*, condiamo, condite, *condiscono*; pres. cong.: *condisca, condisca, condisca*, condiamo, condiate, *condiscano*; imper.: *condisci, condisca, condiscano*). Alcuni verbi hanno la forma regolare e la forma incoativa. Es.: aborrire (*aborro* e *aborrisco*), scomparire (*scompaio* e *scomparisco*), nutrire (*nutro* e *nutrisco*). Si può usare indifferentemente l'una o l'altra forma, tranne quando il suffisso *-isc-* conferisce al verbo un diverso significato. Es.: ripartire (*riparto*, cioè parto nuovamente, *ripartisco*, cioè divido). La coniugazione con il suffisso *-isc-* è propria dei verbi il cui tema termina in *c* o *g* (*larg-ire, addolc-ire, ag-ire, marc-ire, mugg-ire, sanc-ire*), per evitare l'incontro delle due consonanti con le vocali *a* ed *o*, iniziali delle desinenze. Però *cucire* e *fuggire* seguono la coniugazione regolare.

Appartengono alla terza coniugazione alcuni verbi, detti *sovrabbondanti* (V.), i quali hanno una forma corrispondente nella prima o nella seconda coniugazione, talora con lo stesso significato, talora con significato diverso. Es.: *arrossare* e *arrossire, annerare* e *annerire, compiere* e *compire, sfiorare* e *sfiorire*.

Il participio presente della terza coniugazione ha la desinenza *-ente* (*partente, uscente, ardente*), ma molti verbi hanno una desinenza *-iente*, usata quando il participio è sostantivo o ha valore di aggettivo (*dormiente, nutriente, senziente, ubbidiente, conveniente*).

connèttere: verbo irregolare della seconda coniugazione, transitivo. *Pass. rem.*: connettéi, connettesti, connetté, connettemmo, connetteste, connettérono. *Part.*

pass.: connèsso. Significa: unire, congiungere, mettere in relazione. Es.: *Questi due fatti sono connessi tra loro*; *Non si può connettere questa frase con quanto disse prima.* Usato intransitivamente (ausiliare: avere) significa: ragionare. Es.: *Non connette più.*

conóscere: verbo irregolare della seconda coniugazione, transitivo. *Pass. rem.*: conobbi, conoscesti, conobbe, conoscemmo, conosceste, conobbero. *Part. pass.*: conosciúto.

consecutíva (proposizione): quella proposizione subordinata che indica la conseguenza dell'azione espressa dalla proposizione reggente.
Nella forma esplicita è introdotta dalla congiunzione *che*, a cui corrispondono nella reggente *così, sì, talmente, tanto*, o gli aggettivi *tale, siffatto, simile*. Es.: Ero così stanco, *che mi addormentai subito*; Sei talmente distratto *che non ti accorgi di quel che fai*; La vergogna è tale, *che non oso parlare.*
Talvolta invece è solo una locuzione ad introdurre la proposizione consecutiva. Es.: Sono arrivato tardi, *di modo che non l'ho potuto vedere*; Mi arrabbiai *a tal segno che proruppi in violente espressioni.* Altre locuzioni sono: *sicché, cosicché, di guisa che, a tal punto che, talché.*
Nella forma implicita la proposizione consecutiva si esprime con l'infinito preceduto dalla preposizione *da* (non *per* che è francesismo) e dalle locuzioni *degno di, indegno di, il primo* o *l'ultimo a* e simili. Es.: Soffriva tanto *da ispirare pietà*; Non è degno *di essere ricevuto da te*; Fu il *primo a rendersi conto della situazione.*
Nelle proposizioni consecutive esplicite il verbo si pone generalmente all'indicativo (*È così buono che tutti lo amano*). Si usa il congiuntivo quando la conseguenza è ritenuta solo possibile (*Farò in modo che mi creda*) e il condizionale quando la si concepisce subordinata ad un'altra, anche non espressa (*Mi ha tanto irritato che lo pianterei*). Si ricordi poi che talora anche la proposizione relativa può assumere valore consecutivo, quando abbia il verbo al congiuntivo. Es.: *Cerco un amico che mi aiuti* (= tale che mi aiuti); *Non vedo l'uomo che possa* (= tale che possa) *sottoscrivere siffatta dichiarazione.*

consecutíve (congiunzioni): le congiunzioni che introducono una proposizione *consecutiva* (V.). Esse sono: sì... che (*Il suono era sì debole che quasi non si udiva*), così... che (*Sono così stanco che mi sento male*), talmente... che (*L'idea era talmente sbagliata che non ritenni necessario replicare*), tanto... che (*Sono tanto contento che mi sembra di aver guadagnato dieci anni*) ecc.

conseguènte: participio presente di conseguire. Usato come aggettivo, significa: seguente, che deriva logicamente da qualcosa. Es.: *La sconfitta militare e la conseguente rovina economica.* È un francesismo l'uso di questo participio aggettivale nel senso di *coerente*. Es.: *In questa occasione non è stato conseguente* (meglio: coerente). Il sostantivo femminile CONSEGUENZA è usato erroneamente nel senso di effetto o causa nella locuzione: in conseguenza di. Es.: *In conseguenza del freddo* (per effetto del freddo, per causa del freddo) *la gara divenne drammatica.* Errata è pure la locuzione *in conseguenza* per: in conformità. Es.: *Ho letto la relazione e mi comporterò in conseguenza* (meglio: in conformità); *Agì in conseguenza* (meglio: in conformità) *degli ordini che gli erano stati impartiti.*

consentíre: verbo della terza coniugazione. Quando è intransitivo (ausiliare: avere) si costruisce sia con la forma esplicita (*Consentì che noi l'accompagnassimo*) sia con il *di* più l'infinito (*Consentí di parlare*). La proposizione oggettiva può avere soggetto diverso dalla reggente. Es.: *Consentì di parlare* (sottinteso: a chi voleva, a chi lo chiedeva).

consideràre: verbo della prima coniugazione. Transitivo. Nel costrutto implicito può anche reggere solo l'infinito senza *di*. Es.: *Considera che sia partito, Considerava di aver fatto il suo dovere, Consideriamo aver chiuso la polemica.*
La locuzione CONSIDERATO CHE introduce una proposizione causale.

consiliàre: aggettivo qualificativo, derivato dal sostantivo *consiglio*. Meno comune la forma *consigliare*. Es.: *aula consiliare, deliberazione consiliare.*

consístere: verbo della seconda coniugazione, intransitivo. Ausiliare: essere. *Pass. rem.*: consistei o consistetti, consistesti, consisté o consistette, consistemmo, consisteste, consisterono o consistettero. *Part. pass.*: consistíto. Significa: essere, esser composto. Es.: *La lezione consiste in due parti, una teorica, l'altra pratica*; *La virtù consiste nell'evitare gli eccessi*. Costruito anche con la preposizione *di*. Es.: *Il nostro corpo consiste di varie parti.*

consonànti: tutte le lettere dell'alfabeto, escluse le *vocali* (V.). Il nome deriva dal fatto che esse non possono *suonare* se non accompagnate da una vocale. Alcune di esse possono essere pronunciate da sole, con suono continuato (ma hanno anch'esse valore solo con l'appoggio di vocali); prendono il nome di *continue* o *costrittive* e sono: *c* e *g* palatali, *f, h, l, m, n, r, s, v, z*. Le altre si dicono *occlusive* o *esplosive* (*b, c* gutturale, *d, g* gutturale, *p, q, t*) perché si pronunciano con una specie di esplosione improvvisa della voce, con occlusione completa del canale vocale seguita da brusca apertura.

Le consonanti, secondo la parte della bocca interessata nella pronuncia, si dividono in: *labiali* (b, f, p, m, v); *linguali* o più precisamente *alveolari* (l, n, r, s, z); *dentali* (t, d); *palatali* (c, g oltre ai digrammi gl, gn, sc); *gutturali* o *velari* (c, h, g, q).

Seguendo il criterio della qualità del suono, si può fare una ulteriore classificazione delle consonanti. Secondo che siano accompagnate o meno da vibrazioni laringee possiamo distinguere *sonore* (come b, d, v ecc.) e *sorde* (come f, p, t ecc.). Le continue possono dividersi inoltre in *nasali* (m, n), *liquide* (l, r) e *spiranti* (di cui sono *fricative* f, h, s, v mentre sono *affricate* c, g palatali, z).

Riguardo ai suoni delle consonanti c'è da osservare quanto segue:

1) Le lettere *c* e *g* hanno suono gutturale davanti alle vocali *a, o, u* (*gola, casa, gotta, coro, guerra, cuore*) oppure davanti a consonante (*gradito, cranio, clima, gliconeo, tecnico*) o in fine di parola (*tic-tac*). Davanti alle vocali *e* ed *i* hanno suono palatale (*gemito, cena, giuramento, cinema*). Le stesse lettere conservano suono gutturale davanti ad *e* ed *i* se seguite dalla *h*, in modo da formare un digramma (*chiesa, ghiro, ghetto, che*). Parimenti conservano il suono palatale davanti ad *a, o, u*, se seguite da *i* (*ciabatta, ciociaro, ciuffo, giovane*). Nei derivati in cui compare la *e* questa *i* cade (*bacio, bacetto*; *viaggio, viaggerai*).

Si noti ancora che la *c* gutturale mantiene il proprio suono abituale anche se preceduta da altra consonante (*scuola*), mentre la *c* palatale, preceduta dalla *s*, dà luogo a un suono palatale nuovo (*scena, scempio*).

Le terminazioni in *-scio* e *-scia* nei derivati perdono la *i* (fascio, *fascetta*).

2) Le lettere *s* e *z* (dette *sibilanti*) hanno due suoni, uno sonoro (esempio: *asma, zero*), uno sordo (esempio: *sano, pazzo*), ma è difficile stabilire una norma generale al riguardo.

3) I gruppi di consonanti *gn* e *gl* danno luogo a un suono palatale speciale corrispondente rispettivamente a una *n* schiacciata (*bagno, ingegnere*) e a una *l* linguale (*miglio, figli*). *Gl*, che ha suono gutturale davanti ed *a, e, o, u* (*glaciale, gloria, glucosio, gleba*), ha qualche volta tale suono anche davanti ad *i*, specie se si tratta di parole d'origine greca e latina: *glicine, negligenza*. Tutte le consonanti, eccettuate l'*h* e la *q*, possono aver il raddoppiamento all'interno di una parola, sempre che siano precedute da vocale. In italiano si tende ad attenuare l'incontro di consonanti diverse (si preferisce, per es., *enimma* ad *enigma*), ma l'uso moderno ha ormai introdotto gruppi nuovi di consonanti quali *ps* (psicoanalisi), *cn* (tecnica), *tm* e *tn* (aritmetica, etnologia), *bc* (subconscio), *bn* (abnegazione), *bs* (abside). Rari sono nella nostra lingua gli incontri di tre consonanti diverse (*rimembrare*).

Alcuni prefissi, se la parola comincia per consonante semplice, producono il raddoppiamento. Essi sono: *a* (appena); *e* (ebbene); *o* (oppure); *ra* (raddoppiare); *so* (sopporto); *su* (supporre); *fra* (frapporre); *sopra* (soprattutto); *sovra* (sovrabbondare); *contra* (contrapporre); *tra* (solo *trattenere* e composti).

Mai invece raddoppia *contro* (controsenso). Per altre osservazioni sulle singole consonanti vedi le voci che vi si riferiscono.

consonànza: rima imperfetta, detta anche *assonanza atona*, che si verifica quando rimano tra loro due parole che hanno vocali accentate diverse ma lettere successive identiche. Es.: tem*úto* e lasci*àto*, st*ílla* e st*élla*, scord*àre* e am*óre*.

cònsono: aggettivo qualificativo, che significa: concorde, corrispondente, conforme. Errata la pronuncia *consóno*. Si costruisce con la preposizione *a*. Es.: *Si è comportato in modo cònsono alle leggi.*

constàre: verbo della prima coniugazione, intransitivo. Composto di *stare*, ma con flessione regolare. Ausiliare: essere. Significa: esser composto. Es.: *Il libro consta di due parti.* Usato impersonalmente significa: esser noto, esser manifesto, risultare. Es.: *Non consta che abbia fatto domanda*; *Mi consta il contrario.*

contabilità: sostantivo femminile. Letteralmente significa: la possibilità di esser contato. È usato però per indicare l'insieme dei conti e delle registrazioni in cifre per l'amministrazione di un'azienda. Es.: *La contabilità di questa ditta è in perfetto ordine.* È sconsigliata la locuzione *tenere la contabilità*, in luogo di: tenere i conti. Es.: *Tengo i conti* (o l'amministrazione) *di diverse aziende.* Il sostantivo maschile CONTÀBILE indicherebbe: che può essere contato. È usato per: computista, ragioniere (che son termini da preferire).

contagócce: nome composto da un verbo (conta) e un sostantivo femminile plurale (gocce). Plurale: contagocce. V. anche COMPOSTI (NOMI).

contàre: verbo della prima coniugazione, transitivo. Significa: numerare, calcolare. Es.: *Ho contato dieci automobili*; *Ho contato sino a dieci.* Usato intransitivamente (ausiliare: avere) significa: aver autorità, prestigio. Es.: *Il padre non conta niente in casa?*; *Il tuo intervento ha contato molto.* La locuzione *contare su* è francesismo. Es.: *Avevo contato* (dirai: avevo fatto assegnamento) *sul tuo aiuto.* Anche da evitare la locuzione *senza contare che* per: senza dire che. Es.: *Mi sono annoiato, senza contare* (meglio: senza dire) *che ero anche molto stanco.*

contàtto: in linguistica, la situazione di colui che si trova a vivere o ad intrattenere comunque relazioni con persone che parlano un'altra lingua, per cui egli è portato necessariamente ad assumere questa seconda lingua accanto alla propria, come nei casi di bilinguismo. Anche la disponibilità da parte di un interlocutore a recepire effettivamente un messaggio, prestandovi la necessaria attenzione, al di là del fatto che sia stato validamente trasmesso ed effettivamente ricevuto.

contèsto: participio passato del verbo contessere (si coniuga come *tessere*). Esiste anche la forma *contessúto*. Significa: tessuto insieme, intrecciato. Es.: *D'Annunzio parla di flauti contesti con la cera e il lino.* Come sostantivo maschile, indica il coordinamento delle parti di un discorso, l'insieme organico di uno scritto; più esattamente, il contorno linguistico (le parole precedenti o seguenti) ed extralinguistico (i significati delle parole, le circostanze, il tono della voce, i ruoli degli interlocutori) che aiuta a definire il senso del messaggio. Es.: *Il significato della parola si intuisce dal contesto del discorso.*

continuàre: verbo della prima coniugazione, transitivo. Significa: proseguire, andar avanti. Es.: *Ho continuato il mio lavoro.* Usato intransitivamente si coniuga con l'ausiliare avere quando il soggetto è una persona. Es.: *Il ferito ha continuato a respirare per molte ore.* Quando il soggetto è una cosa, si usa essere se il verbo è usato assolutamente (Es.: *La pioggia è continuata per tutta la notte*), avere quando è costruito con *a* e l'infinito di un altro verbo (Es.: *La pioggia ha continuato a cadere*). Si usa indifferentemente essere o avere quando è usato impersonalmente. Es.: *Ha continuato a nevicare*; *È continuato a nevicare.*

continue (consonanti): V. COSTRITTIVE.

contra-: prefisso che indica opposizione, contrasto. Vuole il raddoppiamento della consonante iniziale della parola a cui si unisce, purché non sia *s* impura, *z, x, gn,* *ps*. Es.: *contraltare* (altare eretto di fronte a un altro, e quindi cosa fatta contro un'altra), *contraerea* (artiglieria contro gli attacchi aerei), *contraddire* (contestare, discutere, ribattere), *contrafforte* (muro di rinforzo). Talvolta il prefisso *contra-* indica reciprocità, simmetria. Es.: *contrappello* (appello di controllo), *contraccambiare* (ricompensare), *contrappunto* (parte della scienza musicale per ordinare più melodie), *contrassegno* (segno distintivo).

contraddíre: verbo della terza coniugazione, transitivo. Si coniuga come *dire*, di cui è composto, tranne che nella seconda persona dell'imperativo (contraddici). Significa: contestare, contrariare, smentire. Es.: *Mi contraddiceva sempre*; *Non voglio contraddire mio padre*. Anche intransitivo (ausiliare: avere), costruito con la preposizione *a*. Es.: *Questo contraddice alle sue parole precedenti*. Si ricordi che, volendo il prefisso *contra-* il raddoppiamento della consonante iniziale della parola a cui si unisce, sono poco corrette le forme: *contradire, contradittorio, contradizione*.

contràlto: nel canto, la più grave delle voci femminili. Si tratta però di un sostantivo maschile e si dovrà dire pertanto: *il* contralto, *un* abile contralto (non: *la contralto, un'abile contralto*).

contràrio: di una parola, è quella di significato opposto. Per es., *bello* è contrario di *brutto*. V. anche ANTÒNIMO.

contràsto: componimento poetico dialogato, senza una metrica definita, di argomento amoroso o morale o civile, in cui due voci si intrecciano in una disputa che si svolge di strofa in strofa con repliche spesso vivaci. Notissimo il contrasto di Cielo d'Alcamo, *Rosa fresca aulentissima*.

contribuíre: verbo della terza coniugazione, intransitivo. Ausiliare: avere. In alcuni tempi si coniuga con la forma incoativa *-isc-* tra il tema e la desinenza. *Pres. indic.*: contribuisco, contribuisci, contribuisce, contribuiamo, contribuite, contribuiscono. *Pres. cong.*: contribuisca, contribuisca, contribuisca, contribuiamo, contribuiate, contribuiscano. *Part. pass.*: contribuíto.

cóntro: preposizione impropria. È infatti un avverbio usato come preposizione. Indica opposizione, contrarietà. Si costruisce direttamente oppure con le preposizioni semplici *a* e *di* (quest'ultima è preferibile con i pronomi personali). Es.: *Combatté contro i Greci*; *Nulla vale contro alla forza* (o *contro la forza*); *Sono tutti contro di te*; *Batté la testa contro il muro*; *Quello che dice è contro la legge*.
Come avverbio indica opposizione. Es.: *Noi siamo favorevoli, egli è contro*; *Voteremo contro*. Come sostantivo nella locuzione: *il pro e il contro* (ciò che è a favore e ciò che è contrario).
È male usato nelle locuzioni: contro assegno, contro pagamento, contro ricevuta. Ma sono modi di dire invalsi ormai nell'uso burocratico.

contro-: è prefisso che forma numerose parole composte, senza raddoppiamento della consonante iniziale. Indica opposizione (*controcorrente, contrordine, controrivoluzione, controsenso, controluce*), oppure riscontro (*controprova, contromarca, controscena*).

controproducènte: aggettivo qualificativo. È un neologismo che ha avuto rapida fortuna, sostituendo la locuzione: che ottiene l'effetto contrario.

contumàcia: nome femminile terminante in *-cia*, che al plurale conserva la *i* atona (*contumacie*) anche per distinguersi da *contumace*, che è aggettivo.

contúndere: verbo irregolare della seconda coniugazione, transitivo. *Pass. rem.*: contusi, contundesti, contuse, contundemmo, contundeste, contusero. *Part. pass.*: contúso.

conveníre: verbo della terza coniugazione, intransitivo. *Pres. indic.*: convengo, convieni, conviene, conveniamo, convenite, convengono. *Pass. rem.*: convenni, convenisti, convenne, convenimmo, conveniste, convennero. *Part. pass.*: convenúto. Segue la coniugazione di *venire* (V.). Si coniuga con l'ausiliare essere quando indica il confluire di più persone in uno stesso luogo. Es.: *Sono convenuti a Roma i rappresentanti di tutte le città d'Italia*. Si coniuga con avere quando significa: esser d'accordo, consentire. Es.: *Anche mio fratello ha convenuto con noi che questa è l'unica via da seguire*; *Con-*

venne con me che il prezzo era alto. Usato impersonalmente (ausiliare: essere) significa: addirsi, essere utile, necessario. Es.: *Conviene partire subito*; *Quella proposta non mi conveniva*. È usato transitivamente solo nella terminologia giuridica: *convenire uno in giudizio* (citarlo in giudizio).

convèrgere: verbo irregolare della seconda coniugazione. *Pass. rem.*: conversi, convergesti, converse, convergemmo, convergeste, conversero. *Part. pass.*: converso (da non confondere con l'omofono part. pass. letterario di convertire, oggi usato quasi esclusivamente come sostantivo per indicare, al maschile o al femminile, la persona che presta servizio nei monasteri, vestendo l'abito religioso senza aver pronunciato i voti). Significa: convenire, confluire in una stessa direzione partendo da punti diversi.

coordinàte (proposizioni): due o più proposizioni principali che in uno stesso periodo sono grammaticalmente indipendenti, ordinate l'una accanto all'altra per il senso. Nessuna cioè è subordinata, dipendente da un'altra. Es.: *Io leggevo e tu scrivevi*; *Noi piangiamo, ma tu non ridi*; *Noi sentivamo, vedevamo e giudicavamo*; *Paolo studiava, Luisa dormiva e Claudio lavorava*.

La coordinazione può avvenire per asindeto o per polisindeto. Si dice per *asindeto* quando le proposizioni sono poste una vicina all'altra con la sola separazione dei segni di punteggiatura indicanti pause limitate (virgola, punto e virgola, due punti). Es.: *Tu mi aiuti, sei un buon amico*; *Voi negate: io credo*; *Pietro lavora, studia, obbedisce*.

Si ha coordinazione per *polisindeto* quando le proposizioni sono unite da congiunzioni *copulative* (e, anche, pure, inoltre, né), *disgiuntive* (o, oppure, cioè), *conclusive* (dunque), *avversative* (ma, però, invece, tuttavia, anzi). Es.: *Tu vedevi e io sentivo*; *Noi soffriamo e inoltre abbiamo fame*; *Non parlava né dava segni di vita*; *Qui si fa l'Italia o si muore*; *Ti punirò severamente, cioè ti espellerò*; *Lo aveva avvertito, ma non seguì i miei consigli, tuttavia gli perdono*.

La coordinazione avviene non solo tra proposizioni principali, ma anche tra subordinate. Si hanno pertanto *coordinate alle principali* e *coordinate alle subordinate*. Esempi di coordinate alla subordinata: *Egli mi divertiva quando cantava e ballava*; *Ho rifiutato perché era ingiusto, perché era disonesto e perché era dannoso*; *La sventurata non sapeva rassegnarsi al pensiero di aver offeso e di aver tradito*.

V. anche PERIODO.

copèrto: participio passato di *coprire* usato come aggettivo. Significa: rivestito, nascosto. Es.: *Il prato è coperto di neve*; *Non potei vedere il corpo, poiché era coperto*. Come sostantivo maschile indica luogo protetto. Es.: *Non importa se piove: siamo al coperto*. È francesismo usare questo sostantivo per: posto a tavola, servito, commensale. Es.: *Preparo un pranzo per dieci persone* (non: coperti); *Aggiunse un posto a tavola* (non: un coperto).

còpia: sostantivo femminile che significa abbondanza. Non ha plurale. Diversa accezione è l'omofono sostantivo femminile CÒPIA che significa: riproduzione, duplicato, imitazione, esemplare. Plurale: copie. Es.: *Abbiamo gran copia di frumento*; *Devo fare la copia di quel documento*; *Comperò due copie di quel libro*.

copialéttere: nome composto da un verbo (copia) e un sostantivo femminile plurale (lettere). Plurale: copialettere. V. anche COMPOSTI (NOMI).

còppia mínima: coppia di parole che hanno diverso significato, ma che si distinguono solo per un fonema. Es.: *tacco* e *pacco*, *smacco* e *stacco*, *porta* e *torta*.

copricàpo: nome composto da una forma verbale (copri) e un sostantivo maschile singolare (capo). Plurale: copricapi. È un accettabile francesismo con il senso generico di: cappello, berretta. V. anche COMPOSTI (NOMI).

copríre: verbo irregolare della terza coniugazione, transitivo. *Pres. indic.*: còpro ecc. *Pass. rem.*: coprìi (copersi), copristi, coprì (coperse), coprimmo, copriste, coprirono (copersero). *Part. pass.*: copèrto. Significa: occultare, nascondere. Es.: *Ho coperto i mobili perché non si impolverino*; *La nebbia copriva tutte le cose*. Anche riempire. Es.: *Lo coprì di elogi*; *La pri-*

mavera copre la terra di fiori. Detto di suoni: superare. Es.: *La sua voce copriva tutte le altre.* Al riflessivo significa: vestirsi per ripararsi dal freddo. Es.: *Prima di uscire, copriti bene!* Improprio l'uso di coprire invece di *percorrere*. Es.: *Egli ha coperto* (dirai: percorso) *dieci chilometri in un'ora.* Sono anche sconsigliate le locuzioni: *coprire le spese* (recuperare i soldi spesi, rifarsi) e *coprire un incarico* (occuparlo, esercitarlo).

copro-: primo elemento di parole composte attinenti agli escrementi, ma usate nel linguaggio scientifico: *coprofagía, coprolalia, coprolito.*

còpula: la parte del *predicato nominale* (V.) costituita dal verbo essere o da altro verbo *copulativo* (V.). Il nome deriva dal latino *copulare* (= congiungere), poiché appunto il verbo essere svolge la funzione di unire il soggetto con l'aggettivo o il nome del predicato nominale. Es.: Carlo *è* cattivo; Tu *sei* un uomo; Voi *foste giudicati* innocenti; Paolo *fu eletto* consigliere.

copulatíve (congiunzioni): le congiunzioni che servono a unire due o più termini, siano parole, siano proposizioni. Nelle proposizioni affermative si usa *e* (*Parlò e confessò*; *Ci diede aiuti e denari*), o *anche, pure* (*Mi sono stancato, anche di aspettare*), in quelle negative si usano *né, neppure, nemmeno, neanche* (*Non ho né soldi né lavoro*; *Non parlò né replicò*; *Non ho visto neanche un uomo*; *Neppure tu mi hai ascoltato*).

copulatívi (verbi): verbi che svolgono le funzioni di *copula* (V.), in luogo del verbo essere, nelle proposizioni con *predicato nominale* (V.).
Essi sono in particolare: a) alcuni intransitivi, come sembrare, parere, divenire, nascere, restare, morire ecc., che esprimono particolari condizioni del soggetto (*Egli sembra un re*; *Carlo divenne giudice*; *Egli morì poverissimo*); b) i verbi appellativi, come essere chiamato, nominato, detto, appellato ecc. (*Scipione era chiamato l'Africano*; *Catone era detto il Censore*); c) i verbi estimativi, come essere stimato, giudicato, creduto ecc. (*Voi foste giudicati obbedienti*; *Egli era stimato sincero*); d) i verbi elettivi, come essere eletto, proclamato, dichiarato (*Noi fummo proclamati vincitori*; *Essi furono dichiarati colpevoli*); e) i verbi effettivi, come esser fatto, esser ridotto, esser reso ecc. (*Essi furono ridotti in fin di vita*; *Egli fu fatto console*).
Il predicato nominale prende in questo caso il nome di *complemento predicativo del soggetto.*

copyright: parola inglese (pr.: copiràit) che significa: diritto di riproduzione. Usato nella dizione «Copyright by... (nome dell'editore)» stampata nei libri per indicare che la proprietà letteraria dell'opera è tutelata, essendo il libro iscritto nel «Register of Copyright». Il «Register» si trova negli Stati Uniti ed elenca tutte le opere di cui è vietata la riproduzione.

corèa: neologismo che indica un quartiere sordido e sovraffollato di una grande città. È un uso antonomastico del nome geografico che designa uno Stato dell'Asia tradizionalmente considerato povero e sovrappopolato.

coreferènza: il comune rapporto di referenza di due o più parole, ossia il caso in cui esse si riferiscono allo stesso oggetto. Per esempio: Gianni *e* Maria *sono sposati*; lui *lavora a* scuola, *la* stessa *in* cui *insegno io*; *la* moglie *fa la casalinga*. Sono coreferenti *Gianni* e *lui* così come *Maria* e *moglie*, *scuola*, *stessa* e *cui*.

coriàmbo: metro dell'antica lirica greca, formato da un trocheo (detto talora *coreo*) e da un giambo (– ∪ ∪ –), oppure, secondo altri, da un'inversione di sillabe brevi e lunghe all'interno di un ditrocheo o di un digiambo. Era un metro agile, adatto alla danza del coro.

còrno: nome sovrabbondante o eteroclito. Ha due desinenze al plurale: i corni (*i corni del dilemma, i corni per la caccia*) e le corna (*le corna degli animali*).

còro: nell'antica letteratura greca, danza, accompagnata dal canto e dalla musica, eseguita collettivamente da un gruppo di coreuti, guidati da un corifeo, in feste religiose legate a talune divinità, e in particolare a Dioniso (vedi *ditirambo*), o a solennità comuni di tipo panellenico, come prima di tutto le feste agonali celebrate dall'antica poesia corale.

corpus: in linguistica, la base di enunciati su cui si costituisce, in un dato momento storico, la grammatica descrittiva di una lingua; è un campione e, in quanto tale, deve avere i caratteri della rappresentatività rispetto alla totalità indagata.
In letteratura, il termine indica la raccolta sistematica delle opere di un autore.

correctio: parola latina che indica una figura retorica di pensiero consistente nella correzione o rettifica di una precedente affermazione, allo scopo di migliorarla o precisarla. Es.: *Fatti non foste a viver come bruti / ma per seguir virtude e conoscenza* (Dante); *Non fiori ma opere di bene.*

corredàre: verbo della prima coniugazione, transitivo. Significa: arredare, fornire del necessario, fare il corredo alla sposa. Usato in senso figurato per: provvedere, munire, fornire. Es.: *Una domanda corredata dei (con, da) prescritti documenti*; *Un libro corredato di belle illustrazioni.*

corrèggere: verbo irregolare della seconda coniugazione, transitivo. *Pass. rem.*: corressi, correggesti, corresse, correggemmo, correggeste, corressero. *Part. pass.*: corretto. Significa: migliorare, accomodare, emendare, rivedere. In un senso figurato: migliorare il sapore di una bevanda con aggiunta di qualche sostanza; usato specialmente il part. pass. Es.: *Caffè corretto con grappa.*

correlatíve (congiunzioni): congiunzioni o locuzioni congiuntive che indicano relazione reciproca tra due o più *proposizioni coordinate* (V.). Le più comuni congiunzioni correlative *semplici proprie* sono: *e... e...; né..., né...; o... o... Semplici improprie* sono: *come... così*; *sia... sia*; *quanto... tanto*; *quale... tale*; *vuoi... vuoi*; *ora... ora*; *prima... poi. Locuzioni correlative* sono: *non solo..., ma anche*; *non solo non..., ma neppure*; *gli uni... gli altri*; *quanto più... tanto più*; *quanto meno... tanto meno*. Esempi: *E non vuol parlare e non vuole che parli io*; *Né partire, né rimanere*; *O vincere o morire*; *Sia in pace, sia in guerra*; *Tanti soldati quanti non potresti immaginare*; *Ora significa una cosa, ora un'altra*; *Non solo sono d'accordo, ma anche glielo dirò*; *Gli uni sono per la legge maggioritaria, gli altri per la proporzionale*; *Quanto più fai così, tanto più non ottieni nulla*; *Quanto meno lavori, tanto meno hai.* Le particelle correlative non usate in coppia hanno valore *copulativo* (e, né), *disgiuntivo* (o) o *comparativo* (come, così, tanto, quanto).

corrènte: participio presente di *correre*. Usato come aggettivo con vari significati: che scorre (*acqua corrente*), accettato dai più (*uso corrente, linguaggio corrente, moneta corrente*), comune (*opinione corrente*), presente, in corso (*mese corrente, corrente anno*; abbreviato: *c.m.*; *c.a.*). Come sostantivo femminile, la CORRENTE indica il correre dell'acqua, il flusso di elettricità attraverso un conduttore, e, al figurato, l'andazzo, la moda, l'opinione comune. Esempio: *La barca andava contro corrente*; *In tempi di conformismo tutti vanno secondo la corrente.* Sono francesismi le espressioni: *mettere, tenere* o *essere al corrente* per: informare, tenere informato o aggiornato, o essere informato. Es.: *Lo mise al corrente* (dirai: lo informò) *di quanto era accaduto*; *Tiene al corrente* (dirai: aggiornato) *il libro dei conti.*

còrreo: sostantivo maschile che indica chi ha commesso reato in concorso con altri. In uso anche la pronuncia *corrèo.*

córrere: verbo irregolare della seconda coniugazione. *Pass. rem.*: corsi, corresti, corse, corremmo, correste, corsero. *Part. pass.*: córso. È intransitivo. Ausiliare: essere o avere. *Avere* si usa in tutti i casi in cui un complemento di spazio o di tempo viene ad assumere figura, diremmo, di falso complemento oggetto. Es.: *Ho corso tre ore* (quasi fosse: Ho corso: che cosa?). Il verbo può poi avere autentico complemento oggetto. Es.: *Ho corso la corsa dei cento metri*; *Ho corso i mille metri*; *Ho corso un grave rischio.* Si usa pure l'ausiliare avere quando il verbo non è seguito da complementi e si considera dunque l'azione in sé. Es.: *Son sudato perché ho corso*; *Ho corso per raggiungerti. Essere* si usa in tutti gli altri casi. Es.: *Sei corso appena in tempo*; *Son corso via da lui più che in fretta*. V. anche MOTO (VERBI DI).

corrésse: voce del verbo *córrere*, imperfetto congiuntivo, terza persona singolare. La prima persona è *corréssi.* Le due forme verbali sono omonime a quelle del passato remoto del verbo CORREGGERE: *io corrèssi, egli corrèsse*. Si distinguono per il suono aperto o chiuso della vocale *e* che, quando è necessario evitare ambiguità, è bene indicare con l'accento grave o acuto.

correziòne: in retorica, figura di pensiero rivolta alla chiarificazione del significato, sia attraverso la contrapposizione di due concetti, es.: *non ti darò dei soldi, bensì un consiglio*, sia attraverso la specificazione, es.: *ti darò dei soldi, anzi te li do subito.*

corrimàno: nome composto da una forma verbale (corri) e da un sostantivo (mano). Plurale: corrimàni.

corrispóndere: verbo della seconda coniugazione, intransitivo. Ausiliare: avere. Significa: convenire, concordare, adattarsi. Es.: *Le tue parole non corrispondono a verità*; *È un giovane che non ha corrisposto alle nostre speranze*. Altri significati: essere in relazione epistolare (*Paolo corrisponde con Giulio*), contraccambiare (*Anna corrisponde all'amore di Enrico*); detto di luogo: comunicare (*La porta corrisponde con la strada principale*). Il verbo è anche usato, ma è modo scorretto, come transitivo nel senso di: dare, pagare, versare. Es.: *Mi corrisponde uno stipendio mensile.*

corrómpere: verbo irregolare della seconda coniugazione, transitivo. *Pass. rem.*: corruppi, corrompesti, corruppe, corrompemmo, corrompeste, corruppero. *Part. pass.*: corrótto.

córso: participio passato di *correre*. Come sostantivo indica: spazio di tempo (*Nel corso di questi due anni*), una strada principale (*L'ho incontrato sul corso Mazzini*), serie di lezioni o conferenze (*Un corso di stenografia*; *Un corso di lezioni sul Risorgimento*), valore legale delle monete (*Moneta fuori corso*), lo scorrere di un fiume (*Il corso del Tamigi*). Essere in corso: detto di cose che si stanno facendo (*È in corso una revisione dei valori*; *Il volume è in corso di pubblicazione*). La parola omografa CÒRSO (con la prima *ò* aperta) indica invece l'abitante della Corsica. Il sostantivo femminile CÓRSA indica l'atto del correre, gara tra persone che corrono, a piedi o su biciclette, moto, automobili, cavalli, motoscafi ecc. Anche in senso figurato. Es. *La corsa al potere*; *Erano in corsa per la nomina.*

còsa: sostantivo femminile. È il nome generico con il quale si indicano oggetti, fatti, idee. Es.: *È una cosa fatta in questo modo*; *È accaduta una cosa spaventosa*; *I tuoi dubbi sono una cosa seria*. È usato in moltissime locuzioni: *da cosa nasce cosa* (da un fatto derivano altri più importanti), *per prima cosa* (anzitutto), *per la qual cosa* (perciò), *ogni cosa è cosa* (per piccola che sia ogni cosa ha il suo valore), *cosa fatta capo ha* (dopo il fatto, a tutto si rimedia; ormai è fatta), *la cosa pubblica* (lo Stato), *guardare alle cose e non alle parole* (guardare ai fatti, alla realtà), *esser gran cosa* (esser importante, notevole). Non bisogna però abusare di questo sostantivo, per indicare fatto o oggetto che ha un suo nome. Es.: *Il telefono è una cosa per parlare a distanza* (dirai: è uno strumento); *La sincerità è una cosa* (=una virtù) *preziosa*; *Il nuoto è una cosa semplice* (=è uno sport, un esercizio semplice).

Nel linguaggio familiare si usa anche il maschile COSO. Es.: *Dammi quel coso!*; *Ho aperto la porta con quel coso*; *Ho parlato con... coso, con quel tuo amico.*

Il sostantivo *cosa*, unito ad un aggettivo, conferisce all'espressione un valore neutro. Es.: *È una bella cosa che tu sia tornato*; *Questa cosa non mi piace*; *Mangerò qualche cosa* (o *qualcosa*); *Ogni cosa a suo tempo.*

Nelle interrogazioni si usa unito all'aggettivo interrogativo *che* (V.). Es.: *Che cosa vuoi?*; *Che cosa dici?* Ma è invalsa nell'uso anche la forma abbreviata: *cosa?* Es.: *Cosa hai detto? Cos'è questa storia? Cosa vuoi fare? Cosa? non vuoi partire?*

così: avverbio di maniera. Significa: in questo modo. Es.: *Ha detto così*; *È fatto così*. Anche avverbio di quantità: tanto. Es.: *È così brutto!*; *Era così tardi!* (non: così tanto brutto, così tanto tardi). Altri significati: nello stesso modo (*Io ho sofferto e così soffrirai tu*), perciò, per la qual cosa (*Non sei venuto e così abbiam perso anche questa occasione*), dunque (*Così, non vuoi parlare?*), quantunque (*Così malato, lavorava ancora*). Nelle esclamazioni esprime augurio o desiderio (*Così fosse!*; *Così volesse il cielo*). È spesso in correlazione con *come*. Es.: *Voglio bene così agli uni come agli altri*; *Debbono venire tutti, così i grandi come i piccoli*; *Farò così come tu vorrai*; *Come parla, così agisce*. Nel linguaggio familiare è usato talora come aggettivo. Es.: *Non ho mai visto una folla così* (tale, così grande). Si notino poi le due locuzioni: *così così* (mediocremente, né bene né male), *così e così* (proprio così, come si è detto prima o come si dirà dopo). Es.: *L'infermo sta così così*; *È andata così così*; *Gli ho spiegato che le cose erano andate così e così*; *Se la faccenda sta così e così, me ne occuperò io.*

Così fatto significa: tale, simile; si scrive anche in una parola sola: cosiffatto. Es.: *È un uomo cosiffatto*. Si notino altre locuzioni: *così sia* (formula finale delle preghiere, amen), *per così dire* (usata per attenuare una espressione), *basta così!* (intimazione di por fine a un discorso).

Così che è locuzione congiuntiva con valore consecutivo. Es.: *Era così stanco che non osai parlargli*; *Partì subito, così che non potei vederlo.*

Così è un prefisso che vuole il raddoppiamento della consonante iniziale della parola a cui si unisce. Es.: *cosiddetto, cosiffatto, cosicché.*

cosiddétto: aggettivo. Significa: detto comunemente così, ma in senso spregiativo o ironico. Es.: *il cosiddetto cantante Tizio, la cosiddetta marchesa Tale*. È invalsa ormai anche la forma *cosidetto*, benché il prefisso *così* esiga il raddoppiamento della consonante iniziale della parola a cui si unisce.

cosmèsi: l'arte che ha per scopo la conservazione e il miglioramento della bellezza fisica. È meno corretta, quantunque diffusa presso profumieri ed estetiste sofisticate, la pronuncia *còsmesi*, secondo l'originario accento greco.

cosmo-, -cosmo: primo e, rispettivamente, secondo elemento di parole composte, specie del linguaggio scientifico, filosofico e tecnico. Vale: universo, spazio extraterrestre e simili. Es.: *cosmologia, cosmodromo, cosmonauta, microcosmo.*

cosmopolíta: nome maschile in *-a*. Significa: cittadino del mondo, uomo che ama tutti i paesi. Anche aggettivo (*ambiente cosmopolita*: frequentato da persone di tutte le razze). Plurale: cosmopoliti.

cospícuo: aggettivo qualificativo. Significa: chiaro, illustre, notevole. Erroneamente viene usato col significato di *ingente*. Perciò non è proprio dire: *Ho incassato una somma cospicua* (dirai: ingente, grossa).

costatàre: verbo della prima coniugazione, transitivo. *Pres. indic.*: costàto, costàti, costàta, costatiàmo, costatàte, costàtano (meglio che còstato ecc.). Significa: accertare, appurare. Meno elegante, benché nell'uso, la forma *constatare*.

costatazióne: sostantivo femminile, dal verbo *costatare*. Meglio: accertamento, verifica, riscontro.

Più pesante la forma *constatazione*.

costì e costà: avverbi di luogo. Indicano lontananza rispetto a chi ascolta (*Presto verrò costì a farti visita*). Sono poco usati, come pure i composti *costassù* e *costaggiù*. Raramente si trovano come rafforzativi del pronome e aggettivo dimostrativo *cotesto* (*Cotesto costì è un fannullone*; *Cotesta casa costì è ricca di bei quadri*). Oggi si preferisce dire *lì, là*. Es.: *Domani verremo là*; *Aspettami lì.*

costituíre: verbo della terza coniugazione, transitivo. In alcuni tempi si coniuga con la forma incoativa *-isc-* tra il tema e la desinenza. *Pres. indic.*: costituísco, costituisci, costituisce, costituiamo, costituite, costituiscono. *Pres. cong.*: costituisca, costituisca, costituisca, costituiamo, costituiate, costituiscano. *Part. pass.*: costituíto. Significa: fondare, stabilire (*Costituiamo una società anonima*; *Fu costituita una nuova associazione*), comporre, far parte (*Il Parlamento è costituito dalla Camera e dal Senato*; *La pelle è costituita da vari tessuti*), essere, formare (*Il fatto non costituisce reato*). Nel linguaggio giuridico è usato in forma riflessiva e significa presentarsi alla giustizia (*L'assassino si costituì subito ai carabinieri*), o presentarsi in giudizio per tutelare i propri diritti (*La madre dell'uccisa si costituì parte civile*).

còsto: sostantivo maschile che indica il

valore in moneta di una cosa; prezzo. Il sostantivo femminile CÒSTA significa secondo i casi costola; nervatura longitudinale delle foglie; salita molto ripida; riva, spiaggia, lido. Es.: *Sento un dolore alla costa destra*; *Lo studioso osservava le coste di alcune foglie*; *La sua casa è a mezza costa del monte*; *Le barche erano vicine alla costa.*

costrittíve (consonanti): le consonanti che, per il modo di articolazione ossia per il restringimento del canale respiratorio durante l'emissione del suono, possono essere pronunciate da sole, con suono continuato (ma hanno anch'esse valore fonologico solo con l'appoggio di vocali); si chiamano anche continue o fricative. Sono le spiranti, ossia la /f/ labiodentale sorda (*fame*), la /v/ labiodentale sonora (*vino*), la /s/ alveolare sorda (*sete*), la /z/ alveolare sonora (*smacco*); la vibrante, ossia la /r/ alveolare (*ruta*); le laterali, ossia la /l/ alveolare (*lino*), la /ʎ/ palatale (*gli*); la prepalatale sorda /ʃ/ (*scena*).

costruíre: verbo della terza coniugazione, transitivo. In alcuni tempi si coniuga con la forma incoativa *-isc-* tra il tema e la desinenza. *Pres. indic.*: costruisco, costruisci, costruisce, costruiamo, costruite, costruiscono. *Pres. cong.*: costruisca, costruisca, costruisca, costruiamo, costruiate, costruiscano. *Part. pass.*: costruíto o costrútto (usato più comunemente come sostantivo). Significa: fabbricare, fare, mettere insieme le varie parti di un edificio, di una macchina o anche di un discorso. Per quest'ultimo significato, V. COSTRUZIONE.

costruzióne: in grammatica è l'ordine con il quale si succedono i vari elementi della proposizione. Si distinguono due tipi di costruzione: diretta e indiretta (o inversione). La costruzione *diretta* o *regolare* si ha quando gli elementi della proposizione si succedono secondo l'ordine naturale: soggetto, predicato, complemento diretto, complementi indiretti. Es.: *Io leggo il libro*; *Tu sei buono*; *Egli ara la terra del suo campo.*

La costruzione indiretta o *inversione* si ha quando, per mettere in rilievo uno degli elementi della proposizione, lo si pone all'inizio della frase mutando l'ordine normale di successione. Es.: *Leggo il libro, io*; *Sei buono tu*; *Del suo campo egli ara la terra*; *Buono sei tu*. Come si vede le frasi assumono, mutando la collocazione delle parole, sfumature di significato diverso. L'inversione, che non obbedisce a nessuna regola fissa, ha appunto lo scopo stilistico di permettere allo scrittore di mettere in rilievo queste diverse sfumature e intenzioni espressive.

Per la *costruzione a senso*, V. SILLESSI.

costúi: pronome dimostrativo, maschile singolare. Indica persona materialmente o idealmente vicina a chi parla o a chi ascolta. Plurale: *costoro*. Femminile: *costei, costoro*. Usato anche in senso spregiativo. Es.: *Non voglio aver niente a che fare con costui*; *Carneade, chi era costui?*

cotàle: pronome e aggettivo dimostrativo. Usato raramente. Significa: tale. Talora con valore spregiativo (*certi cotali*). Pure disusato è l'aggettivo COTANTO, che vale: tanto.

cotèsto: termine specifico con il quale si indica il sistema di relazioni all'interno del testo. È quindi il contesto linguistico, in opposizione al contesto extralinguistico (referenti, circostanze, scopi, ecc.).

cotésto: aggettivo *dimostrativo* (V.), usato per indicare persona, cosa, animale lontano da chi parla o scrive e vicino a chi legge o ascolta. Es.: *Dammi cotesto libro che hai in mano*; *Non mi piace cotesta idea.* Più comune la variante *codesto*. Usato anche come pronome. Es.: *Dei due libri scelgo codesto.*

cotolétta: è francesismo. Bisogna dire e scrivere: costoletta.

cóvo: sostantivo maschile che significa: tana, rifugio, caverna. Es.: *Il cacciatore snidò la lepre dal covo*; *La polizia irruppe nel covo dei falsari*. Il sostantivo femminile CÓVA indica invece il covare degli uccelli. Es.: *Le galline sono in cova.*

cràsi: nella linguistica e nella metrica antica, contrazione tra l'ultima vocale di una parola o del dittongo finale di essa con la vocale o il dittongo iniziale di quella successiva. Era indicata con un segno (ʼ) detto *coronide*. Es.: *ta̓lla* per *ta` ́lla* Nella metrica classica e moderna corrisponde alla sinalefe.

-crate: terminazione di parole che indica

no potente, capo, dominatore: *autocrate, plutocrate, tecnocrate, fisiocrate.*

-crazía: terminazione di molte parole della terminologia politica. Deriva dal greco e significa *potere.* Ecco alcune parole composte con *-crazía*: *aristocrazia* (potere dei nobili, dei migliori), *burocrazia* (potere delle pubbliche amministrazioni), *democrazia* (potere del popolo), *fisiocrazia* (dottrina economica che considera la terra unica fonte della ricchezza), *partitocrazia* (potere dei partiti), *teocrazia* (potere della casta sacerdotale). Gli aggettivi derivati terminano in *-cràtico* (plurale: *-cratici*): *aristocratico, burocratico, democratico, fisiocratico, partitocratico, teocratico.*

creatività: in linguistica due sono le accezioni prevalenti di creatività: la creatività governata da regole e la creatività che modifica le regole. Secondo la prima accezione, la lingua si comporta come un "calcolo": a partire da un numero finito di elementi (vocabolario) e di regole (sintassi), si possono produrre infinite frasi, la maggior parte delle quali ha un carattere creativo in quanto non sono mai state prodotte prima e comunque risultino comprensibili ai parlanti quella lingua. Secondo l'altra accezione, la lingua ha la facoltà di porsi al di fuori delle proprie regole, di mantenere "aperti" vocabolario e sintassi, non solo storicamente, ma anche nel momento stesso in cui si produce l'atto linguistico. Gli "errori", per esempio, sono una manifestazione della creatività linguistica.

crédere: verbo della seconda coniugazione. Transitivo. Nel costrutto implicito può reggere direttamente l'infinito senza la preposizione *di.* Es.: *Credeva d'aver vinto*; *Credevamo aver segnato.*

crèma: sostantivo femminile, usato come il francese *crème* per indicare: il fior fiore, il meglio, la parte eletta. Ha però un significato ironico.

cremaglièra: sostantivo femminile. Francesismo per: ingranaggio, dentiera, incastro. *Ferrovia a cremagliera*: ferrovia a dentiera.

cremería: sostantivo femminile. Francesismo per: latteria, gelateria.

crepacuòre: nome composto da una forma verbale (crepa) e un sostantivo maschile singolare (cuore). Plurale: crepacuòre. V. anche COMPOSTI (NOMI).

créscere: verbo irregolare della seconda coniugazione, intransitivo. *Pass. rem.*: crebbi, crescesti, crebbe, crescemmo, cresceste, crebbero. *Part. pass.*: cresciúto. Ausiliare: essere; anche transitivo, specie nel senso di allevare (*Egli è cresciuto in casa mia*; *Ti ho cresciuta da bambina*).

crètico: nell'antica metrica greca e latina, piede di cinque tempi, composto da una breve situata tra due lunghe (– ◡ –). Originario dell'isola di Creta e legato al culto di Apollo (vedi *iporchema* e *peana*), era usato in varie combinazioni. Sinonimo di *anfibraco.*

cric: parola francese (pr.: crik) per indicare lo strumento usato dai meccanici per sollevare le ruote dell'automobile. Si trova italianizzato in *cricco*, ma è meglio usare il corrispondente italiano: martinetto.

-crino: nel linguaggio medico, terminazione delle parole attinenti alla secrezione: *endocrino.*

crio-: dal greco, vale: freddo. Si usa per parole del linguaggio scientifico: *crioanestesia, criogenía, crioterapia.*

cripto-: primo elemento di parole composte. Vale: segreto, nascosto. Es.: *criptocomunista, criptonimo.*

criso-: d'origine greca, prefisso che significa: oro. Es.: *crisografia, crisoelefantino.*

criterium: parola derivata da una voce tardo-latina a sua volta derivata dal greco, erroneamente pronunciata alla francese (criteriòm) e da leggersi invece critèrium. Usata nel linguaggio sportivo per indicare una corsa di puledri di due anni che serve come elemento di giudizio (criterium significa appunto giudizio) per le corse future. In generale: prova decisiva, importante gara sportiva, importante riunione (*criterium degli assi*).

crittografía, crittogràmma: crittografia si dice un sistema segreto di scrittura, in cifra o codice, e crittogramma è il testo così composto. Dal famoso quanto semplice sistema usato da Giulio Cesare (che sostituiva ad ogni lettera quella che la seguiva nell'alfabeto di tre posti), la crittografia ha conosciuto notevoli sviluppi. Tra i sistemi più noti di crittografia, alcuni consistono nello spostamento o nell'inversione dei caratteri del testo da cifrare, altri nella sostituzione dei caratteri con segni cifrati convenzionali, altri, infine, sono misti, ossia consistono di entrambe le precedenti operazioni eseguite in successione.

crocifíggere: verbo irregolare della seconda coniugazione, transitivo. *Pass. rem.*: crocifissi, crocifiggesti, crocifisse, crocifiggemmo, crocifiggeste, crocifissero. *Part. pass.*: crocifisso.

-cromia, -cromo: terminazioni di parole composte attinenti al colore o ai colori: *policromia* (=di vari colori), *monocromo* (=di un solo colore).

crònaca: in letteratura, la narrazione dettagliata e lineare, sul modello degli annali antichi, dei fatti accaduti durante un certo periodo di tempo in una città o in uno Stato. Celebre quella appassionata (la «Cronica») della Firenze dantesca redatta da Dino Compagni. Più in generale, resoconto, relazione, reportage.

crono-: prefisso di origine greca che significa *tempo*. Usato per formare varie parole composte. Es.: CRONOGRAFIA (studio delle date dei fatti storici), CRONOGRAFO (strumento per registrare l'istante in cui avvengono certi fenomeni), CRONOMETRO (strumento per misurare il tempo), CRONOLOGIA (studio del tempo in relazione alla storia; studio delle date storiche).

cronoscalàta: sostantivo femminile. È una parola-macedonia coniata nel linguaggio sportivo. Significa: scalata a cronometro di un monte, tappa a cronometro in salita. Fu usata la prima volta nel Giro d'Italia 1956 per indicare la tappa a cronometro Bologna-S. Luca, che per la sua eccezionale brevità (m 2450) fu detta anche *microtappa*, cioè piccola tappa.

-ctono: terminazione di parole con il significato di: originario, proveniente dalla terra di, nativo. Es.: *autoctono.*

cucíre: verbo della terza coniugazione, transitivo. *Pres. indic.*: cucio, cuci, cuce, cuciamo, cucite, cuciono. *Pres. cong.*: cúcia, cúcia, cúcia, cuciamo, cuciate, cúciano. *Imper.*: cuci, cucia, cuciamo, cucite, cuciano. *Part. pass.*: cucíto.

cúi: pronome relativo, invariabile nel genere e nel numero (vale cioè per il maschile e il femminile, il singolare e il plurale). È usato come complemento, sempre preceduto da preposizione. Non può essere adoperato come soggetto, mentre è antico o letterario in funzione di complemento oggetto. Perciò può essere sostituito dalle forme composte del pronome relativo (il quale, la quale, i quali, ecc.), ma mai da *che*. Esempi: *Ho visto lo spettacolo, di cui era entusiasta*; *Mi hai indicato l'uomo, con cui dovrò parlare*; *Ti indicherò la persona a cui* (meglio che *cui* semplicemente) *dovresti rivolgerti*. Con valore di specificazione, *cui* è usato prima del nome e preceduto dall'articolo determinativo, con caduta della preposizione *di*. Es.: *L'autore, le cui opere sono ora pubblicate, era sconosciuto*. È considerato improprio l'uso di *cui* con valore neutro nel senso di: la qual cosa nella locuzione *per cui*, da sostituire con: per la qual cosa, perciò. Es.: *È giovane e perciò* (non: per cui) *può sbagliare*. V. anche RELATIVI (PRONOMI).

-cultore: secondo elemento di parole composte, equivalente a *-coltore* (V.).

cultúra: V. COLTURA.

cuòcere: verbo irregolare della seconda coniugazione, transitivo. *Pres. indic.*: cuocio, cuoci, cuoce, cuociamo, cuocete, cuociono. *Pass. rem.*: còssi, cuocesti, cosse, cuocemmo, cuoceste, cossero. *Pres. cong.*: cuocia, cuocia, cuocia, cuociamo, cuociate, cuociano. *Part. pass.*: cotto o cuociúto. *Gerundio semplice*: cuocendo.

cuòio: sostantivo maschile sovrabbondante. Al plurale: i cuoi. Es.: *Preparare i cuoi per le scarpe*. Ma nel senso di pelle umana al plurale fa: le cuoia. Es.: *Tirar le cuoia* (=morire).

cupro-: primo elemento di parole composte, usate nel linguaggio tecnico e scientifico, attinenti al rame. Es.: *cuproalluminio*, *cuproterapia.*

curriculum: voce latina (pr.: currículum) che indica la carriera burocratica, professionale o scientifica di una persona, specie negli avvisi pubblicitari. È apparso di recente il tentato adattamento italiano *currícolo.*

custodíre: verbo della terza coniugazione, transitivo. In alcuni tempi si coniuga con la forma incoativa *-isc-* tra il tema e la desinenza. *Pres. indic.*: custodisco, custodisci, custodisce, custodiamo, custodite, custodiscono. *Pres. cong.*: custodisca, custodisca, custodisca, custodiamo, custodiate, custodiscano. *Imperativo*: custodisci, custodisca, custodiscano. *Part. pass.*: custodíto.

D

d: quarta lettera dell'alfabeto. Si chiama *di*. Si considera di genere femminile o maschile, sottintendendo rispettivamente *lettera* o *segno*: una *d*, il *d*. È consonante *esplosiva* perché si pronuncia con una specie di esplosione della voce. È consonante *dentale* perché si pronuncia avvicinando la lingua ai denti.
Si aggiunge alla preposizione *a* e alle congiunzioni *e* ed *o* quando sono seguite da parola che comincia con vocale per impedire l'incontro di due vocali che renderebbe difficile una chiara pronuncia. Es.: *ad* amici; *ed* ecco; *ad* interrompere; *ed* ella; *od* altri. Si chiama allora *d eufonica*.
Nelle iscrizioni latine è abbreviazione di *Decius, Decimus, decurio, dies, dedit, divus, dominus*. Come numero romano vale 500; scritto con una lineetta sopra ($\overline{D}$) vale 5000.

da: preposizione semplice propria. Non si apostrofa mai, salvo in alcune locuzioni avverbiali: *d'altro lato, d'altronde, d'ora in poi*. Composta con l'articolo determinativo forma le preposizioni articolate *dal, dallo, dalla, dai, dagli, dalle*. Sia nella forma semplice che in quella articolata introduce i seguenti complementi: agente (*Fui chiamato da Ambrogio*); causa efficiente (*Egli fu bruciato dal fuoco*); causa (*Eravamo sfiniti dalla fatica*); moto da luogo (*Vengo da Parigi*); moto a luogo (*Andare dal padre*); stato in luogo (*Abitare dallo zio*); origine, provenienza (*Fra' Giacomino da Verona*; *La somma ricavata dalla vendita*); scopo (*Legna da ardere*); tempo (*È da due giorni che ti aspetto*; *Sono arrivato da ieri*); separazione (*Mi allontanai da lui*; *Una striscia di terra ci divideva dal mare*); limitazione (*Chiuso da una parte*); qualità (*Un uomo dai capelli grigi*); prezzo (*Un giocattolo da pochi soldi*).
Da ha poi altri valori: sostituisce *come* prima di un'apposizione o di un complemento predicativo (*Trattare uno da amico*), indica età o condizione (*da bambino, da professore*). Particolari significati ha quando è seguito da un verbo all'infinito, indicando ora necessità passiva e convenienza (*Un lavoro da rifare*), ora conseguenza (*Tanto sciocco da crederci*), ora una relazione temporale incoativa (*L'ho amata da quando l'ho vista per la prima volta*; *L'ho intuito dal momento stesso che è entrato*).
Usato come prefisso, *da* vuole il raddoppiamento della consonante iniziale della parola a cui si unisce. Es.: *dabbene, daccapo, dapprima*.

dà: terza persona singolare del presente indicativo del verbo *dare* (V.). Si accenta per distinguerla dalla preposizione *da* (V.). *Da'* (o ancora *dà*) è la seconda persona dell'imperativo di *dare*. Es.: (*dà*, presente indicativo di dare) *Mio padre non mi dà mai nulla*; (*da*, preposizione) *Sono stato punito da tutti*; (*da'*, imperativo di dare) *Da' questi soldi a chi li ha meritati*; *Da' il tuo aiuto ai compagni*. Si noti infine che *da'* è anche apocope di *dai*, preposizione articolata.

dabbàsso: avverbio di luogo che significa: in basso, in luogo inferiore. Es.: *Egli era dabbasso*. Usata anche la forma: da basso.

dacché: congiunzione, ormai poco usata, con valore sia causale che temporale. Es.: *Farò così, dacché lo vuoi* (causale); *Dacché sei partito, non mi parlano più di te* (temporale). Come congiunzione causale equivale a *poiché, giacché*; come congiunzione temporale si preferisce *da quando*.

dàgli: preposizione *articolata* (V.) composta dalla preposizione semplice *da* e dall'articolo *gli* (V.), di cui segue gli usi ortografici. DÀGLI (che si deve scrivere sempre con l'accento) è invece composto dall'imperativo del verbo *dàre* e dal pronome *gli* (=a lui). *Dàgli quel che si merita*; *Dàgli la mano*.

dài: preposizione articolata composta dalla preposizione semplice *da* e dall'articolo *i* (V.), di cui segue gli usi ortografici. DÀI (che si scrive sempre con l'accento) è invece voce verbale, seconda persona singolare del presente indicativo di *dàre*. Es.: *Tu dài il tuo aiuto*; *Non mi dài la mano*. Si usa anche come seconda persona dell'imperativo presente e può assumere quindi valore di esclamazione esortativa con il senso di: orsù. Es.: *Dài, non farti pregare*; *Dài, muoviti!*

dal: preposizione articolata composta dalla preposizione semplice *da* e dall'articolo determinativo *il*. Si usa davanti a nomi maschili singolari che cominciano per consonante, tranne *s* impura, *z, x, ps, gn*. Es.: *dal lavoro, dal piano*.

dàllo: preposizione articolata, composta dalla preposizione semplice *da* e dall'articolo determinativo *lo*, con il raddoppiamento della consonante iniziale dell'articolo voluto dal prefisso *da*. Plurale: *dagli*. Al femminile: *dalla, dalle*. Si elide davanti a vocale solo al singolare. Es.: *dall'uomo, dall'ago, dall'altra, dall'animo; dalle atlete, dalle italiane*.

DÀLLO, DÀLLA, DÀLLE (che si scrivono sempre con l'accento) sono invece forme verbali, composte dalla seconda persona dell'imperativo di *dare* e dalle particelle enclitiche *lo, la, le*, che sono forme atone del pronome di terza persona per il complemento oggetto. Es.: *Dàllo a me, il tuo bastone*; *Hai colto una rosa, ora dàlla a tua madre*; *Ho visto le tue vesti, dàlle pure a chi vuoi*.

dal momento che: locuzione che introduce una proposizione causale. Es.: *Dal momento che ti rifiuti di accompagnarmi, andrò da solo*.

danàro: V. DENARO.

dànza: tipo di ballata della letteratura italiana delle origini che invita appunto alla danza ed è adatta ad accompagnarla. Se segue lo schema metrico della ballata, si chiama danza-ballata, se procede liberamente, sul modello del bals provenzale, si chiama frottola-danza. Ecco la prima strofa di una danza-ballata, la Danza mantovana, di un anonimo del XIII sec.:

«Venite, polcel' amorosi,
madona, vinit'a la danza,
mostrati la vostr' alegranza,
sì como vu' siti zoiosi».

danzànte: participio presente di *danzare*. Significa letteralmente: che danza. Usato, come aggettivo, in espressioni quali: *tè danzante, festa danzante, trattenimento danzante, serata danzante*, scorrette, comunque oggi meno usate. Dirai invece: festa da ballo (più corretto sarebbe: festa di ballo, ma non è forma usata), tè con danze, trattenimento con danze.

dappertútto: avverbio di luogo. Significa: in ogni luogo. Anche scritto separatamente: da per tutto. Es.: *Lo incontro dappertutto*. Sostituisce *dovunque* che è avverbio relativo, da usarsi quindi come congiunzione che introduce una proposizione temporale. Es.: *Ti cercherò dappertutto*; *Ti cercherò dovunque tu vada*.

dappòco: aggettivo indeclinabile. Significa: di nessun valore. *Uomo dappòco*: uomo di nessun valore, inetto, incapace.

dapprèsso: avverbio di luogo. Vale: da vicino. Es.: *Seguirò dappresso tutta la vicenda*.

dàre: verbo irregolare della prima coniugazione, transitivo. *Pres. indic.*: dò, dài, dà, diamo, date, dànno. *Imperf.*: davo, davi, dava, davamo, davate, davano. *Fut. semplice*: darò, darai, darà, daremo, darete, daranno. *Pass. rem.*: detti (o diedi), desti, dette (o diede), demmo, deste, dettero (o diedero). *Pres. cong.*: dia, dia, dia, diamo, diate, diano. *Cong. imperfetto*: dessi, dessi, desse, dessimo, deste, dessero. *Pres. condiz.*: darei, daresti, darebbe, daremmo, dareste, darebbero. *Imper.*: dài o da', dia, diamo, date, díano. *Part. pres.*: dante. *Part. pass.*: dato. *Gerundio presente*: dando. Sono errate le forme *dassi, dasse, dassimo, daste, dassero* in luogo di *dessi, desse, dessimo*, ecc. dell'imperfetto congiuntivo. Sono pure errate le forme *dammo* e *daste* del passato remoto in luogo di *demmo* e *deste*. Es.: *Se tu mi dessi* (non: dassi) *un po' del tuo danaro*; *Noi demmo* (non: dammo) *molto aiuto*.

Il verbo ha vari usi e significati: trasferire da sé ad altri cose materiali o anche morali (*Mi ha dato un pacco; Mi dà tanti dispiaceri*), augurare (*Mi diede il buon giorno*), affidare (*Ho dato la causa a un buon avvocato*), assegnare (*Gli dà un buono stipendio*), regalare, donare (*Mi ha dato il suo orologio*), giudicare (*Lo dànno per spacciato*), pagare (*Quanto gli hai dato per questo vestito?*), colpire, battere (*Ti dò uno schiaffo*), produrre, procurare (*Questo lavoro dà frutti*), supporre (*Dato che ciò sia possibile, non c'è più da aspettare*), concedere (*Gli diedi il permesso*), partecipare, detto di notizie (*Mi ha dato la buona notizia*), conferíre (*Ti hanno dato il grado di capitano*), collocare in matrimonio (*Voglio dare mia figlia a un buon giovane*), far credere (*A me non la dài a bere*), vendere (*Mi voleva dare la villa per trenta milioni*), aiutare (*Dammi una mano*). Al riflessivo vale: arrendersi (*Si è dato prigioniero*), dedicarsi (*Si dà alla pittura*), rassegnarsi (*Non vuol darsi vinto*), fuggire (*Se la diedero a gambe*), accadere (*Si dà il caso che qualcuno mi ha parlato di te*; *Può darsi che ciò non sia vero*), fingere (*Non se ne dava per inteso*). Usato intransitivamente (ausiliare: avere) ha i seguenti significati: colpire (*Diede nel bersaglio*), stordire (*Il vino dà alla testa*), battere, rincorrere, percuotere (*Dàgli all'untore!*), volgere, corrispondere (*La finestra che dà sul corso*), colpire la vista, farsi notare (*È un tipo che dà nell'occhio*), produrre nausea o nervosismo (*Questo odore mi dà allo stomaco*; *Queste cose mi dànno ai nervi*), prorompere (*Diede in un pianto dirotto*), tendere, accostarsi, detto di colore (*È una tinta che dà nel rosso*), impazzire (*Diede fuori di matto*; ma è uso dialettale scorretto), mettersi di proposito, d'impegno in una cosa (*Bisogna darci dentro in questo lavoro*; anche questo scorretto).

Come *fare* (V.), anche *dare* è un verbo di cui spesso si abusa; è bene, quando è possibile, sostituirlo con un verbo specifico. Ecco un breve elenco esemplificativo di locuzioni assai comuni per le quali è bene usare, in luogo del generico *dare*, un verbo più proprio: dar fuoco (*appiccare*), dar coraggio (*infondere*), dare il movimento (*imprimere*), dare il posto (*cedere*), dare una punizione (*infliggere*), dar le prove (*fornire*), dar la colpa (*incolpare*), dare ordini (*impartire*), dare il veleno (*propinare*), dar la vita (*offrire* o *sacrificare*), dare un colpo (*assestare*), dare appuntamento (*fissare*), dare il premio (*assegnare*), ecc.

dàta: indicazione del giorno, mese, anno in cui una cosa è stata scritta o fatta. Si scrive in cifre, preceduta dall'avverbio *addí* o dall'articolo disusato *li* (=i, gli). Es.: *addí 4 novembre 1918*; *Roma, li 12 gennaio 1948*. Queste sono però formule antiquate e burocratiche. Meglio il solo articolo determinativo (*il 1° agosto 1989*) o indeterminativo (*accadde un 27 luglio d'anni fa*). Es.: *Verrò il 4 ottobre p.v.* (prossimo venturo); *Rispondo alla vostra del 16 febbraio u.s.* (ultimo scorso); *Ho ricevuto la tua lettera del 18 c.m.* (corrente mese); *Cesare morì nel 44 a.C.* (avanti Cristo); *Correva l'anno 1932 E.V.* (èra volgare). Per il primo giorno del mese si usa il numero ordinale (*il primo gennaio, il primo novembre*); per tutti gli altri giorni si usa il cardinale (*il tre ottobre, il sei dicembre, l'otto agosto*; *il sei di novembre, il nove di febbraio*). Nelle iscrizioni e nelle lapidi si usano ancora i numeri romani. Es.: MCMXXXVII (1937), MCMXVIII (1918). I secoli dopo il Mille possono essere indicati solo con le centinaia precedute da un apostrofo. Es.: *i pittori del '300*; *i poeti del '600*; *gli scrittori del '900.* Unica eccezione: l'Ottocento, per evitare l'incontro di due apostrofi (Es.: *i pittori dell'Ottocento* non *dell' '800*). I nomi dei secoli si scrivono con lettera maiuscola. Es.: *il Duecento, il Trecento, il Quattrocento, il Settecento.* Possono anche essere indicati con numeri romani. Es.: il sec. XIV (il '300), il sec. XX (il '900). Nelle date i nomi dei mesi si possono scrivere con lettera maiuscola o con lettera minuscola ed anche con i numeri romani o arabi. Es.: *il 16 gennaio 1958*; *il 1° Novembre 1918*; *3/4/58*; *3/IV/58.*

datàre (a) da: l'espressione è impropria. Si deve dire: incominciando da..., a partire da. Parimenti eviterai l'espressione *a far data da...* per: cominciando da, a partire da. Es.: *A partire da oggi* (non: a datare da oggi; non: a far data da oggi) *mi scriverai tutti i giorni.*

datívo ètico: il caso in cui, con un pronome personale, ci si riferisce ad una persona come se su di essa terminasse l'azione del verbo, mentre si tratta di un'espressione di senso figurato con cui si vuole esprimere interessamento e partecipazione affettiva nei confronti dell'interlocutore. Es.: *Che* mi *fai, perché non mangi?; Sono andato al cinema e sai chi* t*'ho visto?*

dàto: sostantivo maschile, usato nel linguaggio scientifico e giuridico nel senso di: fatto accertato, vero. Es.: *L'intelletto opera sui dati della conoscenza sensibile; Il giudice pretende dati di fatto, non parole.* Si abusa di questo vocabolo, nel senso di: elementi, notizie, misure, dimensioni. Es.: *Non ho i dati* (=elementi) *per accusarlo; Si attendono i dati* (=le cifre) *delle elezioni provinciali; Ho preso i dati* (=le misure, le dimensioni) *dell'edificio.*
Come aggettivo significa: dedito (*Un giovane dato agli stravizi*), determinato (*Da usarsi solo in date circostanze*), permesso, consentito (*Questa facoltà è data solo ai privilegiati*). Significa anche: ammesso. Es.: *Date queste premesse* (=ammesso ciò), *derivano conseguenze disastrose; Dato che non vuoi* (=ammesso che non vuoi: poiché non vuoi), *non insisto.*

datóre: sostantivo maschile. Colui che dà (Es.: *datore di lavoro*). Al femminile: datrìce.

dàttilo: uno dei piedi fondamentali dell'antica metrica greca e latina, formato da quattro tempi, scanditi da una sillaba iniziale lunga seguita da due brevi (–́ ∪ ∪). Di ritmo discendente (la prima sillaba è accentata), appartiene al genere «uguale», ovvero la lunga corrisponde a due brevi. È presente nella grande poesia epica nella forma dell'esametro dattilico. Prende il nome dal dito (in greco *dáktylos*), in quanto con esso si batteva il tempo. Secondo un'altra interpretazione, il nome fa riferimento alle tre falangi, di cui la prima è più lunga e le altre due corte.

davànti: preposizione impropria. Significa: innanzi, in presenza di, in cospetto. Si costruisce con la preposizione propria *a*. Es.: *Era davanti a me; Disse questo davanti a suo padre.* Antiche o letterarie le costruzioni con *da* o *di* e quella diretta. Es.: «*Davanti San Guido*» (Carducci) Come avverbio significa: di fronte, nella parte anteriore. Es.: *Non lo vidi perché era davanti; Si fece una macchia davanti.* Usato talora come sostantivo per indicare la parte anteriore. Es.: *La sarta prepara il davanti del vestito; Urtammo il davanti dell'automobile.* Come aggettivo, significa: anteriore. Es.: *I posti davanti; i denti davanti.*

davvéro: avverbio che significa: in verità, veramente. Rafforza una affermazione. Es.: *Mi sono proposto davvero* (sul serio, senza scherzi) *di correggerti.* Nelle proposizioni interrogative indica invece dubbio. Es.: *Ma dici davvero?*

de: preposizione semplice. Forma arcaica di *di* usata in poesia quando seguono gli articoli *lo, la, le.* Es.: *de la novella piova.* Si usa anche quando segue il titolo di un'opera o giornale che comincia con articolo determinativo. Es.: *Ho letto alcune pagine de «La fiaccola sotto il moggio»; È un cronista de «La Gazzetta». De'* è apocope di *dei* e si usa davanti a consonante, tranne *s* impura, *z, x, ps, gn.* È comunque uso toscano. Es.: *Uno de' miei; tre de' tuoi.*

de-: prefisso che indica negazione, privazione, cessazione: *deporre, decentrare, detrarre, decongelare, denuclearizzare, decolorare, depilare, depistare, destabilizzare.* Talvolta ha però valore rafforzativo: *degustare, decedere, delirare, depurare, derubare, designare, deturpare, detonare.* L'analoga forma *di* ha valore privativo (*diboscare, dirozzare*) o rafforzativo (*dileguare, dibattere, discendere, divampare*).

deaggettivali: si dice di parole derivate la cui base di partenza è un aggettivo. Es.: *freddezza* da *freddo, caldeggiare* da *caldo, beatificare* da *beato, piacevolmente* da *piacevole.*

deavverbiali: parole derivate la cui base di partenza è un avverbio. Es.: *pressappochismo* da *pressappoco.*

débole (forma): la forma debole di un verbo è quella che segue la coniugazione regolare. Quindi si può anche dire: forma regolare. Debole è, in particolare, la forma verbale in cui l'accento cade sulla

vocale della desinenza. Es.: *am-ài, lod-àva, tem-éssi*. *Forte* o irregolare è invece la forma verbale in cui l'accento cade sulla sillaba del tema. Es.: *pré-si, scopèr-si, ví-sto*.
È debole anche la forma atona del pronome personale che svolge la funzione di complemento e che nel discorso si appoggia al verbo. Es.: *Non* ti *dico*.

debosciàto: francesismo da *débauché* (pr.: deboscé). Colui che conduce vita sregolata e licenziosa. Può essere dunque sostituito con: viziato, dissoluto, sregolato, o con circonlocuzioni.

debútto: sostantivo maschile. È un francesismo, usato per indicare la prima rappresentazione di un attore o di una compagnia. Come termine teatrale è ormai nell'uso. Es.: *Il debutto della Valli come attrice di prosa*; *Il debutto della compagnia dialettale è fissato per domani*. Il termine, per estensione, è usato per indicare la presentazione in pubblico di un artista, di un atleta, o comunque di persona che inizia un'attività. Es.: *Alla TV abbiamo assistito al debutto di una nuova annunciatrice*; *Il debutto del calciatore sudamericano nel ruolo di mezz'ala*; *È il mio debutto come uomo politico*. Non si deve abusare però di questa parola, che può essere sostituita da vocaboli italianissimi: prima rappresentazione, prima prova, esordio, inizio. Si dovrà altresí evitare l'uso del verbo DEBUTTÀRE, sostituendolo con: cominciare, esordire, dare la prima rappresentazione o recita, inaugurare. Es.: *Ha cominciato* (non: debuttato) *come romanziere*; *Stasera dà la prima rappresentazione* (non: debutta) *la nuova compagnia di rivista*. A sua volta il participio e aggettivo DEBUTTÀNTE si può sostituire con: esordiente, principiante.

dèca: componimento poetico di dieci versi, affine all'ottava. È formato da quattro distici a rima alterna e da un quinto a rima baciata (AB AB AB AB CC).

deca-: prefisso di origine greca che significa *dieci*. Ecco i composti più comuni: DECACÒRDO (arpa di dieci corde), DÉCADE (periodo di dieci giorni), DECAÈDRO (figura geometrica solida a dieci facce), DECÀGONO (figura piana a dieci angoli), DECAGRÀMMO (misura di dieci grammi), DECÀLITRO (misura di dieci litri), DECÀLOGO (elenco di dieci comandamenti), DECÀMETRO (misura di dieci metri), DECASÍLLABO (verso di dieci sillabe), DECÀSTILO (tempio ornato con dieci colonne), DÈCATHLON (competizione sportiva comprendente dieci prove).

decàlogo: nome sdrucciolo terminante in *-go*, che al plurale finisce in *-ghi*: decàloghi.

decasíllabo: nella metrica italiana, verso di dieci sillabe. Ha gli accenti ritmici sulla terza, sesta e nona sillaba, che producono un ritmo ternario ascendente (detto per questo anche anapesto-dattilico) con una cesura (|) dopo il primo accento ritmico.
Es.: *S'ode a dèstra* | *uno squíllo di trómba* (A. Manzoni)
La cesura si dice debole se segue di una, o, più raramente, due sillabe atone successive alla sillaba tonica (come nell'esempio precedente); forte, se invece coincíde con la sillaba tonica.
Es.: *Oh terròr!* | *Del conflitto esecràndo* (A. Manzoni)
È metro tipico della poesia risorgimentale.
Una variante è costituita dal decasillabo trocaico, codificato da G. Chiabrera, con accenti sulla terza, settima e nona sillaba, creato per imitare il decasillabo alcaico.

decèsso: sostantivo maschile che significa: morte. Termine da limitare all'uso burocratico.

decídere: verbo della seconda coniugazione, transitivo. *Pass. rem.*: decisi, decidesti, decise, decidemmo, decideste, decisero. *Fut. semplice*: deciderò, deciderai, deciderà, decideremo, deciderete, decideranno. *Part. pass.*: decíso. Significa: risolvere (liti, questioni, ecc.). Es.: *Egli decise equamente la lite*. Meno proprio è l'uso di questo verbo nel senso di stabilire, fissare. Es.: *Fu stabilita* (e non: decisa) *la chiamata alle armi del secondo scaglione*. È scorretto poi usare *decidere* intransitivamente. Es.: *Quel fatto ha deciso del mio destino*. Dirai: *Quel fatto ha determinato il mio destino*. Al riflessivo significa: risolversi, deliberare. Es.: *Ti sei deciso?*; *Mi son deciso a parlare*.

dècima ríma: metro popolare dell'antica poesia italiana, derivato dalla ballata, composto di tre coppie di endecasillabi a rima alterna (AB AB AB), seguiti da un gruppo di endecasillabi (tetrastico), di cui i primi tre rimanti tra loro e il quarto rimante con il secondo verso delle tre coppie (CCCB). Aveva inoltre la peculiarità di riprendere all'inizio di ogni strofa le ultime parole (o la parola importante) di quella precedente.

decisióne: sostantivo femminile che indica l'atto del decidere, la definizione di un contrasto. Meno proprio il senso di: risolutezza, determinazione. Ma il termine DECISIONÍSMO, di recente fortuna, deriva da questa accezione.

decíso: participio passato di *decidere* (V.). Aggettivo qualificativo, che significa: risolto, definito. Es.: *lite decisa, scelta decisa.* Meno proprio è l'uso in luogo di fermo, risoluto. Es.: *È un uomo deciso* (meglio: risoluto, energico). *È un delinquente deciso a tutto* (meglio: pronto a tutto, capace di tutto); *In questa impresa bisogna essere decisi* (risoluti, energici, fermi). Ne deriva l'avverbio DECISAMÉNTE che significa propriamente: in maniera decisa, risolutiva; è invece male usato, sul modello francese, nel senso di: certamente, assolutamente, senza dubbio. Es.: *Hai decisamente torto!*

declassàre: verbo della prima coniugazione, transitivo. Francesismo, che significa: retrocedere a una classe inferiore. È voce da evitare, salvo nel linguaggio tecnico dei trasporti ferroviari. Es.: *Hanno declassato due vetture di prima*; *Questa è una vettura declassata.* In senso morale e figurato dirai: retrocedere, degradare. Invece di *declassato* dirai: decaduto, retrocesso, destituito.

declinàre: verbo della prima coniugazione, transitivo. In grammatica significa recitare le forme che le parti variabili del discorso, in special modo i nomi, assumono secondo il genere e il numero. V. *Declinazione.* Il verbo è usato (non troppo elegantemente) anche nel senso di: rifiutare, respingere. Es.: *Ha declinato l'invito*; *Declino ogni responsabilità*; *Il nuovo sindaco ha declinato l'incarico.* Si usa poi nell'espressione burocratica: *declinare le proprie generalità*, nel senso di: fornire, dichiarare il proprio nome (che è forma più corretta e da preferirsi). Usato intransitivamente (ausiliare: avere), significa: tramontare, scemare, diminuire. Es.: *La fortuna declina*; *Il sole ha declinato dietro i monti.*

declinazióne: il complesso delle variazioni subite dal nome, dall'articolo, dall'aggettivo e dal pronome, cioè dalle prime quattro parti variabili del discorso. La quinta è il verbo, che non si declina, ma si coniuga (V. *Coniugazione*).
La declinazione dei nomi riguarda la modificazione delle desinenze secondo il *genere* e secondo il *numero.* Es.: *cavall-o (o* desinenza del maschile singolare), *cavall-a* (*a* desinenza del femminile singolare), *cavall-i* (*i* desinenza del maschile plurale), *cavall-e* (*e* desinenza del femminile plurale). In altre lingue (ad es., in quella latina e in quella tedesca) i nomi mutano desinenza anche secondo il caso, cioè secondo la funzione svolta dalla parola nel discorso. In italiano i casi sono invece rappresentati dalle preposizioni che reggono i vari complementi.
I nomi italiani sono divisi in tre declinazioni: la *prima* ha la desinenza *-a* per il singolare maschile o femminile (*la rosa, il poeta*), *-e* per il plurale femminile (*le rose*), *-i* per il plurale maschile (*i poeti*); la *seconda* ha la desinenza *-o* per il singolare maschile o femminile (*il prato, la mano*), *-i* per il plurale maschile o femminile (*i prati, le mani*); la *terza* ha la desinenza *-e* per il maschile o femminile singolare (*il paese, la rete*), *-i* per il maschile o femminile plurale (*i pesci, le reti*).
I nomi che restano invariati al plurale si dicono *indeclinabili.*
V. anche NOME, FEMMINILE, PLURALE, GENERE, NUMERO.

decòllo: sostantivo maschile che indica lo staccarsi dell'aereo dalla pista d'involo. Inutile francesismo la forma amplificata *decollaggio.*

dedúrre: verbo irregolare della seconda coniugazione, transitivo. *Pass. rem.*: dedussi, deducesti, dedusse, deducemmo, deduceste, dedussero. *Part. pass.*: dedótto. Significa: arguire, inferire, desumere; anche: togliere, sottrarre. Es.: *Dedus-*

si da quelle parole che non aveva pagato; *Da ciò deduci la mia innocenza*; *Bisogna dedurre le spese dei nostri viaggi.*

deferíre: verbo della terza coniugazione, intransitivo. Ausiliare: avere. In alcuni tempi si coniuga con la forma incoativa *-isc-* tra il tema e la desinenza. *Pres. indic.*: deferisco, deferisci, deferisce, deferiamo, deferite, deferiscono. *Pres. cong.*: deferisca, deferisca, deferisca, deferiamo, deferiate, deferiscano. *Imper.*: deferisci, deferisca, deferiscano. *Part. pass.*: deferito. Significa: conformare la propria opinione a quella altrui, rimettersi al parere di qualcuno. Si costruisce con la preposizione *a*. Es.: *Deferisca al giudizio della maggioranza.* Più usato oggi nella costruzione transitiva nel senso di: rimettere al giudizio del tribunale. Es.: *Lo deferirono al tribunale.*

deficiènte: aggettivo qualificativo che significa: mancante, insufficiente. Detto di persona, significa: idiota, frenastenico. È scorretta la forma *deficente* (come *deficenza* rispetto alla forma corretta *deficienza*).

dèficit: parola latina che significa: manca (è terza persona singolare del presente indicativo del verbo *defícere*, mancare). Usato come sostantivo con il significato di: passivo, disavanzo. Es.: *Quest'anno abbiamo avuto un deficit di dieci milioni*; *Il deficit del bilancio dello Stato è in aumento.* Dal sostantivo deriva l'aggettivo DEFICITÀRIO, che però è bene sostituire con le locuzioni: in perdita, in disavanzo, passivo. Es.: *La società ha un bilancio deficitario* (in disavanzo, passivo).

definíre: verbo della terza coniugazione, transitivo. In alcuni tempi si coniuga con la forma incoativa *-isc-* tra il tema e la desinenza. *Pres. indic.*: definisco, definisci, definisce, definiamo, definite, definiscono. *Pres. cong.*: definisca, definisca, definisca, definiamo, definiate, definiscano. *Part. pass.*: definíto. Significa: determinare, stabilire, risolvere, dichiarare l'essenza di una cosa. Es.: *La questione fu definita in tutti i particolari*; *Così Socrate definisce il concetto di virtù.*

deflèttere: verbo della seconda coniugazione, intransitivo. Ausiliare: avere. *Pass. rem.*: deflessi (deflettei), deflettesti, deflesse (deflетté), deflettemmo, defletteste, deflessero (deflетterono). *Part. pass.*: deflettúto o deflèsso. Significa: piegare, volgere, deviare. Al figurato: cambiar opinione, piegarsi, cedere. Es.: *Non ha deflettuto dal suo proposito.*

degeneràre: verbo della prima coniugazione che significa: peggiorare, tralignare, decadere. È intransitivo e si coniuga con entrambi gli ausiliari. Es.: *La libertà è degenerata in licenze*; *La manifestazione ha degenerato.*

dégli: preposizione articolata composta dalla preposizione semplice *di* (che diventa *de*) e dall'articolo determinativo *gli* (V.), di cui segue gli usi ortografici. È usata come *articolo partitivo* (V.), ma non bisogna abusarne, specialmente nel caso che sia preceduto da preposizione. Es.: *Vidi degli amici*; *Ho mangiato degli zuccheri*; *Ero con alcuni studenti* (non: con degli); *Parlò ad alcuni uomini* (non: a degli); *Preparò per alcuni ospiti* (non: per degli).

degradàre: si tende oggi a distinguere nettamente l'uso di questo verbo da quello dell'allotropo DIGRADÀRE, benché abbiano in comune etimo e significato originario. Il primo dunque, usato in prevalenza come transitivo, vale: privare del grado; in senso figurato: avvilire, umiliare. Es.: *Delitti che degradano il genere umano.* Il secondo, usato per lo più come intransitivo (ausiliare: avere), significa: scendere gradatamente verso il basso; in senso figurato: diminuire progressivamente d'intensità. Es.: *Le colline digradano dolcemente verso il lago*; *Il rumore va digradando.*

dèh!: interiezione che esprime desiderio o preghiera. Es.: *Deh foss'io pur con voi qui sotto!*

déi: preposizione articolata composta dalla preposizione semplice *di* (che diventa *de*) e dall'articolo determinativo *i* (V.), di cui segue gli usi ortografici. Si usa come *articolo partitivo* (V.), ma è sconsigliabile nel caso che sia preceduta da un'altra preposizione. Es.: *per alcuni motivi* (non: per dei), *con alcuni metalli* (non: con dei). DÈI è invece il plurale di *dio* e conviene scriverlo con l'accento grave sulla *e*.

deíssi: in linguistica, la funzione degli elementi che precisano il discorso nel tempo (es.: *oggi, domani, prima, dopo*) o nello spazio (*questo, quello*).

deìttico: dicesi di elemento usato per la deissi. Ad esempio, hanno valore deittico i pronomi dimostrativi *questo, quello* che situano nello spazio (vicino a chi parla o vicino a chi ascolta) ciò che si nomina.

dél: preposizione articolata composta dalla preposizione semplice *di* (che diventa *de*) e dall'articolo determinativo *il*. Si usa davanti ai nomi maschili singolari che cominciano per consonante, tranne *s* impura, *z, x, ps, gn*. Davanti ai nomi maschili singolari che cominciano per vocale, *s* impura, *z, x, ps, gn*, si usa DÉLLO, preposizione articolata composta da *di* e dall'articolo *lo*. Per i nomi maschili plurali V. *dei, degli*. Per i nomi femminili si usano DÉLLA (*di* più *la*) e DÉLLE (*di* più *le*). La forma singolare si elide davanti a vocale. Es.: *del cane, dello Stato, dei cani, degli Stati; della casa, dell'anima, delle amiche, delle statue*.
Tutte le forme di questa preposizione articolata si usano come *articolo partitivo* (V.), ma non bisogna abusarne. Nel caso poi che la preposizione partitiva sia preceduta da altra preposizione conviene senz'altro ometterla. Es.: *Ho mangiato del pane*; *Mi occorre dello stagno*; *Desidero della minestra*; *Colse delle rose*; *Lo condisco con olio* (non: con dell'olio); *Lo disse con malizia* (non: con della malizia); *Andò con alcune amiche* (non: con delle amiche).

delíbera: sostantivo femminile, forma abbreviata di *deliberazione*, che è modo più corretto. Significa: risoluzione, ordinanza. Usato soprattutto per indicare le decisioni delle giunte collettive.

deliberatívo (genere): nella retorica antica il genere che aveva come fine di promuovere una scelta politica da parte dell'assemblea dei cittadini.

delúdere: verbo irregolare della seconda coniugazione, transitivo. *Pass. rem.*: delusi, deludesti, deluse, deludemmo, deludeste, delusero. *Part. pass.*: delúso. Significa: ingannare, tradire, render vana la speranza. Es.: *Deluse la nostra attesa*; *Quel ragazzo mi ha deluso.*

demagògo: sostantivo maschile. Al plurale: demagòghi. Aggettivo: *demagogico*. Plurale: demagogici.

demarcazióne: sostantivo femminile. È francesismo. Si può sostituire con le parole italiane: confine, limite. *Linea di demarcazione*: linea di confine, linea di separazione, di divisione.

demeritàre: verbo della prima coniugazione, transitivo. Significa: non meritare. Es.: *Egli ha demeritato la fiducia degli amici.* Usato intransitivamente (ausiliare: avere) significa: aver demerito, rendersi immeritevole nei confronti di qualcuno o di qualcosa. Es.: *Per questi errori ha demeritato*; *Non ha demeritato della scuola.*

demiúrgo: sostantivo maschile. È un nome piano terminante in *-go*. Plurale: demiurgi.

demo-: prefisso d'origine greca che significa: popolo. Forma molte parole di significato politico, con riferimento a: popolo, democrazia. Es.: DEMOCRAZÍA (governo del popolo), DEMOGRAFÍA (scienza del numero e della qualità della popolazione), DEMAGOGÍA (l'arte di conquistare il favore popolare con false promesse e lusinghe), DEMOLOGÍA (studio sulle tradizioni popolari e sulle società umane). DEMOCRISTIÀNO (della democrazia cristiana).

demolíre: verbo della terza coniugazione, transitivo. In alcuni tempi si coniuga con la forma incoativa *-isc-* tra il tema e la desinenza. *Pres. indic.*: demolisco, demolisci, demolisce, demoliamo, demolite, demoliscono. *Pres. cong.*: demolisca, demolisca, demolisca, demoliamo, demoliate, demoliscano. *Imper.*: demolisci, demolisca, demoliscano. *Part. pass.*: demolíto. Significa: abbattere, distruggere (detto soprattutto di edifici). Al figurato: distruggere, rovinare. Es.: *Fu demolita la vecchia stazione*; *La difesa ha demolito il castello dell'accusa*; *Con quella requisitoria lo hai demolito.*

dèmone: sostantivo maschile. Significa: divinità, essenza divina e quindi genio, spirito. Es.: *Wilde fu il demone del decadentismo*; *Era posseduto dal demone dell'arte.* DEMÒNIO è invece usato per indicare il diavolo, lo spirito del male della teologia cristiana. Es.: *Il demonio si è impadronito della sua anima*; *Il demonio non è poi brutto come lo si dipinge.*

denàro: sostantivo maschile. Significa: moneta, soldo, quattrini. La forma *danaro* è un doppione, senza diversità di significato. L'ultima forma è da considerarsi meno corretta, in quanto meno fedele all'etimo latino (*denarius* = moneta di dieci assi).

denominàli: parole derivate la cui base di partenza è un nome. Es.: *piantare* da *pianta*, *amorevole* da *amore*, *parolaio* da *parola.*

denominazióne (complemento di): è un tipo di complemento di specificazione, in quanto specifica il nome proprio di un nome generico dal quale è retto per mezzo della preposizione *di*. Es.: Il lago *di Como*; La città *di Firenze*; La provincia *di Milano*; Il soprannome *di Africano*; L'appellativo *di Giusto*; Il nome *di Renzo*; Il cognome *di Manzoni*; Il giorno *di Natale*; La mattina *di domenica*; Il mese *di luglio.*

Il complemento di denominazione talora si costruisce senza preposizione, e in tal caso il nome comune ha valore di apposizione. Si noti la differenza: *il nome di Renzo* (= il nome di chi si chiama Renzo), e *il nome Carlo* (nome ha qui valore di apposizione).

denotàre: verbo della prima coniugazione, transitivo. *Pres. indic.*: dénoto, dénoti, dénota, denotiàmo, denotàte, dénotano. Ma è ormai invalsa la pronuncia piena: denóto, denóti, denóta. Significa: indicare, mettere in rilievo. Es.: *Questo fatto denota la sua ignoranza.*

denotaziòne: il significato proprio di una parola. Per es., denotazione di *bandiera* è per convenzione «un drappo di stoffa attaccato ad un'asta ecc.»), in contrapposizione a connotazione, per cui *bandiera* può significare anche, per esempio, «nostalgia» per l'esule che osserva quella del proprio paese.

dentàli (consonanti): le consonanti *d* e *t* che si pronunciano avvicinando la lingua ai denti. Appartengono alla categoria delle consonanti *esplosive*, perché non si possono pronunciare se non unite a vocale e si pronunciano con una specie di esplosione della voce. La *t* ha un suono sordo, la *d* un suono sonoro.

déntro: avverbio di luogo. Significa: nella parte interna. Es.: *Entrò dentro*. Anche in senso figurato: nell'intimo, nel cuore. Es.: *Sento dentro una tale nostalgia!* È usato anche nell'espressione: darci dentro (Es.: *In quella impresa ci ha dato dentro con tutta l'anima*), ma è espressione dialettale da evitare (meglio: impegnarsi a fondo, mettercisi con volontà). Nel linguaggio comune: *andar dentro* (andare in prigione, esser rinchiuso in carcere).

Dentro, come preposizione, si costruisce direttamente o con le preposizioni *a* o *di*, e significa: in, nel. Es.: *Dentro alla scatola*; *Dentro di te* (la costruzione con *di* è obbligatoria quando *dentro* precede pronomi personali); *Dentro la casa*; *Dentro il castello.*

Esser dentro a una cosa: essere a parte di essa (ma è più usato: essere addentro). Es.: *Egli è addentro ai segreti.*

denúncia o **denúnzia:** sostantivo femminile. Plurale: denúncie o denunce o denunzie. Quando si vuol indicare la dichiarazione di nullità, è meglio usare: *disdetta*. Es.: *Disdetta* (meglio che: denuncia) *di un trattato* o *di un contratto.*

deóntica (modalità): modalità dell'azione del verbo servile *dovere* che esprime necessità, obbligo. Es.: *A quel punto dovrà pur dire la verità*. L'azione del dire è obbligata da altro soggetto, da altra volontà o desiderio, che può essere indeterminata. Es.: *Dovrà pur cessare di piovere.*

deperíre: verbo della terza coniugazione, intransitivo. Ausiliare: essere. In alcuni tempi si coniuga con la forma incoativa *-isc-* tra il tema e la desinenza. *Pres. indic.*: deperisco, deperisci, deperisce, deperiamo, deperite, deperiscono. *Pres. cong.*: deperisca, deperisca, deperisca, deperiamo, deperiate, deperiscano. *Part. pass.*: deperíto.

depórre: verbo irregolare della seconda coniugazione, composto di *porre* (V.). Transitivo. *Pass. rem.*: deposi, deponesti, depose, deponemmo, deponeste, deposero. *Part. pass.*: depòsto. Significa: porre giù, abbandonare (*Il nemico depose le armi*), far abdicare o dimettere (*Il re fu deposto*). Come intransitivo (ausiliare:

avere) vale: testimoniare (*Ha deposto per te*).

deprecazióne: diversamente dal suo corrente significato, nella retorica antica il termine indica la parte dell'orazione con cui si fa appello alla clemenza dei giudici in favore di un reo confesso di cui si recitano i meriti. Più in generale, nella letteratura antica e medievale, la deprecazione è quella parte del discorso rivolta a commuovere qualcuno per scongiurare un pericolo.

de profundis: locuzione latina che indica una preghiera del rito cattolico in suffragio dei defunti. È considerata un sostantivo maschile indeclinabile. Es.: *Recitammo un de profundis*.

deputàto: participio passato di *deputare*. Come sostantivo, indica colui che è delegato a fare o dire alcunché. In particolare, è il rappresentante del popolo, membro del Parlamento. Al femminile: *deputata* (e non: deputatessa). Si noti che si deve dire: deputato *al* Parlamento (non: del Parlamento) perché l'espressione vuol dire colui o colei che dalla fiducia degli elettori è stato mandato *al* Parlamento per rappresentarli.

derivàte (parole): parole derivate da altre, dette *primitive*, mediante l'aggiunta di *prefissi* (V.) o *suffissi* (V.). Es.: *canile* da cane, *umano* da uomo, *femminile* da femmina, *giocare* da gioco, *artisticamente* da arte, *inutile* da utile, *antireligioso* da religioso. Come si vede, la *derivazione* è il processo che da una *base* costituita da un nome (base nominale), un aggettivo (base aggettivale) o un verbo (base verbale) porta alla formazione di una nuova parola, detta appunto derivata. L'elemento aggiunto (*affisso*) è detto *prefisso* se è aggiunto all'inizio (*pre*vendita, *ante*lucano, *ante*porre), *suffisso* se aggiunto alla fine (gioca*tore*, gioche*rellare*, gioco*samente*), *infisso* se è aggiunto dentro la base (demo*pluto*cratico).

Se la base di partenza è un nome si hanno derivate *denominali*, se è un aggettivo *deaggettivali*, se è un verbo *deverbali*, se un avverbio *deavverbiali*.

Compiendo l'analisi delle parole si dovrà distinguere la *radice* da ogni altra parte aggiunta. Le parole primitive sono invece formate solo dalla *radice* e dalla *desinenza*. Es.: *vero* è parola primitiva (*ver*- tema; *-o* desinenza dell'aggettivo, maschile, singolare), *verismo* è parola derivata (*ver*- tema; *-ismo* suffisso che indica corrente, movimento spirituale); *uomo* è parola primitiva, *umanesimo* è parola derivata (*uman*- tema; *-esimo* suffisso indicante corrente, movimento spirituale), *superumano* è ancora parola derivata (*super*- prefisso indicante superiorità, *uman*- tema, *-o* desinenza del maschile singolare). V. anche NOME.

derma-, -derma: primo o, rispettivamente, ultimo elemento di parole composte, del linguaggio scientifico e medico. Significa: pelle. Es.: *dermatologo, pachiderma, dermatozoo*. Si usa anche DERMO-: *dermosifilopatico, dermochelide*.

derogàre: verbo della prima coniugazione, intransitivo. Ausiliare: avere. *Pres. indic.*: dèrogo, dèroghi, dèroga, deroghiàmo, derogàte, dèrogano. Significa: non ottemperare a quanto stabilito in precedenza; contravvenire, mancare, togliere vigore a una norma. Si costruisce con la preposizione *a*. Es.: *Non ha derogato minimamente alle leggi vigenti*; *In quella occasione si derogò al regolamento*.

descrittíva (grammatica): la descrizione delle strutture di una lingua condotta sulla base di un corpus rappresentativo di frasi rilevate presso i parlanti quella lingua (comprese anche quelle non del tutto ortodosse). La grammatica descrittiva si definisce in contrapposizione alla *normativa*, che introduce criteri di accettabilità sociale nella regolarità delle frasi, e alla *generativa*, che indaga anche la struttura profonda, non solo superficiale, delle frasi.

desideràre: verbo della prima coniugazione, transitivo. Ha il costrutto esplicito (*Desidero che tu mi ascolti*) e quello implicito con il solo infinito (*Desidero conoscere tutti i particolari*).

desinénza: terminazione delle parole. Nella parole appartenenti alle *parti variabili del discorso* (V.) muta secondo le varie esigenze della *flessione*, che si divide in *declinazione* (per i nomi, gli aggettivi, i pronomi) e *coniugazione* (per i verbi). Le parole variabili hanno una parte che rimane sempre uguale, detta *tema* o *radice*, e una parte mobile, detta appunto *desinenza*. Nei nomi, negli aggettivi, nei pronomi e negli articoli la desinenza indica il genere e il numero; nei verbi indica il modo, il tempo, il numero e la persona. Per mezzo della desinenza si può flettere il tema originario in tanti modi diversi, in relazione al bisogno di pensare un oggetto o un fatto nei suoi diversi aspetti. Prendiamo, ad esempio, il tema *lod-*. Con la desinenza *-e* (lode) possiamo indicare una cosa, e precisare che è di genere femminile, numero singolare; con la desinenza *-i* (lodi) il nome diventa plurale, indica una molteplicità. Con la desinenza *-o* (lodo) esprimiamo un'azione precisando la persona che la compie (io), e anche che l'azione è certa e si svolge ora mentre scrivo o parlo. Se aggiungiamo la desinenza *-erebbe* (loderebbe) il significato muta profondamente: l'azione è compiuta dalla terza persona singolare (egli), ma non è più certa e reale bensì condizionata o desiderata. Si noti però che mentre le parole primitive sono composte solo dal tema e dalla desinenza, le parole derivate sono composte anche con *prefissi* o *suffissi*. Dal tema originario si possono formare perciò ancor più numerose parole. Riprendiamo il tema *lod-*. Con l'aggiunta del suffisso *-evol-* si forma una nuova parola che indica la qualità di una cosa (un aggettivo qualificativo): *lodevol-*. A questa si aggiungono poi le desinenze indicanti il genere e il numero: *lodevole, lodevoli*. V. anche DECLINAZIONE, CONIUGAZIONE.

desístere: verbo della seconda coniugazione, intransitivo. Ausiliare: avere. *Pass. rem.*: desistei (desistetti), desistesti, desisté (desistette), desistemmo, desisteste, desisterono (desistettero). *Part. pass.*: desistíto. Significa: rinunciare, cessare, finire; si costruisce con la preposizione *da*. Es.: *Non ha desistito dal suo tentativo*; *Non desistette mai dall'incoraggiarlo.*

dèspota: sostantivo maschile. Significa: tiranno, padrone assoluto. Al plurale: dèspoti. Si noti che nei derivati la *e* si cambia in *i*: dispotico, dispotismo, dispoticamente. È ormai caduta in disuso la forma *dèspoto*.

destituíre: verbo della terza coniugazione, transitivo. In alcuni tempi si coniuga con la forma incoativa *-isc-* tra il tema e la desinenza. *Pres. indic.*: destituisco, destituisci, destituisce, destituiamo, destituite, destituiscono. *Pres. cong.*: destituisca, destituisca, destituisca, destituiamo, destituiate, destituiscano. *Part. pass.*: destituíto o destitúto. Significa: deporre da una carica o da un ufficio. Es.: *Il governatore fu subito destituito.* Il participio passato, usato anche come aggettivo, significa talora: privo, mancante. Es.: *La notizia è destituita di ogni fondamento.*

desúmere: verbo della seconda coniugazione, transitivo. *Pres. indic.*: desúmo, desumi, desume, desumiamo, desumete, desumono. *Pass. rem.*: desunsi, desumesti, desunse, desumemmo, desumeste, desunsero. *Part. pass.*: desúnto.

detective: parola inglese (pr.: ditèctiv) che significa: investigatore, agente investigativo pubblico o privato. È invalsa nell'uso nostro con la voga dei romanzi polizieschi o «gialli».

determinatívi (aggettivi): gli aggettivi che precisano, nei riguardi del nome, il possesso, la posizione, la quantità o il numero. Si distinguono perciò in: *possessivi, dimostrativi, quantitativi, numerali* (V. voci relative). V. anche AGGETTIVO.

determinatívo (articolo): V. ARTICOLO DETERMINATIVO.

détta: sostantivo femminile, usato solo nella locuzione *a detta di* (secondo, al dire di). Es.: *A detta sua, tu saresti poco diligente*; *A detta di tua sorella, egli non sarebbe ancora partito.* Il sostantivo maschile DÉTTO significa invece: motto, aforisma, sentenza. Es.: *Ti ricordi quel detto di Esopo?*; *Questo è un detto popolare.*

dettàglio: sostantivo maschile. È un francesismo. Si può sostituire con termini italiani secondo i casi. *Vendita al dettaglio*: vendita al minuto. *Dettaglio di una narrazione*: particolare, ragguaglio. *Relazione dettagliata*: particolareggiata, minuta, con tutti i particolari, circostanziata. Naturalmente invece di DETTAGLIÀNTE dirai: venditore al minuto; e invece di DETTAGLIATAMÉNTE dirai: particolareggiatamente, minutamente, per filo e per segno.

dettàto: componimento poetico in forma di serventese con contenuto didattico. Anche *detto*. Famoso il *Detto del Gatto lupesco*, composto di distici monorimi di versi polimetri, opera di anonimo del XIII secolo.

deus ex machina: locuzione latina. Indicava il dio che, nel teatro greco, calava sulla scena, per mezzo di un congegno meccanico, allo scopo di sciogliere il nodo drammatico. La locuzione è rimasta nell'uso per significare l'intervento di una persona, al momento opportuno, per risolvere le difficoltà di una situazione pericolosa e intricata.

deverbàli: parole derivate la cui base è costituita da un verbo. Es.: *cantabile* da *cantare*, *parabile* da *parare*, *lodevole* da *lodare*, *canticchiare* da *cantare*, *tenuta* da *tenere*, *giacimento* da *giacere*.

deviàre: verbo della prima coniugazione, intransitivo. Ausiliare: avere. *Pres. indic.*: devío, devíi, devía, deviàmo, deviàte, devíano. Significa: abbandonare una via per prenderne un'altra. Usato anche transitivamente, nel senso di: distogliere, sviare; anche al figurato: sviare, corrompere. Es.: *A questo punto si devía a sinistra*; *Ha deviato dalla strada del bene*.

de visu: locuzione latina, rimasta nell'uso per significare: visto coi propri occhi, per veduta diretta.

devòlvere: verbo della seconda coniugazione, transitivo. *Pass. rem.*: devolvetti (devolvei), devolvesti, devolvette, devolvemmo, devolveste, devolvettero (devolverono). *Part. pass.*: devolúto. In origine indicava: rivolgere, rotolare, fluire. Oggi è usata nel senso di: far passare altrove, assegnare ad altri un diritto o una somma di denaro. Es.: *Ha devoluto la sua eredità alla Chiesa*; *La somma fu devoluta ad opere assistenziali*.

dí: sostantivo maschile che significa: giorno. Usato quasi esclusivamente in poesia o nei composti: *addí* (premesso alle date: *addí 28 febbraio 1927*), *mezzodí* (mezzogiorno). Si scrive sempre con l'accento per distinguerlo della preposizione *di* (V.). *Di'* è invece la seconda persona singolare dell'imperativo del verbo *dire*; si scrive per lo più con l'apostrofo. Es.: *Oggi è il primo giorno di febbraio* (*di* è preposizione); *Non torneranno più quei bei dí* (*dí* è sostantivo); *Di' con chi sei stato* (*di'* è voce verbale).

di: preposizione semplice propria. Si elide davanti a vocale (*d'altro, d'oggi, d'anima, d'uomo*). Composta con l'articolo determinativo forma le preposizioni articolate *del, dello, della, dei, degli, delle*. Sia nella forma semplice che in quella articolata, introduce i seguenti complementi: *specificazione* (La rosa *del* giardino); *specificazione partitiva* (Uno *di* noi; Il migliore *degli* allievi), anche in senso assoluto, con significato di: un po' di (Avere *del* denaro; Abbiamo *delle* stoffe); *paragone* (Più buono *di* te; Meno audace *di* me); *tempo determinato* (*di* sera; *d'*estate, *di* buon'ora); *materia* (Una statua *di* bronzo; Un vestito *di* lana); *argomento* (Una lezione *di* fisica; Parlare *di* arte; Scrivere *di* filosofia); *origine* (Vengo *di* lontano; Sono *di* Torino; Franco Bianchi *di* Enrico); *mezzo* (Colmare *di* lodi; Ferir *di* spada); *causa* (Morir *di* sete); *qualità* (Essere *di* buon auspicio; Artista *di* talento); *modo* o *maniera* (Andar *di* corsa; Lavorare *di* buona lena); *abbondanza* e *difetto* (Ricco *di* concetti; Povero *di* idee; Pieno *di* errori); *limitazione* (Toscano *di* nascita; debole *d'*udito); *colpa* (Accusato *di* adulterio); *denominazione* (L'isola *di* Caprera); *appartenenza* (Il «Decamerone» *di* Giovanni Boccaccio); *possesso* (La casa *di* Paolo; L'ombrello *di* mio padre); *moto da luogo* (Muoversi *di* casa; *Di* contrada in contrada); *prezzo* (Una pelliccia *di* un milione).

La preposizione *di* ha inoltre valore distributivo (*di tre in tre*). Tra le *locuzioni prepositive* composte con *di*, notiamo: a forza di, per mezzo di, a causa di, in procinto di.

La preposizione *di* si usa anche davanti all'infinito (*Tentai di fuggire*; *Credo di sbagliarmi*; *Ti prego di rispondermi*).

di-: prefisso che, come l'analogo DE-, indica discesa (*dirupo, discesa*), privazione, cessazione (*disperare, dimettere*) o rafforzamento (*distillare, diradare, dipingere, dimagrire*). Da non confondersi con il DIche indica raddoppiamento: *dicotomia, digamma, difonia, diodo.*

dia-: prefisso che significa: attraverso. Es.: *diafania* (trasparenza), *diacronia* (nel corso del tempo).

diacrítici (segni): si dice del segno che, aggiunto ad una lettera, ne modifica il valore fonetico. Ogni lingua ha i suoi segni diacritici tipici. Es.: in italiano sono gli accenti, acuto e grave; in francese e in altre lingue è la cediglia che, posta sotto la lettera *c* davanti ad *a, o* e *u*, le dà il valore di *s* sorda e aspra. La maggior parte dei segni diacritici sono indicati nell'alfabeto fonetico internazionale (IPA).

diacronía: l'aspetto della lingua che concerne il suo mutamento attraverso il tempo. *Linguistica diacronica* si chiama il settore che si occupa dello studio della lingua in questa dimensione, in contrapposizione a sincronía, l'aspetto della lingua che concerne il suo stato in un determinato momento storico.

diàfora: lo stesso di antanaclasi, sebbene taluno le distingua in quanto nella diafora la ripetizione della parola, con connotazione o significato diverso, avverrebbe nella stessa frase, mentre nell'antanaclasi avverrebbe nelle battute di un dialogo.

dialèfe: fenomeno metrico simile allo *iato* (V.) che si verifica tra due vocali (poste rispettivamente alla fine di una parola e all'inizio della successiva) le quali andrebbero normalmente soggette ad elisione. È dunque il contrario della *sinalefe* (V.). Per es., nel verso carducciano «*Né io sono per anco un manzoniano*» abbiamo dialefe tra *né* e *io*.

dialettalísmi o **dialettísmi:** voci o modi dialettali, cioè propri del dialetto. V. IDIOTISMI.

dialètto: una lingua, completa di una propria fonologia, di una propria grammatica e di un proprio lessico, con una propria tradizione culturale e talora letteraria, attestata in un'area geografica interna ad un territorio in cui altra è la lingua nazionale o ufficiale. DIALETTÒFONO è colui che parla il dialetto.

dialettología: lo studio storico e descrittivo, talora comparato, dei dialetti. Si dice anche geografia linguistica, in quanto studia in particolare la distribuzione geografica dei vari dialetti e i rapporti tra le aree di diffusione di ciascun sistema linguistico e i processi evolutivi che lo hanno interessato nel tempo.

diàlisi: in grammatica, l'interruzione dell'ordine di un discorso mediante un inciso posto tra parentesi. Errata la pronuncia *dialísi*.

diàllage: in retorica, figura di parola, particolare procedimento di accumulazione che consiste nel condurre ad un'unica conclusione l'esposizione di diversi argomenti, di cui almeno uno sia rappresentato attraverso dei sinonimi. Es.: *Vorrebbe* stare con te, al tuo fianco, non lasciarti mai più, *per esserti sempre* fedele, compagna, amica, moglie, *dedicare insomma tutta la sua vita alla tua felicità.*

diària: sostantivo femminile che indica una indennità giornaliera assegnata a impiegati e funzionari in trasferta. Il sostantivo maschile DIÀRIO indica invece un quaderno ove si registrano i fatti della giornata. Es.: *Ai viaggiatori è assegnata una diaria di mille lire al giorno*; *I viaggiatori compilano il diario del loro viaggio.*

diàstole: sostantivo femminile. Nella metrica italiana indica lo spostamento dell'accento verso la fine della parola per esigenze di versificazione. Es.: *geométra* per geòmetra, *Ettòre* per Èttore, *Aràbi* per Àrabi. La figura contraria è la *sistole* (V.).

diàtesi: la forma del verbo con riguardo al rapporto tra soggetto e oggetto. Può essere *attiva* quando il soggetto compie l'azione, *passiva* quando il soggetto subisce l'azione, *riflessiva* quando soggetto e oggetto coincidono.

diatríba: sostantivo femminile. Meno usata, anche se più corretta, la pronuncia *diátriba*.

dichiaratíva (proposizione): dichiarativa o *esplicativa* è quella proposizione subordinata o coordinata che compie l'ufficio di spiegare, chiarire, dichiarare ciò che è detto nella reggente. È introdotta solitamente dalle congiunzioni *che, come* (subordinanti) oppure *cioè, infatti, ossia* (coordinanti). Il verbo si pone in genere al modo indicativo. Es.: Affermò *che* *non aveva assistito al fatto*; Tu sei reticente, *ossia non vuoi parlare*; Non abbiamo nulla da sperare: *infatti abbiamo perso*.

dichiaratíve (congiunzioni): congiunzioni che introducono una proposizione dichiarativa. Sono congiunzioni dichiarative *coordinanti: infatti, cioè, invero*. Es.: Non possiamo replicare nulla: *infatti avete ragione*; Non ho potuto far nulla, *cioè non son riuscito*; Non poté trattenersi, *invero era troppo tardi*. Le congiunzioni dichiarative *subordinanti* introducono una dichiarativa oggettiva. Esse sono: *che* e *come*. Es.: Crediamo *che tu sia generoso*, Ti dico *che sarai lodato*, Gli avevano detto *come avrebbe dovuto comportarsi*.

didéntro: avverbio. Anche: di dentro. La forma unita è usata come sostantivo per indicare la parte interna di un oggetto. Es.: *Ripulí il didentro del recipiente*.

dièɡesi: il contenuto narrativo di un racconto, così come si svolge sotto gli occhi del lettore, prescindendo dalle modalità della narrazione.

dièresi: segno ortografico (¨) usato per indicare, specie in poesia, che due vocali non formano *dittongo* (V.), e si devono pronunciare separatamente a differenza dell'uso comune. Si pone sulla vocale atona o sulla semivocale del dittongo. Es.: *pïo, grazïoso, vïola*.

Nella metrica classica si dice della *cesura* che cade alla fine di una parola.

dièsi: vedi CHIÀVE.

diétro: avverbio e preposizione impropria. Come preposizione si può costruire sia con la preposizione *a*, sia unita direttamente al nome. Es.: *Dietro alla facciata; Dietro la chiesa*. Davanti ai pronomi personali è obbligatoria la costruzione con *di*. Es.: *Camminava dietro di voi*. Si costruisce con la preposizione *a* anche davanti a pronomi personali se la frase esprime l'idea di moto a luogo. Es.: *Andò dietro a voi*; *Andava sempre dietro a lei*.

È scorretto l'uso di *dietro* in talune locuzioni in cui vale: per effetto di, dopo, a cagione di. Es.: *dietro versamento* (contro versamento), *dietro sua richiesta* (a sua richiesta), *dietro presentazione* (all'atto della presentazione), *dietro compenso* (per un compenso). *Esser dietro a fare*: è forma dialettale; dirai: star facendo. Es.: *Sto leggendo* (non: Son dietro a leggere). Come avverbio significa: nella parte posteriore. Es.: *Egli sedeva dietro*; *Noi rimanemmo dietro*. Come sostantivo si usa: *didietro*. Es.: *Dipinse il didietro dell'automobile*.

difèndere: verbo irregolare della seconda coniugazione, transitivo. *Pass. rem.*: difesi, difendesti, difese, difendemmo, difendeste, difesero. *Part. pass.*: diféso.

difensóre: sostantivo maschile, e anche aggettivo. Al femminile: difenditríce o difensòra.

difettàre: verbo della prima coniugazione. Significa: mancare, aver difetto. Si costruisce con la preposizione *di*. È intransitivo e si coniuga con l'ausiliare avere. Es.: *La società difetta di organizzazione*; *L'esercito ha difettato di viveri*; *A lui difetta la fantasia*.

difettívi (nomi): nomi che mancano di uno dei due numeri: o del singolare o del plurale. Molti di essi lo sono perché nell'uso comune si impiegano solo al singolare o solo al plurale. Mancano del singolare i femminili: *calende, idi, nari, nozze, brache, mutande, cesoie, forbici, stoviglie, sartie, esequie, spezie, rigaglie, dimissioni, gramaglie*; i maschili: *calzoni, occhiali, dintorni, annali, sponsali*. Mancano del plurale: *copia* (abbondanza), *pepe, miele, fame, sete, sego, brio*, i nomi dei metalli (salvo quando non assumono i significati speciali: *gli ori, le ghise*), i nomi propri (salvo alcuni casi): V. PROPRI (NOMI).

difettívi (verbi): verbi dei quali si usano solo alcune voci. Le altre o non sono mai esistite o sono cadute in disuso. I più comuni: addírsi, affàrsi, aggradàre, àngere, ardíre, arrògere, asciòlvere, aulíre, calére, càpere, còlere, consúmere, divedére, esímere, fallàre, fèrvere, gíre, íre, lícere, lúcere, mólcere, prúdere, rècere, rièdere, solére, súggere, tàngere, tralúcere, úrgere, vértere, vígere.

differénte: participio presente di *differíre*, usato come aggettivo qualificativo. Può introdurre una proposizione comparativa: *Era molto differente da come ce l'aspettavamo*.

differíre: verbo della terza coniugazione, intransitivo. Ausiliare: avere. In alcuni tempi si coniuga con la forma incoativa *-isc-* tra il tema e la desinenza. *Pres. indic.*: differisco, differisci, differisce, differiamo, differite, differiscono. *Pres. cong.*: differisca, differisca, differisca, differiamo, differiate, differiscano. *Part. pass.*: differíto. Significa: esser diverso, distinguersi. Es.: *Quella razza differisce poco dalla nostra*; *I due prodotti differiscono solo nel prezzo, non nella qualità*. Usato transitivamente, il verbo significa: rimandare, rinviare. Es.: *Dovette differire il suo arrivo*; *La decisione fu differita*.

diffidàre: verbo della prima coniugazione, intransitivo. Ausiliare: avere. Si costruisce con la preposizione *di*. Significa: non fidarsi, sospettare. Es.: *Bisogna diffidare di lui*; *Egli diffida di tutti*. Usato transitivamente significa: intimare di fare o non fare una cosa. Es.: *Lo diffidò a presentarsi in Questura*; *Lo diffidammo dal ripetere quel gesto*.

diffóndere: verbo della seconda coniugazione, transitivo. *Pass. rem.*: diffusi, diffondesti, diffuse, diffondemmo, diffondeste, diffusero. *Part. pass.*: diffúso. Significa: spargere, divulgare. Es.: *La lampadina diffondeva la luce in tutta la stanza*; *Bisogna diffondere questa notizia*. Al riflessivo significa anche: scrivere o parlare a lungo su un argomento. Es.: *Nella sua lettera si diffonde sulle condizioni della sua regione*.

diffusóre: sostantivo maschile e anche aggettivo. Al femminile: diffonditríce.

digeríre: verbo della terza coniugazione, transitivo. In alcuni tempi si coniuga con la forma incoativa *-isc-* tra il tema e la desinenza. *Pres. indic.*: digerisco, digerisci, digerisce, digeriamo, digerite, digeriscono. *Pres. cong.*: digerisca, digerisca, digerisca, digeriamo, digeriate, digeriscano. *Part. pass.*: digeríto. Significa: compiere la digestione, assimilare il cibo. Usato al figurato nel senso di: sopportare, esaminare attentamente. Es.: *Questi son cibi che digerisco bene*; *È un antipatico che non posso digerire*; *Mi son digerito tre volumi di scienza delle finanze*.

digiàmbo: nell'antica metrica greca e latina, successione di due giambi, che costituisce la dipodia giambica, ovvero la più piccola unità di metri giambici. Di ritmo ascendente, appartiene al genere «uguale» (∪ — | ∪ —).

diglossía: si parla di diglossia a proposito di una comunità di parlanti in cui coesistono due lingue comuni, di cui una appartiene alla componente generalmente subordinata sul piano socio-politico, mentre l'altra è la lingua degli usi pubblici e ufficiali, in quanto appartiene alla nazione che ha imposto la sua sovranità su quella comunità. Si differenzia dunque dal *bilinguismo*, che è il possesso di due lingue da parte di un individuo o di una comunità.

digradàre: V. DEGRADÀRE.

digràmma: l'unione di due lettere che indicano un suono unico. In italiano, i digrammi sono sette: *ch, ci, gh, gi, gl, gn, sc.*

Ch e *gh*, davanti a *e* ed a *i*, indicano il suono velare invece che palatale, rispettivamente della *c* e della *g*: *chela*, *chiromante*; *ghetta*, *ghiro*.

Ci e *gi*, davanti a *a, o* e *u*, indicano il suono palatale invece che velare, rispettivamente della *c* e della *g*: *ciao*, *trancio*, *ciurma*; *acqua ragia*, *randagio*, *giusto*.

Gl, seguita da *i*, finale di sillaba, indica il suono palatale invece che velare (salvo poche eccezioni; es.: *glicine*, *glicerina*); se la *i* non è finale di sillaba ma ad essa segue un'altra vocale finale di sillaba, allora si tratta di un *trigramma*, e la *i* non viene quasi pronunciata; es.: *aglio*, *tagliare*, *moglie*.

Gn è sempre digramma, di fronte a tutte le vocali.

Sc indica il suono sibilante palatale sempre, fuorché di fronte a *i* non finale di sillaba, come nel caso di *gl*, in cui si ha *trigramma*; es.: *scemare*, *mesce*, *sciare*, *lascio*, *riusciate*.

Nella teoria dell'informazione, con digramma, ma meglio è dire *bigramma*, viene più semplicemente indicata la coppia di lettere contigue rilevata nell'analisi statistica del testo.

digressiòne: in retorica, l'allontanamento temporaneo dall'oggetto del discorso per trattare temi collaterali ma che svolgano una qualche funzione (di chiarificazione o di approfondimento o di esemplificazione ecc.) del tema principale.

dilettàre: verbo della prima coniugazione. Significa: divertire, dar diletto. Es.:

Gli artisti dilettarono i soldati. L'antiquato uso intransitivo (ausiliare: avere) significa: piacere e si costruisce anche con la preposizione *a*. Es.: *Le buone letture dilettano* (= danno diletto) *a molti.* Al riflessivo significa: provar piacere, e si costruisce con la preposizione *di*. Es.: *Mi diletto di caccia*; *Ti diletti di pittura.*

dilígere: verbo irregolare della seconda coniugazione, transitivo. *Pass. rem.*: dilessi, diligesti, dilesse, diligemmo, diligeste, dilessero. *Part. pass.*: dilètto. Significa: amare, ma più usato, in vece sua, il composto *prediligere.*

diluíre: verbo della terza coniugazione, transitivo. In alcuni tempi si coniuga con la forma incoativa *-isc-* tra il tema e la desinenza. *Pres. indic.*: diluisco, diluisci, diluisce, diluiamo, diluite, diluiscono. *Pres. cong.*: diluisca, diluisca, diluisca, diluiàmo, diluiàte, diluiscano. *Part. pass.*: diluíto. Significa: sciogliere, render più fluido. Al figurato: attenuare, o dire qualcosa con più parole di quelle che sono necessarie. Es.: *Diluí i colori; Diluimmo i rimproveri con acconce parole.*

diluviàre: verbo della prima coniugazione, intransitivo. Usato impersonalmente, si coniuga con gli ausiliari essere e avere. Es.: *Ha diluviato questa notte*; *Qui deve essere diluviato.* Indica il piovere dirottamente. Al figurato: venire in abbondanza, a profusione. Es.: *Allora le circolari diluviavano.*

dimagríre: verbo della terza coniugazione, intransitivo. Ausiliare: essere. In alcuni tempi si coniuga con la forma incoativa *-isc-* tra il tema e la desinenza. *Pres. indic.*: dimagrisco, dimagrisci, dimagrisce, dimagriàmo, dimagrite, dimagriscono. *Pres. cong.*: dimagrisca, dimagrisca, dimagrisca, dimagriamo, dimagriate, dimagriscano. *Part. pass.*: dimagríto. Esiste anche la forma sovrabbondante DIMAGRÀRE della prima coniugazione. Usato anche transitivamente nel senso di: far diventare magro. Es.: *Sei dimagrita*; *La signorina vuol dimagrire*; *Dicono che l'aceto dimagrisca.*

dimenticàre: verbo della prima coniugazione, transitivo. Significa: non ricordare, obliare. Es.: *Ho dimenticato il tuo indirizzo*; *Dimenticò i suoi doveri.* Si costruisce anche in forma riflessiva, seguito dalla preposizione *di*. Es.: *Mi sono dimenticato di te*; *Non si è dimenticato di nulla.* Anche assolutamente. Es.: *Si è dimenticato, perciò non è venuto.* Il costrutto può essere esplicito (*Dimentica che si è impegnato*) o implicito con l'infinito e la preposizione *di* (*Dimentico spesso di spegnere la luce*).

dímetro: nella metrica classica sequenze di due metri uguali, costituiti da quattro piedi nelle successioni giambiche, trocaiche e anapestiche, da due in quelle dattiliche e coriambiche. Nella metrica moderna è fatto coincidere con il senario e il settenario.

diméttere: verbo della seconda coniugazione, transitivo. *Pass. rem.*: dimisi, dimettesti, dimise, dimettemmo, dimetteste, dimisero. *Part. pass.*: dimésso. Significa: licenziare, deporre da un ufficio (e in questo senso è da preferirsi al brutto *dimissionare*). Es.: *Lo dimisero d'autorità dalla carica.* Detto di convalescenti, lasciarli uscire dal luogo di cura. Es.: *I medici l'han dimesso dall'ospedale.* Al riflessivo significa: abbandonare una carica, ritirarsi. Es.: *Si è dimesso dalla carica di sindaco.*

diminuíre: verbo della terza coniugazione, transitivo. In alcuni tempi si coniuga con la forma incoativa *-isc-* tra il tema e la desinenza. *Pres. indic.*: diminuisco, diminuisci, diminuisce, diminuiamo, diminuite, diminuiscono. *Pres. cong.*: diminuisca, diminuisca, diminuisca, diminuiamo, diminuiate, diminuiscano. *Part. pass.*: diminuíto. Significa: render minore, attenuare, ridurre. Es.: *Ha diminuito la sua attività*; *Bisogna diminuire i prezzi.* Usato intransitivamente (ausiliare: essere) significa: diventar minore, impicciolirsi, decrescere. Es.: *Il freddo diminuirà*; *I prezzi sono diminuiti.*

diminutívo: una delle quattro forme di alterazione del nome e dell'aggettivo. Aggiunge all'idea espressa dalla parola un senso di piccolezza. Suffissi caratteristici sono *-ino* (da piede: *piedino*), *-èllo* (da vino: *vinello*), *-étto* (da libro: *libretto*), per il maschile, e *-ina* (da gatta: *gattina*), *-ella* (da contadina: *contadinella*), *-etta* (da casa: *casetta*), per il femminile. Il suffisso

-ino può aggiungersi però anche ai nomi femminili talora provocando un cambiamento di significato (*codino, bocchino*).
Se il nome termina in *-one*, il suffisso si fa precedere da una *-c* (*bastoncino, piccioncello*).
Altri suffissi, con valore di diminutivo e di vezzeggiativo ad un tempo, sono *-icino* (lumicino), *-olino* (pesciolino), *-icèllo* (venticello), *-icciuòlo* (porticciuolo, festicciuola), *-òtto* (leprotto, cucciolotto).
V. anche ALTERAZIÒNE.

dimissióne: sostantivo femminile. È usato quasi sempre al plurale: dimissioni. Indica l'abbandono di un ufficio, di un incarico. Si trovano secondo i casi le seguenti espressioni: accettare, dare, presentare, pretendere, imporre, chiedere, respingere le dimissioni. È meglio invece lasciare all'uso burocratico la pur comune espressione *rassegnare le dimissioni*. Dirai più propriamente: presentare le dimissioni.

dimoràre: verbo della prima coniugazione, intransitivo. Significa: abitare, soggiornare. Si coniuga con entrambi gli ausiliari, ma più comunemente con avere. Es.: *È dimorato a lungo in città, poi in campagna*; *Ha dimorato in questa casa*.

dimostratíve (congiunzioni): le congiunzioni che uniscono due termini, di cui il secondo è la spiegazione o la chiarificazione del primo. Esse sono: *cioè* (Vero, cioè non falso) e *infatti* (Mi sei simpatico, infatti non ti ho mai rimproverato). Si dicono anche *dichiarative*.

dimostratívi (aggettivi): gli aggettivi che indicano un oggetto in relazione di vicinanza o di lontananza (reale o ideale) con chi parla o scrive. Le tre forme principali sono: *questo, codesto* (o *cotesto*), *quello*.
Questo si usa per indicare persona, animale o cosa vicina a chi parla e a chi ascolta; *codesto* per indicare persona, animale o cosa vicino a chi ascolta e lontano da chi parla; *quello* per indicare persona, animale o cosa lontana da chi parla e da chi ascolta. Nel discorso si possono rafforzare con gli avverbi *qui, qua, costì, costà*; *lí, là (questo qui, cotesto costà, quello là)*. Nell'uso burocratico si usano come dimostrativi espressioni quali: il *sopraddetto*, il *predetto*, il *sullodato*. Sono pure dimostrativi: *stesso* (lo stesso discorso), *medesimo* (la medesima cosa), con valore talora rafforzativo (*il generale stesso, la vittima medesima, egli stesso, tu stesso*); e inoltre: *simile* (una simile baraonda), *siffatto* (una siffatta proposta), *tale* (un tale disordine), *certo* (una certa emozione), *altro* (un altro dolore). Questi ultimi aggettivi sono però generalmente compresi tra gli *indefiniti* (V.), di cui hanno propriamente il valore. V. le voci relative ai singoli aggettivi: QUESTO, COTESTO, QUELLO, STESSO, MEDESIMO.

dimostratívi (pronomi): i pronomi che fanno le veci di nomi di persona, animale, cosa, indicandone la vicinanza o la lontananza da chi parla o da chi ascolta.
Hanno forme eguali agli *aggettivi dimostrativi* dai quali si distinguono per il fatto di non essere accompagnati dai nomi.
Le forme uguali a quelle degli aggettivi sono: *questo, cotesto, quello* (V. voci relative). Usati al maschile singolare hanno valore neutro. Es.: *Questo mi addolora* (=questa cosa mi addolora). Nello stesso senso si usa *ciò*, sempre maschile singolare, invariabile.
Non comuni come aggettivi e soltanto nelle veci di nomi di persona si usano *questi, quegli, costui, costei, costoro, colui, colei, coloro*. *Questi* si riferisce a persona vicina, *quegli* a persona lontana, sempre nella funzione di soggetto. *Costui* e *colui* (e le rispettive forme del femminile e del plurale) possono essere invece usati anche come complementi. Es.: *Non ho visto costui*; *Mi rivolsi a costoro*. V. anche le voci relative ai singoli pronomi: QUESTO, COTESTO, QUELLO, QUESTI, QUEGLI, COSTUI, COLUI.

dínamo: sostantivo femminile. È uno dei pochi nomi femminili in *-o*. Invariato al plurale: le dinamo. Il termine è anche il primo elemento di molte parole composte, contenenti il significato di movimento e di energia: *dinamometro, dinamometamorfismo, dinamicizzare*.

dinànzi: preposizione impropria che significa davanti. È seguita dalla preposizione *a*. Es.: *Fu portato dinànzi a suo padre*; *Mi trovai dinànzi a lui*. Altrettanto corretta la forma: dinnanzi.

dintórno: avverbio di luogo. Significa: in ogni parte, intorno, in giro. Es.: *Le truppe erano schierate dintorno.* Anche preposizione impropria costruita con la preposizione semplice *a*. Es.: *Le autorità erano dintorno a lui*. In tali funzioni è ammessa anche la grafia D'INTORNO. Come sostantivo (usato per lo più al plurale) indica le vicinanze, i sobborghi di una città (Es.: *i dintorni di Milano*) oppure le linee esterne di una figura (ma è meglio dire *contorni*).

dío: come nome comune (= divinità pagana) fa al femminile *dèa* e al plurale *dèi*. V. DEI.

dipendènti (proposizioni): le proposizioni che in un periodo dipendono, per il senso o sintatticamente, dalla proposizione principale, di cui completano il pensiero. Sono dette anche *subordinate* (V.) o *secondarie* (V.).

dipendènza dei tempi: il modo e il tempo dei verbi delle proposizioni dipendenti o subordinate sono regolati da leggi generali. Circa l'uso del *modo* si deve tener presente quanto segue: a) l'indicativo è il modo della certezza e della realtà e si usa perciò quando la proposizione reggente esprime certezza. Es.: *È certo che ha rubato*; *So che è partito*; *Lo informai che era tornato*; b) il congiuntivo è il modo del dubbio e della possibilità e si usa quando la proposizione reggente esprime opinione, desiderio, dubbio, possibilità. Es.: *Credo che sia partito*; *Desiderava che fosse risparmiato*; *Dubito che abbia capito*; *È possibile che ciò sia già avvenuto*; *Gli ho chiesto se mi avesse chiamato*. Nell'uso tuttavia si va estendendo il modo indicativo anche nelle proposizioni che dipendono da una reggente che esprime opinione e non certezza. Es.: *Penso che si deve far ciò* (oppure: *che si debba far ciò*, se si vuol mettere in rilievo che si tratta di una opinione). Quanto alla dipendenza dei *tempi* (detta anche *concordanza*), il principio generale è che ad un tempo di tipo presente o futuro (*tempo principale*) nella proposizione reggente deve corrispondere un tempo di tipo presente nella dipendente, mentre ad un tempo di tipo passato (*tempo storico*) nella reggente deve corrispondere un tempo di tipo passato nella dipendente. Tempi *principali* sono: il presente, i futuri e il passato prossimo dell'indicativo, il presente e il passato del congiuntivo, il presente del condizionale e dell'imperativo. Tempi *storici* sono: l'imperfetto, il passato e il trapassato prossimo, il passato e il trapassato remoto dell'indicativo, l'imperfetto e il trapassato del congiuntivo, il passato del condizionale (il passato prossimo e il passato congiuntivo possono essere considerati tanto tempi principali quanto tempi storici). In pratica i casi più frequenti che possono verificarsi sono i seguenti:

a) la reggente ha il verbo al *presente indicativo* (tempo principale) ed esprime certezza. La proposizione dipendente ha il verbo al presente indicativo se l'azione è contemporanea a quella della reggente (*So che vai a scuola*; *Dico che hai ragione*), al futuro semplice se l'azione è posteriore a quella della reggente (*So che andrai a scuola*; *Dico che avrai ragione*), al passato prossimo se l'azione è di poco anteriore a quella della reggente (*So che sei andato a scuola*; *Dico che hai avuto ragione*), al passato remoto se l'azione è molto anteriore a quella della reggente (*So che andasti a scuola; Dico che avesti ragione*);

b) la reggente ha il verbo al *presente indicativo* (tempo principale) ed esprime dubbio, opinione, possibilità. La proposizione dipendente ha il verbo al congiuntivo presente se l'azione è contemporanea o posteriore a quella della reggente (*Temo che tu dica il falso*; *Spero che domani tu faccia il tuo dovere*), al congiuntivo passato se l'azione è anteriore a quella della reggente (*Temo che tu abbia detto il falso*; *Spero che ieri tu abbia fatto il tuo dovere*), o anche al futuro semplice se l'azione è posteriore a quella della reggente (*Temo che tu dirai il falso*; *Spero che domani farai il tuo dovere*);

c) la reggente ha il verbo all'*imperfetto indicativo* (tempo storico) ed esprime certezza. La proposizione dipendente ha il verbo all'imperfetto indicativo se l'azione è contemporanea a quella della reggente (*Sapevo che mentivi*), al condizionale passato se l'azione è posteriore a quella della reggente (*Sapevo che avresti*

(a)

DIPENDENZA dei TEMPI

	Tempo della proposizione reggente	L'azione della subordinata è, rispetto alla reggente:	Tempo della proposizione subordinata
a) *Il verbo della reggente esprime certezza, realtà e il verbo della subordinata va dunque al modo indicativo*	presente indicativo Es.: *Io dico*	contemporanea	- presente indicativo: *che tu sai*
		anteriore	passato prossimo: *che hai saputo* passato remoto: *che sapesti*
		posteriore	- futuro semplice: *che saprai*
	imperfetto indicativo Es.: *Io dicevo*	contemporanea	- imperfetto indic.: *che tu sapevi*
		anteriore	trap. pross.: *che tu avevi saputo* passato remoto: *che tu sapesti*
		posteriore	- condiz. pass.: *che avresti saputo*
	futuro semplice Es.: *Io dirò*	contemporanea	- futuro semplice: *che saprai*
		anteriore	futuro anteriore: *che avrai saputo* passato remoto: *che tu sapesti* passato prossimo: *che hai saputo*
		posteriore	- futuro semplice: *che saprai*
	passato remoto Es.: *Io dissi*	contemporanea	- passato remoto: *che tu sapesti*
		anteriore	trap. remoto: *che avesti saputo* trap. prossimo: *che avevi saputo*
		posteriore	- condiz. pass.: *che avresti saputo*
	passato prossimo o trapassato prossimo o remoto Es.: *Io ho detto* *Io avevo detto* *Io ebbi detto*	contemporanea	- imperfetto indicativo: *che sapevi*
		anteriore	- trapass. pross.: *che avevi saputo*
		posteriore	(pres. condizionale: *che sapresti*) pass. condiz.: *che avresti saputo*

(b)

DIPENDENZA dei TEMPI

b) *Il verbo della reggente esprime dubbio, opinione, possibilità, oppure è al condizionale o la reggente contiene un superlativo relativo, o è negativa, o interrogativa.*

Tempo della proposizione reggente	L'azione della subordinata è, rispetto alla reggente:	Tempo della proposizione subordinata
presente indicativo Es.: *Io credo*	contemporanea anteriore posteriore	- presente congiuntivo: *che sappia* - passato cong.: *che abbia saputo* presente congiuntivo: *che sappia* / futuro semplice: *che saprai*
imperfetto indicativo Es.: *Io credevo*	contemporanea anteriore posteriore	- imperfetto cong.: *che sapessi* - trapass. cong.: *che avessi saputo* - condiz. pass.: *che avresti saputo*
futuro semplice Es.: *Io crederò*	contemporanea anteriore	- presente cong.: *che sappia* - passato cong.: *che abbia saputo*
passato remoto Es.: *Io credetti*	contemporanea anteriore posteriore	- imperfetto cong.: *che sapessi* - trapass. cong.: *che avessi saputo* - passato condiz.: *che avresti saputo*
passato prossimo Es.: *Io ho creduto*	contemporanea anteriore posteriore	- imperfetto cong.: *che sapessi* - trapass. cong.: *che avessi saputo* - pass. condiz.: *che avresti saputo*
presente condizionale Es.: *Io crederei*	contemporanea anteriore posteriore	- imperfetto cong.: *che sapessi* - trapass. cong.: *che avessi saputo* - imperfetto cong.: *che sapessi*
condizionale passato Es.: *Io avrei creduto*	contemporanea anteriore posteriore	imperfetto cong.: *che sapessi* / trapass. cong.: *che avessi saputo* - trapass. cong.: *che avessi saputo* - trapass. cong.: *che avessi saputo*

Nel periodo ipotetico, quando l'apodosi ha il presente condizionale, la protasi ha il passato congiuntivo; quando l'apodosi ha il passato condizionale, la protasi ha il trapassato congiuntivo.

mentito), al trapassato prossimo o al passato remoto se l'azione è anteriore a quella della reggente (*Sapevo che allora avevi mentito* o *Sapevo che allora mentisti*);

d) la reggente ha il verbo all'*imperfetto indicativo* (tempo storico) ed esprime dubbio, opinione, possibilità. La proposizione dipendente ha il verbo al congiuntivo imperfetto se l'azione è contemporanea a quella della reggente (*Credevo che mentisse*), al congiuntivo trapassato se l'azione è anteriore a quella della reggente (*Credevo che avesse mentito*), al condizionale passato se l'azione è posteriore a quella della reggente (*Credevo che avrebbe mentito*);

e) la reggente ha il verbo al *futuro semplice* (tempo principale) ed esprime certezza. La proposizione dipendente ha il verbo al futuro semplice se l'azione è contemporanea o posteriore a quella della reggente (*Ti dirò ciò che mi scriverà*; *Ti dirò quanto gli scriverò*), al futuro anteriore se l'azione non è ancora accaduta nel momento in cui si parla (*Ti dirò ciò che mi avrà scritto*), al passato prossimo e remoto se nel momento in cui si parla l'azione (anteriore a quella della reggente) è già accaduta (*Ti dirò ciò che mi ha scritto* e *mi scrisse*);

f) la reggente ha il verbo al *futuro semplice* (tempo principale) ed esprime dubbio, opinione, possibilità. La proposizione dipendente ha il verbo al presente congiuntivo se l'azione è contemporanea a quella della reggente (*Crederò che tu sia vicino a me*), al congiuntivo passato se l'azione è anteriore a quella della reggente (*Crederò che tu sia stato vicino a me*);

g) la reggente ha il verbo al *passato remoto* (tempo storico) ed esprime certezza. La proposizione dipendente ha il verbo al passato remoto se l'azione è contemporanea a quella della reggente (*Vidi che uscì subito*), al condizionale passato se l'azione è posteriore a quella della reggente (*Capii che sarebbe uscito subito*), al trapassato prossimo o al trapassato remoto se l'azione è anteriore a quella della reggente (*Vidi che era uscito subito*; *Lo vidi quando fu uscito*);

h) la reggente ha il verbo al *passato remoto* (tempo storico) ed esprime incertezza, dubbio, possibilità. La proposizione dipendente ha il verbo al congiuntivo imperfetto se l'azione è contemporanea a quella della reggente (*Temetti che sentisse*), al congiuntivo trapassato se l'azione è anteriore a quella della reggente (*Temetti che avesse sentito*), al condizionale passato se l'azione è posteriore a quella della reggente (*Temetti che avrebbe sentito*);

i) la reggente ha il verbo al *passato prossimo* o *trapassato prossimo* (tempo storico) ed esprime certezza. La proposizione dipendente ha il verbo all'imperfetto indicativo se l'azione è contemporanea a quella della reggente (*Hai detto che lavoravi*; *Avevi detto che lavoravi*), al trapassato prossimo se l'azione è anteriore a quella della reggente (*Hai detto che avevi lavorato*; *Avevi detto che avevi lavorato*), al presente o passato condizionale se l'azione è posteriore a quella della reggente (*Hai detto che lavoreresti* o *avresti lavorato*; *Avevi detto che lavoreresti* o *avresti lavorato*);

l) la reggente ha il verbo al *passato prossimo* o *trapassato prossimo* (tempo storico) ed esprime dubbio, desiderio, possibilità. La proposizione dipendente ha il verbo all'imperfetto congiuntivo se l'azione è contemporanea a quella della reggente (*Ho creduto che mentisse*; *Avevo creduto che mentisse*), al congiuntivo trapassato se l'azione è anteriore a quella della reggente (*Ho creduto che avesse mentito*; *Avevo creduto che avesse mentito*), al condizionale passato se l'azione è posteriore a quella della reggente (*Ho creduto che avrebbe mentito*; *Avevo creduto che avrebbe mentito*);

m) la reggente ha il verbo al *condizionale presente*. La dipendente, che è una proposizione condizionale (V. *Periodo ipotetico*), ha il verbo all'imperfetto congiuntivo (*Se tu volessi, io verrei*). Se invece la dipendente è una oggettiva, essa ha il congiuntivo imperfetto se l'azione è contemporanea o posteriore a quella della reggente (*Vorrei che tu sapessi*; *Vorrei che l'anno venturo tu venissi*), il congiuntivo trapassato se l'azione è anteriore a quella della reggente (*Vorrei che tu avessi saputo della mia vicenda in precedenza*);

n) la reggente ha il verbo al *condizionale passato*. La proposizione dipendente, che è una proposizione condizionale (V. *Periodo ipotetico*), ha il trapassato congiuntivo (*Se tu avessi voluto, io sarei venuto*). Anche se la dipendente è una oggettiva, essa ha il congiuntivo trapassato (*Avrei voluto che tu avessi saputo*).

dipendénza (in): espressione scorretta invece di: in conseguenza di. Es.: *In conseguenza di ciò* (non: in dipendenza da ciò) *sei stato esonerato dal servizio*.

dipèndere: verbo della seconda coniugazione, intransitivo. Ausiliare: essere. *Pass. rem.*: dipesi, dipendesti, dipese, dipendemmo, dipendeste, dipesero. *Part. pass.*: dipéso.

Significa: esser soggetto (*Egli dipende dallo Stato*) o derivare, procedere (*Non è dipesa da me la tua salvezza*; *Da chi è dipeso questo ritardo?*). In grammatica significa: esser subordinato, esser retto. Es.: *La proposizione oggettiva dipende da una proposizione reggente*.

dipíngere: verbo della seconda coniugazione, transitivo. *Pass. rem.*: dipinsi, dipingesti, dipinse, dipingemmo, dipingeste, dipinsero. *Part. pass.*: dipínto.

dipodía: nella metrica antica, unità ritmica costituita da due piedi uguali. È detta *sizigia* nel caso in cui i due piedi siano diversi.

diprèsso: avverbio che significa: vicino, da presso. Usato solo nella locuzione avverbiale *a un dipresso* che significa: circa, quasi.

díre: verbo irregolare della terza coniugazione, transitivo. *Pres. indic.*: dico, dici, dice, diciamo, dite, dicono. *Imperf.*: dicevo, dicevi, diceva, dicevamo, dicevate, dicevano. *Fut. semplice*: dirò, dirai, dirà, diremo, direte, diranno. *Pass. rem.*: dissi, dicesti, disse, dicemmo, diceste, dissero. *Pres. cong.*: dica, dica, dica, diciamo, diciate, dicano. *Imperf. cong.*: dicessi, dicessi, dicesse, dicessimo, diceste, dicessero. *Pres. condiz.*: direi, diresti, direbbe, diremmo, direste, direbbero. *Imper.*: di' (meno comune: dí), dica, diciamo, dite, dicano. *Part. pres.*: dicente. *Part. pass.*: détto. *Gerundio*: dicendo.

Il verbo significa: manifestare il proprio pensiero per mezzo delle parole, parlare, favellare. Es.: *Ho detto quello che penso*; *Tu non dici mai niente*. Altri significati: riferire, narrare (*Mi han detto tutto quello che è successo*), esser fama, correr voce (*Si dice che abbia mentito*; *Se ne dicono troppe sul tuo conto*), recitare (*Disse con molta grazia la poesia*), domandare (*Gli ho detto se vuol venire*), ordinare, comandare (*Gli ho detto di portarmi qui i suoi quaderni*), esprimere, significare (*È un articolo che non dice nulla*; *Non ti dicono niente questi episodi?*; *Ciò non vuol dire che ti scaccio di casa*). Usato poi in alcune locuzioni tipiche: *aver da dire* (litigare: *Ho avuto da dire con lui*), *non c'è che dire* (non c'è niente da obiettare), *far per dire* (dire per ipotesi, in teoria: *Si fa per dire*), *dir la sua* (esporre la propria opinione), *vale a dire* (cioè), *trovar da dire* (biasimare, criticare), *non vuol dire* (non importa: *Non vuol dire, vieni lo stesso*). Si abusa spesso però di questo verbo, e talvolta càpita di vederlo ripetuto più volte in una stessa pagina. Nel riferire i dialoghi, per esempio, si ripetono spesso le forme: *disse, dissero*; esse possono invece essere sostituite con: *rispose, replicò, aggiunse, ripeté, soggiunse, esclamò, dichiarò*, e simili.

Si noti che il verbo *dire* può essere facilmente sostituito con altri più propri, secondo i casi. Es.: Me lo disse in segreto (*confidò*); Si dice (*protesta*) innocente; Dico con certezza (*asserisco*) che questo è vero; Dissero (*annunciarono*) che sarebbero partiti; Te lo dico (*giuro*) sul mio onore; Ti dico (*assicuro*) che è così.

dirètta (costruzione): costruzione diretta della frase si ha quando i vari elementi che la compongono si susseguono nell'ordine normale, cioè: soggetto, predicato, complementi, oppure: soggetto, copula, predicato nominale. V. COSTRUZIÓNE.

dirètto (complemento): è il complemento *oggetto* (V.), così chiamato perché si unisce direttamente al verbo senza alcuna preposizione.

dirígere: verbo irregolare della seconda coniugazione, transitivo. *Pass. rem.*: diressi, dirigesti, diresse, dirigemmo, dirigeste, diressero. *Part. pass.*: dirètto. Significa: comandare, guidare, indirizzare.

Es.: *Ha diretto le operazioni di sbarco*; *Ho diretto una lettera al presidente*; *Il maestro diresse l'orchestra*. Al riflessivo significa: recarsi, rivolgersi. Es.: *Di lì mi diressi subito a casa*.

dirímere: verbo della seconda coniugazione, transitivo. Manca del *part. pass.*.

díruto: aggettivo qualificativo di uso letterario. Significa: diroccato. Impropria, per quanto diffusa, la pronuncia *dirúto*.

dis-: prefisso, analogo a DE-, che ha diversi valori. Dal latino *dis-* indica negazione, contrasto, opposizione (*discontinuità*, *disamore*, *disonestà*), oppure separazione (*discriminare*, *disperdere*, *dissolvere*), inversione di tendenza (*disgelare*, *disassorbire*, *disinvestire*). Dal greco *dys* indica per lo più anomalia, guasto, irregolarità (*disfunzione*, *dispnea*, *disacusia*).

discendènte: nella metrica classica, si dice di ritmo che inizi con tempo forte (generalmente identificato con sillaba lunga), come quello dattilico. In quella moderna, per analogia, di ritmo che inizi con sillaba accentata. Es.: *Vaghe stelle dell'Orsa* (G. Leopardi). Opposto di *ascendente*.

discéndere: verbo della seconda coniugazione, intransitivo. *Pass. rem.*: discesi, discendesti, discese, discendemmo, discendeste, discesero. *Part. pass.*: discéso. Si coniuga con l'ausiliare essere. Es.: *È disceso rapidamente*; *È disceso in tre ore*. Avere si adopera quando il verbo è usato transitivamente o quando ha un falso complemento oggetto. Es.: *Ha disceso la scala*; *Ha disceso il monte*. È dialettale l'uso del verbo nel senso di: calar giù, diminuire. Es.: *Discendere i bauli dal treno*; *Ha disceso il prezzo*. Nel senso di aver origine, si costruisce con la preposizione *da* e l'ausiliare essere. Es.: *È disceso da una famiglia illustre*. Ammessa anche la pronuncia *discèndere* (con la *e* aperta), secondo l'uso romano.

discèrnere: verbo della seconda coniugazione, transitivo. *Pass. rem.*: discernetti (discernei), discernesti, discernette (discerné), discernemmo, discerneste, discernettero (discernerono). *Part. pass.*: discréto (usato solo come aggettivo). Significa: distinguere, riconoscere, vedere. Es.: *Si riusciva a discernere appena i contorni delle case*. Anche: scegliere (*Discernere il grano dal loglio*).

discòrdo: componimento poetico, d'origine provenzale e di effimera fortuna nella nostra letteratura medievale, molto legato alla musica come la canzone, ma caratterizzato da una grande eterogeneità metrica, e talora persino linguistica, delle stanze.

discórso (parti del): le parti del discorso sono nove, di cui cinque variabili e quattro invariabili. Le parti *variabili* sono: aggettivo, articolo, nome, pronome, verbo (V. anche voci relative). Le parti *invariabili* sono: avverbio, congiunzione, interiezione, preposizione (V. voci relative). L'*analisi grammaticale* (V.) consiste nel distinguere in una frase le varie parti del discorso, indicando in ciascuna di quelle variabili le modificazioni secondo la *flessione*, cioè secondo la *coniugazione* (V.) se si tratta di voci verbali, e secondo la *declinazione* (V.) se si tratta di nome, aggettivo, articolo o pronome. Tutte le parole che noi usiamo appartengono ad una delle parti del discorso. Alcune parole, secondo l'uso, appartengono a più categorie. Es.: *ma* è congiunzione avversativa, ma *il ma* è sostantivo maschile; *tu* è pronome personale, ma *il tu* è sostantivo maschile; *circa* è avverbio e preposizione (*tre litri circa; circa il tuo nome*).

discórso diretto e **discorso indiretto:** discorso *diretto* è quello che si rivolge direttamente alla persona (anche la stessa persona che parla) a cui si vuol comunicare il pensiero. Sono quindi discorsi diretti i dialoghi ed i monologhi. Es.: *Pietro mi disse: «Domani andiamo a caccia»; Pensai: «Questa volta non ci riesco»; L'uomo diceva: «Questa sera pioverà»*. Si dice invece discorso *indiretto* quello in cui si riferiscono in forma narrativa le parole pronunciate da altri. Es.: *Pietro mi disse che l'indomani saremmo andati a caccia; Pensai che quella volta non ci sarei riuscito; L'uomo diceva che quella sera sarebbe piovuto*.

Il discorso diretto, come si vede, dipende da un verbo di dire, in rapporto al tempo del quale si pongono il modo e il tempo dei verbi delle proposizioni subordinate. Il passaggio dal discorso diretto a quello indiretto implica pertanto un cambiamento nei verbi della proposizione dipendente secondo le seguenti regole:

1) l'indicativo presente del discorso diretto diventa indicativo imperfetto nel discorso indiretto. Es.: *Io dissi: «Compero cinque libri»* (discorso diretto); *Io dissi che comperavo cinque libri* (discorso indiretto); *Maria annunziò: «Arrivano i nostri cugini»* (discorso diretto); *Maria annunziò che arrivavano i nostri cugini* (discorso indiretto);

2) un tempo passato del discorso diretto diventa trapassato prossimo nell'indicativo nel discorso indiretto. Es.: *Mio padre diceva: «Ho sempre rispettato i miei superiori»* (discorso diretto); *Mio padre diceva che aveva sempre rispettato i suoi superiori* (discorso indiretto); *Tu dicesti: «Arrivai quando era troppo tardi»* (discorso diretto); *Tu dicesti che eri arrivato troppo tardi* (discorso indiretto);

3) l'imperativo o il congiuntivo esortativo del discorso diretto diventano congiuntivo imperfetto o infinito presente nel discorso indiretto. Es.: *Il maestro ci ordinò: «Studiate e meditate»* (discorso diretto); *Il maestro ordinò che studiassimo e meditassimo*, oppure: *Il maestro ordinò di studiare e meditare* (discorso indiretto); *Il comandante disse loro: «Andate e non fatevi scoprire»* (discorso diretto); *Il comandante disse loro che andassero e non si facessero scoprire*, oppure: *Il comandante disse loro di andare e di non farsi scoprire* (discorso indiretto);

4) il futuro del discorso diretto diventa condizionale passato nel discorso indiretto. Es.: *Mia sorella annunziò: «Partirò domani»* (discorso diretto); *Mia sorella annunziò che sarebbe partita domani* (discorso indiretto); *Il professore assicurò: «Scriverò domani quella lettera»* (discorso diretto); *Il professore assicurò che avrebbe scritto l'indomani quella lettera* (discorso indiretto);

5) il presente o il passato congiuntivo del discorso diretto diventano imperfetto o trapassato congiuntivo nel discorso indiretto. Es.: *Carlo disse: «Penso che voi vi inganniate»* (discorso diretto); *Carlo disse che pensava che vi foste ingannati* (discorso indiretto); *Luigi affermò: «Temo che siate arrivati troppo tardi»* (discorso diretto); *Luigi affermò che temeva che foste arrivati tardi* (discorso indiretto).

Le regole e gli esempi sinora addotti riguardano tutti i tipi di discorsi indiretti dipendenti da un verbo usato in un tempo storico (imperfetto, passato remoto, trapassato prossimo, ecc.). Infatti se il verbo della reggente è al tempo presente o futuro non si ha alcun cambiamento volgendo il discorso diretto in discorso indiretto. Es.: *Paolo mi dice: «Non ho mai dimenticato quello che hai fatto per me»* (discorso diretto); *Paolo mi dice che non ha mai dimenticato quello che ho fatto per lui* (discorso indiretto); *Tu dirai: «Non ho potuto nasconderglielo»* (discorso diretto); *Tu dirai che non hai potuto nasconderglielo* (discorso indiretto).

discútere: verbo irregolare della seconda coniugazione, transitivo. *Pass. rem.*: discussi, discutesti, discusse, discutemmo, discuteste, discussero. *Part. pass.*: discússo.

disegnàre: verbo della prima coniugazione, transitivo. *Pres. indic.*: disegno, disegni, disegna, disegniàmo (e non: disegnàmo), disegnate, disegnano.

disfàre: verbo della prima coniugazione, transitivo. Composto di *fare* (V.). *Pres. indic.*: disfàccio e disfò (popolare e regionale dísfo), disfài (dísfi), disfà (dísfa), disfacciamo (disfiàmo), disfate, disfànno (dísfano). *Pres. cong.*: disfaccia (dísfi), disfacciamo (disfiàmo), disfacciate (disfiàte), disfàcciano (dísfino). *Imper.*: disfà (dísfa), disfàccia (dísfi), disfacciamo (disfiamo), disfàte, disfacciano (dísfino). *Part. pass.*: disfàtto. Significa: distruggere il già fatto, scomporre. Al riflessivo, con la preposizione *di*, significa: allontanare da sé, liberarsi di uno. Es.: *Mi sono disfatto di quella spia*. Usato assolutamente: sciogliersi, dissolversi. Es.: *Si disfece in lacrime*.

disgiuntíve (congiunzioni): le congiunzioni che servono a disgiungere due o più elementi, in modo da esprimere un'alternativa. Esse sono: *o, ovvero, oppure*. Es.: *O la borsa o la vita*; *Sì oppure no*; *Rivelare o tacere*. Talvolta, però, l'alternativa è attenuata da scelte che sono presentate come parimenti accettabili (il latino *vel* opposto a *aut*). Es.: *A tavola bevo vino o birra.* In altri casi, infine, le congiunzioni disgiuntive (in particolare: *o, ovvero*, e i rispettivi composti: *ossia, ovverosia*) servono a rettificare o a completare con il secondo elemento quanto affermato dal primo elemento della coordinazione. Es.: *Dimmi se ti servono dei soldi o un prestito. Il Presidente della Repubblica, ossia il Capo dello Stato*; *Noi, ovverosia i tuoi amici, ti aiuteremo.* Sono dette anche *congiunzioni alternative.*

disimpegnàre: verbo della prima coniugazione, transitivo. Significa: liberare da un impegno. È quindi improprio l'uso che se ne fa nel senso di: eseguire bene un compito, un ufficio. Es.: *Ha disimpegnato bene le funzioni di guida* (Meglio: Ha ben esercitato le funzioni di guida).

disópra: avverbio di luogo. Significa: sopra, in luogo superiore. Es.: *Ora vado disopra.* Più usata la forma separata: di sopra. La forma unita è preferibile quando *disopra* è usato come sostantivo maschile indicando la parte superiore di una cosa. Es.: *Era sul disopra della casa*; *Ha preso il disopra* (= il sopravvento) *su di noi.* Analogamente userai la locuzione *di sotto* in funzione di avverbio (Es.: *Scendo di sotto*) e la forma *disotto* come sostantivo maschile. Es.: *Lo legò al disotto del cavallo.*

dispàrte: avverbio di luogo. Significa: da parte. Più usata la locuzione: *in disparte* (in luogo discosto). Es.: *Rimase in disparte dai vecchi amici*; *Si tenne in disparte.*

disperàre: verbo della prima coniugazione, intransitivo. Ausiliare: avere. Si costruisce con la preposizione *di*. Es.: *Ulisse disperava del ritorno.* Significa: perdere la speranza di una cosa. Letterario l'uso transitivo. Es.: *Disperammo la libertà.* Al riflessivo significa: sconfortarsi, avvilirsi. Es.: *La povera madre piangeva e si disperava.*

dispèrdere: verbo irregolare della seconda coniugazione, transitivo. *Pass. rem.*: dispersi, disperdesti, disperse, disperdemmo, disperdeste, dispersero. *Part. pass.*: dispèrso. Significa: sparpagliare, distruggere, sbandare. Es.: *I Romani dispersero i nemici.* Di analogo significato è il verbo della seconda coniugazione, pure irregolare, DISPÈRGERE, che ha forme verbali uguali a *disperdere. Pass. rem.*: dispersi, dispergesti, disperse, dispergemmo, dispergeste, dispersero. *Part. pass.*: dispèrso.

dispiacére: verbo della seconda coniugazione, intransitivo. Ausiliare: essere. *Pass. rem.*: dispiacqui, dispiacesti, dispiacque, dispiacemmo, dispiaceste, dispiacquero. *Part. pass.*: dispiaciùto. Significa: recar dispiacere, non piacere; si costruisce con la preposizione *a*. Es.: *Questa casa non dispiacerebbe a mia madre*; *A me dispiace che tu non voglia.* Il participio presente, *dispiacente*, e quello passato, *dispiaciùto*, sono un esempio tipico di participio bivalente, attivo e passivo. *Dispiacente*: che dispiace o che prova dispiacere; *dispiaciùto*: che ha recato o ha provato dispiacere. In entrambi i casi tuttavia il senso passivo è meno proprio e sarebbe da sostituire con: dolente, addolorato e simili. Es.: *Mi annunziò una novità davvero dispiacente*; *Sono dispiacente* (meglio: *dolente*) *di non poter accogliere la tua richiesta*; *Le tue parole sono dispiaciute*; *Siamo dispiaciuti* (meglio: *addolorati*) *di quanto è accaduto.*

dispondèo: nella metrica antica greca e latina, sequenza di due spondei, ovvero di quattro sillabe lunghe, che vanno a costituire un piede.

dispórre: verbo della seconda coniugazione, composto di *porre*, di cui segue la coniugazione. Regge, in quanto verbo che esprime un ordine, il congiuntivo. Es.: *Dispose che le merci fossero consegnate in giornata.* Il costrutto implicito vuole *di* più l'infinito. Es.: *Dispose di sospendere i pagamenti.*

dispositio: seconda delle cinque sezioni (le altre sono: *inventio, elocutio, memoria, pronuntiatio*) in cui si divide la retorica dedicata alla costruzione e alla regolamentazione del discorso, la *dispositio* riguarda l'ordinamento e la distribuzione degli argomenti.

dispregiatívo: una delle quattro forme di alterazione del nome e dell'aggettivo, detta anche *peggiorativo* (V.).

dissentíre: verbo della terza coniugazione, intransitivo. Ausiliare: avere. Si costruisce con la preposizione *da*. Significa: discordare, essere di parere diverso. Es.: *Dissento dal mio collega*; *In questo dissentiamo da voi*. Il participio presente è: *dissenziente*.

dissimilazióne: fenomeno fonetico per il quale, in una parola, due suoni che erano un tempo identici si sono fatti diversi. Es.: da nimico, *nemico*; da armario, *armadio*. Il fenomeno inverso si dice *assimilazione*. Es.: da denaro, *danaro*.

dissímile: aggettivo qualificativo composto dal prefisso *dis-* che indica negazione e dall'aggettivo *simile*. Significa: diverso. Si costruisce con la preposizione *da*. Es.: *In questo sei dissimile da noi*. Talora anche con la preposizione *a*. Es.: *Un carro poco dissimile al nostro*.

dissipàre: verbo della prima coniugazione, transitivo. La pronuncia esatta del presente indicativo è: díssipo, díssipi, díssipa, dissipiàmo, dissipàte, díssipano.

dissuadére: verbo della seconda coniugazione. Si coniuga come persuadere. Errata la pronuncia *dissuàdere*.

distànza (complemento di): complemento che indica la distanza tra due persone o tra due cose. È introdotto dalle espressioni: esser lontano, distare. Si costruisce, in questo caso, senza preposizione. Es.: *La caserma dista duecento metri* dalla piazza; La stazione è lontana *poche centinaia di metri*. In posizione assoluta è invece retto dalla preposizione *a*. Es.: La fonte è *a tre miglia* dalla città; Ostia è *a pochi chilometri* da Roma; Mi trovavo *a cento chilometri* da casa.

dístico: la più breve strofe della poesia italiana: è composta di due soli versi, solitamente a rime baciate. Esempi:

«O cavallina, cavallina storna,
che portavi colui che non ritorna».
(Pascoli)

«A te occhiazzurra questi canti deve
uno che ha sete e alle tue labbra beve;
che antichi come lui, come te nuovi,
se giri tutto il mondo non ne trovi».
(Saba)

Il *distico elegiaco* era, nella poesia classica, una coppia di versi, precisamente un *esametro* e un *pentametro*. Il Carducci rese l'esametro ora con un settenario più un novenario o un ottonario; ora con un senario più un novenario; ora infine con un quinario più un novenario o un decasillabo. Rese poi il pentametro con l'unione di due settenari, con un senario più un settenario, o con un senario piano più un settenario. Ecco alcuni esempi di distici elegiaci moderni:

«O cuor dei cuor, sopra quest'urna che freddo ti chiude,
odora e tepe e brilla la primavera in fiore».
(Carducci)

«Va pel sentiero ombrato la donna magnifica: intorno
ecco il divino soggiorno trema signoreggiato».
(D'Annunzio)

distínguere: verbo irregolare della seconda coniugazione, transitivo. *Pass. rem.*: distinsi, distinguesti, distinse, distinguemmo, distingueste, distinsero. *Part. pass.*: distínto. Significa: discernere, differenziare, separare; si costruisce con la preposizione *da*. Es.: *Non distinguevano gli uni dagli altri*; *Bisogna distinguere i colpevoli dagli innocenti*. Al riflessivo significa: segnalarsi, primeggiare. Es.: *Si è distinto per valore e coraggio; Si sono distinti per prontezza*.

distínto: participio passato di *distinguere*. Usato come aggettivo nel senso di: eletto, ragguardevole, raffinato. Es.: *Una signora distinta, un distinto signore, modi distinti. Distinti saluti, distintamente*: forma di saluto nelle lettere; fredda e convenzionale, è usata nelle lettere commerciali, nelle circolari, nella corrispondenza d'affari. Il sostantivo femminile DISTÍNTA è usato nel senso di: elenco, nota, listino. Voce del linguaggio commerciale (*la distinta dei prezzi, la distinta di versamento*).

distògliere: verbo della seconda coniugazione, transitivo. *Pass. rem.*: distolsi, distogliesti, distolse, distogliemmo, distoglieste, distolsero. *Part. pass.*: distòlto. L'infinito, oltre alla forma regolare, ha una forma sincopata poetica: distòrre. Significa: dissuadere, distrarre. Es.: *Nessuno lo può distogliere dalle sue ricerche*; *Non riusciva a distogliere gli occhi*.

distribuíre: verbo della terza coniugazione, transitivo. In alcuni tempi si coniuga con la forma incoativa *-isc-* tra il tema e la desinenza. *Pres. indic.*: distribuisco, distribuisci, distribuisce, distribuiamo, distribuite, distribuiscono. *Pres. cong.*: distribuisca, distribuisca, distribuisca, distribuiamo, distribuiate, distribuiscano. *Part. pass.*: distribuíto.

distributívo (complemento): complemento che indica una ripartizione numerica fra persone o cose. È retto dalle preposizioni *a* e *per*. Es.: Uscir *a tre a tre*; Tre sigarette *per uno*; Marciavano in fila *per tre*. È assai usato per i calcoli matematici; due *per due* (moltiplicazione e talora divisione), il tre *per cento*, l'uno *per mille*. Nelle determinazioni quantitative si ha spesso il complemento distributivo: Dieci lire *l'una*; Correva a cento *l'ora*; Costava venti lire *al metro cubo*; Quattro ore *al giorno*. Talora ha valore distributivo anche la preposizione *su*. Es.: *Uno su mille ce la fa*; *Tre italiani su cento la pensano cosí*.

distribuziòne: in retorica, figura di parola, che consiste in un'enumerazione in cui gli elementi non sono direttamente allineati, ma intervallati da attributi. Es.: «*Una porta semiaperta, comunicante con una stanza da bagno, lascerebbe intravedere spugnosi accappatoi, rubinetti di ottone a collo di cigno, un grande specchio girevole, un paio di rasoi inglesi e i loro astucci di pelle verde, boccette, spazzole dal manico di corno, spugne*» (G. Perac).

distrúggere: verbo della seconda coniugazione, transitivo. *Pass. rem.*: distrussi, distruggesti, distrusse, distruggemmo, distruggeste, distrussero. *Part. pass.*: distrútto.

ditiràmbo: nell'antica letteratura greca, canto corale in onore di Dioniso, di contenuto orgiastico, ispirato cioè all'esaltazione dell'istintualità dell'uomo, sollecitata dall'ebbrezza indotta dal vino, ma anche da erbe e pozioni inebrianti. Di metro e verso difforme (polimetro), libero nell'accostamento delle strofe, è ritenuto, a partire da Aristotele, all'origine della tragedia per la sua forma di dialogo tra il corifeo e gli altri componenti del coro. È rimasto nella letteratura moderna nella forma di elogio del vino: esempio famoso il *Bacco in Toscana* di F. Redi (sec. XVIII).

díto: sostantivo maschile. È sovrabbondante nel plurale: *i diti* (considerati separatamente: *i diti medi*), *le dita* (considerate nel complesso: *le dita della mano*).

ditrochèo: nell'antica metrica greca e latina, sequenza di due trochei. D'intonazione discendente e di genere «uguale» (–∪|–∪), costituisce la più semplice unità di metri trocaici.

dittología: coppia di elementi linguistici, omogenei dal punto di vista grammaticale, collegati di norma dalla congiunzione *e*. È una struttura tipica della lingua letteraria, a cui conferisce intensità espressiva, ma consueta anche nella lingua comune. Se le due parole usate in coppia sono anche omogenee sotto il profilo semantico, ossia sinonimi, si ha una dittologia sinonimica.

In questi due versi di Petrarca ci sono una dittologia semplice e una dittologia sinonimica: «Solo e pensoso *i più deserti campi / vo mesurando a passi* tardi e lenti».

dittòngo: è l'incontro di due vocali che vengono pronunciate con una sola emissione di voce, ossia contano per una sola sillaba.

In italiano, il dittongo è costituito sempre dall'incontro di una delle due vocali *i* o *u* in posizione atona (cioè senza accento) con una qualsiasi altra vocale (anche accentata), oppure dall'incontro di *i* e *u* tra di loro (una può essere accentata).

Le combinazioni vocaliche più frequenti che danno luogo a dittonghi sono: *ia, ie, io, iu, ua, ue, uo, ui, ai, ei, oi, au, eu, ou*.

I e *u* quando entrano a formare un dittongo hanno, nella pronunzia, un valore secondario: o come ponte di passaggio alla vocale seguente (*liève, ruòta*) o come suono debole e breve, se posposti (*lanciàti, assài*). Per questo motivo sono dette *semivocali* o *semiconsonanti*.

I dittonghi si dicono *discendenti* o *distesi* quando l'accento cade sulla prima vocale (pòi, lùi); *ascendenti* o *raccolti*, quando portano l'accento sulla seconda vocale (*luògo, piàtto*).

Sono DITTONGHI MOBILI *uò* e *iè*, perché, nei derivati, perdono la prima vocale se l'accento non cade più su di essi (Es.: *buòna, bontà*; *scuòla, scolaro*; *siède, sedeva*). Tra le eccezioni: *pievàno* da pieve, *vuotàre* da vuoto, *nuotàre* da nuoto.

Il dittongo rimane, anche non accentato, nei composti (*buongustaio, buonalana, buonasera, buongiorno*) e nelle parole che potrebbero essere confuse con altre: *notare* (da nota) e *nuotare* (da nuoto), *votare* (da voto) e *vuotare* (da vuoto).
Giova avvertire tuttavia che la regola del dittongo mobile, modellata strettamente sull'uso toscano, non appare più seguita oggi dai benparlanti (e neppure in Toscana) in una serie di casi che nel presente dizionario sono registrati alle voci relative. Il contrario del dittongo è lo *iato*, in cui le vocali si dividono tra due sillabe.

divedére: verbo della seconda coniugazione, intransitivo. Si usa solo l'infinito, nell'espressione: *dare a divedére* (dare ad intendere, mostrare). Es.: *Non dava a divedere una simile inquietudine.*

divèllere: verbo della seconda coniugazione, transitivo. *Pres. indic.*: divello (divelgo), divelli (divelgi), divelle (divelge), divelliamo, divellete, divellono (divelgono). *Pass. rem.*: divelsi, divellesti, divelse, divellemmo, divelleste, divelsero. *Pres. cong.*: divelga, divelga, divelga, divelliamo, divelliate, divelgano. *Part. pass.*: divèlto.

diveníre: verbo della terza coniugazione, intransitivo. Ausiliare: essere. È uno dei verbi *copulativi*, perché ha senso compiuto solo se unito a un predicato (nome o aggettivo). Ha cioè funzione copulativa come il verbo essere. Es.: *Il bimbo diviene ragazzo*; *Tu sei divenuto ricco.* V. *Complemento predicativo del soggetto* e *Copulativi* (*Verbi*). Lo stesso dicasi del verbo *diventare.*

divergènza: sostantivo femminile che indica il tendere di due linee a prendere due direzioni diverse. In senso figurato il termine si usa per designare: opposizione, disparità d'idee, contrasto, disaccordo, o anche lite. Ma non bisogna abusarne essendo meglio preferire di volta in volta, secondo il caso, una delle suddette parole equivalenti.

divèrgere: verbo della seconda coniugazione, intransitivo. Non ha tempi composti. *Pres. indic.*: divergo, divergi, diverge, divergiamo, divergete, divergono. *Pass. rem.*: divergei, divergesti, divergé, divergemmo, divergeste, divergerono. Significa: assumere direzioni diverse; divagare.

divèrso: aggettivo qualificativo. Significa: differente. Es.: *L'arte è diversa dalla religione.* Al plurale indica: molti, parecchi. Es.: *C'erano diversi tuoi amici*; *Diversi autori sostengono questo punto di vista; Diversi critici non sono d'accordo.* Può introdurre una proposizione comparativa costruito con *da* o *da come.* Es.: *Era molto diverso da come l'avevano descritto.*
Come sostantivo ha assunto il significato di persona irregolare, fuori dalla normalità, handicappato, omosessuale e simili. Es.: *Nella società moderna occorre saper gestire i diversi.*

divídere: verbo irregolare della seconda coniugazione, transitivo. *Pass. rem.*: divisi, dividesti, divise, dividemmo, divideste, divisero. *Part. pass.*: divíso.

do: monosillabo. Senza accento e pronunziato con la *o* aperta indica la prima nota musicale. Es.: *Il do di petto.* Con l'accento grave (*dò*) è la prima persona del verbo *dare.* Es.: *Ti dò questo libro.*

dóccia: sostantivo femminile. Plurale: dócce. *Dóccia fredda*: brutta notizia che giunge improvvisa.

dòcmio: nell'antica metrica greca e latina, piede di incerta definizione e genesi, formato essenzialmente da una sillaba breve, due lunghe, una breve e una lunga secondo lo schema ∪ — — ∪ —. Tipico della poesia corale, si prestava a innumerevoli varianti.

dodecasíllabo: verso di dodici sillabe. Nella metrica italiana è per lo più verso doppio, costituito da due senari separati dalla cesura. Esempio illustre è dato dal I coro dell'*Adelchi* di A. Manzoni: «*Dagli atri muscosi / dai fori cadenti...*».
Esiste anche una forma risultante dalla fusione di un quaternario e di un ottonario (o viceversa), senza cesura al mezzo, ma con accenti fissi sulla terza, settima e undicesima sillaba. Es.:

«*Quando il tremulo splendor della luna*
si diffonde giù pei boschi, quando i fiori».
(G. Carducci)

dòge: sostantivo maschile. Il supremo magistrato della repubblica di Venezia. Al plurale: dògi. La moglie del doge si chiama *dogaressa.*

dólce (suono): modo antiquato per indicare in fonetica le consonanti *sonore* (in particolare la *s* e la *z*) e, talvolta, la *c* e la *g palatali*.

dolére: verbo irregolare della seconda coniugazione, intransitivo (ausiliare: essere, meno comune avere). *Pres. indic.*: dòlgo, duoli, duole, doliamo (antico: dogliamo), dolete, dòlgono. *Fut. semplice*: dorrò, dorrai, dorrà, dorremo, dorrete, dorranno. *Pass. rem.*: dòlsi, dolesti, dolse, dolemmo, doleste, dolsero. *Pres. cong.*: dòlga, dòlga, dòlga, doliamo, doliate, dòlgano. *Pres. condiz.*: dorrèi, dorresti, dorrebbe, dorremmo, dorreste, dorrebbero. *Imper.*: duòli, dòlga, doliamo, dolete, dolgano. *Part. pres.*: dolènte. *Part. pass.*: dolúto. *Gerundio*: dolèndo. Significa: dar dolore, far male. Es.: *Mi dolgono i denti*. Spesso come impersonale, nel senso di: dispiacere, rincrescere. Es.: *Ci doleva della sua sventura*. Come intransitivo pronominale significa: provare o esprimere dolore. Es.: *Dolersi dei propri peccati*.

dolico-: nel linguaggio scientifico, primo elemento di parole che indicano lunghezza: *dolicocefalo* (individuo dal cranio più lungo che largo), *dolicostilo* (fiore a lungo stilo).

domànda retòrica: domanda che non attende informazione dalla risposta, bensì la conferma di ciò che la domanda di per sé implica già, per come è posta nel contesto linguistico o extralinguistico e per l'intonazione con cui è pronunciata. Es.: *Mi dovrei sacrificare proprio io?*; *Vogliamo pagare più di quanto vale?*

domandàre: verbo della prima coniugazione, transitivo. Significa: chiedere per sapere o per avere (in questo senso è meglio *chiedere*). Es.: *Ti ho domandato l'ora*; *Chi ha domandato la parola?*; *Mi domandò se l'avevo visto*. Usato anche intransitivamente. Ausiliare: avere. Es.: *Mi ha domandato di te* (=ha chiesto notizie di te).

domàni: avverbio di tempo. Indica un tempo futuro, riferito sia strettamente al giorno successivo ad oggi, sia, più generalmente, all'epoca futura (*Ci incontreremo domani*; *Attendiamo con fiducia il mondo di domani*; *Pensiamo al domani*). Si rafforza con l'aggettivo *stesso* (*Gli scriverò domani stesso*).

dòmo: aggettivo qualificativo. È la forma accorciata del participio passato di domare, *domato*.

dòn: appellativo derivato dalla voce arcaica *donno* (signore, dal latino *dominus*). Si premetteva un tempo al nome proprio dei nobili (*Don Rodrigo, Don Carlo*); oggi solo davanti al nome proprio dei preti, e talora (ma meno correttamente) davanti al cognome. Es.: *Don Piero, Don Luigi, Don Minzoni, Don Gnocchi*.
Il femminile è DÒNNA (dal latino *domina*, signora) ed è usato solo davanti al nome proprio di signora nobile o consorte di personaggio illustre. Es.: *Donna Carla Gronchi, Donna Ida Einaudi*.

dónde: avverbio di luogo. Si scrive anche: d'onde. Significa: da dove. Es.: *Donde arrivi?*; *Torna là donde sei venuto*. L'espressione *aver donde* significa aver giusto motivo. Es.: *Si lamenta e n'ha ben donde*.

dópo: avverbio di tempo. Indica il tempo posteriore (*Ci vedremo dopo*; *Dopo discuteremo*). Talora ha valore di congiunzione per introdurre una proposizione temporale esplicita o implicita (*Dopo che sarai arrivato*; *Dopo aver parlato*). La forma *dopo di che* è scorretta e inutilmente complicata; preferirai: e poi. Es.: *Arrivammo alla villa; dopo di che* (meglio: *e poi*) *ci riposammo*.
Usato come preposizione impropria si costruisce direttamente, o con la preposizione *di* davanti ai pronomi personali. Es.: *Dopo la sfilata*; *Dopo di te*; *Dopo tutti gli altri*. Forma alcuni nomi composti indeclinabili: dopoguerra, doposcuola, dopocena. V. anche COMPOSTI (NOMI).

dóppie (consonanti): tutte le consonanti possono trovarsi doppie nel corpo di una parola. Sono però sempre precedute, in questo caso, da vocale e possono essere seguite solo da una vocale o da *r, l, h*. Es.: *atto, posso, attrezzare, obbligo, occhi, pacchi*. V. anche RADDOPPIAMENTO DELLE CONSONANTI.

doppióni: parole che hanno forme diverse, ma significato sostanzialmente identico. Es.: *gota* e *guancia*, *viso* e *volto*, *ri-*

manere e *restare*. Si indicano talora con questo nome anche gli *allótropi* (V.).

dóppio ottonàrio: verso composto di due ottonari, di cui il primo piano, il secondo piano o tronco, con obbligo di cesura tra i due emistichi. Con le sue sedici (o quindici) sillabe è il verso più lungo della letteratura italiana. Es.:

«*Quando cadono le foglie,*
quando emigrano gli uccelli».
(G. Carducci)

dóppio quinàrio: verso composto di due quinari, con accenti fissi sulla quarta e nona sillaba e obbligo di cesura tra i due emistichi. È usato soprattutto nella metrica barbara. Es.:

«*Il sole tardo ne l'invernale*
ciel le caligini scialbe vincea
e il verde tenero de la novale
sotto gli sprazzi del sol ridea».
(G. Carducci)

dóppio settenàrio: verso composto di due settenari, detto nella letteratura italiana martelliano.

dormíre: verbo della terza coniugazione, intransitivo. Ausiliare: avere. Il participio presente è *dormente*, ma come aggettivo e specialmente come sostantivo è usata la forma *dormiente*. Es.: *Ho visto il cane dormente* (=mentre dormiva); *Non svegliate i dormienti*. Il verbo è usato transitivamente con l'oggetto interno (*Dormire un sonno profondo*).

-dotto: terminazione di parole indicanti canale, conduttura. Es.: *oleodotto, metanodotto, gasdotto*.

dottóre: sostantivo maschile. Titolo che spetta a chi ha ottenuto una laurea. In particolare, il termine designa chi è laureato in medicina, il medico. Al femminile: *dottoressa*. Si abbrevia: *dott.* (*dr.* alla tedesca). Si scrive con l'iniziale minuscola se è seguito dal nome. Es.: *dott. Paolo Bianchi*. Si pone anche tra il cognome e il nome, quando, in un elenco, si deve scrivere prima il cognome. Es.: *Bianchi dott. Paolo*. Se vi sono altri titoli, *dott.* si pone ultimo. Es.: *comm. prof. dott. Paolo Bianchi*; *on. dott. Paolo Bianchi*.

do ut des: locuzione latina. Significa: dò perché tu dia. Usata per indicare un dono o una concessione fatta per avere il contraccambio.

dóve: avverbio di luogo. Usato nelle proposizioni interrogative dirette (*Dove andiamo?*) o indirette (*Chiese dove saremmo andati*). È usato come congiunzione per introdurre proposizioni relative (Es.: *Andai a Como, dove ero atteso*; *In quelle regioni, dove manca tutto*) o interrogative (*Dove vuoi che andiamo?*) o ipotetiche (*Dove ciò non fosse possibile, decideremmo diversamente*). Più raramente *dove* introduce un'avversativa (*Credette a uno scherzo, dove si trattava di un fatto serio*).

dovére: verbo irregolare della seconda coniugazione, intransitivo. *Pres. indic.*: devo (o debbo), devi, deve, dobbiamo, dovete, debbono (o devono). *Pass. rem.*: dovetti (o dovei), dovesti, dové (o dovette), dovemmo, doveste, dovettero. *Fut. semplice*: dovrò, dovrai, dovrà, dovremo, dovrete, dovranno. *Pres. cong.*: deva (o debba), deva, deva, dobbiamo, dobbiate, devano (o debbano). *Imperf. cong.*: dovessi, dovessi, dovesse, dovessimo, doveste, dovessero. *Pres. condiz.*: dovrei, dovresti, dovrebbe, dovremmo, dovreste, dovrebbero. *Imper.* (solo la seconda persona): devi. *Part. pass.*: dovúto. *Gerundio*: dovendo. Quando è usato assolutamente si coniuga con l'ausiliare avere. Es.: *Ti ha criticato perché ha dovuto*; *Perché ha fatto ciò? Perché ha dovuto*. Quando non è in funzione di verbo *servile* (V.), si coniuga con l'ausiliare del verbo che accompagna. Es.: *È dovuto partire*; *Era dovuto andare*; *Aveva dovuto comperare*; *Siamo dovuti ritornare subito*. Con i verbi riflessivi sono ammesse due costruzioni: *Ho dovuto pentirmi*; oppure: *Mi son dovuto pentire*.

Dovere è anche usato intransitivamente nel senso di essere debitore. Es.: *Gli devo la vita*; *Mi deve una forte somma*.

Come sostantivo maschile, DOVERE significa: obbligo, compito, responsabilità. Es.: *Io faccio il mio dovere*; *Tu adempi i tuoi doveri*. Al plurale si usa malamente (nel modello del francese) come forma di saluto. Es.: *Le faccio i miei doveri*.

dovúnque: avverbio di luogo. Significa: in qualunque parte che. Ha funzione relativa, perciò non è corretto usarlo assolutamente. Es.: *Ti seguirò dovunque tu* *vada*; *L'ho cercato dappertutto* (non: dovunque).

drammatúrgo: sostantivo maschile. È uno dei nomi in *-go*. Plurale: drammatúrghi.

duàle: presso alcune lingue, tra cui il greco antico, la categoria grammaticale del numero indicante non un singolo elemento, né una generica pluralità, bensì precisamente due elementi.

dùbbio (avverbi di): avverbi che esprimono incertezza e probabilità. I principali sono: *forse, ma, probabilmente, quasi* (V. voci relative).

dubitàre: verbo della prima coniugazione, intransitivo. Ausiliare: avere. Significa: essere in dubbio, sospettare. Si costruisce con la preposizione *di* e con la congiunzione *che*. Es.: *Qualcuno dubita di lui*; *Dubitiamo che tu possa riuscire da solo*. Talora significa: esitare, non osare. Es.: *Non dubitare di chiamarmi*.

dubitatio: figura retorica di pensiero che consiste nel manifestare incertezza di fronte alla scelta tra due o più alternative, talvolta con una valutazione del pro e del contro di una delle risoluzioni. Es.: «*Fu vera gloria? Ai posteri/l'ardua sentenza*» (Manzoni); *Perché dovrei ammettere di aver sbagliato con Anna? Non servirebbe né a me né a lei*.

dubitatíve (congiunzioni): congiunzioni che esprimono dubbio. Sono: *se*, usata dopo i verbi di dubbio, *che*, usata dopo i verbi di timore. Es.: *Non so se verrà*; *Temo che non ci riesca*. Anche la particella *che* è però usata dopo i verbi di dubbio. Es.: *Dubito che venga*. V. anche DUBBIO (AVVERBI DI).

dúe púnti: segno d'interpunzione (:) usato per indicare una pausa nella proposizione o nel periodo. I due punti si usano:

a) quando si devono riferire testualmente le parole di altri; in questo caso sono seguiti anche da una lineetta o dalle virgolette. Es.: *Egli mi disse: – Vai pure; Noi dicemmo: «Non possiamo accettare queste condizioni»*;

b) quando segue un elenco, una enumerazione. Es.: *Erano presenti le seguenti persone: mio padre, tuo zio, i nostri cugini, e quattro amici*; *La cassa conteneva: due piatti, tre bicchieri, otto posate, cinque tovaglioli*;

c) quando si vuol mettere in rilievo, annunziandole con particolare solennità, le parole che seguono. Es.: *Non ci sono altre alternative: arrendersi o perire*; *Guardai il viso del ferito: irriconoscibile*;

d) quando si vuol spiegare la causa di quanto si è detto prima senza usare la congiunzione causale. Es.: *Non son potuto venire: pioveva*; *Non avrebbe potuto più rispondermi: era morto*.

dúnque: congiunzione coordinante semplice propria. È detta *conclusiva* o *illativa* perché è usata per concludere un ragionamento. Es.: *Socrate è uomo, dunque è mortale*; *Penso, dunque sono*. Anche nelle esortazioni. Es.: *Dunque, andiamo!*; *Partiamo, dunque, senza più indugi!* Nelle interrogazioni significa: allora. Es.: *Dunque, tu confermi?*; *Dunque, che cosa mi dici?* Come sostantivo, significa: conclusione. Es.: *Veniamo al dunque*.

duránte: participio presente del verbo *duràre*. Come aggettivo indica cosa che dura nel tempo e viene posposto al nome. Es.: *vita natural durante*. Come preposizione impropria si costruisce direttamente. Es.: *Ciò accadde durante la guerra*; *Quello che può avvenire durante un'ora*; *Fu durante la mia assenza che tu dicesti quelle parole*.

duràre: verbo della prima coniugazione, intransitivo. Significa: continuare ad essere, rimanere o continuare in un'azione; si coniuga con entrambi gli ausiliari. Es.: *Il gioco è durato troppo*; *Questa stoffa è durata cinque anni*; *È durato in carica sette anni*; *Ha durato troppo questa storia*; *Non avevano durato molto a combattere in quelle condizioni*. Si costruisce anche con la preposizione *a*. Es.: *Durò molto a capirla*; *Non avrebbe durato più a digiunare*. Transitivo nell'espressione: *durar fatica* (stentare, faticare, trovare difficoltà). Es.: *Ha durato fatica a risolvere quel problema*; *Dura fatica per convincerlo*.

E

e: quinta lettera dell'alfabeto, seconda delle vocali. È di genere femminile o maschile, sottintendendo rispettivamente *lettera* o *segno*: la *e*, un *e*. Quando è in posizione atona ha un suono breve e chiuso e si pronuncia rapidamente (Es.: in *morire* o *aprire*, la *e* finale, atona, si pronuncia rapidamente, con suono stretto). Quando invece è tonica ha due suoni: largo o aperto, indicato dall'accento grave (*è*), e stretto o chiuso, indicato dall'accento acuto (*é*). Con un unico segno dunque si indicano, nella lingua italiana, due suoni differenti. Il diverso timbro della vocale *e* deriva dall'etimo, dalla parola originaria latina: la *è* aperta corrisponde all'antica vocale breve, la *é* chiusa corrisponde all'antica vocale lunga. Ma non mancano le eccezioni. Non esiste neppure una regola per riconoscere i due suoni della *e*, quando non siano espressamente indicati dall'accento grave o dall'accento acuto. Perciò è bene ricorrere ai dizionari quando si vuol essere certi di pronunciare correttamente una parola. In generale, tuttavia, si può stabilire che la *e* si pronunzia aperta o larga nel dittongo *ie* (piède, portière) e nelle terminazioni nominali in: *-èllo, -èlla* (monèllo, fratèllo, castèllo, sorèlla), *-èma* (problèma, epifonèma, crèma), *-èndo* (reverèndo, merènda), *-ènse* (parmènse, estènse), *-ènte* (parènte, sapiènte), *-ènza* (capiènza, valènza), *-èsimo* numerale ordinale (ennèsimo, ventèsimo), *-èstro* o *-èstre* (maldèstro, alpèstre), *-lènto* (violènto, purulènto). Si pronuncia pure aperta nelle terminazioni verbali del passato remoto *-ètti, -ètte, -èttero* (temètti, temètte, temèttero), del condizionale presente *-erèi, -erèbbe, -erèbbero* (loderèi, loderèbbe, loderèbbero), del participio presente *-ènte* (dolènte, morènte) e del participio passato *-ènto* (attènto, spènto). La *e* si pronuncia stretta o chiusa nelle terminazioni nominali in: *-ménto* (sfilaménto, smarriménto), *-éccio* (villeréccio, spendéreccio), *-éfice* (oréfice, artéfice), *-ésa* (sorprésa, intésa), *-éssa* (contéssa, poetéssa), *-ésco* (furbésco, manésco), *-ése* (torinése, borghése), *-ésimo* come terminazione di nomi astratti (cristianésimo, puritanésimo), *-éto* (pinéto, ulivéto), *-étto* (rubinétto, gallétto), *-évole* (biasimévole, lodévole), *-ézza* (tristézza, saggézza). Si pronuncia chiusa nelle terminazioni verbali del presente indicativo *-éte* (sapéte, vedéte), dell'imperfetto *-éva* (chiedéva, voléva), del passato remoto *-éi, -ésti, -é, -émmo, -éste, -érono* (teméi, teinésti, temé, temémmo, teméste, temérono), del passato remoto *-ési* (scési, attési), del participio passato *-éso* (diféso, attéso), del futuro semplice *-rémo, -réte* (vedrémo, vedréte), dell'imperfetto congiuntivo *-éssi, -ésse, -éssero* (prendéssi, prendésse, prendéssero), dell'infinito *-ére* (vedére).

La finale *e* tonica si pronuncia aperta nei nomi propri (*Mosè, Giosuè*) e nei nomi di origine straniera (*caffè, tè*); si pronuncia invece chiusa nei nomi comuni, nelle congiunzioni, nei numerali (*mercé, fé, poiché, ventitré*).

Dalla pronuncia aperta o chiusa della vocale *e* dipende il diverso significato di alcune parole *omonime* (V.), cioè di quelle coppie di parole composte dalle stesse lettere, che si differenziano solo per il diverso timbro della *e*. Es.: *accétta* (aggettivo: gradita) e *accètta* (sostantivo: scure), *lègge* (pres. ind. di leggere, terza persona singolare) e *légge* (sostantivo: norma), *vènti* (plurale di vento) e *vénti* (numero).

Nelle iscrizioni latine E è abbreviazione di *Ennius*. Oggi abbreviazione di Est, punto cardinale; di Eccellenza e di Eminenza (Es.: S. E.; V. E.: *Sua Eccellenza*; *Vostra Eminenza*).

e: congiunzione coordinante copulativa. Unisce due elementi che possono essere costituiti da nomi, aggettivi, avverbi, verbi, pronomi, complementi o proposizioni (*Il bue e l'asinello*; *Eri buono e gentile*; *Oggi e domani*; *Lavorare e combattere*; *Io e te*; *Con noi e contro di noi*; *Io ero stanco e tu eri triste*).
Nelle enumerazioni si pone solo tra il penultimo e l'ultimo termine (*Erano presenti operai, impiegati, tecnici e intellettuali*).
La ripetizione della congiunzione (*polisindeto*) si usa per dare concitazione e rilievo a un'espressione. Celebre l'esempio del Manzoni: «*E ripensò le mobili / tende e i percossi valli / e il lampo de' manipoli / e l'onda dei cavalli / e il concitato imperio / e il celere ubbidir*».
Gli scrittori moderni usano anche porre la *e* all'inizio del discorso per particolari effetti stilistici (Es.: *E continuava a guardarlo intensamente*). Anche nel linguaggio familiare è frequente questo uso. Es.: *E allora che facciamo?*
Dal contesto si possono talora riconoscere altri valori attribuiti ad *e*: *Noi arrivavamo ed essi partivano* (= mentre essi partivano); *Io soffro e tu ridi* (=invece tu ridi); *Tu avevi fame e non c'era più cibo* (= ma non c'era più cibo).
La congiunzione *e* assume una *d* eufonica davanti alle vocali, soprattutto davanti a un'altra *e*. Es.: *ed ecco*.

ebbène: congiunzione composta dalla congiunzione semplice *e* e dall'avverbio *bene* (con raddoppiamento della consonante iniziale, come vuole il prefisso *e*). Ha valore illativo perché indica una conclusione, o anche concessione. Es.: *Anche se è tardi, ebbene vai lo stesso*; *Hai sbagliato, ebbene paga*. Usato nelle interrogazioni. Es.: *Ebbene, cosa vuoi?* Anche assolutamente: *ebbene?* per sollecitare una risposta.

ebrézza: grafia meno comune di *ebbrezza*. Analogamente, conviene scrivere *ebbro* e non ebro. Una sola *b* invece in: *ebrietà, inebriare, inebriato*.

ecatómbe: sostantivo femminile. Plurale: ecatombi.

eccellènza: sostantivo femminile che indica la qualità di chi o di ciò che è eccellente. Usato soprattutto come titolo attribuito ad alte autorità del Governo, della Magistratura, dell'Esercito e della Chiesa. Si abbrevia: S. E. (Sua Eccellenza), V. E. (Vostra Eccellenza). L'abuso di questo titolo è però sintomo di civiltà arretrata e di servilismo. Per disposizioni ministeriali esso è ora riservato al Presidente della Repubblica e al primo presidente della Corte di Cassazione.
La locuzione *per eccellenza* significa: per antonomasia. Es.: *È il poeta per eccellenza.*

eccèllere: verbo irregolare della seconda coniugazione, intransitivo. Ausiliare: essere. *Pass. rem.*: eccelsi, eccellesti, eccelse, eccellemmo, eccelleste, eccelsero. *Part. pass.*: eccelso (usato spesso come aggettivo).

eccepíre: verbo della terza coniugazione, transitivo. In alcuni tempi si coniuga con la forma incoativa *-isc-* tra il tema e la desinenza. *Pres. indic.*: eccepisco, eccepisci, eccepisce, eccepiamo, eccepite, eccepiscono. *Pres. cong.*: eccepisca, eccepisca, eccepisca, eccepiamo, eccepiate, eccepiscano. *Part. pass.*: eccepíto. Significa: sollevare eccezione (voce del linguaggio giuridico). Anche obbiettare, replicare, rilevare (che sono verbi da preferire). Es.: *Non ho nulla da obbiettare* (meglio che: *eccepire*).

eccèsso (all'): locuzione poco corretta. Meglio usare gli avverbi: troppo, soverchio, eccessivamente. Es.: *È troppo permaloso* (non: *permaloso all'eccesso*).

eccètto: preposizione impropria che significa: salvo che, se non, fuor che. Si costruisce direttamente. Es.: *Erano presenti tutti, eccetto i tuoi amici.* Per la locuzione *eccetto che* vedi ECCETTUATIVA (PROPOSIZIONE).

eccettuatíva (proposizione): proposizione subordinata che limita il significato della reggente. È cosí detta perché avanza una eccezione rispetto a quello che è detto nella reggente. Nella forma esplicita è introdotta dalle locuzioni *tranne che, eccetto che, salvo che*; il verbo si pone al modo indicativo o al modo congiuntivo secondo che l'eccezione è considerata rispettivamente un fatto certo e reale oppure una mera possibilità. Es.: Abitiamo la stessa città, *tranne che uno vive a nord e l'altro a sud*; Accoglieva tutti gentilmente, *salvo che non fosse arrabbiato*. Nella forma implicita la proposizione eccettuativa si esprime con il verbo al modo infinito preceduto da *tranne che, fuorché, eccetto che*. Es.: Fece tutto *tranne che aiutare*; Avrebbe concesso ogni cosa, *fuorché lasciarci uscire*; *Eccetto che studiare*, avrebbe fatto qualsiasi cosa. V. anche ESCLUSIVA (PROPOSIZIONE).

eccettuatíve (congiunzioni): sono cosí dette le congiunzioni e locuzioni congiuntive che indicano una esclusione o una eccezione. Esse sono: *eccetto che* (Tutti lo sapevano *eccetto che* noi), *se non* (Nessuno lo può dire *se non* tu), *fuorché* (Gli amici, *fuorché* Giulio, gli furono solidali), *altro che* (Non so *altro che* questo).

eccezióne: sostantivo femminile. Indica ciò che esce dalle regole. La locuzione *ad eccezione di* significa: eccetto, fuorché, salvo che (tutte forme da preferire). Es.: *Furono promossi tutti, ad eccezione* (meglio: *fuorché, eccetto*) *dei tuoi figli*. È sconsigliata pure la locuzione *d'eccezione* per: straordinario, singolare, raro. Es.: *prezzi d'eccezione* (straordinari), *un artista d'eccezione* (raro, bravissimo).

ècco: avverbio indicativo. Indica l'improvvisa comparsa di una persona o di una cosa, il verificarsi improvviso di un fatto. Sostituisce talora una intera frase, equivalendo ad una esclamazione. Es.: *Ecco* (= ora arriva) *mio padre*; *Ecco* (= questo è) *l'uomo da battere; Eravamo distesi sull'erba, quand'ecco* (= quando all'improvviso) *sentimmo grida d'aiuto*. Le particelle pronominali si uniscono encliticamente ad *ecco*. Es.: *Eccolo!* (= ora arriva, è questo qui); *Eccomi subito* (= vengo subito). Con il participio passato dei verbi indica un'azione rapidamente compiuta. Es.: *Ecco fatto* (già tatto); *Eccoci arrivati* (siamo già arrivati). Come semplice interiezione, acquista significato dal contesto. Es.: *Ecco, ti metti a piangere!*; *Ecco come finiscono queste storie!* Talora ha valore semplicemente di particella riempitiva. Es.: *Non volevo offenderti, ecco.*

echeggiàre: verbo della prima coniugazione, intransitivo. Si coniuga con entrambi gli ausiliari. Es.: *È echeggiato un colpo di pistola*; *La sala ha echeggiato di applausi.*

eclèttico: aggettivo qualificativo. Plurale: eclettici. Errata la forma *ecclettico.*

èco: sostantivo femminile. È uno dei nomi femminili in *-o*. Plurale: gli echi (maschile). Es.: *la vasta eco*; *i profondi echi.*

eco: concorre come primo elemento a formare parole composte, specie nel campo della medicina, per indicare analisi basate sulla rilevazione di echi prodotti da onde ultrasonore. Es.: *ecografia, ecogramma, ecocardiogramma.*

eco-: prefisso di origine greca che significa: ambiente, dimora. Concorre a formare parole composte: *ecologia, ecosistema, ecotipo, ecosfera.*

-ectomía: nelle parole del linguaggio medico, secondo elemento di parole composte che significa: asportazione chirurgica. Es.: *tonsillectomia, appendicectomia.*

edíle: sostantivo maschile (o aggettivo). Oggi indica persona dedita all'edilizia, costruttore, operaio dell'arte muraria. Errata la pronuncia édile.

-èdro: terminazione di parole, specialmente della geometria. Vale: faccia. Es.: *dodecaedro.*

effètto: sostantivo maschile. Indica il prodotto di una causa. Es.: *Ogni causa ha il suo effetto; Questo è l'effetto del caldo.* Si notino le locuzioni: *d'effetto* (impressionante, significativo, commovente. Es.: *una scena d'effetto, una pagina d'effetto*), *fare l'effetto di* (fare impressione di. Es.: *Quella frase mi fa l'effetto di una preghiera tardiva*), *fare effetto* (aver, produrre un risultato. Es.: *La reprimenda ha avuto effetto*; *Certe punizioni fanno l'effetto* [meglio: producono un risultato] *contrario di quel che si spera*), *per effetto di* (a causa di. Es.: *Per effetto della tua partenza, ho dovuto rinviare il mio viaggio*), *mandare ad effetto* (eseguire. Es.: *Per fortuna non ha mandato ad effetto il suo piano*).

Effètto nel senso di *capo di vestiario* è francesismo da evitare.

effettuazióne: sostantivo femminile. Meglio: esecuzione, compimento. Invece di EFFETTUARE userei: eseguíre, mandare ad effetto, compiere.

efficàcia: nome femminile terminante in *-cia*, che al plurale conserva la *i* atona (*efficacie*) anche per distinguersi da *efficace* che è aggettivo.

effígie: sostantivo femminile. La grafia *effíge* è ammessa. Al plurale: effígie o effígi.

-èfico: suffisso con il quale si formano aggettivi indicanti capacità. Es.: da male, *malèfico* (che fa male, che può far male); da bene, *benèfico* (che può far bene). La *e* del suffisso è tonica e si pronuncia larga.

-eggiàre: terminazione di alcuni verbi che hanno, per lo più, valore frequentativo. Es.: da guerra, *guerreggiare*; da beffa, *beffeggiare*; da tempo, *temporeggiare*; da vano, *vaneggiare.*

ègida: sostantivo femminile. Indicava lo scudo di Giove. Oggi è usato nel senso di protezione, difesa, patrocinio. Es.: *Sotto l'ègida del Presidente della Repubblica*; *Sotto l'ègida della Croce Rossa*. Errata la pronuncia egída.

égli: pronome personale di terza persona maschile singolare. Si usa sempre come soggetto della proposizione, riferito a persona. Se si tratta di cosa o di animale si usa *esso*. Plurale di egli: *essi*. Quando il pronome è in funzione di complemento si usa *lui* (che talora ha anche ufficio di soggetto). V. PERSONALI (PRONOMI) e LUI.

ègloga o **ècloga:** nell'antica letteratura classica, il termine originariamente designò un'opera «scelta» (dal greco *eklégheìn*, appunto scegliere), «a sé stante, autonoma», poi un componimento di quel genere pastorale fissato in età ellenistica da Teocrito nella forma descrittiva e minuziosamente realistica dell'idillio. Nella letteratura latina l'egloga assunse caratteri fortemente idealizzati, come proposizione e sogno di un mondo lontano da ogni contrasto e dissidio, realizzabile solo in campagna, raggiungendo risultati esemplari nelle *Bucoliche* di Virgilio, chiamate anche egloghe, scritte in esametri. Passò poi nel Medio Evo e lo stesso Dante fu autore di egloghe in esametri di argomento autobiografico. Grande fu in seguito la sua fortuna fra gli umanisti, anche nella forma di egloga piscatoria, avente per soggetto il mondo dei pescatori, oltre che nella tradizionale forma pastorale, scritta sempre in latino. In forme metriche diverse, e in lingua italiana, l'egloga sopravvisse con un certo successo attraverso l'Arcadia, fino al Parini.

ego-: primo elemento di parole composte. D'origine greca, significa: io. Es.: *egoismo, egocentrico, egotismo.*

egrègio: aggettivo qualificativo che significa: straordinario, nobile, eccellente. Es.: «*A egregie cose il forte animo accendono l'urne dei forti*» (Foscolo). Usato correntemente negli indirizzi della corrispondenza. Es.: *Egr. Sig.* (egregio signore); *Egr. Dott.* (egregio dottore).

eh!: interiezione. Indica meraviglia, disapprovazione, rammarico, ironia. Muta significato secondo il tono con cui si pronuncia. In uno scritto il significato si intuisce dal contesto. *Ehi!* è invece esclamazione di uso familiare per chiamare o per rispondere a una chiamata.

ehm: interiezione primaria. Può esprimere incertezza, esitazione (*Ehm, non saprei cosa dire*) o minaccia velata (*Potreste, ehm, pagarla cara*).

éi: pronome personale di terza persona maschile singolare. È forma poetica di *egli* (V.), da non usarsi però davanti a vocale.

elaboràre: verbo della prima coniugazione, transitivo. *Pres. indic.*: elàboro (non: elabóro), elàbori (non: elabóri), elàbora (non: elabóra), elaboriamo, elaborate, elàborano (non: elabórano). *Part. pass.*: elaboràto. Il participio passato è usato anche come sostantivo nel senso di: scritto, relazione, compito scritto. Es.: *Il professore ha corretto gli elaborati.*

elargíre: verbo della terza coniugazione, transitivo. In alcuni tempi si coniuga con la forma incoativa *-isc-* tra il tema e la desinenza. *Pres. indic.*: elargisco, elargisci, elargisce, elargiamo, elargite, elargiscono. *Pres. cong.*: elargisca, elargisca, elargisca, elargiamo, elargiate, elargiscano. *Part. pass.*: elargíto.

elatívo: dicesi di qualsiasi forma che esprime il più alto grado di qualcosa. In genere, sono elativi i superlativi assoluti (*grandissimo*) o certe forme composte del linguaggio corrente (*supermegagalattico*).

elefànte: sostantivo maschile. Al femminile: *elefantessa.*

elèggere: verbo della seconda coniugazione, transitivo. *Pass. rem.*: elessi, eleggesti, elesse, eleggemmo, eleggeste, elessero. *Part. pass.*: elètto. Significa: scegliere con votazione, preferire. Al passivo è un verbo *copulativo* (V.), svolge cioè una funzione analoga al verbo essere, quando si completa con un predicato nominale. Es.: *Hanno eletto il presidente* (il verbo è transitivo e si completa con un complemento oggetto); *Egli fu eletto presidente* (il verbo è copulativo, seguito dal complemento predicativo).

elegía: nell'antica letteratura greca, componimento legato originariamente ai riti funebri, che prendeva il nome dal metro usato (il distico elegiaco). Ebbe in seguito presso i grandi lirici greci contenuti diversi, da quelli personali (soprattutto l'amore) a quelli morali, patriottici, filosofici. In età ellenistica assunse carattere prevalentemente erudito e mitologico, mentre presso i Romani pervenne ad una peculiare originalità di ispirazione, legata a quei sentimenti di profonda malinconia e di pacata tristezza che la caratterizzarono nella successiva letteratura europea fino all'età romantica. Nella letteratura italiana, il metro prediletto per l'elegia fu la terzina di endecasillabi, ma alla fine del XIX sec., Carducci e D'Annunzio riprodussero il distico elegiaco, riprendendo la vasta tematica della primitiva elegia greca.

elegiàmbo: nella metrica antica, verso asinarteto di 15 sillabe, interpretato come la fusione di un trimetro dattilico catalettico e di un dimetro giambico. Nella metrica barbara fu reso dal Carducci con l'accostamento di un settenario piano e di uno sdrucciolo. Es.:

«Volate col novo anno
antichi versi italici».

(G. Carducci)

elettívi (verbi): verbi copulativi che danno luogo a un particolare tipo di predicato nominale. Esprimono elezione, scelta, preferenza. Es.: *È stato eletto deputato*; *È stata scelta come Miss Sorriso.*

elèttrodo: sostantivo maschile. La pronunzia piana (elettròdo) non è corretta.

elettròlisi: sostantivo femminile. La pronunzia piana (elettrolìsi) non è corretta, sebbene invalsa nell'uso.

elevàre: verbo della prima coniugazione, transitivo. *Pres. indic.*: èlevo (o elèvo), èlevi (elèvi), èleva (elèva), eleviàmo, elevàte, èlevano (elèvano). *Elevare una contravvenzione*: infliggere, intimare una contravvenzione (forma da preferire).

eli-: prefisso per la formazione di parole nuove attinenti all'*elicottero*, velivolo sostenuto da due eliche montate sullo stesso asse. Es.: ELIPORTO (aeroporto per elicotteri), ELIBUS (elicottero usato per trasporti urbani e interurbani), ELIVIA (linea di comunicazione servita da elicotteri).

elídere: verbo irregolare della seconda coniugazione, transitivo. *Pass. rem.*: elisi, elidesti, elise, elidemmo, elideste, elisero. *Part. pass.*: elíso.

elio-: primo elemento di parole composte, proprie del linguaggio scientifico. Vale: sole. Es.: *eliocentrico, elioterapia, elioscopio.*

elisióne: soppressione dell'ultima vocale di una parola (in modo che le lettere rimanenti in fine formino sillaba unendosi con l'iniziale della parola seguente) allo scopo di offrire all'orecchio un suono più armonioso. Si verifica soltanto dinanzi a parola che comincia per vocale ed è sempre indicata nella scrittura dall'*apostrofo.* Es.: *d'amore, l'eterno, l'amica.* Da non confondere con il *troncamento* (V.), che può eliminare una intera sillaba anche davanti a parole comincianti per consonante e non si segna con l'apostrofo.

L'elisione si deve sempre fare con gli articoli e le preposizioni articolate: *l'(o) uomo, l'(a) estetica, gl'(i) individui, un'(a) artista, dell'(o) operaio*, ecc. È assai comune con la preposizione *di* [*d'(i) odio*], con le particelle pronominali *mi, ti, si, lo, gli*, con le avverbiali *ci, vi*, con la congiunzione e pronome relativo *che*; notando però che: *gli* si elide solo davanti a *i*, *ci* solo davanti ad *e, i*; *le* (art. femm. plur.) solo davanti ad *e*, ma non in parola che abbia il plurale uguale al singolare (*le ingenuità*).

È necessario, per l'elisione, che la parola non termini con vocale accentata. In poesia, e talora anche in prosa, si possono trovare però elise le congiunzioni *perché* e *benché*. Rara è l'elisione della congiunzione *se* e della preposizione *da* (*d'allora, s'altri*).

Si evita l'elisione quando può dar luogo ad ambiguità. Es.: l'*omicida* (è elisione di *lo* o di *la*?).

Nei testi a stampa, e quindi per estensione anche nei manoscritti, da circa un secolo è invalso l'uso di non finire con un apostrofo la riga. Invece di scrivere, per esempio: *Egli non era cosí sicuro dell' / amore di Lucia per lui*, si scrive: *Egli non era così sicuro dello / amore di Lucia per lui.*

Ma tale uso è discutibile in quanto non si fonda su alcun ragionevole motivo; ed essendo una vera e propria alterazione del testo, è da evitarsi nelle citazioni. Conviene dunque o mantenere l'apostrofo in fin di riga o spezzare opportunamente la parola prima dell'elisione (Es.: *dell'/ amore* o *del- / l'amore*).

élla: pronome personale di terza persona femminile singolare. È il femminile di *egli* (V.). Si usa sempre come soggetto, riferito a persona. V. però anche *Lei*.

Come *lei* si usa anche quando ci si rivolge a persona, maschio o femmina, con cui non si abbia familiarità. Es.: *Ella mi ha capito*; *Le sarò grato, se Ella vorrà disporre...* Se la persona è un maschio, participi e attributi che vi si riferiscono vanno al maschile. Es.: *Ella, Eccellenza, è assai generoso.*

V. anche PERSONALI (PRONOMI).

-elletto, -ellino: suffissi per il diminutivo e vezzeggiativo. Es.: *uccelletto, donzelletta, porcellina, santarellina.*

ellíssi: figura grammaticale che consiste nell'omettere qualche parte del discorso, che si può sottintendere facilmente. Esempi: (ellissi del soggetto) *Parlai con la mamma* (sottinteso: io); *Ascoltasti la lezione* (sottinteso: tu); (ellissi del predicato): *E tu a me* (sottinteso: dicesti); *Cattivo!* (sottinteso: sei); (ellissi del nome): *Gliene dissi tante* (sottinteso: parolacce); *Ah, quante gliene ha fatte!* (sottinteso: monellerie). È una figura usata specialmente nelle risposte e nelle esclamazioni. Es.: Mi hai visto? *Sì* (sottinteso: ti ho visto), *Guai a te!* (sottinteso: accadranno).

Ellittica è una proposizione o una espressione in cui sia sottinteso qualche elemento.

-èllo: suffisso che si aggiunge ai nomi per formarne il *diminutivo* (V.). Femminile: *-ella*. es.: da bambino, *bambinello*; da rosa, *rosella*; da forno, *fornello*. È anche la terminazione di alcuni nomi primitivi: *martello, coltello, scodella, sentinella, mantella*. La *e* del suffisso è tonica e si pronuncia larga.

elògio: scritto e discorso solenne in onore di qualcuno (o di qualche cosa). V. anche ENCOMIO.

elocutio: terza delle cinque sezioni (le altre sono: *inventio, dispositio, memoria, pronuntiatio*) in cui si divide la retorica, dedicata alla scelta delle forme verbali (parole e frasi) più adatte agli argomenti trattati.

elúdere: verbo irregolare della seconda coniugazione, transitivo. *Pass. rem.*: elusi, eludesti, eluse, eludemmo, eludeste, elusero. *Part. pass.*: elúso.

emato-: primo elemento di parole composte, tipiche del linguaggio medico. Segnala attinenza col sangue. Es.: *ematopoiesi, ematologo, ematoma.*

emèrgere: verbo irregolare della seconda coniugazione, intransitivo. Ausiliare: essere. *Pass. rem.*: emersi, emergesti, emerse, emergemmo, emergeste, emersero. *Part. pass.*: emèrso. Significa: venire a galla; al figurato: elevarsi, distinguersi, esser chiaro. Es.: *Il sommergibile è emerso*; *Emergeva su tutti per la sua intelligenza*; *Dall'inchiesta è emerso che si trovava sul luogo del delitto.*

eméttere: verbo della seconda coniugazione, transitivo. *Pass. rem.*: emisi, emettesti, emise, emettemmo, emetteste, emisero. *Part. pass.*: emésso. Significa: mandar fuori, emanare. Es.: *La stufa emette calore*; *Lo strumento emise uno strano rumore*. Eviterai invece l'uso di questo verbo nel senso di: pubblicare, diffondere, esporre, esprimere, proporre.

emi-: prefisso che indica metà. Es.: *emiciclo* (mezzo cerchio), *emisfero* (mezza sfera).

-emía: nel linguaggio medico e scientifico, terminazione di parole composte attinenti al sangue. Es.: *talassemia, anemia.*

emigràre: verbo della prima coniugazione, intransitivo. Significa: abbandonare la patria per andare in paese straniero, espatriare. Si coniuga con l'ausiliare avere quando è usato assolutamente, con essere quando è indicata la meta. Es.: *Paolo ha emigrato; È emigrato in Brasile.*

eminènza: sostantivo femminile. Indica: luogo eminente, cioè che sopravanza in altezza quelli circostanti; oppure stato di superiorità, anche morale. È il titolo d'onore che spetta ai Cardinali. Es.: *Sua eminenza il Card. Colombo.* Si abbrevia, in questo caso, S. E. (da non confondersi con Sua Eccellenza).

emistíchio: ciascuna delle due parti in cui un verso doppio o divisibile è tagliato dalla cesura. In senso lato, il termine indica anche un verso incompiuto.

emittènte: nello schema generale della comunicazione, è l'elemento (uomo o animale o organismo o dispositivo artificiale) che invia il messaggio. Nel caso della comunicazione che proviene da una persona attraverso una macchina, come nel caso del telefono, si distingue talora tra l'elemento emittente, costituito dall'apparecchio, e la fonte informativa, rappresentata dalla persona che è all'apparecchio.

emo-: prefisso, analogo ad *emato-*, usato nel linguaggio scientifico e medico per indicare rapporto col sangue. Es.: *emofilia, emorragia, emoglobina, emolisi, emoteca, emostatico.*

emotíva (funzione): secondo la teoria delle funzioni del linguaggio di Roman Jakobson, facendo riferimento allo schema generale della comunicazione linguistica, il messaggio svolge una funzione emotiva (o espressiva) quando pone il suo accento prevalente sull'emittente.

emozionànte: participio presente di *emozionare*. Come aggettivo è bene non abusarne e usare, secondo i casi, anche i termini: impressionante, commovente, appassionante.

empíre: verbo della terza coniugazione, transitivo. *Pres. indic.*: émpio, émpi, émpie, empiámo, empíte, émpiono. *Pres. cong.*: émpia, empiámo, empiáte, émpiano. *Pass. rem.*: empíi (o empiéi), empísti (empiésti) ecc. *Imper.*: émpi, empíte. *Part. pass.*: empíto o empiúto. Le forme incoative del presente indic., cong. e imper. sono dialettali e quindi da evitare. Significa: mettere in un recipiente tanta materia quanta ne può contenere; riempire, colmare. Usato nella forma riflessiva apparente. Es.: *Si empie la bocca di parole difficili.* Meno usato il sovrabbondante ÉMPIERE, della seconda coniugazione.

enàllage: figura grammaticale consistente nell'usare una parte del discorso diversa da quella che si dovrebbe regolarmente adoperare. Così si usa: il nome per l'aggettivo (Ogni colpo è *morte*, cioè *mortale*), l'aggettivo per il nome (Contemplatori del *bello*, cioè della *bellezza*), l'aggettivo per l'avverbio (Parla *chiaro*, cioè *chiaramente*), un tempo presente per un tempo futuro (Domani *vado*, cioè *andrò*), il presente per il passato remoto (Napoleone *giunge* a Parigi l'indomani, cioè *giunse*). È anche detta *permutazione*.

enclítica: la sillaba atona che si appoggia per l'accento alla parola precedente. Enclitiche sono generalmente le particelle avverbiali e pronominali. Es.: parla*mi*, prendi*lo*, fate*lo*. Se la parola è tronca o monosillabica l'enclitica (tranne *gli*) raddoppia la consonante iniziale. Es.: fa*mmi*, di*mmi*, va*cci*.

encòmio: nell'antica letteratura greca, originariamente canto corale in onore di personaggi distintisi in vario modo, come i vincitori nelle grandi gare atletiche (V. *epinicio*). In seguito, indicò anche un discorso celebrativo in prosa, divenendo un vero e proprio genere dell'arte oratoria. In questo senso, in età ellenistica fu usato anche paradossalmente a dimostrare le capacità artificiose della parola e ripreso da Erasmo da Rotterdam nella famosa opera *Elogio della pazzia* (Enkomion morias) nel XVI secolo.

endecasíllabo: nella letteratura italiana, verso di undici sillabe, di grande duttilità e varietà ritmica e accentuativa, eccezion fatta per l'accento fisso sulla decima sillaba, derivato dal decasillabo provenzale e francese. Già privilegiato da Dante come il verso più «nobile», è il più

usato, anche in unione con il settenario, nella poesia italiana. È generalmente ritenuto il risultato della fusione tra un settenario e un quinario e distinto in endecasillabo a maiore, se il primo emistichio è costituito dal settenario, a minore, se da un quinario, ma ne esistono numerosissime varianti a seconda che sia il settenario sia il quinario siano piani, tronchi o sdruccioli (a seconda cioè della clausola). Talora è anche impossibile separare l'endecasillabo in emistichi precisi e autonomi. Si possono schematizzare tre tipi di sistemi accentuativi: sulla quarta, ottava, decima sillaba (*Un bel morír tutta la víta onóra*, Petrarca; *Mi ritrovài per una sèlva oscùra*, Dante), sulla quarta, settima, decima sillaba (*Poca favílla gran fiàmma secònda*, Dante; *Tanto è amára che poco è più mòrte*, Dante), sulla sesta e sulla decima sillaba (*Una chiusa bellèzza è più soàve*, Petrarca; *Amor che al cor gentíl ratto s'apprènde*, Dante).
Endecasillabi sciolti sono gli endecasillabi di un componimento senza rima. Sono il metro tipico della poesia illuministica (Parini: *Il Giorno*), ripreso dal Foscolo nel carme *I Sepolcri* e dal Leopardi, per lo più in abbinamento con settenari, come forma privilegiata di tutta la sua produzione lirica.
Nella metrica antica l'endecasillabo era un verso di undici sillabe nel quale non erano consentite né la sostituzione di una sillaba lunga con due brevi, né, viceversa, quella di due brevi con una lunga. Era diffuso nelle varianti dell'endecasillabo alcaico e del falecio, entrambi di controversa definizione metrica.

endíadi: figura grammaticale consistente nell'esprimere una sola idea per mezzo di due vocaboli coordinati. Es.: *la fortuna e il caso* per: un caso fortunato; *la spensieratezza e la gioventú* per: la spensierata gioventú.

-èndo: suffisso derivato dal gerundio latino, che indicava necessità passiva. Forma per lo più aggettivi sostantivati. Es.: *reverendo* (che deve essere riverito), *addendo* (che deve essere aggiunto). Al femminile: *-enda*. Es.: *leggenda* (che si deve leggere), *faccenda* (che si deve fare), *merenda* (letteralmente: che si deve meritare). La *e* del suffisso è tonica e si pronuncia aperta.

endofàsico (linguaggio): il parlare tra sé e sé, ossia il linguaggio interiore o mentale, opposto all'espressione normale ed esplicita, detta *linguaggio esofasico*.

ènfasi: figura retorica con cui si ostenta, nel parlato anche con una speciale intensificazione della pronuncia, una parola o una frase allo scopo di alludere ad un significato più profondo di quello che comunemente essa non abbia. Es.: *Luigi che non voleva averne dalla moglie*, dall'amante *ha avuto due figli*.

enjambement: voce francese che significa propriamente «scavalcamento», tradotta in italiano nel Cinquecento con il termine, caduto per lo più in disuso, di «inarcatura». Indica il fenomeno metrico per cui l'unità logico-sintattica tra due parole o gruppi di parole, come sostantivo o aggettivo, soggetto e predicato verbale, soggetto e complemento oggetto, si spezza alla fine del verso, per proseguire in quello successivo (o addirittura nella strofa successiva), dando luogo ad una particolare intensità espressiva. Già presente nella poesia italiana fin da Dante, fu ripreso con intenzionale perizia espressiva nel XVI sec. da Giovanni della Casa e, soprattutto, dal Tasso, che lo riteneva atto a rendere lo stile «magnifico e sublime». Passò poi, attraverso il Foscolo e il Leopardi, in tutta la poesia ottocentesca e novecentesca (particolarmente importante nel Pascoli), come segno dell'impossibilità di circoscrivere poeticamente immagini ed emozioni nel ristretto ambito matematico-numerico del verso. Es.:

«*Ma sedendo e mirando, interminati*
Spazi di là da quella, e sovrumani
Silenzi, e profondissima quiete
Io nel pensier mi fingo; ove per poco
Il cor non si spaura. E come il vento
Odo stormir tra queste piante, io quello
Infinito silenzio a questa voce
Vo comparando...»

(G. Leopardi)

-ènne: suffisso solitamente aggiunto al numerale cardinale per formare aggettivi indicanti l'età di una persona. Es.: *novantenne, ventenne, trentenne, sedicenne*.

La prima *e* del suffisso è tonica e si legge aperta.

enneasíllabo: altro nome del verso *novenario* (V.).

ennésimo: aggettivo numerale ordinale derivato da *n* (simbolo matematico che indica un numero imprecisato).

eno-: prefisso per formare parole con significato attinente al vino. Es.: *enologo, enoteca, enopolio.*

enòplio: nella metrica classica greca è il ritmo, tipico delle danze guerriere da cui deriva il nome, che dà il nome ad un verso, molto usato tanto in commedia o in tragedia, avente un andamento contrario (dalla breve alla lunga) a quello dattilico (dalla lunga alla breve).

-ènse: suffisso per formare parole indicanti abitanti e nativi di un luogo (*parmense, estense*) o appartenenti a categoria o ordine (*forense, cistercense*).

-ènte: suffisso che concorre a formare molte parole italiane, in gran parte participi presenti di verbi della seconda coniugazione poi aggettivati o sostantivati. Es.: *presente, competente, corrente, dipendente, esercente, presidente, supplente, tangente, studente, confidente.*

entità: sostantivo femminile usato nel linguaggio filosofico: la qualità di ciò che è; anche: ente. È un francesismo l'uso di questa parola in luogo di: gravità, importanza. Es.: *Danni di una certa gravità* (non: entità).

entràmbi: aggettivo e pronome che significa: tutt'e due. Quando è usato come aggettivo vuole l'articolo davanti al nome a cui si riferisce. Es.: *Questo verbo si coniuga con entrambi gli ausiliari*; *Ha respinto entrambe le obiezioni.*

éntro: avverbio di luogo; forma letteraria di *dentro* (V.). Come preposizione si costruisce direttamente, usata nelle espressioni temporali. Es.: *Mi devi rispondere entro domani*; *Il libro sarà pubblicato entro l'anno.*

enumerazióne: in retorica, la più tipica tra le figure di parola ottenute per accumulazione, che consiste nell'accostamento di elementi linguistici coordinati, sia per asindeto che per polisindeto, grammaticalmente o semanticamente omogenei. Es.: «*Una confusione di foglie, di fiori, di frutti, di cento colori, di cento forme, di cento grandezze: spighette, pannocchiette, ciocche, mazzetti, capolini bianchi, rossi, gialli, azzurri*» (A. Manzoni); «*Le pareti, dall'alto in basso, sarebbero tappezzate di libri e riviste, e qua e là per rompere la successione delle rilegature e delle brossure, stampe, disegni, fotografie*» (G. Perec).

enunciatíva (proposizione): enunciativa è quella proposizione principale (cioè non dipendente da altra e avente senso grammaticalmente e logicamente compiuto) che enuncia un pensiero, un giudizio o descrive un fatto. È quindi un'asserzione, una dichiarazione, un'informazione. Ha il verbo solitamente al modo indicativo, poiché indica una certezza o una realtà. Talora si trova però anche l'infinito preceduto da *ecco, quand'ecco* o semplicemente da *a* (*Ecco avvicinarsi il nemico*; *Tu a correre, io a seguirti*). In certe occasioni si trova anche il condizionale, per esempio quando la frase ha funzione conativa ed esprime cortesia e modestia (Es.: *Mangerei un cioccolatino, Laureata impiegherebbesi*) o si vuole attenuare un rifiuto (*Avrei un impegno, Preferirei rinunciare*), o si esprime un parere personale (*Riterrei giusto il contrario*) o si indica sorpresa o imbarazzo (*Non me lo sarei mai aspettato*). Il condizionale si usa quando si dà una notizia non accertata: *Il Fondo Monetario Internazionale avrebbe già approvato la delibera.*
Le proposizioni di questo tipo possono essere *affermative* o *negative*. La negazione si esprime generalmente con la particella *non*. Esempi di enunciative affermative: *L'uomo è il re del creato*; *Quel quadro mi sembra bello*; *Piove*; *La donna attraversò la strada*. Esempi di enunciative negative: *Non ti vedo mai*; *Paolo non mi disse nulla*; *Quel ragazzo non mi piace*; *Non è facile rimediare.*

enunciàto: in linguistica, qualsiasi sequenza finita di parole emessa da un parlante in una certa lingua (segnalata da una pausa ovvero dall'inizio di un altro enunciato da parte di un altro parlante), indipendentemente dalla sua grammaticalità o semanticità o funzionalità (per convincere, per ordinare ecc.).

In grammatica, è talvolta sinonimo di frase o di proposizione.

-ènza: suffisso, solitamente aggiunto a un tema verbale, che forma sostantivi indicanti un'azione o un modo di essere. I nomi terminanti in *-ènza* sono per lo più astratti. Es.: da accogliere, *accoglienza*; da capere, *capienza*; da sapere, *sapienza*; da resistere, *resistenza*. La prima *e* del suffisso è tonica e si pronuncia aperta.

-eo: suffisso con il quale si formano aggettivi indicanti materia. Es.: *aureo, ferreo, vitreo, ligneo, terreo*. Il suffisso è atono.

epanadiplòsi: figura retorica che consiste nella ripetizione di una o più parole all'inizio e alla fine di un verso o di una proposizione o di un segmento testuale, allo scopo di darne maggior rilievo ritmico o semantico. Es.: «Vede *perfettamente ogni salute / chi la mia donna tra le donne* vede» (Dante); *Y10:* piace *alla gente che* piace. L'epanadiplosi è dunque una figura di ripetizione a distanza mentre l'anadiplosi è figura di ripetizione a contatto.

epanalèssi: figura retorica che consiste nella ripetizione di una o più parole, all'inizio o all'interno o alla fine di un verso o di una proposizione o di un segmento testuale; all'inizio: Vengo, vengo, *non insistere più*; a metà: *È stata una domenica* bella, bella *veramente, quella che ho passato con te*; alla fine: *Appena gliel'ho detto mi ha guardato e poi se n'è andato a casa* lemme, lemme.

epanortósi: figura retorica, che consiste nel rettificare o nel capovolgere un'affermazione precedente per sottolineare un effetto ironico o polemico. Es.: Gli esperti, *ma sarebbe meglio dire i saccenti*, hanno negato l'evidenza; Una revisione troppo attenta, *direi quasi pignola*. Si dice anche *correzione*.

epèntesi: fenomeno fonetico per cui si inserisce un suono non etimologico all'interno di una parola in genere per ragioni eufoniche (Es.: la *r* di anatra rispetto al latino *anas, anatis*). L'epentesi di una vocale, detta più specificamente *anaptissi* (V.), può anche costituire una *licenza poetica* (V.).

epesegèsi: forma particolare di apposizione consistente in un gruppo di parole o in una proposizione relativa. Es.: Dante, *indicato dalla tradizione come il padre della lingua italiana*, nacque a Firenze.

epi-: prefisso di origine greca che significa: sopra, oltre. Es.: *epicèntro* (il centro superficiale di propagazione delle scosse sismiche), *epigàstro* (la bocca dello stomaco), *epígrafe* (iscrizione).

epicèdio: nell'antica letteratura greca, canto funebre originariamente in forma corale (con uso del verso dattilo epitrito), accompagnato da musica e danza. In età ellenistica e romana il componimento assunse i toni e i metri tipici della poesia elegiaca.

epidíttico: nella retorica antica il genere che aveva come fine la dimostrazione dell'abilità dell'oratore. Era usato soprattutto nelle cerimonie pubbliche, nelle feste, nelle commemorazioni dei morti.

epifonèma: figura retorica consistente nel concludere un discorso con una esclamazione che contiene una sentenza morale. Es.: Non ha nemmeno risposto alla mia domanda: *ecco il premio per chi vuol aiutare gli ingrati!*; Il colpevole fu finalmente arrestato: *la giustizia raggiunge sempre chi l'offende.*

epigràmma: breve componimento poetico d'intonazione satirica. Nato nell'antica Grecia come iscrizione funeraria per lo più in versi (ma anche in prosa), fece propri i più diversi motivi in età ellenistica, pur mantenendo l'originale brevità. Fu una delle forme poetiche più diffuse fino all'età bizantina, come ci dimostra l'*Antologia palatina* (raccolta appunto di epigrammi). Presso i Latini, e in particolare con Marziale, assunse quella carica fortemente satirica che lo caratterizzò in seguito nella moderna letteratura europea. Nella letteratura italiana è solitamente formato da un distico e da una quartina composta di versi di varia lunghezza.

Ecco un esempio di Filippo Pananti, una quartina composta di settenari ed endecasillabi alterni, a rime baciate:

«*Disse Cloe: — Quanti affanni*
Mi dà l'avvicinarmi ai quarant'anni!
Ed io: — Non vi attristate,
Anzi ogni giorno ve ne allontanate».

epíllio: nell'antica poesia greca, piccolo poemetto in giambi avente per argomento un fatto amoroso tratto dal mito di un eroe o di un'eroina. Fissato nella sua forma definitiva da Callimaco in età ellenistica, assunse, in contrapposizione con la grande epica classica (*epyllion* infatti in greco è il diminutivo di *épos*), un tono più vicino ai sentimenti umani, con rappresentazioni realistiche e minuziose tratte anche dalla quotidianità. In tale forma passò nella poesia latina e fu mirabilmente praticato da Catullo, tra gli altri.

epílogo: nome sdrucciolo terminante in *-go*, che al plurale finisce in *-ghi*. Plurale: epiloghi.
Nella retorica classica è la conclusione del discorso. È detto anche *perorazione*. Consiste di due parti: una prima parte, detta ricapitolazione, in cui gli argomenti trattati e le soluzioni prospettate vengono riproposti in modo schematico per richiamarli alla memoria dell'ascoltatore; una seconda parte, detta mozione degli affetti, per suscitare una forte e memorabile emozione tra gli astanti.

epinício: nell'antica poesia greca, canto di vittoria in onore dei vincitori dei giochi delle grandi feste panelleniche (olimpiche, delfiche, ecc.). Il maggior poeta di epinici fu Pindaro, che lasciò vasta influenza nella poesia successiva, fino all'età moderna.

episinàlefe: sinalefe tra la vocale finale di un verso e la vocale iniziale di quello successivo.

epistémico: senso dei verbi *potere* e *dovere* quando esprimono una valutazione di un fatto, di una situazione. Es.: *Doveva aver studiato* (=aveva studiato, dava l'impressione d'aver studiato), *per parlare cosí*; *Poteva avere trent'anni* (=dava l'impressione di avere trent'anni).

epístola: componimento letterario che consiste in una lettera, in prosa o in versi, che l'autore indirizza in modo pubblico a qualcuno, con scopi satirici o dottrinali, in relazione a vari aspetti della vita politica, sociale o culturale del suo tempo. Famose le epistole di Cicerone, Orazio, le Satire di Ariosto, le lettere di Leopardi, Kafka, ecc.

epístrofe: particolare forma di *ripetizione* (V.) retorica in cui si riprendono più volte nello stesso periodo il vocabolo o membro finale della frase.

epitàffio: breve componimento poetico destinato a un'iscrizione funebre.

epitalàmio: nell'antica poesia greca, canto nuziale intonato da un coro di giovani donne e di giovani uomini la sera precedente al matrimonio e continuato la mattina successiva. Si distingueva dall'*imeneo*, che era cantato durante la celebrazione del rito del matrimonio. Probabilmente all'origine improvvisato, divenne una forma della poesia corale a partire dal VI sec. a.C., in particolare ad opera di Saffo. Passato nella letteratura latina con i neoteroi, ossia i poeti nuovi imitatori degli alessandrini, vi assimilò in originale sintesi l'antica giocosità audace dei canti fescennini. Permase, poi, in forme e metri diversi, fino all'età moderna: un esempio vibrante è costituito in età vicina a noi dal *Gelsomino notturno* di G. Pascoli.

epítesi: in grammatica l'aggiunta di uno o più suoni non etimologici alla fine di una parola, in genere per ragioni metriche. Es.: *Lo caldo schermitor subito fu*e (D. Alighieri); *Voi vigilate nell'eterno di*e (D. Alighieri).
Abbandonata generalmente dalla lingua letteraria, l'epitesi resiste in certe forme popolari o dialettali per motivi eufonici o per l'italianizzazione di forme straniere: ad esempio, in Toscana, nella pronuncia di certe parole tronche: *tramme* per *tram*, *gasse* per *gas*, *norde* per *nord*, *la Sippe* per la *SIP*, oppure nel centro-sud le forme del *sì* e del *no* trasformate in *sine* e *none*.
Detta anche *paragoge*. È il contrario della *apocope*.
Lo stesso fenomeno all'inizio della parola si chiama *prostesi* o *protesi*, all'interno *epentesi*.

epìteto: figura grammaticale, elevata dalla retorica classica a forma tipica dell'accumulazione subordinante, che consiste nell'accostamento di un aggettivo o di un nome ad un nome per caratterizzarlo espressivamente. Es.: *pasto* frugale, *sorriso* mefistofelico, *voce* stentorea.

epítome: sostantivo femminile. Riassunto o compendio di un'opera di notevole vastità, in genere a fini didattici ovvero per soddisfare limitate esigenze di acculturazione.

epitríto: nell'antica metrica greca, piede di sette tempi, composto di tre sillabe lunghe (– – –) e una breve (∪), variamente disposte tra loro, che danno origine, a seconda della posizione della breve, all'epitrito primo (∪ – – –), secondo (– ∪ – –) ecc. Fu ampiamente usato nella lirica corale, da Pindaro in particolare.

epòdo: nella metrica antica, termine che indicava un verso breve (generalmente di quattro giambi) che si aggiungeva a uno più lungo (generalmente di sei giambi), il distico stesso che ne risultava, caratterizzato da un ritmo vivace, adatto alla satira, e anche i carmi cosí composti, come appunto gli *Epodi* di Orazio. Designava altresí la parte conclusiva della lirica corale e, analogamente, quella dei cori della tragedia, dopo la strofe e l'antistrofe. In tal senso (di aggiunta più breve) il termine è entrato nella metrica barbara (V. *canzone*). Errata la pronuncia *épodo*.

eppúre: congiunzione composta dalla congiunzione semplice *e* e dalla congiunzione *pure*, con il raddoppiamento della consonante iniziale voluto dal prefisso *e*. Ha valore avversativo; significa: nondimeno, tuttavia. Es.: *Non hai sentito nulla, eppure qualcuno ha parlato*; *Eppure te l'avevo detto!*

equivalére: verbo della seconda coniugazione, intransitivo. *Pass. rem.*: equivalsi, equivalesti, equivalse, equivalemmo, equivaleste, equivalsero. *Part. pass.*: equivalso. Si coniuga con entrambi gli ausiliari e si costruisce con la preposizione *a*. Significa: aver lo stesso valore. Es.: *Le tue parole sono equivalse a un'offesa*; *Quel guadagno ha equivalso a una perdita.*

-ére: desinenza dell'infinito presente dei verbi della seconda coniugazione latina, la prima *e* è tonica e si pronuncia stretta (*temére, vedére*). In altri, derivati per lo più dalla terza coniugazione latina, l'infinito presente è sdrucciolo (*córrere, léggere*). Vi sono però verbi derivati dalla terza coniugazione latina che hanno ora la forma piana dell'infinito (*cadére, sapére*), e verbi derivati dalla seconda coniugazione latina che hanno ora la forma sducciola (*rispóndere, rídere*).

-erellàre: suffisso che, aggiunto ad un tema verbale, forma un verbo che esprime attenuata l'idea dell'azione indicata. Es.: da cantare, *canterellare*; da giocare, *giocherellare*.

-erèllo: suffisso che conferisce valore diminutivo o vezzeggiativo. Es.: *fuocherello, giocherello, stenterello.*

èrgere: verbo della seconda coniugazione, transitivo. *Pres. indic.*: èrgo, ergi, erge, ergiamo, ergete, ergono. *Pass. rem.*: èrsi, ergésti, erse, ergemmo, ergeste, èrsero. *Part. pass.*: èrto. Voce letteraria.

-ería: suffisso che, se aggiunto ad aggettivi o sostantivi, forma nuovi sostantivi, specie indicanti negozi. Es.: da gioiello, *gioielleria*; da pane, *panetteria*; da macello, *macelleria*; da orefice, *oreficeria*; da birra, *birreria*; da salume, *salumeria*, ecc. Indica però anche azione o modo di essere (da monello, *monelleria*; da furbo, *furberia*; da vigliacco, *vigliaccheria*; da porco, *porcheria*). Terminazione di molte parole del linguaggio militare (*fureria, artiglieria, cavalleria, fanteria, batteria*).

erígere: verbo irregolare della seconda coniugazione, transitivo. *Pass. rem.*: erèssi, erigésti, eresse, erigemmo, erigeste, eressero. *Part. pass.*: erètto. Significa: innalzare, edificare, costruire. Al riflessivo è costruito con la preposizione *a* nel senso di: atteggiarsi a, arrogarsi l'ufficio di (che sono espressioni da preferire). Es.: *Non vorrà erigersi a giudice* (meglio: atteggiarsi a giudice, assumere l'ufficio di giudice).

erogàre: verbo della prima coniugazione, transitivo. Il *presente indicativo* e *congiuntivo* si pronunciano sdruccioli (érogo, éroghi, éroga, eroghiàmo, erogàte, érogano; éroghi, éroghi, éroghi, eroghiàmo, eroghiàte, éroghino).

erómpere: verbo della seconda coniugazione, intransitivo. Ausiliare: avere. *Pass. rem.*: eruppi, erompesti, eruppe, erompemmo, erompeste, eruppero. *Part. pass.*: erótto.

errata corrige: locuzione latina che significa: correggi gli errori. Usata come sostantivo per indicare l'elenco degli errori di stampa, con relativa correzione, posto alla fine di un volume.

errori di grammatica: si veda nella tavola a pag. 180 un repertorio dei più comuni da evitare.

erudíre: verbo della terza coniugazione, transitivo. In alcuni tempi si coniuga con la forma incoativa *-isc-* tra il tema e la desinenza. *Pres. indic.*: erudisco, erudisci, erudisce, erudiamo, erudite, erudiscono. *Pres. cong.*: erudisca, erudisca, erudisca, erudiamo, erudiàte, erudíscano. *Part. pass.*: erudíto.

es-: prefisso che significa: fuori; indica anche negazione, cessazione. Es.: *espatriàre* (uscire dalla patria), *esporre* (porre fuori), *esautorare* (privare dell'autorità). Talora rafforza il concetto: *esortare*, *esacerbare*.

esaltàre: verbo della prima coniugazione, transitivo. Significa, nel linguaggio ecclesiastico: levare al cielo (detto di chi è fatto papa). Es.: *Il cardinale Pacelli fu esaltato al soglio pontificio.* Usato comunemente nel senso di: celebrare, magnificare con lodi. Es.: *L'oratore esaltò il sacrificio dei Caduti.* Non è bene invece usare questo verbo, al riflessivo, nel senso di: infiammarsi, entusiasmarsi, infervorarsi, appassionarsi (tutti verbi che possono sostituirlo). E invece di *esaltato*, dirai: fanatico, invasato, appassionato.

esàmetro: nell'antica metrica greca e latina, verso di sei piedi a base dattilica, proprio della poesia epica e considerato il verso per eccellenza della poesia classica. Lo schema tipico ammetteva la sostituzione del dattilo con uno spondeo, tranne che nella penultima sede (e in questo caso l'esametro era detto *spondaico*); l'ultimo piede, catalettico, era ancipite, ossia la sillaba poteva essere breve o lunga (schema: $\acute{-} \cup \cup \mid \acute{-} \overline{\cup \cup} \mid \acute{-} \overline{\cup \cup} \mid \acute{-} \overline{\cup \cup} \mid \acute{-} \cup \cup \mid \acute{-} \cup$).
Ne esistevano tuttavia numerose varianti, a seconda della sostituzione del dattilo con lo spondeo; tra queste l'*esametro olospondeo* o *isocrono*, se costituito da soli spondei, e l'*esametro olodattilo*, costituito da cinque dattili più il piede finale. Fu riprodotto in vario modo nella letteratura italiana a partire dagli umanisti, e in particolare ripreso nella metrica barbara, da Carducci, soprattutto per rendere il *distico elegiaco*.

esàtto: l'aggettivo è oggi usato come avverbio olofrastico positivo nelle risposte. Es.: *Vuoi dire che la partita è perduta? Esatto.* Tipico l'uso di questo avverbio nei giochi e nei quiz per affermare che la risposta è giusta, corretta. Si usa anche *esattamente*.

esaudíre: verbo della terza coniugazione, transitivo. In alcuni tempi si coniuga con la forma incoativa *-isc-* tra il tema e la desinenza. *Pres. indic.*: esaudisco, esaudisci, esaudisce, esaudiamo, esaudite, esaudiscono. *Pres. cong.*: esaudisca, esaudisca, esaudisca, esaudiamo, esaudiate, esaudiscano. *Part. pass.*: esaudíto.

esauríre: verbo della terza coniugazione, transitivo. In alcuni tempi si coniuga con la forma incoativa *-isc-* tra il tema e la desinenza. *Pres. indic.*: esaurisco, esaurisci, esaurisce, esauriamo, esaurite, esauriscono. *Pres. cong.*: esaurisca, esaurisca, esaurisca, esauriamo, esauriate, esauriscano. *Part. pass.*: esauríto. Significa: consumare del tutto, finire, dissipare. Es.: *Tu esauriresti anche una miniera d'oro*; *Ha esaurito tutte le sue forze.* Anche: trattare a fondo. Es.: *Non credere di aver esaurito l'argomento.* Al riflessivo: perdere le forze, svigorirsi. Es.: *Si è esaurito durante il periodo degli esami.* Non bisogna abusare di questo verbo; possono essere più propri i verbi terminare, finire, condurre a termine. Es.: *Ho terminato* (non: esaurito) *la mia inchiesta.*

esborsàre: verbo della prima coniugazione, transitivo. Neologismo per *sborsare*, che è preferibile. Analogamente, invece di *esborso* dirai: *sborso*.

esclamatíva (proposizione): proposizione principale, cioè indipendente, che esprime una esclamazione (V. anche *Interiezione*). È seguita sempre dal punto esclamativo (!). Ha solitamente il verbo al modo indicativo. Es.: *Quanto sei buono!*; *Come è bello!*; *Oh, come sono infelice!*; *Ahimè, quanto ti temo!* Sono però assai frequenti anche le forme ellittiche, cioè con il verbo sottinteso: *Che pace!* (sott.: c'è), *Che errore!* (sott.: provo o ho provato), *Quanti errori!* (sott.: ha fatto). Si possono trovare anche l'imperativo (*Andate*

ERRORI PIÙ COMUNI NELL'USO PARLATO E SCRITTO

Nella lingua parlata e scritta si incontrano errori ricorrenti che derivano, da un lato, da scarsa scolarizzazione, ossia da insufficiente conoscenza della lingua e delle sue regole, dall'altro lato dal persistere nell'uso di sgrammaticature, improprietà, idiotismi.

1) errori d'ortografia nell'uso di consonanti semplici o doppie	*obbiettare* per obiettare, *cosidetto* per cosiddetto, *sopratutto* per soprattutto;
2) accenti superflui o sbagliati	*fà* per fa, *quà* per qua, *un pò* per un po', *sù e giù* per su e giù, *rúbrica* per rubríca, *sèparo* per sepàro, *ippodròmo* per ippòdromo;
3) errori nell'uso dell'apostrofo e del troncamento	*un'uomo* per un uomo, *qual'è* per qual è, *l'età* per le età;
4) errori nella grafia delle parole	*chiaccherare* per chiacchierare, *incoscenza* per incoscienza, *asparaghi* per asparagi, *quercie* per querce;
5) uso errato dell'articolo	*il mio padre* per mio padre, *la Maria* per Maria, *con degli amici* per con amici;
6) uso errato del pronome personale	*a me mi piace* per mi piace, *decidi te* per decidi tu, *lui non vuole* per egli non vuole;
7) uso errato del pronome relativo	*un libro che te ne ho parlato* per un libro di cui ti ho parlato, *il punto di vista che lo consideri* per il punto di vista dal quale lo consideri;
8) uso errato del pronome riflessivo	*voleva tutto il potere per lui* per voleva tutto il potere per sé; *la pera matura casca da lei* per la pera matura casca da sé;
9) errori nell'uso di forme, modi e temi del verbo	*se stasse fermo* per se stesse fermo, *se sarei venuto* per se fossi venuto, *vadi avanti* per vada avanti, *occorre che vi aiutate tra voi* per occorre che vi aiutiate tra voi, *l'incendio ha divampato* per l'incendio è divampato, *mi sono bisticciato con lui* per ho bisticciato con lui;
10) forme errate del comparativo e del superlativo	*il più meglio* per il meglio, il migliore; *il più estremo* per l'estremo; *più peggiore di altri* per peggiore di altri;
11) costrutti a senso	*la gente dicevano tutti che* per la gente tutta diceva che;
12) dialettismi	*mo' vengo* per ora vengo, *qui non ci sta nessuno* per qui non c'è nessuno, *conosco a tuo padre* per conosco tuo padre, *lo tenevo stretto per non che cadesse* per lo tenevo stretto perché non cadesse, *caccia il denaro* per tira fuori il denaro.

e siate sereni!) o l'infinito per esprimere una nota enfatica (*Io fare il diavolo!*; *Io ammazzare quei signori!*) od anche il congiuntivo (*Vedesse come è bello!*; *Sapessi quanto ho sofferto!*).

esclamatívi (aggettivi e pronomi): coincidono con gli aggettivi e pronomi *interrogativi* (V.), ma si usano per introdurre proposizioni esclamative.

esclamatívo (complemento): è una specie del complemento *vocativo* (V.), ma è seguito dal punto esclamativo (!), e indica un sentimento in forma sintetica e rilevata. Es.: L'orso, *oh angoscia!*, si avvicinò a noi; *Cattivo!*, non hai pietà neppure di tua madre.

esclamatívo (punto): V. PUNTO ESCLAMATIVO.

esclamazióne: V. INTERIEZIONE.

esclúdere: verbo irregolare della seconda coniugazione, transitivo. *Pass. rem.*: esclusi, escludesti, escluse, escludemmo, escludeste, esclusero. *Part. pass.*: esclúso.

esclusióne (ad): locuzione scorretta. Meglio: escludendo, eccetto. Es.: *Verrete tutti, eccetto i due prigioneri* (non: ad esclusione dei due prigionieri).

esclusióne (complemento di): il complemento di esclusione, detto anche *eccettuativo*, indica la persona o la cosa che si esclude o si eccettua da quanto viene affermato nella proposizione. È retto dalle preposizioni *senza, eccetto, fuorché, tranne, meno*, o dalle locuzioni *fatta eccezione di, all'infuori di*, ecc. Esempi: Non c'è rosa *senza spine*; Premierò tutti, *fuorché Luigi*; *Tranne uno*, gli altri se ne andarono tutti; *Salvo poche eccezioni*, gli Spartani erano validissimi guerrieri; *Fatta eccezione di lui*, mi sembrava che gli altri fossero simpatici.

esclusíva (proposizione): proposizione subordinata che esclude qualcosa da ciò che è detto nella proposizione reggente. Nella forma esplicita è introdotta da *senza che, senza che non* e ha il verbo al modo congiuntivo. Es.: Scrisse la lettera, *senza che noi lo pregassimo*; Perché hai parlato, *senza che nessuno ti avesse interrogato?* Nella forma implicita la proposizione esclusiva è introdotta semplicemente da *senza* e ha il verbo al modo infinito. Es.: Ho scritto l'articolo, *senza rileggerlo*; Parla, *senza alzare la voce*. L'esclusiva costituisce quindi un tipo di proposizione *modale* (V.).
V. anche ECCETTUATIVA (PROPOSIZIONE).

-ésco: suffisso con il quale si formano aggettivi indicanti maniera, somiglianza, origine. Es.: da Petrarca, *petrarchesco*; da pazzo, *pazzesco*; da farsa, *farsesco*; da romanzo, *romanzesco*; da romano, *romanesco*; da pittore, *pittoresco*; da fiaba, *fiabesco*; da novecento, *novecentesco*. Talora ha valore dispregiativo: da mano, *manesco*; da caporale, *caporalesco*; da animale, *animalesco*. La *e* del suffisso è tonica e si pronuncia stretta.

escútere: verbo della seconda coniugazione, transitivo. *Pres. indic.*: escúto, escúti, ecc. *Pass. rem.*: escússi, escutésti, escússe, ecc. *Part. pass.*: escússo. Significa: interrogare, esaminare. Si usa ormai solo nel linguaggio giudiziario (*Escutere i testimoni*).

-ése: suffisso che, aggiunto ai nomi di luogo, forma aggettivi indicanti cittadinanze e nazionalità. Es.: da Milano, *milanese*; da Olanda, *olandese*; da Genova, *genovese*; da Calabria, *calabrese*. Talora anche *-ense*. Es.: da Parma, *parmense*; da Como, *comense*; da Ostia, *ostiense*; da Este, *estense*. Anche terminazione di aggettivi che hanno perso o non hanno mai avuto il significato di derivazione da un luogo. Es.: *borghese, palese, cortese*. La *e* del suffisso è tonica e si pronuncia stretta.

esecràre: verbo della prima coniugazione, transitivo. Il *presente indicativo* e *congiuntivo* si pronunciano piani: esècro, esècri, esècra, esecriàmo, esecràte, esècrano; esècri, esècri, esècri, esecriàmo, esecriàte, esècrino. Meno comune, ancorché più corretta, la pronunzia: èsecro ecc.

esegèsi: sostantivo femminile che indica l'esposizione critica di un testo, commento esplicativo. La pronuncia sdrucciola (esègesi) è più comune, ma meno corretta.

eseguíre: verbo della terza coniugazione, transitivo. In alcuni tempi si coniuga anche con la forma incoativa *-isc-* tra il tema e la desinenza. *Pres. indic.*: eseguisco (eseguo), eseguisci (esegui), eseguisce (esegue), eseguiàmo, eseguite, eseguiscono (eseguono). *Pres. cong.*: eseguisca (esegua), eseguiamo, eseguiate, eseguiscano (eseguano). *Part. pass.*: eseguíto.

esercènte: participio presente di *esercire*. Usato come aggettivo per indicare colui che esercita un'arte o una professione. Come sostantivo maschile indica colui che esercita un negozio, un commercio. Ma sarebbe meglio dire: bottegaio, negoziante, commerciante. Il termine è però usato ormai anche in documenti e atti ufficiali.

esercízio: sostantivo maschile. Termine che ha vari significati: esercitazione, prova (Es.: *Ho eseguito un esercizio di ginnastica*), uso (Es.: *Nell'esercizio delle sue facoltà*), bottega, ma in questo caso si deve preferire: bottega, azienda (Es.: *Egli gestisce una azienda*, non: un esercizio), bilancio annuale (Es.: *Il Senato ha approvato l'esercizio provvisorio per il 1952-53*), ma anche in questo caso l'uso del termine è improprio, fuorché nel caso citato delle finanze pubbliche (negli altri casi si sostituirà con: bilancio).

esibíre: verbo della terza coniugazione, transitivo. In alcuni tempi si coniuga con la forma incoativa *-isc-* tra il tema e la desinenza. *Pres. indic.*: esibisco, esibisci, esibisce, esibiamo, esibite, esibiscono. *Pres. cong.*: esibisca, esibisca, esibisca, esibiamo, esibiate, esibiscano. *Part. pass.*: esibíto.

esígere: verbo della seconda coniugazione, transitivo. *Pass. rem.*: esigetti (esigei), esigesti, esigette (esigé), esigemmo, esigeste, esigettero (esigerono). *Part. pass.*: esàtto.

esilaràre: verbo della prima coniugazione, transitivo. *Pres. indic.*: esílaro, esilari, esilara, esilariàmo, esilaràte, esílarano.

esímere: verbo della seconda coniugazione, transitivo. *Pres. indic.*: esímo, esími, esíme, esimiàmo, esiméte, esímono. *Pass. rem.*: esiméi (esimètti), esiméstì, esimètte, esimémmo, esiméste, esimèttero (esimerono). Manca il participio passato. Per i tempi composti si usa *esentare*, che ha lo stesso significato. Al riflessivo, *esimersi*, significa: sottrarsi ad un obbligo. Es.: *Non posso esimermi dal dichiarare.*

-ésimo: suffisso che indica generalmente movimenti politici, religiosi, artistici, letterari, ecc. Es.: *cristianésimo, dannunzianésimo, umanésimo, francescanésimo*, ecc. V. anche *-ismo*. Diverso invece il suffisso *-èsimo* (con la *e* aperta), che, aggiunto al numerale cardinale, forma il corrispondente ordinale. Es.: *undicèsimo, dodicèsimo, ventèsimo, centèsimo, millèsimo, milionèsimo.*

esístere: verbo irregolare della seconda coniugazione, intransitivo. Ausiliare: essere. *Pass. rem.*: esistetti, esististi, esisté (esistette), esistemmo, esisteste, esistettero. *Part. pass.*: esistíto.

eso-: prefisso che può avere significato di: dentro, all'interno (es.: *esoterico*), ma più spesso di: fuori, all'esterno, verso l'esterno. Es.: *esocrino, esogenesi, esogeno.*

esortatívo (congiuntivo): il modo *congiuntivo* (V.) quando è usato in una proposizione principale per esprimere un'esortazione. Si usa per lo più il congiuntivo presente. Es.: *Faccia quel che vuole*; *Scriva quel che gli dico*; *Dica quel che pensa.*

espàndere: verbo della seconda coniugazione, transitivo. *Pass. rem.*: espandei (espandetti, espansi), espandesti, espandette (espandé), espandemmo, espandeste, espandettero (espanderono). Il participio passato (*espànso*) è poco usato; si sostituisce con *diffuso.*

espansiòne: in grammatica, ogni parola o gruppo di parole che aggiunge significati ad una frase e che può essere eliminata senza che la frase perda il suo significato fondamentale. In: *La finestra* della camera *è rimasta aperta* tutto il giorno per la tua disattenzione, *della camera* è un'espansione del sintagma nominale, mentre *tutto il giorno per la tua disattenzione* è un'espansione del sintagma verbale; eliminando le espansioni, la frase: *la finestra è rimasta aperta* conserva il suo significato fondamentale.

espatriàre: verbo della prima coniugazione, intransitivo. Si coniuga con l'ausiliare avere quando è usato assolutamente, con essere quando è indicata la meta. Significa: uscire dalla patria, emigrare. Es.: *Credo che abbia espatriato*; *Dicono che sia espatriato in Svizzera*. È errore usare questo verbo nel significato transitivo e quindi nel passivo (non dirai perciò: *sono stati espatriati*; *fu espatriato*).

espèllere: verbo irregolare della seconda coniugazione, transitivo. *Pass. rem.*: espulsi, espellesti, espulse, espellemmo, espelleste, espulsero. *Part. pass.*: espúlso.

espletíve (particelle): quelle particelle pleonastiche che si mettono per rafforzare un discorso. Es.: Ecco*ti* che ella le compare dinanzi.

esplicatíva (frase): frase che spiega ciò che si è appena detto. È generalmente introdotta da *cioè, ovvero, ossia, infatti* o da locuzioni del tipo *se vogliamo*, *se si preferisce*, *per meglio dire*. Es.: La parte lesa, *cioè coloro che erano stati danneggiati*; Gli oppositori, *sarebbe meglio dire in questo caso i sabotatori.*

esplícita (proposizione): in contrapposizione ad *implicita* (V.), una proposizione che ha il verbo in un modo finito. Es.: *Quando giunsi a Roma* (implicita: Giunto a Roma); *Poiché ho lavorato* (implicita: Avendo lavorato).

esplòdere: verbo irregolare della seconda coniugazione, intransitivo. *Pass. rem.*: esplosi, esplodesti, esplose, esplodemmo, esplodeste, esplosero. *Part. pass.*: esploso. Si coniuga con l'ausiliare essere quando è riferito a bomba, mina, cosa che scoppia. Es.: *La bomba è esplosa mentre stavamo fuggendo*; *La mina era già esplosa*. Si coniuga con avere quando è riferito ad arma. Es.: *Il fucile ha esploso.* Nel senso di sparare è usato transitivamente. Es.: *Esplose tre colpi contro la vittima*; *L'assassino ha esploso un colpo all'improvviso.*

esplosívo: in fonetica, sinonimo di *occlusivo.*

esponènte: sostantivo maschile. È male usato nel senso di: personalità, rappresentante, personaggio autorevole, personaggio rappresentativo, membro autorevole di un partito (tutte forme da preferire).

espórre: verbo irregolare della seconda coniugazione, transitivo. *Pass. rem.*: esposi, esponesti, espose, esponemmo, esponeste, esposero. *Part. pass.*: espósto. Significa: mettere in mostra, mostrare, raccontare, esprimere. Es.: *Ho esposto in vetrina i prodotti più nuovi*; *Ti ho esposto come si sono svolti i fatti.* Al riflessivo significa: offrirsi, compromettersi, correre rischi. Es.: *Non vuole esporsi ai pericoli*; *In politica non è prudente esporsi troppo.*

esprímere: verbo della seconda coniugazione, transitivo. *Pass. rem.*: espressi, esprimesti, espresse, esprimemmo, esprimeste, espressero. *Part. pass.*: esprèsso.

-éssa: suffisso con il quale si forma il femminile dei nomi maschili in *-a* che non terminino in *-ista* o *-cida*. Es.: da papa, *papessa*; da poeta, *poetessa*; da duca, *duchessa*; da profeta, *profetessa*. Con questo suffisso formano pure il femminile alcuni nomi maschili in *-o* (da medico, *medichessa*; da diavolo, *diavolessa*; da capitano, *capitanessa*; da filosofo, *filosofessa*) e quelli in *-e* indicanti professione o titolo (da barone, *baronessa*; da conte, *contessa*; da sacerdote, *sacerdotessa*; da studente, *studentessa*; da oste, *ostessa*; da avvocato, *avvocatessa*; da professore, *professoressa*; da dottore, *dottoressa*), nonché alcuni indicanti animali (leone, *leonessa*; elefante, *elefantessa*; pavone, *pavonessa*). In *-essa* terminano anche alcuni nomi a sé. Es.: *sonettessa, brachessa*. La *e* del suffisso è tonica e si pronuncia stretta.

éssa: pronome personale di terza persona, femminile singolare. Plurale: *esse*. Si usa tutte le volte che *ella* suonerebbe affettato o antiquato; ma in particolare si usa come soggetto, riferito a cosa o ad animale. Es.: *La tigre era furiosa; essa era digiuna da molte ore*; *Mi disse qualcosa anch'essa*. V. anche Personali (Pronomi).

essendoché: congiunzione antiquata. Vale: *giacché, poiché* (V.).

èssere: verbo intransitivo, detto anche verbo *sostantivo* perché verbo fondamentale della lingua italiana.

È l'ausiliare con il quale si formano tutti i tempi della forma *passiva*. Es.: Io *sono* amato; Tu *eri* lodato; Egli *sarà* temuto; *Essere* vinto. Si formano inoltre con essere i tempi composti della forma *riflessiva* (Egli *si è vestito*; Io *mi ero ferito*; Voi *vi siete adirati*) o *pronominale* (*Me ne sono andato*; *Te ne sei accorto*). Essere è inoltre l'ausiliare dei seguenti tipi di verbi: *impersonali* (*È* accaduto; *È* convenuto; *Era* bisognato), *servili* quando reggono l'infinito di un verbo che vuole solitamente essere (*Son* dovuto andare; *Sei* potuto partire; *Era* dovuto arrivare), *reciproci* (*Ci siamo salutati*; *Vi siete scambiati* le parti) e numerosi *intransitivi* che indicano modo di essere (*È risultato* vero; *Era giaciuto* supino; *Era invecchiato* presto) oppure movimento [*Son corso* subito; *Son venuto* qui; *Eri andato* là, ma V. anche *Moto* (*verbi di*)].

Ecco comunque un elenco dei più comuni verbi intransitivi che si coniugano con essere e di transitivi che adoperano questo ausiliare quando sono usati intransitivamente: abbassarsi, abbrunire, accadere, accamparsi, accecarsi, affievolirsi, affluire, affogare, affondare, aggravare, allargarsi, allibire, allungare, alzarsi, ammalare, ammontare, ammuffire, ammutolire, andare, annegare, annerire, apparire, appassire, ardere, arrabbiarsi, arricchire, arrivare, arrostire, arrugginire, asciugare, assiderare, aumentare, avvampare, avvenire, avvizzire, bastare, bisognare, brinare, cadere, calare, capitare, capitolare, capitombolare, cariare, cascare, congelare, constare, crepare, crescere, crollare, decadere, decorrere, deperire, derivare, dilagare, dimagrire, diminuire, dipendere, dispiacere, divenire, diventare, emergere, entrare, esistere, evadere, fluire, franare, frollare, fuggire, giacere, giungere, guarire, illanguidire, imbaldanzire, imbrunire, immalinconire, immigrare, impazzire, imputridire, inaridire, incanutire, incappare, incorrere, incretinire, incupire, indurire, infiacchire, infittire, infoltire, ingelosire, ingentilire, ingiallire, ingigantire, ingrandirsi, ingrassare, ingrossare, insanire, insorgere, insuperbire, intervenire, intisichire, intristire, invecchiare, irrigidirsi, istupidire, marcire, maturare, migliorare, morire, muffire, nascere, occorrere, originare, parere, partire, passare, peggiorare, penetrare, perire, pervenire, piacere, provenire, putrefare, rannuvolare, rattrappire, restare, rimanere, rimbambire, rinascere, rincrescere, rinsavire, rinvenire, rinvilire, ristare, risultare, risuscitare, ritornare, riuscire, rotolare, rovinare, sbarcare, sbiadire, sbigottire, sboccare, sbocciare, sbucare, scadere, scampare, scappare, scaturire, scemare, schizzare, scolorire, sconvenire, scoppiare, scorrere, screpolare, scurire, seccare, sembrare, sfiorire, sfrattare, sfuggire, sfumare, sgonfiarsi, sgorgare, sgusciare, soggiacere, sopraggiungere, sopravvenire, sorgere, sortire, sottentrare, sottostare, sovrastare, sparire, spettare, spiacere, spiovere, spuntare, stare, subentrare, susseguire, svanire, svenire, svigorire, tornare, tramontare, trapassare, trapelare, trasparire, uscire, venire. V. anche *Ausiliari*.

Il verbo essere ha anche la funzione di *copula* per formare, insieme con un nome o un aggettivo, il *predicato nominale* (V.). Es.: Roma *è* una città; Tu *sei* buono; Gli scolari *saranno* diligenti.

Infine il verbo essere può formare il *predicato verbale*, nel significato di esistere, trovarsi. Es.: Io *sono* a Roma; Tu *sei* in arresto; Egli *era* in pericolo. Nel fare l'analisi logica di una proposizione bisognerà attentamente esaminare se il verbo essere è in funzione di ausiliare (*Io sono venuto*) o di copula (Io *sono* un turista) o di predicato verbale (Io *sono* a Roma).

Il verbo essere, come verbo intransitivo con funzione di predicato verbale, può significare: esistere (*Dio è*; *Penso, dunque sono*), trovarsi (*Sei a letto*; *Era a dormire*), durare (*Sono dieci anni che aspetto*; *Sarà un'ora che è partito*), vivere (*C'erano una volta le fate e i principi azzurri*), consistere (*L'opera è in tre atti*), vestire (*È in alta uniforme*), giungere (*Quando sarò a Torino, ti scriverò*). Ha valore impersonale nelle locuzioni: *è bello, è giusto, è vero* e simili. Con la preposizione *da* significa: convenire. Es.: *È da gran campione questa vittoria*; *Non è da persona onesta mentire*. Con la preposizione *di* indica: appartenenza o provenienza. Es.: *Questa casa è di mia madre*; *È di nobile famiglia*. Con la preposizione *per* significa: parteggiare, essere favorevole. Es.: *Io sono per il divorzio*; *Egli era per la repubblica*. Con la

preposizione *in* significa: trovarsi nella condizione di. Es.: *Se io fossi in te, non mi comporterei così.*
Si noti che è francesismo da evitare il costrutto con il verbo essere al principio della frase. Es.: *È a me che spetta il diritto di parlare* (dirai: Spetta a me il diritto di parlare); *È a te che devo parlare* (dirai: A te devo parlare); *È con sommo piacere che vi comunico* (dirai: Con sommo piacere vi comunico). Potrai dire tuttavia: *Sei tu che amo*; *Siamo noi che vogliamo*; *È lui che ha negato*. Questi costrutti infatti pongono il verbo essere all'inizio della frase, non seguendo lo schema francese, ma obbedendo ad una esigenza espressiva che richiede il maggior risalto possibile al concetto espresso con il verbo essere. La differenza tra i due tipi di costrutti è evidente se si considera che nelle prime proposizioni il *che* è congiunzione, nelle seconde è pronome relativo. Es.: 1) È a me *che* (congiunzione) spetta il diritto; 2) Sei tu *che* (pronome: colui il quale) io amo.

èsso: pronome personale di terza persona, maschile singolare. Un tempo si usava solo riferito a cosa o ad animale e solo in funzione di soggetto. Oggi il suo uso va estendendosi e sostituisce spesso *egli*. Es.: *È venuto anch'esso*; *Esso è composto di due parti*. Plurale: *essi* (che è anche il plurale di *egli*, in luogo del non più usato *eglino*).

estasiàre: verbo della prima coniugazione, transitivo. Significa: mandare in estasi, in visibilio. Ma è da evitare l'abuso. Si usa anche il participio *estasiàto*, nel senso di: beato, rapito, stupito, entusiasta.

estensióne (complemento di): V. MISURA (COMPLEMENTO DI).

esterefàtto: V. ESTERREFATTO.

esterióre: aggettivo qualificativo. In latino era di grado comparativo (=che sta più fuori, più esterno). Oggi, mancando il grado positivo, ha assunto non solo il significato di esterno, ma anche di superficiale e apparente. Es.: *L'aspetto esteriore, una cordialità solo esteriore*. Anche il superlativo originario, *estremo*, ha oggi significati autonomi.

esternàre: verbo della prima coniugazione, transitivo. Significa: manifestare ciò che si ha nell'animo. Meglio, però, usare altri termini: esprimere, manifestare, dichiarare, esporre. Es.: *Mi ha manifestato* o *dichiarato* (e non: esternato) *la sua opinione.*

estèrno: aggettivo qualificativo. Comparativo: *esteriore* (o più esterno). Superlativo: *estremo* (o il più esterno). Significa: che sta fuori, estrinseco.

esterrefàtto: aggettivo qualificativo. Significa: atterrito, spaventato; talora anche: molto stupito. Scorretta la grafia *esterefatto.*

estínguere: verbo della seconda coniugazione, transitivo. *Pass. rem.*: estinsi, estinguesti, estinse, estinguemmo, estingueste, estinsero. *Part. pass.*: estínto. Significa: spegnere, smorzare, annullare. Es.: *I pompieri estinsero l'incendio*; *Nel deserto era impossibile estinguere la sete*; *Con questo ho estinto tutti i miei debiti*. Al riflessivo significa: morire, finire. Es.: *Quel ramo della famiglia reale si è estinto recentemente.*

estòllere: verbo irregolare della seconda coniugazione, transitivo. *Pass. rem.*: estolsi, estollesti, estolse, estollemmo, estolleste, estolsero. *Part. pass.*: estòlto. È antiquato e da tempo usato solo in poesia. Vale: elevare.

estra-: prefisso di origine latina che significa: fuori; indica estraneità. Es.: *estralegale* (fuori della legalità), *estragiudiziale* (estraneo al giudizio).

-èstre: suffisso di origine latina con il quale si formano aggettivi. Es.: da alpe, *alpestre*; da rupe, *rupestre*; da piede, *pedestre*; da selva, *silvestre*. La prima *e* del suffisso è tonica e si pronuncia larga.

estremaménte: avverbio di modo. Francesismo. Meglio: sommamente. Anteposto a un aggettivo qualificativo dà l'idea di superlativo, ma è meglio usare il superlativo assoluto dell'aggettivo stesso. Es.: *Quell'uomo è pericolosissimo* (non: estremamente pericoloso).

estrémo: aggettivo qualificativo. In latino era un superlativo (correlato al comparativo *esteriore*). Oggi ha significato autonomo e si può perciò costruire anche con *più*. Es.: *Le più estreme conseguenze* (=radicali, gravissime, irreparabili).

Estremo, usato come sostantivo (ma specialmente nel plurale) significa: dato principale, elemento essenziale. Es.: *Prendo gli estremi della domanda*. Nel linguaggio giuridico, indica la condizione essenziale perché esista un reato. Es.: *In questo fatto si ravvisano gli estremi del reato di diffamazione*.

estrínseco: aggettivo qualificativo. Al plurare: estrínseci.

esulàre: verbo della prima coniugazione, intransitivo. Significa: andar esule, emigrare. Si coniuga con l'ausiliare avere quando è usato assolutamente, con essere quando è indicata la meta. Es.: *È certo che ha esulato*; *Sono esulato in Grecia*. È usato anche figuratamente, nel senso di andar fuori argomento. Es.: *Questo ésula* (= non rientra, non è conforme) *dai nostri patti*; *Queste considerazioni ésulano dal nostro tema* (non rientrano nel nostro tema).

esumàre: verbo della prima coniugazione, transitivo. Significa: dissotterrare e, al figurato: richiamare dall'oblío, rimettere in uso. L'accentazione corretta dell'*indic. pres.* è: èsumo, èsumi, ecc.

età (complemento di): è una specialità del complemento di tempo: infatti indica da quanto tempo sia nata una persona. È costituito dal nome *anno* (e, nelle determinazioni più particolareggiate, anche dai nomi *giorni, mesi, settimane*), preceduto dal numerale e introdotto dalle preposizioni *a* e *di*. Esempi: Scrisse il primo libro *a vent'anni*; Si sposò *a trent'anni*; Un uomo *di quaranta anni*; Un bimbo *di dieci mesi e sei giorni*. Si usano pure le locuzioni: *all'età di, in età di*. Es.: Egli sapeva il latino *all'età di quattro anni*; Lasciò il paese *in età di trent'anni*.
Quando la determinazione è solo approssimativa si usano le preposizioni *su* oppure *circa, all'incirca*, o *verso*, talora anche posposte. Esempi: Una signora *sulla cinquantina*; Aveva *circa dieci anni*; *Verso i quarant'anni* si diventa maturi. Cominciò a scrivere *oltre i cinquant'anni*.

etero-: primo elemento di parole composte, di origine greca. Vale: altro, diverso. Es.: *eterosessuale, eterogamia, eteronomia, eterotrapianto*.

ètimo: la forma originaria di una parola che si è evoluta o la radice sulla cui base si sono formate nuove parole, in una o più lingue diverse. Es.: *cimelio* dal latino *cimeliu(m)*, *borlotto* dal milanese *borlot*, *bitta* dal francese *bitte*, di provenienza scandinava (*biti*) e di origine finlandese (*piitta*), *avvitare* da *vite*. L'etimo, che può essere certo o ipotetico (es.: *ciuffo* forse dal longobardo **zupfa*), attesta l'idea originaria e fondamentale delle parole che da esso sono discese. La massima parte delle parole italiane deriva dal latino; altre, per lo più del linguaggio tecnico e scientifico, derivano dal greco. Es.: *avvenire* dal latino *advenire*; *agave* dal greco *agaue*. L'etimo di gran parte delle parole italiane deve dunque essere ricercato nelle lingue classiche, sebbene le numerose invasioni e dominazioni straniere abbiano lasciato tracce anche nella lingua, con vocaboli e locuzioni entrate nell'uso. Es.: *avviso* dal francese antico *avis*, a sua volta dal latino *visu(m)*, *azienda* dallo spagnolo *hacienda*. Infine, il contatto sempre più intenso con altre lingue moderne ha dato vita nell'italiano a innumerevoli nuove parole dall'etimo straniero. Es.: *bar* dall'inglese *bar*, *informatica* dal francese *informatique*.

etimología: la parte della grammatica che studia l'origine delle parole. Letteralmente: studio dell'étimo.

etimología popolare: fenomeno per cui un parlante stabilisce un rapporto etimologico tra due parole, sulla base di una somiglianza formale e non di una comprovata relazione genetica. Tale rapporto finisce per fare avvicinare le due parole anche sul piano semantico. Es.: *pozzo artigiano* invece di *pozzo artesiano* (dal francese *artésien*, della regione di Artois). Si tratta di un fenomeno che ha un rilievo nella costituzione e nello sviluppo della lingua.
Detta anche etimologia incrociata o paretimologia o falsa etimologia in opposizione a etimologia dotta.

-éto: terminazione di nomi collettivi. Es.: *pineto, uliveto, frutteto, canneto*. La *e* del suffisso è tonica e si pronuncia stretta.

-étto, étta: suffisso che, aggiunto ai nomi o aggettivi, forma il diminutivo. Es.: da diavolo, *diavoletto*; da animale, *animalet-*

to; da solo, *soletto*; da amica, *amichetta*. La *e* del suffisso è tonica e si legge chiusa.

eu-: prefisso, d'origine greca, che significa: buono, fortunato, bene. Es.: *euforia, eudemonia, eufemismo, eufonico.*

eufemísmo: figura retorica consistente nell'usare parole o circonlocuzioni gradevoli e attenuate per esprimere concetti che, indicati apertamente con il loro nome riuscirebbero sgradevoli, sconci o dolorosi. Es.: *render l'anima a Dio, passar a miglior vita, chiudere la propria giornata terrena* sono eufemismi per *morire*; *alienato* è un eufemismo per *pazzo*; *adescatrice, passeggiatrice notturna* sono eufemismi per *prostituta*; *uno di quelli* per *omosessuale*.

eufonía: parola di origine greca che significa letteralmente «buon suono». Indica il fenomeno fonetico con cui si rimedia a una situazione di *cacofonia* (V).

evàdere: verbo della seconda coniugazione, intransitivo. Ausiliare: essere. *Pass. rem.*: evasi, evadesti, evase, evademmo, evadeste, evasero. *Part. pass.*: evàso. Significa: fuggire. Es.: *Quel bandito evase dalle prigioni*. Non è corretto l'uso transitivo. Es.: *Evadere una domanda, una pratica* (dirai: dar corso, sbrigare). Analogamente non dirai: *dare evasione*, ma secondo i casi: dar corso, dar soddisfazione, sbrigare. Es.: *Non diede evasione* (meglio: soddisfazione) *alla richiesta*; *Bisogna dare evasione* (meglio: dar risposta, rispondere) *a molte lettere*. Non è corretto, ma invalso nell'uso dire *pratica evasa* (o inevasa), per trattata, sbrigata, definita.

evaporàre: verbo della prima coniugazione, intransitivo. Vuole l'ausiliare avere quando significa: emettere vapori (Es.: *Il serbatoio ha evaporato*); essere quando vale: dissolversi in vapore, svanire (Es.: *L'acqua è evaporata dalle pozzanghere*). L'esatta pronuncia dell'*indic. pres.* segue l'accentazione piana: evapóro ecc. (non : evàporo).

evenienza: sostantivo femminile. È bene sostituirlo con: occorrenza, occasione, evento, bisogno, necessità. *In ogni evenienza*: in ogni caso, in caso di bisogno.

Eufemismo e linguaggio disinvolto

Cambiano i costumi, tramontano vecchi tabù, la morale si fa più permissiva: l'eufemismo sembra in molti casi anacronistico o indice di antiquato purismo. L'esperienza quotidiana ci rende testimoni, anche in ambienti insospettabili, di espressioni quali *non capire un cazzo, un progetto di merda, quello lì è uno stronzo*, od altre, meno dirette, ma egualmente allusive, quali *quel ragazzo è proprio un figo, ma come sono sfigato, sono incasinato da morire, mi sono incazzato, quel tale è una palla*. A sostegno di questa disinvoltura di linguaggio c'è l'autorevolezza di scrittori, giornalisti, autori teatrali, politici, cioè persuasori della comunicazione. Non c'è da stupirsi, né da indignarsi, per questa trasgressione di vecchi tabù espressivi; se mai, il buon gusto può consigliare di non abusarne quando non ce n'è bisogno, per non apparire anticonformisti di maniera, e perciò artificiosi laddove si vorrebbe essere spontanei.
L'uso dell'eufemismo non è oggi scomparso, ma obbedisce ad altre esigenze di attenuare ed eludere. Si pensi ad espressioni come *non udente* per evitare sordo, *non vedente* per cieco, *terza età* per vecchiaia, *collaboratrice familiare* per domestica o addirittura serva, *male incurabile* per tumore, *interruzione di maternità* per aborto, *trattamento di quiescenza* per pensione, *operatore ecologico* per spazzino, ecc.
Si noti infine che c'è una tendenza ad accogliere in ambiti più vasti di quelli in cui si sono originate alcune espressioni di sapore goliardico e giovanile, ma ritenute forse particolarmente felici: *gasarsi* per entusiasmarsi o esaltarsi; *sbattersi* per agitarsi, darsi da fare; *strafogarsi* per rimpinzarsi; *spararsi* per recarsi rapidamente, precipitarsi, ingoiarsi; *filare* per corteggiare, amoreggiare; *mettersi con uno* per convivere, legarsi; *uscire con una* per avere una relazione.

evocàre: verbo della prima coniugazione, transitivo. *Pres. indic.*: évoco, évochi, évoca, evochiàmo, evocàte, évocano. Significa: richiamare, ed è detto specialmente delle anime dei morti. Meno correttamente nel senso di: ricordare, richiamare alla memoria, salvo che si tratti di poesia o opera d'arte. *Es.: Evocammo lo spirito di Napoleone; Il Foscolo dice che le Muse lo chiamavano ad evocare gli eroi.* Nel senso di: richiamare alla memoria, ricordare, si usa più comunemente *rievocare.*

-évole: suffisso che, aggiunto ad un tema verbale o ad un sostantivo, forma un aggettivo. Es.: *lod-* (tema di lodare) più *-evole*: lodevole; da amico, *amichevole*; da onore, *onorevole*. Il suffisso *-evole* indica possibilità passiva: *lodevole* (che può essere lodato), *onorevole* (che può essere onorato o che dà onore: *un uomo onorevole* e *una resa onorevole*), *mutevole* (che può mutare). La prima *e* del suffisso è tonica e si pronuncia stretta.

evòlvere: verbo irregolare della seconda coniugazione, transitivo. *Pass. rem.*: evolsi, evolvesti, evolse, evolvemmo, evolveste, evolsero. *Part. pass.*: evolúto. Significa: sviluppare; è usato al riflessivo nel senso di: svolgersi, fare evoluzione, progredire. Es.: *Il popolo si è evoluto in questi anni.*

evvíva: esclamazione che indica gioia, esultanza. Anche acclamazione, applauso. Es.: *Evviva, siamo ricchi!*; *Evviva, è finita la guerra!*; *Evviva la repubblica!*; *Evviva l'Italia!*

ex aequo: locuzione latina (pr.: ex èquo) usata ancora nelle classificazioni e graduatorie. Significa: a pari merito. Es.: *I due corridori sono stati classificati secondi ex aequo.*

excursus: parola latina rimasta nell'uso. Significa: digressione, divagazione erudita.

ex professo: locuzione latina rimasta nell'uso. Significa: di proposito, autorevolmente, compiutamente, con fondamento.

ex voto: locuzione latina che significa: voto, oggetto offerto a Dio o a un Santo per una grazia ricevuta. Usato anche come sostantivo indeclinabile. Es.: *A Pompei ho visto molti ex voto.*

-ézza: suffisso che si usa generalmente per ricavare da aggettivi i sostantivi astratti. Es.: *bellezza* (da bello), *ricchezza* (da ricco), *mollezza* (da molle), *finitezza* (da finito), *ebbrezza* (da ebbro). La *e* del suffisso è tonica e si pronuncia stretta.

F

f: sesta lettera dell'alfabeto; quarta consonante. Si considera di genere femminile o maschile, sottintendendo rispettivamente *lettera* o *segno*: la *effe*, un *effe*. È consonante *continua* perché può essere pronunciata anche da sola; *labiodentale* perché si articola con il concorso delle labbra e dei denti; *spirante* perché pronunciata da sola produce una specie di sibilo.

fa: terza persona singolare del presente indicativo del verbo *fare* (V.). Non si accenta mai. *Fa'* è invece la seconda persona singolare dell'imperativo (abbreviazione di *fai*). *Fa* è anche il segno della quarta nota musicale in tono di *do*.
Fa si usa nelle espressioni: *tre anni fa*; *quanto tempo fa?* e simili per indicare un periodo di tempo trascorso.

fabbisógno: sostantivo maschile, composto da una forma verbale (fa) e un sostantivo maschile (bisogno). Si usa solo al singolare.

fàbula: la disposizione unitaria degli elementi tematici tipica delle opere narrative, in cui ogni elemento sta in un rapporto causale-temporale con il precedente ed il successivo. L'organizzazione degli stessi elementi nella scrittura dell'opera può non coincidere con la fabula e, in questo caso, la costruzione narrativa si configura come *intreccio*.

fàccia: sostantivo femminile che indica la parte del capo dalla fronte al mento. Plurale: facce.
Si notino le locuzioni: *a faccia a faccia* (l'uno in presenza dell'altro), *di faccia* (di rimpetto), *in faccia a uno* (apertamente).
Indica anche: pagina. In questo senso si usa anche *facciata*. Da *faccia* deriva l'aggettivo *facciale*, di cui è ammessa anche la forma *faciàle*.

facile: aggettivo qualificativo. Può introdurre una proposizione limitativa, costruendosi con *a* o *da* e l'infinito, anche con un verbo passivo. Le costruzioni possibili sono: a) *facile a dire*; b) *facile a dirsi*; c) *facile da dire*; d) *facile da dirsi*.

facsímile: sostantivo maschile. È nome composto da due parole latine: *fac* (imperativo di *fàcere* = fare) e *simile* (aggettivo neutro: cosa simile). Si scrive anche *fassimile*. Plurale: facsimili.

factòtum: sostantivo maschile, indeclinabile. È nome composto da due parole latine: *fac* (imperativo di *fàcere* = fare) e *totum* (aggettivo neutro: ogni cosa).

-fagía: secondo elemento di parole composte, derivato dal greco. Significa: mangiare, abitudine alimentare. Es.: *antropofagia*, *onicofagia*, *aerofagia*.

fagiuòlo: sostantivo maschile. È ormai invalsa nell'uso la forma *fagiòlo*, superando la regola del dittongo mobile.

falècio: verso greco e latino, così denominato da Faleco poeta alessandrino, dalla metrica piuttosto indefinita; secondo i più, il falecio è costituito prevalentemente da un bisillabo spondaico o giambico, da un coriambo, un digiambo e una sillaba finale ancipite. Metro preferito da Catullo (*hendecasyllabus falecaeus*), il falecio è stato reso dai suoi traduttori con due quinari italiani (uno sdrucciolo e uno piano). Carducci lo utilizza nel Prologo ai suoi *Juvenilia*.

fallàcia: sostantivo femminile. Plurale: fallàcie. *Fallace* è invece il maschile singolare dell'aggettivo, che significa: falso, ingannevole, menzognero. Plurale: fallàci (maschile e femminile).

fallàre: verbo della prima coniugazione, intransitivo. Ausiliare: avere. Significa: commettere errore, sbagliare. Es.: *Noi possiamo aver fallato*. È di uso raro, però, salvo nel participio passato. Può considerarsi forma sovrabbondante di *fallire* (V.).

fallíre: verbo della terza coniugazione. In alcuni tempi si coniuga con la forma incoativa *-isc-* tra il tema e la desinenza. *Pres. indic.*: fallisco, fallisci, fallisce, falliamo, fallite, falliscono. *Pass. rem.*: fallíi, fallisti, fallí, fallimmo, falliste, fallirono. *Pres. cong.*: fallisca, fallisca, fallisca, falliamo, falliate, falliscano. *Part. pass.*: fallíto. Manca il participio presente. Usato intransitivamente si coniuga con tutti e due gli ausiliari, ma l'uso più comune è quello con essere; significa: cadere in fallimento. Es.: *Sono falliti altri tre commercianti*; *Quella ditta è fallita*. Significa anche: deludere, mancare all'aspettazione (Es.: *Ha fallito alla nostra attesa*) e venir meno (Es.: *Gli sono fallite improvvisamente le forze*). Usato transitivamente significa: sbagliare, soprattutto mancare un bersaglio, anche in senso figurato. Es.: *Abbiamo fallito il colpo.*

fàllo: sostantivo maschile. Significa: sbaglio, errore. *Cadere in fallo*, significa: cadere in errore. *Cogliere in fallo*: sorprendere in colpa. L'espressione *senza fallo* significa: certamente, sicuramente, senza dubbio. Es.: *Verrò senza fallo* (cioè: sicuramente). *Fàllo* è pure voce verbale, composta dall'imperativo del verbo fare (*fa'*) e dalla particella atona *lo*, con raddoppiamento della consonante iniziale. Significa: fa' ciò. Es.: *Vuoi fare un errore? Fallo!*

falsapòrta: sostantivo femminile composto da un aggettivo (falsa) e da un sostantivo (porta). Plurale: falseporte. V. anche Composti (Nomi).

falsaríga: nome composto da un aggettivo (falsa) e da un sostantivo femminile singolare (riga). Plurale: falsarighe. Per la regola relativa, V. Composti (Nomi).

fàlse alterazióni: alcuni nomi hanno terminazioni che sembrano i suffissi usati per formare l'*accrescitivo*, il *diminutivo*, il *peggiorativo*, il *vezzeggiativo* (V. voci relative), ma in realtà non sono alterati, o, se lo sono, hanno perduto l'originario valore dell'alterazione. Si hanno allora le *false alterazioni*. Es.: *mattone* non è accrescitivo di *matto*, *montone* non è accrescitivo di *monte*, *migliaccio* non è peggiorativo di *miglio*, *focaccia* non è peggiorativo di *foca*, *tacchino* non è diminutivo di *tacco*, *filetto* non è diminutivo di *filo*. Così: *burrone* e *burro*, *limone* e *lima*, *salmone* e *salma*, *torrone* e *torre*, *rapina* e *rapa*, *tifone* e *tifo*, *merletto* e *merlo*, *banchetto* e *banco* sono parole che non hanno alcun rapporto tra loro.

falsi amici: coppie di parole, appartenenti ciascuna ad una lingua diversa, simili come forma ma diverse come significato, sicché possono diventare motivi di errore o di interferenza per coloro che non sono abbastanza esperti in una certa lingua straniera. Per es. *editor*, in inglese *redattore*, può erroneamente essere tradotto nell'italiano *editore*; *cold*, in inglese *freddo*, nell'italiano *caldo*; *inhabitable*, in inglese *abitabile*, nell'italiano *inabitabile*.

falsobordóne: sostantivo maschile, composto da un aggettivo (falso) e da un sostantivo (bordone). Plurale: falsibordoni. V. anche Composti (Nomi).

famiglia: in lessicologia, è il gruppo di parole legate da rapporti di parentela, in quanto derivano da una comune radice. *Campo* appartiene alla stessa famiglia di *campestre*, in quanto entrambi derivano dalla comune radice latina *campus*. Anche *scampato* appartiene alla stessa famiglia, in quanto derivato di *scampare*, a sua volta derivato di *campo*.
Nella linguistica storica, famiglia è il gruppo di lingue che hanno una comune radice, come nel caso delle lingue indoeuropee.

familiàre: aggettivo qualificativo. Significa: relativo alla famiglia. È meno usata (ma non scorretta) la forma *famigliare*. Allo stesso modo si preferisce scrivere *familiarità* (e non: famigliarità), *familiarmente* (e non: famigliarmente), *familiarizzare* (e non: famigliarizzare).

fanta-: prima parte di neologismi, che significano prevalenza dell'invenzione e della fantasia sull'osservazione del reale, in determinati campi. Es.: *fantaeconomia*, *fantapolitica*, *fantacronaca*. Sono derivati dalla fortuna che ha avuto nell'uso il primo di questi neologismi, ossia *fantascienza* (V.).

fantasciènza: sostantivo femminile. Nome composto da *fantasia* e *scienza*, in-

dica un tipo di letteratura che costruisce racconti fantastici sviluppando liberamente concetti tecnici e scientifici.
Tale letteratura si serve spesso di un gergo formato di neologismi, la cui origine non è sempre comprensibile. Ecco qualche esempio di parole che si possono incontrare nella letteratura dei romanzi di fantascienza, con il corrispondente significato tra parentesi: *andròide* (automa con forma umana), *amíra* (donna siderale che cerca marito), *aplòide* (donna che desidera essere madre senza il concorso dell'uomo), *biomeccànico* (uomo capace di rigenerarsi le membra amputate), *denébi* (esseri che invadono altri pianeti), *gravitòmetri* (misuratori della forza di gravità di un mondo), *insettívoci* (uomini che parlano agli insetti), *levitànti* (uomini che hanno facoltà di volare), *luníte* (sorta di cemento estratto dal suolo della Luna), *omínidi* (abitanti di altre stelle), *pedíne* (esseri senza facoltà speciali), *pirofollètti* (globi di elettricità, luminosi e intelligenti), *piròmani* (uomini capaci di incendiare persone e cose a distanza), *raggi-traspàn* (armi delle astronavi), *stràtobus* (autobus della stratosfera), *telecinétici* (uomini che spostano oggetti a distanza). Altri vocaboli sono anche più oscuri. Es.: *granthee* (esseri siderali che minacciano la Terra), *ísuan* (stupefacente ultrapotente), *lunarjet* (razzo locale Terra-Luna, con servizio giornaliero), *seeset* (uomini simili a coccodrilli bipedi, mostruosi e intelligentissimi), *tàmbar* (liquore ricostituente, rigeneratore delle energie perdute per il logorio della vita ultramoderna), *estàun* (presentimento di fatti che accadranno tra decine di anni), *resístio* (nuovo metallo resistentissimo).

fantàstico: aggettivo qualificativo. Plurale: fantàstici. Indica cosa che è frutto della fantasia. Es.: *Un racconto fantastico*. Si usa oggi anche nel senso di meraviglioso, straordinario, bellissimo. Es.: *Ho visto un incontro fantastico*; *Questa auto ha una ripresa fantastica*; *Aveva fatto un salto fantastico*; *Ha due occhi fantastici.*

fantomàtico: aggettivo qualificativo. È francesismo. Termini italiani corrispondenti, secondo i casi: fantastico, spettrale, immaginario, illusorio. Es.: *Parla di un fantomatico* (favoloso) *tesoro*; *Aveva un aspetto fantomatico* (spettrale).

fàre: verbo irregolare della prima coniugazione, transitivo. *Pres. indic.*: fo (o faccio), fai, fa, facciàmo, fate, fanno. *Imperf.*: facevo, facevi, faceva, facevamo, facevate, facevano. *Fut. semplice*: farò, farai, farà, faremo, farete, faranno. *Pass. rem.*: feci, facesti, fece, facemmo, faceste, fecero. *Pres. cong.*: faccia, faccia, faccia, facciamo, facciate, facciano. *Imperf. cong.*: facessi, facessi, facesse, facessimo, faceste, facessero. *Pres. condiz.*: farei, faresti, farebbe, faremmo, fareste, farebbero. *Imper.*: fai o fa' (anche fa), faccia, facciamo, fate, facciano. *Part. pres.*: facente. *Part. pass.*: fàtto. *Gerundio presente*: facendo.
È un verbo fondamentale della lingua italiana; indica genericamente ogni azione ed è quindi molto usato, molto spesso anche in luogo del verbo specifico. Significa: operare, agire, compiere, eseguire, creare, costruire, generare. Es.: *Ho fatto un lavoro*; *Ha fatto presto*; *Noi faremo una nuova casa*. È bene tuttavia non abusare di questo verbo e sostituirlo, quando è possibile, con un verbo specifico. Es.: *fare un quadro* (meglio: dipingere), *fare un libro* (scrivere), *fare un problema* (risolvere), *fare uno sbaglio* (commettere), *fare una partita* (giocare), *fare una cattiva azione* (compiere), *fare un monumento* (elevare), *fare un discorso* (pronunciare), *fare un contratto* (stipulare), *fare un ponte* (costruire o gettare), *far la prima elementare* (frequentare), *fare una festa* (celebrare), *fare una legge* (emanare, approvare, promulgare), *fare gli auguri* (porgere), *fare un salto* (spiccare), *fare l'avvocato* (esercitare), *fare una strada* (percorrere), *fare una domanda* (rivolgere), *fare un debito* (contrarre), *far danno* (arrecare), *fare una parentesi* (aprire), *fare un pranzo* (preparare), *far coraggio* (infondere), *far pietà* (destare), *far da testimone* (fungere), *far un brutto tiro* (giocare), *fare attenzione* (prestare), *fare un sonnellino* (schiacciare), *far la barba* (radersi), *far sindaco* (eleggere).
Usato intransitivamente (ausiliare: avere) significa: importare (Es.: *Non fa nul-*

la; *A te non fa nulla che io parta*), essere conveniente (*Non ha mai fatto per me*), essere, detto di tempo trascorso (*Due anni fa*), nascere, detto del giorno e della notte (*Fa giorno presto*). Seguito da un infinito, quasi in funzione di ausiliare (più precisamente: con funzione causativa), vale: comandare, ordinare o concedere, lasciare. Es.: *Mi fece entrare*; *Fallo lavorare*; *Volle farmi visitare*. Con *che* e il congiuntivo vale: provvedere, curare, interessarsi. Es.: *Fa che non ti veda*; *Fate che possiamo vedervi*.
Usato riflessivamente, vale: divenire (Es.: *Si fece pallido*; *S'è fatto ricco*) o spostarsi (*Si fece avanti*). Indica anche azione compiuta a proprio vantaggio o su sé stesso (riflessivo apparente). Es.: *Mi faccio da mangiare*; *Si è fatta la permanente*.
Notiamo infine le seguenti locuzioni, scelte tra le numerosissime composte con il verbo fare: *a far data da* (meglio: a cominciare da), *far l'amore* o *all'amore* (vale: amare), *far animo* (incuorare), *farla a uno* (far burla o inganno), *farla in barba ad alcuno* (a dispetto o sotto gli occhi di uno), *far breccia* (fare impressione), *farci la bocca* (abituarsi), *far il bravo* (comportarsi bene), *far calcolo* (meglio: pensare, far conto), *far capo* (indirizzarsi, ricorrere), *far caso* (dare importanza), *far causa* (intentare una lite), *far cilecca* (fallire, non riuscire, sbagliare), *far colpo* (impressionare), *fare un buon colpo* (concludere un buon affare; nel gergo della malavita, rubare), *far a meno* (far senza, rinunciare), *far fagotto* (andarsene), *far fede* (testimoniare, attestare), *far festa* (festeggiare), *far la festa a uno* (ucciderlo), *far fiasco* (fallire), *far bella* o *cattiva figura* (riuscire bene o male), *far figura* (aggiungere grazia), *far la figura di* (far la parte di), *far finta* (fingere), *far fronte* (provvedere), *farla franca* (scampare a un castigo), *far funzione di* (specie nel participio presente: facente funzione di, fare le veci di), *far fuoco e fiamme* (fare il possibile e l'impossibile), *far furore* (piacere moltissimo), *far giudizio* (mettere la testa a posto), *fare il gioco d'alcuno* (giovargli), *far gola* (di cosa, esser desiderata), *far guerra a uno* (combatterlo), *far giustizia* (far valere i diritti manomessi), *far luce* (rischiarare, spiegare, svelare), *far lezione* (insegnare), *far leva* (operare con una leva, poggiare), *far ombra* (essere d'intralcio), *far specie* (far meraviglia), *far sangue* (sanguinare), *far scena* (far figura, in senso teatrale), *far silenzio* (tacere), *far società* (associarsi, allearsi), *far spalla a uno* (aiutarlo), *far tardi* (arrivar con ritardo), *fare a tempo* (arrivare a compiere una cosa nel tempo stabilito), *far tesoro di una cosa* (tenerla in gran pregio, custodirla), *far di testa propria* (far da sé). Locuzioni più recenti sono: *far fuori* (uccidere, eliminare; risolvere una lite. Es.: *L'hanno fatto fuori i banditi*; *Se incontro quel tale, lo faccio fuori subito*), *far tredici* (vincere al concorso pronostici, al Totocalcio), *far tipo* (essere originale, interessante. Es.: *Quella ragazza non è bella, ma fa tipo*), *far fino* (nel gergo degli snob: essere fine, essere elegante, *chic*), *far molto Montenapo, Capri* (ancora nel gergo degli snob: dare l'impressione di essere in via Montenapoleone, a Milano, o a Capri), *farsi la casa* (comperare, acquistare la casa). Eviterai l'uso di *fare* nel senso di *dire* (*Lei mi fa: «Quando parti?»*; *Non voglio far nomi*) e nelle seguenti locuzione: *fare un bacio* (dare), *far dell'arte, dello sport, della politica* (coltivare l'arte, praticare lo sport, dedicarsi alla politica), *far memoria* (ricordare), *farsi un dovere* (recarsi a dovere), *fare una malattia per qualcosa* (appassionarsi), *fare un'eredità* (conseguire, ottenere una eredità).

fàrmaco: nome sdrucciolo terminante in *-co*. Plurale: farmaci o farmachi.

farnètico: nome sdrucciolo terminante in *-co*, che al plurale finisce in *-chi*. Plurale: farnetichi. È d'uso antiquato. Sinonimo di: vaneggiamento, delirio, pazzia. Anche: colui che farnètica.

fàrsa: componimento teatrale comico, generalmente breve, di origine antica, ma sempre presente nella tradizione successiva tanto popolare che letteraria, utilizzato come intermezzo a rappresentazioni più serie. I temi e i toni della farsa, solo più misurati nelle versioni letterarie, sono quelli della buffoneria e dello scherzo, tipici della cultura popolare.

fastèllo: sostantivo maschile, che significa: grosso fascio. Plurale: i fastèlli o, anche, le fastèlla.

fàsto: sostantivo maschile, che indica l'ostentazione della ricchezza, lusso. Sinonimo di: sfarzo, pompa. Il plurale, *fasti*, indica, nel linguaggio moderno, il ricordo delle imprese gloriose. Es.: *I fasti del nostro Risorgimento.*

fasúllo: aggettivo qualificativo, usato con intenzione scherzosa nel senso di falso. Es.: *nome fasullo* (nome falso), *permesso fasullo* (falsificato). Per estensione, può valere anche: inetto, scadente, inadeguato. Es.: *scarpe fasulle, avvocato fasullo.*

fàtica (funzione): la funzione che svolgono parole o locuzioni per iniziare una comunicazione o controllare che il canale comunicativo è in atto regolarmente. Le frasi e le formule possono avere semplice valore di cortesia o essere addirittura pleonastiche. Es.: *Pronto? Mi senti?, Mi dia retta, per favore, Mi capisci?, Attenzione, stai bene attento, Si badi bene, Ascoltaci, nevvero?, Senta, dico a lei*, ecc.

faticatóre: sostantivo o aggettivo maschile che indica colui che resiste alla fatica. Al femminile: faticatóra o faticatríce.

fatídico: aggettivo qualificativo che significa: capace di predire il fato. Viene usato anche nel senso di: fatale. Al plurale: fatídici.

fàtto: participio passato del verbo *fare* (V.). Si usa in talune espressioni con particolare significato: *ecco fatto* (affermazione che una cosa è compiuta); *uomo fatto* (maturo, anziano); *detto fatto* (cosa eseguita con grande rapidità); *cosí fatto* o *cosiffatto* (tale, simile).

Fatto, usato come sostantivo, significa: impresa, avvenimento, episodio (Es.: *È accaduto un fatto strano*); interesse (*Tu bada al fatto tuo*); materia, argomento (*In fatto di musica, è un maestro*; *Quel pianista sa il fatto suo*; *Veniamo al fatto*).

Fatto sta è una formula conclusiva. Es.: *Disse molte cose, anche giuste; fatto sta che fu condannato lo stesso.*

fattóre: sostantivo maschile. Indica colui che conduce una azienda rurale. Anche: creatore (Es.: *Dio è il massimo fattore*).

Al femminile: fattóra, fattoréssa. *Fattrice* è invece la cavalla di razza (o altra bestia) passata alla riproduzione. *Fattore* è anche la causa o un elemento di una situazione. Es.: *Nello studio della storia non si può prescindere dai fattori ideali*; *La terra è uno dei fattori della produzione.*

fattúra: sostantivo femminile. Indica l'opera di un artigiano e il suo costo. Es.: *La fattura di un abito da donna*; *Tanto costa la stoffa e tanto la fattura.* Nel linguaggio commerciale indica il conto di lavori eseguiti o di merce venduta. Es.: *Ho saldato la fattura*; *Questa è la fattura per il lavoro dei muratori.* Significa anche: stregoneria, malía. Es.: *Dicono che quella vecchia faccia le fatture.*

fautóre: sostantivo maschile. Femminile: fautrice.

fàvola: componimento in prosa semplice e breve, di tipo narrativo, che racconta vicende fantastiche con lo scopo di fornire un insegnamento morale all'ascoltatore o al lettore. I pochi personaggi che danno vita tradizionalmente alla favola, attraverso brevi scambi di battute prima dell'enunciazione della morale finale, sono in genere gli animali, posti a simboleggiare alcuni tipici caratteri umani.

favolèllo: poemetto narrativo in rima, ora burlesco, ora satirico, ora amoroso, d'origine e caratteristico della Francia medioevale (favolello è il calco del francese *fabliau*, plur. *fabliaux*, piccola favola), dal contenuto realistico e dal tono arguto e giocoso.

Nella nostra letteratura medioevale, Brunetto Latini scrisse, in versi settenari a rima baciata, *Il Favolello*, un'operetta didattica e morale sui doveri dell'amicizia.

favoríre: verbo della terza coniugazione, transitivo. In alcuni tempi si coniuga con la forma incoativa *-isc-* tra il tema e la desinenza. *Pres. indic.*: favorisco, favorisci, favorisce, favoriamo, favorite, favoriscono. *Pres. cong.*: favorisca, ecc. *Imper.*: favorisci, favorisca, favorite, favoriscano. *Part. pass.*: favoríto. Significa: aiutare, preferire, sostenere. Es.: *La fortuna ci ha favorito.* Usato anche nel senso di: chiedere cortesemente. Es.: *Favorisca i suoi documenti.* Si noti che, essendo il verbo transitivo, è errata la costruzione con la preposizione *a* (Es.: *Voleva favorire a un suo amico*). L'imperativo è usato come formula di cortesia per invitare ad entrare in un luogo o a sedere a mensa. Es.: *Favorisca! Favorisca nel mio studio.*

favoríti: sostantivo maschile, usato solo al plurale. Indica le due strisce di barba che si lasciano crescere lungo lo gote. Il termine è un francesismo. In italiano si dirà: basette, fedine, o scopettoni. Il singolare *favorito* significa: prediletto, privilegiato, che gode il favore di persona potente. Nel linguaggio sportivo, colui che il pronostico indica come più probabile vincitore. Es.: *Quel cavallo parte favorito*; *Il favorito è lui*. Il femminile, *favorita*, indicava donna che godeva le grazie e i favori di un re o di un principe.

fe': terza persona singolare del passato remoto del verbo *fare* (V.). Apocope di *fece*. FÉ è invece sostantivo femminile, apocope di *fede*. Es.: *Egli fe' cenno col capo*; *Così provò la sua fé*. Sono tutt'e due voci d'uso poetico. In entrambe la *e* ha pronuncia chiusa.

febbríle: aggettivo qualificativo che significa: relativo alla febbre. Ormai nell'uso anche con il significato di: fervido, intenso, entusiasta. Es.: *Ore di febbrile attesa*; *È immerso in un'attività febbrile.*

fèccia: sostantivo femminile che indica la posatura del vino. In senso figurato significa: la parte peggiore. Es.: *La fèccia della metropoli*. Al plurale: fècce. *Fèci* è invece plurale di un singolare *fèce* ormai caduto in disuso, e indica nel linguaggio medico gli escrementi umani. *Féci* è invece la prima persona singolare del passato remoto di *fare* (V.).

fedífrago: nome (e aggettivo) terminante in *-go*, che al plurale finisce in *-ghi*. Plurale: fedífraghi. Femminile: fedífraga, fedífraghe.

felicitàre: verbo della prima coniugazione, transitivo. Significa: render felice; o anche, intransitivamente, riuscir bene in un'impresa (ma è d'uso assai antiquato). Al riflessivo è usato nel senso di: congratularsi, rallegrarsi (che sono però da preferire). Es.: *Mi felicito* (meglio: mi congratulo, mi rallegro) *della tua promozione*. Analogamente, al sostantivo plurale FELICITAZIONI preferirai: congratulazioni, rallegramenti.

femminíle: uno dei due generi della lingua italiana. L'altro è il maschile. Sono femminili i nomi propri o comuni di persona o animale che indicano esseri femminili. Es.: *Franca, scolara, tigre*. Tuttavia alcuni nomi di genere femminile sono usati anche per persone di sesso maschile. Es.: *La guardia, la recluta, la spia, la sentinella*.

Per i nomi di cosa la distinzione tra genere femminile e genere maschile è convenzionale. Sono generalmente femminili i nomi di città (*Atene, Roma, Napoli*), di continenti (*Europa, Asia, Africa*), di regioni (*Lombardia, Campania, Sicilia*), dei frutti (*arancia, mela, pera*). Ma non mancano eccezioni: nomi maschili di città (*Il Cairo*), di regioni (*il Piemonte, il Lazio*), di frutti (*il limone, il cedro*).

Sono femminili, pur con molte eccezioni, i nomi che terminano in *-a* (*rosa, casa, stanza*); la maggior parte dei nomi terminanti in *-u* (*virtù, gioventù*), molti nomi in *-e* (*rete, sete, parete*), pochi nomi in *-o* (*mano, eco, moto*), quasi tutti i nomi in *-i* (*crisi, dialisi, analisi, mimesi, artrosi*).

Sono poi di genere femminile gli aggettivi, gli articoli, le preposizioni articolate e i pronomi che si riferiscono ad un nome di genere femminile, o indicano persona femminile. Es.: *buona* amica, *la* virtù, *della* storia, *ella* disse. Le parti variabili del discorso, tranne il verbo, hanno infatti forme diverse per i due generi. I nomi di cosa hanno solitamente un solo genere (Es.: *matita* è solo femminile, *carta* è solo femminile, *mattone* è solo maschile). Pochi sono i nomi che hanno doppio genere conservando sempre lo stesso significato. Per lo più infatti quando un nome ha doppio genere cambia profondamente significato secondo il genere; è più corretto dire allora che si tratta di due parole diverse (Es.: il *caso* e la *casa*; il *baro* e la *bara*; il *modo* e la *moda*; il *limo* e la *lima*; il *collo* e la *colla*). I nomi di persona e di animale mutano invece la desinenza passando dal maschile al femminile, secondo regole particolari.

femminíle (formazione del): il passaggio dal genere maschile a quello femmi-

nile è possibile solo per i nomi di persona e di animali. I nomi di cosa possono avere la forma femminile e quella maschile, ma si tratta allora di due parole senza rapporto tra loro, con significato diverso.
I nomi di persona mobili (ossia di *genere mobile*) formano il femminile mediante un cambiamento di desinenza o l'aggiunta di un suffisso.
I nomi *propri* formano il femminile mutando la desinenza *-o* del maschile in *-a* (Claudio, *Claudia*). Altri, per divenire femminili assumono anche un suffisso diminutivo (Nicola, *Nicoletta*; Giuseppe, *Giuseppina*).
Quanto ai nomi comuni occorre tener presenti le seguenti regole:
a) se il maschile finisce in *-a* (ma non *-ista* e *-cida*) aggiungono al tema il suffisso *-èssa* (poeta, *poetessa*; duca, *duchessa*);
b) se il maschile termina in *-o*, prendono la desinenza *-a* (maestro, *maestra*; cuoco, *cuoca*), con qualche eccezione, però: medico, *medichessa*;
c) se il maschile finisce in *-e*, possono assumere la desinenza *-a* (cameriere, *cameriera*; padrone, *padrona*; signore, *signora*) o in *-essa* se indicano titolo o professione (conte, *contessa*; oste, *ostessa*; mercante, *mercantessa*; dottore, *dottoressa*; fattore, *fattoressa*);
d) se il maschile termina in *-tore*, mutano questa desinenza in *-trice* (attore, *attrice*; pittore, *pittrice*; imperatore, *imperatrice*; genitore, *genitrice*);
e) se il maschile termina in *-sore*, il femminile (assai raro) si ottiene aggiungendo *-trice* a un tema modificato (uccisore, *ucciditrice*; possessore, *posseditrice*). Fa eccezione *professore* con il suo femminile *professoressa*.
Alcuni nomi formano poi il femminile in modo particolare: dio, *dea*; re, *regina*; eroe, *eroina*; doge, *dogaressa*.
I nomi di genere comune hanno un'unica forma per il maschile e per il femminile (il consorte, la *consorte*; il pianista, la *pianista*; l'omicida e la *omicida*); e si distinguono per mezzo dell'articolo o dell'aggettivo con essi concordato. Alcuni nomi, di *genere fisso*, hanno come femminile un nome di diversa radice. I principali sono: uomo, *donna*; padre, *madre*; babbo, *mamma*; maschio, *femmina*; marito, *moglie*; fratello, *sorella*; genero, *nuora*.
Così accade anche per alcuni nomi di animali: becco, *capra*; porco, *scrofa*; cane, *cagna*; montone, *pecora*.
La maggior parte dei nomi di animali è di *genere promiscuo*, cioè ha un'unica forma per il maschile e femminile. Per la distinzione si dovrà dire, per esempio: la *mosca* e la *mosca maschio*, la *pantera* e il *maschio della pantera*, il *leopardo* e la *femmina del leopardo*. Alcuni nomi di animali invece cambiano la desinenza *-o* in *-a* (cavallo, *cavalla*; gatto, *gatta*; cervo, *cerva*; fagiano, *fagiana*; daino, *daina*) o la *-e* in *-essa* (elefante, *elefantessa*; leone, *leonessa*).
Le regole circa la formazione del femminile non sono assolute e, nel dubbio, è consigliabile consultare un vocabolario. Anche il presente dizionario indica alle voci relative la esatta forma del femminile o del maschile dei nomi che costituiscono eccezione o presentano qualche particolarità.
V. anche NOME e AGGETTIVO.
Un problema a parte è costituito dalla esigenza di riconoscere anche linguisticamente l'eguaglianza dei sessi e il crescente accesso delle donne a mestieri e professioni riservate sinora ai maschi. È materia in fieri, senza quindi regole fisse. Ma mentre *avvocatessa*, *dottoressa* si sono affermate nell'uso, *vigilessa*, *deputatessa* o *deputata* conservano una sfumatura colloquiale e scherzosa. Persiste l'uso del maschile grammaticale per *medico*, *presidente*, *giudice*, *ingegnere*, *architetto*, anche quando si tratta di indicare una donna. Si ricorre spesso a risolvere il problema unendo la parola donna: *donna pilota*, *donna poliziotto*, *donna paracadutista*.

fèndere: verbo della seconda coniugazione, transitivo. *Pres. indic.*: fèndo, fendi, fende, fendiamo, fendete, fendono. *Imperf.*: fendevo. *Pass. rem.*: fendètti (o fendéi), fendesti, fendette (o fendé), fendemmo, fendeste, fendettero (o fenderono). *Fut. semplice*: fenderò, fenderai, fenderà, fenderemo, fenderete, fenderanno. *Part. pass.*: fendúto o féssо. Significa: aprire, dividere, scendere. Il participio passato, *fésso*, vale: rotto, spaccato. Es.: *Questa tavola è féssa* (cioè è spaccata, ha una fenditura, magari poco visibile). Al figurato vale: sciocco, scemo.

fenomenàle: aggettivo qualificativo. Significa letteralmente: di fenomeno. È usato nel senso di: mirabile, straordinario, enorme, ma non bisogna abusarne. Es.: *È un campione straordinario* (non: fenomenale); *Era un tipo straordinario* (non: fenomenale).

ferecratèo: nella metrica classica, verso affine al gliconeo, di cui è considerata una varietà per catalessi. Il ferecrateo, il cui nome viene dal comico greco Ferecrate, consiste in due sillabe iniziali libere, un dattilo e un trocheo o spondeo. Prima di Carducci nella metrica barbara, già Chiabrera lo aveva reso con un settenario piano.

fèrie: sostantivo plurale, che indica il periodo annuale di riposo, le vacanze. Poco usato il singolare *feria* (giorno di riposo), salvo nel composto (maschile singolare, indeclinabile) *Ferragosto* (la feria d'agosto).

feríre: verbo della terza coniugazione, transitivo. In alcuni tempi si coniuga con la forma incoativa *-isc* tra il tema e la desinenza. *Pres. indic.*: ferisco, ferisci, ferisce, feriamo, ferite, feriscono. *Pres. cong.*: ferisca, ferisca, ferisca, feriamo, feriate, feriscano. *Imper.*: ferisci, ferisce, feriscano. *Part. pass.*: feríto.

férmo (punto): V. PUNTO FERMO.

-fero: suffisso di origine latina, che significa: che porta, portatore. Usato per aggettivi e nomi composti; *fruttífero* (che fa frutto), *frugífero* (che produce biade), *pestífero* (che porta peste, dannoso), *mortífero* (che apporta morte, esiziale).

feròcia: nome femminile terminante in *-ia*, che al plurale conserva la *i* atona (*ferocie*) anche per distinguersi da *feroce* che è aggettivo.

ferraménto: sostantivo maschile, che indica qualsiasi oggetto di ferro. Plurale: i ferraménti, oppure anche: le ferraménta.

ferràto: participio passato del verbo *ferrare*. Significa: munito di ferro. In senso figurato dicesi di colui che è esperto in qualche argomento. Es.: *Quell'avvocato è ferrato in diritto internazionale*; *È un concorrente ferrato in ittiología.*

fertilizzàre: verbo della prima coniugazione, transitivo. Significa: render fertile. È un francesismo, ma ormai d'uso comune come l'aggettivo *fertilizzante*, che si usa specialmente sostantivato: i *fertilizzanti* (concimi chimici).

fèrvere: verbo della seconda coniugazione, intransitivo. *Pres. indic.*: fèrvo, fèrvi, fèrve, ferviàmo, fervète, fèrvono. *Pass. rem.*: fervéi (o fervètti), fervésti, fervette (o fervé), fervémmo, fervéste, fervettero. *Fut. semplice*: ferverò, ferverai, ecc. Non ha participio passato.

fésso: participio passato di *fendere* (V.).

fía: voce antiquata del verbo essere, in luogo di: sarà.

fiàba: racconto fantastico, di origine popolare, ambientato in luoghi e tempi mitici e leggendari, in cui agiscono creature immaginarie dotate di sembianze, costumi e poteri irreali.

fiammeggiàre: verbo della prima coniugazione, intransitivo. Significa: mandar fiamma. Si coniuga con l'ausiliare avere, ma quando è usato col significato di risplendere, si coniuga anche con l'ausiliare essere.

fiàsco: sostantivo maschile (plurale: fiàschi), che indica un vaso di vetro con il ventre largo e il collo lungo e stretto. *Fiasca* è invece un fiasco col ventre schiacciato, detto anche *borraccia*. Al figurato, *fiasco* significa: insuccesso, cattiva riuscita di un'impresa. Es.: *La spedizione è stata un fiasco*; *Avevo un bel progetto, ma ho fatto fiasco.*

fíbra: sostantivo femminile che indica l'elemento filiforme dei tessuti animali e vegetali. Significa anche: costituzione fisica (*Quel poveretto aveva una debole fibra*) e energia, volontà (*Ci volevano uomini di buona fibra*). È errata la forma: fibbra.

-ficàre: terminazione tipica dei verbi che indicano fabbricare, rendere, trasformare. Es.: *nidificare, mummificare, tonificare, fortificare, deificare, plastificare.*

ficcanàso: nome composto da una forma verbale (ficca) e un sostantivo maschile (naso). Plurale: ficcanasi. Per la regola relativa, V. anche COMPOSTI (NOMI).

-ficio: secondo elemento di parole composte che indicano fabbrica, luogo di produzione: *setificio, pastificio, librificio.*

fidúcia: sostantivo femminile che significa: confidenza, stima, sicurezza. Plurale: fidúcie.

fíeri: parola latina che significa: diventare, essere fatto. Usata nell'espressione: *essere in fieri* (essere in divenire, essere ancora da fare; essere solo nell'intenzione di qualcuno). Es.: *La mia opera è ancora in fieri*; *Queste riforme sono ancora in fieri.*

fièro: aggettivo qualificativo. Significa propriamente: che ha qualità di fiera; quindi: violento, feroce, crudele, selvatico. Non è dunque proprio l'uso invalso in luogo di: superbo, altero. Es.: *Mi onoro* (non: sono fiero) *di aver servito la Patria.*

fíggere: verbo della seconda coniugazione, transitivo. *Pres. indic.*: figgo, figgi, figge, figgiamo, figgete, figgono. *Pass. rem.*: fissi, figgesti, fisse, figgemmo, figgeste, fissero. *Fut. semplice*: figgerò, figgeranno. *Part. pass.*: fitto o fisso. Significa: fissare, attaccare. Al figurato, *figgere gli occhi*, significa: fissare lo sguardo.

figliàle, figliazióne: V. FILIALE.

figliàre: verbo della prima coniugazione, transitivo. Significa: far figli; ma è detto solo delle bestie. Per gli uomini userai: partorire, generare, procreare.

figliuòlo: sostantivo maschile. Significa: figlio, ma con una sfumatura affettuosa. Si trova anche la forma *figliòlo*; comunque, nelle alterazioni: figliolino, figlioletto, figliolone, per la regola del *dittongo mobile* (V.).

figuràre: verbo della prima coniugazione, transitivo. Significa: rappresentare con figure, simboleggiare, far figura. Es.: *Egli se l'era figurata in questo modo*; *Il leone figura la superbia*; *Alla festa di ieri sera hai figurato molto bene.*

È burocratico usarlo nel senso di: essere, trovarsi. Es.: *Il mio nome era* (non: figurava) *nell'elenco.*

figúrati!: esclamazione di meraviglia. Si usa per confermare o negare una cosa. Es.: 1) *Ma a te interessava quel film? Figurati! non vedevo l'ora di uscire dal cinema.* 2) *Ti dispiace se ti parlo di questo argomento? Figurati! sono contento.*

figúre grammaticàli: sono dette anche *figure di sintassi*; consistono in modi di dire che si allontanano dalle regole grammaticali per particolari esigenze stilistiche degli autori. Sono dunque irregolarità con le quali gli scrittori cercano di rendere vivace e originale la loro maniera di scrivere. Le principali figure grammaticali o sintattiche sono: l'*anacolùto*, l'*asíndeto* e il *polisíndeto*, il *chiàsmo*, l'*ellíssi*, l'*enàllage*, l'*ipèrbato*, il *pleonàsmo*, la *sillèssi*, lo *zèugma* (V. voci relative).

figúre métriche: alterazioni dei valori sillabici delle parole all'interno di un verso. Per mezzo delle figure metriche si possono suddividere le sillabe di una parola in maniera diversa da quella normale. Le figure metriche sono di due tipi: *figure di accento* e *figure di vocale*. Sono figure di vocale: la *dièresi*, lo *iàto*, la *sinèresi* e l'*elisióne* (V. voci relative). Sono figure di accento: la *sístole* e la *diàstole* (V. voci relative). Figure metriche si possono considerare anche le licenze poetiche: l'*afèresi*, l'*apòcope*, l'*epèntesi*, la *paragòge*, la *pròtesi*, la *síncope* e la *tmèsi* (V. voci relative).

figúre retòriche: mezzi tecnici dei quali si serve lo scrittore, per ottenere particolari effetti, esprimendo in maniera metaforica il proprio pensiero. Si possono distinguere, tra le figure retoriche, quelle di contenuto o traslati, quelle di parola e quelle di sentimento. Le *figure di contenuto* o *traslati* si hanno quando si esprime un'idea con un'immagine che, avendo con essa una qualche relazione di somiglianza, la raffiguri e la indichi in maniera più espressiva. Le principali sono: la *similitúdine*, la *comparazióne*, la *metáfora*, l'*allegoría*, l'*eufemísmo*, la *personificazióne*, la *sinèddoche*, la *metonimía*, l'*antonomàsia*, la *perífrasi*, l'*ipèrbole* (V. voci relative). Le *figure di parola* consistono in una particolare disposizione delle parole, per mezzo della quale si vogliono ottenere effetti speciali. Le principali sono: l'*allitterazióne*, la *paronomàsia*, l'*anàfora* o *parallelísmo*, la *ripetizió-*

ne, l'*antítesi*, l'*ipèrbato*, l'*onomatopèia* e l'*asíndeto* (V. voci relative).

Le *figure di sentimento* sono le più idonee a rilevare l'intensità di uno stato d'animo, sia modificando un suono, sia trasformando la naturale struttura della frase. Le principali sono: l'*esclamazióne*, l'*epifonèma*, l'*ipotipòsi*, l'*interrogazióne*, l'*apòstrofe*, la *preterizióne*, la *prosopopèa*, la *prolèssi* (V. voci relative).

figùro: sostantivo maschile. È il maschile di *figura*, ma nel cambiamento di genere assume un valore spregiativo (come *broda* da *brodo*, *articolessa* da *articolo*).

fíla: sostantivo femminile che indica più persone o cose allineate (Es.: *una fila di scolari, una fila di alberi*). Plurale: le file. Non confondere con *le fila*, che è plurale di *filo* (V.). Non dirai: *le fila dell'esercito*, ma: *le file dell'esercito. In fila*: uno dietro l'altro; *di fila*: ininterrottamente, continuamente (Es.: *Parlò tre ore di fila*).

filalòro: nome composto da una forma verbale (fila) e da un sostantivo maschile (oro). Plurale: filalòri. Indica l'operaio che riduce l'oro in fili sottili. V. anche COMPOSTI (NOMI).

filàre: verbo della prima coniugazione, transitivo. Significa: ridurre in filo, detto di fibre tessili o anche di metalli. Usato intransitivamente (ausiliare: avere) ha vari significati. Detto di liquido, significa: uscir fuori con getto sottile. Es.: *Lo zucchero filava dal recipiente*. Detto di persona, significa: correre, andar velocemente (Es.: *Filava a cento all'ora*) oppure comportarsi bene, far giudizio (Es.: *La madre lo faceva filare*; *Adesso deve filar diritto*). In senso scherzoso, significa: amoreggiare (Es.: *Luigi e Nina han filato per un po' di tempo*; *Ho filato anch'io con quella ragazza*).

filastròcca: componimento in versi di origine popolare, caratterizzato da un ritmo rapido e fortemente cadenzato, da rime e da incontri giocosi di parole.

filatóre: sostantivo maschile che indica l'operaio della filatura. Femminile: filatrice e, nell'uso toscano, filatóra.

-filìa: secondo elemento di parole composte. D'origine greca indica: amore, predilezione, tendenza. Es.: *bibliofilia, esterofilia, neofilia*.

filiàle: aggettivo qualificativo. Significa: di figlio, da figlio. È meno comune, anche se non errata, la forma *figliale* (analogamente si preferisce: *filialmente, filiazione*, non: figlialmente e figliazione). *Filiale*, in gergo commerciale, si usa nel senso di: succursale, impresa dipendente da altre. Es.: *La filiale* (succursale) *di Bergamo della Banca d'Italia*.

film: parola inglese ormai d'uso internazionale. Significa propriamente pellicola e, per estensione, spettacolo cinematografico. Nel plurale alcuni italianizzano *filmi*, altri scrivono *films* e altri ancora lasciano la parola invariata; quest'ultimo caso è senz'altro da preferirsi.

filo-: prefisso che significa: amico, cultore. Es.: FILODRAMMÀTICO (dilettante dell'arte drammatica), FILOAMERICÀNO (amico dell'America), FILÀNTROPO (altruista, che ama l'umanità), FILARMÒNICO (dilettante di musica), FILATELÍA (passione per la raccolta dei francobolli), FILOSOFÍA (amore della sapienza), FILOSLÀVO (amico degli slavi).

Si usa inoltre come suffisso. Es.: ANGLÒFILO (amico degli inglesi), BIBLIÒFILO (amatore e ricercatore di libri belli e rari), CINÒFILO (amico e allevatore di cani), NEÒFILO (amante del nuovo, delle novità).

filo: nome sovrabbondante. Ha due desinenze al plurale: i fili (per l'uso proprio: *i fili del telegrafo* o *del cucito*) e le fila (per l'uso figurato: *le fila del formaggio, di una trama*).

filòlogo: sostantivo maschile. Plurale: filòlogi. Indica il cultore di filologia, cioè lo studioso della lingua in quanto fatto letterario. Il GLOTTÒLOGO (plurale: glottòlogi) è invece lo studioso dei sistemi linguistici in quanto patrimonio storico e sociale.

filòsofo: sostantivo maschile. Indica il cultore di filosofia. Femminile: filòsofa o filosofèssa o donna filosofo.

finàle: di una parola, è la sillaba o la lettera con la quale termina.

finàle (proposizione): proposizione subordinata che indica il fine dell'azione espressa dalla proposizione reggente.

Nella forma esplicita, la proposizione finale è introdotta dalle congiunzioni *af-*

finché, perché, che e ha il verbo al modo congiuntivo. Essa infatti non esprime una certezza o una realtà, ma un'intenzione, uno scopo, un'azione possibile. Es.: Egli si sacrificò *affinché i compagni potessero sopravvivere*; Lo dissi ad alta voce, *perché egli lo sapesse*; Curò *che nessuno sapesse niente*.

Si ricordi poi il valore finale che può assumere anche la proposizione relativa. Es.: Furono inviati ambasciatori *che trattassero la pace*; Chiese un avvocato, *che perorasse la sua causa*. Nella forma implicita la proposizione finale si esprime con l'infinito preceduto dalle preposizioni *per, a, da, di* (meno eleganti sono le locuzioni: *allo scopo di, al fine di, nell'intento di*, e simili). Es.: Noi lavoriamo *per vivere*; I soldati furono inviati al fronte *a combattere*; Si chinò *ad ascoltare*; Mi fu affidato un plotone *da comandare*; Gli fu chiesto *di intervenire*.

finàli (congiunzioni): le congiunzioni che introducono una proposizione finale. Esse sono: *affinché* (Ti avverto, *affinché tu provveda*), *acciocché* (*Acciocché sia noto a tutti*, ripeterò quanto ho già detto), *perché* (Mi opposi, *perché egli fosse salvo*).

finànche: avverbio che significa: persino, anche. Antiquata e ormai praticamente caduta in disuso la forma *finànco*.

finanzièra: sostantivo femminile. Indica un abito da cerimonia chiamato, con parola straniera, *redingote*.

finché: congiunzione che introduce una proposizione temporale. Significa: sino a quando. Regge sia il modo congiuntivo sia l'indicativo. Es.: Ti prometto di aiutarti *finché vivrò*; *Finché io viva*, quel lazzarone non entrerà in questa casa.

Seguita da *non*, il significato non cambia: Aspettalo *finché esca* da quella porta; oppure: Aspettalo *finché non esca* da quella porta.

fíne: sostantivo maschile e femminile. Al femminile indica il punto ove termina qualcosa. Es.: *Qui fa fine la storia*; *Ti ho raccontato la fine di Ottavio*; *Il mondo, come ha avuto un principio, cosí avrà una fine*; *Finalmente ho condotto a fine quel libro*.

Al maschile il termine indica per lo più lo scopo (e in questo caso è da preferirsi a *finalità*). Es.: *Il fine dello Stato è la giustizia*; *Tu hai secondi fini*.

fíne o **scòpo (complemento di):** indica il fine, l'intento, il proposito per cui avviene un'azione. Mentre il complemento di causa indica ciò che determina temporalmente o logicamente l'azione, il complemento di fine indica la meta, lo scopo a cui tende l'azione stessa.

La causa è l'origine di un fatto, il punto di partenza, per così dire: il fine è la mèta, il punto di arrivo. I due complementi si possono quindi agevolmente distinguere. Esempio: Dovetti partire *per affari* (=complemento di fine); Sei rovinato *per gli affari* (=complemento di causa).

Quando il complemento di fine indica la persona o la cosa a cui l'azione reca vantaggio o svantaggio, si dice anche *di comodo* o *di incomodo*, ed è da taluni compreso tra i complementi di *termine* (V.). Es.: Noi dobbiamo combattere *per la patria*; Essi si sacrificarono *per i compagni*; Tu mi sarai *di aiuto*.

Il complemento di fine o di scopo risponde alle domande: A qual fine? Per quale scopo? È retto dalle preposizioni *a, da, per, in*, che precedono il sostantivo indicante lo scopo. È retto pure da locuzioni quali: *essere di, dare in, lasciare in, riuscire di*. Es.: Mi diede *in dono* un libro; Gli lasciò una foto *per ricordo*; *A difesa* della città furono innalzate alte mura; *Per il bene* della patria i cittadini sopportarono lunghe privazioni; Fu pronunciato un discorso *in suo onore*; Ti ho mentito *a fin di bene*.

La preposizione *da* è adoperata soprattutto per specificare la funzione, l'uso a cui è destinata una cosa. Es.: Vino *da pasto*, ago *da cucire*, camera *da letto*. Per l'uso di questa preposizione, V. però anche la voce relativa Da.

fíne, fíno: aggettivi qualificativi. Il primo significa: penetrante, acuto (*ingegno fine*); di qualità pregiata (*stoffa fine*); educato (*una persona fine*). Il secondo significa: sottile (*filo di lana fino, pertica fina, gambe fini*) e accorto, scaltro (*cervello fino*).

fíne di riga: in fine di riga, quando non vi è spazio per terminare la parola si spezza questa secondo le regole della divisione in sillabe (V. *sillaba*). Sotto l'ultima sillaba si pongono due trattini; oppure, come a stampa, un trattino a fianco.

fíne settimàna: locuzione che traduce l'inglese *week-end* per indicare la gita domenicale o la vacanza al termine della settimana. Considerata come un solo sostantivo è usata sia come femminile che come maschile. Es.: *Passerò la fine settimana in montagna*; *Ti auguro un buon fine settimana.*

fíngere: verbo irregolare della seconda coniugazione, transitivo. *Pass. rem.*: fínsi, fingésti, finse, fingémmo, fingéste, finsero. *Part. pass.*: fínto.

finíre: verbo della terza coniugazione, transitivo. In alcuni tempi si coniuga con la forma incoativa *-isc-* tra il tema e la desinenza. *Pres. indic.*: finisco, finisci, finisce, finiamo, finite, finiscono. *Pres. cong.*: finisca, finisca, finisca, finiamo, finiate, finiscano. *Imper.*: finisci, finisca, finite, finíscano. *Part. pass.*: finíto. Significa: porre fine, terminare, compire. Es.: *Ho finito questo lungo lavoro.*

Usato intransitivamente, vuole l'ausiliare essere quando è senza complemento (Es.: *La paura è finita*), avere negli altri casi (Es.: *A teatro ho finito con l'addormentarmi*; *Quel chiacchierone ha finito col compromettersi*).

Come si vede dagli esempi, il verbo, quando regge un infinito, si costruisce sempre con la preposizione *con*. I puristi respingono l'uso, pur frequente, della costruzione con *per*. Es.: *Si finisce sempre per dar ragione ai più forti.*

Come ausiliare di tempo si costruisce con la preposizione *di*. Es.: *Hai finito di sfruttarci*; *Ho appena finito di scrivere.*

finíti (modi): sono i modi del verbo che esprimono l'idea dell'azione determinando anche la persona che la compie. Essi sono: *indicativo, congiuntivo, condizionale, imperativo* (V. voci relative).

fíno: aggettivo e preposizione. Come aggettivo V. *fine*. Come preposizione equivale a *sino* (che viene usata quando si vuole evitare cacofonia: *sino alla fine*). Si tronca davanti a parola cominciante con vocale. Es.: *Fin adesso, fin ora* (meglio: *finora*), *fin allora*. Le locuzioni *fino a che, fin tanto che* valgono: *finché* (V.). Talora *fino* significa: persino, anche, altresí. Es.: *Fino i sordi avrebbero sentito!*

finóra: avverbio di tempo che significa: sino a questo momento, sino adesso. Di eguale valore la forma *sinora.*

fintànto, fintantoché: locuzioni che introducono una proposizione temporale. Es.: *Resisterò fintantoché* (o *fin tanto che*) *avrò le forze per farlo.*

fioccàre: verbo della prima coniugazione, intransitivo. Significa: cadere a fiocco (detto della neve), in gran numero. Ausiliare: essere. Es.: *È fioccato tutta la notte*; *Mi son fioccate proteste da ogni parte.*

fióri (nomi dei): i nomi di fiori hanno solitamente lo stesso genere delle piante corrispondenti. I seguenti nomi femminili indicano sia il fiore che la pianta: *l'acácia, la betònica, la begònia, la camélia, la dàlia, la gardénia, la ginèstra, la gaggía, l'íride, la margheríta, la magnòlia, la ninféa, l'orchidéa, l'orténsia, la peònia, la prímula, la ròsa, la viòla, la vaníglia.* I seguenti nomi maschili indicano anch'essi sia il fiore che la pianta: *l'amarànto, il biancospíno, il ciclamíno, il girasóle, il gerànio, il giacínto, il gíglio, il narcíso, l'oleàndro, il papàvero, il rododéndro, il tulipàno, il tímo.*

fioríre: verbo della terza coniugazione, intransitivo. Ausiliare: essere. In alcuni tempi si coniuga con la forma incoativa *-isc-* tra il tema e la desinenza. *Pres. indic.*: fiorisco, fiorisci, fiorisce, fioriamo, fiorite, fioriscono. *Pres. cong.*: fiorisca, fiorisca, fiorisca, fioriamo, fioriate, fioriscano. *Part. pass.*: fioríto. Significa: produrre fiori (Es.: *Il giardino è fiorito*); al figurato: prosperare (Es.: *A Firenze fioriscono le arti e le lettere*).

físico: sostantivo o aggettivo. Plurale: fisici. Nel senso di corpo umano sono da preferirsi i termini: persona, personale, complessione, costituzione. Es.: *Alla sua età ha ancora un bel fisico.*

fisio-: primo elemento di parole composte. D'origine greca, vale: natura, naturale. Es.: *fisiocratico, fisiologo.*

fisiòlogo: sostantivo maschile. Plurale: fisiòlogi.

fisionomía: sostantivo femminile che indica l'espressione del volto. Si trova anche: fisonomía.

fittàvolo: sostantivo maschile che indica colui che conduce in affitto un fondo. È meglio dire però: affittuàrio.

fítto: sostantivo maschile che indica l'affitto dei fondi rustici. Di una casa dirai *pigione*, non: fitto.

fiúme (nome di): i nomi dei fiumi sono tutti maschili, salvo alcuni terminanti in *-a*. Es.: il *Po*, il *Tevere*, l'*Arno*, il *Don*, il *Volga*, il *Gange*, il *Piave* (tutti maschili); la *Dora*, la *Senna*, la *Bormida*, la *Loira*, la *Secchia*, la *Scrivia*, la *Magra*, la *Vistola* (femminili); l'*Adda*, il *Niagara*, il *Brenta*, il *Sesia* (maschili).

flacóne: sostantivo maschile. Francesismo per: bottiglietta, boccetta, boccettina, sia di medicinali che di profumi.

flessióne: il complesso delle variazioni delle parole, che appartengono a parti variabili del discorso, cioè: aggettivi, nomi, articoli, pronomi o verbi. La flessione degli aggettivi, dei nomi, dei pronomi e degli articoli si chiama *declinazione* (V.). La flessione dei verbi si chiama *coniugazione* (V.). Nella declinazione varia la desinenza della parola secondo il *genere* e il *numero*; nella coniugazione la desinenza varia secondo il *modo*, il *tempo*, la *persona* e il *numero*.

flèttere: verbo della seconda coniugazione, transitivo. *Pres. indic.*: flètto, flètti, flètte, flettiamo, flettete, flettono. *Pass. rem.*: flettei (flessi), flettesti, fletté (flesse), flettemmo, fletteste, fletterono (flessero). *Part. pass.*: flèsso. Significa: piegare; in grammatica: declinare (un nome o un aggettivo) e coniugare (un verbo).

fluíre: verbo della terza coniugazione, intransitivo. Ausiliare: essere. In alcuni tempi si coniuga con la forma incoativa *-isc-* tra il tema e la desinenza. *Pres. indic.*: fluisco, fluisci, fluisce, fluiamo, fluite, fluiscono. *Pres. cong.*: fluisca, fluisca, fluisca, fluiamo, fluiate, fluiscano. *Part. pass.*: fluíto. Significa: scorrere, sgorgare con facilità.

fobía: sostantivo femminile derivato dal greco. Significa: paura, avversione morbosa. È usato come suffisso in alcune parole composte. Es.: *anglofobía* (avversione per gli inglesi), *idrofobía* (paura dell'acqua, sintomo della rabbia), *claustrofobía* (orrore per i luoghi chiusi). Con il suffisso *-fobo* si formano i corrispondenti aggettivi: *anglófobo, idrófobo, claustrófobo, sessuofobo.*

fòdera: sostantivo femminile che indica il rivestimento della parte interna o esterna di qualche cosa. Es.: *la fodera del cappotto, la fodera del libro*. Il maschile FÒDERO indica esclusivamente la guaina della spada o del pugnale.

fòggia: sostantivo femminile che significa: maniera, guisa. Al plurale: fogge.

folgoràre: verbo della prima coniugazione, intransitivo. Significa: lampeggiare, balenare. Ausiliare: avere (*Ha folgorato tutta la notte*).

folklore: parola inglese, oggi molto in uso, per indicare lo studio del popolo, e più generalmente le abitudini, i costumi e le tradizioni di una popolazione in un certo periodo storico. Il termine è anche stato italianizzato: folclòre.

fóndaco: nome sdrucciolo terminante in *-co*. Plurale: fóndachi.

fondaménto: sostantivo maschile che indica il muro sotterraneo su cui poggia un edificio; basamento, sostegno. Nel plurale è sovrabbondante: *le fondamenta* e *i fondamenti*. Il plurale femminile è per l'uso proprio. Es.: *Le fondamenta di questa casa*. Il plurale maschile per l'uso figurato. Es.: *Il filosofo espose i fondamenti della morale*; *Questi sono i fondamenti della matematica*. Anche il singolare è usato però al figurato. Es.: *È una notizia senza fondamento* (falsa, inventata); *Il tuo sospetto è senza fondamento* (non ha motivo di essere, è infondato).

fóndere: verbo della seconda coniugazione, transitivo. *Pres. indic.*: fondo, fondi, fonde, fondiamo, fondete, fondono. *Pass. rem.*: fusi, fondesti, fuse, fondemmo, fondeste, fusero. *Fut. semplice*: fonderò, fonderai, fonderà, fonderemo, fonderete, fonderanno. *Part. pass.*: fúso. Es.: *Lo scultore fuse il bronzo per la statua*; *Il pittore fuse i colori della sua tavolozza in un bel quadro.*

fonètica: la parte della linguistica che studia il linguaggio dal punto di vista dei suoni. Le tendenze più recenti distinguono tuttavia tra *fonetica* (=scienza dell'articolazione dei suoni da un punto di vista organico-fisiologico) e FONOLOGÍA O FONEMÀTICA (=analisi di un sistema di suoni in senso storico e descrittivo).

-fonìa: secondo elemento di parole composte. D'origine greca, significa: suono, pronuncia, comunicazione del suono. Es.: *telefonia, radiofonia, omofonia, cacofonia, sinfonia.*

fònica (accentazione): il mettere l'accento acuto sulle sillabe che hanno suono stretto e l'accento grave su quelle che hanno suono largo. V. ACCENTO.

fono-: prefisso di origine greca che significa: suono. Forma varie parole composte: FONOGÈNICO (che ha voce adatta ad essere impressa sui dischi), FONÒGRAFO (apparecchio che registra la voce umana o altri suoni, e li riproduce fedelmente), FONOGRÀMMA (dispaccio comunicato per telefono), FONÒMETRO (apparecchio per misurare l'intensità dei suoni), FONOTIPÍA (l'arte di preparare dischi per il fonografo). Come suffisso indica attinenza al suono e forma aggettivi e sostantivi: *telefono, anglofono, citofono, videotelefono.*

fonología: V. FONETICA.

fonosimbolísmo: il procedimento espressivo con cui si genera una percezione nell'ascoltatore tale che i suoni uditi gli evocano un oggetto o un concetto. Es.: l'espressione *zig-zag* fa percepire il senso del movimento intervallato da scarti; l'interiezione *uffa* fa percepire onomatopeicamente il senso della noia e del fastidio che si manifesta nel soffiare nervosamente.

Analogamente, la lingua scritta consente di avvalersi di un procedimento, detto *grafosimbolismo,* in cui si fa leva sulla percezione visiva.

fónte: sostantivo che al maschile indica la vasca battesimale, al femminile l'origine, la sorgente.

fòrbice: sostantivo femminile; indica uno strumento formato di due lame, che serve per tagliare stoffa, carta, ecc. È meglio usare il plurale: forbici.

forestierísmo: parola o locuzione di una lingua straniera entrata nell'uso.

fórma: sostantivo femminile. Significa: foggia, aspetto, figura, modo, costituzione. Es.: *la forma del tavolo, le forme di governo, la forma del triangolo.* In letteratura, è lo stile. Es.: *In questo scritto ho ammirato la forma, non il contenuto.* Significa inoltre: esteriorità, formalità. Es.: *Questa è una semplice questione di forma; Ti dico questo solo pro forma.* Nel linguaggio sportivo indica la condizione fisica e morale di un atleta. Es.: *Oggi non era in buona forma; Quel corridore è sembrato in cattiva forma.* In grammatica, *forma* è l'aspetto di una parola, nel contesto sintattico, determinato secondo l'*analisi grammaticale* (V.) o morfologica. Anche, genericamente: locuzione, modo di dire, vocabolo. Es.: *A financo si preferisca la forma finché.* Forma del verbo: coniugazione. Il verbo ha varie forme, cioè coniugazioni: *attiva, passiva, pronominale, reciproca, riflessiva* (V. voci relative).

formàre: verbo della prima coniugazione, transitivo. Significa: dar forma, modellare. È da evitare l'uso nel senso di: essere, costituire. *Questo problema forma la nostra preoccupazione.* Dirai meglio: costituisce, o anche, semplicemente, è.

-forme: suffisso che significa: a forma di. Usato per formare molti aggettivi. Es.: *aghiforme* (a forma d'ago), *biforme* (a due forme), *conforme* (simile, concorde), *deforme* (bruttissimo, sformato), *filiforme* (a forma di filo), *multiforme* (di molte forme), *proteiforme* (mutevole, che cambia spesso), *stiliforme* (in forma di stilo), *uniforme* (della stessa forma).

fórme mètriche: le forme in cui si sono tradizionalmente raggruppati, secondo vari schemi e sistemi, le strofe e i versi. Esse non sono rigidamente classificabili, né hanno valore percettivo per la libera ispirazione e invenzione del poeta; rappresentano tuttavia forme artistiche ormai fissatesi nella storia della nostra letteratura, valide pur sempre come modelli ed esempi. Le principali forme metriche sono: la *ballata,* la *canzone,* la *canzonetta,* il *madrigale,* l'*ode,* il *sirventese,* il *sonetto,* lo *stornello,* lo *strambotto* (V. voci relative).

formicolàre: verbo della prima coniugazione, intransitivo. Ausiliare: essere e avere. Indica l'agitarsi della folla, il muoversi di gran numero di persone o di animali. Al figurato: esser pieno, brulicare. Es.: *La piazza formicola di persone*; *Quella zona formicolava di banditi.*

forníre: verbo della terza coniugazione, transitivo. In alcuni tempi si coniuga con la forma incoativa *-isc-* tra il tema e la desinenza. *Pres. indic.*: fornisco, fornisci, fornisce, forniamo, fornite, forniscono. *Pres. cong.*: fornisca, fornisca, fornisca, forniamo, forniate, forniscano. *Part. pass.*: forníto.

fórno: sostantivo maschile; indica un edificio ove si cuoce il pane o altro cibo. Oggi anche apparecchio elettrico per la cottura di paste dolci, carni, ecc. La locuzione *al forno* è abbreviazione, ormai accolta, di: cotto al forno. Es.: *vitello al forno, pasta al forno*. Al figurato, *sembrare un forno*, dicesi di chi sparla di tutti; *far forno*, nel linguaggio teatrale: recitare davanti a un teatro vuoto.

-foro: terminazione di parole che indicano portatore, produttore. Es.: *doriforo, tedoforo.*

fóro: sostantivo maschile che significa: buco, apertura. Pronunciato con l'*o* aperta, *fòro*, indica la piazza degli antichi romani; oggi anche tribunale, giurisdizione. Es.: *L'operaio fece un fóro nel muro*; *A Roma, ho visitato il Fòro*; *Quell'avvocato è un principe del fòro.*

fórse: avverbio di dubbio. Indica generalmente incertezza e approssimazione, ma nel discorso può acquistare diverse sfumature di significato: dubbio (*Forse verrò domani*), ironia (*Il ladro, forse per educazione, camminò in punta di piedi*), desiderio (*Forse riuscirò nell'intento*), esitazione (*Forse potrei anche tentare*), ecc. Per attenuare l'incertezza, si ripete (*Forse forse ci sono riuscito*), per rafforzarne l'idea si usa l'espressione *forse sì e forse no*. Le locuzioni *forse* e *forse che non* introducono interrogazioni retoriche. Es.: *Forse il traditore ha scrupoli di coscienza?*; *Forse che non gli era stato detto a sufficienza?*

Con i numeri equivale a *circa* e indica approssimazione (Es.: *Forse trenta persone*, circa trenta persone).

fòrte: aggettivo qualificativo che significa: gagliardo, energico, robusto, vigoroso. È da evitare l'uso di questo aggettivo nel senso di: grasso, grosso, abbondante. Es.: *È un uomo forte di fianchi* (dirai: grosso di fianchi). Nel linguaggio familiare si usa questo aggettivo nel senso di: molto spiritoso, straordinario. Es.: *Quell'attore? Ah, è forte, sai!* È pure usato con valore avverbiale nel senso di: molto, assai, moltissimo. Es.: *È bella forte!*

fòrti (verbi): verbi della seconda coniugazione che sono irregolari nel passato remoto e nel participio passato. Le forme irregolari o forti hanno l'accento su una sillaba del tema. Es.: *àrsi, vídi, accési, àrso, vísto, accéso.*

fortunàto: aggettivo qualificativo che significa: favorito dalla fortuna. *Fortunoso*, invece, dicesi di chi ha molte e non liete vicende; sinonimo di: avventuroso, burrascoso, tempestoso. *Fortunatissimo* è formula di cortesia, nelle presentazioni.

fòsso: sostantivo maschile che indica un canale. *Fòssa* è invece una scavatura del terreno. Al plurale: fòsse, da non confondersi con *fósse* (voce del verbo essere).

fòto: parola derivata da un vocabolo greco che significa: luce. Oggi è abbreviazione di: fotografia. È quindi uno dei pochi nomi femminili in *-o* della nostra lingua, indeclinabile. Prefisso di molte parole composte che indicano persone o cose attinenti alla luce o alla fotografia. Es.: FOTOCERÀMICA (l'arte di fissare le immagini fotografiche sullo smalto), FOTOCHÍMICA (studio delle azioni chimiche sulla luce), FOTOCOMPOSIZIONE (composizione di testi su supporto sensibile alla fotografia), FOTOCROMÌA (fotografia a colori), FOTOCRÒNACA (cronaca fatta per mezzo di fotografie), FOTOFOBÍA (avversione per la luce), FOTOGÉNICO (adatto ad essere fotografato), FOTOGRÁMMA (frammento della pellicola cinematografica), FOTÓMETRO (apparecchio per misurare l'intensità della luce), FOTOMOSÀICO O FOTOMONTÀGGIO (quadro formato con pezzi di varie fotografie), FOTOROMÀNZO (romanzo narrato con fotografie e con brevi didascalie, come nei romanzi a fumetti), FOTOTÈCA (archivio fotografico).

fra: accorciativo della parola *frate*. Es.: *Fra*

Cristoforo, Fra Galdino. È errore scriverlo con l'apostrofo, poiché si tratta di un troncamento. Davanti a nome proprio cominciante con vocale è meglio usare la forma intera. Es.: *frate Agostino, frate Eusebio.*

fra-: prefisso che indica: in mezzo, tra. Vuole il raddoppiamento della consonante semplice che segue. Es.: *frammezzare* (mettere una cosa in mezzo ad un'altra), *frammischiare* (mescolare), *frapporre* (mettere in mezzo), *frattanto* (in questo mentre), *frattempo* (intervallo, tempo frapposto).

fra, tra: preposizione semplice propria. Si usa l'una o l'altra forma seguendo criteri di eufonia, badando cioè a evitare incontri di gruppi delle stesse consonanti. Es.: *Tra fratelli*; *Fra tribuni*; *Fra strato e strato*. Questa preposizione indica separazione nello spazio (*Fra una cosa e l'altra*) o nel tempo (*Fra la prima e la seconda guerra mondiale*); una posizione di mezzo (*Tra la speranza e il timore*) e vari tipi di relazione tra due termini (*Odio tra due nemici*; *Alleanza tra molte nazioni*; *Un ponte tra una sponda e l'altra*). Introduce quindi complementi di luogo (*Posto tra due fiumi*) e di tempo (*Fra un'ora*; *Fra il primo e il secondo intervallo*; *Fra poco*; *Fra giorni*) e quello partitivo (*Alcuni fra noi*).

fràdicio: aggettivo qualificativo che significa: molto bagnato, umido. Al plurale: fràdici e fràdicie (femm.).

francesísmo: parola o locuzione derivante da un cattivo adattamento alla nostra lingua di parola o locuzione francese. Gallicismo. Es.: *al dettaglio* (nella buona lingua italiana: al minuto), *azzardo* (rischio), *blusa* (camiciotto), *comò* (cassettone), *debutto* (esordio), *flacone* (boccetta), *rango* (condizione). Francesismo è pure l'uso di parole italiane nel significato francese. Es.: *attenzione* (nel senso di cortesia), *brillante* (brioso), *marcare* (segnare), *rimarchevole* (notevole), *aggiornare* (rimandare). Un tempo rigorosamente vietati dai puristi, oggi i vecchi e nuovi francesismi sono accolti nell'uso. Spetta poi a chi parla e scrive giudicare se l'espressione italiana equivalente non sarebbe più efficace e più gradevole.

franchígia: sostantivo femminile che significa: privilegio, immunità, esenzione da tasse. Al plurale: franchígie.

frànco: aggettivo qualificativo. Significa: libero. *Porto franco*: porto ove si entra senza pagare il dazio per le merci. Significa anche: disinvolto, sincero, schietto. Es.: *Ti parlerò molto franco*; *Sarò franco con te*. *Farla franca* significa: passarla liscia, non incorrere nel castigo dovuto. Dialettale è l'uso di franco nel senso di: fermo, saldo, solido. Es.: *La finestra non è franca* (dirai: chiusa bene); *Questo palo non è ben franco* (dirai: non è saldo, non è ben fermo).

fràngere: verbo irregolare della seconda coniugazione, transitivo. *Pass. rem.*: frànsi, frangésti, frànse, frangémmo, frangéste, frànsero. *Part. pass.*: frànto.

fràngia: sostantivo femminile. Al plurale: frànge. Al figurato, vale: aggiunta falsa o esagerata ad un racconto. Es.: *E tu ci hai messo la frangia, non è vero?*

fràse: sostantivo femminile. L'unione di più parole che diano un senso compiuto. Sinonimo di *proposizione* (V.). FRASEGGIÀRE: costruire frasi. FRASEOLOGÍA: frasario speciale di una lingua (Es.: *fraseologia italiana*). Di uno scrittore dirai però: *frasario*, non: fraseologia.

fraseològico (uso): si dice fraseologico l'uso di verbi che, uniti ad un altro di modo infinito o gerundio, servono a indicare un particolare aspetto dell'azione (i verbi fraseologici sono perciò detti anche *aspettuali*), quali l'imminenza, l'inizio, lo svolgimento, la continuità, la conclusione. Es.: *Sto* per andare, *Comincio* ad avviarmi, *Stava* andando, *Prese* a correre, *Seguitai* a parlargli, *Cessai* di ascoltare.

Fraseologico è anche l'uso della particella *non* quando non ha alcuna funzione precisa. Es.: Che cosa *non* farei per vederla!

frattànto: avverbio di tempo. Significa: in questo mentre, contemporaneamente.

frattèmpo: sostantivo maschile che indica un tempo frapposto. *Nel frattempo*: nel mentre, frattanto.

fràtto: participio passato del verbo *frangere* (V.). FRÀTTA indica invece un boschetto di pruni e sterpi.

fréccia: sostantivo femminile, indicante

l'arma che si tira con l'arco. Al plurale: frécce.

frégio: sostantivo maschile che indica un ornamento, finimento di una decorazione. Al plurale: frègi. FRÉGO è invece una linea tracciata in fretta su una scritta per cancellarla. Al plurale: fréghi.

frèmere: verbo della seconda coniugazione, intransitivo. *Pres. indic.*: fremo, fremi, freme, fremiàmo, freméte, fremono. *Pass. rem.*: fremetti (fremei), fremesti, fremette (fremé), frememmo, fremeste, fremettero (fremerono). *Part. pass.*: fremúto. Vuole l'ausiliare avere. Letteralmente significa: emettere un suono rauco di voce, per una passione violenta. In senso figurato significa: essere violentemente commosso. Es.: *Fremevano di sdegno.*

frequentatívi (verbi): verbi che esprimono un'azione ripetuta, compiuta a grado a grado. I verbi transitivi o intransitivi acquistano significato frequentativo quando, posti al gerundio presente, si fanno precedere e reggere da *andare* o *venire*. Es.: *Andava dicendo qua e là*; *Veniva cantando alcune canzoni*; *L'annunciatore andava ripetendo i nomi dei vincitori.* Verbi frequentativi propriamente detti sono quelli derivati da una forma primitiva con l'aggiunta di suffissi o prefissi che conferiscono appunto al verbo valore frequentativo. Suffissi di questo genere sono: *-acchiare* (rubacchiare), *-erellare* (canterellare), *-onzolare* (gironzolare), *-olare* (brontolare), *-icare* (zoppicare), *-eggiare* (vaneggiare, temporeggiare). Il prefisso *s-* conferisce anch'esso valore frequentativo (da bandire, *sbandire*; da battere, *sbattere*).

fricatívo: in fonetica, detto di suono consonantico continuo, che produce una specie di fruscío. In italiano, per es., sono fricative le spiranti *f, s* e *v*.

fríggere: verbo irregolare della seconda coniugazione, transitivo. *Pass. rem.*: fríssi, friggesti, frísse, friggemmo, friggeste, frissero. *Part. pass.*: frítto. Usato intransitivamente, si coniuga con l'ausiliare avere. Al figurato significa: struggersi, essere impazienti. Es.: *Friggeva di rabbia*; *Era là che friggeva per la lunga attesa.*

Friùli: nome proprio di regione. Errata la pronuncia Frìuli.

frizzàre: verbo della prima coniugazione, intransitivo. Significa: pizzicare, pungere; detto di vino: dar piacevole sensazione di asprezza. Si coniuga con l'ausiliare avere.

frògia: sostantivo femminile. Plurale: fròge o frogie.

frónte: sostantivo femminile, che indica la parte della faccia tra gli occhi e i capelli. Anche la facciata di un edificio. Meno comunemente usato il maschile, che però prevale per indicare lo schieramento di un esercito in guerra.

fròttola: componimento poetico di origine popolare, di moda soprattutto nel Trecento, in cui si susseguono, senza una metrica regolare, frasi talora sconnesse, proverbi, motti e sentenze, con finalità didascalica o satirica. La frottola poteva anche adattarsi ad altri componimenti; ecco l'esempio di una canzone frottolata di F. Petrarca:

«Amor regge suo imperio senza spada.
Chi smarrita ha la strada torni indietro;
chi non ha albergo posisi in sul verde;
chi non ha l'auro o'l perde
spenga la sete sua con un bel vetro.»

Un secolo più tardi la frottola si trasformerà in barzelletta.

fruíre: verbo della terza coniugazione, intransitivo. Ausiliare: avere. In alcuni tempi si coniuga con la forma incoativa *-isc-* tra il tema e la desinenza. *Pres. indic.*: fruísco, fruisci, fruisce, fruiamo, fruite, fruiscono. *Pres. cong.*: fruisca, fruisca, fruisca, fruiamo, fruiate, fruiscano. *Part. pass.*: fruíto. Significa: godere, usare, giovarsi; si costruisce con la preposizione *di*. Es.: *Fruí di molti permessi*; *Ha fruíto di una speciale riduzione.* Raro ormai l'uso transitivo. Es.: *Ha fruíto un trattamento di favore.*

frullàre: verbo intransitivo della prima coniugazione. Ausiliare: avere. Indica il rumore degli uccelli quando si levano a volo. Es.: *Gli uccelli hanno frullato.* Detto anche di un'idea che viene in capo. Es.: *Come gli ha frullato in testa quell'idea?* Usato transitivamente significa: agitare nel frullino. Es.: *Ho frullato due uova.* Non si confonda con FROLLARE, che significa: render frollo, tenero, morbido (detto di carni commestibili).

frútti (nomi dei): i nomi dei frutti sono per lo più di genere femminile, mentre i nomi delle piante da frutto sono per lo più di genere maschile. Dirai dunque, intendendo i frutti: l'*albicocca*, l'*amarena*, l'*arancia*, la *banana*, la *castagna*, la *ciliegia*, la *fragola*, la *mandorla*, la *mela*, la *melagrana*, la *mora*, la *nespola*, la *noce*, la *nocciuola*, la *pesca*, la *pera*, la *pigna*, la *prugna*, la *sorba*, la *susina*. Intendendo invece la pianta dirai: l'*albicocco*, l'*arancio*, il *castagno*, il *ciliegio*, il *mandorlo*, il *melo*, il *melograno*, il *nespolo*, il *noce*, il *nocciuolo*, il *pesco*, il *pero*, il *prugno*, il *sorbo*, il *susino*.

Fanno eccezione i nomi dei frutti: l'*ananasso*, il *carrubo*, il *cedro*, il *fico*, il *kaki* o *caco*, il *lampone*, il *limone*, il *dattero*, il *pistacchio*, il *mandarino*, il *popone*. Fanno eccezione pure i seguenti nomi di piante da frutto: la *palma*, la *vite*, la *quercia*.

frútto: sostantivo maschile. È un nome sovrabbondante. Al singolare, ha due forme: il frutto e la frutta. *Frutto* si usa in senso figurato (*il frutto della fatica, il frutto del lavoro*) e in senso proprio per indicare tutto ciò che la terra produce, e in particolare la trasformazione del fiore dopo la fecondazione (*il frutto dell'arancio, il frutto dell'albicocco*). *Frutta* (femminile singolare) si usa per indicare il prodotto mangereccio delle piante. In questo senso si usano pure le due forme femminili del plurale: le *frutta* e le *frutte*. Il maschile plurale, *frutti*, si usa specialmente in senso figurato (*i frutti del capitale, i frutti dell'ozio*) e, in senso proprio, per indicare i molluschi marini (*i frutti di mare*) o i frutti ancora sull'albero (*un pero carico di frutti*).

fu: terza persona singolare del passato remoto del verbo *essere* (V.). Usato come aggettivo significa: defunto. Es.: *Il fu Mattia Pascal.*

fuggíre: verbo della terza coniugazione, intransitivo. Ausiliare: essere. *Pres. indic.*: fuggo, fuggi, fugge, fuggiamo, fuggite, fuggono. *Pass. rem.*: fuggíi, fuggisti, fuggí, fuggimmo, fuggiste, fuggirono. Significa: andar lontano, battersela, battere in ritirata. Es.: *Siamo fuggiti vergognosamente*; *Fuggirono dal campo di battaglia.* Usato anche transitivamente nel senso di: schivare, evitare. Es.: *Bisogna fuggire le cattive compagnie*; *Abbiamo fuggito tutti i peggiori vizi.*

-fugo: suffisso derivato dal latino. Significa: che mette in fuga. Usato per formare varie parole composte: *centrífuga* (forza per cui i corpi si allontanano dal centro), *callífugo* (rimedio contro i calli), *vermífugo* (medicamento che espelle i vermi dal corpo). Si noti la pronuncia sdrucciola delle parole composte con questo prefisso, spesso erroneamente pronunciate piane.

fúlgere: verbo della seconda coniugazione, intransitivo. *Pres. indic.*: fulgo, fulgi, fulge, fulgiamo, fulgete, fulgono. *Pass. rem.*: fulsi, fulgesti, fulse, fulgemmo, fulgeste, fulsero. Non ha participio passato. Significa: splendere.

fulminàre: verbo della prima coniugazione, transitivo. Significa: colpire col fulmine. Usato intransitivamente (ausiliare: essere o avere) significa: folgorare, cader fulmini. Al figurato significa: stroncare a modo di fulmine. Es.: *Lo fulminò con un'accusa.*

fumàre: verbo della prima coniugazione, intransitivo. Ausiliare: avere. Significa: mandar fumo. Es.: *Il vulcano fuma.* Anche: aspirare il fumo del tabacco. Es.: *Io non fumo, tu fumi troppo.* In questo senso è anche transitivo. Es.: *Egli fuma la pipa.*

fumisterie: parola francese (pr.: fümist'rí) per: fumo negli occhi, imbroglio, apparenza. Italianizzato anche in *fumisteria.*

fúngere: verbo irregolare della seconda coniugazione, intransitivo (ausiliare: avere). *Pass. rem.*: fúnsi, fungesti, fúnse, fungemmo, fungeste, funsero. *Part. pass.*: funto (poco usato). Significa: adempiere un ufficio senza averne il grado. Es.: *Fungeva da direttore.*

funzióne: sostantivo femminile. Ha vari usi e significati: attività di un organo animale o vegetale (*le funzioni intellettuali; la funzione respiratoria*; *la funzione sviluppa l'organo*), gli atti compiuti per dovere d'ufficio o della carica che si riveste (*le funzioni di sindaco*; *le funzioni di procuratore*), cerimonia religiosa (*una solen-*

ne funzione per i defunti). Nel linguaggio burocratico è invalsa la locuzione *facente funzione* (f.f.) nel senso di: che fa le veci, vice, pro (tutte forme da preferire). Es.: *capo stazione f.f.*; *facente funzione di presidente*. Da *funzione* è derivato il sostantivo maschile FUNZIONARIO che vale: pubblico ufficiale, impiegato. Voce anch'essa invalsa nell'uso burocratico. Si abusa pure del verbo FUNZIONARE nel senso di: fungere (*Funziona da presidente*: meglio: Funge da presidente) o nel senso di: agire, operare bene (*Il motore non funziona*; *La testa non gli funziona*). Nel linguaggio scientifico e tecnico è ormai legittimo l'uso dell'aggettivo FUNZIONALE. Es.: *Il medico pensa che si tratti di squilibrio funzionale* (riguardante cioè la funzione di un organo); *La nuova architettura è un'architettura funzionale* (cioè pratica, adatta a certe funzioni, a certi scopi). Si noti infine la locuzione *essere in funzione di* per: dipendere da. Es.: *L'acquisto della villa è in funzione dei nostri prossimi guadagni*; *La diffusione del giornale è in funzione dell'interesse dei lettori*.

fuorché: congiunzione eccettuativa che significa: eccetto, salvo che. Es.: *Fece ogni cosa, fuorché leggergli quella lettera*; *Ti prometto tutto, fuorché di prestarti denaro*.
Usata anche come preposizione. Es.: *Erano presenti tutti, fuorché i tuoi amici*. In questo caso introduce il complemento di *esclusione* (V.).

fuòri: preposizione impropria che indica distanza o esclusione. È seguita dalla preposizione *di*. Es.: *Son rimasto fuori di casa*; *È uscito fuori di strada* (sebbene si trovi talora: fuori strada). Si trova anche con la preposizione *da*: *fuori dal mondo*, *fuori dal pericolo*.
Anche avverbio. Es.: *Ti aspètto fuori*; *Fuori pioveva*; *Usciamo fuori*.
L'espressione *all'infuori di*, vale: fuorché, eccetto, e simili.
Fuor- è prefisso che indica esclusione, uscita. Es.: *fuoruscito*.

fúso: sostantivo maschile, che indica uno strumento per filare. Plurale: i fúsi. Il femminile plurale, le FUSA, è usato per indicare il verso del gatto quando è accarezzato (*Il gatto fa le fusa*).

futúro anteriore: tempo composto del modo indicativo. Si forma con il futuro semplice dell'ausiliare più il participio passato del verbo (*avrò amato, sarai venuto, avremo letto*). È la forma che il verbo assume per indicare un'azione che avverrà in un tempo, che è futuro in relazione al momento in cui si parla, ma sarà passato in relazione a un'altra azione, pure futura, e come tale espressa con un verbo al futuro semplice. Es.: Noi andremo in campagna, quando *avremo finito* le scuole; Essi saranno liberati, quando gli ostaggi *saranno stati salvati*; Dopo che *avrai parlato*, ti risponderò adeguatamente.
Il futuro anteriore viene usato talora per indicare fatti passati, sui quali si voglia esprimere dubbio. Es.: *Avrà avuto ragione*, ma io mi sono rifiutato di aiutarlo; *Sarà anche stato buono*, ma non lo dimostrava.

futúro semplice: tempo semplice del modo indicativo. Indica un'azione o uno stato che si realizzerà in un tempo futuro, prossimo o no. Si forma aggiungendo al tema le desinenze: *-erò, -erài, -erà, -erémo, -eréte, -erànno* (prima e seconda coniugazione); *-irò, -irài, -irà, -irémo, -iréte, -irànno* (terza coniugazione). Es.: *Noi ameremo sempre i nostri figli*; *Domani leggeremo il giornale*; *Tra poco diremo tutto*. Il futuro semplice si usa talvolta per indicare un fatto presente che però si vuol mettere in dubbio. Es.: *Dirà anche la verità, ma io non ci credo*; *Sarà vero, ma io ne dubito*. Si usa talora il futuro semplice anche in luogo dell'imperativo. Es.: *Tu non te ne andrai* (=non devi andartene); *Voi non parlerete* (=non dovete parlare). V. anche la voce e le tavole DIPENDENZA DEI TEMPI.

G

g: settima lettera dell'alfabeto italiano; quinta delle consonanti. Si chiama *gi*; è considerata di genere femminile o maschile, sottintendendo rispettivamente *lettera* o *segno*: una *g*, il *g*. Ha suono *palatale* (cioè si pronuncia avvicinando la lingua al palato) davanti alle vocali *e* ed *i* (*geranio, giada*); in questo caso ha carattere di consonante *affricata* (V.). Ha invece suono *gutturale* (cioè si pronuncia con la gola) davanti ad *a, o, u, he, hi* (*gala, gola, guida, ghetto, ghiro*) o davanti ad altra consonante (*agglutinare, gruppo*); in questo caso si considera muta ed *esplosiva* (V. *Consonanti*). Forma due digrammi: *gl* e *gn* (V. voci relative).

-ga (nomi terminanti in): i nomi terminanti al singolare in *-ga* conservano, al plurale, il suono gutturale della *g* inserendo la consonante *h*. Es.: délega, *déleghe*; fólaga, *fólaghe*; colléga, *colléghi*. V. anche NOME e PLURALE (FORMAZIONE DEL).

galantuòmo: sostantivo maschile, che indica: persona onesta, leale, buona. Ha plurale anòmalo: galantuòmini. È composto infatti dall'aggettivo *galante* e dal sostantivo *uomo*. Ma non è la stessa cosa dire: uomo galante, che vale invece: corteggiatore, dongiovanni, cascamorto.

galatto-: primo elemento di parole composte, proprie del linguaggio scientifico. D'origine greca, significa: latte. Es.: *galattoforo, galattorrea, galattosio*.

galliàmbo: nella metrica classica, verso composto da quattro ionici minori (l'ultimo è catalettico) composti di due dimetri divisi da una cesura. È conosciuto sotto forma di molteplici varianti. Prende il nome dai sacerdoti della dea Cibele, detti appunto galli, che lo utilizzavano nel culto.

gallicísmo: parola o locuzione francese introdotta nella lingua italiana. Ad es.: *galletta* è un gallicismo in luogo dell'italiano *biscotto*, *griglia* è gallicismo in luogo di *inferriata*. V. FRANCESISMO.

gàllo: sostantivo maschile. Femminile: gallina. Il sostantivo femminile GALLA ha invece diversa origine e indica una leggera escrescenza prodotta da un insetto sulla quercia; al figurato: cosa o persona leggera (donde l'avverbio: *a galla*, che vale: sulla superficie di un liquido; e le espressioni: stare, venire, essere, ritornare a galla). Il diminutivo di gallo è: galletto; di gallina: gallinella. Il sostantivo femminile GALLETTA deriva invece dal francese *galette* (pr.: galèt) e vale: biscotto. Si noti che GALLO- (derivato da Gallia, Galli) è primo elemento di parole composte, nelle quali indica rapporto con la Francia o i francesi. Es.: *gallomania, gallofobia*.

galòppo: sostantivo maschile che indica una veloce andatura del cavallo. Si noti che l'espressione *corsa al galoppo* è poco corretta. Meglio dire: corsa *di* galoppo. Però si può dire: andar *di* galoppo e andar *al* galoppo.

gàmba: sostantivo femminile, che indica la parte del corpo umano dal ginocchio al piede. Indica poi il sostegno di mobili (*la gamba del tavolo*), l'asta di alcune lettere (*la m ha tre gambe*).

Si notino alcune locuzioni: *essere in gamba* (essere in buona salute o essere molto abile, furbo), *stare in gamba* (stare attento), *prender sotto gamba* (fare senza sforzo, sottovalutare), *esser male in gamba* (star male, esser debole), *aver buona gamba* (esser buon camminatore). La locuzione moderna *in gambissima* (da lasciarsi comunque al linguaggio familiare) significa: bravissimo. Es.: *Il tuo amico è uno in gambissima*.

Il sostantivo maschile GÀMBO indica propriamente lo stelo del fiore o della foglia.

-gamía: secondo elemento di parole composte. D'origine greca, indica attinenza al matrimonio, agli accoppiamenti. Es.: *monogamia, poligamia, gametogamia.* A queste parole si collegano i correlativi *monogamo, poligamo* e simili, con le terminazioni in *-gamo* e *-gama.*

gànglio: sostantivo maschile, usato nel linguaggio medico: indica un globo di filamenti nervosi (*gangli nervosi*) o di vasi linfatici (*gangli linfatici*). Al figurato significa: centro di attività. Il gruppo *gl* si legge con suono duro (gh-l), poiché è preceduto dalla *n.*

garantíre: verbo della terza coniugazione, transitivo. In alcuni tempi si coniuga con la forma incoativa *-isc-* tra il tema e la desinenza. *Pres. indic.*: garantísco, garantísci, garantísce, garantiàmo, garantíte, garantíscono. *Pres. cong.*: garantísca, garantísca, garantísca, garantiàmo, garantiàte, garantíscano. *Part. pass.*: garantíto. Es.: *Cerco qualcuno che mi garantisca il prestito; Nessuno mi garantisce che pagherà.*

garbàre: verbo della prima coniugazione, intransitivo. Ausiliare: essere. Significa: piacere, riuscir gradito; si costruisce con la preposizione *a.* Es.: *A me non garba questo tuo contegno; Non è garbata a nessuno la tua insolenza; Quel tuo amico ci è garbato poco.* Il participio passato, *garbàto,* è usato spesso come aggettivo. Significa: che ha garbo, educato, cortese, conveniente. Es.: *Lo disse con parole garbate; È un uomo garbato.*

-gàre: terminazione di alcuni verbi della prima coniugazione nell'infinito presente. Il tema verbale è in *g* (gutturale). Per conservare il suono gutturale della consonante *g,* si pone una *h* tra questa e le desinenze che cominciano con vocale palatale (*e, i*). Es.: legàre (*legherò, leghi*), segàre (*segheremo, seghiamo*).

gàs: sostantivo maschile, indeclinabile. Si noti la forma corretta dei derivati: *gassista* (meglio che: gazista), *gassóso* (non: gazóso), *gassósa* (non: gazósa), *gassògeno* (non: gazogeno), *gasòmetro* (non: gazometro).

gastro-: nella terminologia medica, primo elemento di parole attinenti allo stomaco o all'apparato digerente: *gastroenterite, gastroscopia, gastrologo, gastronomia.*

gattamòrta: nome composto da un sostantivo femminile (gatta) e un aggettivo (morta). Plurale: gattemórte.

gàtto: sostantivo maschile. Nei proverbi e nei modi di dire era usato preferibilmente il femminile. Es.: *Qui gatta ci cova; Tanto va la gatta al lardo...* Anche sinonimo di grana, fastidio, complicazione: *Una bella gatta da pelare.* Si noti che per il gatto domestico è corretto usare il termine *micio.*

gelàre: verbo della prima coniugazione, intransitivo. Ausiliare: essere, quando è usato personalmente; essere o avere, quando è usato impersonalmente. Significa: diventare ghiaccio. Es.: *L'acqua è gelata; Stanotte ha gelato.* Transitivo, significa: render ghiacciato. Es.: *Il freddo mi gelava i piedi; La paura mi gelò il sangue.*

gèmere: verbo della seconda coniugazione, intransitivo (ausiliare: avere). *Pres. indic.*: gèmo, gèmi, gème, gemiàmo, geméte, gèmono. *Pass. rem.*: geméi (o gemetti), gemesti, gemé (o gemette), gememmo, gemeste, gemerono (o gemettero). *Part. pass.*: gemúto. Significa: dolersi, lamentarsi. Es.: *Ha gemuto sotto il peso.*

Quando significa: gocciare sottilmente, vuole l'ausiliare avere, se riferito ad un recipiente, e l'ausiliare essere se riferito a un liquido. Es.: *La botte aveva gemuto tutto il giorno; L'olio è gemuto dal vaso.*

generalménte: avverbio di modo che significa: in generale, nella massima parte. È quindi bene non usarlo, come pur si trova spesso, in luogo di: solitamente, d'abitudine, ordinariamente. Es.: *Solitamente* (meglio che: generalmente) *è in casa a quest'ora.* È invece corretto dire: *Generalmente* (cioè nella maggior parte dei casi) *si fa cosí.*

generatìva (grammatica): secondo la teoria di Noam Chomsky, il meccanismo per mezzo del quale i parlanti di una certa lingua sono in grado di produrre e comprendere le infinite frasi che sulla base di un insieme finito di regole esso consente di generare. Il meccanismo è formato da diversi componenti, di cui il principale è quello sintattico, costituito da una base, che serve a rappresentare la struttura profonda della frase (per es.: *il cane vede un gatto che ruba la carne*), e dalle trasformazioni che rappresentano la o le strutture superficiali in cui si realizza la frase (per es.: *il cane vede un gatto rubare la carne*; *un gatto viene visto dal cane rubare la carne*; *un gatto viene visto dal cane mentre ruba la carne* ecc.). La padronanza della grammatica, che si fonda su strutture innate ed universali, costituisce la competenza del parlante, mentre esecuzione viene detta la sua utilizzazione nelle situazioni reali della comunicazione verbale.

gènere: sostantivo maschile. Usato spesso per comporre espressioni quali *oggetti di ogni genere, fatti di tal genere*. Anche senza l'aggettivo dimostrativo: *Cose del genere* (=di questo genere) *è meglio non farne.*

gènere: in grammatica, uno degli accidenti del nome, dell'articolo, del pronome e dell'aggettivo. Indica se una persona o animale è di sesso maschile o femminile; indica inoltre se una cosa è grammaticalmente considerata maschile o femminile. I generi della lingua italiana sono due: genere *maschile* e genere *femminile*. I nomi di cosa hanno un genere maschile o femminile stabilito per convenzione. La differenza di genere, nell'articolo e nel pronome, è indicata con forme diverse (*lui, lei*; *egli, ella*; *il, la*; *essi, esse*); nel nome e nell'aggettivo è indicata dalla desinenza: *-o, -e* per il maschile singolare: *volto, cane*; *-a, -e* per il femminile singolare: *casa, fonte*; *-u* per il femminile singolare: *gioventù, virtù*. Ma non mancano le eccezioni: nomi maschili singolari in *-a* (*poeta, guardia*), nomi femminili in *-o* (*mano, eco*), nomi maschili in *-u* (*caucciù*). Per distinguere il genere dei nomi non basta quindi tener conto della desinenza; né del significato, a meno che non si tratti di nomi di persona o di nomi di animali (questi ultimi però quando hanno forma diversa nei due generi: il *gallo* e la *gallina*, il *bue* e la *mucca*, il *gatto* e la *gatta*). Vi sono alcuni criteri generali per quel che riguarda i nomi di alberi, solitamente maschili (il *pino*, l'*arancio*, l'*abete*), di frutti, solitamente femminili (la *pera*, la *mela*, l'*uva*), di monti, quasi tutti maschili (il *M. Rosa*, il *Kilimangiaro*, il *Cervino*), di fiumi, pure maschili (il *Po*, l'*Adige*, il *Volga*), le isole, le città, le regioni, quasi sempre femminili (la *Corsica*, *Roma*, la *Lombardia*), i laghi, sempre maschili (il *Garda*, il *Lario*, il *Tana*); ma numerose sono le eccezioni. Il genere dei nomi si conosce dall'uso e quindi dal vocabolario.

I nomi di persona, propri o comuni, possono passare da un genere all'altro, e si dicono perciò *mobili* o di *genere mobile*. Il cambiamento di genere si indica con una diversa desinenza o con l'aggiunta di un suffisso (amico, amic*a*; dottore, dottor*essa*). V. *Femminile* (*formazione del*). Vi sono nomi di *genere comune* e quelli di *genere promiscuo*, per i quali vedi oltre. Si notino poi i seguenti nomi di cosa che hanno *doppio genere* e doppio significato (sono praticamente due parole diverse): *il bòa* e *la bóa, il cameràta* e *la cameràta, il capitàle* e *la capitàle, il fíne* e *la fíne, il fónte* e *la fónte, il frónte* e *la frónte, il làma* e *la làma, il nóce* e *la nóce, l'óste* e *la óste, il pianéta* e *la pianéta, il prigióne* e *la prigióne, il téma* e *la tèma, il vàglia* e *la vàglia*.

Altri nomi di cosa hanno una forma maschile ed una femminile, però di significato diverso. Anche in questo caso si tratta spesso di due parole di diversa origine. Eccone un elenco: l'*àrco* e l'*àrca*, il *baléno* e la *baléna*, il *bàllo* e la *bàlla*, il *bàro* e la *bàra*, il *battàglio* e la *battàglia*, il *bóllo* e la *bólla*, il *bótolo* e la *bótola*, il *bózzo* e la *bózza*, il *bràndo* e la *brànda*, il *búco* e la *búca*, il *bústo* e la *bústa*, il *càlco* e la *càlca*, il *cappèllo* e la *cappèlla*, il *cartèllo* e la *cartèlla*, il *càso* e la *càsa*, il *càvo* e la *càva*, il *céro* e la *céra*, il *chiérico* e la *chiérica*, il *còcco* e la *còcca*, il *còllo* e la *còlla*, il *cólpo* e la *cólpa*, il *copèrto* e la *copèrta*, il *córso* e la *córsa*, il *cósto* e la *còsta*, il *cóvo* e la *cóva*, il *fàllo* e la *fàlla*, il *fàscio* e la *fàscia*, il *figúro* e la *figúra*, il *fílo* e la *fíla*, il *fòdero* e la *fòdera*, il *fòglio* e la *fòglia*, il *fòsso* e la *fòssa*, il *gàllo* e la *gàlla*, il *gàmbo* e la *gàmba*, il *gòtto* e la *gòtta*, il *gràno* e la *gràna*, il *gròppo* e la *gròppa*, il *líbro* e la *líbra*, il *límo* e la *líma*, il *lòtto* e la *lòtta*, il *màglio* e la *màglia*, il *mànico* e la *mànica*, il *màzzo* e la *màzza*, il *ménto* e la *ménta*, il *mésso* e la *méssa*, il *midóllo* e la *midólla*, il *modèllo* e la *modèlla*, il *mòdo* e la *mòda*, il *mòrso* e la *mòrsa*, il *móstro* e la *móstra*, il *mòto* e la *mòto*, il *múso* e la *músa*, l'*òro* e l'*óra*, l'*ottomàno* e l'*ottomàna*, il *pàlo* e la *pàla*, il *pànno* e la *pànna*, il *pàsto* e la *pàsta*, il *péndolo* e la *péndola*, il *pèzzo* e la *pèzza*, il *piànto* e la *piànta*, il *pílo* e la *píla*, il *pízzo* e la *pízza*, il *pólpo* e la *pólpa*, il *pòrto* e la *pòrta*, il *pózzo* e la *pózza*, il *púnto* e la *púnta*, il *ràzzo* e la *ràzza*, il *règolo* e la *règola*, il *rèsto* e la *rèsta*, il *ridótto* e la *ridótta*, il *sàrdo* e la *sàrda*, lo *scàlo* e la *scàla*, lo *scàpolo* e la *scàpola*, lo *scòpo* e la *scópa*, il *ségo* e la *séga*, il *sètto* e la *sètta*, il *soffítto* e la *soffítta*, lo *spòglio* e la *spòglia*, lo *strétto* e la *strétta*, il *tàglio* e la *tàglia*, il *tàppo* e la *tàppa*, il *tàsso* e la *tàssa*, il *télo* e la *téla*, il *témpio* e la *témpia*, il *tèsto* e la *tèsta*, il *tòppo* e la *tòppa*, il *tòrto* e la *tórta*, il *tràtto* e la *tràtta*, il *tribúno* e la *tribúna*, il *vélo* e la *véla* (V. voci relative per i vari significati).

gènere comune (nomi di): i nomi che hanno una sola forma per il maschile e per il femminile e si distinguono solo per mezzo dell'articolo o dell'aggettivo concordanti. A questa categoria appartengono: i nomi terminanti in *-e* (*il consorte, la consorte*; *il custode, la custode*; *il parente, la parente*); i nomi corrispondenti a forme sostantivate di participio presente (*l'insegnante, la insegnante*; *il discendente, la discendente*; *il cantante, la cantante*); i nomi terminanti in *-ista* e in *-cida* (*l'artista, la artista*; *il podista, la podista*; *il fratricida, la fratricida*), badando però che al plurale questi nomi sono mobili, cioè hanno forme distinte per il femminile e per il maschile (*i podisti* e *le podiste*). Non vanno naturalmente considerati di genere comune nomi come *bandista, modista, fuochista* e simili, che riferendosi ad attività solo maschili o solo femminili non possono avere due forme. V. anche NOME.

gènere promiscuo (nomi di): i nomi che hanno un'unica forma, o maschile o femminile, valida sia per indicare il maschio che la femmina. A differenza dei nomi di *genere comune*, non si possono distinguere nemmeno per mezzo dell'articolo. Si tratta di nomi di animali quali *leopardo, tigre, corvo, aquila, mosca*, ecc. Per distinguere il maschio dalla femmina si deve dire: *la mosca maschio, il leopardo femmina, il coccodrillo femmina, il maschio dell'aquila*.
V. anche ANIMALI (NOMI DEGLI).

-genia: secondo elemento di parole composte, relative all'origine, alla genesi, nascita. Es.: *primigenia, embriogenia*.

-genico: secondo elemento di parole composte. Dà il significato di: riproducibile. Es.: *telegenico, fotogenico*.

genitívo: uno dei casi della declinazione greca e latina. Nella nostra lingua è sostituito dal *complemento di specificazione* (V.).

-geno: suffisso di origine greca che vale: generatore. Usato per formare soprattutto parole tecniche o scientifiche. Es.: AUTÒGENA (saldatura di due pezzi di metalli senza bisogno di altro metallo; perciò: che si genera da sé), GASSÒGENO (apparecchio che genera gas), SPINTERÒGENO (apparecchio elettrico nei motori a carburazione che produce l'alta tensione necessaria a ottenere le scintille nei cilindri per mezzo delle candele), PATÒGENO (che porta malattia).

gènte: sostantivo femminile. È un nome collettivo. Talora è usato con valore indefinito. Es.: *C'è gente* (=chi, alcuni) *che sostiene questa idea*.

gentiluòmo: sostantivo maschile che indica un uomo nobile, persona leale. Ha plurale anòmalo: gentiluòmini. È composto dall'aggettivo *gentile* e dal sostantivo *uomo*. Ma non è la stessa cosa dire: uomo gentile, che vale: cortese, delicato, urbano.

genuflèttersi: verbo della seconda coniugazione, riflessivo. *Pres. indic.*: mi genufletto, ti genufletti, si genuflette, ci genuflettiamo, vi genuflettete, si genuflettono. *Pass. rem.*: mi genuflessi (o genuflettei), ti genuflettesti, si genuflettè, ci genuflettemmo, vi genufletteste, si genufletterono. *Part. pass.*: genuflèsso.

geo-: prefisso di origine greca che significa: terra. Usato per comporre parole scientifiche. Es.: GEOCENTRÍSMO (sistema che considera la Terra come centro dell'universo), GEOFÍSICA (studio delle proprietà fisiche della Terra), GEOGRAFÍA (scienza della superficie terrestre nei suoi vari aspetti), GEOLOGÍA (studio della crosta terrestre), GEOTÈRMICA (scienza che studia la temperatura interna ed esterna della Terra).

geografia linguistica: il settore della dialettologia che studia come variano localmente le lingue le une in rapporto alle altre; in parte deriva i suoi assunti e i suoi metodi della grammatica comparata. Il nome di geografia linguistica è in relazione al fatto che i risultati della sua ricerca hanno la forma di carte e atlanti linguistici.

geogràfici (nomi): i nomi indicanti continenti, isole, regioni, fiumi, monti, laghi, città, nazioni hanno un genere stabilito per convenzione. I nomi dei cinque continenti sono femminili (*l'Europa, l'Asia, l'America, l'Africa, l'Oceania*); così pure la maggior parte dei nomi di nazione e Stato (*la Francia, l'Italia, la Germania, l'URSS, l'Inghilterra, l'Etiopia, l'India*), ma con varie eccezioni (*il Belgio, il Portogallo, il Messico, il Cile, il Giappone*). Femminili sono i nomi di isole (*la Sardegna, la Corsica, l'Irlanda*) e di regioni (*la Campania, la Sicilia, la Romagna, la Lorena, la Catalogna, la California*) ma con numerose eccezioni (*il Veneto, il Lazio, il Tirolo, il Colorado, il Bengala*). I nomi dei monti sono quasi tutti maschili (*il Cervino, il Resegone, il Kilimangiaro, il Giura, il Monviso, il Caucaso, il M. Rosa, il M. Bianco, il Gran Sasso*), ma femminili sono solitamente i nomi delle catene e dei sistemi montuosi (*le Alpi, le Ande, le Madonie, le Caronie, le Dofrìne, le Prealpi*). Maschili sono i nomi dei laghi (*il Lario, il Garda, il Tana, il Trasimeno, il Lago Maggiore, il Ladoga*) e quelli dei fiumi (*il Po, il Tevere, il Ticino, il Don, il Volga, il Gange*), ma con qualche eccezione (*la Secchia, la Senna, la Bormida, la Loira, la Magra*).
I nomi di città sono di genere femminile. Unica eccezione di rilievo: *Il Cairo*.
I nomi geografici sono solitamente preceduti dall'articolo (*il Po, il Lazio, l'Europa, il Belgio*), che perdono solo in talune espressioni, quando sono usati come complementi di specificazione. Es.: il re *di Sardegna*; la regina *di Grecia*; gli Stati *d'America*; il vino *di Sicilia*; l'ambasciatore *di Germania*; tuttavia si dirà: la rappresentante *del Portogallo*; le colonie *dell'Inghilterra*; le risorse *dell'America*. Si omette l'articolo quando il nome geografico è preceduto dalla preposizione *in* ed esprime quindi un complemento di stato in luogo o moto a luogo. Es.: Vado *in Spagna*; Ero *in America*; Andrà *in Sardegna*. Con i nomi maschili di regione si usa tuttavia anche l'articolo. Es.: Abita *nel Veneto*; Andava *nel Piemonte* (o *in Piemonte*); È posta *nel Lazio*.
I nomi di città (tranne *L'Aia, La Mecca, La Spezia, L'Aquila, Il Cairo*, in cui l'articolo è parte integrante del nome) non sono preceduti dall'articolo; così dicasi per i nomi di piccole isole. Es.: *Roma è la capitale d'Italia*; *Torino è antica e famosa*; *Cipro è un'isola del Mediterraneo*. Tali nomi si fanno precedere dall'articolo solo in determinate espressioni, in cui sono accompagnati da attributi o apposizioni. Es.: *La Parigi del Settecento*; *Una Milano insolita*; *La Napoli d'altri tempi*; *La Capri che non conosciamo*.

geòlogo, geològico: sostantivo e aggettivo che si riferiscono allo studio della crosta terrestre. Plurale: geòlogi, geològici.

geòrgica: poema che ha per tema la vita contadina, ovvero la coltivazione dei campi e degli alberi, l'allevamento del bestiame e l'apicoltura; l'esempio più famoso sono *Le Georgiche* di Virgilio.

geosinònimo: si dice di una parola equivalente dal punto di vista semantico ad un'altra, ma che è usata correntemente in un altro luogo pur nell'ambito dello stesso territorio nazionale. Es.: *anguria* (nord), *cocomero* (centro), *melone* (sud).

-gere: terminazione di alcuni verbi della seconda coniugazione nell'infinito presente. Il tema verbale è in *g-* (palatale), ma davanti alle desinenze che cominciano con vocale gutturale (*a, o*) la *g* assume suono gutturale. Es.: léggere (*léggono, léggano*), spàrgere (*spàrga, spàrgano*).

gèrgo: indica il linguaggio convenzionale di una determinata categoria di persone, rivolto a preservarne la segretezza dei messaggi, come nel caso del gergo della malavita, oppure a caratterizzare l'identità di gruppo, come nel caso dei giovani. Il gergo crea le sue espressioni deformando o alterando elementi della lingua, conservandone le strutture grammaticali, utilizzando forme italianizzate di parole straniere o creando apposite locuzioni metaforiche e allusive. Molte espressioni gergali sono entrate nel lessico comune. Es.: *cantare*, per *fare la spia*, *scarpinare*, per *correre via*, *il palo*, per *il complice che controlla se arriva la polizia*, *piedipiatti* per *poliziotto*. Siccome ebbe le prime manifestazioni tra i delinquenti, il gergo conserva spesso, ma non necessariamente, un senso spregiativo, anche applicato ad altre categorie. Es.: *il gergo burocratico, il gergo degli sportivi, il gergo degli snob.*

germanísmo: parola o locuzione tedesca usata nella nostra lingua. Es.: *alpenstock* (bastone alpino), *diesel* (motore ad olio pesante), *kràpfen* (frittella).

germinàre, germogliàre: verbi della prima coniugazione: il primo indica lo svolgersi della pianta dal germe; il secondo lo svolgersi delle foglie dalle gemme. Sono entrambi intransitivi e possono essere coniugati con tutti e due gli ausiliari.

gero-: primo elemento di parole composte, specialmente nel linguaggio medico, per indicare relazione con la vecchiaia. Es.: *gerontocomio*, *geriatra*, *gerontocrazia.*

gerúndio: modo indefinito del verbo. Ha due tempi: gerundio presente e gerundio passato. Il *gerundio presente* si forma aggiungendo al tema *-ando* (per la prima coniugazione: *lodando, amando*) o *-endo* (per la seconda e terza coniugazione: *leggendo, finendo*). Indica un'azione che si svolge nello stesso tempo di quella da cui dipende. Es.: *Scrivendo*, penso a te; *Uscendo* gli feci un segno; *Sbagliando*, imparerai. Il gerundio presente è molto usato per la forma implicita di proposizioni secondarie (temporali, modali, condizionali, causali, ecc.). Es.: *Camminando* (proposizione temporale: mentre camminavo), gli mostravo le bellezze della città; Parla *balbettando* (modale).
Talvolta il gerundio è reso con due imperativi ripetuti dello stesso verbo. È il cosiddetto *imperativo gerundiale* usato soprattutto nei racconti e nei proverbi. Es.: *Cammina, cammina*; *Gratta, gratta*; *E dai e dai.*
Il *gerundio passato* si forma con il gerundio presente del verbo avere (essere per gli intransitivi che vogliono questo ausiliare) e il participio passato del verbo che si vuol coniugare (*avendo lodato, avendo letto, essendo venuto, avendo finito*). Esso esprime un fatto avvenuto nel passato in relazione ad un altro avvenuto posteriormente o che avviene o che avverrà. Es.: *Avendo ricevuto* un ordine, lo eseguì senza discutere; *Avendo mantenuto* la promessa, sarai lodato; *Essendo partito* il padre, i figli rimangono senza aiuti.
Solitamente il soggetto del gerundio è lo stesso del verbo al modo finito a cui è collegato. Es.: *Stava andando a pescare* (soggetto *egli* per i due verbi). Tuttavia ci può essere diversità di soggetto nei casi in cui il gerundio si riferisce a un complemento diretto o indiretto. Es.: *Andai da lui e lo trovai leggendo* (ma meglio l'esplicita: *che stava leggendo*). Anche nel *gerundio assoluto* (Es.: *Piovendo a dirotto, andammo in macchina*) o in presenza di un soggetto generico (*Viaggiando ci si istruisce*).

gestíre: verbo della terza coniugazione, intransitivo. Ausiliare: avere. In alcuni tempi si coniuga con la forma incoativa *-isc-* tra il tema e la desinenza. *Pres. indic.*: gestisco, gestisci, gestisce, gestiamo, gestite, gestiscono. *Pres. cong.*: gestísca, gestísca, gestísca, gestiàmo, gestiàte, gestíscano. *Pass. rem.*: gestíi, gestísti, gestí, gestímmo, gestíste, gestírono. *Part. pass.*: gestíto.
Usato transitivamente significa: amministrare (*Quel tale gestisce un'azienda*).

gèsto: nome sovrabbondante. Ha due desinenze per il plurale, con modificazione di significato: *i gesti*, cioè i movimenti (*i gesti delle mani*) e *le gesta*, cioè le imprese (*le gesta dei Romani*).

già: avverbio di tempo. Indica generalmente un passato compiuto, un'azione conclusa (*Ho già scritto*), rafforzando spesso il senso del participio passato (*La* *guerra già vinta*; *Il compito già fatto*). Equivale talora ad *ormai*, da cui può essere sostituito (*Siamo già stanchi*; *Siete già arrivati*) e talvolta anche a *fin da ora* (*Ci riteniamo già vincitori*; *Ti consideriamo già un parente*). Usato isolatamente acquista vari significati: di affermazione (*Mi credi sincero? Già*), di ironia (*Già, tu sei così generoso!*), di constatazione irritata (*Già, tu sei sempre quello!*; *Già, tu non me lo avresti detto*), oltre ad altri rilevabili dal contesto. Forma locuzioni: *già una volta, già un tempo*.

La forma composta derivata è *giammai*, con significato più intenso di *mai* (V.). La locuzione *già che* sta per *giacché*. Es.: *Già che ci sei, comprane uno anche per me.*

-gia (nomi terminanti in): i nomi terminanti al singolare in *-gia* formano il plurale secondo le seguenti regole: se la *i* è accentata (tonica) il plurale finisce in *-gìe* (bugìa, *bugìe*; albagìa, *albagìe*); se la *i* non è accentata (atona) fanno il plurale in *-gie*, quando la *g* è preceduta da vocale (valigia, *valigie*); in *-ge* quando la *g* è preceduta da consonante (roggia, *rogge*; frangia, *frange*).

Le eccezioni tuttavia non mancano. Ecco comunque l'elenco dei più comuni nomi o aggettivi sostantivati terminanti in *-gia* con la forma del plurale posta tra parentesi: *albagía* (albagíe), *alterígia* (alteríge), *anagogía* (anagogíe), *analogía* (analogíe), *anfibología* (anfibologíe), *antilogía* (antilogíe), *antología* (antologíe), *antropofagía* (antropofagíe), *antropología* (antropologíe), *apología* (apologíe), *archeología* (archeologíe), *astrología* (astrologíe), *bambàgia* (bambàgie), *barbògia* (barbòge), *batteriología* (batteriologíe), *battología* (battologíe), *bibliología* (bibliologíe), *bígia* (bígie o bige), *biología* (biologíe), *bòlgia* (bòlge), *calbígia* (calbígie), *cardialgía* (cardialgíe), *cefalgía* (cefalgíe), *cèngia* (cènge), *chirurgía* (chirurgíe), *ciliègia* (ciliegie o ciliege), *cinígia* (cinígie), *climatología* (climatologíe), *coccovéggia* (coccovegge), *corréggia* (corrégge), *cosmología* (cosmologíe), *craniología* (craniologíe), *cronología* (cronologíe), *cuccuvéggia* (cuccuvégge), *cupidígia* (cupidígie), *demagogía* (demagogíe), *demopsicología* (demopsicologíe), *diplegía* (diplegíe), *drammaturgía* (drammaturgíe), *egrègia* (egrègie), *elegía* (elegíe), *ematología* (ematologíe), *embriología* (embriologíe), *emorragía* (emorragíe), *energía* (energíe), *enología* (enologíe), *entomología* (entomologíe), *etimología* (etimologíe), *etnología* (etnologíe), *eziología* (eziologíe), *filología* (filologíe), *fòggia* (fogge), *fonología* (fonologíe), *franchígia* (franchígie), *fràngia* (frànge), *fraseología* (fraseologíe), *frenología* (frenologíe), *frògia* (froge), *gaggía* (gaggíe), *gàrgia* (garge), *gastralgía* (gastralgíe), *genealogía* (genealogíe), *geología* (geologíe), *ginecología* (ginecologíe), *glottología* (glottologíe), *gòrgia* (gòrge), *grandígia* (grandígie), *grattúgia* (grattúgie), *gréggia* (grégge), *grígia* (grígie), *guarentígia* (guarentígie), *ideología* (ideologíe), *idrología* (idrologíe), *istología* (istologíe), *lígia* (lígie), *liturgía* (liturgíe), *lòggia* (lògge), *malvàgia* (malvàgie), *marméggia* (marmégge), *metallurgía* (metallurgíe), *minúgia* (minúgie), *miología* (miologíe), *mògia* (mògie), *morfología* (morfologíe), *neología* (neologíe), *nevralgía* (nevralgíe), *nostalgía* (nostalgíe), *òrgia* (òrge), *pappagòrgia* (pappagòrge), *pedagogía* (pedagogíe), *piàggia* (piàgge), *piòggia* (piògge), *pòggia* (pògge), *puléggia* (pulégge), *ràgia* (ràgie), *randàgia* (randàgie), *règgia* (règge), *regía* (regíe), *ròggia* (rogge), *sàggia* (sagge), *santoréggia* (santorégge), *sàrgia* (sàrge), *schèggia* (schegge), *siderurgía* (siderurgíe), *sociología* (sociologíe), *spiàggia* (spiàgge), *tautología* (tautologíe), *tramòggia* (tramògge), *trèggia* (trègge), *ùggia* (ùgge), *valígia* (valígie o valíge), *vanghéggia* (vanghégge), *zoología* (zoologíe).

giacché: congiunzione composta da *già* e *che*. Subordinante, introduce una proposizione *causale*. Es.: *Giacché lo vuoi, scriverò quella lettera*; *Ti credo, giacché lo dici con tanta passione*. Equivale a *poiché, perché*.

giacére: verbo irregolare della seconda coniugazione, intransitivo. Ausiliare: avere ed essere. *Pres. indic.*: giàccio, giàci, giàce, giacciàmo, giacéte, giàcciono. *Pass. rem.*: giàcqui, giacésti, giàcque, giacémmo, giacéste, giàcquero. *Pres. cong.*: giàccia, giàccia, giàccia, giacciàmo, giacciàte, giàcciano. *Imper.*: giàci, giàccia, giàcciamo, giacéte, giàcciano. *Part. pass.*: giaciúto. Significa: stare col corpo disteso. Es.: *È giaciúto a lungo ferito*; *Abbiamo giaciúto sulla nuda terra*. Nel linguaggio burocratico è usato riferito a lettere, documenti, oggetti abbandonati. Es.: *La mia pratica giace negli uffici del ministero*; *Non è giacente nessuna domanda*; *I guanti sono giacenti all'ufficio per gli oggetti smarriti*. Derivato da questo uso del verbo, è quello del sostantivo GIACÈNZA. Es.: *Le scorte che abbiamo ancora in giacenza.*

giambèlego: nella metrica classica, verso composto da un dimetro giambico acatalettico a ritmo ascendente e da un trimetro dattilico catalettico di ritmo discendente, entrambi con l'ultima sillaba spesso ancipite e separati da cesura.

giàmbo: piede della poesia greca e latina. Era composto da una vocale breve e da una vocale lunga. Si usava specialmente nei componimenti satirici.

giammài: avverbio di tempo composto da *già* e *mai*. È un rafforzativo del semplice *mai*. Ha significato positivo: alcuna volta, una qualche volta. Es.: *Se ti ricorderai giammai di me, scrivimi*; *Se giammai lo rivedrò, gli dirò tutto.*

Perché abbia valore negativo deve essere accompagnato da una negazione, tranne in alcuni usi enfatici specialmente come risposta. Es.: Non glielo permetterò *giammai*; Saresti forse disposto ad accettare? – *Giammai!*

-giàre: terminazione di verbi della prima coniugazione nell'infinito presente. Il tema verbale è *gi-*, ma la vocale *i* cade davanti alle desinenze che cominciano per *i* o per *e*, quando cioè non è più necessaria per conservare suono palatale alla consonante *g*. Es.: adagiàre (ada*gi*, ada*gerei*, ada*geremo*), foggiàre (fog*gi*, fog*gerebbe*, fog*gereste*), inneggiàre (inneg*gi*, inneg*gerò*), mangiàre (man*gi*, man*gerebbe*). Però, tra le eccezioni: effigiàre (effi*gierei*).

gineco-: primo elemento di parole composte, in uso nel linguaggio medico e scientifico. Indica femminile, donna. Es.: *ginecologo*, *ginecomastia*.

gino-, -gino: primo o secondo elemento di parole composte. Come il precedente *gineco-* indica rapporto con il femminile, con la donna. Es.: *misogino*, *gineceo*, *ginogenesi*.

ginòcchio: sostantivo maschile che indica quel punto del corpo umano od animale ove la gamba si articola alla coscia. Al plurale: i ginòcchi o le ginòcchia.

giocàre: verbo della prima coniugazione, intransitivo. Ausiliare: avere. *Pres. indic.*: giuòco (giòco), giuòchi (giòchi), giòca, giochiàmo, giocàte, giòcano (o giuòcano). *Imperf.*: giocàvo, giocàvi, giocàva, giocavàmo, giocavàte, giocàvano. *Pass. rem.*: giocài, giocàsti, giocò, giocàmmo, giocàste, giocàrono. *Part. pass.*: giocàto. Nella coniugazione del verbo se si segue la regola del *dittongo mobile* quando l'accento non cade più sul dittongo *uo* (*giuòco*), questo si riduce alla semplice vocale *o* (*giocàvo*). Il verbo significa: gareggiare amichevolmente. Es.: *giocare a carte, a biliardo*, ecc. È usato però anche nel senso di: divertirsi, trastullarsi. Es.: *Mio figlio gioca con i suoi amici*; *I bambini hanno bisogno di giocare.*

Giocare un ruolo: francesismo (*jouer un rôle*) per: rappresentare, recitare una parte. Es.: *Quel signore ebbe una parte importante* (non: giocò un ruolo importante) *nell'impresa.*

giòco: sostantivo maschile che indica l'azione o il modo del giocare. Per la regola del *dittongo mobile* (V.) si usava scrivere *giuòco* invece che *giòco*.

gioíre: verbo della terza coniugazione, intransitivo. Ausiliare: avere. In alcuni tempi si coniuga con la forma incoativa *-isc-* tra il tema e la desinenza. *Pres. indic.*: gioísco, gioísci, gioísce, gioiàmo, gioíte, gioíscono. *Pres. cong.*: gioísca, gioísca, gioísca, gioiàmo, gioiàte, gioíscano. *Pass. rem.*: gioíi, gioísti, gioí, gioímmo, gioíste, gioírono. Non ha participio presente. *Part. pass.*: gioíto.

giórno d'òggi: francesismo per: oggigiorno. Altre locuzioni da evitare: *essere a giorno* (essere informato); *tenere a giorno* (informare).

gióvane: sostantivo maschile e femminile; indica chi è nell'età tra l'adolescenza e la maturità. Si dice anche: gióvine.

giovàre: verbo della prima coniugazione, intransitivo. Ausiliare: avere. Es.: *Quel-*

l'uomo ha giovato molto alla patria. Se riferito a cose, si può anche coniugare col verbo essere. Es.: *Il cambiamento d'aria gli è giovato*.
Il verbo è usato anche impersonalmente, col significato di: importa, è utile, è opportuno. Es.: *Giova ripetere che quella spesa è inutile*.
Nella forma riflessiva significa: servirsi, approfittare, valersi di. Es.: *Si è giovato di scritti precedenti*.
Si trova talora anche come transitivo, col significato di: aiutare, favorire. Es.: *Si comportò in quel modo per giovare gli amici*. Ma questa è costruzione antiquata. Oggi è d'uso comune la costruzione intransitiva con la preposizione *a* (*Giovare a qualcuno*).

gipso-: nel linguaggio dotto, primo elemento di parole composte attinenti al gesso. Es.: *gipsoteca*.

giràre: verbo della prima coniugazione, transitivo. Significa: voltare, volgere, muovere in giro. Es.: *Noi giriamo le ruote*; *Essi hanno girato la chiave*. Usato intransitivamente, nel senso di: muoversi in giro, andare attorno, cambiar direzione, si coniuga con entrambi gli ausiliari (più comune però con avere). Es.: *Ho girato molto*; *Abbiamo girato tutto il mondo*; *La voce è girata rapidamente*; *Mi è girata cosí* (nel linguaggio familiare: m'è venuto l'estro, il capriccio). Nel linguaggio cinematografico: fotografare le scene di un film. Es.: *Silenzio, si gira!*; *Quel regista gira un film all'anno*.

girasóle: nome composto da una forma verbale (gira) e un sostantivo maschile singolare (sole). Plurale: girasoli. Per la regola relativa V. COMPOSTI (NOMI).

giravòlta: nome composto da una forma verbale (gira) e un sostantivo femminile singolare (volta). Plurale: giravolte. Per la regola relativa V. COMPOSTI (NOMI).

-gire: terminazione di alcuni verbi della terza coniugazione, nell'infinito presente. Il tema verbale è in *g-* (palatale). Il suono palatale è conservato in tutta la coniugazione, poiché la maggior parte di questi verbi si coniuga con la forma incoativa *-isc-* tra il tema e le desinenze del presente indicativo, del presente congiuntivo e dell'imperativo. Si evita così l'incontro tra la consonante *g* del tema e le vocali gutturali *a* ed *o* di alcune desinenze. Eccezione: fuggire (la *g* perde il suono palatale davanti ad *a* od *o*: *fugga, fuggono*).

gíre: verbo della terza coniugazione difettivo, intransitivo (ausiliare: essere), usato quasi esclusivamente in poesia. *Imperf. indic.*: giva, givano. *Fut. semplice*: girò, giràì, girèmo, giréte, girànno. *Imperf. cong.*: gissi, gisse. *Part. pass.*: gíto. Significa: andare; ma è d'uso antiquato.

giro: sostantivo maschile. L'espressione *in giro* ha valore di avverbio locativo indeterminato. Es.: *Guardarsi in giro*; *Andare in giro*.

girotóndo: sostantivo maschile, composto da un sostantivo (giro) e da un aggettivo (tondo). Al plurale: girotondi. Per la regola V. COMPOSTI (NOMI).

giù: avverbio di luogo, che significa: a basso, a fondo.
Si notino le espressioni: *mandar giù* (inghiottire), *buttarsi giù* (avvilirsi), *su per giù* e *giù di lí* (all'incirca), *giù! giù le mani!* (intimazione a scendere, ad abbassar le mani).

giudízio (avverbi di): sono così chiamati gli avverbi di affermazione e di negazione in quanto esprimono il giudizio, di chi parla e scrive, su quanto si enuncia. Es.: *Forse non ha detto la verità*; *Certamente ha mentito*; *Davvero non me l'aspettavo*. Come si vede dagli esempi, gli avverbi di giudizio sono generalmente posti all'inizio della frase.

giuménto: sostantivo maschile che indica bestia da soma (asino, mulo). Al plurale: i giuménti e le giuménta. *Giuménta* è anche femminile singolare; indica l'asina o la mula, talora anche la cavalla da soma.

giúngere: verbo irregolare della seconda coniugazione, intransitivo. Ausiliare: essere. *Pass. rem.*: giúnsi, giungésti, giúnse, giungémmo, giungéste, giúnsero. *Part. pass.*: giúnto. Es.: *Giunse appena in tempo*. Come transitivo, significa: congiungere. Es.: *Aveva giunte le mani per la preghiera*. Nell'italiano antico *giungere* (o, per metatesi, *giugnere*) si usava anche col significato di: raggiungere.

giúnta: sostantivo femminile che significa: il giungere, l'arrivare. *A prima giun-*

ta: appena arrivato. *Per giunta* è avverbio e significa: inoltre, oltre a ciò. *Giunta*, sostantivo femminile, indica infatti anche il soprappiù di derrata dato da un negoziante (Es.: *Mi diede un chilo di carne con la giunta*). Nel linguaggio politico: organo deliberativo (*giunta municipale, giunta provinciale amministrativa, giunta delle elezioni*).

giuràre: verbo della prima coniugazione. Si costruisce sia nella forma esplicita (*Giurò che sarebbe arrivato in tempo*) sia in quella implicita con *di* e l'infinito (*Giurava di amarla*).

giústa: preposizione che significa: conformemente, secondo. Es.: *Giusta le vostre richieste, vi abbiamo concesso questa proroga*.

GIÚSTO è invece avverbio e significa: per l'appunto. Es.: *Stavo giusto parlando di te*. Si rafforza con *appunto*: giusto appunto o giust'appunto. GIÚSTO è poi aggettivo e vale: equo, onesto, legittimo, esatto, preciso.

gl-: digramma composto dalle lettere *g* ed *l*. Ha suono doppio (gutturale + liquida) davanti alle vocali *a, e, o, u* (*glaciale, gleba, globulo, glucosio*). Davanti alla vocale *i* ha suono palatale (*famiglia, giglio, scoglio*), purché non sia preceduto dalla consonante *n* (*anglicano, ganglio*). Fanno eccezione poi alcune parole: *negligenza* (e derivati: *negligenti, negligentemente*, ecc.), *glicine* e numerosi termini di origine dotta; *anaglifo, gliconio, glittica* (e derivati: *glittografia, glittotèca*), *glícera, geroglifico, glicerina* (e derivati: *gliceróleo, glicerofosfàto, glicerofosfórico*), *glicólla, glicógeno, glicòle, glicólide*.

glauco-: prefisso che significa azzurro, celeste. Usato per formare parole composte del linguaggio scientifico: *glaucopide, glaucoma, glaucofane*.

gli: articolo maschile plurale. Si usa davanti a vocale (si elide solo e non necessariamente davanti ad *i*) e a *z, s* impura, *x*, e i gruppi *gn, ps*. Es.: *gli uomini, gl'idioti, gli zii, gli scopi, gli psicologi, gli gnocchi*. V. anche *Determinativo (Articolo)*.

Gli è anche aferesi di *egli* (V.), ma solo nel linguaggio familiare come pronome soggettivo pleonastico. Es.: *Gli è che non posso*; *Gli è vero*; *Gli è proprio bello*.

gli: pronome maschile di terza persona singolare. Si usa per il complemento di termine, col significato di: a lui. Es.: *Ho visto Antonio e gli ho detto quello che pensavo*.

Nell'uso familiare e parlato *gli* sostituisce *le* (a lei) e *loro*. Es.: *Vidi Elena e gli domandai cosa facesse*; *Se vedrò i tuoi amici, gli porterò i tuoi saluti*. Per quanto contrario alle buone regole grammaticali, questo uso del pronome *gli* anche per il femminile e per il plurale tende ad estendersi e a diventare normale, avvalorato anche da autorevoli scrittori (Manzoni, Machiavelli, Carducci, Verga e, tra i più recenti, Moravia, Bianciardi e altri).

In coppia con *lo, la, li, le, ne* il pronome *gli* diventa *glie* (*glielo, gliela, glieli, gliele, gliene*) e si usa anche per il femminile e per il plurale. Es.: *Se vedo il capitano, glielo dico*; *Glielo avevo detto, a Maria!*; *Andai da loro e gliene dissi di tutti i colori*.

Gli si unisce poi come suffisso ad alcune forme di verbo: *dirgli, fargli, parlargli*.

gli e **li:** questi due suoni davanti a vocale sono perfettamente distinguibili. Tuttavia nella grafia di alcune parole possono sorgere dubbi, a sciogliere i quali è bene tener presente che si scrive *li* e non *gli*: a) quando l'accento tonico cade sulla *i* (*malía, regalía, neofilía*); b) in sillaba iniziale, tranne in *gli* e *glie*, articolo e pronome (*lieve, liuto*); c) quando il suono è doppio (*cancelliere, idillio*). Negli altri casi si usa *gli*, ma si notino le seguenti parole in cui è usato *li*: *aliante, alieno, ausilio, biliardo, cavaliere, consiliare* (dal sostantivo *consiglio*), *familiare* e *filiale* (nonostante *famiglia* e *figlio*), *goliardo, miliardo, milione* (nonostante *miglio* e *migliaio*), *mobilio, olio, palio, polio* e composti, *solio, tavoliere, vigilia*. I nomi propri (*Amalia, Virgilio, Emilio*) si scrivono senga *g*, tranne *Guglielmo*. I nomi geografici di origine latina sono senza *g* (*Italia, Sicilia*), mentre quelli di origine francese hanno generalmente il gruppo *gli* (*Marsiglia, Versaglia*). È bene in ogni caso, per i nomi geografici, consultare, nel dubbio, un dizionario.

-gliàre: terminazione di alcuni verbi della prima coniugazione nell'infinito presente. Il tema verbale è *gli-*, ma la *i* cade davanti alle desinenze che cominciano per *i*. Es.: somigliare (somi*gli*, somi*glino*), bisbigliàre (bisbi*gli*, bisbi*glino*), consigliàre (consi*gliàmo*, consi*gliàte*).

glícine: sostantivo maschile, che indica una pianta delle Leguminose. Per la pronunzia del digramma *gl* con suono gutturale V. *gl-*.
È errato l'uso della parola al femminile.

glico-: primo elemento di molte parole composte del linguaggio medico. Significa dolce, zucchero. Es.: *glicogenesi, glicolico, glicoproteina, glicogeno.*

gliconèo: verso della metrica greca e latina, così denominato dal poeta alessandrino Glicone. Generalmente costituito da due sillabe varie, un dattilo ed un metro trocaico catalettico, con ritmo ascendente oppure discendente. Lo ritroviamo nella metrica barbara con Carducci che lo rese con un settenario sdrucciolo, così come già aveva fatto il Chiabrera.

gliéla, gliéle, gliélo, gliéne: V. GLI (pronome).

glossàrio: dizionario che contiene i termini di un lessico specialistico spiegati nel loro significato con espressioni equivalenti accessibili ai non specialisti, generalmente incluso in opere divulgative.

glosso-, -glosso: primo o, rispettivamente, secondo elemento di parole composte. Dal greco: lingua. Si usa nel linguaggio medico con riferimento alla lingua come parte anatomica (*glossofaringeo, glossografo, glossoptosi*) e nel linguaggio dotto con riferimento alla lingua come forma espressiva (*glossario, glossografia, glossolalia*).
In questo secondo significato sono però più frequenti *glotto-* (*glottologia, glottodidattica*) e *-glotto* (*alloglotto, poliglotti*).

glottocronologìa: la tecnica attraverso cui si cerca di datare il tempo in cui da una lingua originaria comune si sono separate due o più lingue diverse.

glottodidàttica: il settore della linguistica applicata che si occupa di elaborare teorie e metodi e di sperimentare procedure per l'insegnamento delle lingue, in particolare le lingue straniere o seconde; nel caso dell'insegnamento della lingua madre o prima si preferisce oggi parlare di educazione linguistica, per dare maggiore rilievo anche all'aspetto degli obiettivi formativi dell'insegnamento linguistico.

glottologìa: lo studio scientifico dei sistemi linguistici e dialettali. Nata in un'epoca in cui era prevalente se non esclusivo l'approccio storico-comparato, essa viene usata oggi soprattutto in questa accezione particolare, mentre per l'accezione generale si preferisce *linguistica*.

gn-: digramma composto dalle lettere *g* ed *n*. Ha suono palatale (ga*gno*lare, inge*gne*re, pi*gna*). Non si mette mai una *i* tra il digramma e le vocali *a, e, o, u* (scriverai quindi: *ognuno, guadagno, regno*, ecc.). Ha invece suono doppio (gutturale + nasale) in poche eccezioni di origine classica (*gnosi, Gneo, gnoseologico*; ma è nell'uso anche la pronuncia palatale) o straniera (*Wagner, wagnerismo*).
I verbi della prima coniugazione, che terminano in *-gnare* nell'infinito presente, seguono in tutto la coniugazione regolare e conservano quindi la *i* delle desinenze tutte le volte che queste cominciano con quella vocale. Es.: sognàre (*sogniàmo, sogniàte*). Alcuni grammatici hanno sostenuto l'opportunità di distinguere la prima persona plurale del presente indicativo dalla prima persona plurale del presente congiuntivo eliminando la *i* della desinenza, nell'indicativo, non necessaria dal punto di vista fonetico. Ma non è forma corretta. Diremo dunque: *bisogniàmo, sogniàmo, bagniàmo* (pres. indic.); *bisogniàmo, sogniàmo, bagniàmo* (pres. cong.). La differenza si può invece notare nella seconda persona plurale: *sognàte, bagnàte* (pres. indic.); *sogniàte, bagniàte* (pres. cong.).

gnòcco: sostantivo maschile che indica una specie di pasta. Al plurale: gli gnòcchi (non: i gnòcchi).

gnòmico (presente): il presente indicativo usato nei proverbi e nelle massime per esprimere un concetto di valore generale. Es.: *Chi ama, brucia.*

-go (nomi terminanti in): i nomi terminanti al maschile singolare in *-go* conservano al plurale il suono gutturale per lo più quando sono parole piane. Es.: làgo (*làghi*), màgo (*màghi*; però: *Re magi*), dràgo (*dràghi*). Le parole sdrucciole passano invece al suono palatale *-gi*. Es.: teòlogo (*teòlogi*), aspàrago (*aspàragi*), però: da apólogo, *apóloghi*, da óbbligo, *óbblighi*, da monólogo, *monóloghi*; e cosí molti altri nomi che si discostano dalla regola generale. Alcuni nomi inoltre hanno sia la forma in *-gi* che quella in *-ghi*. Es.: filologo (*filologi* e *filologhi*), sarcofago (*sarcofagi* e *sarcofaghi*).

cco l'elenco dei più comuni nomi o aggettivi sostantivati terminanti in *-go*; tra parentesi, la forma più comune del plurale:

àgo (aghi), *albèrgo* (alberghi), *antropòfago* (antropofagi), *antropòlogo* (antropologi), *apòlogo* (apologhi), *archeòlogo* (archeologi), *arcipèlago* (arcipèlaghi), *areòpago* (areòpagi), *aspàrago* (aspàragi), *astròlogo* (astrologi), *batteriòlogo* (batteriologi), *biòlogo* (biologi), *bislúngo* (bislunghi), *bràgo* (braghi), *capoluògo* (capoluòghi), *casalíngo* (casalinghi), *catàlogo* (cataloghi), *cavafàngo* (cavafanghi), *centrífugo* (centrifughi), *chirúrgo* (chirurgi o chirurghi), *cosmòlogo* (cosmologi), *cronòlogo* (cronologi), *decàlogo* (decaloghi), *demagògo* (demagoghi), *demiúrgo* (demiurghi), *diàlogo* (dialoghi), *diniègo* (dinièghi), *disbrígo* (disbrighi), *dittongo* (dittonghi), *dràgo* (draghi), *drammatúrgo* (drammaturgi), *egittòlogo* (egittologi), *embriòlogo* (embriologi), *entomòlogo* (entomologi), *epílogo* (epiloghi), *esòfago* (esòfagi), *etimòlogo* (etimologi), *etnòlogo* (etnologi), *febbrífugo* (febbrífughi), *fedìfrago* (fedìfraghi), *fiammíngo* (fiamminghi), *filòlogo* (filòlogi), *fisiòlogo* (fisiologi), *fitòlogo* (fitologi), *frégo* (freghi), *frenòlogo* (frenologi), *fúngo* (funghi), *galattòfago* (galattofagi), *geòlogo* (geologi), *gèrgo* (gerghi), *ginecòlogo* (ginecologi), *giògo* (gioghi), *giròvago* (girovaghi), *glottòlogo* (glottologi), *ideòlogo* (ideologi), *idròfugo* (idròfughi), *idròlogo* (idròlogi), *ingòrgo* (ingorghi), *innòlogo* (innologi), *insettòlogo* (insettologi), *intrígo* (intrighi), *ippòfago* (ippofagi), *istòlogo* (istologi), *ittiòfago* (ittiofagi), *ittiòlogo* (ittiologi), *làgo* (làghi), *lattífugo* (lattífughi), *litòlogo* (litòlogi), *lotòfago* (lotofagi), *lucìfugo* (lucìfughi), *luògo* (luòghi), *màgo* (màghi), *metallúrgo* (metallurgi), *meteoròlogo* (meteoròlogi), *miòlogo* (miòlogi), *mistagògo* (mistagòghi), *mitòlogo* (mitologi), *monòfago* (monòfagi), *monòlogo* (monòloghi), *nàufrago* (nàufraghi), *nottìvago* (nottìvagi o nottìvaghi), *òbbligo* (obblighi), *omòlogo* (omòloghi), *ontòlogo* (ontologi), *ornitòlogo* (ornitòlogi), *paleontòlogo* (paleontòlogi), *parafàngo* (parafanghi), *patòlogo* (patòlogi), *pedagògo* (pedagoghi), *pèlago* (pelaghi), *piègo* (pieghi), *prègo* (preghi), *presàgo* (presaghi), *pròdigo* (prodighi), *pròfugo* (profughi), *pròlogo* (prologhi), *psicòlogo* (psicologi), *quadrittòngo* (quadrittonghi), *radiòlogo* (radiologi), *riepìlogo* (riepiloghi), *ringòrgo* (ringorghi), *ripiègo* (ripièghi), *rizòfago* (rizofagi), *rògo* (roghi), *romanòlogo* (romanòlogi), *sacrìlego* (sacrileghi), *sàgo* (saghi), *sarcòfago* (sarcofagi o sarcofaghi), *sàrgo* (sargi), *sfògo* (sfoghi), *sgòrgo* (sgòrghi), *silòfago* (silofagi), *sinòlogo* (sinòlogi), *sismòlogo* (sismologi), *smèrgo* (smerghi), *sobbórgo* (sobbórghi), *sociòlogo* (sociologi), *solìvago* (solìvaghi), *spàgo* (spàghi), *spígo* (spíghi), *stratègo* (strateghi), *stròlogo* (stròlogi), *sussiègo* (sussieghi), *svàgo* (svaghi), *taumatúrgo* (taumatúrghi), *teleòlogo* (teleòlogi), *teòlogo* (teòlogi), *tèrgo* (terghi), *vermìfugo* (vermifughi), *zoòlogo* (zoòlogi).

góccia: sostantivo femminile che indica una piccolissima parte di liquido. Al plurale: gócce.

gocciolàre: verbo della prima coniugazione, intransitivo. Significa: gocciare, colare a gocciole. Si coniuga con tutt'e due gli ausiliari: essere, quando il soggetto grammaticale è un nome che indica la materia, il liquido; avere, quando il soggetto indica il recipiente dal quale gocciola il liquido. Es.: *La botte ha gocciolato*; *Il vino è gocciolato dalla botte.*

godére: verbo della seconda coniugazione. *Fut. semplice*: godrò, godrai, godrà, godrémo, godréte, godranno. *Pass. rem.*: godei (godetti), godésti, godé (godette), godémmo, godeste, goderono (godettero). *Pres. condiz.*: godrei, godresti, godrebbe, godremmo, godreste, godrebbero. *Part. pass.*: godúto. Usato transitivamente significa: pigliar diletto di ciò che si possiede, assaporare, gustare. Es.: *Gode la stima di tutti*; *Godevamo una bella vista*. Usato intransitivamente (ausiliare: avere) vale: gioire, fruire, esser contento, rallegrarsi. Es.: *Ha goduto di ottima salute, in passato*; *Godeva del buon esito dei tuoi esami*; *Godiamo, fin che siam giovani*. Spesso è usato nella forma riflessiva apparente. Es.: *Si godeva le vacanze*; *Mi godo questa bella giornata*.

goliàrdo: sostantivo maschile. Indica lo studente universitario. Errata la forma: gogliardo. Analogamente dirai GOLIÀRDICO e non: gogliardico; GOLIARDÍA e non: gogliardía.

gómito: sostantivo maschile che indica l'articolazione del braccio con l'avambraccio. Al plurale: i gomiti e le gomita (antiquato).

gono-: nel linguaggio medico primo elemento di parole relative agli organi della riproduzione. Es.: *gonocito, gonococco, gonorrea*.

-gono: terminazione di parole composte, specialmente in geometria. Vale: angolo. Es.: *poligono, esagono, tetragono*.

gorílla: sostantivo maschile che indica una specie di scimmia. È uno dei nomi maschili in *-a*. Invariato nel plurale: i gorilla. Oggi si usa anche in senso figurato per significare: guardia del corpo.

gradazióne: figura retorica, detta anche *climax*, consistente nella intensificazione di una idea o immagine mediante il progressivo passaggio da un vocabolo più generico o più debole a uno sempre più specifico o forte. Es.: «*Urta, apre, caccia, taglia, fende*» (Ariosto).

gràdi dell'aggettívo: l'aggettivo qualificativo, nella sua forma semplice originaria, è di grado *positivo*. Il suo valore può essere accresciuto o attenuato mediante i gradi del *comparativo* (V.) e del *superlativo* (V.). Es.: positivo: *bello*; comparativo di maggioranza: *più bello*; comparativo di minoranza: *meno bello*; comparativo di eguaglianza: *bello quanto...*; superlativo: *bellissimo, il più bello, molto bello*. In tal modo si stabilisce una gradazione della qualità espressa dall'aggettivo, sia in un confronto che in assoluto. Circa l'uso e le forme di questa gradazione V. le voci relative al *comparativo* e al *superlativo*.
In linea di massima non ammettono gradi di paragone, e non possono perciò farsi comparativi e superlativi, gli aggettivi che: a) indicano tempo (*primaverile, quotidiano, domenicale, mensile, annuale*); b) sono usati dalla geometria (*lineare, cubico, circolare*); c) indicano origine locale (*montanaro, tedesco, lombardo*, per quanto si dica nella lingua parlata: *italianissimo, francesissimo*); d) indicano appartenenza a religioni, partiti, fedi, condizioni o si riferiscono a fatti culturali, spirituali (*protestante, materno, chimico, scientifico*); e) indicano materia (*ligneo, marmoreo*); f) contengono già un'idea superlativa (*eterno, immortale, infinito, immenso, confinato*, sebbene si dica, ad esempio: *il più intimo*).

gradíre: verbo della terza coniugazione, transitivo. In alcuni tempi si coniuga con la forma incoativa *-isc-* tra il tema e la desinenza. *Pres. indic.*: gradísco, gradísci, gradísce, gradiàmo, gradíte, gradiscono. *Pres. cong.*: gradisca, gradísca, gradísca, gradiàmo, gradiàte, gradíscano. *Part. pass.*: gradíto. Es.: *Ho molto gradito la tua lettera*; *Gradirei uscire con lei*.

gràdo: sostantivo maschile che significa: gradimento, piacere; è usato in alcune locuzioni. Es.: Verrò *di buon grado* (= volentieri); Quella persona *non mi va a grado* (non mi piace, ma meglio: non mi va a genio); *Di buon grado* o *mal grado*: è un francesismo da evitare: ad ogni costo, per amore o per forza.
GRÀDO, sostantivo maschile, significa anche: gradino, livello (*il grado di istruzione*), il posto occupato in una gerarchia (*il grado di caporal maggiore*), o un elemento di misura (*grado del termometro*; *grado di pena*).

gràdo zèro: con zero si intende l'assenza di un certo elemento in un sistema che lo prevede (per es.: articolo zero sta ad indicare il caso in cui si omette l'articolo, come davanti ai nomi propri). Di conseguenza con scrittura in grado zero si intende una scrittura del tutto casuale in cui ogni lettera segue alla precedente senza alcuna relazione linguistica con essa, salvo la probabilità statistica di occorrenza di una certa lettera nella lingua adottata. Analogamente, scrittura in *grado uno* sta ad indicare la dipendenza statistica dalla probabilità di occorrenza di una certa lettera in successione a quella precedente (bigramma) e così via. Esempi di scrittura italiana: 1) in grado zero: *feora dnat se lisquano ridar patole e ltargrirts*; 2) in grado uno: *asonol nvota. tro e que donza ticin coba anaretentu tra a qual.*

grafèma: sostantivo maschile, usato in linguistica per indicare la più piccola unità di scrittura. Sinonimo, quindi, di lettera dell'alfabeto (Es.: *L'alfabeto italiano ha 21 grafemi*). Ogni grafema può avere diverse forme *allografe*, ossia diverse realizzazioni (per es., maiuscolo o minuscolo).

-grafía: suffisso di origine greca che significa: scrittura, rappresentazione, descrizione. Usato per comporre numerose parole. Es.: AGIOGRAFÍA (scritto sulla vita di santi), BIBLIOGRAFÍA (letteralmente: scritto riguardante il libro o i libri), CALLIGRAFÍA (bella scrittura), DEMOGRAFÍA (studio sul movimento numerico e sul carattere della popolazione), ETNOGRAFÍA (descrizione sistematica della vita e dei costumi dei popoli), FOTOGRAFÍA (rappresentazione di un'immagine per mezzo della luce), GEOGRAFÍA (descrizione della Terra), IDEOGRAFÍA (scrittura mediante segni che rappresentano direttamente le idee), LITOGRAFÍA (stampa di scritti o disegni per mezzo di una pietra incisa), MONOGRAFÍA (scritto su un solo argomento), OROGRAFÍA (descrizione delle montagne), PORNOGRAFÍA (scritto d'argomento osceno), RADIOGRAFÍA (fotografia per mezzo dei raggi X), STORIOGRAFÍA (studio critico della tradizione storica), TIPOGRAFÍA (arte della stampa), XILOGRAFÍA (incisione in legno).

grafía: sostantivo femminile. Maniera di scrivere le parole. Es.: *È errore la grafia gogliardo per: goliardo.*

-grafo: secondo elemento di parole composte. Hanno attinenza con la scrittura, la comunicazione. Es.: *calligrafo, poligrafo, autografo, biografo, geografo.* Serve anche per i nomi di apparecchi per la comunicazione: *telegrafo, cinematografo, sismografo.*

gramàglia: sostantivo femminile che indica l'abito da lutto. Si usa quasi esclusivamente al plurale: le gramaglie. *Essere in gramaglie*: essere in lutto.

grammàtica: arte di parlare e scrivere correttamente, cioè secondo le buone regole, stabilite nel corso del tempo sull'autorità dei buoni scrittori e sull'uso vivo della lingua. La grammatica è quindi il codice della lingua, anch'esso, come tutti i codici, suscettibile di modificazione e di rinnovamento. Perciò le «regole grammaticali» possono, nel corso del tempo, rinnovarsi ed essere sostituite, non già per l'arbitrio di pochi, ma per la naturale evoluzione dei mezzi espressivi linguistici, che debbono aderire a sempre nuove condizioni di vita e di civiltà. La grammatica non è dunque un arido complesso di immutabili precetti, ma un sistema di norme vivo e dinamico come sempre viva e dinamica è la lingua nostra.
La grammatica si distingue in tre sezioni fondamentali: la *fonètica* o *fonología*, che studia i suoni e i segni che li esprimono; la *morfología*, che studia la parola secondo la forma, cioè come parte del discorso, nella sua funzione individuale; la *sintassi* che studia le relazioni, i costrutti di parole, l'insieme dei rapporti che uniscono le parole nel discorso.
Oggetto della fonetica sono dunque le *lettere* e i *suoni*; oggetto della morfologia sono le *parti del discorso*, la flessione di quelle variabili, la forma di quelle invariabili; oggetto della sintassi sono la *proposizione* e il *periodo*.

grammaticàli (figure): V. FIGURE GRAMMATICALI.

granàglia: sostantivo femminile, che indica il complesso dei grani alimentari. Usato quasi esclusivamente al plurale: le granaglie.

grànde: aggettivo qualificativo maschile singolare. Ha comparativo e superlativo irregolari. Comparativo: *maggiore*. Superlativo: *massimo*. Anche usate però le forme: *più grande* e *grandissimo*. Dinanzi ai nomi che cominciano per consonante (escluse *s* impura, *z, x, gn, ps*) si usa la forma *gran*. Es.: *Il gran capo, la gran festa*, ma: *il grande spavento, il grande zai-*

no, il grande psicologo. L'aggettivo indica grandezza fisica (*una casa grande*; *un grande pacco*; *un uomo grande*) e grandezza morale (*un grande uomo*; *una grande opera*). Si noti l'importanza della posizione dell'aggettivo: *una casa grande* è un'espressione che mette in evidenza la dimensione, *una grande casa* esalta anche la qualità. Analogamente: *un uomo grande* e *un grande uomo*. Usato come sostantivo, *grande* significa adulto. Es.: *I grandi devono pensare ai bambini*. Nel linguaggio familiare vale anche: prodigo, smargiasso. Es.: *In queste cose è grande, dà mance irragionevoli*; *Ha voluto far il grande e ha pagato tutto*.

grandinàre: verbo della prima coniugazione, intransitivo. Indica il cader della grandine ed è ordinariamente usato nella forma impersonale, con l'ausiliare essere. Es.: *È grandinato tutta la notte*.

gràno: sostantivo maschile. Nel senso antiquato di misura di peso (ventesima parte del grammo), usata da gioiellieri o farmacisti, ha due plurali: i grani e le grana. Nel significato di frutto del frumento, al plurale: i grani. Il sostantivo maschile in *-a*, GRANA, è usato solo per indicare il formaggio granuloso. Es.: *A Parma si produce un ottimo grana*. Il sostantivo femminile GRANA indica invece il color carminio rosso (dal nome del corpo secco della cocciniglia, detto appunto *grana*, dal quale si estrae il carminio) e la scabrosità della superficie di un corpo. Inoltre indica struttura interna di metalli o altri corpi da cui si può vedere la loro rottura (*la grana del marmo*). Si debbono infine registrare due nuovi significati del vocabolo nel linguaggio familiare: denaro, quattrini, e in questo senso si usa anche il maschile *grano* (Es.: *Mi manca la grana per comperare la casa; È lui che dà la grana* o *il grano*), e molestia, guaio, seccatura, scandalo (Es.: *Io non voglio grane*; *Mi vuol piantare la grana della merce avariata*).

gràtis: avverbio latino che significa: senza pagamento. È errore dire: a gratis. Es.: *Sono andato a teatro gratis* (non: a gratis). Oppure si usi l'avverbio: *gratuitamente*.

grattacàpo: nome composto da una forma verbale (gratta) e un sostantivo maschile singolare (capo). Plurale: grattacapi. Per la regola relativa V. COMPOSTI (NOMI).

grattúgia: sostantivo femminile, che indica un arnese di cucina per sminuzzare il formaggio o il pane. Plurale: grattúgie.

gratúito: aggettivo qualificativo che significa: dato o fatto senza spesa. È errata la pronuncia *gratuíto*. Significa anche: senza prove, senza fondamento. Es.: *Questa è una affermazione gratúita*.

gravàre: verbo della prima coniugazione, intransitivo. Significa: premere col proprio peso, pesare. Si coniuga con l'ausiliare avere; quando è però usato impersonalmente, si coniuga con essere. Es.: *La responsabilità grava tutta su di lui*; *Il peso maggiore delle spese ha gravato su di me*; *È gravato a tutti compiere questo gesto*. Usato anche transitivamente, nel senso di: porre gravezze, colpire con imposta. Es.: *Non volle gravare i cittadini di troppe tasse*.

gràve (accento): è l'accento che indica un suono aperto. Si segna inclinato da sinistra a destra (`). Es.: *gràvido, accètta, fòsse*.

gravitàre: verbo della prima coniugazione, intransitivo. Ausiliare: avere. Significa: pesare, gravare; al figurato: essere attratto, subire il fascino di una persona, dipendere. Es.: *L'attenzione del pubblico ha gravitato per una settimana su quell'avvenimento*; *Il commercio di molte città gravita sul nostro porto*. Anche coniugato con essere. Es.: *La vita della società è gravitata per molto tempo su lui*.

grecísmo: locuzione della lingua greca, adattata alla nostra lingua. Molte parole del linguaggio scientifico e tecnico sono grecismi. Es.: *emicrània* (male a una metà del capo), *terapía* (cura), *telémetro* (strumento per misurare le distanze), *teofanía* (apparizione divina).

gréco: sostantivo maschile. È uno dei nomi piani terminanti in *-co* che al plurale finiscono in *-ci*. Plurale: greci. Al femminile invece: greca, greche.

grégge: sostantivo collettivo maschile che indica una quantità notevole di bestiame. Al plurale cambia genere: *le greggi*. Lo stesso significato ha il sostantivo

femminile GRÉGGIA, che al plurale fa: *le grégge*.
GRÉGGIO (plurale: greggi, gregge) è aggettivo e significa: grezzo, rozzo, da digrossare o educare.

gremíre: verbo della terza coniugazione, transitivo. In alcuni tempi si coniuga con la forma incoativa *-isc-* tra il tema e la desinenza. *Pres. indic.*: gremísco, gremísci, gremísce, gremiàmo, gremíte, gremíscono. *Pres. cong.*: gremísca, gremísca, gremísca, gremiàmo, gremiàte, gremíscano. *Part. pass.*: gremíto. Significa: riempir fitto; usato specialmente al riflessivo. Es.: *Il teatro si gremí di persone*.

grído: sostantivo maschile che indica l'atto del gridare. Al plurale: i gridi o le grida. La prima forma si usa per gli animali, la seconda per gli uomini. Es.: *i gridi degli uccelli, le grida d'aiuto*. Il sostantivo femminile GRIDA (editto, bando) al plurale fa: *gride*.

grígio: aggettivo qualificativo o sostantivo maschile, che indica un colore scuro con mescolanza di bianco. Al plurale: i grigi, le grigie. Si trova anche la forma *bigio* (plurale: bigi; bigie o bige).

grillotàlpa: nome composto da due sostantivi (grillo e talpa). Plurale: grillotalpe (femminile) o grillitalpa (maschile). Per la regola relativa V. COMPOSTI (NOMI).

grippàre: verbo della prima coniugazione intransitivo (ausiliare: avere). Francesismo che significa propriamente: fare attrito; riferito specialmente al motore a scoppio che si arresta perché il pistone surriscaldato non scorre più nel cilindro. In italiano si può rendere con: incepparsi.

grondàre: verbo della prima coniugazione, intransitivo. Ausiliare: essere o avere. Significa: docciare, gocciolare. Es.: *L'acqua è grondata dal tetto*; *Gli occhi han grondato di pianto*. Anche transitivo. Es.: *La ferita grondò sangue*.

grúccia: sostantivo femminile, che indica la stampella usata dagli zoppi per reggersi in piedi. Al plurale: grúcce.

grúe: sostantivo femminile, che indica sia un grosso trampoliere, sia la macchina per sollevare pesi. Più comunemente si trova però la forma *grù*, indeclinabile.

guài!: esclamazione che significa: povero, disgraziato. Usata nelle minacce. Es.: *Guai ai vinti!* È anche il plurale di GUAIO (avversità, grattacapo). Es.: *Tutti abbiamo i nostri guài*.

guaìna: sostantivo femminile. La pronuncia guàina è più frequente nell'uso, ma non è corretta.

guància: sostantivo femminile. Significa: gota. Al plurale: guànce.

guarda-: parola che interviene a comporre molti nomi, in gran parte indeclinabili. Eccone un elenco: *guardabarriére, guardabòschi, guardacàccia, guardacòste, guardafíli, guardafréni, guardalínee, guardamàno, guardapàlma, guardaportóne, guardaròba, guardasàla, guardasigílli*. Questi nomi restano invariati al plurale. La forma GUARDIA- è meno corretta (*guardiacoste, guardiacaccia, guardiaboschi*).

guàrda: seconda persona dell'imperativo di *guardare*. È usata come interiezione secondaria. Es.: *Oh, guarda, che bella sorpresa!*; *Però, guarda, io non ci sto*; *Ma guarda un po'!*

guardàre: verbo della prima coniugazione, transitivo. Ha vari usi e spesso è usato in luogo di sinonimi che sarebbero più propri. Es.: guardare il panorama (dirai: *ammirare, contemplare*), guardare negli occhi (*fissare*), guardare dall'alto in basso (*squadrare*), guardare il bersaglio (*mirare*), guardarsi da qualcosa (*evitare, difendersi, astenersi*), guardare il letto (francesismo per: *stare a letto*), guardare di (*cercare di, procurare di*), guardar la casa (*proteggere, sorvegliare*), non guardare a spese (*non badare, non curarle, affrontarle volentieri*).

guardaròba: sostantivo femminile che indica l'armadio o la stanza ove si custodiscono i vestiti. Oggi è più comune l'uso del termine al genere maschile. Al plurale: le guardaròbe (oggi più comune: i guardaròba).
La parola indica anche la persona addetta al guardaròba. In tal caso si dice: il guardaroba o la guardaroba, al singolare: al plurale invece una sola forma vale per i due generi: *i* o *le* guardaroba. È però meglio usare il neologismo GUARDARO-

BIÈRE (femminile: guardarobiera), che al plurale fa: *guardarobieri* (guardarobiere).

guardiamarína: nome composto da due sostantivi femminili singolari (guardia e marina). Plurale: guardiamarina. Per la regola relativa V. COMPOSTI (NOMI).

guarentígia: sostantivo femminile che significa: garanzia. Al plurale: guarentígie.

guaríre: verbo della terza coniugazione, intransitivo. Ausiliare: essere. In alcuni tempi si coniuga con la forma incoativa *-isc-* tra il tema e la desinenza. *Pres. indic.*: guarísco, guarísci, guarisce, guariàmo, guaríte, guaríscono. *Pres. congiuntivo*: guarísca, guarísca, guarísca, guariàmo, guariàte, guaríscano. *Part. pass.*: guaríto. Significa: ritornare in salute; detto di malattia: finire. Es.: *La mamma è guarita*; *È una malattia che guarisce col tempo*. Usato transitivamente, significa: sanare, liberare da un male, anche figurato. Es.: *Questo è il medico che mi ha guarito*; *Chi mi guarirà dalla malinconia?*

guarníre: verbo della terza coniugazione, transitivo. In alcuni tempi si coniuga con la forma incoativa *-isc-* tra il tema e la desinenza. *Pres. indic.*: guarnísco, guarnísci, guarnísce, guarniàmo, guarníte, guarníscono. *Pres. cong.*: guarnísca, guarnísca, guarnísca, guarniàmo, guarniàte, guarníscano. *Part. pass.*: guarníto. Significa: fornire una cosa del necessario per renderla più forte o più bella (*guarnire una nave*), ornare (*guarnire un vestito*), mettere il contorno a una pietanza (*guarnire l'arrosto con l'insalata*).

guastafèste: nome composto da una forma verbale (guasta) e un sostantivo femminile plurale (feste). Resta invariato al femminile e al plurale. Analogamente, anche GUASTAMESTIÈRI resta invariato al femminile e al plurale. Per la regola relativa V. COMPOSTI (NOMI).

guàsto: participio passato del verbo *guastare*, in luogo di: guastato. Sostantivo maschile che indica l'azione o l'effetto del guastare; danno, rovina, rottura. Es.: *Un guasto al motore*. Anche aggettivo per: che è guastato. Es.: *cibo guasto, dente guasto.*

guèrcio: aggettivo qualificativo (talvolta usato come sostantivo) che indica chi manca di un occhio o ha la vista storta, strabico. Plurale: guèrci; femminile: guèrce.

guizzàre: verbo della prima coniugazione, intransitivo. Si coniuga con l'ausiliare avere quando il movimento indicato è considerato in sé; quando significa: sfuggire, scappare, si coniuga con l'ausiliare essere. Significa: muoversi velocemente. Es.: *Il pesce ha guizzato*; *La fiamma guizza*; *L'anguilla gli è guizzata via.*

gustàre: verbo della prima coniugazione, transitivo. Es.: *Come ho gustato questa minestra!*; *Gustava tutti i piaceri della villeggiatura*. Usato intransitivamente, significa: piacere; si coniuga con tutti e due gli ausiliari. Es.: *Non mi è gustata questa avventura*; *Non gli ha gustato la nostra compagnia.*

gutturàli (consonanti): quelle consonanti che si pronunziano nella gola o, più precisamente, facendo battere il dorso della lingua contro il velo del palatino (e si dicono quindi anche *velari*). In italiano sono tali la *c* e la *g* seguite dalle vocali *a, o, u* o da altra consonante oppure finali di parola (Es.: *ca*mera, a*go*, *gu*scio, *cr*ema, ti*c*).

Dinanzi alle vocali *e* ed *i*, la consonante *c* conserva il suono gutturale solo se si inserisce una *h* formando il digramma *ch* (Es.: *Chie*ti, *chie*sa, ami*che*, politi*che*).

Quando la consonante *c* è seguita immediatamente dalle vocali palatali *e* ed *i*, acquista invece un suono palatale (Es.: *ci*masa, *ce*ra).

Con le vocali palatali può, quando è preceduta da una *s*, dar luogo a un suono unico, simile a una *s* schiacciata. Es.: *sci*volàre, *sce*nàrio, *sciò*pero, *sciu*pío.

Analogamente suono gutturale davanti a *e* ed *i* ha il digramma *gh* (*gh*etto, *gh*ermire, *gh*iro, *gh*iera).

G ha suono palatale quando è immediatamente seguita dalle vocali palatali *e* ed *i* (Es.: *ge*lato, *ge*lsomino, *gi*rare). Dinanzi alle vocali gutturali (*a, o, u,*), la *g* conserva il suono palatale solo inserendo una *i* (Es.: *già*da, *giù*co, *gio*ventù).

Può considerarsi gutturale anche la consonante *q*, che ha suono analogo a quello della *c* seguita da vocale gutturale.

Si adopera sempre con la vocale *u* seguita da altra vocale. Es.: *qua*derno, *quin*-

terno, *quo*rum, *que*sto. Si raddoppia con la lettera *c*. Es.: *acqua, acquisto, acquisire*. Unica eccezione: *soqquadro*.

gutturàli (vocali): le vocali *a, o, u*, perché si articolano nella parte del palato più vicina alla gola. La *c* e la *g* che precedono tali vocali hanno suono gutturale. V. GUTTURALI (CONSONANTI).

H

h: ottava lettera dell'alfabeto italiano. Si chiama *acca* ed è considerata di genere femminile o maschile, come tutte le lettere dell'alfabeto. In origine era una gutturale spirante, che indicava un'aspirazione nella pronuncia; ma oggi l'aspirazione è scomparsa nelle parole italiane. Si usa in alcune voci del verbo avere, per distinguerle da parole che si scriverebbero allo stesso modo, e in questo caso corrisponde ad una pronuncia più energica della sillaba: *ho* (cfr. *o* congiunzione), *hai* (cfr. *ai* preposizione articolata), *ha* (cfr. *a* preposizione semplice), *hanno*. La scrittura *ò, ài, à* (cioè con l'accento grave invece che l'*h*) è sempre meno usata.
H si usa pure per formare i digrammi *gh* e *ch* che dànno suono gutturale a *c* e *g* davanti ad *e* e *i* (*ghetto, chiesa*). E si usa infine nelle interiezioni, dopo la vocale iniziale (*ah, eh, ih, oh, uh, ohibò, ahimè!*) per prolungare il suono della vocale che la precede.
È la lettera iniziale di alcune parole latine o straniere usate correntemente (*honoris, hoc, hangar, hegeliano, hitleriano, hollywoodiano*).
Nelle abbreviazioni: H (idrogeno), He (elio), Hg (mercurio); nel linguaggio matematico: *h* (altezza), *hg* (ettogrammo), *hl* (ettolitro), *hm* (ettometro). H.P. è l'abbreviazione dell'inglese *horse power* (pr.: hòos pàua) e vale: cavallo potenza, unità di misura per valutare la forza di un motore.
In italiano: C.V. (cavallo vapore).

habemus pontificem: locuzione latina (pr.: abèmus pontíficem), usata per annunziare l'avvenuta elezione di un nuovo papa. Nel linguaggio familiare si usa scherzosamente per dire: è arrivato il nuovo capoufficio, abbiamo un nuovo sindaco, e simili.

habitus: parola latina (pr.: àbitus) rimasta nell'uso scientifico per indicare l'aspetto fisiologico di una persona, i caratteri di una specie. Usata anche per indicare il comportamento abituale, la mentalità. Es.: *Egli ha un diverso habitus mentale.*

hallo: esclamazione inglese (pr.: heló) equivalente al francese *allô*.

handicappàto: parola derivata dal termine sportivo *handicap* (pr.: hèndichep) di uso internazionale, per indicare la corsa pareggiata o a vantaggi o a compensazione. Dire che uno è *handicappato* significa: ha uno svantaggio iniziale, parte in condizioni di inferiorità. Non raro l'adattamento italiano *andicappato*.

hapax legomenon: si dice quella forma o vocabolo o espressione che compare una sola volta entro un corpus definito (un'opera o l'insieme delle opere di un autore o di più autori) o in una lingua. Nella *Divina Commedia zucca* è un hapax legomenon.

hàrem: sostantivo maschile, derivante da una voce araba, che indica il gineceo, le stanze delle donne presso i musulmani. Si trova scritto anche senza l'*h*, e usato in senso scherzoso. Es.: *Quel giovanotto ha trasformato la sua casa in un harem.*

hemiepes: nella metrica classica greca, il primo membro dell'esametro dattilico fino alla cesura. Si dice *maschile* quando la cesura è pentemimera (a metà del terzo piede) e *femminile* quando è trocaica.

hic et nunc: espressione latina, che significa: qui ed ora. Usata nel linguaggio filosofico per indicare il presente contingente.

hoc: parola latina (è il neutro del pronome dimostrativo *hic*, questo) usata nell'espressione *ad hoc*.

hominem: parola latina (accusativo di *homo*, uomo) usata nell'espressione *ad hominem* (pr.: ad òminem) che significa: riferito ad una parola determinata. Es.: *Questo è un provvedimento ad hominem* (fatto apposta per un certo individuo); *Argomento ad hominem* (che vale solo per la persona di cui si parla).

homo: parola latina che significa: uomo. Usata ancor oggi in espressioni, specie nel linguaggio della scienza etnografica, come *homo faber* (l'uomo tecnico, artefice), *homo sapiens* (l'uomo in quanto essere intelligente), *homo oeconomicus* (l'uomo dell'economia pura), *homo ludens* (l'uomo del gioco), ecc.
Usato anche in espressioni proverbiali notissime come: *homo homini lupus* (l'uomo lupo per l'altro uomo); *homo sum, nihil humani a me alienum puto* (sono uomo, nulla di umano mi è estraneo).

honorem: parola latina (accusativo di *honos*, onore) usata nell'espressione *ad honorem* (=come attestazione di onore). Es.: *Laurea ad honorem*, laurea concessa senza esami, per onorare qualcuno. Si dice anche: *Laurea honoris causa.*

humus: parola latina, usata correntemente, col significato di: terra buona da coltivare, terreno ricco di sostanze organiche. Anche in senso figurato: terreno propizio, ambiente favorevole. Si dice, ad esempio: l'*humus* di una civiltà.

hurrah: parola inglese e tedesca usata nelle esclamazioni di gioia.

hysteron proteron: figura grammaticale, di tipo sintattico, che consiste nel rovesciare l'ordine naturale, logico-temporale, di una sequenza allo scopo di evidenziare l'evento che si vuole sottolineare. Es.: «*Moriamur et in media arma ruamus*» (moriamo e gettiamoci in battaglia), Virgilio.

I

i: nona lettera dell'alfabeto; terza vocale. Appartiene alla serie *anteriore*: infatti per pronunziarla la bocca si dilata e si schiaccia interessando soprattutto il palato. Pertanto le consonanti *c* e *g* seguite da *i* acquistano suono palatale (*ci, gi*) anche quando questa è seguita da *a, o, u* (*cianuro, ciondolo, ciurma, giacinti, gioia, giusto*).
I ha valore quasi di consonante (semiconsonante) quando è iniziale di parola seguita da vocale (*ieri*) o è compresa tra due vocali (*paio*).
Insieme con la *u*, è vocale *chiusa* (e vuole quindi l'accento acuto in posizione tonica). Unita alla *u*, forma dittongo o quando entrambe sono atone o quando l'accento cade su quella che viene per seconda. Es.: *piúma, schiúma* (perciò sillaberai: piú-ma, schiú-ma). Forma invece iato con la *u*, quando l'accento cade su quella che viene prima. Es.: *flúido, intúito* (perciò sillaberai: flú-i-do, intú-i-to). Con le vocali *a, e, o*, quando non è accentata, forma dittongo, fondendosi con esse in un'unica emissione di voce. Es.: *piòggia* (piog-gia), *liàna* (lia-na), *lièto* (lie-to).
Il dittongo IE (V.) è un dittongo mobile, cioè si riduce alla semplice vocale *e* quando non è più accentato. Es.: da piètra, *petróso*; da siède, *sedèva*.
I eufonica è quella che si pone in principio di parola cominciante per *s* impura, quando si vuole evitare l'incontro di due consonanti. Es.: *in Ispagna, per istrada, per iscritto.*

i: articolo determinativo, maschile plurale. Si usa davanti ai nomi comincianti per consonante, salvo *s* impura, *z, x*, e i gruppi *gn, ps*. Es.: *i* cani, *i* palazzi, *i* mendicanti, *i* sordi; ma: *gli* scatti, *gli* psicologi, *gli* zii. V. anche ARTICOLO DETERMINATIVO.

-ía: suffisso che concorre a formare molte parole della lingua italiana. Con la *i* accentata si trovano numerosi nomi astratti (*allegria, albagia, euforia, apatia, zoologia, filosofia*); anche con la *i* atona si formano parole astratte, per lo più derivanti da aggettivi (*concordia, efficacia, insania, perfidia*), ma anche nomi concreti (*pioggia, ciliegia, mummia, macedonia*) e nomi geografici (*Sicilia, Libia, Australia, Russia*). Non mancano però toponimi con la *í* tonica (*Lombardia, Normandia*).

ialo-: primo elemento di parole composte del linguaggio tecnico e scientifico. Vale: vetro. Es.: *ialografia, ialurgia*.

-iàno: suffisso solitamente aggiunto a nomi propri per formare aggettivi indicanti provenienza, appartenenza, attinenza. Es.: da Vico, *vichiàno*; da Hegel, *hegeliàno*; da Coppi, *coppiàno*; da Brasile, *brasiliàno*; da Cristo, *cristiàno.*

-iare (verbi in): in questi verbi della prima coniugazione la regola vuole che la *i*, se tonica, si conservi anche davanti ad un'altra *i* (*oblíino, avvíi, invíino*); se atona nelle forme rizotoniche la perdano (*inízio, inízi*; *stúdio, stúdi*).

iàto: incontro di due vocali che si pronunciano separatamente. Contrario del *dittongo* (V.). Si verifica: a) quando nessuna delle due vocali è *i* od *u*; b) quando, pur essendoci una di queste due vocali, essa è accentata (*mí-o, ví-a*); c) quando la parola deriva da altra che aveva l'accento sulla *i* o sulla *u* (*vi-à*-le, da vía; *spi-à*-re da spía); d) nei composti col prefisso *ri-* (*ri-echeggiare, ri-aprire*); e) in alcune parole in cui la *i* è preceduta da *r* o da un gruppo consonantico (*ori-ente, settentri-one, atri-o, patri-a*).

-iàtra, -iatría, -iátrico: suffissi che indicano cura, medicina. Concorrono a formare parole composte come *pediatra*, *geriatría*, *psichiatrico*.

iberísmo: parola o locuzione spagnola (*ispanismo*) o portoghese (*lusismo*) introdotta nella nostra lingua: *flotta*, *risacca*, *nostromo*, *rotta* sono esempi di ispanismi; *marmellata*, *tolda* di lusismi.

ibíceo: verso della metrica greca classica, cosí denominato dal poeta Ibico, era un gliconeo con base dattilica. Lo schema era il seguente: –́ ∪ ∪ –́ ∪ ∪ – ∪ ∪ .

ibidem: avverbio latino (pr.: ibídem) che significa: nello stesso luogo. Usato nelle citazioni, per indicare libri, scritti, elenchi, già nominati precedentemente. Es.: *Cfr. op. cit., ibidem* (cioè: confronta opera citata nella stessa pagina precedentemente indicata); *Il Lombroso dice* (*ibidem*; cioè: nella stessa opera già citata) *che*, ecc.

-íbile: suffisso usato per formare aggettivi che indicano possibilità o necessità passiva. Si aggiunge solitamente al tema di un verbo transitivo di seconda e terza coniugazione. Es.: da vendere, *vendíbile*; da credere, *credíbile*; da punire, *puníbile*; da udíre, *udíbile*; da vedere, *visíbile*.

íbrido: si dice di una parola composta da elementi provenienti da lingue diverse, in particolare da una base moderna e da un componente greco o latino (composto semicolto). Per es.: *autoscatto*, *microfilm*, *autostop*.

icàstico: aggettivo qualificativo. Indica ciò che rappresenta la realtà in modo particolarmente vivace. Plurale: icastici.

-icchiàre: suffisso con il quale si altera il significato di un verbo attenuando l'idea dell'azione espressa. Es.: da dormíre, *dormicchiàre*; da cantare, *canticchiàre*.

-íccio: suffisso che esprime diminuzione, scarsità, inadeguatezza: *imparaticcio*, *molliccio*, *raccogliticcio*.

-icciòlo: suffisso per alterare sostantivi in senso diminuitivo e vezzeggiativo: *donnicciola*, *libricciolo*, *muricciolo*.

-icèllo: suffisso usato per formare alterazioni di senso diminutivo o vezzeggiativo; *venticello*, *guaglioncello*, *grandicello*, *sporcaccioncello*.

-iciàttolo: suffisso che altera in senso diminutivo e spregiativo. Es.: *mostriciattolo*, *fiumiciattolo*.

-icíno: suffisso per alterare i sostantivi in senso diminutivo o vezzeggiativo. Es.: *fiumicino*, *lumicino*, *carboncino*, *micino*, *cuoricino*.

-ico: suffisso atono usato per formare numerosi aggettivi. Es.: *polítíco*, *cónico*, *dràstico*, *romàntico*, *mítico*, *sàdico*. Terminazione anche di nomi: càntico, pànico, pòrtico. Nomi e aggettivi si formano pure con il suffisso tonico *-íco*. Es.: *antíco*, *pudíco*, *amíco*, *nemíco*.

icono-: primo elemento di parole composte. D'origine greca, significa: figura, immagine, illustrazione. Es.: *iconografia*, *iconoclasta*.

íctus: l'accento poetico o ritmico che marca le sillabe del verso su cui cade, producendo un'elevazione del tono ed un particolare ritmo in rapporto con le sillabe non marcate. L'accento poetico o ritmico di norma coincide con una sillaba tonica, ma non tutte le sillabe toniche hanno l'accento ritmico. Ogni verso ha i suoi sistemi di accenti ritmici; per es.: *Mi ritrovài per una sèlva oscùra* (Dante) è un endecasillabo con ictus su quarta, ottava e decima sillaba.

Iddío: sostantivo maschile. È difettivo perché si usa solo come soggetto o come complemento oggetto. Non dirai dunque: a Iddio, da Iddio; ma userai, in questi casi, il sostantivo *Dio*. Raro l'uso con le preposizioni *di* e *per*: *d'Iddio, per Iddio*. Plurale: Iddíi.

idem: parola latina che significa: il medesimo, lo stesso. Si usa nelle enumerazioni e negli elenchi, talora al posto delle virgolette (») di richiamo; anche abbreviata in *id*.

identificàre: verbo della prima coniugazione, transitivo. Significa propriamente: rendere identico o riconoscere due cose o persone identiche tra loro, come un tutt'uno. Es.: *L'ispirazione poetica di S. Francesco si deve identificare con l'ardore della sua fede*. Il verbo è usato solitamente anche nel senso di: riconoscere, accertare. Es.: *È stato identificato l'assassino* (dirai meglio: è stato scoperto, è stato riconosciuto). Parimenti anziché dire: l'*identificazione* del cadavere, preferirai: il *riconoscimento* del cadavere.

ideogràmma: carattere grafico, ottenuto

in genere per stilizzazione di un precedente pittogramma, che corrisponde e rappresenta un'idea nei sistemi di scrittura non alfabetici, come il cinese antico e l'egiziano geroglifico.

idi: sostantivo femminile o maschile privo del singolare. Nel calendario romano indicava il 15 dei mesi di marzo, maggio, luglio, ottobre, il 13 degli altri mesi. Es.: *Famose le idi* (o gli idi) *di marzo, perché in quel giorno fu ucciso Giulio Cesare.*

idíllio: sostantivo maschile. In origine significava: piccola immagine, quadretto; quindi venne ad indicare un componimento poetico d'argomento pastorale, specie nella poesia greca antica.
Il termine oggi indica anche una delicata storia d'amore. Plurale: idílli.

idio-: primo elemento di parole composte, usato nel linguaggio scientifico per indicare proprietà, pertinenza, particolarità. Es.: *idiofono, idioletto, idiomatico.*

idiolètto: l'insieme degli usi linguistici di un singolo parlante, in un dato tempo, ovvero il suo stile personale e peculiare.

idiotísmo: parola, forma o locuzione dialettale o regionale, contraria alle regole della lingua italiana, anche se più o meno grossolanamente adattata ad essa. Es.: *scherzare uno* (per: beffarlo) è un idiotismo, giacché è una locuzione del dialetto lombardo.
Altri esempi: *non fidarsi* (napoletano per: non aver la forza di far qualcosa, e quindi non sentirsi di farla), *chiamare un piacere* (piemontese per: chiedere un piacere), *tenere qualcosa* (napoletano per: avere), *barba* (veneto per: zio), *paesano* (meridionale per: compaesano), *pizzardone* (romanesco per: guardia municipale). I buoni scrittori non abusano di voci gergali e dialettali; ma vi sono parole e locuzioni di origine dialettale che per la vivacità ed efficacia dell'espressione, o perché insostituibili, sono entrate ed entrano continuamente nell'uso comune e nel linguaggio degli scrittori, arricchendo cosí di vocaboli e di frasi la nostra lingua. Ad esempio, sono ormai accolti nell'uso il piemontese *grissino*, il lombardo *maneggione*, il veneto *gondola*, l'emiliano *mortadella*, il romanesco *bisboccia*, il napoletano *pizza*, il siciliano *cassata*, ecc. Il presente dizionario indica, alle voci relative, i più comuni idiotismi consigliando, per ciascuno, le corrispondenti forme corrette o l'uso che è lecito farne.

idro-: prefisso che significa: dell'acqua, attinente all'acqua. Es.: IDROVOLÀNTE (aereo che si posa sull'acqua), IDROGRAFÍA (scienza delle acque), IDRÒLOGI (studiosi delle acque), IDROFOBÍA (avversione per l'acqua).

idrònimi: i nomi propri dei fiumi. Sono generalmente maschili (*il Po, il Tamigi, il Missouri*), ma non mancano esempi di femminile (*la Sava, la Vistola, la Loira, la Magra*). Talvolta nell'uso si ritrovano sia il femminile che il maschile: *il Piave* e *la Piave, il Bormida* e *la Bormida, il Brenta* e *la Brenta*. Nel discorso gli idronimi possono comparire anche senza l'articolo determinativo: *Sciacquare i panni in Arno.*

iè: è uno dei due dittonghi mobili; esso cioè, secondo una regola strettamente modellata sull'uso fiorentino trecentesco, dovrebbe ridursi alla semplice vocale *e* quando l'accento si sposta su un'altra sillaba. Es.: *siède* e *sedeva*. Ma tale regola non appare oggi seguita rigorosamente dai benparlanti neppure nella stessa Toscana. Sono infatti invalse nell'uso forme come *allietàva, risiedévano, mietevàte, diecína, tiepidézza*, ecc., che hanno soppiantato *alletàva, risedéva, metevàte, decína, tepidézza.*

-ièra: terminazione di sostantivi femminili indicanti oggetti adatti a contenere particolari sostanze. Es.: da sale, *salièra*; da pattume, *pattumièra*; da insalata, *insalatièra*; da frutta, *fruttièra*. Anche terminazione di sostantivi femminili in genere: *manièra, preghièra, portièra, pastièra.*

-ière: suffisso che indica generalmente un mestiere o una professione. Es.: *rigattière, carpentière, salumière, vivandière, trombettière, ferrovière.*

ièri: avverbio di tempo. Indica un tempo passato, riferito sia strettamente al giorno precedente ad oggi, sia, più generalmente, all'epoca passata (Es.: *Ieri ho riempito dieci cartelle*; *Nel mondo di ieri queste cose non avvenivano*). Si rafforza con l'aggettivo *stesso* (*Ieri stesso presentai la domanda*).

Forma le voci *iermattina, iersera, iernotte* (per indicare rispettivamente: la mattina, la sera e la notte di ieri). Per indicare il giorno prima di ieri si usano le espressioni: *ier l'altro, l'altro ieri, ieri l'altro*, o (toscano) *avantieri* o *l'altrieri*.

-ièro: suffisso che concorre a formare aggettivi derivati da sostantivi per indicare una sorta di relazione con l'oggetto di base: *ospedaliero, giornaliero, straniero, alberghiero, prigioniero*. Talvolta assume sfumature di ironia: *vacanziero, salottiero, ciarliero*.

-ífica: terminazione di molti nomi formati con la semplice aggiunta della vocale *-a* al tema verbale. Sono spesso forme accorciate di sostantivi già in uso (da preferirsi però quando la voce abbreviata non è necessaria). Nell'uso burocratico, per esempio, *bonífica* ha sostituito bonificazione; *classífica*, classificazione; *gratífica*, gratificazione; *modífica*, modificazione; *notífica*, notificazione; *qualífica*, qualificazione; *rettífica*, rettificazione; *squalífica*, squalificazione; *verífica*, verificazione.

-igiàno: suffisso che indica appartenenza, origine. Es.: *astigiano, partigiano*.

-ígno: terminazione caratteristica di aggettivi qualificativi. Indica relazione o somiglianza. Es.: *arcígno, benígno, sanguígno*. Anche terminazione di nomi: *patrígno, macígno*.

ignoràre: verbo della prima coniugazione. È uno di quei verbi transitivi che ammette sia il costrutto esplicito (Es.: *Ignoravo che fosse andato via*) sia quello implicito con *di* e l'infinito (Es.: *Ignorava d'esser stato frainteso*).

igro-: prefisso che indica umidità. Es.: *igrometro, igrofilo*.

ih!: esclamazione di stupore o di sgomento, di raccapriccio.

-ii: terminazione scaduta dall'uso del plurale dei nomi che finiscono al singolare in *-io* (dittongo non accentato). Oggi si fa il plurale di questi nomi con *-i*, semplicemente. Es.: da pròprio, *propri*; da vízio, *vizi*; da stúdio, *studi*. Però *Iddio* fa *Iddii*, cadendo l'accento su una delle due vocali finali. Questa terminazione si conserva quando una semplice *i* finale potrebbe dar luogo ad equivoco. Es.: *assassínii* (plurale di *assassínio*) e *assassíni* (plurale di *assassíno*). Un tempo si usava l'accento circonflesso sulla *i* finale (*assassinî* invece che assassinii).

il: articolo determinativo maschile singolare. Si usa davanti a nomi comincianti per consonante, salvo *s* impura, *z, x*, e i gruppi *gn, pn, ps*. Es.: *il mare, il maestro, il sabato*, ma: *lo* scampolo, *lo* zio, *lo* xilografo. Con le preposizioni *a, di, da, con, in , su* forma le preposizioni articolate *al, del, dal, col, nel, sul*.
Talvolta, specie con i nomi indicanti tempo, significa: nel. Es.: Quattro volte *il* giorno; Esco due volte *l'*anno; *Il* giorno 4 novembre prossimo venturo.
L'articolo determinativo non si mette di regola prima di un nome proprio. È quindi errore dire: *Il Paolo* mi ha detto, *il Luigi* mi ha scritto. Potrai invece dire e scrivere: *Il Manzoni* compose la sua opera; *Il Croce* pubblicò l'«Estetica» nel 1902. Davanti alle parole *babbo, mamma, figliuolo, figliuola* si suole mettere l'articolo determinativo quando sono preceduti dall'aggettivo possessivo. Es.: *Il tuo babbo, la sua mamma, il mio figliuolo*.
Il femminile singolare di *il* è *la*. Plurale maschile: i; plurale femminile: le. V. le voci relative, ARTICOLO e ARTICOLO DETERMINATIVO.

-íle: suffisso per la formazione di nomi indicanti spesso locali adibiti ad usi particolari. Es.: da cane, *caníle*; da fieno, *fieníle*; da corte, *cortíle*; da porco, *porcíle*; da campana, *campaníle*. Terminazione comune anche tra gli aggettivi: da servo, *servíle*; da gente, *gentíle*; da maschio, *maschíle*. Anche come terminazione atona: *frágile, fácile, útile, símile*.

illanguidíre: verbo della terza coniugazione. In alcuni tempi si coniuga con la forma incoativa *-isc-* tra il tema e la desinenza. *Pres. indic.*: illanguidísco, illanguidísci, illanguidísce, illanguidiàmo, illanguidíte, illanguidíscono. *Pres. cong.*: illanguidísca, illanguidísca, illanguidísca, illanguidiàmo, illanguidiàte, illanguidíscano. *Part. pass.*: illanguidíto. Transitivo, significa: render languido; usato intransitivamente (ausiliare: essere) significa: divenir languido.

illico et immediate: locuzione latina

(pr.: íllico et immediàte) che significa: immediatamente, subito, lí per lí.

illocutívo: secondo la teoria degli «atti linguistici», è il tipo di messaggio che contiene in sé la realizzazione dell'atto significato, descritto per mezzo di un verbo detto *performativo*. Per es.: *Ti ordino di uscire di qui*; *Giuro di dire la verità*; *Aiuto! Cado!*; *Ti prometto di non far tardi*; nel mentre si pronunciano queste frasi se ne mette in atto anche il senso.

illúdere: verbo della seconda coniugazione, transitivo. *Pass. rem.*: illúsi, illudésti, illúse, illudémmo, illudéste, illúsero. *Part. pass.*: illúso. Significa: ingannare con false speranze. Usato spesso al riflessivo. Es.: *Mi ero illuso di vincere*. Esprimendo un'aspettativa e un'opinione regge il congiuntivo. Es.: *Mi illudevo che mi amasse*.
Il participio passato *illúso* è usato come aggettivo, anche sostantivato. Es.: *È un illuso!*

illusionísta: sostantivo maschile che indica il prestigiatore o giocoliere. È un francesismo.

illustrazióne: sostantivo femminile che significa: illuminazione, delucidazione o: disegno, figura per illustrare, cioè commentare e spiegare, uno scritto. È brutta espressione dire, per es.: Quell'avvocato è un'*illustrazione* del foro. Dirai meglio: è una gloria, un vanto del foro.

illústre: aggettivo qualificativo che significa: insigne, nobile.
Illustrissimo è un titolo che si dà a voce e più comunemente per iscritto nell'indirizzare una lettera ad autorità eminenti. Es.: *Illustrissimo signor Presidente, Ill.mo signor Preside*.

il quàle, la quàle: pronome relativo variabile nel genere e nel numero. Si usa come soggetto e per tutti i complementi. Talora sostituito da *che, chi, cui* (V. voci relative). È però d'obbligo: a) quando il pronome è posto dopo i due punti o il punto e virgola e soprattutto dopo il punto fermo (*Ho parlato agli amici. I quali erano già informati...*); b) quando il pronome si riferisce a un nome che ha già una relativa (*La donna che è arrivata, la quale era stata chiamata*), ma in questo caso si può usare anche *che*; c) quando è necessario distinguere il genere o il numero del nome a cui si riferisce il pronome, per evitare confusioni (*Il padre della signorina che ha parlato*: più chiaro: *Il padre della signorina, il quale ha parlato* o, se si riferisce alla signorina, *la quale ha parlato*).
Gli articoli determinativi si trasformano in preposizioni articolate nei complementi che le richiedono. Es.: *al quale, del quale, con i quali, per le quali, sui quali*.
V. anche RELATIVI (PRONOMI).

imbarbaríre: verbo della terza coniugazione, intransitivo. Ausiliare: essere. In alcuni tempi si coniuga con la forma incoativa *-isc-* tra il tema e la desinenza. *Pres. indic.*: imbarbarísco, imbarbarísci, imbarbarísce, imbarbariàmo, imbarbaríte, imbarbarìscono. *Pres. cong.*: imbarbarísca, imbarbarísca, imbarbarísca, imbarbariàmo, imbarbariàte, imbarbaríscano. *Part. pass.*: imbarbaríto. Significa: divenir barbaro; è spesso usato al riflessivo. Es.: *La nostra lingua è imbarbarita* o *si è imbarbarita*. Anche transitivo. Es.: *Queste abitudini imbarbariscono i nostri amici*.

imbarcadèro: spagnolismo da *embarcadero*. In italiano esiste il termine *imbarcatoio*, che però non è usato. Ormai si usa sempre meno anche *imbarcadero*, sostituito da: approdo, imbarco, pontile, passerella d'imbarco e simili.

imbestialíre: verbo della terza coniugazione, intransitivo. Ausiliare: essere. In alcuni tempi si coniuga con la forma incoativa *-isc-* tra il tema e la desinenza. *Pres. indic.*: imbestialísco, imbestialísci, imbestialísce, imbestialiàmo, imbestialíte, imbestialíscono. *Pres. cong.*: imbestialísca, imbestialísca, imbestialísca, imbestialiàmo, imbestialiàte, imbestialíscano. *Part. pass.*: imbestialíto. Si usa spesso al riflessivo; significa: diventar bestia o simile a bestia, adirarsi, andare in bestia, infuriarsi. Es.: *A quella vista* (*si*) *imbestialí*. Anche transitivo. Es.: *Queste cose lo imbestialiscono*.

imbiancàre e **imbianchíre:** verbi sovrabbondanti. *Imbiancàre*, verbo della prima coniugazione, transitivo. Significa: far bianco, render bianco. Es.: *Ora debbo imbiancare di nuovo tutte le stanze*.

Usato intransitivamente (ausiliare: essere) indica l'albeggiare. Es.: *Il cielo già imbiancava. Imbianchíre*, verbo della terza coniugazione, intransitivo (ausiliare: essere) significa: diventar bianco, incanutire. In alcuni tempi si coniuga con la forma incoativa *-isc-* tra il tema e la desinenza. *Pres. indic.*: imbianchísco, imbianchísci, imbianchísce, imbianchiàmo, imbianchíte, imbianchíscono. *Pres. cong.*: imbianchísca, imbianchísca, imbianchísca, imbianchiàmo, imbianchiàte, imbianchíscano. *Part. pass.*: imbianchíto. Es.: *I capelli mi sono imbianchiti presto.*

imboscàre e **imboschíre:** verbi sovrabbondanti. *Imboscàre*, verbo della prima coniugazione, transitivo, significa: nascondere nel bosco o altrove. Es.: *Ha imboscato molta merce di contrabbando.* Usato riflessivamente significa: sottrarsi al servizio militare e, in particolare, al servizio di guerra. Es.: *Si sono imboscati in molti, durante l'ultima guerra. Imboschíre*, verbo della terza coniugazione, transitivo, significa: coltivare a bosco. Poco usato nel senso di inselvatichire, nella forma intransitiva. In alcuni tempi si coniuga con la forma incoativa *-isc-* tra il tema e la desinenza. *Pres. indic.*: imboschísco, imboschísci, imboschísce, imboschiàmo, imboschíte, imboschíscono. *Pres. cong.*: imboschísca, imboschísca, imboschísca, imboschiàmo, imboschiàte, imboschíscano. *Part. pass.*: imboschíto. Es.: *Occorre che imboschiàte i monti della vostra regione per evitare le frane.*

imbrunàre: verbo della prima coniugazione. *Pres. indic.*: imbrúno, imbrúni, imbrúna, imbruniàmo, imbrunàte, imbrúnano. Intransitivo, si coniuga coll'ausiliare essere. Significa: diventar bruno. IMBRUNÍRE è verbo della terza coniugazione, transitivo, che significa: render bruno. In alcuni tempi si coniuga con la forma incoativa *-isc-* tra il tema e la desinenza. *Pres. indic.*: imbrunísco, imbrunísci, imbrunísce, imbruniàmo, imbruníte, imbruníscono. *Pres. cong.* : imbrunisca ecc. Può però essere usato intransitivamente con lo stesso significato di imbrunare. *Imbrunire* è usato anche impersonalmente. Es.: *Imbrunisce* (si fa sera). L'infinito presente è usato come sostantivo maschile nelle locuzioni *all'imbrunire, sull'imbrunire.*

imitàre: verbo della prima coniugazione, transitivo. *Pres. indic.*: ímito (o imíto), ímitano (o imítano). Significa: seguire l'esempio di un altro.

immaginàre: verbo della prima coniugazione transitivo che ammette sia il costrutto esplicito (*Immaginavo che avesse compiuto questo gesto*) sia quello implicito con *di* e l'infinito (*Immagina di dover partire domani*). Esprimendo opinione regge naturalmente il congiuntivo (*Immagino che tu lo sappia*).

immàgine: sostantivo femminile che significa: figura, effigie, visione. Meno comune la forma: imàgine.

immènso: aggettivo qualificativo che significa: estesissimo, grandissimo. Non ha gradi, quindi non potrai dire: più immenso o meno immenso.

immèrgere: verbo della seconda coniugazione, transitivo. *Pres. indic.*: immèrgo, immèrgi, immèrge, immergiàmo, immergéte, immèrgono. *Imperf.*: immergévo, immergévi, immergéva, immergevàmo, immergevàte, immergévano. *Pass. rem.*: immèrsi, immergésti, immèrse, immergémmo, immergéste, immèrsero. *Part. pass.*: immèrso. Significa: metter dentro un liquido, tuffare; anche al figurato e al riflessivo. Es.: *Si era immerso* o *era immerso nello studio.*

immiseríre: verbo della terza coniugazione, transitivo. In alcuni tempi si coniuga con la forma incoativa *-isc-* tra il tema e la desinenza. *Pres. indic.*: immiserísco, immiserísci, immiserísce, immiseriàmo, immiseríte, immiseríscono. *Pres. cong.*: immiserísca, immiserísca, immiserísca, immiseriàmo, immiseriàte, immiseríscano. *Part. pass.*: immiseríto. Significa: render misero. Es.: *La carestía ha immiserito molte famiglie.* Usato anche intransitivamente, ma più spesso al riflessivo per: diventar misero. Es.: *Dopo la guerra è immiserito* o *si è immiserito.*

imo: aggettivo qualificativo. Significa: basso, infimo. È usato anche come sostantivo nel senso di: la parte più bassa. Avverbio: *a imo* (in fondo, in basso). È però di uso letterario o poetico. Es.: *Nel-*

l'imo petto (nel più profondo del petto, dell'animo).

impadronírsi: verbo riflessivo della terza coniugazione. In alcuni tempi si coniuga con la forma incoativa *-isc-* tra il tema e la desinenza. *Pres. indic.*: mi impadronísco, ti impadronísci, si impadronísce, ci impadroniàmo, vi impadroníte, si impadroníscono. *Pres. cong.*: mi impadronísca, ti impadronísca, si impadronísca, ci impadroniàmo, vi impadroniàte, si impadroníscano. *Part. pass.*: impadroníto. Significa: farsi padrone, appropriarsi; usato anche al figurato. Si costruisce con la preposizione *di*. Es.: *Mi impadronii del fucile*; *Si era già impadronito della lingua inglese*; *La paura non si impadronisca del nostro amico.*

impallidíre: verbo della terza coniugazione, intransitivo. Ausiliare: essere. In alcuni tempi si coniuga con la forma incoativa *-isc-* tra il tema e la desinenza. *Pres. indic.*: impallidísco, impallidísci, impallidísce, impallidiàmo, impallidíte, impallidíscono. *Pres. cong.*: impallidísca, impallidísca, impallidisca, impallidiàmo, impallidiàte, impallidíscano. *Part. pass.*: impallidíto. Es.: *Impallidí per lo spavento*; *Confrontato con quello dei nostri, il coraggio dei nemici impallidisce*; *È una cosa da far impallidire le stelle.*

imparisíllabo: in grammatica, una parola che ha un numero dispari di sillabe. Si dice anche di un verso (che abbia 5, 7, 11 sillabe).

impartíre: verbo della terza coniugazione, transitivo. In alcuni tempi si coniuga con la forma incoativa *-isc-* tra il tema e la desinenza. *Pres. indic.*: impartísco, impartísci, impartísce, impartiàmo, impartíte, impartíscono. *Pres. cong.*: impartísca, impartísca, impartísca, impartiàmo, impartiàte, impartíscano. *Part. pass.*: impartíto. Significa: distribuire, assegnare, concedere, dare (propriamente a più persone in parti uguali). Es.: *Impartí opportune disposizioni*; *Il Vescovo impartirà la benedizione.*

impauríre: verbo della terza coniugazione, transitivo. In alcuni tempi si coniuga con la forma incoativa *-isc-* tra il tema e la desinenza. *Pres. indic.*: impaurísco, impaurísci, impaurísce, impauriàmo, impauríte, impauríscono. *Pres. cong.*: impaurísca, impaurísca, impaurísca, impauriàmo, impauriàte, impauríscano. *Part. pass.*: impauríto. Significa: spaventare, atterrire. Usato anche al riflessivo nel senso di: aver paura. Es.: *Il buio lo impaurisce*; *Non ti impaurire.*

impazientíre: verbo della terza coniugazione, intransitivo. Ausiliare: essere. In alcuni tempi si coniuga con la forma incoativa *-isc-* tra il tema e la desinenza. *Pres. indic.*: impazientísco, impazientísci, impazientísce, impazientiàmo, impazientíte, impazientíscono. *Pres. cong.*: impazientísca, impazientísca, impazientísca, impazientiàmo, impazientiàte, impazientíscano. *Part. pass.*: impazientíto. Usato quasi esclusivamente nella forma riflessiva: perdere la pazienza, spazientirsi. Es.: *Si impazientisce troppo presto.*

impazzàre e **impazzíre:** verbi sovrabbondanti. *Impazzàre*, verbo della prima coniugazione, intransitivo (ausiliare: essere), significa: comportarsi da pazzo. Es.: *Impazza dietro quella donna*. Usato soprattutto quando il soggetto non è una persona. Es.: *Per le vie impazza il carnevale. Impazzíre*, verbo della terza coniugazione, intransitivo (ausiliare: essere) significa: diventar pazzo. In alcuni tempi si coniuga con la forma incoativa *-isc-* tra il tema e la desinenza. *Pres. indic.*: impazzísco, impazzísci, impazzísce, impazziàmo, impazzíte, impazzíscono. *Pres. cong.*: impazzísca, impazzísca, impazzísca, impazziàmo, impazziàte, impazzíscano. *Part. pass.*: impazzíto. Es.: *È improvvisamente impazzito*; *Se non viene subito, io impazzisco.*

impedíre: verbo della terza coniugazione, transitivo. In alcuni tempi si coniuga con la forma incoativa *-isc-* tra il tema e la desinenza. *Pres. indic.*: impedísco, impedísci, impedísce, impediàmo, impedíte, impedíscono. *Pres. cong.*: impedísca, impedísca, impedísca, impediàmo, impediàte, impedíscano. *Part. pass.*: impedíto. Significa: contrastare, ostacolare, proibire, vietare, evitare. Es.: *Gli impedirono l'ingresso*; *Bisogna impedire che i nemici passino il fiume a guado*. Si costruisce con le preposizioni *di* o *da*. Es.: *Ero impedito di parlare* o *dal parlare.*

impegnàre: verbo della prima coniugazione, transitivo. Significa: dare in pegno per aver denari, promettere, obbligarsi. Invece che: *impegnare battaglia*, dirai meglio: attaccare battaglia. Usato intransitivamente, ammette il costrutto implicito con *di* o *a* e l'infinito. Es.: *Si è impegnato di parlarmene*; *Si era impegnata a pagare*. È anche usato assolutamente. Es.: *Non ritenne di impegnarsi su questo argomento.*

impèllere: verbo della seconda coniugazione, transitivo. *Pres. indic.*: impèllo, impèlli, impèlle, impelliamo, impelléte, impèllono. *Pass. rem.*: impúlsi, impellésti, impúlse, impellèmmo, impelléste, impúlsero. *Part. pass.*: impúlso.
È un latinismo. Si usano comunemente solo il participio presente *impellènte* e quello passato *impúlso*. *Impellente* si dice di una necessità, un bisogno che spingono a un'azione. Es.: *Ho impellente necessità di andare a Genova.*
Impúlso è usato come sostantivo, col significato di: stimolo, istinto, spinta. Es.: *Se dovessi seguire il mio impulso, lo punirei.*

impensieríre: verbo della terza coniugazione, transitivo (usato quasi sempre nella forma riflessiva). In alcuni tempi si coniuga con la forma incoativa *-isc-* tra il tema e la desinenza. *Pres. indic.*: impensierísco, impensierísci, impensierísce, impensieriàmo, impensieríte, impensierìscono. *Pres. cong.*: impensierísca, impensierísca, impensierísca, impensieriàmo, impensieriàte, impensieríscano. *Part. pass.*: impensieríto. Significa: preoccupare, inquietare, turbare. Es.: *La mamma si impensierí per il nostro ritardo.*

imperatíva (proposizione): proposizione principale, cioè indipendente, che contiene un ordine, un comando. Ha il verbo al modo imperativo (o al congiuntivo esortativo). Es.: *Va' a casa!*; *Torna dai tuoi*; *Vattene!*; *Fa' presto*; *Non uscire*; *Non creda di aver ragione!*

imperatívo (modo): uno dei modi del verbo; indica un comando o un'esortazione. Si trova nelle proposizioni principali ed eventualmente nelle incidentali. L'imperativo ha due tempi: il presente e il futuro.
Non ha, naturalmente, la prima persona singolare. Quando si vuole esprimere un comando a sé stessi si usa il verbo *dovere*. Es.: *Debbo studiare*; *Debbo frenare i miei impulsi*. La seconda persona singolare dell'imperativo presente è inconfondibile per i verbi della prima coniugazione (*ama, ascolta, parla!*), mentre per i verbi della seconda e terza coniugazione è identica nella forma alla seconda persona singolare dell'indicativo presente (*leggi, odi*). La terza persona singolare, per le tre coniugazioni, è identica a quella del congiuntivo presente (*ami, legga, oda*). Cosí pure la prima e la terza persona plurale (*amiàmo, àmino*; *leggiàmo, léggano*; *udiàmo, ódano*). La seconda persona plurale, infine, è identica alla seconda persona plurale dell'indicativo presente (*amate, leggete, udite*).
Per quel che riguarda il futuro imperativo, esso è formalmente identico al futuro indicativo. Es.: *amerai!*, *leggerai!*, *udrai!*
La seconda persona dell'imperativo presente ha una particolare forma negativa, costituita dalla particella *non* seguita dall'infinito del verbo. Es.: *Non amare!*
Nell'imperativo affermativo il pronome atono è generalmente enclitico (*Parlami, lavati*), con raddoppiamento della consonante iniziale se la parola è tronca o monosillabica (*Dimmi, Vacci, Fammi*). Nell'imperativo negativo è prevalente l'uso proclitico (*Non mi dare fastidio*) su quello enclitico (*Non darmi fastidio*). Quest'ultimo è preferito nelle forme più perentorie (*Non dirlo!*; *Non fatelo!*; *Non seccarmi!*).
Forme dell'imperativo sono usate, ormai senza più alcuna intenzione di comando, in talune espressioni come il *vedi* dei rimandi, il *leggi* per cioè, alias e simili, oppure *senta, guarda, scusi, badi bene* e altre usate come intercalari nel discorso per sollecitare l'attenzione dell'ascoltatore, ormai anche pleonasticamente.
Secondo alcuni autori, espressioni tipiche delle favole e dei racconti come *Cammina, cammina*, *Passa e ripassa*, e simili, sarebbero «imperativi gerundiali», ossia azioni rese abitualmente da un gerundio e qui ottenute con l'interazione dell'imperativo.

imperciocché: voce antiquata in luogo di: *perché, giacché* (V.).

imperfètto congiuntívo: tempo semplice del modo congiuntivo. Si forma aggiungendo al tema verbale le desinenze *-àssi, -àssi, -àsse, -àssimo, -àste, -àssero* (per la prima coniugazione: *amassi, amassi, amasse, amassimo, amaste, amassero*); *-essi, -essi, -esse, -éssimo, -este, -éssero* (per la seconda coniugazione: *leggessi, leggessi, leggesse, leggessimo, leggeste, leggessero*); *-issi, -issi, -isse, -issimo, -iste, -issero* (per la terza coniugazione: *finissi, finissi, finisse, finissimo, finiste, finissero*). Nelle proposizioni indipendenti si usa per esprimere un augurio o un desiderio o un'aspirazione che si crede o si teme non si possa realizzare nel presente o nel futuro. Es.: *Avessi io quel che ha lui!*; *Facesse almeno questo!*; *Guarisse almeno bene!* Nelle proposizioni dipendenti che vogliono il verbo al congiuntivo, l'imperfetto si usa quando la reggente ha il verbo all'imperfetto indicativo (*Io pensavo che tu sapessi già tutto*) o al passato remoto (*Pensai che tu sapessi già tutto*) o al passato prossimo (*Ho pensato che tu sapessi già tutto*). L'imperfetto congiuntivo si usa poi nelle proposizioni condizionali quando la reggente ha il condizionale presente (*Se te lo dicessi, non mi crederesti*). V. anche DIPENDENZA DEI TEMPI.

imperfètto indicatívo: tempo semplice dell'indicativo per indicare un'azione del passato non ancora compiuta al momento in cui ne sopravvenne un'altra. Es.: Carlo *studiava*, quando lo andai a trovare; Lucia *sperava* ancora, allorché le portarono la triste notizia; L'esercito *si difendeva*, quando intervenne la marina. Oppure si usa per indicare un'azione del passato, che è continuata per un certo tempo. Es.: Tu *lavoravi* presso una ditta; Io *frequentavo* la prima liceo; I cartaginesi *combattevano* coraggiosamente.
In luogo del presente indicativo attenua una richiesta (*Volevo* vedere qualche pezzo). In luogo del condizionale passato è usato specie con i verbi servili. Es.: *Potevo* leggere quel libro (per: avrei potuto leggere); *Dovevo* nascere ricco, io! (per: avrei dovuto nascere).
L'imperfetto indicativo è il tempo classico delle descrizioni e delle favole. Es.: *C'era una volta...*; *Era una tiepida mattina di marzo.*
Le desinenze sono: *-avo, -avi, -ava, -avamo, -avate, -avano* (prima coniugazione: *amavo, amavi, amava, amavamo, amavate, amavano*); *-evo, -evi, -eva, -evamo, -evate, -evano* (seconda coniugazione: *leggevo, leggevi, leggeva, leggevamo, leggevate, leggevano*); *-ivo, -ivi, -iva, -ivamo, -ivate, -ivano* (terza coniugazione: *finivo, finivi, finiva, finivamo, finivate, finivano*).
V. anche DIPENDENZA DEI TEMPI.

impèrio e **impèro:** sostantivi maschili. Il primo significa: autorità, comando; il secondo: dominio dell'imperatore, forma di Stato con a capo l'imperatore. Es.: *Esercitava il suo imperio su molte genti*; *Governò l'Impero romano per circa trent'anni*; *Il suo imperio era assoluto.* Plurale di entrambi i termini: impèri.

imperocché: voce antiquata per *giacché, poiché* (V.).

impersonàli (verbi): verbi che vengono usati alla terza persona singolare dei tempi di modo finito senza che sia espresso un soggetto determinato. In generale questi verbi indicano fenomeni naturali. Es.: *albeggia, annotta, balena, diluvia, fiocca, grandina, lampeggia, nevica, piove, tuona.*
Essi però possono assumere forme personali, se usati in senso figurato (Es.: *Gli piovvero addosso molte proteste*; *Il predicatore tuonò contro il vizio*; *Lo folgorò con lo sguardo*).
L'ausiliare dei verbi impersonali è solitamente essere (*È piovuto, era nevicato*), ma si trova anche avere, specie per indicare un'azione continuata (*Aveva diluviato tutta la notte*; *Ha nevicato tutto il giorno*).
Oltre ai verbi indicanti fenomeni atmosferici sono usati impersonalmente i verbi: accadere, avvenire, bastare, bisognare, constare, convenire, importare, occorrere, piacere, parere, sembrare e simili. Questi verbi, coniugati anche personalmente, vengono usati nella forma impersonale quando reggono altre proposizioni di modo finito o infinito. Es.: *Accadde che il tuo amico non volle più restare*; *Certe cose basta saperle prima*; *Bi-*

sognò correre in suo aiuto; *Non conviene aspettare più*; *Sembra che tutto sia finito cosí*; *Occorre mostrare maggiore energia.*

L'ausiliare, per questi verbi, è essere. Es.: *Era avvenuto che tuo padre si era dimenticato*; *È piaciuto ai superiori incontrarsi con voi*; *Sarà parso bene fare in quel modo.*

Valore analogo ai sopraccitati verbi impersonali hanno le locuzioni: è opportuno, è necessario, è conveniente e simili. Es.: *È opportuno rinunciare alla lotta*; *Sarà necessario aumentare gli sforzi.*

Il verbo *fare* è usato impersonalmente nelle frasi: *fa caldo, fa freddo, fa bel tempo.*

Bisogna poi tener presente che tutti i verbi attivi possono assumere forma impersonale mediante aggiunta della particella *si* (V.) alla terza persona singolare.

imperversàre: verbo della prima coniugazione, intransitivo. Si coniuga con l'ausiliare avere. Es.: *Il temporale ha imperversato per due ore.*

impetràre: verbo della prima coniugazione, transitivo. *Pres. indic.*: impètro (non: ímpetro), impètri, impètra, ecc.

impiegàre: verbo della prima coniugazione, transitivo. Significa: usare (Es.: *Ho impiegato molta fatica*), render fruttifero (*Ha impiegato il suo denaro in azioni*), collocare, dare lavoro a una persona (*Ha impiegato sua figlia presso uno studio notarile*). Nella forma riflessiva il verbo significa: trovare un'occupazione, un impiego. Es.: *Mi sono impiegato.*

impietosíre: verbo della terza coniugazione, transitivo. In alcuni tempi si coniuga con la forma incoativa *-isc-* tra il tema e la desinenza. *Pres. indic.*: impietosisco, impietosisci, impietosisce, impietosiamo, impietosite, impietosiscono. *Pres. cong.*: impietosisca, impietosisca, impietosisca, impietosiàmo, impietosiàte, impietosíscano. *Part. pass.*: impietosíto. Significa: commuovere, muovere a pietà. Es.: *Alla fine il gendarme si impietosí*; *La sua sorte ci ha impietosito.*

implicàta (vocale): vocale contenuta in una sillaba chiusa (che termina in consonante). Per es., la *o* in *por*ta.

implícita (proposizione): proposizione che ha il verbo in un modo indefinito, ma riducibile ad uno finito. I modi indefiniti del verbo sono: l'infinito presente e passato, il participio presente e passato, il gerundio presente e passato. Es.: Vado in casa *ad aiutare mia madre*; Fu punito *per aver tradito la patria*; *Morente*, espresse le ultime volontà; *Partito da Roma*, mandò un biglietto ai suoi; *Parlando*, è passato il tempo; *Avendo ascoltato*, posso ripeterti tutto. Ogni proposizione implicita si può svolgere in una corrispondente proposizione esplicita, cioè avente modo finito. Es.: Vado in casa *affinché aiuti mia madre*; Fu punito *perché aveva tradito la patria*; *Mentre moriva*, espresse le ultime volontà; *Dopo che partí da Roma*, mandò un biglietto ai suoi; *Mentre parlavamo*, è passato il tempo; *Poiché ho ascoltato*, posso ripeterti tutto.

imponènte: participio presente di *impórre* (V.). Usato come aggettivo nel senso di: grande, meraviglioso, maestoso, grandioso. Ma non bisogna abusarne. Es.: *Ha un aspetto imponente*; *Fu una imponente manifestazione* (meglio: grandiosa); *Vedemmo una costruzione imponente* (meglio: maestosa, grande). Parimenti non abuserai del sostantivo IMPONENZA, sostituendolo, secondo i casi, con: grandiosità, solennità, maestosità.

impórre: verbo della seconda coniugazione, composto di *porre* (V.). Transitivo. *Pres. indic.*: impóngo, impóni, impóne, imponiàmo, imponéte, impóngono. *Fut. semplice*: imporrò, imporrài, imporrà, imporrémo, imporréte, imporrànno. *Pass. rem.*: impósi, imponésti, impóse, imponémmo, imponéste, impósero. *Part. pass.*: impósto. Significa: porre sopra, comandare, ordinare, stabilire. Es.: *Ha imposto il suo sigillo sulla porta*; *Gli ha imposto di firmare*; *Gli verrà imposto il nome di Mario.* Quando il verbo regge una proposizione oggettiva, se si usa la costruzione implicita, con *di* e l'infinito, il soggetto può essere diverso. Es.: *Gli fu imposto di pagare* (al complemento di termine va il soggetto dell'imposizione); *Mi impongo di non fumare.*

È errore l'usare questo verbo intransitivamente per: incutere reverenza, suscitare ammirazione, impressionare e simili. Es.: *È una persona che impone* (più correttamente: che incute rispetto, che suscita ammirazione). Invalsa nell'uso la forma riflessiva per: essere necessario (*Si impongono più severe restrizioni*), farsi obbedire (*Bisogna saper imporsi*), affermarsi, aver successo, acquistar fama (*Quello scrittore si è imposto con gli ultimi due romanzi*), meritare (*Ci siamo imposti all'ammirazione di tutti*).

importànza (annéttere): locuzione sconsigliata. Dirai meglio: dare importanza.

importàre: verbo della prima coniugazione, transitivo. Significa: portare merce in uno Stato da un altro, introdurre nei confini del proprio Stato; portare in sé. Es.: *Noi importiamo frumento dall'Argentina*; *Ciò importerebbe una spesa maggiore*. Usato impersonalmente e intransitivamente, vale: aver importanza, occorrere, stare a cuore. Si coniuga con tutti e due gli ausiliari, ma più comunemente con essere. Es.: *Non ha importato nulla che fossimo i più diligenti?*; *Non gli è mai importata la nostra sorte*; *Mi importa poco quel che dice la gente* (o: *di quel che dice la gente*); *Ora importa salvare tutti.*

impossíbile: aggettivo qualificativo. Significa: non possibile, che non si può fare, difficilissimo. Nel linguaggio familiare, si usa riferito a persona nel senso di: intrattabile, insopportabile, difficile. Es.: *Ha un carattere impossibile!*; *Sei impossibile!*

impossibilitàto (essere): brutta locuzione, da evitare. Es.: *Il ministro, non potendo intervenire* (non: impossibilitato a intervenire), *inviò un telegramma*.
Analogamente eviterai il brutto verbo IMPOSSIBILITARE, usando: rendere impossibile, impedire.

impostóre: sostantivo maschile. Significa: ipocrita, imbroglione, ciarlatano. Al femminile: impostóra.

impratichíre: verbo della terza coniugazione, transitivo. In alcuni tempi si coniuga con la forma incoativa *-isc-* tra il tema e la desinenza. *Pres. indic.*: impratichísco, impratichísci, impratichísce, impratichiàmo, impratichíte, impratichíscono. *Pres. cong.*: impratichísca, impratichísca, impratichísca, impratichiàmo, impratichiàte, impratichíscano. *Part. pass.*: impratichíto. Significa: istruire, esercitare; usato spesso al riflessivo. Es.: *Compio questo lavoro per impratichirmi*; *Si è impratichíto nell'arte di vendere.*

imprimatur: voce latina (pr.: imprimàtur) che significa: si stampi. È rimasta nell'uso, anche come sostantivo maschile, per indicare la licenza data dalle autorità ecclesiastiche di pubblicare un libro di argomento religioso. Usato anche come sinonimo di nullaosta, permesso. Es.: *Non aveva ancora ottenuto l'imprimatur.*

imprímere: verbo della seconda coniugazione, transitivo. *Pres. indic.*: imprímo, imprími, impríme, imprimiàmo, imprimóte, imprímono. *Imperf.*: imprimévo, imprimévi, imprimévа, imprimevàmo, imprimevàte, imprimévano. *Pass. rem.*: imprèssi, imprimésti, imprèsse, imprimémmo, impriméste, imprèssero. *Fut. semplice*: imprimerò, imprimerài, imprimerà, imprimerémo, imprimeréte, imprimerànno. *Part. pass.*: imprèsso. Significa: improntare, premere in modo che resti traccia. Al riflessivo: fissarsi nella memoria. Es.: *Imprimere un marchio sulla stoffa*; *Le parole mi si impressero nella mente.*

impròpria (locuzione): locuzione che non esprime il pensiero con precisione. Es.: *attendere alle faccende domestiche* è locuzione impropria per: accudire alle faccende domestiche; un alloggio di tre *camere* (di tre stanze), non c'è *uscita* (non c'è scampo), la *nota* dei nomi (l'elenco dei nomi), la strada *difficile* (malagevole).

impròprie (preposizioni): V. PREPOSIZIONE.

impulsívo: aggettivo qualificativo; significa: che dà impulso, o: che non resiste all'impulso. Sinonimi da preferire: irriflessivo, focoso.

imputàre: verbo della prima coniugazione, transitivo. *Pres. indic.*: impúto (o ímputo), impúti, impúta, imputiàmo, imputàte, impútano. Significa: accusare. Es.: *È imputato di omicidio colposo*. Nel senso di attribuire si costruisce con la preposizione *a*. Es.: *Ciò va imputato alla vostra negligenza.*

in: preposizione semplice propria. Composta con l'articolo determinativo (assu-

me la forma *ne*) dà luogo alle preposizioni articolate *nel, nello, nella, nei, negli, nelle*. Sia nella forma semplice che in quella articolata introduce i seguenti complementi: stato in luogo (Vivere *in* campagna; Restare *nella* villa); tempo (*In* pieno inverno; *Nell'*anno in corso; *In* soli tre mesi); modo (Essere *in* pigiama; Camminare *in* punta di piedi); limitazione (Campione *nel* lancio del disco; Commerciante *in* stoffe); stima (Tener *in* poco conto); materia (Una statua *in* bronzo, ma meglio: di bronzo); moto per luogo (Camminare *nella* nebbia); moto a luogo (Andare *in* Russia). Si prepone anche ai numeri (Accorsero *in* dieci). Tra le locuzioni prepositive formate da *in*, notiamo: *in relazione a, in virtú di, in ragione di, in fatto di, in luogo di*. Con i verbi all'infinito forma espressioni che sostituiscono il gerundio: *nel vederti* (vedendoti), *nel parlare* (parlando).
Si noti che è meglio dire: vestito *di* grigio, piuttosto che: *in* grigio; *nella* giornata, invece che: *in* giornata: *nell'*attesa, invece che: *in* attesa.

in-: prefisso usato davanti a nomi, aggettivi e verbi. Davanti a nomi ha valore privativo e negativo. Es.: *inumanità*; *incapacità*; *infelicità*; *insaziabilità*. Davanti alle consonanti *b, m* e *p* diventa *im-*, per eufonia; davanti ad *r* diventa *ir-*; davanti a *l* diventa *il-*; davanti a *s* impura tende a ridursi a *i-*. Es.: *imbecillità, immoralità, impersonalità, irriverenza, illiberalità, iscrizione*. Talora vale: dentro, presso, verso. Es.: *inclusione, infusione, imbonimento, insalata*. Davanti ad aggettivo ha valore privativo e negativo. Es.: *incapace, indocile, inabile, impari, imbelle, immaturo, irriconoscibile, illegale*.
Davanti ai verbi il prefisso *in-* (*inn-*, talora davanti a vocale) ha il significato di: dentro, verso, contro, sopra. Es.: *incavare, immettere, imbustare, imporre, irrompere, innalzare*.

inalzàre o **innalzàre:** sono ammesse entrambe le forme, ma la prima è di uso più letterario. Verbo della prima coniugazione, transitivo. Analogamente si può scrivere INNALZAMENTO O INALZAMENTO.

inaridíre: verbo della terza coniugazione, transitivo (spesso anche riflessivo). In alcuni tempi si coniuga con la forma incoativa *-isc-* tra il tema e la desinenza. *Pres. indic.*: inaridísco, inaridísci, inaridísce, inaridiàmo, inaridíte, inaridíscono. *Pres. cong.*: inaridísca, inaridísca, inaridísca, inaridiàmo, inaridiàte, inaridíscano. *Part. pass.*: inaridíto. Significa: render arido, anche in senso figurato. Es.: *La canícola inaridisce la terra*; *L'ispirazione si è inaridita.*

inaspríre: verbo della terza coniugazione, transitivo (spesso anche riflessivo). In alcuni tempi si coniuga con la forma incoativa *-isc-* tra il tema e la desinenza. *Pres. indic.*: inasprísco, inasprísci, inasprísce, inaspriàmo, inaspríte, inaspríscono. *Part. pass.*: inaspríto. Significa: render aspro, anche in senso figurato. Es.: *Queste parole lo inasprirono*; *Si inasprí la lotta tra le due correnti.*

inastàre: verbo della prima coniugazione, transitivo. Significa: porre sull'asta. Usato per l'espressione: inastare la baionetta (non: innestare!) per dire che si applica la baionetta al fucile.

inattendíbile: aggettivo qualificativo. Contrario di *attendibile*. Significa: non credibile, da non attendersi. Meglio: inverosimile, non credibile, non degno di fede, improbabile.

incanutíre: verbo della terza coniugazione, intransitivo. Ausiliare: essere. In alcuni tempi si coniuga con la forma incoativa *-isc-* tra il tema e la desinenza. *Pres. indic.*: incanutísco, incanutísci, incanutísce, incanutiàmo, incanutíte, incanutíscono. *Pres. cong.*: incanutísca, incanutísca, incanutísca, incanutiàmo, incanutiàte, incanutíscano. *Part. pass.*: incanutíto.

incàrico: nome sdrucciolo terminante in *-co*, che al plurale finisce in *-chi*. Plurale: incàrichi. Significa: incombenza, mandato.

incartaménto: sostantivo maschile. Indica tutti i documenti, le carte, riferentisi ad una pratica o ad un affare. Si consiglia però l'uso di altri vocaboli: inserto, fascicolo. E più ancora eviterai l'uso del termine INCARTO, che ha lo stesso significato.

incàsso: sostantivo maschile. Indica il denaro incassato, riscosso, quanto l'atto dell'incassare. In quest'ultima accezione è più preciso il termine riscossione (di una somma, di un tributo).

incatenàte (rime): V. RIMA.

inciampàre: verbo della prima coniugazione, intransitivo. Si coniuga, indifferentemente, con tutti e due gli ausiliari; più comunemente con avere. Es.: *Uscendo di casa ha inciampato*; *È inciampato sulla soglia di casa*. Anche INCESPICARE, che ha analogo significato (impigliarsi con i piedi in qualche ostacolo), si coniuga con tutti e due gli ausiliari.

incidentàle (proposizione): una proposizione che sia inclusa nel periodo tra due virgole, tra due lineette o tra parentesi, senza un legame sintattico con le altre parti. È dunque un inciso, quasi una proposizione non indispensabile per la comprensione del significato di tutto il periodo. Es.: Nessuno, *come vedi*, ti vuol ascoltare; Tutti – *nessuno escluso* – si alzarono in piedi; Benché fosse tardi (*era già suonata mezzanotte*) volle cominciare un'altra partita.
Il termine *incidentale* non indica una particolare funzione della proposizione (la quale può avere valore temporale, causale, finale, concessivo, ecc.), ma solo il modo con cui essa si inserisce nel periodo, cioè senza legami con le altre proposizioni. Es.: Mio padre, *quando vuole* (incidentale temporale), è severo; Egli, *benché fosse appena arrivato* (incidentale concessiva), si mise subito al lavoro.

incídere: verbo della seconda coniugazione, transitivo. *Pass. rem.*: incisi, incidésti, incíse, incidémmo, incidéste, incísero. *Part. pass.*: incíso. Significa: tagliare, scolpire (Es.: *Incise il tronco dell'albero*; *Le parole di tuo padre siano incise nella tua mente*), intagliare metalli, pietre, legno (*Incidevano il rame*), imprimere la traccia di un suono su un disco perché possa essere riprodotto (*Quel cantante incide per una casa musicale milanese*). Usato intransitivamente (ausiliare: avere) significa: cader sopra, aver influenza. Es.: *Questa tassa incide sul patrimonio*; *Anche questo fatto ha inciso sulla nostra decisione*. Ma è uso poco elegante.

incipit: parola latina usata per indicare l'esordio di un testo letterario. Esistono appositi indici che elencano in ordine alfabetico l'incipit (il primo verso) di un gruppo di opere in poesia.

incíso: sostantivo maschile. Termine grammaticale che indica una locuzione interposta in un'altra proposizione o in un periodo. Solitamente l'inciso è separato dal costrutto in cui è incluso mediante due virgole o due lineette. Es.: Arrivò, *guarda il caso*, proprio suo padre; «Verrai – *egli disse* – quando ti scriverò». V. anche INCIDENTALE (PROPOSIZIONE).

incivilíre: verbo della terza coniugazione, transitivo (spesso anche riflessivo). In alcuni tempi si coniuga con la forma incoativa *-isc-* tra il tema e la desinenza. *Pres. indic.*: incivilísco, incivilísci, incivilísce, inciviliàmo, incivilíte, incivilíscono. *Pres. cong.*: incivilísca, incivilísca, incivilísca, inciviliàmo, inciviliàte, incivilíscano. *Part. pass.*: incivilíto. Es.: *Andammo a incivilire quei popoli: Frequentando buone compagnie si è un po' incivilito.*

inclúdere: verbo della seconda coniugazione, transitivo. *Pass. rem.*: inclúsi, includésti, inclúse, includémmo, includéste, inclúsero. *Part. pass.*: inclúso. Significa: chiuder dentro (*Ho incluso nella busta i tuoi documenti*), comprendere (*Lo hanno incluso nella squadra nazionale*).

incoatívi (verbi): verbi della terza coniugazione che inseriscono il suffisso *-isc-* tra il tema e le desinenze della prima, seconda e terza persona singolare e della terza persona plurale del presente indicativo, del presente congiuntivo e dell'imperativo. Si dicono *incoativi* per analogia con la terminazione in *-sco* dei verbi incoativi latini che indicavano l'inizio di un'azione. Oggi però il suffisso *-isc-* non conferisce più al verbo il significato incoativo. Numerosi sono i verbi della terza coniugazione che seguono la coniugazione con suffisso; il loro numero tende anzi ad aumentare poiché quasi tutti i verbi di nuova formazione inseriscono il suffisso *-isc-* tra il tema e la desinenza. In special modo seguono la coniugazione incoativa i verbi in *-cire* e *-gire*, evitando così l'incontro delle consonanti *c* e *g* con le vocali gutturali *a* ed *o* che farebbero perdere loro il suono palatale (da largire, *largisco*; da marcire, *marciscono*), tranne *fuggire* e *cucire* che seguono la normale coniugazione senza suffisso. Alcuni verbi hanno tutte e due le forme. Es.: *nutro* e *nutrisco*; *mento* e *mentisco*. L'uso dell'una o dell'altra forma è indifferente, salvo in alcuni verbi nei quali si può notare differenza di significato tra l'una e l'altra forma. Es.: *diverto* (trastullo) e *divertisco* (distolgo), *parto* (vado via) e *partisco* (divido); invece non vi è differenza tra *aborro* e *aborrisco*, tra *applaudo* e *applaudisco*, tra *mento* e *mentisco*, tra *inghiotto* e *inghiottisco*. Seguono solitamente la coniugazione con suffisso i verbi della terza coniugazione che hanno una forma sovrabbondante della prima coniugazione. Es.: *arrossàre* (arrósso) e *arrossíre* (arrossísco), *sfioràre* (sfioro) e *sfioríre* (sfiorísco).

Il presente dizionario indica, alle voci relative, le forme incoative dei principali verbi che seguono la coniugazione con suffisso *-isc-*. Diamo qui un elenco dei più comuni verbi incoativi ponendo in corsivo quelli che hanno anche le forme senza suffisso:

Abbellíre, abboníre, abbrutíre, abolíre, *aborríre*, accestíre, accudíre, acquisíre, acuíre, *adempíre*, adibíre, adíre, addolcíre, affievolíre, affluíre, aggredíre, agíre, alleggeríre, allestíre, allibíre, ambíre, ammanníre, ammansíre, ammattíre, ammezzíre, ammollíre, ammoníre, ammorbidíre, ammutolíre, anneríre, annuíre, *apparíre*, appassíre, appesantíre, appetíre, *applaudíre*, approfondíre, ardíre, arguíre, arricchíre, arrossíre, arrostíre, arrugginíre, asseríre, asservíre, assopíre, *assorbíre*, assordíre, assortíre, attecchíre, atterríre, attribuíre, attristíre, attutíre, avvilíre, avvizzíre.

Bandíre, barríre, bipartíre, blandíre, bramíre, brandíre.

Candíre, capíre, chiaríre, circuíre, colpíre, *comparíre*, compartíre, compatíre, *compíre*, concepíre, condíre, conferíre, confluíre, contribuíre, costituíre, costruíre, custodíre.

Deferíre, definíre, demolíre, deperíre, differíre, digeríre, diluíre, dimagríre, diminuíre, distribuíre.

Eccepíre, largíre, *empíre*, erudíre, esaudíre, esauríre, *eseguíre*, esibíre.

Fallíre, favoríre, feríre, finíre, fioríre, fluíre, forníre, fruíre.

Garantíre, garríre, gestíre, gioíre, gradíre, gremíre, grugníre, guaíre, guaríre, guarníre.

Illanguidíre, illimpidíre, imbarbaríre, imbestialíre, imbianchíre, imboschíre, imbozzacchíre, imbruníre, immiseríre, impadroníre, impallidíre, impartíre, impauríre, impazientíre, impazzíre, impedíre, impensieríre, impettíre, impietosíre, impratichírsi, inacerbíre, inacidíre, inaridíre, inasprìre, incanutíre, incaponíre, incardíre, incarníre, incarogníre, incitrullíre, incivilíre, incollerírsi, incuriosíre, indispettíre, indolenzíre, induríre, ínfastidíre, inferíre, infieríre, influíre, infoltírsi, infurbíre, ingentilíre, ingeríre, *inghiottíre*, ingiallíre, ingigantíre, ingrandíre, inibíre, inorridíre, inquisíre, insecchíre, insospettíre, insuperbíre, inteneríre, interferíre, interloquíre, intestardírsi, intiepidíre, intimidíre, intimoríre, intirizzíre, intontíre, intorbidíre, intristíre, intuíre, inumidíre, instupidíre, inveíre, invizzíre, irrigidírsi, isterilíre, istituíre, invaghíre.

Lambíre, languíre, largíre, leníre.

Marcíre, *mentíre, muggíre*, muníre.

Nitríre, *nutríre*.

Obbedíre, offeríre, ordíre, ostruíre.

Partíre, patíre, pattuíre, percepíre, períre, perquisíre, preferíre, premoníre, premuníre, presagíre, prestabilíre, preferíre, preteríre, proferíre, proibíre, pulíre, puníre.

Quadripartíre.

Rabboníre, rabbrividíre, raddolcíre, rammollíre, rammorbidíre, rapíre, reagíre, redarguíre, refluíre, requisíre, restituíre, retribuíre, ribadíre, ricostituíre, ricostruíre, *riempíre*, riferíre, rifiníre, rifluíre, rimbambíre, rimboschíre, rinverdíre, rinvigoríre, *ripartíre*, risorbíre, riveríre, ruggíre.

Sancírc, sbalordíre, sbandíre, sbiadíre, sbigottíre, sbizzarríre, scalfíre, scaltríre, scandíre, scarníre, scarogníre, scaturíre, schermíre, scherníre, schiaríre, scoloríre, scolpíre, *scomparíre*, sdilinquíre, sdolenzíre, sdrucíre, seppellíre, sfiníre, sfioríre, sfoltíre, sgranchíre, sgualcíre, smagríre, smaltíre, smarríre, smentíre, smi-

nuíre, sopíre, sopperíre, sorbíre, sostituíre, sparíre, spartíre, spedíre, squittíre, stabilíre, starnutíre, statuíre, stiepidíre, stizzíre, stordíre, stormíre, stupíre, subíre, suggeríre, supplíre, svaníre, sveleníre, sveltíre, sverdíre, svigoríre.
Tinníre, torníre, *tossíre*, tradíre, tranghiottíre, trasferíre, trasgredíre, *trasparíre, tripartíre*.
Ubbidíre, uníre.
Vagíre, vaníre.
Zittíre.

incògnito (in): francesismo. Dirai semplicemente: incognito. Es.: *Il re di Svezia giunse a Roma incognito* (o: da privato).

incolóre: aggettivo qualificativo. Significa: senza colore. Si trova anche la forma *incolóro* (ma il femminile è sempre *incolore*, mai *incolora*!).

incómbere: verbo della seconda coniugazione. Non ha il participio passato.

incominciàre: verbo della prima coniugazione, transitivo. Significa: dar inizio, dar principio a una cosa. Si costruisce con la preposizione *a* (raramente con *di*) quando è seguito da un infinito. Es.: *Ha incominciato un nuovo lavoro*; *Incominciavo a impensierirmi*. Usato intransitivamente, si coniuga con l'ausiliare avere quando il soggetto è una persona o ente animato, con essere quando il soggetto è una cosa. Es.: *Abbiamo incominciato presto*; *Lo spettacolo è incominciato or ora*. Si costruisce con la preposizione *con* (non: per). Es.: *Incomincio con il rimproverarti. Con* si usa anche per il complemento di tempo. Es.: *Incominceremo con il prossimo autunno.*

incóntro: preposizione impropria che significa: alla volta di, verso. Si costruisce con la preposizione semplice *a*. Es.: *Vado incontro a mio padre*; *Andò incontro alla nave*. Anche sostantivo maschile; vale: convegno, appuntamento (*L'incontro dei due Capi di Stato*), gara, partita (*L'incontro di calcio Italia-Brasile*).

incórrere: verbo della seconda coniugazione, intransitivo (ausiliare: essere). *Pres. indic.*: incórro, incórri, incórre, incorriàmo, incorréte, incórrono. *Pass. rem.*: incórsi, incorrésti, incórse, incorrémmo, incorréste, incórsero. *Part. pass.*: incórso. Significa: incappare; si costruisce con la preposizione *in*. Es.: *È incorso in molti errori*; *Non vorrei incorrere in una multa.*

incrementàre: verbo della prima coniugazione, transitivo. Significa: dare incremento a, cioè: aumentare, accrescere; ma è meglio usare questi vocaboli.

incrociàte (rime): V. RIMA.

incrudelíre: verbo della terza coniugazione, intransitivo. In alcuni tempi si coniuga con la forma incoativa *-isc-* tra il tema e la desinenza. *Pres. indic.*: incrudelísco, incrudelísci, incrudelísce, incrudeliàmo, incrudelíte, incrudelíscono. *Pres. cong.*: incrudelísca, incrudelísca, incrudelísca, incrudeliàmo, incrudeliàte, incrudelíscano. *Part. pass.*: incrudelíto. Si coniuga con l'ausiliare avere quando significa: agire crudelmente (Es.: *Ha incrudelito contro i prigionieri*); con l'ausiliare essere quando vale: diventar crudele (Es.: *Negli ultimi anni era incrudelíto*).

incuriosíre: verbo della terza coniugazione, transitivo (spesso anche riflessivo). In alcuni tempi si coniuga con la forma incoativa *-isc-* tra il tema e la desinenza. *Pres. indic.*: incuriosísco, incuriosísci, incuriosísce, incuriosiàmo, incuriosíte, incuriosíscono. *Pres. cong.*: incuriosísca, incuriosísca, incuriosísca, incuriosiàmo, incuriosiàte, incuriosíscano. *Part. pass.*: incuriosíto. Es.: *Questa faccenda mi incuriosisce.*

incurvàre e **incurvíre:** verbi sovrabbondanti. *Incurvàre* (prima coniugazione, transitivo) significa: render curvo, o, usato riflessivamente, diventar curvo. *Incurvíre* (terza coniugazione, intransitivo) significa solo: diventar curvo. Es.: *Da solo incurvò quella sbarra di ferro*; *A poco a poco si è incurvato sotto il peso*; *Col passare degli anni incurvisce sempre più.*

incútere: verbo irregolare della seconda coniugazione, transitivo. *Pass. rem.*: incússi, incutésti, incússe, incutémmo, incutéste, incússero. *Part. pass.*: incússo. Es.: *È una persona che incute rispetto.*

índaco: nome sdrucciolo terminante in *-co*, che al plurale finisce in *-chi*. Indica uno dei sette colori dello spettro solare, tra l'azzurro e il violetto.

indecíso: aggettivo qualificativo, che significa: non definito, non deciso. Riferito a persona, dirai meglio: incerto, perplesso, irresoluto. Allo stesso modo, invece di INDECISIONE dirai: titubanza, incertezza, perplessità.

indeclinàbili (nomi): i nomi (detti anche *invariabili*) che hanno il singolare uguale al plurale. Sono tali i monosillabi, i nomi terminanti in *-i* (*tesi, analisi*), in vocale accentata (*virtú, città*), in consonante (*sport, film, lapis, gas*), in *-ie* (*specie, serie*, eccetto *moglie, superficie, effigie*), alcuni terminanti in *-a* (*procaccia, gorilla, boia, paria, vaglia*), oltre ai cognomi e alle lettere dell'alfabeto (la *s*, le *s*). V. anche NOME.

indefiníti (aggettivi): gli aggettivi che indicano una quantità indeterminata, non specificata. Taluni sono anche *pronomi*. V. INDEFINITI (PRONOMI). Alcuni aggettivi indicano una unità indeterminata (*ogni, ciascuno, qualunque, qualsiasi, qualsivoglia, nessuno*), e sono detti SINGOLATIVI; altri una pluralità generica (*qualche, alcuno*) e sono detti COLLETTIVI; altri indicano al singolare una unità e al plurale una molteplicità, sempre indeterminate (*taluno, certo, tale*), altri ancora una quantità indeterminata, abbondante o eccessiva (*troppo, parecchio, tanto, molto*), o scarsa (*alquanto, poco*) o uguale ad un'altra (*altrettanto*) o totale (*tutto*) e sono detti QUANTITATIVI. L'aggettivo *altro* indica differenza. Circa il valore e l'uso di ciascuno degli aggettivi indefiniti V. le singole voci che vi si riferiscono. V. anche AGGETTIVO.

indefiníti (modi): i modi del verbo che esprimono senza determinazione di persona l'idea del verbo stesso. Sono tre: infinito, participio, gerundio. È chiaro infatti che dicendo *amare*, infinito del verbo di prima coniugazione, si esprime l'idea del verbo, ma non chi ama e quando ama. Analogamente, se diciamo *amando* (gerundio) o *amato* (participio), l'espressione è generica, indeterminata, cioè indefinita. Nel caso del participio si ha tuttavia la concordanza con il nome nel numero e nel genere. Es.: Inseguimmo i nemici *fuggenti* (participio presente, plurale); Perdonaste ai nemici *vinti* (participio passato, plurale, maschile); Ci rallegrammo per le parole *udite* (participio passato, femminile, plurale).
I modi indefiniti si usano in tutte le proposizioni implicite. Es.: Lo pregai *di ascoltare* (proposizione finale implicita in luogo di: *affinché ascoltasse*); Salutai gli amici *partenti* (proposizione relativa implicita in luogo di: *che partivano*); Il soldato *ferito* (proposizione concessiva implicita, in luogo di: *benché fosse stato ferito*) continuava a combattere.
V. anche GERUNDIO, INFINITO e PARTICIPIO.

indefiníti (pronomi): come gli aggettivi indefiniti, cosí anche i pronomi indefiniti indicano qualcosa di indeterminato. Vi sono indefiniti che sono solo aggettivi, indefiniti che sono aggettivi e pronomi, indefiniti, infine, che possono essere esclusivamente pronomi. Sono soltanto aggettivi indefiniti: *ogni, qualche, qualunque, qualsiasi, qualsivoglia*. Sono soltanto pronomi indefiniti: *uno, ognuno, qualcuno, chiunque, chicchessia, checché*. Possono essere tanto aggettivi quanto pronomi gli indefiniti: *alcuno, ciascuno, taluno, nessuno, alquanto, poco, molto*.
Rispetto a ciò che indicano, gli indefiniti si possono poi suddividere in:

a) aggettivi e pronomi di *quantità* (nessuno, veruno, alcuno, taluno, ciascuno, poco, molto, parecchio, troppo, tutto, tanto, quanto, altrettanto, alquanto);

b) aggettivi e pronomi di *qualità* (altro, certo).

In particolare, inoltre, i pronomi indefiniti si dividono in:

a) pronomi di *quantità* (uno, ognuno, nulla, niente);

b) pronomi di *qualità* (certuni, altri, altrui, qualcuno, chiunque, chicchessia, checché, checchessia).

Per il valore e l'uso di ciascuno di questi pronomi indefiniti vedi le voci che vi si riferiscono. V. anche PRONOME.

indennízzo: sostantivo maschile, che significa: indennità. Dirai meglio: risarcimento, rimborso, compenso, rifusione, o anche INDENNITÀ, che però oggi ha un significato particolare. Es.: *L'investito chiede un indennizzo* (un risarcimento dei danni); *Ai professori è concessa l'indennità di studio* (assegno speciale aggiunto).

Si dice pure: indennità di contingenza, indennità parlamentare, indennità di caro pane, ecc.

indeterminatívo (articolo): V. ARTICOLO, ARTICOLO INDETERMINATIVO, UN.

índi: avverbio di tempo e di luogo. L'uso con valore locativo (di là, da quel luogo) è però antiquato. Usato con valore temporale significa: poi, di poi, quindi.

indicatívo (modo): è uno dei sette modi del verbo, e precisamente uno dei modi *finiti*. L'indicativo è il modo della realtà e della certezza: si usa cioè per indicare azioni che realmente accadono e di cui chi parla o chi scrive è assolutamente certo.

Ha otto tempi, di cui quattro *semplici* (presente, imperfetto, passato remoto, futuro semplice) e quattro *composti* (passato prossimo, trapassato prossimo, trapassato remoto, futuro anteriore). Per il valore e l'uso di ciascuno di questi tempi del modo indicativo vedi le voci che vi si riferiscono. Il modo indicativo è, in generale, il modo delle proposizioni *principali, dichiarative, interrogative dirette, negative* (V.). L'indicativo si usa inoltre nelle proposizioni *oggettive* o *soggettive* (V.) rette da un verbo affermativo che indica certezza (So *che tu verrai*; È certo *che sarai trasferito*), nelle proposizioni *relative* (V.), in quelle *temporali* (V.), *causali* (V.), talora nelle *consecutive* (V.), nel *periodo ipotetico* (V.) quando l'ipotesi è sentita come reale, nelle proposizioni *comparative* (V.), in quelle *eccettuative* (V.). Circa l'uso del modo indicativo nelle varie proposizioni, vedi anche le singole voci che vi si riferiscono. In generale, si usa l'indicativo in quei casi in cui l'azione o lo stato indicati dal verbo sono dati come certi e reali. V. anche DIPENDENZA DEI TEMPI.

índice: nell'organizzazione di un testo, è l'elenco delle parti, dei capitoli, dei paragrafi, ecc. in cui è suddiviso il contenuto, oppure l'elenco degli argomenti o degli autori citati o delle illustrazioni ecc., con l'indicazione delle pagine (*indice analitico*).

In lessicografia e nell'analisi del testo, *indice* è l'elenco alfabetico delle forme lessicali o dei lemmi presenti in un dato testo, con l'indicazione del numero di occorrenze di ciascuna. Se le occorrenze sono registrate assieme al contesto linguistico in cui compaiono, si ottiene l'indice delle concordanze.

Si chiama *indice* anche il valore che si ottiene calcolando il rapporto tra varietà dei vocaboli utilizzati in un dato testo (*type*), numero delle occorrenze delle forme appartenenti ad ognuno dei vocaboli (*token*) e numero totale delle parole del testo.

Secondo la classificazione di Ch. S. Peirce, il segno che mantiene un rapporto di contiguità fisica con la realtà che rappresenta. Per es., è un indice il fumo per indicare il fuoco. Si distingue dall'icona e dal simbolo.

indietreggiàre: verbo della prima coniugazione, intransitivo. Significa: andar indietro, retrocedere, ritirarsi. Si coniuga con tutti e due gli ausiliari. Es.: *Non ha indietreggiato neppure di fronte al delitto*; *Il nemico è indietreggiato*.

indipendènte (proposizione): proposizione che non dipende sintatticamente da nessun'altra ed ha quindi senso compiuto. Se nel periodo regge altre proposizioni si dice più precisamente *principale* (V.).

indirètti (complementi): i complementi che non si uniscono direttamente a un verbo transitivo e sono quindi solitamente introdotti da preposizioni. Essi sono i complementi di: specificazione, termine, agente o causa efficiente, luogo, tempo, modo o maniera, causa, mezzo o strumento, compagnia o unione, paragone, fine o scopo, argomento, limitazione, origine o provenienza, allontanamento o separazione, estensione, distanza o spazio, abbondanza o privazione, esclusione, stima e prezzo, colpa e pena.

indirètto (discorso): V. DISCORSO INDIRETTO.

indirízzo: sostantivo maschile. Significa: direzione, norma di condotta, regola, recapito. È errato l'uso del termine nel senso di: petizione, domanda. Es.: *Fu votata una domanda* (non: un indirizzo) *al governo*.

Eviterai pure di dire: al suo indirizzo, all'indirizzo del Presidente, in luogo di: a lui, al Presidente, ecc. Es.: *Lanciò un insulto al Presidente* (non: all'indirizzo del).

indispettíre: verbo della terza coniugazione, transitivo (spesso anche riflessivo). In alcuni tempi si coniuga con la forma incoativa *-isc-* tra il tema e la desinenza. *Pres. indic.*: indispettísco, indispettísci, indispettísce, indispettiàmo, indispettíte, indispettíscono. *Pres. cong.*: indispettísca, indispettísca, indispettísca, indispettiàmo, indispettiàte, indispettíscano. *Part. pass.*: indispettíto. Es.: *Il tuo contegno lo indispettisce.*

indispórre: verbo della seconda coniugazione, transitivo, composto di *porre* (V.). *Pres. indic.*: indispongo, indisponi, indispone, indisponiamo, indisponete, indispongono. *Imperf.*: indisponevo, indisponevi, indisponeva, ecc. *Pass. rem.*: indisposi, indisponesti, indispose, indisponemmo, indisponeste, indisposero. *Fut. semplice*: indisporrò, indisporrai, indisporrà, ecc. *Part. pass.*: indispósto. Es.: *Ha un contegno che indispone.* Il participio passato vale: leggermente malato. Es.: *Ieri ero indisposto.*

indolenzíre: verbo della terza coniugazione, intransitivo. Ausiliare: essere. In alcuni tempi si coniuga con la forma incoativa *-isc-* tra il tema e la desinenza. *Pres. indic.*: indolenzísco, indolenzísci, indolenzísce, indolenziàmo, indolenzíte, indolenzíscono. *Pres. cong.*: indolenzísca, indolenzísca, indolenzísca, indolenziàmo, indolenziàte, indolenzíscano. *Part. pass.*: indolenzíto. Es.: *La gamba è indolenzita.*

indòsso: avverbio che significa: sulla persona. Si usa però riferito solo a vestiti o ornamenti. Negli altri casi si usa *addòsso* (V.). Es.: *La signora aveva indosso una veste di seta pura.*

indòtto e **indótto:** il primo è aggettivo qualificativo e significa: non dotto, ignorante, incolto.

Il secondo è il participio passato del verbo *indurre* e significa: costretto, determinato, o anche: congetturato, inferito. Es.: *Sembrava indòtto*; *Fui indótto ad accettare*; *Non so da che cosa abbia indótto che noi eravamo d'accordo.*

indúlgere: verbo della seconda coniugazione, transitivo, letterario. *Pass. rem.*: indúlsi, indulgésti, indúlse, indulgémmo, indulgéste, indúlsero. *Part. pass.*: indúlto. Significa: perdonare, essere indulgente. Più frequente l'uso intransitivo (ausiliare: avere) con il senso di: esser benevolo, concedere; si costruisce con la preposizione *a*. Es.: *Ha voluto indulgere*; *Non si deve troppo indulgere alla gola.*

induràre e **induríre:** verbi sovrabbondanti, appartenenti il primo alla prima coniugazione, il secondo alla terza coniugazione.

Induràre è transitivo ed è usato specialmente in senso fisico. Significa: render duro, render forte. Es.: *Le avversità indurano i corpi e induriscono le anime.* Infatti *induríre* è usato specialmente in senso morale. Usato intransitivamente vale: diventar duro, resistere. Es.: *Il legno è indurito.*

indúrre: verbo della seconda coniugazione, transitivo. *Pres. indic.*: indúco, indúci, indúce, induciàmo, inducéte, indúcono. *Fut. semplice*: indurrò, indurrài, indurrà, indurrémo, indurréte, indurrànno. *Pass. rem.*: indússi, inducésti, indússe, inducémmo, inducéste, indússero. *Part. pass.*: indótto. Significa: incitare, costringere, persuadere; anche: congetturare, inferire, capire. Es.: *Lo indusse a intraprendere quella carriera*; *Dalle sue parole indussi che mentiva.*

inebriàre: verbo della prima coniugazione, transitivo. Meno comune la forma: inebbriare.

inefficàcia: nome femminile terminante in *-cia*, che al plurale conserva la *i* atona (inefficacie) anche per distinguersi da *inefficace* che è aggettivo.

-íneo: terminazione caratteristica di vari aggettivi qualificativi. Es.: *rettilíneo, virgíneo, consanguíneo.*

ineríre: verbo della terza coniugazione, intransitivo. Si coniuga nella forma incoativa (Io inerisco, tu inerisci, ecc.). Manca del participio passato. La forma più usata, anche come aggettivo, è il participio presente. Es.: *I compiti inerenti alla sua carica.*

inevàso: aggettivo qualificativo, usato specialmente nel linguaggio burocratico. Es.: *pratica inevasa.*

infallanteménte: avverbio di modo. Significa: sicuramente, certamente, senza dubbio. È migliore però la forma: *infallibilmente.*

infastidíre: verbo della terza coniugazione, transitivo. In alcuni tempi si coniuga con la forma incoativa *-isc-* tra il tema e la desinenza. *Pres. indic.*: infastidísco, infastidísci, infastidísce, infastidiàmo, infastidíte, infastidíscono. *Pres. cong.*: infastidísca, infastidísca, infastidísca, infastidiàmo, infastidiàte, infastidíscano. *Part. pass.*: infastidíto. Significa: molestare, annoiare. Usato spesso al riflessivo. Es.: *Lo infastidiva con troppe domande; Si infastidí per quella tua frase.*

infàtti: congiunzione coordinante. Introduce una proposizione dichiarativa che è la prova di quanto è stato detto prima. Es.: *Non posso aiutarti: infatti sono io stesso nel bisogno; Mentiva sicuramente: infatti lo colsero più volte in contraddizione.*

inferióre: aggettivo qualificativo. Ha un valore comparativo, derivato dal latino; in italiano manca un aggettivo di grado positivo derivato dalla stessa radice; si considera quindi comparativo irregolare dell'aggettivo *basso.* Il superlativo INFIMO ha assunto significato proprio, soprattutto negli usi figurati (=di pessima qualità, spregevole).

inferíre: verbo della terza coniugazione. In alcuni tempi si coniuga con la forma incoativa *-isc-* tra il tema e la desinenza. *Pres. indic.*: inferísco, inferísci, inferísce, inferiàmo, inferíte, inferíscono. *Pass. rem.*: infèrsi (inferíi), inferísti, infèrse, inferímmo, inferíste, infèrsero. *Pres. cong.*: inferísca, inferísca, inferísca, inferiàmo, inferiàte, inferíscano. *Part. pass.*: infèrto o inferíto. Significa: dedurre, argomentare. Es.: *Da quel che dici si inferisce che hai perduto tutto.* Anche: dare, produrre, arrecare (detto di colpi, ferite). Es.: *Gli inferse il pugnale nel fianco; Se ne andò dopo avergli inferto una grave ferita.*

inferocíre: verbo della terza coniugazione, transitivo. In alcuni tempi si coniuga con la forma incoativa *-isc-* tra il tema e la desinenza. *Pres. indic.*: inferocísco, inferocísci, inferocísce, inferociàmo, inferocíte, inferocíscono. *Pres. cong.*: inferocísca, inferocísca, inferocísca, inferociàmo, inferociàte, inferocíscano. *Part. pass.*: inferocíto. Usato intransitivamente, si coniuga con l'ausiliare essere quando significa: diventar feroce (Es.: *È inferocito subito dopo esser stato ferito*); con l'ausiliare avere quando vale: commettere atti di ferocia (Es.: *Ha inferocito sugli inermi*).

infervoràre: verbo della prima coniugazione, transitivo. *Pres. indic.*: infèrvoro (più corretto ma meno usato: infervóro). Usato soprattutto al riflessivo. Es.: *Nel parlare si è infervorato.*

infieríre: verbo della terza coniugazione, intransitivo. Ausiliare: avere. In alcuni tempi si coniuga con la forma incoativa *-isc-* tra il tema e la desinenza. *Pres. indic.*: infierísco, infierísci, infierísce, infieriàmo, infieríte, infieríscono. *Pres. cong.*: infierísca, infierísca, infierísca, infieriàmo, infieriàte, infieríscano. *Part. pass.*: infieríto. Significa: comportarsi crudelmente, diventar crudele. Es.: *Non volle infierire sui prigionieri.* Con l'ausiliare essere si coniuga quando è riferito a malattie e vale: imperversare. Es.: *La peste era infierita a lungo.*

infíggere: verbo della seconda coniugazione, composto di *figgere* (V.), transitivo. *Pres. indic.*: infíggo, infíggi, infígge, infiggiàmo, infiggéte, infíggono. *Pass. rem.*: infíssi, infiggésti, infísse, infiggémmo, infiggéste, infíssero. *Part. pass.*: infísso o infítto. Significa: ficcar dentro. Es.: *Abbiamo infisso i chiodi nel muro.* Da non confondere con *infliggere* (V.).

ínfimo: aggettivo qualificativo. È il superlativo di *inferiore.* Ha assunto un significato autonomo, soprattutto in senso figurato, con valore spregiativo. Vale: di pessima qualità, spregevole.

infinitíva (proposizione): è una proposizione (per lo più dipendente) formata da un verbo all'infinito e dal suo soggetto espresso. Es.: Faccio *uscire i bambini*: *uscire i bambini* è la proposizione infinitiva col verbo al modo infinito e il soggetto, *i bambini*, espresso; *faccio* è invece la proposizione principale.

I verbi della proposizione principale da cui dipende una infinitiva sono per lo più:

sentire, vedere, ascoltare, guardare. Es.: *Vedevamo fuggire i nemici*; *Guardavano suonare il maestro*; *Ascoltavano cantare gli uccelli*. Come si vede il soggetto segue ordinariamente l'infinito, specialmente quando la proposizione reggente ha i verbi *fare* o *lasciare*. Es.: *Faccio dormire il piccolo*; *Lasciava riposare tutti*. Con questi due verbi, quando è espresso anche un complemento oggetto, il soggetto diviene complemento di termine. Es.: a) *Faccio leggere mio figlio*; b) *Faccio leggere un libro a mio figlio*; a) *Lasciarono passare poche persone*; b) *Lasciarono passare il ponte a poche persone*.

La proposizione infinitiva può essere facilmente trasformata in una oggettiva introdotta dalla congiunzione *che*. Es.: Vedevamo *allontanarsi la nave* (infinitiva); Vedevamo *che la nave si allontanava* (oggettiva). Oppure anche in una relativa: Vedevamo la nave, *che si allontanava*.

infiníto (modo): è uno dei modi *indefiniti* del verbo. Esso esprime genericamente l'idea del verbo senza determinazione di persona e di tempo. Dicendo infatti *amare* (infinito presente del verbo di prima coniugazione) non precisiamo né il soggetto dell'azione né il tempo. L'infinito *presente* può riferirsi al presente, al passato o al futuro. Es.: *Io credo di sapere*; *Io credevo di sapere*; *Io crederò di sapere*. Lo stesso infinito, come si vede da questo esempio, può riferirsi a una circostanza del presente (*credo* di sapere), del passato (*credevo* di sapere) o del futuro (*crederò* di sapere).

L'infinito ha due tempi: il presente e il passato.

Il *presente* si forma aggiungendo al tema o radice la desinenza *-are* per la 1ª coniugazione, *-ere* per la 2ª coniugazione, *-ire* per la 3ª coniugazione.

L'infinito presente è usato in molte proposizioni dipendenti. Esso è anzitutto il modo delle proposizioni *implicite* (V.).

Es.: Promisi *di partire* (oggettiva implicita in luogo di: che sarei partito); Vedevo i soldati *partire* (relativa implicita, in luogo di: che partivano); Nello *scrivergli* (temporale implicita, in luogo di: mentre gli scrivevo), mi accorsi che dovevo dirgli troppe cose; *Per non leggere gli avvisi* (causale implicita, in luogo di: poiché non leggo gli avvisi), spesso cado in contravvenzione; Spesso viaggiamo *per imparare* (finale implicita, in luogo di: affinché impariamo); Avevo una fame *da non vederci più* (consecutiva implicita, in luogo di: che non vedevo più); Disse tutto questo *senza tremare* (modale implicita, in luogo di: senza che tremasse); Farei qualunque cosa per lui, *tranne mentire* (eccettuativa implicita, in luogo di: tranne che non mentirei). L'infinito presente preceduto da *non* forma la seconda persona singolare dell'imperativo negativo. Es.: *Tu non amare!*; *Non leggere!*; *Non udire!* Anche senza la negazione acquista talvolta valore esortativo o imperativo. Es.: *Vincere!*; *Rallentare!*

L'infinito si usa anche con valore di sostantivo. Es.: *Il troppo dormire nuoce*; *A te fa male il bere eccessivo*; *Non ho mai visto un correre cosí veloce*. Si noti poi che quando si vuol raggiungere una particolare efficacia rappresentativa, si usa la costruzione di *ecco* e l'infinito (*infinito storico*). Es.: *Ecco venirci incontro i genitori felici*; *Ecco il Presidente stringere la mano agli ospiti*.

L'infinito *passato* si forma con l'ausiliare più il participio passato: *aver amato, aver letto, aver udito*; *esser andato, esser vissuto, esser fallito*.

Esso indica un'azione compiuta, con riferimento al passato. Es.: *Credo di aver detto tutto*; *Temo di aver perso tutto*; *Speravamo di esser arrivati in tempo*. Talora però l'azione ha riferimento col tempo futuro (Es.: *Ti scriverò dopo averlo interrogato*).

L'infinito futuro, che viene formato con perifrasi (*essere per amare, essere per leggere, essere per morire*), è poco usato.

Una particolare costruzione dell'infinito è quella che viene comunemente chiamata *reggenza dell'infinito*. Essa si verifica con alcuni verbi che reggono l'infinito con un solo soggetto.

Il soggetto del verbo al modo finito e di quello al modo infinito è cioè lo stesso. I verbi che hanno questa costruzione sono transitivi e reggono l'infinito per mezzo della preposizione *di*. Appartengono a queste categorie:

a) verbi che indicano affermazione, risoluzione, opinione e simili. Es.: *Affermo di aver detto la verità* (il soggetto è *io* sia di *affermo* che di *aver detto*); *Sa di mentire*; *Pensava di rimediare*;

b) verbi che indicano dubbio, timore. Es.: *Temo di morire* (il soggetto è *io* sia di *temo* che di *morire*); *Supponevate di aver ragione*; *Dubitavo di riuscire*;

c) verbi che indicano ricerca, domanda. Es.: *Cercai di conoscere il suo programma* (il soggetto è *io* sia di *cercai* che di *conoscere*); *Chiese di ritirarsi*;

d) verbi che indicano desiderio, promessa. Es.: *Promise di partire* (il soggetto è *egli* sia di *promise* che di *partire*); *Sperava di riuscire*; *Attese di essere ricevuto*;

e) verbi che indicano compimento, termine. Es.: *Terminava allora di parlare* (il soggetto è *egli* sia di *terminava* che di *parlare*); *Aveva finito di leggere*.

Inoltre hanno questa costruzione i verbi *servili* (V.), i quali però formano, per cosí dire, una unità inseparabile con l'infinito, senza la preposizione *di*. Es.: *Noi possiamo andare*; *Essi volevano urlare*; *Tutti devono sapere*; *Egli era solito dormire un'oretta*.

I verbi che indicano comando o preghiera si possono costruire con l'infinito retto da *di*, ma con soggetto diverso. Occorre però che vi sia un complemento, oggetto o di termine, che rappresenta, in mancanza del soggetto grammaticale, il soggetto logico dell'infinito. Ad esempio, nella proposizione: *Ti prego di uscire* il soggetto di *prego* è *io*, quello di *uscire* è *tu*. Si ha così la reggenza dell'infinito con soggetto diverso; il complemento oggetto *ti* funge da soggetto logico dell'infinito. Altri esempi: *Ci proibirono di entrare* (= Proibirono a noi di entrare; che noi entrassimo); *Comandò ai soldati di marciare*. Talvolta il complemento è sottinteso e l'infinito ha valore impersonale. Es.: *Fu ordinato di uscire*; *La parete impedisce di sentire*.

V. anche INFINITIVA (PROPOSIZIONE), OGGETTIVA (PROPOSIZIONE) e SOGGETTIVA (PROPOSIZIONE).

infísso: affisso che si inserisce all'interno di una parola. Es.: la *-n-* di *fondere* rispetto al passato remoto *fusi* e al participio passato *fuso*.

inflessióne: termine che in linguistica può indicare una particolare intonazione di pronuncia, caratteristica di una determinata regione. Equivale quindi a cadenza, accento. Es.: *Inflessione toscana, lombarda, veneta, napoletana*.

inflíggere: verbo della seconda coniugazione, transitivo. *Pass. rem.*: inflíssi, infliggésti, inflísse, infliggémmo, infliggéste, inflíssero. *Part. pass.*: inflítto. Significa: irrogare, dare una pena, imporre. Es.: *Il tribunale gli ha inflitto la massima pena*; *Ci hanno inflitto una dura sconfitta*.

influènte: participio presente di *influíre*. Usato come aggettivo col significato di persona che ha potenza e autorità. Dirai meglio: autorevole, importante, potente. Eviterai pure l'abuso di INFLUENZA per: autorità, prestigio, potere, efficacia. Non dirai: *È uomo di molta influenza* o *che ha molta influenza*. Con un complemento che specifichi è invece accettabile l'uso di questo sostantivo. Es.: *Egli ha molta influenza nell'assemblea*.

influíre: verbo della terza coniugazione, intransitivo. Ausiliare: avere. In alcuni tempi si coniuga con la forma incoativa *-isc-* tra il tema e la desinenza. *Pres. indic.*: influísco, influísci, influísce, influiàmo, influíte, influíscono. *Pres. cong.*: influísca, influísca, influísca, influiàmo, influiàte, influíscano. *Part. pass.*: influíto. Significa: aver efficacia, esercitare un'azione segreta, determinare in parte, ispirare, condizionare. Es.: *Questo fatto ha influito molto sul risultato delle elezioni*; *Non credo che ciò influisca*; *La sua parola può influire moltissimo*. È voce da preferire a *influenzàre*.

infocàre: verbo della prima coniugazione, transitivo. *Pres. indic.*: infuòco, influòchi, infuòca, infochiàmo (o infuochiamo), infocàte (o infuocate), infuòcano. *Part. pass.*: infuocàto o infocàto. Le forme senza dittongo rispettano la regola del *dittongo mobile*.

infóndere: verbo della seconda coniugazione, transitivo. *Pres. indic.*: infóndo, infóndi, infónde, infondiàmo, infondéte, infóndono. *Pass. rem.*: infúsi, infondésti, infúse, infondémmo, infondéste, infúsero. *Part. pass.*: infúso. Significa: bagnare, intridere; anche: ispirare, incutere, suscitare. Es.: *Mi infuse coraggio.*

informàre: verbo della prima coniugazione, transitivo. Si costruisce sia nella forma esplicita (*Informò che sarebbe partito l'indomani*) sia con *di* e l'infinito (*Informò d'aver lasciato la città*).

infra-: prefisso che significa: tra, in mezzo. Vuole il raddoppiamento della consonante iniziale della parola a cui si unisce. Es.: *inframmettere, inframmettenza.* Non mancano tuttavia le eccezioni; per es., il sostantivo e aggettivo *infrarosso* (che indica la regione nello spettro solare che sta prima del rosso) si scrive comunemente senza il raddoppiamento della *r* di *rosso*.

Infra, come preposizione, è voce poetica in luogo di: *tra, fra* (V.).

infràngere: verbo della seconda coniugazione, transitivo. *Pres indic.*: infràngo, infràngi, infrànge, infrangiàmo, infrangéte, infràngono. *Pass. rem.*: infrànsi, infrangésti, infrànse, infrangémmo, infrangéste, infrànsero. *Part. pass.*: infrànto. Significa: spezzare netto, mandando in frantumi: Es.: *Infrangere un bicchiere*; ma: rompere un piatto, spezzare una lancia. Al figurato, dicesi del rompere patti, mancare alle promesse. Es.: *I nemici hanno infranto la tregua.*

infuriàre: verbo della prima coniugazione, intransitivo (e spesso riflessivo). Vuole l'ausiliare essere quando significa: montare in furia (*Si è infuriato per nulla*), l'ausiliare avere quando significa: compiere atti furiosi (*Il vento ha infuriato per tutta la giornata*; *Achille aveva infuriato tra le file nemiche*).

ingentilíre: verbo della terza coniugazione, transitivo. In alcuni tempi si coniuga con la forma incoativa *-isc-* tra il tema e la desinenza. *Pres. indic.*: ingentilísco, ingentilísci, ingentilísce, ingentiliàmo, ingentilíte, ingentilíscono. *Pres. cong.*: ingentilísca, ingentilísca, ingentilísca, ingentiliàmo, ingentiliàte, ingentilíscano. *Part. pass.*: ingentilíto. Es.: *La musica ingentilisce l'animo.*

ingeríre: verbo della terza coniugazione, transitivo. In alcuni tempi si coniuga con la forma incoativa *-isc-* tra il tema e la desinenza. *Pres. indic.*: ingerísco, ingerísci, ingerísce, ingeriàmo, ingeríte, ingeríscono. *Pres. cong.*: ingerísca, ingerísca, ingerísca, ingeriàmo, ingeriàte, ingeríscano. *Part. pass.*: ingeríto. Significa: mandar giù nello stomaco, inghiottire. Es.: *Ingerí una forte dose di veleno.* Al riflessivo vale: intromettersi. Es.: *Perché vuoi ingerirti nei fatti degli altri?*

inghiottíre: verbo della terza coniugazione, transitivo. In alcuni tempi si coniuga anche con la forma incoativa *-isc-* tra il tema e la desinenza. *Pres. indic.*: inghiótto (inghiottísco), inghiótti (inghiottísci), inghiótte (inghiottísce), inghiottiàmo, inghiottíte, inghióttono (inghiottíscono). *Pres. cong.*: inghiótta (inghiottísca), inghiottiàmo, inghiottiàte, inghióttano (inghiottíscano). *Part. pass.*: inghiottíto. Significa: ingerire, ingoiare, anche al figurato. Es.: *Ha inghiottito un nocciolo di ciliegia*; *Il pozzo ha inghiottito la povera bambina.*

ingigantíre: verbo della terza coniugazione, transitivo (spesso usato al riflessivo). In alcuni tempi si coniuga con la forma incoativa *-isc-* tra il tema e la desinenza. *Pres. indic.*: ingigantísco, ingigantísci, ingigantísce, ingigantiàmo, ingigantíte, ingigantíscono. *Pres. cong.*: ingigantísca, ingigantísca, ingigantísca, ingigantiàmo, ingigantiàte, ingigantíscano. *Part. pass.*: ingigantíto. Significa: ingrandire, aumentare. Es.: *Ingigantire le cose con la fantasia.*

ingiúngere: verbo della seconda coniugazione, composto di *giungere* (V.). Come quasi tutti i verbi che esprimono comando si costruisce sia con la forma esplicita (*Ingiunse che gli ambasciatori fossero allontanati*) sia con quella implicita, con *di* e l'infinito (*Ci ingiunse di partire*; *Ingiunse a tutti di tacere*).

inglesísmo: parola o locuzione inglese usata in luogo di parola o locuzione italiana. Es.: *boxe* per: pugilato; *clearing* per: compensazione; *club* per: circolo; *comfort* per: comodità; *dancing* per: sala da ballo; *docks* per: magazzini; *dry* per: secco; *football* per: gioco del calcio; *globetrotter* per: giramondo; *iceberg* per: montagna di ghiaccio; *leader* per: capo; *match* per: partita; *outsider* per: poco quotato;

raid per: incursione aerea; *record* per: primato; *trust* per: consorzio, cartello; *yacht* per: panfilo.

-íngo: terminazione caratteristica di vari aggettivi qualificativi. Es.: *solíngo, ramíngo, casalíngo.*

ingrandíre: verbo della terza coniugazione, transitivo. In alcuni tempi si coniuga con la forma incoativa *-isc-* tra il tema e la desinenza. *Pres. indic.*: ingrandísco, ingrandísci, ingrandísce, ingrandiàmo, ingrandíte, ingrandíscono. *Pres. cong.*: ingrandísca, ingrandísca, ingrandísca, ingrandiàmo, ingrandiàte, ingrandíscano. *Part. pass.*: ingrandíto. Significa: far grande, potente; aumentare, far parere più grande (detto di strumenti ottici). Es.: *Abbiamo ingrandito il negozio*; *Vollero ingrandire la Patria*; *Questa lente ingrandisce gli oggetti.* Al riflessivo: divenire grande, ricco, potente. Es.: *La nostra ditta si è ingrandita.*

inibíre: verbo della terza coniugazione, transitivo. In alcuni tempi si coniuga con la forma incoativa *-isc-* tra il tema e la desinenza. *Pres. indic.*: inibísco, inibísci, inibísce, inibiàmo, inibíte, inibíscono. *Pres. cong.*: inibísca, inibísca, inibísca, inibiàmo, inibiàte, inibíscano. *Part. pass.*: inibíto. Significa: vietare, proibire. Es.: *La paura gli inibisce di parlare.*

inizià̀le: aggettivo usato come sostantivo femminile per indicare la lettera con cui comincia una parola.
Le *iniziali* di qualcuno sono la sigla composta dalle lettere iniziali del nome e del cognome. Es.: *A. M. sono le iniziali di Alessandro Manzoni.*
V. anche MAIUSCOLA (USO DELLA).

inizià̀re: verbo della prima coniugazione, transitivo. Significa: cominciare, dare principio. Es.: *Ha iniziato ora la sua conferenza.* Nel senso di introdurre alcuno nello studio di una scienza o di ammettere alla conoscenza di misteri, si costruisce con le preposizioni *a* o *in*, ed è usato spesso al riflessivo. Es.: *Lo iniziò allo* (o *nello*) *studio della medicina*; *Volle iniziarsi ai segreti dell'arte pittorica.* È considerato errore usare questo verbo intransitivamente nel senso di: aver inizio. Es.: *Domani si iniziano* (non: iniziano) *le scuole.*

in luogo di: locuzione che introduce una proposizione avversativa. Es.: *Continuavano a chiacchierare in luogo di ascoltare il maestro.*

in medias res: espressione latina che indica una forma particolare di intreccio, che fa iniziare la narrazione alla metà delle vicende narrate, salvo tornare a quelle precedenti mediante procedimenti di analessi. Celebre l'esempio dell'*Eneide*.

innànzi: preposizione impropria e avverbio di luogo o di tempo. Significa: avanti, prima. *Innanzi tempo*: prima del tempo. *Innanzi tutto*: prima di tutto. Come preposizione si costruisce di solito con la preposizione *a*. Es.: *innanzi al re, innanzi a lui, innanzi ai giudici*. Anche *dinanzi* (V.).

ínno: composizione poetica ispirata da sentimenti collettivi, patriottici o religiosi (Es.: Gli *Inni Sacri* del Manzoni). Come l'*ode* (V.) non ha schema metrico fisso.

-íno, -ína: suffissi per la formazione del diminutivo dei nomi o degli aggettivi. Es.: da treno, *trenino*; da casa, *casína*; da bello, *bellíno*; da bella, *bellína*. Anche terminazione di aggettivi al grado positivo, che indicano origine (Es.: da Perugia, *perugino*; da Firenze, *fiorentino*; da Levante, *levantino*; da Alpi, *alpino*; da Sorrento, *sorrentino*) o qualità (da cane, *canino*; da vipera, *viperino*; da volpe, *volpino*; da argento, *argentino*; da fiera, *ferino*).

inóltre: congiunzione copulativa, con valore aggiuntivo. È usata per coordinare due proposizioni. Es.: *Era un'auto vecchia, inoltre aveva subíto un incidente.*

inorridíre: verbo della terza coniugazione, intransitivo. Ausiliare: essere. In alcuni tempi si coniuga con la forma incoativa *-isc-* tra il tema e la desinenza. *Pres. indic.*: inorridísco, inorridísci, inorridísce, inorridiàmo, inorridíte, inorridíscono. *Pres. cong.*: inorridísca, inorridísca, inorridísca, inorridiàmo, inorridiàte, inorridíscano. *Part. pass.*: inorridíto. Significa: provare orrore. Es.: *È inorridito al vederlo.* Usato anche transitivamente nel senso di: dare orrore. Es.: *Questo fatto ha inorridito tutta la cittadinanza.*

inqualificàbile: aggettivo qualificativo. Significa propriamente: cosí spregevole, da non potersi qualificare. C'è oggi la tendenza ad abusarne, mentre spesso sarebbe meglio usare: spregevole, turpe, nefando e simili.

in quànto: locuzione che introduce una proposizione causale. Es.: *Non volevo più parlare con lui, in quanto mi aveva offeso.* La forma *in quanto che* va scadendo nell'uso. Nella prosa argomentativa e curialesca si trova spesso la correlazione *in tanto... in quanto.*

inquisíre: verbo della terza coniugazione, transitivo. In alcuni tempi si coniuga con la forma incoativa *-isc-* tra il tema e la desinenza. *Pres. indic.*: inquisísco, inquisísci, inquisísce, inquisiàmo, inquisíte, inquisíscono. *Pres. cong.*: inquisísca, inquisísca, inquisísca, inquisiàmo, inquisiàte, inquisíscano. *Part. pass.*: inquisíto.

insaporàre e **insaporíre:** verbi sovrabbondanti. *Insaporàre* è della prima coniugazione e significa, usato transitivamente: dar sapore. Nell'uso intransitivo, per lo più pronominale, con l'ausiliare essere, significa: prender sapore, divenir saporito. *Insaporíre* è della terza coniugazione e significa: dar sapore (transitivo) e divenir saporito (intransitivo). Si coniuga in alcuni tempi con la forma incoativa *-isc-*. *Pres. indic.*: insaporísco, insaporísci, insaporísce, ecc. *Pres. cong.*: insaporísca, insaporísca, ecc.

insapúta: sostantivo femminile usato nelle espressioni: *a mia insaputa, a sua insaputa, a nostra insaputa*, per dire: senza che io lo sappia, senza che egli lo sappia, senza che noi lo sappiamo.

inscenàre: verbo della prima coniugazione, transitivo. Significa: mettere in scena. Es.: *Inscenare una commedia* (specie in senso figurato). È da evitare la locuzione (pure assai usata) *inscenare una dimostrazione* (invece di: improvvisare, imbastire, promuovere).

inscrívere, inscrítto: è più comune la forma: iscrivere, iscritto, salvo nel linguaggio matematico. Es.: *Mi sono iscritto ai corsi serali*; *Inscrivere una circonferenza.*

inseríre: verbo della terza coniugazione, transitivo. In alcuni tempi si coniuga con la forma incoativa *-isc-* tra il tema e la desinenza. *Pres. indic.*: inserísco, inserísci, inserísce, inseriàmo, inseríte, inseríscono. *Pres. cong.*: inserísca, inserísca, inserísca, inseriàmo, inseriàte, inseríscano. *Part. pass.*: inseríto o insèrto. Significa: mettere una cosa dentro l'altra, introdurre. Es.: *Ha inserito il mio nome nell'elenco dei partenti*; *Nel contratto inserí una clausola a suo favore.*

insèrto: sostantivo maschile che indica un fascicolo di carte o documenti relativi ad uno stesso affare. In questo senso è da preferirsi ad *incartamento.*

insidiàre: verbo della prima coniugazione, transitivo, che significa: tender insidie. Es.: *Voi insidiate continuamente coloro che vi frequentano*; *Tu insidi i tuoi amici con le tue offerte.*

Usato intransitivamente (ausiliare: avere) si costruisce con la preposizione *a*. Es.: *Tu hai insidiato alla sua virtú*; *Egli ha insidiato alla purezza di mia figlia.* È però costruzione ammessa solo se riferita a cose o concetti astratti.

insième: avverbio che indica compagnia. Es.: *Tuo padre e mio padre andarono insieme dall'avvocato*; *Io e Giulio arrivammo insieme* (in questo caso è contenuta anche l'idea di contemporaneità).

Come preposizione, *insieme* forma la locuzione prepositiva *insieme con* o *insieme a* (quest'ultima forma è però meno raccomandabile). Es.: *Tu venivi a scuola insieme con i tuoi compagni*; *Voglio trascorrere un pomeriggio insieme a te.*

Come sostantivo maschile, il termine indica: il complesso, il tutto. Es.: *L'insieme dei cittadini forma lo Stato.*

insignificànte: aggettivo qualificativo, indica cosa o persona che non ha significato. È un francesismo usarlo nel senso di: lieve, scarso, di poco conto. Es.: *Il bilancio si chiude con una perdita trascurabile* (meglio che: insignificante).

insístere: verbo della seconda coniugazione. È un tipico verbo fraseologico, perché usato spesso con un altro verbo a un modo indefinito. Si costruisce con *in* o *a*. Es.: *Insiste nel negare i fatti*; *Ha insistito a sostenere il suo punto di vista.* Si costruisce anche nella forma esplicita. Es.: *Insistette perché gli cedessimo la nostra parte.*

insodisfàtto: aggettivo qualificativo, che

significa: scontento, malcontento. Si trova anche la forma *insoddisfatto*, che prevale nell'uso comune.

insolentíre: verbo della terza coniugazione, intransitivo. In alcuni tempi si coniuga con la forma incoativa *-isc-* tra il tema e la desinenza. *Pres. indic.*: insolentísco, insolentísci, insolentísce, insolentiàmo, insolentíte, insolentíscono. *Pres. cong.*: insolentísca, insolentísca, insolentísca, insolentiàmo, insolentiàte, insolentíscano. *Part. pass.*: insolentíto. Si coniuga con l'ausiliare essere quando significa: diventar insolente (ma è poco usato); con avere quando significa: usare atti insolenti contro qualcuno, offendere. Es.: *È insolentito molto frequentando quegli amici*; *Ha insolentito contro tutti*. Transitivo, vale: trattare con insolenza. Es.: *Mi ha insolentito violentemente.*

insolvènte: aggettivo qualificativo. Significa: che non paga i creditori. Dirai perciò: *debitore insolvente*, non: insolvibile. *Insolvibile* significa infatti: che non può essere pagato; si riferisce perciò al debito, non al debitore.

insómma: avverbio che significa: infine, in conclusione. Es.: *Ormai respirava con fatica e le forze gli venivano meno; insomma era alla fine.*

Nelle esclamazioni indica impazienza. Es.: *Insomma, mi vuoi dire la verità?*

insórgere: verbo della seconda coniugazione, intransitivo, composto di *sorgere*. Ausiliare: avere. *Pres. indic.*: insórgo, insórgi, insórge, insorgiàmo, insorgéte, insórgono. *Pass. rem.*: insórsi, insorgésti, insórse, insorgémmo, insorgéste, insórsero. *Part. pass.*: insórto. Significa: ribellarsi, protestare, e anche, al figurato, come forma rafforzata di *sorgere*, nel senso di: presentarsi d'un tratto o con particolare rilievo. Es.: *Guarirà se non insorgono difficoltà.*

insospettíre: verbo della terza coniugazione, transitivo. In alcuni tempi si coniuga con la forma incoativa *-isc-* tra il tema e la desinenza. *Pres. indic.*: insospettísco, insospettísci, insospettísce, insospettiàmo, insospettíte, insospettíscono. *Pres. cong.*: insospettísca, insospettísca, insospettísca, insospettiàmo, insospettiàte, insospettíscano. *Part. pass.*: insospettíto. Significa: mettere in sospetto. Es.: *Alcuni rumori lo insospettirono.* Usato anche al riflessivo, nel senso di: concepire sospetto, sospettare. Es.: *Alle nostre parole subito si insospettí.*

installàre: verbo della prima coniugazione, transitivo. Significa: insediare, collocare. Usato nella forma riflessiva significa: prender posto, accomodarsi, insediarsi, collocarsi.

instituíre: V. ISTITUIRE.

insuperbíre: verbo della terza coniugazione, transitivo. In alcuni tempi si coniuga con la forma incoativa *-isc-* tra il tema e la desinenza. *Pres. indic.*: insuperbísco, insuperbísci, insuperbísce, insuperbiàmo, insuperbíte, insuperbíscono. *Pres. cong.*: insuperbísca, insuperbísca, insuperbísca, insuperbiàmo, insuperbiàte, insuperbíscano. *Part. pass.*: insuperbíto. Significa: render superbo. Usato all'intransitivo o al riflessivo, vale: diventar superbo. Es.: *La vittoria lo insuperbí*; *Dopo il buon successo si insuperbí.*

intànto: avverbio di tempo. Significa: in questo mentre, nel frattempo. Es.: *Intanto siamo tornati a casa*; *domani poi penseremo al lavoro.*

È errata la locuzione *per intanto*, in luogo del solo *intanto*. Es.: *Intanto* (non: per intanto) *beviamo l'aperitivo.*

integèrrimo: superlativo irregolare di *íntegro*. Significa: onestissimo, incorruttibile.

intèndere: verbo della seconda coniugazione, transitivo, composto di *tendere* (V.). *Pass. rem.*: intési, intendésti, intése, intendémmo, intendéste, intésero. *Part. pass.*: intéso. Significa: capire, comprendere, percepire, sentire (*Ho inteso quello che hai detto*; *Se ho ben inteso, te ne vai*), avere intenzione (*Intendiamo lasciare il posto ad altri*). Negli incisi si usano le forme: *s'intende, intendiamoci*. Es.: *Parlerò con tuo padre, se mi riceverà, s'intende*; *Oh, intendiamoci, non che io voglia esser trattato diversamente*. Anche come affermazione. Es.: *Paghi tu? S'intende*; *Allora, siamo intesi?* Al riflessivo vale anche: aver cognizione, essere esperto di qualcosa; si costruisce con la preposizione *di*. Es.: *Mi intendo di meccanica*; *C'è chi se ne intende*. *Intendersela con uno*: esser d'accordo o trattare con uno. Es.: *Quei due se la intendono*; *Bisogna che ve la intendiate con il nostro amministratore*.

inteneríre: verbo della terza coniugazione, transitivo (spesso usato anche al riflessivo). In alcuni tempi si coniuga con la forma incoativa *-isc-* tra il tema e la desinenza. *Pres. indic.*: intenerísco, intenerísci, intenerísce, intenerìamo, intenerite, inteneríscono. *Pres. cong.*: intenerísca, intenerísca, intenerísca, intenerìamo, intenerìate, inteneríscano. *Part. pass.*: intenerito. Es.: *La sua storia mi intenerí.*

intensificazióne: fenomeno espressivo che tende a intensificare il valore di un aggettivo e, in certi casi, anche di un sostantivo. Un aggettivo può essere intensificato o mediante la ripetizione (*bello bello*, *forte forte*, *piano piano*) o con un avverbio quantitativo (*molto buono*, *assai caro*) o un altro aggettivo (*tutto bello*, *tutto pazzo*, *pazzo furioso*, *innamorato cotto*) o un prefisso (*extravergine*, *superclassico*, *stracittadino*, *arcicontento*). Il sostantivo si intensifica, in genere, con la ripetizione (*caffè caffè*) o un prefisso (*superstrada*, *superrapina*).

intensívo: valore dato ad un aggettivo, avverbio o nome dall'*intensificazione* (V.).

intenzióne: sostantivo femminile, che significa: scopo, desiderio, proponimento. La méta o il fine del desiderio sono invece più propriamente designati dal sostantivo maschile INTÈNTO. Es.: *È nostra intenzione andare a Parigi*; *Essendo venuti a Parigi, abbiamo raggiunto il nostro intento.*

Da intenzione si fanno derivare gli aggettivi qualificativi *intenzionato*, *benintenzionato*, *malintenzionato*. Eviterai però l'uso di *intenzionato*, preferendo secondo i casi: disposto, desideroso, propenso, favorevole.

inter-, intra-, intro-: prefissi che indicano: in mezzo, fra. Non richiedono il raddoppiamento della consonante che segue, a differenza di *infra-* (V.). Es.: *interplanetario* (tra i pianeti), *internazionale* (tra le nazioni), *intramezzàre* (mettere in mezzo, dentro), *interpórre* (porre in mezzo), *introspezione* (esame dell'interno dell'organismo, meditazione, riflessione), *interrégno* (periodo tra la morte di un re e l'incoronazione del successore), *intermèzzo*, *intervàllo* (pausa).

intercèdere: verbo della seconda coniugazione, intransitivo. È un composto di *cedere* (V.). *Pres. ind.*: intercedo, intercedi, intercede, intercediamo, intercedete, intercedono. *Pass. rem.*: intercedetti, intercedesti, intercedette, intercedemmo, intercedeste, intercedettero. *Part. pass.*: intercedúto (o, più raramente, intercésso). Si coniuga con l'ausiliare essere quando significa: stabilirsi tra (Es.: *Non è interceduto nessun rapporto tra voi due?*); con l'ausiliare avere quando vale: intervenire a favore, propiziare, farsi mediatore per ottenere un favore (Es.: *Il Ministro della Giustizia ha interceduto presso il Re*).

intercessóre: sostantivo maschile (o aggettivo qualificativo), che significa: propiziatore, mediatore. Al femminile: interceditríce; plurale: intercessóri.

interdétto: participio passato di *interdíre*. Usato come aggettivo significa: vietato, impedíto. Non è corretto l'uso del termine nel senso di: sconcertato, sorpreso, turbato.

interdisciplinarità: sostantivo femminile. È un neologismo molto usato. Scorretta la forma *interdisciplinarietà*.

interessàre: verbo della prima coniugazione, transitivo. Es.: *La questione interessa tutti noi.* Usato anche impersonalmente. Es.: *Interessa a tutti che l'ambiente sia tutelato.* La proposizione soggettiva retta da questo verbo può avere anche la forma implicita con o senza *di* e l'infinito. Es.: *A tutti interessa di salvare l'ambiente*; *Ora interessa soprattutto risparmiare.*

interferènza: sovrapposizione di un codice o di un sottocodice o di un registro linguistico su un altro, per cui risulta alterata l'omogeneità linguistica o stilistica. Per es., un ragazzo che dice: *Oggi non ho voglia di istruirmi*, invece che *studiare*, oppure un notaio che scrivesse in un atto: *Si tratta di un edificio bacucco* invece che *vecchio*. Si considerano fonte di interferenza anche i cosiddetti *falsi amici*, ossia quelle parole che tradotte alla lettera e adattate foneticamente ad un'altra lingua danno luogo ad una parola che invece ha un significato molto diverso (*caldo→cold* in inglese, che però significa *freddo*). Per esempio, un italiano che in un locale allestito come un pub dicesse al cameriere per fare una certa figura: *Per me, un irish-coffee, molto cold.*

interferíre: verbo della terza coniugazione, intransitivo. Ausiliare: avere. In alcuni tempi si coniuga con la forma incoativa *-isc-* tra il tema e la desinenza. *Pres. indic.*: interferísco, interferísci, interferísce, interferiàmo, interferíte, interferíscono. *Pres. cong.*: interferísca, interferísca, interferísca, interferiàmo, interferiàte, interferíscano. *Part. passato*: interferíto. Significa: incontrarsi in uno stesso punto (detto di due o più movimenti); intromettersi, intervenire. Es.: *Non voglio interferire nelle tue decisioni.*

interfísso: nome dato da alcuni grammatici a un suffisso che si interpone tra la base e il suffisso finale di una parola derivata. Es.: *gruppettaro* deriva da *grupp* (base) più *ett* (interfisso) e *aro* (suffisso finale).

interiezióne: parte invariabile del discorso, detta anche *esclamazione*. È costituita da un'espressione intercalata nel discorso, senza legami grammaticali col testo. È quindi un tipo di comunicazione spontanea, attraverso la quale si manifesta qualsiasi sentimento in forma immediata ed efficace. L'interiezione può essere d'ira, di gioia, di dolore, d'ammirazione, di desiderio, di rammarico, di ironia, di dubbio, ecc. Il suo valore si comprende dal contenuto, dal tono della voce, dalla mimica di chi parla.

Le interiezioni possono essere: semplici, composte e improprie. Sono *semplici* quelle costituite da vocale seguita dalla lettera *h*, o da due vocali con in mezzo una *h*, sempre con il punto esclamativo, che può anche essere collocato alla fine della frase (*Ah!, Ahi!, Eh!, Ehi!, Ih!, Oh!, Ohe!, Ohi!, Uh!*). Sono pure interiezioni semplici quelle costituite da vocali e consonanti, come: *olè!, deh!, urrà!, puah!*, o da parole semplici come: *magàri!, càpperi!, càspita!, peccàto!, bene!*, ecc.

Sono *composte* le interiezioni che risultano formate da parole composte, come *ahimè!, orsù!, suvvía!, addío!, perdínci!, perbàcco!, eccóme!*

Come si vede, alcune hanno valore onomatopeico (capperi, caspita, cavolo) o allusivo (perdinci, perdio) per evitare espressioni volgari o blasfeme. Tuttavia non si può non registrare che nell'uso l'interiezione *cazzo!* ha conquistato salotti e palcoscenici, pagine letterarie e schermi televisivi, scelto da signori e signore per una sua ormai indiscutibile efficacia, al di là di ogni considerazione purista.

Locuzioni esclamative o interiezioni *improprie* sono quelle formate da più parole: *All'armi!, Che guaio!, Dio mio!, Povero me!, Me misero!*, ecc.

Per quanto il valore delle esclamazioni non possa essere fissato convenzionalmente, come si è detto sopra, notiamo alcune interiezioni assai diffuse con i significati più frequenti: *deh!* (preghiera, desiderio, auspicio), *ma!* e *mah!* (incertezza, rinuncia, ironia, incredulità), *ehm!* (minaccia, reticenza), *guai!* (minaccia), *auff!* (impazienza, fastidio), *puah!* (negligenza, disprezzo), *ohibò!* (orrore, incredulità, disgusto), *evviva!* (esultanza, applauso), *urrà!* (esultanza), ecc.

Il valore dell'interiezione è comunque definito dal tono di voce e dal contesto. Con *Ah!*, si può esprimere sorpresa, delusione, ira, rimprovero, rammarico, tristezza, trionfo, sarcasmo, ecc.

interim: voce latina (pr.: ínterim) che significa propriamente: frattanto, provvisoriamente e viene usata col significato di: incarico provvisorio. Es.: *presidente ad interim* (presidente provvisorio, supplente). Si dice anche *per interim* di uno che assume una carica *interinalmente*, e *interíno* di chi supplisce il titolare in certi incarichi (es.: il medico o veterinario pubblico), donde anche il sostantivo *interinàto* per indicare il periodo di supplenza.

interióre: aggettivo qualificativo. È comparativo irregolare di *interno*. Significa: più interno. Sostantivo, vale: la parte interna, l'interno, anche in senso spirituale. Es.: (aggettivo) *Entrammo nelle stanze interiori*; *Coltiva la sua vita interiore*;

(sostantivo) *Medita nel suo interiore*. Plurale: interiori. Il sostantivo plurale femminile *le interiora* indica invece gli intestini, gli organi interni, specie degli animali. Es.: *Tolse dal pollo le interiora.*

interlíngua: lingua artificiale creata per consentire la comunicazione tra parlanti lingue diverse.

interloquíre: verbo della terza coniugazione, intransitivo. Ausiliare: avere. In alcuni tempi si coniuga con la forma incoativa *-isc-* tra il tema e la desinenza. *Pres. indic.*: interloquísco, interloquísci, interloquísce, interloquiàmo, interloquíte, interloquíscono. *Pres. cong.*: interloquísca, interloquísca, interloquísca, interloquiàmo, interloquiàte, interloquíscano. *Part. pass.*: interloquíto. Significa: metter bocca in un discorso, intervenire in una discussione.

intermediàrio: aggettivo qualificativo. Significa: mediatore. La locuzione *per l'intermediario di*, presa dall'uso francese, è da evitare. Si dirà invece: con, attraverso la mediazione di.

intèrno: aggettivo qualificativo. Comparativo: *interióre* (o: più interno). Superlativo: *íntimo* (il più interno).

interpetràre o **interpretàre:** verbo della prima coniugazione, transitivo. Significa: spiegare, chiosare, commentare. Sono valide entrambe le forme. Analogamente, puoi dire: *interpetratívo* o *interpretatívo*, *interpetrazióne* o *interpretazióne*, *intèrpetre* o *intèrprete*.

interpórre: verbo irregolare della seconda coniugazione (composto di *porre*), transitivo. *Pres. indic.*: interpongo, interponi, interpone, interponiamo, interponete, interpongono. *Pass. rem.*: interposi, interponesti, interpose, interponemmo, interponeste, interposero. *Pres. cong.*: interponga, interponga, interponga, interponiamo, interponiate, interpongano. *Part. pass.*: interpósto.

interpúngere: verbo della seconda coniugazione (composto di *púngere*), transitivo. *Pres. indic.*: interpungo, interpungi, interpunge, interpungiamo, interpungete, interpungono. *Pass. rem.*: interpunsi, interpungesti, interpunse, interpungemmo, interpungeste, interpunsero. *Part. pass.*: interpunto. Significa: mettere la punteggiatura in un testo.

interpunzióne (segni di): servono a fissare le pause che si fanno nel parlare e che si devono egualmente fare nella lettura di un testo scritto, per conservare al discorso un significato logico. I segni di interpunzione sono: la virgola (,), il punto e virgola (;), i due punti (:), il punto fermo (.), il punto interrogativo (?), il punto esclamativo (!), la parentesi tonda (), la lineetta (-), i puntini di sospensione (...).
Circa l'uso dei segni di interpunzione, V. PUNTEGGIATURA e le voci relative ai singoli segni.

interrogatíva (proposizione): quella proposizione principale, cioè indipendente, che esprime una domanda immediatamente diretta a chi ascolta. È sempre seguita dal punto interrogativo (?). Può essere introdotta direttamente, o con aggettivi, pronomi, avverbi. Ha il verbo al modo indicativo. Es.: *Dormi?*; *Hai già scritto?*; *Che cosa aspetti?*; *Chi ti giudica?*; *Come hai detto?*; *Quando verrà?*; *Quanto hai speso?*; *Quale hai scelto?*; *A chi ci rivolgeremo?*; *Con chi parti?* Si usa però anche il congiuntivo o il condizionale, se la frase esprime possibilità o dubbio. Es.: *Che venga davvero?*; *Che dica la verità?*; *Che ne diresti?*; *Quanto vorresti?*; *Chi lo direbbe?* Più raro è l'uso dell'infinito. Es.: *Io parlare?*; *Tu lasciare l'impiego?*; *Noi tradire i compagni?* In questi casi si tratta spesso di una interrogazione retorica, cioè tale da lasciar intendere chiaramente una risposta affermativa o negativa.

interrogatíva indiretta (proposizione): quella proposizione subordinata che esprime una domanda indiretta. Essa può essere retta da un verbo di chiedere e di domandare o da sostantivi indicanti domanda, ricerca, questione, dubbio e simili. Le congiunzioni che introducono le proposizioni di questo tipo sono *se* e *perché*, a cui si devono aggiungere i pronomi interrogativi *chi*, *quale*, *che cosa* e gli avverbi *come*, *quando*, *dove* ecc. Es.: Ti chiedo *se puoi aiutarmi*; Non sapevo *se tu avessi voglia*; Chiedeva *quale carriera intraprendere*; Dimmi *perché ci hai abbandonati*; Ora il problema è *quando si debba* *partire*; Nessuno sapeva *dove si fosse cacciato*; I filosofi discutono la questione *se il mondo sia stato creato o no*; Vorrei sapere *come farai*; *Chissà che non si possa ottenere*.

Il verbo si pone al modo indicativo o a quello condizionale o anche a quello congiuntivo. Es.: Io ti chiedo *cosa farai*; Al mio posto ti chiedo *cosa faresti* tu; Le chiesi *che cosa facesse*. Il congiuntivo è preferito quando la reggente ha forma negativa. Es.: *Non* domandò *perché tu te ne fossi andato*; *Non* abbiamo chiesto *chi sia il direttore*.

Nella forma implicita la proposizione interrogativa indiretta ha il verbo all'infinito. Es.: Non sapevo *dove andare*; Quell'uomo non sapeva *come fare*; La questione era *quando partire*. In questi casi la proposizione contiene l'idea di necessità. Es.: Mi chiese *cosa dire* (=cosa dovesse dire).

Tra le proposizioni interrogative indirette si devono poi considerare le disgiuntive e le retoriche.

Le interrogative *disgiuntive* propongono due soluzioni opposte. Sono introdotte dalla congiunzione *se* a cui corrisponde la congiunzione *o*. Es.: Dimmi *se vuoi restare o partire*; Si chiedevano *se avrebbe parlato o se avrebbe taciuto*.

Le interrogative *retoriche* indirette esprimono, come è noto, una domanda apparente, poiché danno per scontata la risposta. Quando questa si prevede affermativa sono introdotte da *se non* e *forse non*; quando si prevede negativa sono introdotte da *se proprio, se veramente, se davvero* e simili. Es.: Mi domando *se ciò non sia molto ingiusto* (si attende risposta affermativa); Gli chiesi ironicamente *se davvero desiderava partire* (risposta negativa).

interrogatívi (aggettivi): aggettivi che introducono una proposizione *interrogativa* (V.). Sono soltanto tre: *che, quale, quanto*. Si usano per domandare la qualità (*Che gente?*; *Quale abilità possiede?*), l'identità (*Che treno hai scelto?*; *Quale donna preferisci?*) o il numero, la quantità, la data (*Che ora è?*; *Quale peso ha?*; *Che mese è?*; *In quale anno?*; *Quanto denaro hai speso?*; *Quanti soldati son morti?*). Essi valgono naturalmente anche per le proposizioni *interrogative indirette* (V.) (Dimmi *che uomo è*; Ti chiedo *in quale mese sia venuto*; Mi domandarono *quanto oro avessi portato*).

interrogatívi (avverbi): sono considerati avverbi interrogativi le forme indeclinabili *ove, dove, onde, donde*, usate in proposizioni interrogative. Es.: *Ove andrai?*; *Dove sei stata?*; *Donde vieni?*

interrogatívi (pronomi): i pronomi che introducono una domanda, sia diretta che indiretta. Le forme dei pronomi interrogativi sono uguali a quelle dei relativi (*chi, quale, che, che cosa*) e dell'indefinito *quanto*. *Chi?* si usa per le persone, sia come soggetto che come complemento, sempre singolare e valevole per il maschile e il femminile. *Che?*, *Che cosa?* o semplicemente *Cosa?* si usano per indicare oggetti, cose, idee. Per la qualità si usa *quale?*, per la quantità *quanto?*

interrogatívo (punto): V. PUNTO INTERROGATIVO.

interrogazióne retòrica: figura retorica consistente nel rivolgere una domanda non per avere risposta, ma per affermare con maggior forza la propria opinione. È quindi una domanda di cui non si mette in dubbio la risposta. Es.: *Forse che la terra non è rotonda?*; *Chi più di me potrebbe saperlo?*; *Io fare una cosa simile?*

interrómpere: verbo della seconda coniugazione, transitivo (composto di *rompere*). *Pass. rem.*: interruppi, interrompesti, interruppe, interrompemmo, interrompeste, interruppero. *Part. pass.*: interrótto. È un verbo fraseologico, detto anche ausiliare di tempo, perché, unito ad un verbo al modo indefinito, segnala un aspetto dell'azione, cioè la sua conclusione. Es.: *Si interruppe di parlare*. È però usato anche assolutamente. Es.: *Non mi piace interrompere, né essere interrotto*.

intèssere: verbo della seconda coniugazione, transitivo. Il participio passato più usato è *intessuto*, ma nella tradizione letteraria e poetica c'è anche *intèsto*.

intestardírsi: verbo della terza coniugazione, riflessivo. In alcuni tempi si coniuga con la forma incoativa *-isc-* tra il tema e la desinenza. *Pres. indic.*: mi intestardísco, ti intestardísci, si intestardísce, ci intestardiàmo, vi intestardíte, si intestardíscono. *Pres. cong.*: mi intestardísca, ti intestardísca, si intestardísca, ci intestardiàmo, vi intestardiàte, si intestardiscàno. *Part. pass.*: intestardíto.

intiepidíre: verbo della terza coniugazione, transitivo. In alcuni tempi si coniuga con la forma incoativa *-isc-* tra il tema e la desinenza. *Pres. indic.*: intiepidísco, intiepidísci, intiepidísce, intiepidiàmo, intiepidíte, intiepidíscono. *Pres. cong.*: intiepidísca, intiepidísca, intiepidísca, intiepidiàmo, intiepidiàte, intiepidíscano. *Part. pass.*: intiepidíto.
Ormai di uso letterario le forme senza il dittongo mobile *ie* (intepidire, intepidite, intepidiva, ecc.). Significa: render tiepido. Usato anche intransitivamente (ausiliare: essere) e al riflessivo nel senso di: diventar tiepido. Al figurato: diminuire, attenuarsi (detto di affetto, entusiasmo, ecc.). Es.: *Mi sembra che il tuo entusiasmo si sia intiepidito.*

intimàre: verbo della prima coniugazione, transitivo. Es.: *La sentinella intimò l'alt.* Quando regge una proposizione oggettiva, con *di* e l'infinito, può avere lo stesso soggetto (*Ci intimammo di tacere*) o altro soggetto (*Gli intimammo di tacere*). Il destinatario del comando, come si vede, è reso con un complemento di termine.

intimidíre: verbo della terza coniugazione, transitivo. Significa: render timido. Intransitivo o riflessivo, significa: diventar timido. Nell'uso moderno si adopera anche nel senso di: intimorire, metter timore, minacciare. Es.: *Lo intimidirono con le minacce.*

íntimo: aggettivo qualificativo. È il superlativo irregolare di *interno* (V.). Significa: che è più addentro, il più interno, anche spiritualmente. Es.: *Una intima soddisfazione*; *Nell'intimo* (o intimità) *della casa*. Sostantivato vale: amico stretto, parente. Es.: *Lo sanno solo gli intimi.* Benché già superlativo, si trova usato anche nel comparativo (*Tu gli sei più intimo di me*) e al superlativo (*È il suo più intimo amico*).

intimoríre: verbo della terza coniugazione, transitivo. In alcuni tempi si coniuga con la forma incoativa *-isc-* tra il tema e la desinenza. *Pres. indic.*: intimorísco, intimorísci, intimorísce, intimoriàmo, intimoríte, intimoríscono. *Pres. cong.*: intimorísca, intimorísca, intimorísca, intimoriàmo, intimoriàte, intimoríscano. *Part. pass.*: intimoríto. Significa: spaventare, incutere timore. Usato spesso al riflessivo. Es.: *Davanti agli esaminatori si intimorísce.*

intirizzíre: verbo della terza coniugazione, transitivo. In alcuni tempi si coniuga con la forma incoativa *-isc-* tra il tema e la desinenza. *Pres. indic.*: intirizzísco, intirizzísci, intirizzísce, intirizziàmo, intirizzíte, intirizzíscono. *Pres. cong.*: intirizzísca, intirizzísca, intirizzísca, intirizziámo, intirizziàte, intirizzíscano. *Part. pass.*: intirizzíto. Usato quasi sempre al riflessivo nel senso di: perdere la possibilità di muoversi per il freddo. Es.: *Per la lunga attesa si era tutto intirizzito.*

intònaco: nome sdrucciolo terminante in *-co*, che al plurale finisce in *-chi*. Plurale: intónachi.

intontíre: verbo della terza coniugazione, transitivo. In alcuni tempi si coniuga con la forma incoativa *-isc-* tra il tema e la desinenza. *Pres. indic.*: intontísco, intontísci, intontísce, intontiàmo, intontíte, intontíscono. *Pres. cong.*: intontísca, intontísca, intontísca, intontiàmo, intontiàte, intontíscano. *Part. pass.*: intontíto.

intoppàre: verbo della prima coniugazione, transitivo. Significa: incontrare all'improvviso. Si usa più spesso intransitivamente, coniugato con tutti e due gli ausiliari; si costruisce con la preposizione *in*. Es.: *È intoppato in molte difficoltà*; *Ho intoppato in te, appena uscito.*

intorbidàre e **intorbidíre:** verbi sovrabbondanti. *Intorbidàre*, verbo della prima coniugazione, transitivo, significa: render torbido, offuscare, annebbiare. Usato anche al riflessivo, nel senso di: diventar torbido. Es.: *Hanno intorbidato l'acqua*; *Gli si è intorbidata la vista. Intorbidíre*, verbo della terza coniugazione, è anch'esso usato transitivamente o intransitivamente, con lo stesso significato di intorbidare. Si coniuga in alcuni tempi con la forma incoativa *-isc-* tra il tema e la desinenza. *Pres. indic.*: intorbidísco, intorbidísci, intorbidísce, intorbidiàmo, intorbidíte, intorbidíscono. *Pres. cong.*: intorbidísca, intorbidísca, intorbidísca, intorbidiàmo, intorbidiàte, intorbidíscano. *Part. pass.*: intorbidíto.

intórno: preposizione impropria che significa: in giro, attorno, circa. Regge un sostantivo per formare un complemento di luogo, unita direttamente o con le preposizioni *di, a, da*. Es.: Vi erano sentinelle *intorno il muro* o, più comunemente, *intorno al muro*.

Quando significa *circa*, si costruisce sempre con la preposizione *a*. Es.: Si presentarono *intorno a quindici persone*; Ci rivedremo *intorno alle quattro*.

Può anche introdurre un complemento di argomento. Es.: Parlò *intorno alla guerra civile*; Cerco un libro *intorno ad Aristotele*.

Usato come avverbio, significa: in giro, circolarmente. Es.: *Andava intorno a chiedere aiuto*; *Le erbe si erano estese tutto intorno*.

íntra: preposizione, usata però nel linguaggio poetico, con significato di: dentro, tra. Si usa come prefisso nella composizione di varie parole. Es.: *intravedere*. V. INTER-.

intransitívi (verbi): i verbi che indicano stato o modo di essere o esprimono un'azione che non può passare direttamente in un complemento oggetto. In altre parole, la distinzione tra verbi transitivi e verbi intransitivi sta in questo: che i primi possono reggere un complemento oggetto, i secondi no.

I verbi che indicano uno stato, un modo di essere, una condizione del soggetto sono intransitivi, poiché il soggetto non agisce su altri. Es.: *piangere, ridere, impallidire, tremare*, ecc. Sono pure intransitivi i verbi che esprimono un'azione che si esaurisce nel soggetto che la compie. Es.: *andare, correre, giungere, partire*, ecc.

Alcuni verbi intransitivi possono acquistare valore transitivo con il cosiddetto *complemento oggetto interno*, espresso cioè da una parola ricavata dalla radice stessa o dal significato del verbo. Es.: *Vivere una vita onesta*; *Morire una morte gloriosa*; *Piangere lacrime amare*.

È importante rilevare che i verbi intransitivi hanno unicamente la forma attiva, cioè non possono essere coniugati al passivo.

Si noti poi che alcuni verbi possono essere, secondo il significato, transitivi o intransitivi. Es.: *Cominciare un discorso* (transitivo); *Cominciare tardi* (intransitivo); *Cominciare a studiare* (intransitivo); *Finire una lezione* (transitivo); *Finire miseramente* (intransitivo).

Il presente dizionario indica, alle voci relative, i vari significati dei verbi di questa categoria.

Nei tempi composti alcuni intransitivi si coniugano con l'ausiliare avere, altri con l'ausiliare essere.

I principali verbi intransitivi (o transitivi usati intransitivamente) che si debbono coniugare con *avere* sono: abbisognare, abboccare, abitare, abiurare, aborrire, abusare, accennare, accondiscendere, acconsentire, accudire, aderire, agire, agonizzare, alloggiare, altercare, ammiccare, amoreggiare, anelare, annaspare, annuire, ansimare, anticipare, approfittare, ardire, arginare, arridere, astrarre, attendere, attentare, ballare, banchettare, barare, barcollare, battagliare, belare, bisbigliare, bisticciare, bivaccare, brancolare, brontolare, capitolare, cavalcare, celiare, cenare, chiacchierare, civettare, coincidere, collaborare, collimare, combaciare, combattere, combinare, commerciare, confabulare, confidare, contravvenire, contribuire, conversare, corrispondere, cospirare, cozzare, crepitare, derogare, desinare, desistere, deviare, digiunare, dimorare, discorrere, disperare, disputare, dissentire, dissertare, disubbidire, divagare, dondolare, dormire, dubitare, eccedere, elemosinare, equivocare, errare, esclamare, esitare, esordire, esultare, fantasticare, faticare, fermentare, festeggiare, fiatare, fidare, fischiare, fluttuare, folleggiare, fremere, funzionare, galleggiare, galoppare, gareggiare, garrire, ghignare, giocare, gioire, godere, gongolare, gorgheggiare, gozzovigliare, gridare, guazzare, lagrimare, languire, largheggiare, lavorare, lesinare, leticare, lievitare, lottare, malignare, mendicare, mentire, mercanteggiare, militare, mirare, mormorare, navigare, nereggiare, nicchiare, nidificare, nuocere, nutrire, obbedire, olezzare, ondeggiare, operare, opinare, optare, origliare, oscillare, ostare, ottemperare, ovviare, oziare, palpitare, pareggiare, parlare, partecipare, passeggiare, patteggiare, pattinare, pattugliare, pazientare, peccare, pellegrinare, penare, pensare, penzolare, periodare, perseverare, persistere, pianeggiare, piangere, pirateggiare, pitoccare, poetare, poggiare, poltrire, pontificare, posare, pranzare, praticare, predicare, predominare, preludere, preponderare, primeggiare, profittare, prolificare, prorompere, protestare, provare, provvedere, puntare, puzzare, questionare, questuare, racimolare, radicare, ragionare, ramificare, rantolare, raspare, raziocinare, razzolare, reagire, recalcitrare, reclamare, regnare, remare, resistere, respirare, ridere, riflettere, rimediare, rimuginare, riposare, ripugnare, rischiare, risiedere, rispondere, rissare, ritrarre, rompere, rosseggiare, roteare, rullare, salmodiare, saltellare, sanguinare, sbadigliare, sbagliare, sbevazzare, sbraitare, sbuffare, scalciare, scalpitare, scampanare, scampanellare, scarabocchiare, scatarrare, scherzare, schiamazzare, schioccare, schitarrare, sciabordare, scodinzolare, sconfinare, scoppiettare, scorrazzare, scricchiolare, sdottorare, sentire, sfacchinare, sfangare, sfarfallare, sfoggiare, sgambettare, sgarrare, sgobbare, sgrammaticare, sguazzare, smaniare, soffiare, soffrire, sofisticare, sogghignare, soggiornare, solfeggiare, sonnecchiare, sopperire, soprassedere, soprintendere, sorridere, sorvolare, sospettare, sospirare, sostare, sottilizzare, sparare, spasimare, spaziare, sperare, spergiurare, spiccare, spigolare, sputare, stagnare, starnutire, stentare, sterzare, stonare, stormire, strabiliare, strepitare, strillare, strisciare, supplire, sussurrare, svernare, svolazzare, svoltare, tacere, temporeggiare, tentennare, tergiversare, titubare, tossire, traballare, trafficare, trasgredire, trattare, tremare, trepidare, trescare, tribolare, trillare, trionfare, tripudiare, trottare, tumultuare, turbinare, ubbidire, uccellare, urlare, vacillare, vagabondare, vagare, vagire, vaneggiare, vegliare, veleggiare, vendemmiare, verdeggiare, versare, verseggiare, vestire, viaggiare, vibrare, vigilare, villeggiare, vincere, vogare, volteggiare, votare, zampettare, zoppicare.

I verbi intransitivi (o transitivi usati intransitivamente) che si debbono coniugare con l'ausiliare *essere* sono: abbrutire, accadere, affievolire, affluire, affondare, agghiacciare, allibire, ammalare, ammattire, ammontare, ammuffire, andare, annegare, annerire, annottare, apparire, appassire, ardere, arrivare, arrochire, arrugginire, assodare, aumentare, avvampare, avvenire, avvizzire, bacare, bastare, bisognare, brinare, cadere, cagliare, capitare, cascare, comparire, congelare, constare, costare, crepare, crescere, crollare, decedere, decorrere, decrescere, deperire, derivare, dilagare, dimagrare, diminuire, dipendere, dirupare, dispiacere, divampare, divenire, diventare, emanare, emergere, enfiare, entrare, esalare, esistere, evadere, fluire, franare, freddare, frollare, fuggire, ghiacciare, giacere, giungere, gonfiare, guarnire, illanguidire, illividire, imbaldanzire, imbarbarire, imbestialire, imbiancare, imbiondire, imbronciare, imbrunire, imbruttire, immalinconire, immigrare, immiserire, impaludare, impazientire, impazzire, impermalire, impetrare, imputridire, inacidire, inaridire, incallire, incancrenire, incanutire, incappare, incartapecorire, incitrullire, incorrere, incretinire, incrudire, indolenzire, indurire, infiacchire, infittire, infoltire, ingelosire, ingentilire, ingiallire, ingigantire, ingrassare, inorgoglire, insanire, insorgere, insuperbire, intervenire, intirizzire, intorpidire, intristire, invecchiare, invigorire, irrancidire, istupidire, marcire, maturare, migliorare, morire, muffire, nascere, occorrere, originare, parere, partire, passare, peggiorare, penetrare, perire, pervenire, piacere, piombare, provenire, putrefare, rabbonire, rabbuiare, raddolcire, raggrumare, rannuvolare, rapprendere, rattrappire, restare, rialzare, ribassare, rimanere, rimarginare, rimpicciolire, rinascere, rincasare, rincrescere, rinfrescare, ringagliardire, ringiovanire, rinsavire, rinvenire, rinvigorire, rinvilire, risanare, riscaldare, ristare, risultare, risuscitare, ritornare, riuscire, rotolare, rovinare, sbaldanzire, sbalordire, sbalzare, sbarcare, sboccare, sbocciare, sbucare, scadere, scampare, scappare, scaturire, scemare, schiantare, schizzare, scolorire, scontare, sconvenire, scoppiare, scorrere, screpolare, seccare, sedere, sembrare, sfinire, sfiorire, sfuggire, sfumare, sgonfiare, sgorgare, sgusciare, smagrire, smontare, smorzare, soggiacere, sopraggiungere, sopravanzare, sopravvenire, sorgere, sortire, sottentrare, sottostare, sovrastare, sparire, spettare, spiacere, spicciare, spiovere, sprofondare, spuntare, stagionare, stare, stingere, stravasare, striminzire, subentrare, susseguire, svanire, svenire, svigorire, toccare, tombolare, tornare, tracollare, tramontare, transitare, trapassare, trapelare, trasparire, triplicare, uscire, valere, venire.

Vi è poi una terza categoria di verbi i quali si coniugano ora con l'ausiliare *essere*, ora con l'ausiliare *avere*. Il presente dizionario spiega, alle voci relative, il diverso valore e significato di tali verbi secondo l'ausiliare col quale vengono coniugati. Diamo perciò un elenco anche di questa terza categoria di verbi, rimandando per il significato, e l'uso degli ausiliari, alle voci riguardanti i singoli verbi: abbondare, abortire, accestire, allegare, allignare, appartenere, appetire, approdare, arrossire, ascendere, avanzare, balenare, balzare, battere, brillare, bruciare, brulicare, calzare, campare, cessare, cestire, circolare, colare, cominciare, concorrere, confluire, consistere, continuare, convenire, convivere, correre, costare, cuocere, degenerare, difettare, dimorare, diradare, discendere, disconvenire, disertare, distillare, dolere, durare, echeggiare, emigrare, esulare, evaporare, fallire, fiammeggiare, finire, fioccare, fiorire, frullare, fulminare, fumare, gelare, gemere, germinare, germogliare, giovare, girare, gocciolare, grandinare, gravare, gravitare, grondare, guizzare, gustare, imbroccare, importare, impuntare, incespicare, inciampare, incominciare, incrudelire, indietreggiare, inferocire, infierire, ingemmare, insolentire, intoppare, lampeggiare, luccicare, mancare, marcire, montare, muovere, mutare, naufragare, nevicare, perdurare, pesare, piovere, pizzicare, precipitare, premere, prevedere, principiare, procedere, progredire, proseguire, pullulare, rabbrividire, raddoppiare, raggiare, ragnare, recedere, regredire, retrocedere, ribaltare, ricorrere, ridare, ridondare, rifluire, rifuggire, rigurgitare, rimbombare, rimpatriare, rinculare, rinfrescare, rintronare, ripassare, risaltare, risonare, ritardare, rombare, ronzare, ruzzolare, salire, salpare, saltare, sbollire, scattare, scendere, sciamare, scintillare, scivolare, scomparire, sconfinare, scrosciare, sdrucciolare, sfavillare, sfiatare, sfigurare, sfilare, sfollare, sgorgare, soccorrere, somigliare, sonare, sopravvivere, sovvenire, spesseggiare, spigare, spillare, spirare, spruzzare, squillare, stillare, stramazzare, strapiombare, straripare, sudare, sussistere, tardare, tonare, traballare, traboccare, tralignare, trasalire, trascendere, trascorrere, trasecolare, vaporare, variare, vivere, volare, volgere.

intransitívi pronominàli: V. PRONOMINALE (FORMA).

intrídere: verbo della seconda coniugazione, transitivo. *Pres. indic.*: intrido, intridi, intride, intridiamo, intridete, intridono. *Pass. rem.*: intrisi, intridesti, intrise, intridemmo, intrideste, intrisero. *Part. pass.*: intríso.

intrígo: nome maschile piano in *-go*, al plurale: intríghi. Significa: imbroglio, raggiro, trama.

intrínseco: aggettivo qualificativo, che significa: interno, connaturato, intimo. Plurale: intrínseci (antico: intrinsechi).

intristíre: verbo della terza coniugazione, intransitivo. Ausiliare: essere. In alcuni tempi si coniuga con la forma incoativa *-isc-* tra il tema e la desinenza. *Pres. indic.*: intristísco, intristísci, intristísce, intristiàmo, intristíte, intristíscono. *Pres. cong.*: intristísca, intristísca, intristísca, intristiàmo, intristiàte, intristíscano. *Part. pass.*: intristíto. Significa: diventar tristo (non: triste!); detto di pianta: imbozzacchíre, non attecchíre.

introitàre: verbo della prima coniugazione, transitivo. Significa: riscuotere, incassare. È voce del gergo commerciale.

intrúdere: verbo della seconda coniugazione, transitivo. *Pres. indic.*: intrúdo, intrúdi, intrúde, intrudiàmo, intrudéte, intrúdono. *Pass. rem.*: intrúsi, intrudésti, intrúse, intrudémmo, intrudéste, intrúsero. *Part. pass.*: intrúso. Significa: introdurre (o introdursi, riflessivo) di soppiatto, per vie non lecite. Più che altro è usato il participio *intrúso*, anche con valore di sostantivo e di aggettivo.

intuíre: verbo della terza coniugazione, transitivo. In alcuni tempi si coniuga con la forma incoativa *-isc-* tra il tema e la desinenza. *Pres. indic.*: intuísco, intuísci, intuísce, intuiàmo, intuíte, intuíscono. *Pres. cong.*: intuísca, intuísca, intuísca, intuiàmo, intuiàte, intuíscano. *Part. pass.*: intuíto.

intúito e **intuíto**: il primo è sostantivo maschile, e significa: intuizione, capacità di comprendere; il secondo è il participio passato di *intuire*, e significa: compreso, capíto.

invàdere: verbo della seconda coniugazione, transitivo. *Pres. indic.*: invàdo, invàdi, invàde, invadiàmo, invadéte, invàdono. *Pass. rem.*: invàsi, invadésti, invàse, invadémmo, invadéste, invàsero. *Part. pass.*: invàso.

invaghíre: verbo della terza coniugazione, transitivo. In alcuni tempi si coniuga con la forma incoativa *-isc-* tra il tema e la desinenza. *Pres. indic.*: invaghísco, invaghísci, invaghísce, invaghiàmo, invaghíte, invaghíscono. *Pres. cong.*: invaghísca, invaghísca, invaghísca, invaghiàmo, invaghiàte, invaghíscano. *Part. pass.*: invaghíto. È usato quasi sempre al riflessivo; significa: innamorarsi, accendersi di desiderio. Es.: *Il principe si era invaghito di Cenerentola.*

invàlso: participio passato di *invalére*. È la forma più usata del verbo, e significa: venuto in uso, che ha preso piede. Es.: *È ora invalsa l'usanza di far vacanza il sabato*; *Questa parola è invalsa nell'uso.*

invariàbili (nomi): V. INDECLINABILI (NOMI).

invariàbili (parti): la grammatica italiana distingue nove parti del discorso, di cui cinque variabili e quattro invariabili. Si dicono *invariabili* le parti del discorso le cui parole non mutano mai, cioè non si flettono, non si coniugano, non si declinano. Sono invariabili: l'*avverbio*, la *preposizione*, la *congiunzione* e l'*interiezione* (V. voci relative). L'avverbio, infatti, non ha genere, né numero, né tempo, né modo. Analogamente si comprende come siano invariabili le preposizioni semplici *di, a, con*, ecc., o le congiunzioni *che, poiché, affinché*, ecc., o le interiezioni *ah, oh, ih, ahimè.*

invasóre: sostantivo maschile; o anche aggettivo. Es.: *Abbiamo respinto l'invasore* (sostantivo); *Il nemico invasore* (aggettivo) *fu ricacciato.* Al femminile: invaditríce.

invéce: avverbio che significa: in luogo di, al contrario. Es.: *Sembrava stanco, invece era fresco e riposato.* L'espressione *mentre invece* è pleonastica: basta uno dei due termini. Es.: *Credevo tu avessi detto la verità, mentre avevi mentito* o *invece avevi mentito*; ma non: *mentre invece avevi mentito.* Nelle proposizioni avversative, per introdurre la forma implicita si usa *invece di* (*Studia, invece di guardare la televisione*); per la forma esplicita si usa *invece che* (*È meglio che giochi, invece che si annoi*).

inveíre: verbo della terza coniugazione, intransitivo. Ausiliare: avere. In alcuni tempi si coniuga con la forma incoativa *-isc-* tra il tema e la desinenza. *Pres. indic.*: inveísco, inveísci, inveísce, inveiàmo, inveíte, inveíscono. *Pres. cong.*: inveísca, inveísca, inveísca, inveiàmo, inveiàte, inveíscano. *Part. pass.*: inveíto.

inventio: parola latina che indica la prima delle cinque sezioni (le altre sono *dispositio, elocutio, memoria, pronuntiatio*) in cui si divide la retorica dedicata alla costruzione e alla regolamentazione del discorso. L'*inventio* riguarda l'ideazione degli argomenti più efficaci.

inventóre: sostantivo maschile e aggettivo. Es.: *L'inventore* (sostantivo) *della bussola fu Flavio Gioia*; *Dobbiamo elogiare l'ingegnere inventore* (aggettivo). Al femminile: inventríce.

inversióne: in grammatica la costruzione indiretta o *inversione* si ha quando in una proposizione i vari elementi sono disposti in maniera diversa da quella normale. Per esempio, il soggetto posposto nelle proposizioni ottative (*Voglia il cielo!*) o interrogative (*Lo sai tu?*). L'inversione è poi molto frequente nella poesia. V. COSTRUZIONE.

invèrso: aggettivo qualificativo che significa: posto a rovescio, opposto al precedente. Non ha invece valore di sostantivo e non è bene dunque dire: *fare l'inverso*, ma: fare il contrario. Come preposizione significa: verso. Es.: *Mi volsi inverso lui* (o: di lui). Ma è un uso raro.
Esser inverso: idiotismo per: essere nervoso, turbato, annoiato, seccato, di cattivo umore e simili.

invèrso (dizionario): tipo di dizionario in cui i lemmi sono elencati secondo l'ordine alfabetico ma cominciando dall'ultima lettera alla prima. Serve agli studi grammaticali, in particolare sulle desinenze o i suffissi, ai rimatori, ai parolieri, agli enigmisti. Detto anche *opistòdromo*. In una recente edizione di dizionario inverso, il primo lemma è *babà* (*abab*) e l'ultimo è *gin-fizz* (*zzif-nig*).

io: pronome personale di prima persona singolare. Si usa sempre come soggetto della proposizione. Nei casi obliqui si usano: *me, mi*. Il plurale è *noi*.
Si rafforza con l'inciso *per me*. Es.: *Io, per me, lo aiuterei*; *Io, per me, non ho nulla in contrario*.
Nelle proposizioni con il verbo al modo indefinito si pospone. Es.: *Vorrei morire io piuttosto che lui*; *Morto io, morti tutti*. V. anche PERSONALI (PRONOMI). Come sinonimo di coscienza, soggetto, interiorità, individualità è usato come sostantivo. Es.: *Le risorse dell'io*; *Passare dal piano dell'avere a quello dell'io*.

-io (nomi in): i nomi terminanti al singolare in *-io* (atono) fanno il plurale in *-i*. Es.: da vízio, *vízi*; da stúdio, *stúdi*. Quelli invece terminanti in *-ío* (con l'accento sulla *í*) fanno il plurale in *-íi*. Es.: da oblío, *oblíi*; da calpestío, *calpestíi*; da avvío, *avvíi*. Tra le eccezioni: da dío, *dei*; da tèmpio, *templi*. I nomi terminanti in *-io* indicano generalmente nomi astratti. Es.: *oblío, princípio, assassínio, vituperio, imperio* sono tutti astratti. Lo stesso dicasi di molti nomi femminili terminanti in *-ía*. Es.: *borghesía, albagía, poesía, pazzía, manía, follía*, anch'essi tutti astratti. I verbi terminanti in *-ío* (con l'accento sulla *í*) nella prima persona del presente indicativo conservano la *i* anche quando, nel corso della coniugazione, essa perde l'accento; la perdono quando essa viene a trovarsi atona di fronte a desinenza che comincia per *i*. Es.: *invío, invíi, invía, inviàmo, inviàte, invíano* (pres. indic.). Invece i verbi in *-io* atono perdono sempre la *i* davanti a desinenza che comincia a sua volta per *i*. Es.: *cambio, cambi* (non *cambii*), ecc.

-ióne: terminazione di nomi maschili o femminili (questi ultimi quasi tutti astratti). Es.: *nazióne, eccezióne, lezióne, unióne, opinióne, confusióne*.

iònico: nella metrica antica greca e latina, piede composto da quattro sillabe, due lunghe (piede *spondeo*) e due brevi (piede *pirricchio*); si dice *a maiore* se le lunghe precedono le brevi, *a minore* se viceversa. Nella metrica barbara, il metro ionico *a minore* è reso da Carducci in una strofa tetrastica formata, il primo e il secondo verso, di due coppie di ottonari rimati; il terzo, di un ottonario con rima ritornante in ogni strofa; il quarto di un senario sdrucciolo. Per es.:

«Da quel verde mestamente pertinace tra le [foglie
Gialle e rosse de l'acacia, senza vento una [si toglie;
E con fremito leggero
par che passi un'anima.

Velo argenteo par la nebbia su'l ruscello [che gorgoglia
Tra la nebbia nel ruscello cade a perdersi [la foglia.
Che sospira il cimitero,
Da' cipressi fievole?»

iòsa (a): modo avverbiale, di origine incerta. Significa: in abbondanza, in gran quantità.

ipàllage: figura sintattica per cui si inverte la relazione tra due parole. Es.: *Dare i denti al pane*, invece di: *dare il pane ai denti*.

iper-: prefisso che significa: sopra, oltre. Indica: eccesso. Es.: *ipersensibile* (troppo sensibile, più sensibile degli altri), *ipercrítico* (troppo critico, eccessivamente critico), *ipertensióne* (alta pressione del sangue), *ipèrmetro* (verso con una sillaba in più del normale, che di solito si elide con l'iniziale del verso successivo).

ipèrbato: figura sintattica per cui si muta l'ordine naturale delle parole del discorso per dar maggiore rilievo a quelle di esse su cui si vuol attirare l'attenzione del lettore o dell'ascoltatore. È, in altre parole, una costruzione inversa, e può assumere la forma dell'*ipallage* o dell'*anastrofe* (V. voci relative). Es.: *Troppo intorno alle vezzose membra adipe cresce*; *Oh, belle agli occhi miei tende latine*. È usato soprattutto in poesia.

ipèrbole: figura retorica, per la quale, volendo ottenere particolari effetti, si altera, esagerandola, la verità delle cose. Es.: *Disse cose tali da far impazzire anche un santo!*; *Ha una forza che sposterebbe le montagne*.

ipercorrettísmo: fenomeno dovuto al pensiero analogico durante l'apprendimento della lingua da parte dei bambini. Essi, infatti, pur imitando la lingua degli adulti, non procedono passivamente ma per interpretazione dei modelli di flessione delle parole che via via assumono e che applicano per estensione a forme che sperimentano per le prime volte. Succede che spesso incappino in errori, noti come ipercorrettismi, che rappresentano la personale regolarizzazione di una forma in conformità al modello estratto dalle flessioni più ricorrenti per quella categoria di parole. Es.: *bevere* per *bere*, *potiamo* per *possiamo*, *dicete* per *dite*, *scoprito* per *scoperto*, *tui* per *tuoi*, *nessuni bambini* per *nessun bambino*.
Con lo stesso nome si indica l'erronea restaurazione di forme alterate dall'evoluzione, in analogia con modelli antichi.

ipèrmetro: verso che nella scrittura supera la misura regolare (se è inferiore si dice *ipòmetro*), ma la cui eccedenza metrica viene assorbita (o recuperata la sua deficienza) per mezzo delle figure metriche interne al verso (elisione, iato, dialefe, sinalefe, ecc.) o tra un verso e il suo successivo.

iperònimo: termine di significato generico che comprende altri numerosi termini particolari. Per esempio, *monte* è iperonimo di *Rosa, Bianco, Grappa*; *albero* è iperonimo di *castagno, ulivo, pesco, pero, melo*; *vino* è iperonimo di *Malvasia, Barbera, Moscato*. Ciascuno dei nomi inglobati nell'iperonimo è detto *ipònimo*.

ipo-: prefisso che significa: sotto. Indica mancanza, scarsità, deficienza. Es.: *ipotensióne* (poca tensione), *ipoacusía* (indebolimento dell'udito), *ipodèrma* (strato di tessuti che è sotto la pelle), *ipotonía* (diminuzione del tono muscolare).

ipòcrita: sostantivo maschile (o aggettivo), che significa: impostore, bugiardo, simulatore, fariseo. Plurale: ipòcriti. Si usa invece dell'antiquato aggettivo *ipòcrito*.

ipònimo: parola che è inclusa, dal punto di vista semantico, in un'altra parola. Es.: *gatto* è iponimo di *felino*, che a sua volta è iponimo di *mammifero*. *Tigre* è *coiponimo* di *gatto*.

iporchèma: canto in onore di Apollo, simile dunque al *peana*, eseguito da un coro maschile con l'accompagnamento di danze durante le rappresentazioni tragiche.

ipotàssi: in grammatica, sinonimo dotto di *subordinazione* (V.).

ipotètico (periodo): V. PERIODO IPOTETICO.

ipotipòsi: figura retorica, per cui si rappresenta molto vivamente un oggetto, un animale o una persona cosí che si abbia quasi l'impressione di vederseli davanti agli occhi. Si dice anche *descrizione* e secondo una certa classificazione retorica raggruppa una serie di altre figure descrittive: *cronografia* (descrizione delle circostanze di tempo), *etopea* (descrizione delle qualità morali di una persona), *prosopografia* (descrizione degli attributi fisici e degli atteggiamenti di una persona), *parallelo* (due descrizioni condotte alternando i confronti), *ritratto* (prosopografia più etopea), *topografia* (descrizione dei luoghi).

ippòdromo: sostantivo maschile, indica

il luogo destinato alle corse dei cavalli. È errata la pronunzia *ippodròmo*.

ípsilon: nome completo della lettera *y*.

-íre: desinenza dell'infinito presente dei verbi della terza coniugazione. Es.: *finíre, udíre, moríre*.

íre: verbo della terza coniugazione, difettivo. È intransitivo (ausiliare: essere). Si trovano solo le forme: *ite* (andate), *ivo* (andavo), *iva* (andava), *isti* (andasti), *irono* (andarono), *ito* (andato). Ma si usa solo in poesia.

ironía: figura retorica consistente nell'usare i vocaboli nel significato opposto a quello che hanno solitamente. Es.: *Quel benedetto ragazzo!* (e si vuol rimproverarlo); *Bel lavoro!* (e si vuol esprimere disapprovazione); *Ah, certo tu non c'entri!* (e si vuol dire il contrario). Equivale quindi all'*antifrasi* (V.).

irregolàri (verbi): verbi che non seguono tutto lo schema tipico della coniugazione a cui appartengono. Si dice anche che sono irregolari quei verbi che seguono la coniugazione *forte*, mentre la maggior parte dei verbi segue la coniugazione *debole*. Coniugazione *debole* è quella in cui tutte le persone del passato remoto e del participio passato hanno l'accento sulla desinenza (*amài, teméi, udíi, amàto, temùto, udíto*). Coniugazione *forte* è invece quella in cui l'accento rimane sul tema (*lèssi* e non *leggèi*, *incísi* e non *incidéi*, *lètto* e non *leggiùto*, *incíso* e non *incidùto*).

La distinzione tra verbi regolari e verbi irregolari non è però interamente determinata dalla suddivisione tra coniugazione forte e coniugazione debole.

Vi sono infatti varie particolarità per cui gruppi di verbi si discostano dalla coniugazione tipo. Indichiamo qui sotto le varie categorie di verbi irregolari:

a) verbi della terza coniugazione con forma semplice e con forma incoativa. Es.: aborrire, aggradire, apparire, applaudire, assalire, assorbire, avvertire, comparire, convertire, mentire, nutrire, tossire. Essi però non possono dirsi propriamente irregolari. V. INCOATIVI (VERBI);

b) verbi *difettivi*, di cui si usano solo alcune voci. I principali sono: angere, ardire, arrogere, calere, colere, diligere, discernere, gire, ire, licere, molare, prudere, solere, tangere, urgere, vigere. Sono rimaste solo alcune voci;

c) verbi irregolari propriamente detti, le cui forme flessive cioè derivano da temi diversi. Della prima coniugazione ricordiamo: andare, dare, fare, stare. I numerosissimi verbi della seconda coniugazione possono essere raggruppati nelle seguenti categorie:

1) verbi *forti* che nella prima persona del passato remoto aggiungono al tema la desinenza *i* e innanzi a questa raddoppiano la consonante finale del tema o ne cambiano la vocale: appartenere, bere, cadere, mantenere, piovere, rompere, sapere, tenere, vedere, volere;

2) verbi *forti* che hanno il passato remoto terminante in *-si*, e innanzi a questa desinenza le consonanti finali dei temi subiscono vari cambiamenti fonetici; il participio passato termina in *-so* o in *-to*; la vocale del tema non è sempre uguale a quella dell'infinito.

Si noti poi che questi verbi hanno spesso, oltre alle forme della coniugazione forte, anche quelle della coniugazione debole. I principali verbi di questa classe sono: accendere, accludere, accorgersi, addurre, affliggere, alludere, ammettere, appendere, ardere, asciolvere, ascondere, aspergere, assidere, calere, cedere, chiedere, chiudere, cingere, cogliere, coincidere, comprimere, concedere, concludere, condurre, commettere, conquidere, consumere, contundere, convergere, correre, cospergere, cuocere, decidere, deludere, deprimere, desumere, difendere, diligere, dipendere, dipingere, dirigere, discutere, dispergere, dissolvere, distinguere, distruggere, divellere, dividere, dolere, elidere, eludere, emergere, ergere, erigere, escludere, espellere, esplodere, esprimere, estinguere, evadere, fendere, figgere, fingere, flettere, fondere, frangere, friggere, fungere, giungere, illudere, immergere, imprimere, incidere, includere, incutere, indulgere, indurre, ledere, leggere, mettere, mordere, mungere, muovere, nascondere, negligere, offendere, opprimere, percuotere, perdere, persuadere, piangere, pingere, porgere, porre, precedere, precludere, prediligere, preludere, premere, prendere, presumere, produrre, proteggere, pungere, radere, recidere, redimere, reggere, rendere, reprimere, ridere, ridurre, riflettere, rifulgere, rilucere, rimanere, risolvere, rispondere, rodere, scegliere, scendere, scindere, sciogliere, scommettere, scorgere, scrivere, scuotere, sedurre, sommergere, sopprimere, sorgere, spandere, spargere, spendere, spegnere o spengere, spingere, sporgere, stringere, struggere, succedere, svellere, tendere, tergere, tingere, togliere, torcere, tradurre, tralucere, trarre, uccidere, ungere, valere, vilipendere, vincere, vivere, volgere.

A questa classe appartengono pure i seguenti verbi della terza coniugazione (anche se spesso prevale oggi la coniugazione regolare): aprire, assalire, benedire, coprire, costruire, dire, istruire, maledire, offrire, preferire, salire, soffrire;

3) verbi *forti* che terminano alla prima persona singolare del passato remoto in *-ui* o in *-vi* o in *-bbi*. I principali sono: conoscere, crescere, giacere, nascere, nuocere, parere, piacere, tacere ed inoltre i seguenti verbi della terza coniugazione: apparire, comparire, disparire, scomparire, sparire, trasparire;

d) verbi che seguono la coniugazione forte solo in alcune forme (talora antiquate) del participio passato. Tra essi: contenere, controvertere, delinquere, esigere, inserire, intessere, mescere, seppellire.

Tutti i verbi che presentano qualche irregolarità o particolarità nella coniugazione in questo dizionario sono trattati in apposita voce.

irrelàto (verso): verso che non contiene la relazione attesa (di norma, la rima) all'interno dello schema strofico di appartenenza.

irrídere: verbo della seconda coniugazione, transitivo. *Pass. rem.*: irrísi, irridésti, irríse, irridémmo, irridéste, irrísero. *Part. pass.*: irríso.

irrigàre: verbo della prima coniugazione, transitivo. Al presente indicativo si pronuncia: *irrígo, irríghi, irríga*, ecc., e non: írrigo, írrighi, írriga.

irrigidírsi: verbo riflessivo della terza coniugazione. In alcuni tempi si coniuga con la forma incoativa *-isc-* tra il tema e la desinenza. *Pres. indic.*: mi irrigidísco, ti irrigidísci, si irrigidísce, ci irrigidiàmo, vi irrigidíte, si irrigidíscono. *Pres. cong.*: mi irrigidísca, ti irrigidísca, si irrigidísca, ci irrigidiàmo, vi irrigidiàte, si irrigidíscano. *Part. pass.*: irrigidíto. Significa: diventar rigido; al figurato: divenire intransigente, rigoroso, irremovibile. Es.: *Mi si irrigidiscono le gambe per il freddo*; *Le parti si irrigidirono nelle loro posizioni.*

irritàre: verbo della prima coniugazione, transitivo. La pronunzia corretta del presente indicativo è *irríto, irríti, irríta*, ecc. e non: írrito, írriti, írrita.

írrito: aggettivo qualificativo. Significa: vano, di nessun valore. Da non confondersi con la prima persona del presente indicativo del verbo *irritare*.

irrómpere: verbo della seconda coniugazione, intransitivo (ausiliare: essere). *Pass. rem.*: irrúppi, irrompésti, irrúppe, irrompémmo, irrompéste, irrúppero. *Part. pass.*: irrótto.

irruènte: aggettivo qualificativo che significa: impetuoso. È errata la forma *irruento*, che pure si trova usata spesso.

-isc-: suffisso che molti verbi della terza coniugazione inseriscono tra il tema e le desinenze della prima, seconda, terza persona singolare e terza plurale del presente indicativo, del presente congiuntivo e dell'imperativo. V. INCOATIVI (VERBI).

-ísmo: suffisso per la formazione di nuove parole. Esso si può aggiungere a nomi comuni (Es.: da atomo, *atomísmo*; da ciclo, *ciclísmo*) oppure a nomi propri (da Dante, *dantísmo*; da Faust, *faustísmo*) oppure anche ad aggettivi (da sociale, *socialísmo*; da astratto, *astrattísmo*). Il suffisso *-ísmo* non conferisce però sempre alla parola lo stesso significato. Nel linguaggio artistico, letterario, filosofico, politico, religioso, indica movimento, tendenza, corrente e la parola a cui viene aggiunto indica il concetto fondamentale o lo scopo della dottrina, della corrente

di pensiero, del partito politico. Esempi: nell'arte: da astratto, *astrattísmo*; da classico, *classicísmo*; da cubo, *cubísmo*; da divisione, *divisionísmo*; da espressione, *espressionísmo*; da futuro, *futurísmo*; da maniera, *manierísmo*; da simbolo, *simbolísmo*; da vero, *verísmo*; nella filosofia: da atomo, *atomísmo*; da concetto, *concettísmo*; da due, *dualísmo*; da fato, *fatalísmo*; da idea, *idealísmo*; da materia, *materialísmo*; da ragione, *razionalísmo*; da scepsi, *scetticísmo*; da senso, *sensísmo*; nella politica: da comune, *comunísmo*; da libero, *liberísmo*; da liberale, *liberalísmo*; da sociale, *socialísmo*; dall'inglese labour, *laburísmo*; da federale, *federalísmo*. Numerosi poi sono i termini in *-ísmo* derivati da nome proprio, per indicare derivazione o conformità del pensiero, della dottrina o dello stile (da Buddha, *buddísmo*; da Kant, *kantísmo*; da Marx, *marxísmo*; da S. Tommaso, *tomísmo*; da Petrarca, *petrarchísmo*; da Bembo, *bembísmo*). Altri nomi in *-ísmo* indicano semplicemente un modo di essere o di agire e contengono spesso un significato dispregiativo. Es.: da anarchia, *anarchísmo*; da barocco, *barocchísmo*; da conforme, *conformísmo*; da decorativo, *decoratívísmo*; da eclettico, *eclettísmo*; da forma, *formalísmo*; da colossale, *colossalísmo*; da erudizione, *eruditísmo*; da ego, *egoísmo*; da intelletto, *intellettualísmo*; da divo, *divísmo*; da sentimento, *sentimentalísmo*; da estremo, *estremísmo*; da dilettante, *dilettantísmo*; da esibizione, *esibizionísmo*. In questi casi il suffisso *-ísmo* esprime degenerazione o esagerazione rispetto all'idea contenuta nella parola primitiva. Si noti poi il valore particolare del suffisso *-ísmo* in taluni campi speciali. Nella medicina, per esempio, indica malattia: *linfatísmo, reumatísmo, rachitísmo, saturnísmo*. Nello sport indica vari giochi, cioè vari modi di gareggiare: *ciclísmo* (sport della bicicletta), *podísmo* (corsa a piedi), *alpinísmo* (sport della montagna), *automobilísmo* (corsa in automobile), *motociclísmo* (corsa in moto). Nella grammatica infine il suffisso *-ísmo* indica modo di dire: *barbarísmo, atticísmo, arcaísmo, eufemísmo, latinísmo, grecísmo, idiotísmo, solecísmo, neologísmo, francesísmo, spagnolísmo, inglesísmo*.
Di sostantivi formati con questo suffisso, e che potremmo dire *modali*, poiché esprimono tutti un modo di essere, di pensare, di agire, o di dire, oggi si abusa. Quasi ogni giorno se ne debbono infatti registrare di nuovi: nell'arte (con i nomi di recenti tendenze: *istintísmo, visagísmo, suprematísmo, spazialísmo*, ecc.), nella politica (ove si dovrebbe registrare un foltissimo gruppo di neologismi: da *centrísmo* a *possibilísmo*, da *deviazionísmo* a *oltranzísmo*, da *atlantísmo* a *cominformísmo*, e gli innumerevoli vocaboli derivati da nomi propri: *leninísmo, stalinísmo, titoísmo, giolittísmo, maccartísmo, peronísmo*, ecc.), nella filosofia (con i nomi di nuove scuole e indirizzi: *neocriticísmo, problematicísmo, pragmatísmo*). Si noti infine che il suffisso *-ísmo* è talora sostituito da *èsimo*, senza notevoli differenze di significato. Es.: *cattolicèsimo* o *cattolicísmo*; *culteranèsimo* o *culteranísmo*; *americanèsimo* o *americanísmo*; *umanèsimo* o *umanísmo*. Ma la forma in *-ísmo* è pur sempre preferita.

iso-: prefisso di parole scientifiche. Indica somiglianza, eguaglianza. Es.: *isobàrico* (di uguale pressione atmosferica), *isògono* (figura geometrica con angoli uguali), *isòcrono* (di egual durata).

isòcolon: figura retorica che consiste nella corrispondenza di due elementi appartenenti a strutture sintattiche parallele; per es.: *caldo di giorno, freddo di sera*; *tale il padre, tale il figlio*; *chi viene, chi va*. Detta anche *parisosi*. Se gli elementi sono tre, si dice *tricolon*: *fischia il vento, urla la bufera, cade la neve.*

ísole (nomi di): i nomi geografici di isola sono generalmente di genere femminile (*Creta, Elba, Giava*) con rare eccezioni (*il Borneo*). I gruppi insulari vogliono sempre l'articolo (*le Egadi, le Aleutine, le Canarie*), le isole singole possono essere precedute dall'articolo (*la Corsica, la Maddalena, l'Asinara*), ma più spesso sono prive di articolo (*Capri, Ischia, Vulcano*).

isosillabísmo: nella metrica greca eolica, la conservazione nel verso dello stesso numero di sillabe, attraverso l'interdizione di sostituire una lunga con due brevi. È un fenomeno proprio anche della poesia basata su strofe isometriche, ossia formate da versi dello stesso numero di sillabe, come nella metrica italiana.

ispiràre: verbo della prima coniugazione, transitivo. Al presente indicativo la pronunzia esatta è: ispíro, ispíri, ispíra, ecc. È sconsigliato l'uso di questo verbo nel senso di: dar suggerimenti, dettar norme, dar direttive (Es.: *È quell'ente che ispira la propaganda*). Il significato del verbo è propriamente quello di infondere nell'animo un pensiero, un sentimento.

-ísta, -ístico: suffissi usati per la formazione di aggettivi qualificativi derivati. Il suffisso *-ísta*, in verità, si usa anche per nomi che indicano un mestiere o una professione. Es.: da ebano, *ebanísta*; da chitarra, *chitarrísta*; da giornale, *giornalísta*; da occhio, *oculísta*; da dente, *dentísta*. Il suffisso *-ístico* forma invece solo aggettivi. Es.: da giornalista, *giornalístico*; da oculísta, *oculístico*; da dentista, *dentístico*. Quindi se si considera il tema iniziale (*giornal-*, *ocul-*, *dent-*) il suffisso è *-ístico*; se invece si vuol considerare il tema del sostantivo il suffisso è *-ico* (*dentist-ico*). Altri esempi: da ciclo, *ciclísta, ciclístico*; da banda, *bandísta, bandístico*; da concerto, *concertísta, concertístico*; da professione, *professionísta, professionístico*; da arte, *artísta, artístico*.

Il suffisso *-ísta* si aggiunge a nomi di persone o a temi di aggettivi o sostantivi per formare aggettivi (e aggettivi sostantivati) indicanti i seguaci di idee politiche o di sistemi filosofici o di movimenti artistici e culturali. Si passa cosí spesso da un aggettivo iniziale (*reale*) ad un aggettivo derivato (*realísta*) che, a sua volta, con l'aggiunta del suffisso *-ico*, si trasforma in un altro aggettivo (*realistico*). Ora, mentre è facile distinguere, per esempio, *reale* (vero, certo) da *realísta* (seguace del realismo, conforme ai principi del realismo), meno facile è cogliere la differenza tra *realista* e *realistico*. In generale si può notare che la terminazione in *-ísta* indica: aderenza, fedeltà, conformità al movimento, alla corrente filosofica, artistica o politica; mentre la desinenza *-ístico* indica piuttosto: derivazione, somiglianza, approssimazione, talora anche degenerazione. Ma l'uso soltanto potrà far comprendere chiaramente la differenza. Si deve altresí notare che gli aggettivi in *-ísta* tendono ad essere sempre più usati come sostantivi. Ecco qualche esempio: reale, *realísta, realístico*; pessimo, *pessimísta, pessimístico*; umano, *umanísta, umanístico*; sociale, *socialísta, socialístico*; ottimo, *ottimísta, ottimístico*; ideale, *idealísta, idealístico*; comune, *comunísta, comunístico*; da Buddha, *buddísta, buddístico*.

Ed ecco qualche esempio che può illuminare sui diversi usi e significati degli aggettivi: 1) Questo è un fatto *reale* (vero, certo); Mi sembra un quadro *realista* (conforme ai principi del realismo); Mi ha fatto un quadro *realistico* (conforme alla realtà) della situazione. 2) La sua condotta è *pessima* (cattivissima); Schopenhauer era un filosofo *pessimista* (sostenitore, seguace del pessimismo); Questa è un'ipotesi *pessimistica* (formulata con pessimismo). 3) La mia situazione è *ottima* (buonissima); Io sono sempre stato *ottimista* (propenso a veder roseo, fiducioso); È un pronostico *ottimistico* (fatto con ottimismo). 4) È uno studioso di problemi *sociali* (riguardanti la società); Ha parlato un *socialista* (del partito socialista, seguace del socialismo); Il suo è un programma *socialistico* (affine al socialismo, influenzato dal socialismo). 5) In Asia è diffusa la religione *buddista* (dei seguaci di Buddha); Ho assistito ad un rito *buddistico* (dalla religione buddista).

istànte: sostantivo maschile, che indica un minimo spazio di tempo, momento, attimo. La locuzione *all'istante* è francesismo da evitare. Dirai: in un istante, sull'istante, subito, là per là.

isterilíre: verbo della terza coniugazione, intransitivo con ausiliare essere (e spesso usato nella forma riflessiva). In alcuni tempi si coniuga con la forma incoativa *-isc-* tra il tema e la desinenza. *Pres. indic.*: isterilísco, isterilísci, isterilísce, isteriliàmo, isterilíte, isterilíscono. *Pres. cong.*: isterilísca, isterilísca, isterilísca, isteriliàmo, isteriliàte, isterilíscano. *Part. pass.*: isterilíto. Significa: diventar sterile, anche in senso figurato. Es.: *L'inge-*

gno nell'ozio isterilisce. Talora usato anche transitivamente. Es.: *Il vizio gli ha isterilito la fantasia.*

istituíre: verbo della terza coniugazione, transitivo. In alcuni tempi si coniuga con la forma incoativa *-isc-* tra il tema e la desinenza. *Pres. indic.*: istituísco, istituísci, istituísce, istituiàmo, istituíte, istituíscono. *Pres. cong.*: istituísca, istituísca, istituísca, istituiàmo, istituiàte, istituíscano. *Part. pass.*: istituíto. Meno comune la forma *instituíre*. Significa: fondare, erigere, costituire. Es.: *Hanno istituito dieci borse di studio*; *L'anno venturo istituiranno nuovi corsi di lingue estere.*

ístmico: aggettivo qualificativo, che significa: dell'istmo, relativo all'istmo. Plurale: *ístmici.*

isto-: primo elemento di parole composte, tipiche del linguaggio medico. Significa: tessuto. Es.: *istologico, istogenesi, istogramma.*

istruíre: verbo della terza coniugazione, transitivo. In alcuni tempi si coniuga con la forma incoativa *-isc-* tra il tema e la desinenza. *Pres. indic.*: istruísco, istruísci, istruísce, istruiàmo, istruíte, istruíscono. *Pres. cong.*: istruísca, istruísca, istruísca, istruiàmo, istruiàte, istruíscano. *Part. pass.*: istruíto (antiquato: istrútto). Significa: addestrare, erudíre, insegnare.

-ità: terminazione caratteristica di alcuni sostantivi astratti derivati da aggettivi. Es.: da breve, *brevità*, da celere, *celerità*, da raro, *rarità*, da caro, *carità*, da cieco, *cecità.*

-íte: suffisso che significa: infiammazione. Concorre a formare numerosi termini medici: *flebite, congiuntivite, blefarite, nefrite, cistite.*

iteratívo (imperfetto): ha valore iterativo l'imperfetto quando vuole sottolineare il carattere abituale dell'azione. Es.: *La domenica andavo dalla mamma.* Può anche indicare la durata ininterrotta di un'azione. Es.: *Il record resisteva da oltre dieci anni.*

itifàllico: nella metrica greca e latina, il verso tipico dei canti fallici intonati durante le falloforie in onore di Dioniso. Era costituito, secondo l'opinione prevalente, da una tripodia trocaica acatalettica.

-íto: terminazione che può trovarsi nel participio passato di verbi della terza coniugazione (*udito, avvertito, uscito*) o in termini di chimica, ove designa i sali (*solfito, ipoclorito*), o in parole che indicano versi di animali (*barrito, nitrito*).

iúgero: sostantivo maschile, indicante una misura di superficie (2500 mq). Vuole l'articolo *lo* al singolare e *gli* al plurale, perché presenta una iniziale semiconsonantica (infatti la grafia originaria era *jugero*).

iúnior: è un comparativo latino ma è usato ancor oggi per distinguere, tra due persone aventi lo stesso nome, il più giovane. Es.: *Luigi Barzini iunior.* Contrapposto a *senior* (più vecchio). V. anche JUNIOR.

iussívo: aggettivo usato in grammatica come sinonimo di volitivo, imperativo. Per esempio, ha valore iussivo il futuro in frasi come *Andrai tu, al mio posto*; *Userai con giudizio questo farmaco.* Anche l'infinito può avere valore iussivo. Es.: *Andare e stare zitti!*; *Vincere!* Naturalmente il modo del verbo iussivo per eccellenza è l'imperativo. È iussivo anche il congiuntivo in frasi come: *Che venga!*; *Che non mi secchi!*

ívi: avverbio di luogo. Indica luogo dove non è chi parla o scrive né colui al quale si parla o si scrive. Es.: *Ove è la bandiera, ivi è la Patria.*

Usato anche per significare: in quel luogo determinato, là. Es.: *Ivi mi aspettò per una giornata*; *Giungemmo a casa e ivi trovammo i genitori.*

-ívo: suffisso usato per la formazione di aggettivi che indicano la qualità di una azione. Si aggiunge solitamente al tema del participio passato. Es.: da udíto, *uditívo*; da amministrato, *amministratívo*; da congiunto, *congiuntívo*; da determinato, *determinatívo*; da contemplato, *contemplatívo*; da nato, *natívo.*

-ízia: terminazione di molti nomi femminili astratti. Es.: *amicízia, giustízia, letízia, mestízia.* -ÍZIO è terminazione di nomi maschili: *uffízio, novízio, servízio, ospízio.*

-izzàre: suffisso usato per la formazione di nuovi verbi. Benché i puristi sconsiglino l'abuso di questo suffisso, esso è ormai largamente invalso nell'uso e continuamente con esso si formano nuovi verbi.

Es.: da fertile, *fertilizzàre*; da civile, *civilizzàre*; da sociale, *socializzàre*; da minimo, *minimizzàre*; da polvere, *polverizzàre*; da totale, *totalizzàre*. Si formano verbi in *-izzàre* anche derivati da nomi propri, ma sono verbi per lo più di breve vita, che durano quanto dura la notorietà della persona o del fatto che li ha suggeriti. Es.: da Coventry, *coventrizzàre*; da Bikini, *bikinizzàre*; da foiba, *foibizzàre*.

J

j: lettera che è quasi completamente scomparsa dall'alfabeto italiano. Si chiama *i lunga*, ha suono quasi di consonante e perciò è detta semiconsonante.
Si usava un tempo in parole come *jeri, jettatura*, o nei plurali in *-ii*, per riunire le due vocali in una (*studj, vizj, principj*, tutti ormai caduti dall'uso, scrivendosi semplicemente: *studi, vizi, principi*).
Oggi è sostituita dalla *i* semplice (*ieri, iattanza, ieratico, iodio*) o dalla *g* (*giungla, giure, giudeo*). Si trova ancora in alcuni cognomi (*Ojetti, Rejna*), in alcuni nomi propri (*Jolanda, Jacopo, Jago, Jole*), in alcune parole (*juta, jella, jettatore*) che però si scrivono anche con la *i* semplice. Con la *j* si scrivono *Jugoslavia* e *jugoslavo*, *Jonio* e *jonico* (che a loro volta ammettono anche la *i* semplice).
Nell'alfabeto italiano la *j* si colloca dopo la *i* semplice.
Si noti che, essendo considerata semiconsonante, le parole che l'hanno per iniziale vogliono le forme dell'articolo: *uno* e *lo* (non: *un* e *il*). Es.: *lo jodio, uno jugoslavo.*

jazz: parola inglese (pr.: gès) che indica un noto genere di musica moderna. La parola è ormai di uso internazionale.

jungla: forma poco corretta per: giungla.

junior: parola latina (pr.: júnior) che significa: più giovane (è il comparativo di *juvenis*, giovane). Abbreviato: jr. Si usa oggi per indicare, tra due persone omonime, il più giovane e si pone dopo il cognome di questi. Es.: Luigi Barzini jr. (figlio di Luigi Barzini senior). Si usa anche per distinguere due persone, di egual cognome, pur aventi prenome diverso, quando si vuol indicarle con il solo cognome. Es.: Falconi jr. (*il figlio dell'attore Armando Falconi*), Matteotti jr. (*il figlio dell'on. Giacomo Matteotti*), Taranto jr. (*il figlio dell'attore Nino Taranto*). Al plurale *juniores* si usa nel linguaggio sportivo per indicare la categoria degli atleti più giovani, che non superano un determinato limite di età. Es.: *Gli juniores nel nuoto sono gli atleti che non hanno compiuto il 16° anno di età.*

juventus: parola latina (pr.: juvéntus) che significa: gioventú. È di genere femminile. Nome di varie società sportive. Es.: *Il prossimo incontro sarà contro la Juventus* (non l'Juventus, come si trova). Dalla parola latina è derivato l'aggettivo *juventino*, davanti al quale occorre usare l'articolo *lo, gli, uno*. Es.: *Io sono uno juventino*; *Gli juventini sono sparsi in tutta Italia.*

K

k: lettera dell'alfabeto greco e latino e di molti alfabeti stranieri, ma ora quasi completamente scomparsa dall'alfabeto italiano. Si chiama *kappa* ed è di genere femminile o maschile. Ha suono come *c* gutturale e viene usata solo come abbreviazione di *chilo*. Es.: km (*chilometro*), kg (*chilogrammo*), kl (*chilolitro*), kW (*chilowatt*). Si usa nelle parole straniere o di derivazione straniera e entrate nell'uso. Es.: *kantiano* (da Kant), *kaki* (V. *cachi*), *karakiri* (forma errata per *harakiri*, suicidio giapponese), *kimono, polka* (dal polacco, nome di una danza), *folklore* (inglese per: tradizioni popolari), *poker* (gioco di carte), *stock* (quantità di merci), *coke* (carbone), *luna-park* (parco dei divertimenti), *k.o.* (fuori combattimento). Alcune di queste parole si scrivono però anche all'italiana: *folcloristico*, *chimono*, *cachi*, *polca*, *mazurca*. Questa lettera rimane naturalmente nei nomi propri o nei cognomi (*Kunz, Katia, Kent, Kenya, Keplero*, ecc.).
K è anche il simbolo del potassio. K2 è chiamata la più alta vetta del Karakoram. Le parole comincianti per *K* si pongono, negli elenchi alfabetici, dopo quelle che cominciano con J.

L

l: decima lettera del nostro alfabeto. Si chiama *elle*. Come tutte le lettere dell'alfabeto è considerato un sostantivo di genere femminile o maschile (la *elle*, un *elle*). È la settima consonante del nostro alfabeto. È una *liquida*, poiché pronunziandola si ha un suono tremulo e scorrevole. Si dice anche *linguale* perché si pronunzia accostando la lingua al palato. Infine si dice *costrittiva* o *continua*, perché può essere pronunziata con suono continuato, anche senza l'appoggio di una vocale.
Preceduta dalla consonante *g* forma il digramma *gl* che ha suono doppio (gutturale + liquida) davanti alle vocali *a, e, o, u* (*gladiolo, gleba, globo, glucosio*), mentre davanti a *i* ha suono palatale (*figlio, migliaia, cogliere*, ecc.). Per le eccezioni V. alla voce *gl*.
Nelle iscrizioni latine *L* significa: *Lucius, Lelius* o *Lares*. Come numero romano vale: cinquanta. Oggi *l* significa: litro; *L* significa: lira.

la: articolo determinativo femminile singolare. Al plurale: le. Davanti a vocale *la* si elide, mentre *le* non si apostrofa mai. Si potrà cioè scrivere: *l'età* (la età), ma non *l'età* (le età). Es.: *Ha raggiunto l'età della ragione*; *Il riposo è utile a tutte le età*.
Alcuni grammatici permettono l'elisione dell'articolo femminile quando non può nascere confusione tra singolare e plurale. Perciò essi affermano che non si può scrivere *l'età* in luogo di *le età*, ma si può scrivere *l'api* in luogo di *le api*, perché non può derivarne equivoco col singolare *l'ape*. È meglio tuttavia conformarsi alla regola generale: *le* non si elide mai.
La si omette sempre davanti agli aggettivi possessivi *mia, tua, sua, nostra, vostra, loro* se riferiti a *madre* (non dirai: *la mia madre*, ma semplicemente: *mia madre*); si deve invece usare davanti agli stessi aggettivi se riferentesi a *mamma* (Es.: *La vostra mamma* e non solo: *vostra mamma*). È uso dialettale, ma che si va estendendo, l'articolo determinativo davanti ai nomi propri di persona. Ad es., si dice: *la Maria, la Luigia, la Piera*, ma è meglio: *Maria, Luigia, Piera*.
L'articolo *la, le* forma con le preposizioni semplici *di, a, da, in, con, su* le preposizioni articolate *della, delle, alla, alle, dalla, dalle, nella, nelle, sulla, sulle*. Si trova anche la forma *colla, colle*, ma è preferibile dire: *con la, con le*.
La è usato anche come pronome femminile, sempre complemento oggetto. Es.: Adesso vorrei guardar*la*; Bisognava sentir*la!*; Dovetti lasciar*la*.
Talvolta indica un oggetto indeterminato che si intuisce, anche se non è espresso. Es.: *Seppe cavarsela*; *Chi la fa l'aspetti*; *Non bisogna prendersela*.
È di uso familiare il *la* pleonastico con valore di soggetto (= ella). Es.: *La mi dica!*; *La si crede giovane*.
Si ricorda poi che *la* e *le* sono le forme atone del pronome di terza persona (rispettivamente femminile singolare e femminile plurale). Davanti al verbo che comincia per vocale si apostrofano, ma solo quando non si possa generare confusione (*l'amo*, infatti, potrebbe significare: *lo amo, la amo, le amo*).
Come particella pronominale *la* si unisce al verbo, all'imperativo e ai modi indefiniti (*amala!, leggendola, leggerla*). Nell'imperativo dei verbi *dire* e *fare* si raddoppia la consonante *l*: *dilla, falla*, ecc.
Si noti infine che *la* è anche il nome della sesta nota musicale.

là: avverbio di luogo. Esprime lontananza, distanza. Significa: in quel luogo. Es.:

Non sapevo che eri andato là; *Avresti dovuto essere là*.

Ellitticamente, posto dopo un nome o un soggetto, significa: quella persona o quell'oggetto che sono là, o che abbiamo già nominato. Es.: *Ho parlato a Giorgio; ma quello là non ha voluto rispondere*; *Non so che fare di quel ragazzo là*; *Abitava proprio in quella casa là* (= che è in quel luogo). È però forma non bella, da evitare (francesismo inutile). Il luogo indicato dall'avverbio *là* è lontano da chi parla o scrive; perciò tale avverbio è usato in contrapposizione a *qua*. Es.: *Io qua, tu là*; *Mentre noi combattevamo là, essi se la spassavano qua*.

Con *su* e *giù* forma gli avverbi *lassú* e *laggiú*, che significano: in quel luogo alto, in quel luogo basso.

La locuzione *al di là* significa: oltre; è usata anche per indicare l'oltretomba: *l'al di là* (talvolta si trova addirittura: *l'aldilà*).

làbbro: nome sovrabbondante o eteroclito. Ha due desinenze al plurale: i labbri (per l'uso figurato: *i labbri del foglio*) e le labbra (per l'uso proprio: *le labbra della bocca*).

labiàli (consonanti): le consonanti che si pronunziano col particolare aiuto delle labbra. Esse sono: *b, f, p, m, v*. Il loro suono non muta qualunque sia il posto che occupano nella parola. Es.: *b*arile, *b*am*b*agia, *b*a*bb*o, *f*atto, con*f*igurazione, *p*aese, com*p*agno, *m*ilite, a*mm*alato, *v*icenda, con*v*alescenza.

Tuttavia le consonanti labiali si differenziano poi tra loro se riguardate sotto altri punti di vista. La *p* e la *b* sono infatti *labiali mute*, perché non hanno suono se non in unione con la vocale, e sono *esplosive*, perché non si possono pronunziare se non con una specie di esplosione improvvisa della voce (si dicono anche *occlusive*). A loro volta la *p* e la *b* si differenziano perché la *p* è tenue e sorda, cioè senza risonanza, mentre la *b* è sonora. La *f* e la *v* sono labiali *costrittive* o *continue*, poiché possono essere pronunziate anche senza l'appoggio di vocali. E siccome a pronunziarle da sole darebbero un soffio sono dette anche *spiranti*. La *m*, infine, è una labiale *continua* considerata anche *nasale*, perché ha una risonanza nasale.

V. anche CONSONANTI, e le singole voci riferentisi alle consonanti P, B, F, V, M.

lacché: sostantivo maschile indeclinabile. È un francesismo che significa: servo, domestico. Usato oggi solo con valore dispregiativo per indicare persona troppo servile. Es.: *Quell'uomo ha l'animo di un lacché*.

làccio: sostantivo maschile, che indica legame a nodo scorsoio. Plurale: lacci. Si noti che i legacci delle scarpe si dicono più correttamente *stringhe*.

laconísmo: sostantivo maschile. Indica uno stile, un modo di parlare o di scrivere conciso. *Lacònico* (plurale: lacònici) è aggettivo ed è detto di chi ha concisione nel parlare o nello scrivere, come gli antichi Spartani (*laconicus*, in latino, significa: spartano).

làcrima: sostantivo femminile. Indica l'umore secreto dalle ghiandole lacrimali. In senso figurato, significa: pianto, dolore, tristezza. Si dice e si scrive anche *làgrima*; e cosí per tutti i derivati (*lacriméwole* e *lagrimévole*; *lacrimògeno* e *lagrimògeno*; *lacrimàre* e *lagrimàre*). All'accrescitivo ha due forme, una maschile, l'altra femminile: *lacrimóne* (usato specialmente al plurale: i lacrimoni) e *lacrimóna*.

laddóve: avverbio di luogo, con valore relativo. Significa: in quel luogo nel quale. Es.: *Si recò laddove sapeva di trovarli*.

È usato anche come congiunzione avversativa. Es.: *Parlò molto laddove avrebbe dovuto tacere*. Oggi però è sempre più sostituito dalla congiunzione *mentre* (V.).

ladrocínio: sostantivo maschile. Significa: furto, azione brigantesca, rapina. Si trova anche la forma *latrocínio*.

laggiú: avverbio di luogo composto da *là* e *giù*. Indica: in quel luogo basso.

laghi (nomi dei): i nomi geografici dei laghi sono generalmente maschili (*il Garda*, *il Balaton*, *il Tana*), come maschile è l'iperonimo *lago*. Devono essere sempre preceduti dall'articolo.

làgrima: V. LÀCRIMA.

lài: sostantivo maschile plurale di uso poetico. Significa: lamenti (Es.: *Udimmo alti lai*). In origine indicava, al singolare, un componimento lirico proprio dell'antica letteratura francese, di carattere triste e lamentoso.

làico: aggettivo qualificativo. Plurale: làici. Significa: non appartenente al clero (Es.: *l'apostolato tra i làici*; *rapporti tra preti e laici*); indipendente dalla religione, non confessionale (Es.: *scuola làica, stato làico*).

-lalía: secondo elemento di parole composte, nel linguaggio scientifico. Vale: modo di parlare. Es.: *allolalia*, *dislalia*, *coprolalia*.

làma: sostantivo femminile che indica la parte tagliente delle armi bianche. Plurale: lame. Il diminutivo è *lamétta*, non LÀMINA che è un sostantivo indicante una sottilissima piastra di metallo. Di diversa origine è il sostantivo maschile in *-a*, indeclinabile, LÀMA, che indica un monaco buddista o un animale ruminante che vive nell'America del Sud.

lambíre: verbo della terza coniugazione, transitivo. In alcuni tempi si coniuga con al forma incoativa *-isc-* tra il tema e la desinenza. *Pres. indic.*: lambísco, lambísci, lambisce, lambiàmo, lambíte, lambíscono. *Pass. rem.*: lambíi, lambisti, lambí, ecc. *Part. pres.*: lambénte. *Part. pass.*: lambíto. Più raramente si trova, in luogo di lambíre, la forma *làmbere*. Significa: sfiorare con la lingua, leccare lievemente, sfiorare, anche al figurato (Es.: *Il mare lambiva dolcemente la riva*).

lamentàre: verbo della prima coniugazione, transitivo. Significa: compiangere, deplorare. Es.: *Lamentavamo la perdita di due amici*; *Si lamentano quattro morti*. Usato più spesso al riflessivo, costruito con la preposizione *di*, oppure, in posizione assoluta, nel senso di: piangere, far lamenti. Es.: *Si lamenta di tutto*; *Si è lamentato tutta la notte*; *Non puoi lamentarti: sei trattato benissimo*. Si costruisce con la preposizione *con* quando significa: far rimostranze, protestare. Es.: *Ci siamo lamentati con l'inquilino che abita al piano superiore*; *Si è lamentato con noi*.

laménto: componimento poetico che ha per tema il lamento per una pena per lo più amorosa; privo di una propria metrica, il lamento utilizza in prevalenza lo schema del serventese; ebbe una certa fioritura nel Medioevo.

lamicàre: verbo della prima coniugazione, intransitivo. È usato nella forma impersonale per indicare un piovigginare minuto. Nei tempi composti si coniuga con l'ausiliare essere. Quando però è usato in senso figurato, per indicare il piagnucolare dei bambini, vuole l'ausiliare avere. Es.: *È lamicato tutta la mattina*; *Il bambino ha lamicato per due ore*.
È un verbo però di uso raro, dialettale o letterario.

lampeggiàre: verbo della prima coniugazione, intransitivo. Si usa comunemente nella forma impersonale (*lampeggia, lampeggiava*) per indicare il fiammeggiare dei lampi. Sinonimo quindi di *balenare, sfolgorare, sfavillare* e simili. Nei tempi composti si coniuga con l'ausiliare avere quando ci sono complementi; essere o avere quando è usato solo. Es.: *Ha lampeggiato tutta la notte*; *È* (*o ha*) *lampeggiato*.

lampísta: sostantivo maschile. È un francesismo per indicare il costruttore o il venditore di lampade. Si può usare: lampionario, lumaio, lampadaio.

lància: sostantivo femminile. Significa: asta (arma da guerra). Plurale: lance. Il diminutivo *lancétta* indica l'asticciuola di un quadrante (*la lancetta dell'orologio*). Il termine *lancia* indica anche un'imbarcazione a remi.

lanciafiàmme: nome composto da una forma verbale (lancia) e un sostantivo femminile plurale (fiamme). Plurale: lanciafiamme. Per la regola relativa V. COMPOSTI (NOMI).
Restano pure invariati, al plurale, gli altri composti con LANCIA-: *lanciabombe, lanciasagole, lanciarazzi, lanciasiluri*, ecc.

languíre: verbo della terza coniugazione, intransitivo. Ausiliare: avere. In alcuni tempi si coniuga anche con la forma incoativa *-isc-* tra il tema e la desinenza. *Pres. indic.*: lànguo (o languísco), làngui (languísci), làngue (languísce), languiàmo, languíte, lànguono (languíscono). *Pres. cong.*: làngua (o languísca), languiàmo, languiàte, lànguano (o languíscano). *Pass. rem.*: languíi, languísti, languí, languímmo, languíste, languírono. *Part.*

pres.: languènte. *Part. pass.*: languíto. Significa: mancar di forza, struggersi, vivere stentatamente.

lanúgine: sostantivo femminile che indica la peluria che spunta sulle gote dei giovani, prima della barba. Si trova anche la forma *lanúggine*.

laónde: avverbio composto da *là* e *onde*. Usato anche come congiunzione. Significa: per la qual cosa, perciò. Ma è scaduto ormai dall'uso.

lapis: parola latina (significa: pietra). Sinonimo di matita.

lapsus: parola latina che significa: errore, svista. Usata nelle locuzioni latine rimaste nell'uso: *lapsus linguae* (errore di lingua) e *lapsus calami* (errore di penna). Si dice anche semplicemente: È stato un *lapsus* (una svista, un errore involontario).

largheggiàre: verbo della prima coniugazione, intransitivo. Ausiliare: avere. Si costruisce con la preposizione *con* (davanti alla persona con cui si largheggia) e con le preposizioni *di* o *in* (davanti alla cosa di cui si largheggia). Significa: usar liberalità, essere generoso, prodigo, regalare con abbondanza. Es.: *Con te ha largheggiato di promesse*; *Non voglio troppo largheggiare in permessi, con quei ragazzi.*

largíre: verbo della terza coniugazione, transitivo. In alcuni tempi si coniuga con la forma incoativa *-isc-* tra il tema e la desinenza. *Pres. indic.*: largísco, largísci, largísce, largiàmo, largíte, largíscono. *Pres. cong.*: largísca, largísca, largísca, largiàmo, largiàte, largíscano. *Pass. rem.*: largíi, largísti, largí, largímmo, largíste, largírono. *Part. pass.*: largíto.

làrgo: aggettivo qualificativo. Significa: ampio, che ha larghezza, esteso. Plurale: larghi; femminile: larga, larghe.
Pronunzia larga è la pronunzia *aperta*, in contrapposto a quella *chiusa* o *stretta*. Si segna con l'accento *grave* (`). Es.: *è, ò*, sono la *e* e l'*o* larghe; *é, ó* sono la *e* e l'*o* strette.

lasciàre: verbo della prima coniugazione, transitivo. *Pres. indic.*: làscio, làsci, làscia, lasciàmo, lasciàte, làsciano. *Fut. semplice*: lascerò, lascerai, lascerà, lasceremo, lascerete, lasceranno. Significa: abbandonare, cedere, rinunziare, concedere. È errato l'uso del verbo nel significato di cessare. Es.: *Con tutte le sue preoccupazioni non cessa* (non: non lascia) *di essere gentile* (meglio però: *Con tutte le sue preoccupazioni continua ad essere gentile*); *Ti lascio andare.*
Si noti poi che quando *lasciare* regge un infinito al quale vada congiunto il pronome atono, questo può staccarsi dall'infinito e preporsi al verbo *lasciare* il quale diventa quasi un ausiliare. Es.: *Non ci lascia avvicinare alla porta*, invece di: *Non lascia avvicinarci alla porta.*
Si usa pure intransitivamente (ausiliare: avere) nel senso di: cedere, abbandonare una gara. Es.: *Alla terza ripresa ha lasciato*; *Lascia o raddoppia?* Nella forma reciproca vale: rompere una relazione, abbandonarsi. Es.: *Quei fidanzati si sono lasciati.*

làssa: strofa usata nelle canzoni di gesta medioevali. Era composta di un numero variabile di decasillabi o dodecasillabi, legati dalla medesima rima o assonanza. Lasse o sequenze di versi endecasillabi sciolti (cioè senza rima) si trovano anche in poeti moderni. «La Canzone di Legnano» del Carducci, per esempio, è composta di 13 lasse di 10 versi ciascuna.

làsso: aggettivo di uso letterario. Significa: stanco, infelice. Usato ormai solo nell'espressione scherzosa: *Ohi me lasso!* (oh povero me!).
Il sostantivo LASSO indica invece spazio di tempo. Si usa infatti nella locuzione: *lasso di tempo*. Meglio dire però: in quel tempo, in quel periodo, invece che: in quel lasso di tempo.

lassú: avverbio di luogo, composto di *là* e *su*. Indica luogo lontano da chi parla o scrive e da chi ascolta o legge: in quel luogo alto.

lastricàre: verbo della prima coniugazione, transitivo. *Pres. indic.*: làstrico, làstrichi, làstrica, lastrichiàmo, lastricàte, làstricano. Significa: coprire con lastre, ammattonare.

làstrico: sostantivo maschile. Indica il suolo di una strada coperto di lastre insieme commesse. Al figurato: miseria. Plurale: làstrici o làstrichi. Es.: *I lastrici di una vecchia via*; *Un poeta chiama sonori* *i lastrichi nella notte*; *Per il gioco si è ridotto sul lastrico.*

latinísmo: forma o locuzione trasferite dalla lingua latina a quella italiana. I poeti hanno sempre largamente attinto al lessico latino, e detto: *aere* per: aria, *almo* per: benefico (che nutre, che dà vita), *àtro* per: oscuro, *càlle* per: via, *colúbro* per: serpente, *égro* per: malato, *imàgo* per: immagine, *ímo* per: profondo, *occàso* per: tramonto, *onústo* per: carico, *peregríno* per: straniero, *pruìna* per: brina, *rége* per: re, *úrbe* per: città, *virénte* per: verdeggiante, *vúlgo* per: volgo, ecc.

Spesso poi si trovano espressioni schiettamente latine, ma ormai entrate nell'uso comune. Es.: *coram populo* (davanti a tutti), *ad hoc* (a proposito), *de iure* (per diritto, giuridicamente), *sine die* (a data da stabilirsi), *ad interim* (per un certo tempo, temporaneamente), *homo homini lupus* (l'uomo lupo per l'altro uomo).

È sempre da evitare l'uso di latinismi nel parlar familiare, quando cioè non è indispensabile. Non si dirà, per esempio, che il boscaiolo torna *onusto* di legna (dirai: carico), né che l'offesa *non ci tange* (non ci turba, non ci tocca). Il gusto, caso per caso, deve suggerire se la frase ha una solennità che giustifica l'impiego di latinismi. L'uso di un'espressione latina può anche assumere una sfumatura ironica o enfatica.

làto: aggettivo qualificativo. Significa: largo. Si noti che l'espressione *in senso lato* indica che una parola o una locuzione sono usate non nel loro significato rigorosamente letterale.

Come sostantivo maschile significa: fianco, parte destra o sinistra, costa di monte, faccia (di superficie), luogo. Es.: *I lati del triangolo*; *Sedeva al mio lato*; *Ascese il monte dall'altro lato*; *Adesso scrivi dall'altro lato del foglio*; *Lo si vede da ogni lato*. In senso figurato: punto di vista; forma le locuzioni correlative: *da un lato..., dall'altro lato...* Es.: *Da un lato* ti dò ragione; *dall'altro lato* debbo pur farti qualche osservazione.

latóre: sostantivo maschile che indica colui che porta una lettera o un altro messaggio. Al femminile: latríce.

latràre: verbo della prima coniugazione, intransitivo (ausiliare: avere). *Pres. indic.*: làtro, làtri, làtra, latriàmo, latràte, làtrano. Indica l'abbaiare rabbioso del cane.

lattemièle: sostantivo maschile. È un lombardismo in luogo di: panna montata. Ma si può usare in senso scherzoso o ironico. Es.: *Questi sono raccontini al lattemiele.*

lattonière: sostantivo maschile. È un neologismo: in sostituzione del vecchio termine *stagnino*.

làuda: componimento poetico d'argomento religioso che ebbe la sua maggior diffusione, nel sec. XIII, in Umbria, in relazione ai movimenti religiosi sviluppatisi in quella regione. La forma metrica delle laudi (di cui l'autore più rappresentativo fu Jacopone da Todi) era eguale a quella della *ballata* (V.), cioè comprendeva una *ripresa* e più *stanze* eguali. La ripresa era un ritornello ripetuto all'inizio di ogni stanza; la stanza era composta di due *mutazioni* e di una *volta* eguale, nel numero dei versi e nella disposizione delle rime, alla ripresa. Il primo verso della volta rimava con l'ultimo verso della seconda mutazione; l'ultimo verso della volta rimava con l'ultimo verso della ripresa.

Si dice anche *làude*.

Il plurale LAUDI oggi indica nel linguaggio ecclesiastico quella parte del mattutino che si recita dopo i notturni. Il termine è anche usato in senso ironico o scherzoso. Es.: *Tutti cantan le sue laudi* (tutti raccontano le sue malefatte, i suoi difetti).

lavamàno: nome composto da una forma verbale (lava) e un sostantivo femminile singolare (mano). Indica il lavabo o comunque un catino per lavarsi le mani (V. *Lavandino*). Plurale invariabile. Per la regola relativa V. COMPOSTI (NOMI).

lavandíno: sostantivo maschile. È un lombardismo per indicare l'acquaio, il lavamano, specie di porcellana, infisso al muro. La voce ormai è nell'uso, più comune di *lavabo* che sembra indicare soltanto un mobile con catino e l'occorrente per lavarsi (ormai solo nelle campagne). Se si vuole evitare la parola dialettale, si dica *lavamáno* o *lavèllo*. Al figurato:

Quell'uomo è un lavandino, per dire che beve (manda giù) avidamente qualunque cosa gli si dia, anche bibite e intrugli dannosi alla salute.

lavatóre: sostantivo maschile, che indica colui che lava. Femminile: lavatríce o lavatóra.

lavoràre: verbo della prima coniugazione, transitivo. Significa: ridurre una materia alla forma voluta. Es.: *Lavoriamo la terra*; *Lavoravano il ferro e il bronzo*. Al riflessivo, in senso figurato: circuire una persona, convincerla con astuzia o con la forza a fare o dire quel che si vuole. Es.: *Quel tipo me lo lavoro io*; *Ti hanno lavorato bene, quei malviventi, eh?* Il verbo è usato più comunemente nella forma intransitiva, costruito con varie preposizioni: *a* (lavorare *a* giornata; lavorare *a* ufo; lavorare *a* un'opera), *di* (lavorare *di* buona lena; lavorare *di* fantasia; lavorare *di* sottile; lavorare *di* gomito; lavorare *di* schiena; lavorare *di* cervello), *da* (lavorare *da* maestro; lavorare *da* apprendista; lavorare *da* o *presso* una ditta), *in* (lavorare *in* legno, *in* seta, *in* oro; lavorare *in* proprio; lavorare *in* perdita), *su* (lavorare *su* ordinazione), *per* (lavorare *per* vivere, *per* la gloria), *con* (lavorare *con* passione).

lavoratóre: sostantivo maschile (talora anche aggettivo: *il popolo lavoratore*), che indica colui che lavora. Al femminile: *lavoratríce*; anche, talvolta, in toscano dialettale *lavoratóra*.

le: articolo determinativo femminile plurale. Non si elide mai, soprattutto quando il nome non muta al plurale e si potrebbe generare confusione. Es.: *l'estasi* (potrebbe essere: *la* estasi o *le* estasi).
Con le preposizioni semplici *in, con, su, di, a, da* forma le preposizioni articolate *nelle, colle* (meglio però: con le), *sulle, delle, alle, dalle*.
Ha valore talora di pronome, singolare o plurale. Al singolare significa: a lei. Es.: *Andai da Luisa e le portai un dono*; *Le scrissero una lettera, ma non le spiegarono nulla*. Al plurale significa: loro. Es.: *Quelle ragazze, io le capisco*; *Dopo averle ascoltate, le lasciò senza una decisione*.
Congiunto con *lo, la, gli, le, ne*, anche se si riferisce a donna, il pronome *le* diventa *gli*. Es.: *Vidi la mamma e glielo dissi*; *Andò dalla zia e gliele raccontò tutte*. V. anche ARTICOLO DETERMINATIVO.

leccàre: verbo della prima coniugazione, transitivo. *Pres. indic.*: lécco, lécchi, lécca, lecchiàmo, leccàte, léccano. Significa: lambire con la lingua. Al figurato: adulare; al riflessivo: lisciarsi. Es.: *Tutto il giorno sta davanti allo specchio a leccarsi*; *Una pietanza da leccarsi le dita*.

léccia, léccio: sostantivi che indicano uno un frutto, l'altro un albero appartenente alle Cupolifere. *Léccia* al plurale fa *lécce, leccio* fa *lécci*. *Lécchi* è invece plurale di LECCO (il pallino delle bocce).

leccornía: sostantivo femminile che significa: vivanda appetitosa, cibo prelibato, manicaretto. Errata la pronuncia *leccòrnia*.

lecìzio: nella metrica classica greca e latina, verso formato da un dimetro trocaico catalettico, con tutte le varianti tradizionali del trocheo.

lèdere: verbo della seconda coniugazione, transitivo. *Pres. indic.*: lèdo, lèdi, lède, lediàmo, ledéte, lèdono. *Pass. rem.*: lési (o ledéi), ledésti, lése, ledémmo, ledèste, lésero (ledérono). *Part. pass.*: léso. Significa: offendere, recar offesa. Il participio passato è spesso usato come aggettivo in alcune locuzioni: *parte lesa* (che ha avuto il danno di un delitto), *lesa maestà* (delitto di chi ha offeso il sovrano o la sicurezza dello Stato), *lesa patria* (delitto di chi offende la patria).

légge: sostantivo femminile, che significa: norma. Al plurale: léggi. Da non confondere con le voci del verbo leggere che hanno la *è* aperta: egli *lègge*, tu *lèggi*.

lèggere: verbo della seconda coniugazione, transitivo. *Pres. indic.*: lèggo, lèggi, lègge, leggiàmo, leggéte, lèggono. *Imperf.*: leggévo, leggévi, leggéva, leggevàmo, leggevàte, leggévano. *Pass. rem.*: lèssi, leggésti, lèsse, leggémmo, leggéste, lèssero. *Fut. semplice*: leggerò, leggerài, leggerà, leggerémo, leggeréte, leggerànno. *Part. pass.*: lètto.

leggèro: aggettivo qualificativo. Per la regola del dittongo mobile si dovrebbe scrivere *leggièro*, ma nell'uso si trovano tutte e due le forme. Dirai: *leggerezza* e non: leggierezza, *leggermente* e non: leggiermente, *leggeróne, leggeríno, leggerétto* e non: leggierone, leggierino, leggieretto.

L'aggettivo significa: che ha poco peso (*un pacco leggero*), lieve (*una leggera indisposizione*), facilmente digeribile (*un cibo leggero*; si noti la frase: *Stasera voglio star leggero*), volubile, sconsiderato, frivolo (*una donna, una ragazza leggera*), e si notino le locuzioni: *alla leggera, a cuor leggero*.

légna: sostantivo femminile, che indica il legname da ardere. Al plurale: le légna o, più raramente, le légne. Il sostantivo maschile LÉGNO indica invece la materia, la parte più dura del tronco o dei rami degli alberi, con cui si fabbricano oggetti vari. Al plurale: i legni. Il diverso significato di queste parole simili si può meglio comprendere con qualche esempio: *Questo inverno bruceremo molta legna*; *Il boscaiolo andò a far legna*; *Le casse erano tutte di legno*; *Nella segheria vi erano legni di varie qualità*; *Adesso devo prendere un legno* (si usava un tempo per dire: prendere una carrozza; oggi scherzosamente, adottando l'uso dialettale, per: prendere un bastone).

lèi: pronome personale di terza persona singolare femminile. Si usa in funzione di complemento quando la persona è diversa dal soggetto (*La coppa fu consegnata a lei*). Ha funzione di soggetto, quando nel discorso gli si vuol dare particolare rilievo, o s'intende sottolineare un contrasto (*Andai a casa di Franca, ma lei non c'era*; *Tu dici la verità, lei no*).

Si deve poi usare *lei*: dopo *come* e *quanto* (*Sei bella come lei*; *Lavori quanto lei*); dopo gli avverbi *anche, neanche, nemmeno, neppure, pure* (*Ho visto pure lei*; *Non rispose neanche lei*); nelle esclamazioni (*Beata lei!*) e quando è in funzione di predicato (*Se tu fossi lei*), o di soggetto di proposizione implicita (*Caduta lei, noi non sperammo più*).

Lei si usa anche riferito a maschio con cui si parla, in segno di riguardo, e molti lo scrivono maiuscolo. Si rivolge cioè il discorso in terza persona, meno familiare del *voi* e del *tu*. Gli eventuali participi o attributi si accordano di solito in genere e numero con la persona con cui si parla. Es.: *Lei è molto istruito* (non: *istruita*, se si parla con un uomo); *Mi avevano detto, signor professore, che lei era partito.*

leitmotiv: parola tedesca (pronuncia: làitmotíf) che designa: il motivo dominante di un'opera specialmente musicale, di un discorso, di una situazione; motivo conduttore. Es.: *Il motivo ricorrente* (*leitmotiv*) *nella poesia del Leopardi è il senso della vanità della vita.*

lèmma: sostantivo maschile in *-a* (plurale: lemmi) che significa, nel linguaggio filosofico e matematico: proposizione preliminare che prepara la dimostrazione di un'altra. Per estensione indica anche ogni singola voce di un'opera lessicografica e l'intestazione (o esponente) della voce stessa.

In quanto lemma, un nome prende la forma del singolare, l'aggettivo e il pronome quella del singolare maschile, il verbo quella dell'infinito.

lèmme: avverbio di modo. Si usa solo raddoppiato (*lemme lemme*) per significare: lentamente, piano piano.

leníre: verbo della terza coniugazione, transitivo. In alcuni tempi si coniuga con la forma incoativa *-isc-* tra il tema e la desinenza. *Pres. indic.*: lenísco, lenísci, lenísce, leniàmo, leníte, leníscono. *Pres. cong.*: lenísca, lenísca, lenísca, leniàmo, leniàte, leníscano. *Pass. rem.*: lenìi, lenísti, lení, lenímmo, leníste, lenírono. *Part. pres.*: lenènte. *Part. pass.*: leníto. Significa: mitigare, alleviare un dolore.

lenizióne: sostantivo femminile. In fonologia, la semisonorizzazione delle occlusive tenui.

-lènto: suffisso con il quale si formano aggettivi qualificativi facendoli derivare da sostantivi. Es.: da sonno, *sonnolènto*; da màcie, *macilènto*; da turba (latino), *turbolènto*; da pus, *purulènto.*

lenzuòlo: sostantivo maschile; è un nome sovrabbondante. Al plurale ha due forme: *i lenzuoli* e *le lenzuola*. Quest'ultima si usa particolarmente per indicare il paio che si mette nel letto. Es. *La lavandaia espose al sole molti lenzuoli*; *Domani dovrò mutare le lenzuola del tuo letto.*

leóne: sostantivo maschile; nome comune di animale. Al femminile: leonèssa. Usato in senso figurato per: uomo forte e coraggioso. Es.: *Quell'uomo è un leone*; *Ci siamo battuti da leoni*; *In casa fa il leone* (ironicamente: fa il prepotente); *Vuol farsi la parte del leone* (prendersi la parte maggiore).

leoníni (esametri): specie di versi, cosí chiamati da Leonio, poeta francese del sec. XII. Erano esametri i cui emistichi erano sempre collegati dalla rima interna. Es.: *Post vinum verba / post imbrem nascitur herba* (il primo e il secondo emistichio rimano in *-erba*).

lèpre: nome comune di animale, di genere *promiscuo*, tale cioè che resta invariato al femminile e al maschile. Per distinguere dirai: il maschio della lepre o la lepre maschio. Più raramente: il lepre.

lessèma: unità elementare di significato, costituita dalla radice della parola, ossia dalla parte portatrice del senso (detta anche *morfema lessicale*), esclusa la parte che reca l'informazione grammaticale (*morfema grammaticale*); per es.: *scriverebbe* è composto dal lessema *scriv-* e dal morfema grammaticale *-erebbe*.

lèssico: il complesso delle parole e delle locuzioni di una lingua. Anche il dizionario che registra e spiega le parole e le locuzioni di una lingua o di una sua parte. Plurale: lessici.

lessicografía: analisi del lessico ai fini della messa a punto di tecniche per la redazione dei dizionari.

lessicología: studio scientifico del lessico.

letàrgo: sostantivo maschile, che indica: lungo sonno, stato di vita latente. Plurale: letàrghi. L'aggettivo derivato, LETÀRGICO, al plurale fa: letàrgici.

leticàre: verbo della prima coniugazione. Oggi è d'uso più corrente la forma *litigàre* (V.).

lèttera: sostantivo femminile. Ogni segno dell'alfabeto. Si dice infatti: *la lettera a, la lettera z, la lettera n*. Per questa ragione possono considerarsi di genere femminile tutte le vocali e tutte le consonanti e si dice: *la l* (la elle), *la b* (la bi), ecc. poiché si sottintende *lettera* (*la lettera l, la lettera b*, ecc.). Il sinonimo *grafema* è però maschile.

Le parole *lettera* è pure sottintesa nelle espressioni: *la maiuscola, la minuscola, la vocale, la consonante, l'iniziale*, ecc.

Numero scritto *in tutte lettere* è un numero scritto con i segni alfabetici e non in cifre. Es.: 15 è scritto *in cifre*; quindici, *in lettere*.

Alla lettera: fedele al testo, testualmente, letteralmente, secondo il puro senso delle parole. Es.: *Non devi credere alla lettera tutto quello che si dice*; *Mi ha preso alla lettera*; *Interpreta la legge alla lettera*.

lettóre: sostantivo maschile. Al femminile: lettríce.

lettúra: sostantivo femminile. Indica l'atto di leggere. È inutile dire: *dar lettura* di uno scritto. Dirai semplicemente: lèggere.

leuco-: primo elemento di parole composte, nel linguaggio medico. Significa: bianco. Es.: *leucopoiesi, leucoma*. Talvolta rappresenta il termine *leucocíta* (globulo bianco) in parole come *leucopenia, leucemía*.

leucòma: nome maschile terminante in *-a*. Indica una malattia degli occhi. Plurale: leucòmi.

levità: sostantivo femminile, che significa: leggerezza. È forma più corretta di *lievità*, per la regola del *dittongo mobile* (V.).

levitàre e **lievitàre:** verbi della prima coniugazione, intransitivi, che si coniugano con entrambi gli ausiliari. Pur avendo la stessa origine (*levitare* sarebbe forma più corretta di *lievitare* secondo la regola del dittongo mobile), i due verbi tendono oggi a differenziare nettamente significato e morfologia. Il primo (*pres. indic.*: lèvito) indica il fenomeno paranormale della LEVITAZIONE, ossia la capacità di sollevarsi in aria. Il secondo (*pres. ind.*: lièvito) designa il rigonfiarsi della pasta per effetto del lievito.

li: forma atona del pronome di terza persona, usata quando non si riferisce al soggetto della proposizione nella quale è compresa. Si usa per il plurale maschile, solo per indicare il complemento oggetto (per il complemento di termine vi è la forma *loro*). Es.: *Io li vedo partire*; invece: *Io parlo loro* (complemento di termine).

Come forma atona *li* si appoggia per l'accento al verbo che di solito segue. Se però il verbo è all'infinito, al gerundio o

all'imperativo, *li* deve seguire la forma verbale incorporandosi come enclitica. Es.: *Tutti volevano vederli*; *Passammo tutto il pomeriggio ascoltandoli*; *Cómprati, quei libri*; *Falli tacere!* (con le forme verbali tronche si deve infatti raddoppiare la consonante prima della enclitica: *dalli, dilli, falli*, ecc.).
Si noti che *li* non si apostrofa mai, per evitare confusioni. Es.: *Li amo* (e non: *l'amo*, che potrebbe anche significare: *lo amo, le amo, la amo*). *Li* è anche forma antica dell'articolo *egli* e in tale funzione si usa talvolta ancor oggi nelle date, precedendo il numero che indica il giorno del mese. Es.: *Milano, li 12 ottobre.*

lí: avverbio di luogo. Si deve sempre accentare. Significa: in quel luogo.
Unito ellitticamente ad un nome significa: che è lí, lontano da chi parla o scrive e da chi ascolta o legge. Es.: *Quell'uomo lí, quella cosa lí.*
Si notino le seguenti espressioni: *giù di lí* (press'a poco, circa); *lí per lí* (subito, immediatamente); *essere lí lí per fare* (essere sul punto di fare). Es.: *Eravamo distanti dieci chilometri o giù di lí*; *Mi rispose che non poteva decidere lí per lí*; *Era lí lí per fare una sciocchezza*; *Non è stato proprio un delitto, ma siamo lí.* Con questo avverbio si formano inoltre varie locuzioni avverbiali: *lí presso, lí sopra, lí sotto, lí vicino.*

li e **gli:** V. GLI e LI.

liberatóre: sostantivo maschile, che indica colui che libera. Al femminile: liberatríce; plurale: liberatori, liberatrici.

líbro: sostantivo maschile che significa: volume, opera letteraria. Plurale: libri. Di diversa origine è il sostantivo femminile LÍBRA che vale: bilancia. Plurale: libre. Non si confonda con LÍBBRA, misura di peso di dodici once, pari a circa 453 grammi.

liceàle: aggettivo qualificativo; significa: di liceo, relativo al liceo (Es.: *studente liceale, licenza liceale*). Inutile ed erronea la forma *liceísta.*

licènza poètica: facoltà concessa al poeta di modificare, per esigenze metriche, una o più parole. Le principali licenze poetiche sono: a) la *pròtesi*, cioè l'aggiunta di una sillaba in principio di parola (Es.: *disbramarsi* per: sbramarsi); b) la *epèntesi*, cioè l'aggiunta di una sillaba nel mezzo di una parola (Es.: *similemente* per: similmente); c) la *paragòge*, cioè l'aggiunta di una sillaba in fine di parola (Es.: *virtude* per: virtú); d) l'*afèresi*, cioè la caduta di una sillaba in principio di parola (Es.: *dificio* per: edificio); e) la *sìncope*, cioè la caduta di una sillaba nel mezzo della parola (Es.: *carco* per: càrico); f) l'*apòcope*, cioè la caduta di una sillaba in fine di parola (Es.: *ve'* per: vedi). Si noti poi che *licenza*, in poesia, indica anche l'ultima strofa della *canzone* (V.), detta anche *commiato* o *congedo.*

licére: verbo della seconda coniugazione, intransitivo e difettivo. Ausiliare: essere. Usato impersonalmente. *Pres. indic.*: líce. *Imperf.*: licéva. *Imperf. cong.*: licésse. *Part. pass.*: lícito.

lied: parola tedesca (pr.: lìit) usata nel linguaggio musicale per: canzone, canto.

lígio: aggettivo qualificativo che significa: dedito a una causa, fedele, ossequiente. Plurale: lígi; femminile: ligía, ligie o lige.

lílla: sostantivo femminile, nome di un fiore e del colore, tra il turchino e il violetto, corrispondente a quello dei fiori.

liloléla: frase poetica di intonazione musicale, usata specialmente nel ritornello (*nio*) della *villota* e della *frottola musicale.* A parte certe combinazioni di note a formare frasi di senso compiuto (*la sol fa re mi = lascia fare a me*), la lilolela consiste in genere di sequenze di sillabe che producono delle frasi canore: *falilèlilialilòn / falilèlilialilòn / falilèlilalòn* (Anonimo, XV sec.).

líma: sostantivo femminile che indica un arnese del fabbro. Plurale: lime. Di diversa origine è il sostantivo maschile LIMO che significa: fango. Plurale: limi.

limitàre: verbo della prima coniugazione, transitivo. È sconsigliabile l'uso riflessivo. Dirai perciò: *accontentarsi di protestare* (non: limitarsi a protestare), ecc. Inoltre in luogo di intelligenza limitata preferirai dire: intelligenza ristretta.

limitatíva (proposizione): V. RESTRITTIVA (PROPOSIZIONE).

limitazióne (complemento di): indica entro quali limiti, sotto quali aspetti, si debba intendere, limitare, restringere un giudizio, un'azione, un pensiero in generale. È retto dalle preposizioni *a, da, di, in, per* e dalle locuzioni *in fatto di, a giudizio di, rispetto a, a parere di, riguardo a*, e simili. Es.: generoso *a parole*; valoroso *a chiacchiere*; duro *di comprendonio*; zoppo *da un piede*; sordo *da un orecchio*; indegno *di menzione*; degno *di considerazione*; bravo *in matematica*; sufficiente *in latino*; lodevole *per la sua volontà*; *Riguardo alla forma* quel componimento è buono; *A mio parere* sei malato; *Secondo Platone* l'anima è immortale.

Il complemento di limitazione contiene spesso anche altri significati (causa, qualità, modo); comunque esso rivela entro quali confini la causa, la qualità, il modo, ecc. restringono il valore del giudizio, dell'azione. Ad esempio, nella frase: *Tu sei lodevole per la disciplina*, il complemento (*per la disciplina*) indica la causa per cui tu sei lodevole, ma precisa anche le ragioni limitatamente alle quali *sei lodevole*. Perciò si tratta di complemento di limitazione.

línceo e **lincèo:** il primo è aggettivo e significa: di lince, degno della lince. Il secondo è sostantivo e indica un membro dell'Accademia dei Lincèi. Es.: *Quel poliziotto ha occhi líncei*; *Il professore è un lincèo.*

línea: sostantivo femminile. Plurale: línee. È usato al figurato in alcune espressioni molto comuni: *linea di condotta* (modo di condursi); *in linea di massima* (come principio generale); *in prima linea* (in primo luogo, avanti tutti); *su tutta la linea* (completamente, pienamente); *una bella linea* (un bel corpo, una bella figura).

lineaménti: sostantivo maschile, che indica le fattezze, le sembianze del volto. Non è usato al singolare.

lineètta: segno ortografico (—) posto all'inizio di riga per indicare i vari interlocutori di un dialogo. Es.:
— *Mi accompagni a casa?*
— *Sí, ma affrettati.*
— *Vengo subito.*

Più in generale la lineetta si usa per introdurre qualsiasi forma di discorso diretto. Diversa funzione ha invece di norma il *trattino* (V.).

lineètte: segno ortografico (=) che, nella scrittura a mano o dattilografica, si pone in fin di riga per indicare che una parola continua nella riga seguente.
Es.: *Tu dovresti di=*
re.
Nella stampa sono sostituite da una breve e unica lineetta.

linfàtico: sostantivo o aggettivo che indica persona predisposta al linfatismo. Plurale: linfàtici.

lingería: sostantivo femminile. Brutto francesismo per: biancheria. In luogo di *lingerista* dirai: camiciaia.

lingòtto: sostantivo maschile. È un francesismo, facilmente sostituibile: *pane* di ghisa, *verga* d'oro, *sbarra* d'acciaio.

língua: sistema fonetico, lessicale e grammaticale che costituisce il mezzo di comunicazione verbale all'interno di una comunità. Nel quadro dei vari tipi di comunicazione è, in particolare, quello che si esprime con un insieme di suoni e di segni che compongono parole, frasi, periodi. La comunità all'interno della quale la comunicazione si serve della stessa lingua è generalmente la comunità etnica (lingua *italiana*, lingua *inglese*, ecc.).

La lingua si distingue in lingua *scritta* e lingua *parlata*; anche se il lessico e la morfologia sono gli stessi, tra i due piani ci possono essere differenze di sintassi, di interpunzione, di sottolineatura, di maggiore o minore ossequio alle regole, anche se non si deve identificare la lingua scritta con la lingua aulica e dotta o comunque formale.

La lingua varia in rapporto agli ambienti sociali, ai livelli culturali, alle esigenze della comunicazione. Si distingue una lingua *popolare*, immediata, scorretta, con parole dialettali; una *familiare*, usata nella vita quotidiana e nei rapporti privati e informali osservando pur sempre le regole della grammatica e del galateo; una *comune*, usata nelle informazioni di stampa, pubblicità, informazioni correnti; infine una *aulica* o *dotta*, tipica dei documenti ufficiali, discorsi pubblici, dell'insegnamento, della letteratura, della scienza ecc.

Spesso è la *situazione* che determina la scelta del tipo di lingua. Una stessa per-

Il linguaggio giornalistico

I mezzi di comunicazione di massa sono oggi lo strumento più potente attraverso il quale la lingua vive e si trasforma nella società. Se un tempo le grammatiche cercavano, per gli esempi, appoggi e conferme presso gli scrittori di opere letterarie (i famosi *autori* che convalidavano regole e usi), oggi i discorsi di tutti sono influenzati dalla prosa dei giornali, dal linguaggio della televisione, dai messaggi della radio.
È una lingua rapida, disinvolta, semplice, intessuta di gerghi, parole straniere, stereotipi; forza le regole, ama le abbreviazioni e adotta celermente i neologismi. Fenomeno tipico è la *nominalizzazione*, ossia l'uso del sostantivo al posto del verbo (*La caduta del governo*, per *Il governo è caduto*; *Generalizzato aumento dei prezzi* per *Tutti i prezzi sono aumentati*). Caratteristiche sono poi alcune espressioni accorciate come *blitz dei carabinieri, serrata degli esercenti, soluzione ponte, caduta del dollaro, trilocale affittato, il riflusso nel privato, gli spettacoli nazional-popolari, confronto governo-sindacati*. Lo stile giornalistico usa in cronaca l'imperfetto narrativo (*Il ferito decedeva durante il trasporto*), adopera i due punti come congiunzione (*Rotte le trattative: attesa del peggio*), apre spesso le frasi e i titoli con E... (*E intanto il sindacato prepara una serie di scioperi*), cita cognomi di donne senza articolo (*Jotti convoca la Camera per domani*); usa il condizionale di dissociazione per riferire pareri o fatti non confermati (*L'aereo avrebbe sconfinato, L'interpellato avrebbe declinato l'invito*).

Il linguaggio della politica

Tra i fattori che più hanno contribuito al rinnovamento della lingua negli ultimi tempi va annoverata la grande stagione politica che ha visto affacciarsi sulla scena pubblica nuovi ceti e giovani generazioni, movimenti di riforma e di contestazione, correnti di pensiero e nuovi costumi. Sono diventate comuni (e anzi l'abuso stesso ne ha fatte tramontare alcune) espressioni quali *portare avanti il discorso, nella misura in cui, nell'ottica di, a livello di, al limite, a monte di, l'esplosione delle contraddizioni*, ecc. Sono altresì diventate d'uso frequente espressioni quale *assembleare, alternativo, collettivo, comitato di base, entrismo, globale, articolato, legalità rivoluzionaria, repressione, sistema, autoritarismo, agibilità politica, controcorso, sei politico, esami di gruppo, svolta, compagno di strada*. Nella piazza e nelle fabbriche si è sviluppato un linguaggio di protesta, spesso intercalato con "parolacce" ritenute politicamente significative e dirompenti; nel "palazzo" (risaputa metafora per indicare i centri del potere, il Sistema con la s maiuscola) ha invece proliferato un gergo sempre più specifico, spesso oscuro. Per gli incontri e le riunioni sono usati *summit, vertice, meeting, dialogo, confronto, riunione collegiale, plenum, direttivo ristretto, comitato allargato, convention, conferenza, assemblea, convegno, simposio*; per le formazioni ministeriali *pentapartito, monocolore, programmatico, balneare, di transizione, governo ponte, governo d'attesa*; per gli schieramenti *blocco, apertura, chiusura, equilibri più avanzati, convergenze parallele, fronte, coalizione, patto di legislatura, arco costituzionale, campagna governativa, compromesso storico, solidarietà nazionale*; per le manovre si attinge ampiamente all'arte militare: *scontro frontale, pattuglia di franchi tiratori, venire allo scoperto, scendere in campo, fare quadrato, rettificare il tiro, respingere l'ultimatum, scendere a patti*; la polemica è alimentata con termini che contengono implicitamente giudizi solitamente negativi (*clientelismo, destabilizzazione, estremismo, insabbiamento, lottizzazione, lobbysmo, sottobosco, sottogoverno, nepotismo, settarismo, stangata*) o almeno critici (*decisionismo, migliorismo, movimentismo, frazionismo, ambientalista, massimalista*). Altri termini hanno un'origine storicamente datata e sono rimasti nella cronaca politica (*dorotei, maoisti, katanghesi, poujadista, qualunquista, piduista, verde, trotzkista, ciellino, carrista, fusionista*).

Il linguaggio del manager

Le professioni hanno tutte un lessico specialistico che è strettamente legato alle attività svolte (azioni tipiche, strumenti di lavoro, organizzazione, istituti, ecc.). Nei rapporti interni a ciascuna categoria si sviluppa dunque un linguaggio specifico che favorisce lo scambio di comunicazione, perché è preciso, di immediata comprensione e idoneo a rinsaldare l'unità corporativa. Uno dei campi ove oggi è più evidente la formazione di un linguaggio di categoria è quello della direzione e gestione delle aziende private e pubbliche, ove si è affermata la cosiddetta "cultura del management", specialmente sotto l'influsso della teoria e della prassi americana sulla conduzione dell'impresa. Una delle caratteristiche di questo tipo di linguaggio è l'ampio accoglimento di termini inglesi o di neologismi derivati da parole inglesi. Nelle tavole del dizionario ove sono registrati i vocaboli stranieri entrati nell'uso il lettore potrà ritrovare molte di queste espressioni, scelte tra le più note e tra quelle che tendono ad affermarsi anche al di là dell'ambito originario (per esempio, si parla di *budget familiare*, del *business* dell'ortolano, *executive* l'aereo privato o una valigetta, *know-how* dell'artigiano orologiaio, *optional* per i comuni accessori, *input* per ogni forma di suggerimento.
Nel campo della gestione aziendale si è comunque sviluppato un certo lessico che rivela l'appartenenza a una categoria dirigenziale (la cosiddetta *tecnocrazia* o *tecnostruttura*) e il cui uso è obbligatorio per capirsi e soprattutto, sembra, per non apparire superati. Si preferisce dire *interagire* per collaborare; *ottimizzare* per migliorare; *penalizzare* per danneggiare; *finalizzare* per tendente a; *risorse* per mezzi; *allocare* per investire; *fare delle scelte* per scegliere, decidere; *approccio* per primo contatto, criterio; *ottica* per punto di vista, modo di vedere; *importante* per consistente, notevole, significativo; *scala di priorità* per gerarchia di precedenze; *implementazione* per messa a punto, completamento, realizzazione; *impattare* per incidere, avere influenza; *filosofia* per premessa, impostazione, volontà, programma; *ritorno* per guadagno, rendita; *meccanismo* per procedimento, regola; *stoppare* per bloccare, arginare, rimediare; *logistica* per traffico, movimento interno/esterno; *obiettivi* per scopi, mete, traguardi; *motivazione* per incentivo, stimolo, ragione; *demotivare* per scoraggiare, demoralizzare; *operatività* per pratica, concretezza; *professionalità* per capacità specifica, formazione, preparazione; *gestione* per controllo, potere, intervento; *coinvolgimento* per interessamento, divisione di responsabilità; *delega* per concessione di autonomia; *sinergia* per collaborazione, scambio, sfruttamento comune di mezzi; *missione* per scopo fondamentale, obiettivo finale; *mirato* per chiaramente diretto a un risultato; *opportunità* per condizione favorevole; *strutturarsi* per organizzarsi, creare un gruppo di lavoro; *sforzo* per impegno concentrato a uno scopo; *punto critico* per carenza, difficoltà; *progetto* per iniziativa, programma; *modulistica* per l'insieme di schemi predisposti alla comunicazione interna; *flusso delle informazioni* per circolazione delle notizie; *crescita* per sviluppo, progresso; *aggressività* per intraprendenza commerciale e pubblicitaria; *diversificazione* per varietà, molteplicità, divisione, separazione; *stile* per modo di dirigere, comportamento; *carisma* per prestigio, autorevolezza; *immagine* per considerazione, prestigio; *modello* per sistema, schema; *pacchetto* per insieme, complesso; *simulazione* per situazione ipotetica; *incentivo* per premio, interessenza, convenienza; *obsoleto* per superato, logorato; *prodotti senescenti* per invecchiati, datati, superati; *competitività* per capacità di vincere la concorrenza; *margine* per percentuale di guadagno, di utile, di differenza tra ricavi e costi; *segmento di mercato* per parte della clientela a cui ci si rivolge; *quota di mercato* per parte del mercato che si ritiene di detenere nei confronti della concorrenza; *scenario* per quadro d'insieme, sfondo, insieme di condizioni. Si noti infine come alcune espressioni originalmente assunte da altri campi come metafore siano oggi diventati pressoché obbligatori: dal linguaggio militare, termini quali *strategia, tattica,*

campagna di lancio, forza d'urto, piano d'azione, copertura; da quello sportivo, *cordata, scalata, slittamento, a bocce ferme*; da quello medico, *terapia d'urto, diagnosi, sintomi, fisiologico*, ecc.
Un discorso fitto di queste terminologie, quasi sempre condito con una dose massiccia di parole inglesi, denota senza ombra di dubbio l'appartenenza a un ceto oggi ben preciso nella società industriale. Nell'uso quotidiano e nei rapporti interpersonali l'insistere nell'uso di questo linguaggio, se non giustificato da autoironia, può indicare povertà espressiva e limitazione di vocabolario.

Il linguaggio dello sport

I discorsi e gli articoli che trattano argomenti sportivi contengono una serie di termini specifici per indicare attività o gare (*batteria, cadetto, girone, graduatoria, punzonatura, retrocessione, triangolare, allungo, martellista, ingaggio, calciomercato, riserva, tornante, tubolare, passista, mossiere, lunghezza, farfallista*), frequenti espressioni straniere di uso internazionale (*time-out, play-off, pivot, jockey, sulky, stayer, feirin, goleador, recordman, sprinter, repechage, indoor, doping, tackle, starter, surfing*) e poi un gergo fiorito grazie alla fantasia dei cronisti sportivi.
La prosa sportiva abbonda di aggettivi enfatici (*clamoroso, spettacolare, leggendario, superlativo, micidiale, inesorabile, indomabile, stupendo, fantastico*), locuzioni e frasi fatte (*dialogare in profondità, siglare la rete, polverizzare gli avversari, contrare a centro campo, dosare il passaggio, archiviare la partita, vincere a mani basse, piantare in asso i rivali, tenere la palla, fare melina, finire a reti inviolate, amministrare il risultato, telefonare un destro*).
Ripetute passivamente le audacie lessicali e le metafore ardite finiscono per essere artifici qualche volta anche ridicoli. Sono invece da registrare con interesse le vere e proprie invenzioni espressive di quegli scrittori che, in presenza di un fatto sportivo, lo sanno raccontare in modo nuovo e piacevole.

sona, che allo stadio può imprecare all'arbitro con espressioni colorite e popolaresche, può parlare in famiglia in maniera corretta ed educata, scrivere una domanda al comune in perfetto stile ufficiale e tenere, all'occasione, una conferenza ai suoi allievi.
La lingua è considerata anche uno status symbol, perché dal modo in cui uno si esprime gli interlocutori possono ricavare un'immagine appropriata del livello di cultura, della qualità di vita e persino delle abitudini di consumo.
La lingua è inoltre una spia generazionale: ci sono parole e frasi "datate", ossia legate ad usi, consuetudini, mode del passato, altre attuali, fresche, nettamente più significative. Nella conversazione e nella comunicazione di massa ha un certo rilievo la modernità della lingua usata.

La lingua cambia, come si è detto, secondo il mezzo, secondo la situazione, secondo l'ambiente. In particolare, ci sono sfere di attività nelle quali si è sviluppato un sistema di lessico e di sintassi particolari, attraverso i quali fluisce correntemente una comunicazione specifica. Nella scheda relativa al *linguaggio burocratico* a pag. 79 si è dato un esempio di queste cristallizzazioni ambientali; nella scheda sui *Linguaggi settoriali* si danno alcune esemplificazioni relative al *linguaggio del manager*, oggi in progressiva estensione, e a quello della *politica*, dello *sport* e del *giornalismo*, campi ove le innovazioni sono state più numerose. Questi sono linguaggi che dalla sfera originaria si sono talvolta estesi ad altri ambiti, e calati, in parte, nella vita quotidiana ed anche nella pagina dello scrittore che vuol rappresentare il mondo in cui vive. L'educazione linguistica deve, da un lato, mirare ad approfondire ed estendere la conoscenza di questi linguaggi settoriali, detti anche *sottocodici*, dall'altro lato indirizzare ad un impiego più sorvegliato di parole e frasi al di fuori dell'ambito in cui sono nate e in cui hanno particolare pregnanza di significato.

linguàli: in fonetica, detto di suoni che si articolano con intervento della lingua, com'è il caso di quasi tutte le consonanti. Più specificamente s'intendono per linguali quelle consonanti che (come la *l* e la *r*) si pronunciano accostando la lingua agli alveoli degli incisivi superiori; per questo motivo sono dette anche consonanti *alveolari*.

lipo-: primo elemento di parole composte, tipiche del linguaggio medico. Significa: grasso. Es.: *lipoidi, lipolisi, liposolubile, lipotimia*.

liquefàre: verbo della prima coniugazione, transitivo. *Pres. indic.*: liquefàccio (o liquefò), liquefai, liquefà, liquefacciamo, liquefàte, liquefànno. *Imperf.*: liquefacevo, ecc. *Fut. semplice*: liquefarò, liquefarài, liquefarà, ecc. *Part. pass.*: liquefàtto. Significa: rendere liquido, sciogliere. Usato spesso anche al riflessivo: *liquefàrsi* (farsi liquido, sciogliersi).

líquide (consonanti): le consonanti *l* ed *r*, perché pronunziate con una vibrazione prolungata della voce. Si noti che le due consonanti sono dette anche *linguali* (V.) e *costrittive* o *continue* perché si possono pronunciare anche senza l'appoggio di una vocale.

lírico: aggettivo qualificativo. Plurale: lírici; femminile: lirica, liriche. *Poesia lirica*: uno dei generi della poesia, cosí detta perché un tempo accompagnata dal suono della lira.

-lisi: nel linguaggio scientifico, terminazione di parole che significano: soluzione, scioglimento. Es.: *elettrolisi*.

-lítico: secondo elemento di parole composte. Vale: pietra. Es.: *eneolitico, paleolitico*.

litigàre: verbo della prima coniugazione, intransitivo. Ausiliare: avere. È forma più corretta di *leticàre* o *liticàre*. *Pres. indic.*: lítigo, lítighi, lítiga, litighiàmo, litigàte, lítigano.

lito-: prefisso di origine greca che significa: pietra. Usato in varie parole composte: LITOGÈNESI (scienza che studia l'origine delle rocce), LITOGRAFÍA (riproduzione di scritti o disegni incisi su pietra), LITÒIDE (che ha aspetto simile alla pietra), LITOLOGÍA (scienza delle rocce), LITOSFÈRA (la parte solida della crosta terrestre).

litogràfico: aggettivo qualificativo. Plurale: litogràfici; femminile: litogràfica, litogràfiche.

litoràle: sostantivo maschile. Significa: spiaggia, tratto di spiaggia; o, se usato come aggettivo: che è posto lungo il lido. Si trova anche la forma *littoràle*. Analogamente si dice: *littoràneo* o *litoràneo*.

litòte: figura retorica consistente nell'attenuare il concetto dicendo non ciò che una persona o una cosa è, ma ciò che non è. Es.: *Non ha certo un cuor di leone* (è un vile); *Non c'è male* (benino, abbastanza bene); *Non è un adone* (è brutto).

litúrgico: aggettivo derivato da *liturgía*. Plurale: litúrgici; femminile: liturgica, liturgiche. Significa: sacrale, rituale, conforme alle norme della liturgía.

livellàre: verbo della prima coniugazione. Significa: ridurre allo stesso livello. È usato transitivamente e anche intransitivamente (in questo caso con l'ausiliare essere). Es.: *Abbiamo livellato tutta la strada*; *Ora ogni punto della piazza livella con gli altri*. Era considerato scorretto l'uso figurato di questo verbo in luogo di: pareggiare, mettere alla pari. Es.: *Il regime vuole mettere tutti alla pari* (non: livellare tutti). Analogamente si sconsigliava l'espressione *mettere allo stesso livello*, poiché anche il sostantivo LIVELLO non si doveva usare in senso figurato. Es.: *Ammiro la sua altezza morale* (non: il suo livello morale); *I due campioni potevano essere considerati alla pari* (non: allo stesso livello). Negli ultimi tempi si è esteso ed è diventato più frequente l'uso di *livello* in espressioni quali: *a livello di segretari di partito* (per indicare grado, rango), *a livello scientifico* (per indicare ambito) e simili.

lo: articolo determinativo maschile, singolare. Al plurale: gli. Si usa davanti alle parole che cominciano con vocale, *s* im-

pura, *z, x, gn, pn, ps* e *i* semiconsonante. Davanti a vocale si elide. Es.: *L'asino, l'odore, l'inno, lo stato, lo zaino, lo xilografo, lo gnorri, lo pneumatico, lo psichiatra, lo iato.*
Unito alle preposizioni semplici *in, con, su, di, a, da,* forma le preposizioni articolate *nello, collo* (meglio: *con lo*), *sullo, dello, allo, dallo.*
È usato come pronome personale solo al complemento oggetto. Es.: *Lo vedrò domani; Anche tu lo conoscerai.* Talora anche particella pronominale con valore neutro (questo, ciò, questa cosa). Es.: *Lo puoi dire a me; Fallo per tua madre; È simpatico senza saperlo.*
Quando è usato come pronome atono si unisce encliticamente ai verbi di modo indefinito o imperativo. Es.: *Debbo proprio vederlo; Conoscendolo, potrò esprimerti il mio giudizio; Lo vuoi? Compralo!* Si noti poi che all'imperativo dei verbi *dire* e *fare*, si raddoppia la consonante iniziale: *dillo, fallo.*
Non è corretto l'uso di *lo* come oggetto indeterminato di una frase. Es.: *Lo si sapeva già prima; Lo si capisce subito*, ecc.; dirai meglio: *Questo lo sapevamo già prima*, facendo precedere, cioè, il pronome dimostrativo.

locàle: aggettivo e sostantivo maschile. Come aggettivo significa: di un luogo, proprio di un luogo. Es.: *Il giornale locale; il treno locale; gli enti locali*, ecc.
Come sostantivo significa: fabbricato, stanza, o ritrovo. Es.: *I locali della Prefettura* (per: l'edificio, il palazzo della Prefettura); *Una casa di quattro locali* (di quattro stanze); *I locali notturni* (ritrovi, circoli notturni). È però uso poco elegante. Analogamente non dirai LOCALITÀ per: luogo; né LOCALIZZARE per: circoscrivere, limitare, determinare.

locuzióni avverbiàli: gli avverbi formati da più parole. Non possono più considerarsi tali però gli *avverbi composti*, in cui le due parole si sono definitivamente fuse in una (*oltremodo, addirittura, semmai, purtroppo*, ecc.). Le locuzioni di valore avverbiale possono risultare:
a) da ripetizione dell'avverbio, preceduto o meno da preposizione, sia con valore di superlativo, sia con significato variato (*adagio adagio, piano piano, a poco a poco*);
b) dall'unione di due avverbi di significato diverso (*mal volentieri, sí davvero*);
c) da un nome preceduto da articolo o unito con aggettivo e dipendente da preposizione (*a caso, a un tratto, senza dubbio*);
d) da un aggettivo femminile preceduto da *alla* (*alla buona, alla rinfusa, alla cieca*). V. anche AVVERBIO.

locuzióni congiuntíve: le congiunzioni formate con più parole. Es.: *sino a che, non ostante che, senza che, se non, eccetto che, altro che*, ecc. V. anche CONGIUNZIONE.

locuzióni prepositíve: preposizioni espresse da più parole. Alcune locuzioni risultano dall'unione di più preposizioni. Es.: *insieme con, avanti a, fuori di, contro a, sino a.* Altri modi di dire con valore di preposizione sono: *in luogo di, per mezzo di, a cagione di, per motivo di, di là di, invece di*, ecc.
V. anche PREPOSIZIONE.

locuzióni verbàli: locuzioni in cui un'azione, che generalmente è espressa da un verbo, è indicata con un verbo più un aggettivo o un nome. Es.: *aver bisogno* (=abbisognare), *aver luogo* (=avvenire, verificarsi, realizzarsi), *aver peso* (=pesare, importare), *farsi vivo* (=presentarsi, chiamare, arrivare), *far presente* (=informare, segnalare), *far ordine* (=ordinare, sistemare).

lodatóre: sostantivo maschile, usato anche come aggettivo. Femminile: lodatríce.

logaèdo: nella metrica classica greca, il tipo di verso composto di *lógos* (prosa) e *aoidé* (canto). Era cioè costituito da metri con ritmi prosastici, come il trocheo, e metri con ritmo poetico e musicale, come il dattilo. Esempi sono l'asclepiadeo, il saffico e l'alcaico in Orazio.

logarítmico: aggettivo qualificativo del linguaggio matematico che significa: relativo al logaritmo. Plurale: logarítmici.

-logía: suffisso di origine greca che significa: discorso, parola, scienza, studio, racconto. Forma numerose parole del linguaggio scientifico. Es.: ARCHEOLOGÍA (scienza delle antichità, che studia i monumenti, gli usi e i costumi degli antichi), BIOLOGÍA (scienza dei fenomeni della vita), CARDIOLOGÍA (parte della medicina che studia il funzionamento e le malattie del cuore), DEMOLOGÍA (trattato sulla costituzione delle società umane), ETIMOLOGÍA (studio dell'origine delle parole), FILOLOGÍA (scienza che studia la lingua dei testi scritti nella sua origine e nel suo sviluppo), GLOTTOLOGÍA (studio scientifico e comparato delle famiglie linguistiche), ITTIOLOGÍA (scienza che studia i pesci), MITOLOGÍA (complesso di miti e leggende e analisi critica di tale complesso; narrazione favolosa di fatti storici), PSICOLOGÍA (scienza dei fenomeni psichici), SOCIOLOGÍA (scienza dei fenomeni sociali), TAUTOLOGÍA (definizione in cui il concetto da definire è contenuto nel definiente; circolo vizioso), ZOOLOGÍA (scienza che studia gli animali). È anche la terminazione di parole che indicano competenza, specializzazione, trattazione. Es.: *ufologia, demonologia, grafologia*. Da questi sostantivi derivano i sostantivi in -LOGO che indicano la persona che si dedica ad un determinato studio o scienza (*archeòlogo, biòlogo, cardiòlogo, filòlogo, glottòlogo, ittiòlogo, psicòlogo, sociòlogo*) e altri aggettivi in -LÒGICO che indicano attinenza ad una determinata scienza (*archeològico, biològico, filològico, mitològico, glottològico, psicològico, sociològico*).

lògica (analisi): V. ANALISI LOGICA.

lògico: aggettivo qualificativo, che significa: conforme alla logica, ragionevole. Plurale: lògici.

lombardísmo: elemento linguistico proprio del dialetto lombardo. Sono, per esempio, lombardismi da evitare: *balla* per: frottola, *busecca* per: trippa, *bigatti* per: bachi da seta, *prestinaio* per: fornaio, *roba* per: cosa. È un lombardismo anche la pronuncia stretta della *e* (es.: schiéna, béne, sémpre, dénti, sénza).

longa manus: locuzione latina che significa letteralmente: lunga mano. È usata, anche come sostantivo femminile, per indicare l'uomo di fiducia, il rappresentante, l'agente segreto di una persona o ente. Es.: *Il tale è la* longa manus *del signor* X; *Tutti dicono che è la* longa manus, *nel nostro consiglio, di quel grosso complesso industriale*.

lontàno: aggettivo qualificativo che significa: separato da un lungo spazio, distante (*È un posto troppo lontano*), assente (*Pensiamo ai cari lontani*), parentela non stretta (*È un mio lontano parente*), alieno (*Son ben lontano dal pensare una cosa simile*), passato da molto tempo (*È un ricordo lontano*; *Nei lontani tempi della giovinezza*). Ha comparativo e superlativo regolari, ma per il superlativo si usa anche *remòto*, che vuol appunto dire: molto lontano (*Nelle remote regioni*; *in tempi remoti*). Usato anche come avverbio (*Noi abitiamo lontano*) e in talune locuzioni avverbiali: da lontano (*Guardavamo da lontano*; *Mi rifarò da lontano*), alla lontana (*Siamo parenti alla lontana*; *Piglia le cose alla lontana*).

lóro: pronome personale di terza persona plurale, maschile e femminile. È usato nei casi obliqui con le preposizioni *di* e *a* (che possono anche essere sottintese). Es.: *Ho donato a loro la mia villa*; *Ho portato loro un messaggio importante*; *Dovremmo necessariamente occuparci di loro*. Quando il soggetto è plurale, questo pronome può sostituire *sé*. Es.: *Queste cose le capiscono da loro*.

Nel parlar familiare, quando si vuole mettere in rilievo un contrasto, si usa *loro* in funzione di soggetto (*Noi fummo invitati, loro furono dimenticati*). Lo stesso uso di questo pronome si trova quando è posto dopo il verbo (*Lo faranno loro*; *Questo lo sanno loro*).

Loro si usa anche come predicato dopo i verbi: sembrare, parere, essere, ecc. Es.: *Non sembravano più loro*; *Non sono loro*; *Paiono loro, da lontano*. L'uso di *loro* come soggetto si trova anche dopo *come* e *quanto* (*Sono bravo come loro*; *Ne sappiamo quanto loro*), dopo gli avverbi *anche, neppure, nemmeno, neanche* (*Anche loro parlarono*; *Neppure loro lo sanno*; *Neanche loro potrebbero aiutarci*), nelle esclamazioni (*Beati loro!*; *Felici loro!*; *Poveri loro!*), nelle proposizioni implicite (*Passati loro, noi ci allontanammo*).

Sempre come soggetto *loro* può apparire come pronome allocutivo di cortesia e deferenza (in luogo di *voi*), rivolgendosi a più di una persona. Es.: *Loro possono capire il mio problema. Loro* è anche aggettivo possessivo di terza persona plurale. Es.: *La loro automobile, i loro genitori, il loro cammino.* Non dirai invece: *la di loro madre*, o *il di loro padre* (ma: la loro madre, il loro padre).

lotòfago: sostantivo maschile. Nome di un popolo, citato nell'*Odissea* di Omero; significa: mangiatore di loto. Al plurale: lotòfagi.

lòtto: sostantivo maschile. Indica una lotteria; gioco consistente nell'estrazione di cinque numeri su novanta. Il termine indica poi nel linguaggio amministrativo e commerciale ciascuna delle parti di un tutto che si sorteggia o vien messo in vendita, all'asta. Es.: *un lotto di terreno, un'eredità divisa in sette lotti.* Da questa parola sono derivati i termini LOTTIZZARE (dividere a lotti) e LOTTIZZAZIONE (divisione in lotti) dell'uso burocratico e politico. Di diversa origine è il sostantivo femminile LÓTTA che vale: combattimento, battaglia, contesa; nel linguaggio sportivo: gara di forza e destrezza fatta a corpo a corpo.

lúbrico: aggettivo qualificativo, che significa: sdrucciolevole e quindi, al figurato, che fa scivolare al male. Erronea la pronuncia lubríco. Es.: *discorsi lúbrici, canzoni lúbriche.*

luccicàre: verbo della prima coniugazione, intransitivo. Si coniuga con tutti e due gli ausiliari. Significa: splendere, scintillare. Es.: *Qualcosa ha luccicato nel buio*; *È luccicata una stella cadente*; *Gli lùccicano gli occhi* (piange, è commosso).

lúcere: verbo difettivo della seconda coniugazione. *Pres. indic.*: lúce, lúcono. *Imperf.*: lucéva, lucévano. *Imperf. cong.*: lucésse. *Part. pres.*: lucènte. È usato in poesia, col significato di: mandar luce, splendere. La forma più usata è il participio presente, con valore spesso di aggettivo.

lúi: pronome di terza persona, maschile, singolare. Usato, nei casi obliqui, preceduto da preposizioni. Es.: *Arrivò con lui*; *Portò un libro a lui*; *Abbiamo visto il padre di lui*, ecc. Si usa pure in funzione di soggetto, nei seguenti casi: dopo *come* e *quanto* (*Sei cattivo come lui*; *Ne sapevo quanto lui*); dopo gli avverbi *anche, neanche, neppure, nemmeno* (*Non lo ha visto neanche lui*; *Anche lui è colpevole*); nelle esclamazioni (*Peggio per lui!*; *Beato lui!*); nelle proposizioni implicite (*A sentir lui, noi avremmo tutti torto*; *Guardando lui, ricordavo suo padre*; *Morto lui, i figli intrapresero strade diverse*).
Lui si usa pure come predicato con i verbi *essere, sembrare, parere* e simili. Es.: *È proprio lui*; *Non sembrava lui*; *Mi era parso lui.*
Quando si vuol dare un particolare risalto al complemento oggetto, *lui* sostituisce *lo*. Es.: *Accuso proprio lui!* (piú efficace che non: *Lo accuso*).
L'uso come soggetto del pronome *lui* (al di fuori dei casi suddetti) non è corretto, in senso rigoroso. Tuttavia nel parlar familiare si adopera molto spesso *lui* invece di *egli*. Si ammette questo uso soprattutto quando il soggetto viene dopo il verbo o quando si vuol dar risalto ad un contrasto. Es.: *Questo lo dice lui*; *Lo sa lui cosa vuole*; *Io volevo tornare, lui no*; *Tutti eravamo d'accordo, lui si opponva.*
È poi sconsigliabile dire *il di lui* per *il suo*, o per *di lui* semplicemente. Es.: *Lo disse a suo padre* (non: al di lui padre); *Suo fratello ha parlato col padre di lui.*
V. anche PERSONALI (PRONOMI).

lúnga (sillaba): sillaba lunga, nella lingua latina, era quella che conteneva una vocale lunga, cioè la vocale che ha la durata di due tempi. Si pronunciava come due sillabe brevi. Oggi le vocali non si distinguono più secondo la quantità, ma solo secondo il timbro. Si hanno allora vocali *aperte* e vocali *chiuse*. Alle vocali lunghe corrispondono le vocali chiuse (o strette) indicate con l'accento acuto. Vocali strette sono la *é* e la *ó*.

lungàrno: nome composto da un aggettivo (lungo) e un sostantivo maschile singolare (Arno). Plurale: lungàrni. Per la regola relativa V. COMPOSTI (NOMI). Analogamente, LUNGOTEVERE fa al plurale: lungotéveri.

lunghésso: preposizione impropria, usata raramente, che significa: lungo, rasente. Es.: *lunghesso il mare* (lungo il mare). Ha però un sapore pedantesco.

lúngi: avverbio di luogo, usato quasi

esclusivamente in poesia. Significa: lontano. Anche *lúnge*. Talvolta fa le funzioni di particella avversativa.
Es.: *Lungi dall'amarlo, lo detesta*; *Lungi dal volerlo, lo respinge.*

lungi-: prefisso che indica lontananza. Es.: *lungimirante* (che vede lontano, previdente).

lúngo: aggettivo qualificativo. Plurale: lunghi; femminile: lunga, lunghe. Usato come preposizione vale: rasente, accosto. Es.: *Camminavamo lungo il fiume*. È usato per formare vari odonimi, ossia nomi di strada (*Lungotevere, Lungarno*). Talora anche con valore di avverbio. Significa: lungamente. Es.: *Parlammo a lungo.*

luògo (aver): espressione molto usata, ma poco corretta. Dirai meglio: accadere, succedere, farsi, avvenire. Es.: *Domani avverrà* o *si farà* (e non: avrà luogo) *l'inaugurazione del monumento*, oppure: *Domani sarà inaugurato il monumento.*

luògo (avverbi di): gli avverbi che indicano il luogo ove si svolge, si è svolta o si svolgerà un'azione. Questa determinazione spaziale può essere in relazione a chi parla e a chi ascolta, come pure può essere senza riferimento alcuno. Nel primo caso si hanno gli avverbi: *qui, qua, costí, costà, lí, là*; nel secondo caso gli avverbi: *sotto, sopra, dentro, fuori, vicino, lontano, davanti, dietro, giù, su* e simili. Circa l'uso e il valore di ciascuna di queste forme V. le voci relative.

luògo (complementi di): indicano il luogo di un'azione. Se ne distinguono quattro tipi fondamentali: stato in luogo, moto a luogo, moto da luogo, moto per luogo.
Il complemento di *stato in luogo* indica ove si trovi il soggetto e si compia l'azione. È introdotto generalmente da verbi o sostantivi che indicano stabilità (come: essere, stare, trovarsi, dimorare, fermarsi, rimanere, e: sede, domicilio, dimora, soggiorno, sosta, ecc.). È retto dalla preposizione *in*. Esempi: Io sono *in casa*; Tu stai *in campagna*; Luisa si trova *in città*; Egli rimane *in Lombardia*; L'India è *in Asia*; Ha sede *in Milano*. È usata anche la preposizione *a* con i nomi di città e piccola isola (Noi ci fermiamo *a Capri*; Egli studia *a Milano*) e in espressioni quali: sono *a casa*, ti ho visto *a teatro*, rimango *a letto*, eravamo *alla stazione*, ecc. Pure usate sono le preposizioni *su, sopra* (Le campane sono *sul campanile*; Il nido era *sopra il tetto*), *sotto* (Eravamo nascosti *sotto il tavolo*; *Sotto l'albero* si riposava in pace), *dentro* (Il nemico stava *dentro il castello*).
Il complemento di *moto a luogo* indica ove sia diretto il soggetto o il luogo cui tenda un'azione. È introdotto generalmente da verbi che indicano moto (come: andare, venire, partire, dirigersi, avviarsi, giungere, salire, scendere, mandare, respingere) e da sostantivi quali: partenza, arrivo, ritorno, salita, discesa, corsa, spedizione, ecc. È retto dalle preposizioni *in* o *a* (quest'ultima è di regola con i nomi di città e piccola isola). Esempi: Vado *in città*; Torno *a casa*; Mi reco *a teatro*; Mi dirigo *in Francia*; Arrivo *a Parigi*; La sua venuta *a Londra*; Il mio ritorno *in Inghilterra*; La discesa *nel sottosuolo* della regione, ecc. Sono pure usate le preposizioni *su, sopra, sotto* (Venne *sotto il nostro balcone*; Salí *sopra i tetti*), *dentro* (Venne *dentro la bottega*), e *per, verso*, quando si vuol indicare avvicinamento o la direzione del moto (Vado *verso casa*; Partí *per l'America*; Si avviò *verso la collina*; Prese il treno *per Napoli*).
Questo complemento si chiama di *avvicinamento* se è costituito da un sostantivo indicante persona o da un pronome personale. È spesso retto, in tal caso, dalla preposizione *da*. Es.: Vai *dalla mamma*; Andai *da lui*. Si noti che la stessa preposizione è anche impiegata per lo stato in luogo. Es.: Mi fermo *da te*: Eravamo *dagli amici* di Paolo.
Il complemento di *moto da luogo* indica donde venga il soggetto, il punto di partenza di un movimento, di un'azione. È introdotto da verbi che esprimono l'idea di moto da luogo (come: partire, provenire, venire, tornare, fuggire, uscire) o sostantivi come: fuga, ritorno, esilio, arrivo. È retto dalla preposizione *da*. Esempi: Vengo *dalla Spagna*; Torno *da Venezia*; Fuggí *dalla Svizzera*; Ritornavamo *dalla campagna*; Fu esiliato *dalla città*.

Il complemento di *moto per luogo* indica il luogo attraverso il quale il soggetto passa o si muove, si dirige. È introdotto dai verbi che esprimono moto, passaggio (quali: passare, andare, venire, fuggire, transitare) o sostantivi come: venuta, passaggio, fuga, transito. È retto dalle preposizioni *per* e *attraverso*. Esempi: Noi correvamo *attraverso la foresta*; Passeremo *per il cortile*; Fuggirono *per le strade affollate*; Transitava *per la via*; Compí un movimento *verso l'alto*; Realizzò la fuga *dalla finestra*.

Oltre a questi quattro tipi fondamentali di complementi di luogo, si devono notare altre indicazioni spaziali. Es.: La casa è posta *dopo il passaggio a livello*; Ci fermeremo *prima del fiume*; Il campanile *presso la chiesa*; Un viale posto *tra due file di alberi*; Un vaso di fiori *in mezzo al tavolo*. Tutte le indicazioni di luogo possono essere rese con *avverbi di luogo*. In tal caso i complementi relativi si dicono *avverbiali*. Es.: Mi fermo *qui*; Tu andrai *là*; Non ci muoveremo certamente *da qui*.

Occorre sempre badare, nella distinzione dei vari complementi di luogo, al senso più che al costrutto, che può spesso trarre in inganno. Es.: Lo vidi *per la strada* (cioè: nella strada; è quindi complemento di stato in luogo e non moto per luogo, come potrebbe far credere la preposizione *per*).

Talvolta il luogo non è reale, ma ideale. Si hanno allora i complementi di *luogo figurato*. Es.: Ti ho sempre *nel cuore*; La madre era sempre viva *nel ricordo dei figli*; Fui spinto *all'ira*; Piombarono *nella più nera miseria*; Passai *dalla paura alla speranza*; Siamo passati *per tante vicende*; Non mi è mai passata *per la mente* una cosa simile.

lustrascàrpe: nome composto da una forma verbale (lustra) e un sostantivo femminile plurale (scarpe). Plurale: lustrascarpe. Per la regola relativa V. COMPOSTI (NOMI).

M

m: undecima lettera dell'alfabeto, ottava delle consonanti. È una consonante *costrittiva* o *continua* poiché può essere pronunciata anche da sola, con un suono continuato. Inoltre appartiene al gruppo delle consonanti *labiali*, pronunziate con l'aiuto delle labbra.
La *m* è detta anche *nasale* perché la sua pronunzia richiede l'emissione di aria dal naso.
Davanti alle altre consonanti labiali *p* e *b*, la *m* sostituisce sempre la *n* (Es.: *campagna, ambone*, ecc.), salvo alcune eccezioni (*benpensante, benportante*).
Come numero romano M significa: mille. Nelle iscrizioni latine poteva significare: *Marcus, Mucius, Marius* o *Martius*. Oggi la *m* minuscola, ormai quasi sempre senza puntino, vale: metro. Es.: *m 218*.

ma: congiunzione avversativa. Indica contrasto, opposizione. Può essere tra due elementi di una stessa frase (Era addolorato, *ma* fiero) o tra due frasi, nel qual caso è preceduta da virgola, punto e virgola o due punti (Arrivai a Roma, *ma* non lo vidi; Mi pregò più volte; *ma* come avrei potuto accontentarlo?). All'inizio di periodo si usa per l'interruzione o la conclusione di quanto si stava dicendo e per l'inizio di un nuovo argomento del discorso (*Ma* torniamo a noi; *Ma* è tempo di concludere). *Ma* si usa pure nelle risposte alle domande, seguita dall'esclamativo, per esprimere dubbio o evasione (È arrivato o no? *Ma!*; Sei convinto di quanto ho detto? *Ma!*).
Infine si noti l'uso di *ma* come rafforzativo nelle epressioni: *ma sí, ma certo, ma no* e simili. Nel linguaggio familiare si rafforza spesso con *però*, ma è modo scorretto, poiché le due particelle hanno lo stesso significato. È bene poi evitare le frequenti ripetizioni di *ma*, sostituendola con *però*, o anche, secondo i casi, con *eppure, bensí*.

màcabro: aggettivo qualificativo, che significa: orrido, funebre. È meno comune la pronunzia *macàbro*.

macché: esclamazione, propria dell'uso toscano, con valore negativo. Es.: *Ti ha almeno rimborsato le spese? Macché!*

maccherònico: genere letterario di origine goliardica che consiste in una parodia del latino le cui strutture grammaticali, sintattiche e metriche vengono applicate ad un lessico volgare, spesso dialettale, per ottenere effetti grotteschi e comici. Il genere acquista un valore letterario con il poema *Baldus* di Teofilo Folengo.

màcchina: sostantivo femminile che indica genericamente ogni strumento atto ad utilizzare l'energia motrice; congegno, apparecchio. Con la preposizione *a* si indica l'elemento che muove la macchina stessa: *macchina a vapore, macchina ad acqua, macchina a gas, macchina ad elettricità* o *elettrica*. Con le preposizioni *da* o *per* si indica lo scopo, che talvolta è anche specificato da un aggettivo: *macchina da cucire, macchina da* (meglio: *per*) *scrivere, macchina per lavare* o *lavatríce, macchina per lucidare* o *lucidatríce*. Talvolta si sottintende il sostantivo *macchina* e si dice per esempio: la *lucidatríce*, la *cucitríce*, la *lavatríce*. Spesso anche si usa il termine *macchina* senza altra determinazione per indicare l'automobile, la motocicletta, la macchina per cucire, la macchina rotativa, ecc. Es.: *Ha comperato la macchina*; *Il corridore ciclista ha battuto l'avversario sul traguardo per una macchina*; *Ora faccio una cucitura a macchina*; *Il giornale va in macchina*. La locuzione *a macchina* vale per qualsiasi lavoro fatto con macchina. Es.: *scritto a* *macchina*; *cucito a macchina*; *mietitura a macchina*.

Al figurato il sostantivo *macchina* vale: complesso, congegno, ingranaggio. Es.: *La macchina della burocrazia*; *la macchina di un poema* (la trama); *la macchina umana* (il corpo umano).

macchinàre: verbo della prima coniugazione, transitivo. *Pres. indic.*: màcchino, màcchini, màcchina, macchiniàmo, macchinàte, màcchinano. Significa: ordire, tramare. Es.: *Hanno macchinato una congiura contro di me*. Usato intransitivamente si coniuga con avere. Es.: *Voi tutti avete macchinato di trarli in inganno.*

macedònia (parole): si dicono parole macedonia quelle composte da più elementi, di parole intere o di loro accorciativi: *cineamatore*, *cronoscalata*, *multilingue*, *autoferrotranviere*, *metronotte*.

macèrie: sostantivo femminile plurale, che indica le rovine di un muro, di un edificio. Il singolare *macèria* indica invece un muro basso.

macro-: prefisso (in greco: grande) che indica grandezza. Es.: *macrocòsmo* (l'universo), *macrocèfalo* (che ha il cranio troppo sviluppato); *macroeconomia* (economia delle quantità globali); *macromolecola* (molecola con elevato numero di atomi); *macroscopico* (evidentissimo).

made: espressione inglese (pr.: méid) che si trova su vari prodotti, completata col nome del paese in cui sono stati fabbricati. Es.: *Made in Italy*: fabbricato in Italia.

madònna: sostantivo femminile, dal latino *mea domina* (mia signora, mia padrona). Usato un tempo come titolo d'onore, abbreviato anche in *Monna*. Es.: *Madonna Lisa, Monna Vanna*. Non era preceduto dall'articolo. Oggi in disuso, salvo che in poesia o nelle canzoni popolari (*Madonna Nostalgia, la madonna mia*). Scritto con la lettera maiuscola designa la madre di Gesù; in posizione assoluta nelle esclamazioni. Es.: *Ho pregato la Madonna*; *Madonna mia!*

màdre: sostantivo femminile, che indica: donna con figli. Nelle invocazioni si preferisce il sostantivo *mamma* (tuttavia si invoca la Madonna dicendo: *O madre pia*).

Quando il sostantivo *madre* è preceduto da un aggettivo possessivo non si mette davanti l'articolo (*Mia madre*; e non: la mia madre). Si osservi però che se il possessivo è *loro*, se è posposto al nome o se è accompagnato da altro aggettivo, si userà sempre l'articolo (Es.: *La loro madre*; *la tua cara madre*; *la madre sua*). Parimenti si usa l'articolo se l'aggettivo possessivo è al plurale (Es.: *Le vostre madri*).

In gergo burocratico *madre* indica la parte di un registro che si conserva per prova, simile alla *figlia*, che si consegna all'interessato. In questo caso è però più corretto dire *matríce*.

madrepèrla: nome composto da due sostantivi femminili singolari (madre e perla). Plurale: madrepèrle. Per la regola relativa V. COMPOSTI (NOMI).

madresélva: nome composto da due sostantivi femminili singolari (madre e selva). Plurale: madresélve. Per la regola relativa V. COMPOSTI (NOMI).

madrevíte: nome composto da due sostantivi femminili singolari (madre e vite). Plurale: madrevíti. Per la regola relativa V. COMPOSTI (NOMI).

madrigàle: componimento lirico di varia forma metrica, di soggetto amoroso. Solo nel sec. XIV ebbe una struttura caratteristica, cioè: due o tre terzine, seguite da uno o più distici; in seguito invece fu sciolto da regole metriche fisse. Secondo la forma e la lunghezza i componimenti presero anche il nome di *madrigaloni* (ad es. quelli del Berni), *madrigalésse* (esempi del Grazzini), *madrigalíni* (esempi di C. M. Maggi).

Ecco un esempio di madrigale del '300:

«Nova angeletta sovra l'ale accorta
scese dal cielo in su la fresca riva,
là ond'io passava sol per mio destino.
Poi che senza compagno e senza scorta
mi vide, un laccio che di seta ordiva,
tese fra l'erbe ond'è verde il cammino.
Allor fui preso; e non mi spiacque poi,
sí dolce lume uscia dagli occhi suoi».
(Petrarca)

madrígna: sostantivo femminile. Indica la seconda moglie del padre in relazione ai figli della prima moglie di questi. Anche madre non amorevole, crudele. Es.:

La natura gli è stata madrigna. Più comune la forma MATRÍGNA. Non si confonda con MADRINA, che indica colei che tiene a battesimo o a cresima una bambina; oppure colei che assiste al varo di una nave o alla consegna di una bandiera o ad altra cerimonia inaugurale.

magàri: esclamazione che indica desiderio. Introduce un congiuntivo ottativo. Es.: *Magari potessi andare anch'io!*; *Sarai promosso? Magari!* Nelle proposizioni non esclamative significa: persino, fors'anche. Es.: *Volevo regalargli qualcosa, magari un piccolo giocattolo*; *Quel signore è capace magari di dirti di no.*

magazzíno: sostantivo maschile. Il significato proprio del termine è quello di locale ove si tengono in deposito merci e materiali in notevole quantità. È scorretto l'uso del termine nel senso di: negozio, emporio, bottega, cioè di luogo di vendita al pubblico. Dialettale la forma: *magazzeno*.

maggiolàta: componimento poetico per lo più in forma di ballata o di canzonetta, che i giovani toscani rivolgevano, nel XV secolo, alle loro donne in occasione delle calende di maggio per salutare l'avvento della primavera, il risveglio della natura e quindi la stagione degli amori. Celebre l'esempio letterario di Angelo Poliziano, *Ben venga maggio*.

maggiorànza (comparativo di): V. COMPARATIVO.

maggioràre: verbo della prima coniugazione, transitivo. Significa: aumentare. Ma è francesismo da evitare. Eviterai anche il participio passato nelle espressioni: *maggiorato dalle tasse* (aumentato dalle tasse), *prezzo maggiorato* (prezzo aumentato); e così pure non si dovrà usare il sostantivo MAGGIORAZIONE in luogo di: aumento. Nel linguaggio familiare e giornalistico si è coniata la locuzione *maggiorata fisica* per indicare ragazza (e soprattutto attrice) prosperosa, formosa, provocante.

maggióre: comparativo irregolare di *grande*. Significa: più grande (Es.: *Ha arrecato un danno maggiore di quel che si pensava*); o più anziano (*Ho incontrato il maggiore dei fratelli*). È inoltre usato per indicare gradi della gerarchia militare (*caporal maggiore, sergente maggiore, maresciallo maggiore, maggiore, aiutante maggiore*).
Come sostantivo plurale, i *maggiori*, indica gli antenati oppure i personaggi più influenti di una società.
Si noti l'espressione: *andar per la maggiore*, che significa: esser reputato tra i migliori, incontrare grande successo.
Dall'aggettivo si forma anche il comparativo dell'avverbio: *maggiormente*.

màgico: aggettivo qualificativo, che significa: attinente a magia, incantevole. Plurale: màgici.

màglio: sostantivo maschile che indica un grosso martello usato specialmente per lavorare i metalli. Si noti che il sostantivo femminile MÀGLIA, di diversa derivazione, indica o l'anello di una catena o un tipo di lavoro femminile (lavoro *a maglia*) o anche camiciola di lana o anche di altra fibra. Allo stesso modo MAGLIÓNE non significa: grosso martello (quasi fosse accrescitivo di maglio), ma: corpetto di lana lavorato a maglia, indumento invernale. È dunque un esempio di falsa alterazione.

màgma: nome che, pur terminando in *-a*, è di genere maschile. Termine geologico, indicante miscuglio di materie diverse fuse dal calore interno della Terra. Plurale: magmi. È composto di due sillabe: mag-ma.

magna pars: locuzione latina rimasta nell'uso. Letteralmente: gran parte. Indica persona che ha una parte importante in un'azienda, in un fatto, in un'attività. Es.: *Il dottor Tizio è magna pars di quel consiglio d'amministrazione*; *Il giornalista Caio è magna pars della giuría di quel concorso*.

magneto-: primo elemento di parole composte, usate nel linguaggio tecnico e scientifico, con relazione al magnetismo. Es.: *magnetofono*, *magnetosfera*, *magnetoterapia*, *magnetolettore*.

magnífico: aggettivo qualificativo che significa: liberale, magnanimo, generoso, sontuoso, splendido, meraviglioso. Superlativo: magnificentíssimo. Titolo che, nei secoli XV e XVI, indicava nobili o signori di città o piccoli Stati (Es.: *Il Magnifico Lorenzo*; donde, per antonomasia:

Lorenzo il Magnifico); oggi si dà ai rettori delle Università (*Il magnifico Rettore dell'Università di Milano*).

màgno: aggettivo qualificativo. Latinismo per: grande. Usato solo in alcune locuzioni: *Alessandro Magno, Carlo Magno, Magna Grecia, aula magna, pompa magna, Magna Charta* e poche altre.

màgo: sostantivo maschile, che significa: indovino, stregone. Plurale: màghi. L'altro plurale *màgi* indica i tre re che andarono ad adorare Gesù Bambino nella grotta di Betlemme.

mah: interiezione che indica incertezza, perplessità, scetticismo.

mài: avverbio di tempo. Indica negativamente una durata illimitata, equivalendo alla espressione: in nessun tempo, nessuna volta (L'hai visto qualche volta? *Mai*).

Ha però altri usi e significati. Rafforza la negazione, se posto dopo un verbo e una congiunzione negativa (*Non lo saprete mai*; *Nessun nemico l'ha mai spaventato*; *Fu più volte piegato, non mai vinto*). Acquista rilievo ed efficacia espressiva all'inizio di una proposizione (*Mai ci arrendemmo di fronte a lui*; *Mai che ci desse risposta*; *Mai che avesse una parola gentile*). Riprende l'originario valore positivo nelle interrogative (*Chi l'ha mai visto salutare?*; *Chi l'avrebbe mai immaginato?*) o in quelle condizionali (*Se mai ti capita un'occasione...*).

Locuzioni derivate sono: *se mai* con valore correttivo (*Non lo punire, se mai ammoniscilo*); *più che mai*, nel senso di: più di prima (*Lo rispetteremo più che mai*); *come mai*, interrogativo, per esprimere stupore (*Come mai non hai replicato?*); *ormai*, indicante conclusione (*Ormai non c'è più nulla da fare*).

Si rafforza con *più* (*Mai più lo voglio aiutare*).

maiàle: sostantivo maschile. Nome di un animale. Femminile: *scròfa* (o, ma è d'uso popolare, *maiàla*).

maiestàtico (plurale): in grammatica è la prima persona plurale usata in luogo della prima persona singolare. È un uso lecito solo alle autorità (re, papi, giudici, ecc.) oppure all'autore di uno scritto. Es.: *Noi, Re d'Italia, ordiniamo...*; Questo fatto, *come dicevamo sopra*, è stato molto commentato.

Si chiama anche alla latina: *pluralis maiestatis.*

maiúscola (uso della): la lettera maiuscola, che si usa solo come iniziale di una parola, è obbligatoria nei seguenti casi:

a) in principio di periodo, non solo dopo il punto fermo, ma anche dopo i due punti (se si cita testualmente un discorso diretto), dopo il punto interrogativo, l'esclamativo e i puntini di sospensione, se dopo di essi si inizia una frase con senso nuovo;

b) con i nomi propri, non solo di persona (*Vittorio Alfieri, il vate*), ma anche di regioni (*Lombardia*), città (*Milano*), popoli (*Italiani*), vie (*Via Appia*), porte (*Porta Pia*), quartieri (*Quartiere latino*), edifici (*Palazzo Marino*), oggetti famosi (*il Carroccio*), istituzioni (*Stato, Università, Ospedale maggiore*), feste (*Primo Maggio*), opere d'arte (*Cenacolo*), fatti storici (*Vespri Siciliani, Rivoluzione Francese*). Si usa pure la maiuscola per i nomi indicanti persone sacre (*Dio, la Vergine*), talora per i titoli e gli attributi delle autorità politiche e religiose specie se individualizzate (*Re, Presidente della Repubblica, Papa, Vescovo, Sindaco*). Le solennità civili e religiose vogliono la maiuscola (*Pasqua, Natale*). I nomi delle stagioni, dei mesi, dei giorni della settimana sono invece ormai generalmente scritti con la lettera minuscola, specie nelle date. Si va estendendo l'uso della minuscola, anche in quei casi ove, per reverenza, si riteneva tradizionalmente d'obbligo la maiuscola: nei nomi dei popoli (*I tedeschi vengono d'estate in Italia*), delle istituzioni (*i professori di università, il presidente della repubblica, i vescovi italiani*, ecc.).

Se il nome è composto di più parole, la maiuscola si usa in genere per i sostantivi e gli aggettivi, mentre le congiunzioni, le preposizioni, gli avverbi, ecc., purché non all'inizio, restano con la minuscola. Es.: *Piccolo Teatro della Città di Milano, Dizionario delle Arti, I Promessi Sposi, La Gerusalemme Liberata, La Divina Commedia*. Si può anche mettere la maiuscola alla sola parola iniziale (Es.: *Dizionario delle arti, I promessi sposi*).

Con la maiuscola si scrivono le parole componenti il nome di enti, associazioni, aziende, ecc. Es.: *Radio Audizioni Italiane* (RAI), *Organizzazione Nazioni Unite* (ONU), *Istituto Geografico de Agostini* (IGDA). Tuttavia c'è da registrare l'estendersi dell'uso delle sigle con la sola iniziale maiuscola: *la Fiat, La Rai, l'Onu*.
I titoli delle opere formati da una frase hanno maiuscola solo l'iniziale della prima parola (Es.: «*Ma non è una cosa seria*»).
Gli appellativi *santo, via, mare, monte*, quando sono parte costitutiva del nome, si scrivono con la maiuscola (*Mar Rosso, San Francesco*).
I titoli che precedono o seguono nomi propri sono da scriversi, nell'uso più corretto, con la lettera minuscola. Es.: il *senatore* De Nicola, il *ministro* Minghetti, l'*imperatore* Claudio. Occorre poi distinguere gli aggettivi sostantivati che derivano da nomi di luogo e che vogliono la maiuscola, dagli stessi aggettivi usati come tali. Così si scriverà: I *Francesi* vinsero molte guerre; ma: I cittadini *francesi* voteranno domenica;

c) con i sostantivi e aggettivi sostantivati quando vengono usati come nomi propri o per personificazione (Es.: la *Giustizia*) o per antonomasia (il *Poeta*);

d) con i pronomi o le particelle pronominali enclitiche quando si riferiscono alla persona a cui ci rivolgiamo nel discorso e alla quale si vuol rendere particolare omaggio (Es.: Mi pregio informar*La*; Come *Le* ho promesso). Ma queste formule reverenziali stanno scomparendo dall'uso.
Si noti che i nomi propri di persona quando sono usati in funzione di nomi comuni, si scrivono con la minuscola. Es.: fare il *cicerone*, comportarsi da *mecenate*.
Con questi criteri non si sono tuttavia eliminati i molti dubbi che - mancando regole precise e rigide - si affacciano a chi scrive, circa l'uso della maiuscola. Dipende infatti anche dal modo in cui l'autore "sente" una parola il fatto che sia scritta con la maiuscola o la minuscola.
Vi sono parole che talora si debbono scrivere con la maiuscola e altre volte con la minuscola. Es.: *Chiesa* (riferita ad una determinata comunità religiosa), *chiesa* (edificio o se usata come nome comune); *Governo* (quando si vuol citare con particolare solennità l'organo del potere esecutivo), *governo* (come nome comune e frequentemente anche per l'insieme dei ministri). Es.: *La Chiesa condanna il divorzio*; *Quel partito ha una ortodossia come una chiesa*; *Entrò nella chiesa del Gesù*; *Il Governo ha deciso di intervenire*; *Fu un oppositore del governo passato*.
Si scrivono con la lettera minuscola i nomi dei mesi (*gennaio, febbraio*, ecc.) e dei giorni della settimana (*lunedì, martedì*, ecc.), ma non sempre. La maiuscola si ritrova, talora, nelle date solenni (*il IV Novembre*; *il 25 Aprile*) o in certi casi speciali (*Giovedì Santo, Lunedì dell'Angelo*).
Sole, Luna, Terra sono scritti con la maiuscola quando vengono citati con un preciso riferimento astronomico, mentre hanno l'iniziale minuscola quando indicano semplicemente oggetti della nostra esperienza quotidiana. Es.: *Il Sole è una stella*; *la Luna e la Terra sono due pianeti*; *Il sole indorava le messi*; *Passeggiavano sotto la luna*; *Il missile si staccò dalla terra*.

makó: nome di un tipo di cotone egiziano. Si scrive anche *macò*, all'italiana.

mal: troncamento di *malo* (V.) o di *male* (V.), usato per comporre numerose parole: MALACCÈTTO (anche: mal accetto; plur.: malaccetti), MALACCÒLTO (mal accolto; malaccolti), MALACCÒRTO (malaccorti), MALAFFÀRE (non ha plurale), MALANDÀTO (malandati), MALÀNIMO (non usato il plurale), MALAUGÚRIO (malaugúri), MALAVVEDÚTO (malavvedúti), MALCADÚCO (mal cadúco; malcadúchi), MALCAPITÀTO (malcapitati), MALCÀUTO (malcauti), MALCÈRTO (malcerti), MALCOMPÓSTO (mal composto; malcomposti e mal composti), MALCÓNCIO (malconci, malconce), MALCONSIGLIÀTO (mal consigliato, malconsigliati), MALCONTÉNTO (malcontenti), MALCOSTÚME (mali costumi), MALDÈSTRO (maldestri), MALDÉTTO (maldetti o mal detti, da non confondere con: maledetti), MALDICÈNTE (maldicenti), MALDISPÓSTO (maldisposti), MALFATTÒRE (femm.: malfattrice), MALFÉRMO (malfermi), MALFÍDO (malfidi), MALGÀRBO (mal garbo, mali garbi), MALMÉSSO (malmessi), MALNÀTO (malnati), MALPARLÀNTE (malparlanti), MALSICÚRO (malsicuri), MALTÈMPO (senza plurale), MALTENÚTO (mal tenuto; mal tenuti), MALTÒLTO (maltolti), MALUMÓRE (malumori), MALVESTÍTO (malvestíti), MALVÍSTO (malvisti), MALVIVÉNTE (malviventi), MALVOLÉRE (senza plurale).

malaco-: primo elemento di parole composte, specie nel linguaggio scientifico, attinenti ai molluschi. Es.: *malacologia*.

malaféde: nome femminile composto da un aggettivo (mala) e da un sostantivo femminile singolare (fede). Plurale: malefédi. Significa: slealtà, dolo, animo d'ingannare. V. anche COMPOSTI (NOMI).

malafémmina: nome femminile composto da un aggettivo (mala) e da un sostantivo femminile singolare (femmina). Plurale: *malefemmine*.

malagràzia: nome composto da un aggettivo (mala) e un sostantivo femminile singolare (grazia). Plurale: malegràzie. Per la regola relativa V. COMPOSTI (NOMI).

malalíngua: nome composto da un aggettivo (mala) e da un sostantivo femminile singolare (lingua). Plurale: malelíngue. Significa: maldicente. Per la regola relativa V. COMPOSTI (NOMI).

malavòglia: sostantivo femminile composto da un aggettivo (mala) e da un sostantivo femminile (vòglia). Plurale: malevòglie. Significa: cattiva volontà, pigrizia. V. anche COMPOSTI (NOMI).

màle: avverbio qualificativo che significa: in malo modo, infelicemente, sconvenientemente. Deriva direttamente dal latino (gli avverbi latini si formavano appunto aggiungendo una *-e* al tema dell'aggettivo). Il comparativo è: *peggio* o *più male*; il superlativo: *malissimo* o *pessimamente*. L'avverbio *male* si unisce solitamente ad un verbo per specificare la qualità di un'azione o di uno stato. Es.: *Stava proprio male* (era malato, oppure anche: faceva brutta figura); *Andiamo male*; *Gli ha risposto male*; *Si vede che è male informato*; *Si va di male in peggio*. Si noti che l'avverbio *male* ha nell'uso anche alterazioni. Es.: Ha cantato proprio *maluccio*; Come stai? Non c'è *malaccio*.
Male è anche sostantivo maschile che indica il contrario di *bene*, ciò che è contro la legge morale. Es.: *Bisogna fuggire il male; Mi ha fatto tanto male*; *Era afflitto da molti mali*; *È andata a male* (si è rovinata, corrotta); *Soffro il mal di mare*; *Gli vuol proprio male*.

malèdico: aggettivo qualificativo, che significa: maldicente. Plurale: malèdici. Superlativo: maledicentíssimo.

maledíre: verbo della terza coniugazione, transitivo, composto di *dire* (V.). *Pres. indic.*: maledíco, maledíci, maledíce, malediciàmo, maledíte, maledícono. *Imperf.*: maledicévo (non: maledívo), maledicevi, malediceva, ecc. *Pass. rem.*: maledissi, maledicesti, maledisse (non: maledí), maledicemmo, malediceste, maledissero. *Imperf. cong.*: maledicessi, maledicessi, maledicesse, ecc. *Part. pass.*: maledétto.

malèfico: aggettivo qualificativo, che significa: maligno, dannoso, apportatore di male. Plurale: malèfici. La forma *malefìci* è invece il plurale di MALEFÍCIO, sostantivo maschile che significa: azione dannosa, stregoneria. Il superlativo (poco usato) dell'aggettivo è: maleficentíssimo.

malfàre: verbo della prima coniugazione, intransitivo. Usato raramente, solo nell'infinito, che ha anche valore di sostantivo (Es.: *Pensa solo a malfare*; *Il suo malfare ha superato ogni limite*) o nel participio passato (*Questa cosa è malfatta*; *Una legge malfatta va abolita*).

malgràdo: preposizione impropria e avverbio che significa: contro la volontà, a dispetto di. Quindi la costruzione originaria si fece con una *a* che precedeva e con la preposizione *di* che seguiva. Es.: *A malgrado dei vostri sostenitori*. Ma ormai, semplificando, si usa semplicemente *malgrado* preposto al nome, senza l'articolo. Es.: *Malgrado tua madre, scrissero a tuo fratello*; *Malgrado te, ottenne il permesso sperato*. Con i pronomi personali solitamente si pospone. Es.: *Tuo malgrado, fu comperata la casa*.
È errato l'uso di *malgrado* invece di *no-*

nostante, quando si riferisce a cose o ad azioni. Es.: *Nonostante piovesse* (non: malgrado piovesse), *andammo al campo sportivo*; *Nonostante la pioggia* (non: malgrado la pioggia), *andammo al campo sportivo*; *Contro il tuo divieto* (non: malgrado) *parlai con quella persona.*

màlo: aggettivo qualificativo di uso assai raro. In sua vece si usano: cattivo o malvagio. Usato è invece l'avverbio *male* (V.) o malamente. *Malo* si trova quasi sempre al femminile, unito ad un sostantivo in talune tipiche locuzioni: *mala grazia, mala parte, mala sorte, mala pena, mala voglia, mala lingua, mala vita* (che si scrivono talora anche in una parola sola: *malavíta, malasòrte, malavòglia*, ecc.). Al maschile in pochi casi: *malo modo, mal esempio, mal talento, mal punto.*

malóra: sostantivo femminile che significa: rovina, perdizione. *Mandare in malora*: rovinare, far fallire. *Mandare alla malora*: imprecare, maledire, mandar all'inferno. Es.: *Tutte queste spese mi manderanno in malora; Gli chiesi un favore ma mi mandò alla malora.* Di diversa origine è il sostantivo maschile MALÓRE che indica male improvviso. Es.: *Fu colto da malore mentre guidava l'automobile.*

malparlànte: sostantivo o aggettivo, usato spesso al plurale: i malparlanti, per indicare coloro che parlano e scrivono con improprietà di espressione e abuso di voci gergali, dialettali e di barbarismi.

malvàgio: aggettivo qualificativo, che significa: cattivo, crudele. Plurale: malvàgi; femminile: malvàgia; plurale: malvàgie o malvàge.

malversatóre: sostantivo maschile che indica colui che si appropria del denaro pubblico. È un francesismo, in luogo di *prevaricatore*. Analogamente, invece di MALVERSAZIÓNE, userai: prevaricazione, peculato.

màmma: sostantivo femminile. Parola con cui i figli chiamano la madre. A differenza di *madre* (V.), questo termine vuole sempre l'articolo, anche quando è preceduto da aggettivo possessivo. Es.: *La mamma accompagnò i figli a scuola*; *La sua mamma concesse il permesso di uscire.*

mancàre: verbo della prima coniugazione, intransitivo. Quando significa: commettere mancanza o sbagliare, si coniuga con l'ausiliare avere; quando invece significa: venir meno, morire, spegnersi, si coniuga con l'ausiliare essere. Es.: *In quella circostanza hai mancato gravemente*; *È mancato all'affetto dei suoi cari improvvisamente.*

Si noti poi che è scorretto l'uso di questo verbo transitivamente. Non dirai perciò: *Mancare il colpo* ma: fallire il colpo; non *mancare una promessa*, ma: non mantenere la promessa, mancare alla promessa.

mància: sostantivo femminile, che indica: denaro che si dà in regalo per un servizio prestatoci. Plurale: mànce.

mànco: avverbio di quantità, che significa: meno. Usato nelle espressioni *manco male* (meno male), *né manco* (nemmeno), *nondimanco* (nondimeno), *senza manco* (senz'altro). Come sostantivo vale: sinistro. Es.: *A dritta e a manca* (a destra e a sinistra).

Da un uso familiare e colloquiale deriva l'espressione *manco se* (=nemmeno, neanche) che introduce una concessiva (Non lo farei, *manco se mi pagassero*). Nella forma esplicita della concessiva si trova *manco a* (*Manco a dirsi*, c'era sempre di mezzo lui).

màndra: sostantivo femminile, indicante branco di bestiame. Esiste anche la forma *màndria.*

màne: sostantivo femminile; poetico per: mattina. Usato nella locuzione: *da mane a sera*; e nei composti *stamàne, dimàne.*

-mane: terminazione di sostantivi indicanti persone prese da particolari maníe. Es.: BIBLIÒMANE (maniaco del comperare e accumulare libri), GRAFÒMANE (maniaco dello scrivere), MORFINÒMANE (che abusa della morfina), COCAINÒMANE (intossicato dalla cocaina), MEGALÒMANE (che ha la mania della grandezza), MITÒMANE (che ha la manía di fantasticare), MELÒMANE (che ha un morboso amore per la musica).

manétte: sostantivo femminile, che indica i ferri usati dalle guardie per arrestare i delinquenti. Ha solo il plurale. Il singolare *manetta* è un francesismo se usato nel senso di: maniglia (di un rubinetto, di una portiera).

mangia-: prefisso verbale, da *mangiare*. Forma numerosi nomi composti indeclinabili. Es.: MANGIACRISTIÀNI (che fa il terribile a parole), MANGIAMINÈSTRE (parassita), MANGIAPÀNE (ozioso, buono soltanto a mangiare), MANGIAPOLÉNTA (scherzoso per: italiano del settentrione; anche: poltrone), MANGIAPRÉTI (anticlericale), MANGIATÚTTO (mangione, di bocca buona).

-manía: terminazione di parole composte indicanti fissazione, pazzia, ossessione: *telemania, calcomania, ninfomania.*

mànico: nome sdrucciolo terminante in *-co*, che fa al plurale: manici o manichi. Significa: maniglia, ansa, impugnatura. Si noti che il sostantivo femminile MÀNICA, di diversa derivazione, indica invece la parte del vestito che copre il braccio.

manièra: sostantivo femminile che vale: modo, qualità. Ha vari usi e diverse locuzioni: *buone, cattive maniere* (buoni, cattivi modi; buona o cattiva creanza), *la maniera di un artista* (il suo stile: *la maniera di Raffaello; alla maniera del Petrarca*), *di maniera* (con affettazione, artificioso, ricercato: *uno scrittore di maniera*; *un quadro di maniera*), *in ogni* o *in qualche maniera* (in ogni modo, a tutti i costi: *In qualche* o *in ogni maniera lo devi aiutare*), *in qualche maniera* (dialettale per: alla meglio: *Mi sono vestito in qualche maniera*), *in maniera che* (così che: *Gli parlerò in maniera che sappia poi comportarsi come si deve*), *in tutte le maniere* (assolutamente: *In tutte le maniere tu hai sbagliato*). Di diversa origine è il sostantivo maschile MANIÈRO, oggi in disuso, che significa: castello, abitazione signorile.

manièra (complemento di): indica il modo come avviene una azione. È solitamente formato da un sostantivo preceduto dalla preposizione *con* (Es.: Studio *con passione*; Lavorava *con molta attenzione*). Talora però il complemento può essere retto da *in* (Camminava *in punta di piedi*), da *per* (Dicevo *per scherzo*), da *a* (Partirono *a spron battuto*). Con la preposizione *da* si indica talora anche la condizione (Ho frequentato la scuola più volentieri *da scolaro* che *da professore*) o si vuol significare: degno di (Pronunciò un discorso *da pazzo*).
Naturalmente il complemento di modo o maniera può essere espresso con un avverbio modale o una espressione avverbiale. Es.: Si preparò *molto diligentemente* (invece che: con molta diligenza); Arrivarono *a precipizio*; Riempirono la valigia *alla rinfusa*.

manifattúra: sostantivo femminile che indica qualunque lavoro fatto a mano o a macchina; anche il luogo dove si fa un tal lavoro o il modo in cui è stato eseguito. Es.: *La manifattura del tabacco* (cioè la preparazione e lavorazione del tabacco); *Lavoravamo nella manifattura della seta* (stabilimento, opificio, ove si lavora la seta). *Manifattura* significa anche: capo di vestiario; e in questo caso è da preferirsi a *confezione*. L'aggettivo derivato più corretto, ma meno usato, è *manifattore* e non *manifatturiero* (femminili: *manifattrice* e *manifatturiera*).

màno: nome femminile terminante in *-o*. Plurale: le mani. Il plurale maschile *i Mani* ha altro significato, essendo il nome di antichi dèi. La mano è la parte del corpo umano con cui termina il braccio. Vale anche: lato, parte (*voltare a mano sinistra*; *tenere la mano destra*; ma spesso *mano* è sottinteso), potere (*Ora sei in mano sua*), carattere di scrittura o stile (*In questo scritto si riconosce la sua mano*), strato di vernice (*Dare la seconda mano di vernice*). Forma le seguenti locuzioni: *a mano* (fatto con le mani, senza la macchina: *scritto a mano, cucito a mano*), *alla mano* (alla buona, cortese, affabile: *è un tipo alla mano*), *a mano a mano* (successivamente, a poco a poco), *metter mano a* (prendere: *mise mano al portafoglio*), *domandar la mano* (chiedere in isposa), *dare una mano* (aiutare), *a piene mani* (con abbondanza, copiosamente), *lavarsene le mani* (disinteressarsi, togliersi la responsabilità), *di seconda mano* (non nuovo, usato, indiretto: *notizia di seconda mano*; *auto di seconda mano*), *di sottomano* (di nascosto), *far la mano* (abituarsi a fare una cosa: *Dopo un po' di esercizio, farai la mano anche a contare le banconote rapidamente*), *colpo di mano* (ormai nell'uso, ma francesismo per: aggressione, assalto, azione di sorpresa).

-mano: secondo elemento di nomi composti di forma verbale più il sostantivo *mano.* Al plurale si declina solo *mano.* Es.: *baciamani, corrimani, passamani, asciugamani.*

manométtere: verbo della seconda coniugazione, transitivo. *Pass. rem.*: manomisi, manomettésti, manomise, manomettémmo, manomettéste, manomísero. *Part. pass.*: manomésso. Oggi significa: violare, alterare, guastare, offendere. Es.: *Mi accorsi che la mia posta era stata manomessa*; *Questa serratura è stata manomessa*; *Non si possono manomettere i diritti dei popoli.* Nel senso di: mettere mano, incominciare, avviare, c'è la forma toscana MANIMÉTTERE, ma è poco usata.

manomòrta: sostantivo femminile composto da un sostantivo femminile (mano) e da un aggettivo (morta). Plurale: manimorte. Indicava un tempo beni inalienabili, soggetti a privilegio. V. anche COMPOSTI (NOMI).

mansarde: parola francese (pr.: mansàrd) derivata dal nome dell'ing. architetto Mansard. Il termine è stato italianizzato in *mansarda*, accettabile e più rispondente di: abbaíno, soffitta.

mansióne: sostantivo femminile, usato nel linguaggio burocratico per: ufficio, incarico, dovere. Da mansione è derivato MANSIONARIO, che indica il repertorio dei compiti e dei doveri assegnati a una determinata categoria o posizione aziendale: *il mansionario del direttore vendite, il mansionario delle B2.*

mansuefàre: verbo della prima coniugazione, transitivo. *Pres. indic.*: mansuefàccio (mansuefò), mansuefài, mansuefà, mansuefacciàmo, mansuefàte, mansuefànno. *Imperf.*: mansuefacévo, mansuefacévi, mansuefacéva, ecc. *Pass. rem.*: mansueféci, mansuefacésti, mansuefécе, mansuefacémmo, mansuefacéste, mansuefécero. *Fut. semplice*: mansuefarò, mansuefarài, mansuefarà, ecc. *Pres. cong.*: mansuefàccia, mansuefàccia, mansuefàccia, ecc. *Pres. condiz.*: mansuefarèi, mansuefarésti, mansuefarèbbe, ecc. *Imper.*: mansuefài (mansuefà), mansuefacciàmo, mansuefàte, mansuefàcciano. *Part. pass.*: mansuefàtto.

-mante: elemento finale di parole composte. D'origine greca, significa: indovino. Es.: *cartomante, chiromante, rabdomante.* L'attività e la prerogativa di indovinare sono indicate con la terminazione -MANZÍA, che concorre a formare varie parole composte: *cartomanzia, chiromanzia.*

mantenére: verbo della seconda coniugazione, transitivo. *Pres. indic.*: mantengo, mantieni, mantiene, manteniamo, mantenete, mantengono. *Imperf.*: mantenevo, mantenevi, manteneva, ecc. *Pass. rem.*: mantenni, mantenesti, mantenne, mantenemmo, manteneste, mantennero. *Fut. semplice*: manterrò, manterrai, manterrà, manterremo, manterrete, manterranno. *Pres. cong.*: mantenga, mantenga, mantenga, manteniamo, manteniate, mantengano. *Pres. condiz.*: manterrei, manterresti, manterrebbe, manterremmo, manterreste, manterrebbero. *Part. pass.*: mantenúto (spesso sostantivato: il mantenuto, una mantenuta). Significa: conservare (*Mantenne la sua abituale impassibilità*), sostenere, alimentare, dar da vivere (*Mantiene una famiglia di sei persone*).

manu: parola latina, ablativo di *manus*, mano. Usata in alcune locuzioni: *brevi manu* (direttamente: *Gli consegnai la lettera brevi manu*), *manu militari* (con la forza: *Lo costrinsero manu militari a lasciare il potere*).

maràsma: sostantivo maschile in *-a* (ma esiste anche la forma *maràsmo*). Plurale: maràsmi. Indica la consunzione, l'indebolimento del corpo umano per malattia e soprattutto per invecchiamento. Al figurato: decadenza di istituzioni e del costume. Es.: *È morto per marasma senile*; *Nel marasma del dopoguerra furono commessi molti delitti.* Errore invece usare il termine per: confusione, disordine. Es.: *Nel marasma* (dirai: nella confusione) *ci fu chi approfittò.*

maravigliàrsi: verbo della prima coniugazione, riflessivo. Significa: provar maraviglia, stupirsi. Si costruisce con la preposizione *di.* Es.: *Mi maraviglio di te*; *Mi maraviglio che nessuno mi abbia informato.* Usato intransitivamente (ausiliare:

avere) significa: far maraviglia. Es.: *Ormai la cosa non maraviglia più*. Raro l'uso transitivo. Es.: *Maravigliò i presenti con il suo comportamento*. Esistono anche le forme *meravigliarsi* e *meravigliare*.

màrca: in linguistica, un tratto distintivo che consente di opporre un elemento ad un altro appartenente alla stessa classe. Per es., tra i verbi, *mangiare* ha la marca di transitivo rispetto ad *andare* che non ha la stessa marca.

marcàre: verbo della prima coniugazione, transitivo. Significa: porre il marchio o la marca (Es.: *marcare un prodotto*). È sconsigliato l'uso nel senso di: notare, segnare (Es.: *marcare i confini, marcare i punti*), o di accentuare (Es.: *marcare le forme con l'abito*). Analogamente eviterai l'uso del participio passato *marcàto* in luogo di: accentuato, forte, caricato, rilevato. Nel linguaggio sportivo, vale: controllare, contrastare. Es.: *Il mediano marcava l'ala avversaria*.

màrcia: sostantivo femminile che indica il camminare cadenzato di più persone. Plurale: màrce. Indica anche il suono della banda musicale per accompagnare il passo di chi marcia. Es.: *All'alba ci mettemmo in marcia*; *La banda intonò una marcia militare*. Di diversa origine è il sostantivo femminile MÀRCIA per indicare: pus, tabe, materia, umore putrido che si genera per effetto del marcire. Si usa anche il sostantivo maschile MÀRCIO (plurale: marci), specialmente al figurato. Es.: *Il medico tolse la marcia dalla ferita*; *In questa faccenda c'è del marcio*.

marciàre: verbo della prima coniugazione, intransitivo. Ausiliare: avere. Indica il camminare con regolarità, detto specialmente di più persone assieme. Usato anche nel senso di: andare, procedere; ma non bisogna abusarne. Es.: *Gli affari marciano benissimo*; *Marciava verso il successo*. Nel linguaggio sportivo: camminare con regolarità per ginnastica o come prova competitiva; e anche: correre, andare velocemente, a piedi, in motocicletta o in automobile. Es.: *Il corridore marciava* (in bicicletta) *a quaranta all'ora*; *Nella prima parte della corsa marciava assai bene*. Da evitarsi l'uso di questo verbo riferito a cose. Es.: *Il treno marciava* (meglio: filava, andava, procedeva) *a 170 km all'ora*.

marcíre: verbo della terza coniugazione, intransitivo. Tra il tema e la desinenza di alcuni tempi inserisce il suffisso incoativo *-isc-*. *Pres. indic.*: marcísco, marcísci, marcísce, marciàmo, marcíte, marcíscono. *Pres. cong.*: marcísca, marcísca, marcísca, marciàmo, marciàte, marcíscano. *Part. pass.*: marcíto. Si coniuga con l'ausiliare essere, e vale: diventar marcio, imputridire, putrefarsi. Es.: *Questa merce è marcita*; *I pali erano marciti*. Si può usare avere quando il verbo vale: vivere marcendo, detto specialmente di chi è costretto a perdere le forze e la vitalità in un lungo ozio. Es.: *Ha marcito trent'anni in un'oscura prigione*.

maritàre: verbo della prima coniugazione, transitivo. Significa: dar marito ad una fanciulla. È erroneo l'uso al riflessivo di questo verbo se riferito a uomo in luogo di *ammogliarsi*.

martelliàno: verso di quattordici sillabe, così chiamato da Pier Jacopo Martelli, che tra il sec. XVII e il XVIII lo derivò dal teatro francese (ma si trova già nel «contrasto» di Cielo d'Alcamo del sec. XIII). Composto da una coppia di settenari piani, divenne consueto nelle opere di commediografi, come C. Goldoni, G. Giacosa e P. Ferrari. Es.:

«*E non credan, signori, che niente io mi [disperi*
tanto per quei che ridono, che per quei che [stan seri!».

(P. Ferrari)

Anche il Carducci si cimentò con il verso martelliano:

«*Su i campi di Marengo batte la luna; fosco*
Tra la Bormida e il Tanaro s'agita e [mugge un bosco,
Un bosco d'alabarde, d'uomini e di [cavalli,
che fuggon d'Alessandria da i mal tentati [valli.».

(G. Carducci)

martírio: sostantivo maschile che indica: il supplizio del màrtire, tortura, tormento. Il plurale è *martíri*, mentre *màrtiri* è il plurale di *màrtire*.

maschíle: uno dei due generi in cui si dividono le parole della lingua italiana. Il

genere maschile si riferisce a maschi o a cose convenzionalmente considerate come tali. Per i nomi indicanti esseri animati il genere sarà maschile o femminile secondo il sesso della persona o dell'animale indicati. Es.: (genere maschile): *uomo, ragazzo, gatto, cane*; (genere femminile): *donna, ragazza, gatta, cagna*. Negli altri casi il genere di una parola è fissato per convenzione. È evidente, infatti, che il sesso non determina il genere di parole indicanti oggetti, cose, fatti. Il genere si conosce allora dall'uso ed è bene, nei casi dubbi, consultare il vocabolario. In linea generale si può dire che sono maschili: i nomi di piante (il *melo*, il *pero*), i nomi geografici indicanti laghi, fiumi, monti (il *Monte Rosa*, il *Tevere*, il *Lario*), alcune regioni (il *Lazio*, il *Piemonte*, l'*Oltrepò*, l'*Oregon*, il *Bengala*), i nomi dei mesi e dei giorni della settimana, esclusa la domenica (il *gennaio*, il *lunedì*).
Questi criteri generali, che tengono conto del significato del nome, non sono tuttavia assoluti. Vi sono infatti nomi - esempio: *birba, guardia, spia, sentinella* - che pur riferiti generalmente a uomini sono di genere femminile (si noti tuttavia che *birba, spia, guida* si riferiscono anche a donne: *La spia Mata Hari*; *La dottoressa fu la nostra guida alla mostra*).
Tra i nomi di piante, sono poi femminili la *quercia*, la *vite*, la *palma*; tra quelli geografici fanno eccezione le *Alpi*, le *Ande*, i nomi di isole, la *Lombardia*, la *Campania*, la *Toscana*, e tutti i nomi di regione terminanti in *-a*.
Un altro criterio per distinguere il genere maschile da quello femminile è quello che si riferisce alla desinenza. I nomi terminanti in *-o* sono tutti maschili (*orologio, chiodo*, ecc.), salvo *eco, mano, dinamo, radio, auto, moto*. Sono pure maschili alcuni nomi terminanti in *-a* (oltre a *birba, guida, spia* già citati): *amàlgama, analfabéta, anatéma, apóstata, aróma, ascéta, assiòma, atléta, bòia, cataclísma, cínema, clíma, còmma, crocevía, dèspota, diadéma, diafràmma, dilèmma, diplòma, dògma, dopoguèrra, dràmma, enígma, eremíta, esegéta, estéta, fantàsma, fonogràmma, geràrca, guardiamarína, idiòma, idolàtra, maràsma, melodràmma, metropolíta, monàrca, núlla, oltretómba, pàpa, parapiòggia, patriàrca, patriòta, pelleróssa, pianéta, pigiàma, pilòta, piràta, poéma, poéta, prísma, probléma, proféta, progràmma, rizòma, schéma, scísma, sistéma, sottogóla, stémma, stratagèmma, taglialégna, telegràmma, téma, teoréma, tracóma, troglodíta, vàglia*, ecc., oltre ai nomi bigeneri terminanti in *-cída* (*omicída, uxoricída*) e in *-ísta* (*podísta, artísta, autísta*).
I nomi terminanti in *-i* sono per lo più maschili: *brindisi, viavai, cavatappi, bísturi, giurí, dí*. Ma sono femminili: *crisi, diocesi, dieresi, estasi, metropoli, necropoli, eclissi*, ecc.
I nomi terminanti in *-e* possono essere maschili o femminili; quelli terminanti in *-u* sono per lo più femminili, eccetto *caucciù, fisciù*.
Vi sono poi nomi che hanno doppio genere, talvolta con lo stesso significato, talvolta invece con significato diverso secondo il genere. Alla prima categoria appartengono, ad esempio, *buco* e *buca*, *fosso* e *fossa* (benché, come si vede, non si possa parlare di sinonimi in senso assoluto); alla seconda categoria appartengono, tra le altre, le parole: il *busto* e la *busta*; il *collo* e la *colla*, il *libro* e la *libra*. V. alla voce GENERE un lungo elenco di questi nomi.
Per quanto riguarda gli aggettivi variabili, il genere maschile è indicato dalla desinenza *-o* od *-e* (*bello, fedele*) al singolare, e dalla desinenza *-i* (*belli, fedeli*) al plurale.

màssa: sostantivo femminile che indica quantità di materia. Per quanto riprovato dai puristi, oggi è ormai invalso l'uso di questa parola nel senso di: popolo, folla. Si dice: le *masse popolari*, le *masse corali*, ecc., e si è diffusa la locuzione *in massa* per: tutti assieme (*Si presentarono in massa*).
Si noti poi che il sostantivo maschile MÀSSO significa invece: pietra, roccia, sasso.

massacràre: verbo della prima coniugazione, transitivo. Significa: far strage, sterminare. È un francesismo ormai accolto nell'uso. Come è pure entrato nell'uso MASSÀCRO per: strage, eccidio e simili. *Jeu de massacre* è stato poi tradotto e usato largamente con *gioco al massacro*.

masserízie: sostantivo femminile, che indica gli arredi della casa. Poco usato è ormai il singolare: *masserízia*.

màssima: sostantivo femminile che significa: sentenza, norma, principio. La locuzione *in linea di massima* è oggi invalsa nell'uso. Meglio: in linea di principio, in linea generale.

màssimo: superlativo dell'aggettivo *grande* (V.). Significa: grandissimo, il più grande. Usato spesso come sostantivo. Es.: *Questo è il massimo che ti posso concedere*; *Gli inflissero il massimo della pena*. La locuzione *al massimo* vale: tutt'al più. Dall'aggettivo deriva anche il superlativo dell'avverbio: *massimamente*.

massóne: falsa *alterazione* (V.) di MÀSSO. È infatti sostantivo maschile che indica un socio della Massoneria, abbreviazione di *framassóne* (dal francese *franc maçon*).

matéria (complemento di): indica la materia di cui è composto un oggetto. È retto dalla preposizione *di* (più corretta che *in*) che precede il sostantivo indicante la materia. Esempi: Una statua *di marmo*; Un anello *d'oro*; Le scarpe *di cuoio*; Una borsa *di pelle*; Questa veste è *di seta*; Noi siamo fatti *di carne*.

matrígna: V. MADRIGNA.

mattóne: falsa alterazione di MÀTTO (pazzo). Questo sostantivo maschile deriva infatti dal latino *maltha* e indica un pezzo di terracotta rettangolare, usato per le costruzioni. Anche MATTÍNO è falsa alterazione di *màtto* (pazzo): non è un diminutivo, ma un sostantivo maschile che indica la prima parte del giorno.

maturàre: verbo della prima coniugazione. È intransitivo se usato con il significato di diventar maturo, e si coniuga con l'ausiliare essere. Es.: *Le pere sono maturate*; *Da quando hai contratto il prestito, è maturato un alto interesse*. È transitivo se usato col significato di: far maturo, condurre a maturazione. Es.: *Il melo quest'anno ha maturato molti frutti*; *Lo sciroppo ha maturato la tosse*. Talora è usato pure col significato di: ponderare, preparare con pazienza. Es.: *In quel periodo noi maturammo la risoluzione di partire*.

maxi-: primo elemento di numerosi neologismi composti. Vale: grandissimo, colossale. Usato soprattutto nel linguaggio giornalistico: *maxiprocesso*, *maxiconcerto*, *maxitruffa*.

maximum: voce latina (pr.: màximum) ancor oggi in uso per indicare il punto più alto, il colmo. Es.: *Aveva ormai raggiunto il maximum nella sua carriera*.

màzzo: sostantivo maschile, che indica fascio, fastello (Es.: *mazzo di rose*). Si noti che il sostantivo femminile MÀZZA, di diversa derivazione, indica invece un grosso bastone.

me: pronome personale di prima persona. Vale per il singolare ed è usato per tutti e due i generi. Si usa sempre come complemento (la forma del pronome singolare, usato come soggetto, è *io*). Come complemento oggetto dà rilievo al concetto che si vuol esprimere. Es.: *Hanno offeso me*, è più efficace che non *Mi hanno offeso*. Altri esempi: *Aspettavate proprio me?*; *Non dovevano dimenticare me*.
Me si usa pure nelle esclamazioni (*Povero me!*; *Beato me!*) e dopo le preposizioni (*Aveva parlato con me*; *Si è ricordato di me*; *Voleva raccontarlo a me*; *Non l'ha fatto per me*; *Sarebbe poi venuto da me*; *Volevano sperimentare il farmaco su di me*). Anche con i verbi *essere, sembrare, parere*, dopo i quali il pronome di prima persona è in funzione di predicato, si usa *me*. Es.: *Fa' come se fossi me*; *In quella foto egli sembra me*. Se però il soggetto della proposizione è espresso dal pronome *io*, non si usa la forma complementare *me*, ma si ripete quella soggettiva *io*. Es.: *Non sembro più io*; *Io sono io*.
Quando il verbo è ad un modo indefinito oggi si usa solitamente la forma *io*. Es.: *Morto io, chi si ricorderà più delle mie opere?*; *Tornato io* (più raramente: tornato me), *tutti ripresero a lavorare*.
Me si usa sempre nella comparazione dopo *come* e *quanto*. Es.: *Era forte come me*; *Ne sapeva quanto me*.
Me è forma tonica del pronome personale di prima persona singolare, distinta da *mi* (V.) che invece è forma atona. È detta tonica perché ha nella frase un suo accento e rilievo particolare, mentre *mi* è sempre in posizione di proclitica ed en-

clitica, appoggiandosi per l'accento al verbo che segue o che precede. Circa l'uso di *me* e di *mi*, si deve notare che: a) *me* pone il complemento in particolare rilievo (*Tu segui me* è più forte che *Tu mi segui*); b) *me* si deve usare quando si vuol mettere in risalto un contrasto (*Pensa a me e non a lui*; *Guarda me e non la finestra*); c) *me* si deve usare quando vi sono due complementi della stessa natura (*Tu scrivi a me e agli altri*; *Io proteggo me e tutti insieme*); infine si deve usare *me* quando si vuol evitare due forme atone successive (*Tu ti rivolgi a me*, invece che: *Tu mi ti rivolgi*).

Si noti inoltre che *me* sta in luogo di *mi*, unito ad altre particelle atone, diventando a sua volta enclitico o proclitico. Es.: *Non me lo deve abbandonare*; *Me ne ero dimenticato*; *Chi me lo salverà?*; *Conducetemelo qui*; *Seguitemelo senza sosta*; *Fammelo vedere.*

me': forma antiquata di *meglio* di cui è apocope. Nella lettura si distingue da *me* (pronome personale) poiché si pronuncia la *e* con suono aperto.

meccanísmo: sostantivo maschile, che indica il complesso delle parti di una macchina. Anche un processo composto di fasi legate tra loro come causa ed effetto. Il termine oggi si usa anche in senso figurato, col significato di: ingranaggio, funzionamento organico. Es.: *Il meccanismo dello stile*; *Queste sono le leggi del meccanismo politico*. Meglio sarebbe però in tali casi usare: meccanica. Es.: *La meccanica dello stile.*

méco: latinismo, composto da *me* e *con* (cfr. il latino *mecum*). Significa: con me; è usato ormai raramente. Es.: *Vieni meco*; *Non ho meco i libri.*

medésimo: aggettivo dimostrativo che indica identità, come *stesso* (V.). È di uso più raro che *stesso*; da esso deriva il verbo IMMEDESIMÀRSI (identificarsi, unirsi strettamente, investirsi).

Medesimo può essere posto prima o dopo il nome. Es.: *Ripeté le medesime parole*; *Aveva il medesimo vestito*; *Ho comprato quel libro medesimo*. Se usato col pronome *sé*, questo talora si trova senza accento, ma al plurale bisogna sempre scrivere: *sé medesimi*. Con i pronomi personali ha valore rafforzativo. Es.: *Offese me medesimo*; *Danneggiò sé medesimo.*

Come sostantivo maschile ha valore neutro e vale: la medesima cosa, la stessa cosa. Es.: *Tutti pensarono il medesimo.*

mediànte: preposizione impropria che regge un complemento di mezzo. Significa: per mezzo di. Es.: *Sollevarono mediante la gru il pesante carico.*

mèdico: sostantivo maschile, che indica colui che pratica la medicina. È un nome sdrucciolo terminante in *-co*, che al plurale fa: mèdici. Il femminile è *medichéssa*, però poco usato. Si preferisce dire *dottoressa*, di una donna che pratica medicina. L'aggettivo *mèdico* (plurale: mèdici) al femminile fa invece *mèdica*. Es.: *guardia mèdica, clinica mèdica.*

medioèvo: sostantivo maschile. Si scrive anche Medio Evo. Nei derivati l'*o* di medio cade: *medievàle, medievalísmo, medievalísta.*

meditàre: verbo della prima coniugazione, transitivo. Significa: pensare, considerare, premeditare. Es.: *Medita un'impresa*. Usato intransitivamente si coniuga con l'ausiliare avere. Es.: *Hai meditato sui tuoi errori?*; *Il filosofo meditava sul concetto di infinito.*

mèdium: sostantivo maschile indeclinabile. Vale: che sta nel mezzo. Indica, nel linguaggio degli spiritisti, la persona che fa da mediatore tra il mondo degli spiriti e quello dei vivi. Nel linguaggio familiare si usa anche al femminile, ma non è corretto. Es.: *La donna afferma di essere un* (non: una) *medium.*

mega- o **megalo-:** prefisso di origine greca che significa: grande; è usato per comporre varie parole italiane. Es.: *megalítico* (formato di grossa pietra); *megalocefalía* (eccessiva grossezza della testa); *megalomanía* (mania di grandezza). Nel linguaggio giornalistico è oggi usato con valore enfatico e spesso anche ironico: *megaconcerto, megadirigente, megagalattico, megamulta, megashow.*

mèglio: comparativo di *buono* e di *bene*. Come aggettivo significa: più buono, migliore. Es.: *Questa è la meglio risoluzione che potessimo prendere*; *Questo libro è meglio di quello*. Come sostantivo maschile indica la parte migliore. Es.: *Tra tutta*

quella roba ho scelto il meglio; *Aveva proprio fatto il suo meglio* (= il suo interesse); *Fece proprio del suo meglio* (= si adoperò con tutte le forze). Come sostantivo femminile indica la miglior sorte. Es.: *Ebbe la meglio sul suo rivale*. Anche: la miglior maniera possibile, come si può. Es.: *Il lavoro fu eseguito alla meglio*.
Come avverbio significa: più bene. Es.: *Ho dormito meglio di ieri notte*; *Ora mi sento meglio*. È un francesismo usare *meglio* nel senso di piuttosto, nell'espressione, per esempio: *amo meglio*. Dirai: preferisco, sceglierei.

méla: sostantivo femminile. Nome di un frutto. L'albero che lo produce ha invece un nome di genere maschile: il *melo*. Si notino i nomi composti con il sostantivo femminile *mela* e le corrispondenti forme al plurale: *melacotógna* (melecotógne), *melagràna* (melagràne), *melarància* (melarànce).

melanconía: forma meno usata di *malinconía*. Analogamente: *malincònico* e *melancònico*; *malinconicaménte* e *melanconicaménte*.

mèlica: l'antica poesia lirica greca che veniva cantata con l'accompagnamento musicale, così denominata per distinguerla dalla poesia epica che veniva recitata.

melo-: primo elemento di parole composte. Vale: musica, musicale, attinente alla musica. Es.: *melodia*, *melopea*, *melodramma*, *meloterapia*.

melòlogo: nome sdrucciolo terminante in *-go*, che al plurale finisce in *-ghi*: melòloghi. Indica una declamazione con accompagnamento di musica.

mèmbro: nome sovrabbondante. Ha due desinenze al plurale: i membri (per l'uso figurato: i *membri del consiglio*) e le membra (per l'uso proprio: le *membra del corpo*).

mendàcia: sostantivo femminile, che significa: falsità. Plurale: mendàcie (da non confondere con l'aggettivo MENDÀCE: falso, menzognero). Più usato, se pure letterario, il sostantivo maschile, MENDÀCIO (plurale: mendàci).

mendíco: sostantivo maschile, che significa: mendicante (più usato), povero. Plurale: mendíchi.

méne: sostantivo femminile usato quasi esclusivamente al plurale (per quanto esista il singolare *ména*). Significa: trama, maneggio, raggiro, insidia. Es.: *Sventò le mene degli oppositori*. Nel linguaggio familiare oggi è generalizzato l'uso di MENATA.

menefreghísta: sostantivo o aggettivo. Voce volgare e da evitarsi. Dirai: noncurante, indifferente. Eviterai pure *menefreghísmo* per: indolenza, noncuranza, incuria, disprezzo; e l'espressione: *me ne frego*, da cui derivano le precedenti, sostituendola con: non me ne curo, non mi interessa, me ne rido.

méno: aggettivo indeclinabile che significa: minore. Es.: *Ho comprato una casa di meno prezzo*; *Se non vuoi ingrassare, devi mangiare meno pasta*.
Come sostantivo maschile ha valore neutro, e vale: la minor cosa, ciò che è minore. Esempio: *Questo sarebbe il meno*; *Parlammo a lungo del più e del meno*.
Come avverbio è il comparativo di *poco* e si usa per indicare difetto, mancanza, inferiorità. Es.: *Lo trovai meno volenteroso*; *Questa volta è stato meno gentile*.
Meno si usa specialmente nelle comparazioni di minoranza con la preposizione *di* o la congiunzione *che*. Si preferisce la preposizione quando segue un nome o un pronome (Es.: *Carla è meno bella di Franca*; *Tu sei meno diligente di lui*); *che* negli altri casi (Es.: *È meno facile obbedire che comandare*; *Fa meno freddo che in primavera*; *Si mostrò meno studioso che intelligente*).
Meno è usato poi in varie espressioni: coi verbi indica minor grado dell'azione (Es.: *Faresti meglio a dormir meno*; *Con questo caldo si lavora meno*); *nientemeno*, indica meraviglia (Es.: *Venne nientemeno che il re in persona*; *Ho comprato dieci automobili. Nientemeno?!*); *venir meno* significa: svenire, mancare (Es.: *A quelle parole sembrò venir meno*; *Al momento risolutivo gli vennero meno le forze*). Sono però errate le espressioni in cui si usa *meno* per *no*. Es.: *Vollero sapere se saresti venuto o meno* (meglio: o no). Eviterai anche l'uso di *meno* nel senso di *eccetto, fuorché*. Es.: *Erano tutti presenti, meno il Sindaco* (meglio: fuorché il Sindaco). Infine alle

espressioni *senza meno* e *quanto meno* preferirai rispettivamente gli avverbi *certamente* e *almeno*.

PER LO MENO: locuzione che vale: almeno, al minimo (Es.: *Vi saranno state per lo meno cinquanta persone*). L'espressione è ritenuta poco regolare perché davanti all'aggettivo *meno* sarebbe corretto l'articolo *il*; ma è largamento nell'uso.

ménta: sostantivo femminile che indica una pianta delle Labiate da cui si ricava un'essenza. Anche l'essenza stessa. La parola potrebbe essere anche voce verbale, cioè una delle tre persone singolari del presente congiuntivo di *mentire* (ma in questo caso s'incontra una *e* aperta): *che io mènta, che tu mènta, che egli mènta*. Di diversa origine è poi il sostantivo maschile MÉNTO, indicante la parte inferiore del viso. Anche questa parola, mutando il timbro della *e*, diventa voce verbale, prima persona dell'indicativo di *mentire* (*io mènto*).

-ménte: suffisso di origine latina con il quale si formano, dagli aggettivi, gli avverbi qualificativi. Il suffisso si aggiunge al femminile degli aggettivi (da chiara, *chiaraménte*; da santa, *santaménte*; da vera, *veraménte*; da felice, *feliceménte*). Se l'aggettivo in *-e* termina con una sillaba in consonante liquida (*-le, -re*), la *e* finale cade (da celere, *celerménte*; da regolare, *regolarménte*; da volubile, *volubilménte*). Il suffisso si aggiunge pure ai participi: da volúto, *volutaménte*; da sentito, *sentitaménte*; da sapiente, *sapienteménte*. In latino *mente* era l'ablativo di *mens* (animo); quindi, per esempio, *clara mente* valeva: con animo chiaro, in maniera chiara. Il suffisso *-ménte* indica ancor oggi il modo, la qualità di un'azione. V. anche AVVERBIO.

ménte: sostantivo femminile che indica le facoltà intellettive dell'uomo, l'animo, il cervello, l'intelligenza. Plurale: ménti. Es.: *Quell'uomo è una bella mente. A mente* significa: a memoria (Es.: *Sapeva a mente tutta la Divina Commedia*), ma limiterai all'uso burocratico l'espressione *a mente dell'articolo* o *della legge tale* per: in conformità, giusta l'articolo, secondo il testo (o tenore) della legge.

mentíre: verbo della terza coniugazione, intransitivo. Ausiliare: avere. Tra il tema e la desinenza di alcuni tempi inserisce la forma incoativa *-isc-*; ma sono pure usate le forme regolari. *Pres. indic.*: mentisco (mènto), mentisci (menti), mentisce (mente), mentiamo, mentite, mentiscono (mentono). *Pres. cong.*: mentisca (mènta), mentisca (mènta), mentisca (mènta), mentiamo, mentiate, mentiscano (mèntano). *Part. pass.*: mentíto.

-ménto: suffisso usato per la formazione di parole astratte. Es.: *aliménto, ardiménto, abbelliménto, combattiménto, decadiménto, esauriménto, falliménto, godiménto, pentiménto*. Terminano in *-ménto* anche alcuni nomi concreti: *struménto, monuménto, bastiménto, rivestiménto, condiménto*. Si noti che la *e* tonica del suffisso si pronuncia chiusa.

méntre: congiunzione temporale, che indica contemporaneità: nel tempo che. Es.: *Io uscivo, mentre egli arrivava*; *Mentre noi parlavamo, essi leggevano*.

Con valore avversativo, significa invece: laddove, quando invece. Es.: *Stava zitto mentre avrebbe dovuto parlare*; *Io non desideravo incontrarlo, mentre egli mi cercava*.

meraménte: avverbio di modo che significa: semplicemente, puramente. Es.: *Dimostrò un interesse meramente speculativo*.

meravíglia: sostantivo femminile che significa: stupore, ammirazione. C'è anche la forma *maravíglia*; e così *meraviglióso* e *maraviglióso, meravigliàre* e *maravigliàre*.

mercànte: sostantivo maschile, che significa: commerciante, negoziante. Il femminile è *mercantéssa*.

mercé: sostantivo femminile, invariabile. Usato in espressioni quali: *mercé mia, mercé tua* (per mio aiuto, per tua grazia); *essere alla mercé di uno* (essere in suo potere); *chiedere mercé* (chieder grazia, fare appello alla compassione di uno).

meritaménte: avverbio di modo. Deriva dall'aggettivo *merito*, arcaico e latineggiante. Nell'uso si è più affermata la forma *meritatamente*, derivata dal participio passato di *meritare*.

meritàre: verbo della prima coniugazione, transitivo. Significa: esser degno.

Es.: *Merita un elogio*; *Avresti meritato un castigo*; *Meriteresti di restare in casa*. Usato anche assolutamente, in senso positivo. Es.: *Gli scienziati che han tanto meritato*; *È uno spettacolo che merita*. Come riflessivo apparente ha lo stesso significato. Es.: *Si meritò la promozione sul campo*. Costruito con la preposizione *di* vale: far qualcosa per l'utilità di altri. Es.: *Avete ben meritato della patria* (cioè: siete stati molto utili ad essa).

mèrlo: sostantivo maschile, che indica un uccello dei Passeracei. Anche termine architettonico per indicare i rialti in muratura che guarniscono le sommità dei castelli.
Si notino due false alterazioni di merlo: *merlúzzo*, nome di un pesce, e *merlètto*, tipo di ricamo.

méscere: verbo della seconda coniugazione, transitivo. Significa: mescolare. *Pres. indic.*: mésco, mésci, mésce, mesciàmo, mescéte, méscono. *Imperf.*: mescevo, mescevi, mesceva, mescevamo, mescevate, mescevano. *Pass. rem.*: mescéi, mescesti, mescé, mescémmo, mesceste, mescerono. *Fut. semplice*: mescerò, mescerai, mescerà, mesceremo, mescerete, mesceranno. *Part. pass.*: mesciúto (poco usato).

meso-: primo elemento di parole composte. D'origine greca, vale: medio, che sta in mezzo. Es.: *mesopotamico*, *mesolitico*, *mesosfera*, *mesozoico*.

méssa: sostantivo femminile. Indica l'azione del mettere. Es.: *la messa in moto* (avviamento di un motore), la *messa in opera* (collocazione, impianto, allestimento), la *messa in piega* (ondulazione dei capelli), la *messa a punto* (preparazione, rifinitura, perfezionamento: chiarificazione). La locuzione *messa in scena*, per: allestimento teatrale, è francesismo; invalso però nell'uso e scritto ormai in una sola parola: *messinscéna*. Come termine religioso si scrive con la lettera maiuscola ed indica uno dei riti più importanti della liturgia cattolica. Es.: *Ascoltammo la S. Messa*. Nel linguaggio sportivo vale: posta; così nei giochi di denaro si deve usare *messa* o *posta* (e non il brutto francesismo *puglia*) per indicare la quantità di denaro che si mette (o si pone) in gioco.

messàggio: nello schema della comunicazione linguistica, il messaggio è l'oggetto della trasmissione di parole e di senso tra l'emittente ed il ricevente attraverso un canale. Quest'ultimo determina la forma del messaggio (se parlo sarà sonoro, se scrivo invece visivo ecc.). Il messaggio è costruito sulla base di un codice che deve essere noto all'interlocutore perché egli possa decodificarlo, ossia comprenderlo.

mésso: sostantivo maschile che significa: messaggero. Si noti che il femminile MÉSSA (V.) è di diversa derivazione.
Il plurale di *mésso* è: i *méssi*; di *méssa* è: le *mésse*. Non si confondano le *mésse* con la MÈSSE (pl.: le mèssi) che è il raccolto dei cereali.

mestatóre: sostantivo maschile, che significa: intrigante, maneggione. Femminile: mestatríce, o anche, toscanamente, mestatóra.

mestière: sostantivo maschile che indica un lavoro materiale, un'arte manuale. Es.: *il mestiere di fabbro*; *il mestiere del falegname*. Si notino alcune locuzioni: *esser del mestiere* (essere pratico della propria arte), *i ferri del mestiere* (gli strumenti necessari per svolgere il proprio lavoro; anche in senso figurato), *gli incerti del mestiere* (le disgrazie che capitano a chi esercita un mestiere; anche in senso figurato). Nel linguaggio artistico, *mestiere* indica il lavoro meccanico dell'artista che conosce tutti i segreti della sua arte, ma non è guidato dalla fantasia e dal cuore. Es.: *È una pittura di mestiere*; *Quel drammaturgo conosce bene il mestiere, ma non è vero artista*. Al plurale, nel linguaggio familiare, *mestieri* si usa per: faccende domestiche.

méstola: sostantivo femminile che indica un arnese da cucina, a forma di cucchiaio, con manico lungo; serve per rimestare liquidi o vivande, specie sul fuoco. Anche la cazzuola del muratore. Il sostantivo maschile MÉSTOLO indica un arnese simile alla méstola, ma più piccolo. Al figurato: *avere il mestolo in mano* vale: fare e disfare a piacere.

meta-: prefisso d'origine greca con il quale si formano molte parole scientifiche. Significa: oltre, sopra. Es.: *metastòrico* (oltre la storia), *metaempírico* (oltre l'esperienza), *metafísica* (parte della filosofia che studia il mondo soprannaturale). Può anche indicare successione, trasformazione. Es.: *metacarpo* (parte ossea che viene dopo il carpo), *metamorfosi* (cambiamento di forma).

mèta: sostantivo femminile, che vale: scopo, fine, termine. Es.: *Eravamo poco lontani dalla mèta.* Di diversa origine è il sostantivo maschile MÈTA, con il quale si indica la metaldeide usata come combustibile solido nei fornelli portatili. Si noti poi che il nome cambia significato spostando la posizione dell'accento: METÀ è sostantivo femminile che indica un mezzo di un intero. Es.: *Ho preso metà porzione*; *Ero a metà strada.*

metafonìa: la modificazione del timbro di una vocale tonica o anche di una vocale per assimilazione da parte di un'altra vocale vicina, soprattutto la *i* e la *u* che producono la chiusura delle toniche aperte. Es.: *danaro* invece di *denaro*; *équo* invece di *èquo*. Detta anche *metafonesi.*

metàfora: figura retorica che consiste nel trasferire a un vocabolo il significato di un altro vocabolo. Es.: il *cuore* dell'inverno; il *fior* degli anni; a *piè* del colle; la finestra *guarda* sulla campagna; quelle parole furono per noi molto *amare*. Come si vede dagli esempi, la metafora è fondata su una relazione di somiglianza (la *base* del colle paragonata ai *piedi* dell'uomo, l'*apertura* della finestra paragonata all'*occhio* umano, il *significato* delle parole paragonato al *sapore* dei cibi, ecc.). Si tratta dunque di una *similitudine* (V.) inespressa, ossia tale che i termini di paragone risultano addirittura identificati (la *base* del colle si considera equivalente al *piede* dell'uomo). Ha in genere lo scopo di rendere più evidente un concetto astratto attraverso un'immagine concreta.

La metafora è comunissima e forma anzi il tessuto del nostro linguaggio, specie per quanto riguarda le cose dell'ordine spirituale o morale.

metagràmma: procedimento con cui si sostituisce una lettera in una parola per ottenere una nuova parola. Per es.: *gatto - ratto - tatto - tetto - tetti - letti - lenti - lesti - cesti - costi, ecc.*

metalèpsi: figura retorica che consiste nell'accostare due sinonimi, uno dei quali possiede un significato metaforico che, se interpretato, lo allontana dall'altro termine creando un particolare effetto di senso. Es.: Ho notato in una vetrina le *calzature* più *scarpe* che abbia mai visto. In questa frase *scarpe* reca con sé il significato traslato di peggiore.

metalinguàggio: il linguaggio attraverso cui si descrive una lingua. In virtù della sua proprietà metalinguistica, la lingua può essere anche metalinguaggio di se stessa, attraverso il sottocodice grammaticale, oltre che attraverso una serie di espressioni che dimostrano come la lingua possa piegarsi a riflettere su se stessa: *quello che ho detto significa...*; *gli errori nel tuo discorso sono stati...* La lingua ricorre anche a lingue artificiali, come quelle della logica o dell'algebra o a notazioni speciali per descrivere se stessa, come nel caso della linguistica computazionale.

metaplàsmo: il mutamento fonetico che si produce in una parola con la soppressione, l'aggiunta o la sostituzione di uno o più fonemi o sillabe. Sono metaplasmi, per esempio, *l'epentesi, l'aferesi, l'apocope, la sincope*, ecc.

metàtesi: figura grammaticale che consiste nella trasposizione di lettere all'interno di una parola. Es.: *sucido* per: sudicio; *spengere* per: spegnere; *vegno* per: vengo.

meteorològici (verbi): i verbi che indicano fenomeni meteorologici (piovere, nevicare, grandinare, tuonare, lampeggiare, spiovere, gelare, ecc.), che di norma dovrebbero usare l'ausiliare essere (*È piovuto tutta la notte; Stanotte è grandinato; È nevicato molto*) si trovano oggi coniugati con *avere* nei testi di numerosi scrittori (*Aveva piovuto molto*; *Ha tuonato per tutta la sera*).

meteoròlogo: sostantivo maschile che indica lo studioso di fenomeni atmosferici. Plurale: meteoròlogi. Sono scorrette le forme: metereòlogico, metereologici, metereologia, ecc. poiché tutte queste parole derivano da *meteora*, che costituisce il prefisso, per così dire, a cui si aggiungono le terminazioni nominali e aggettivali. Dirai perciò: *meteorología, meteorològico*, ecc.

metonimía: figura retorica per la quale si usa un nome invece di un altro, con cui è in rapporto. Per es., si indica l'effetto per la causa: Ho vissuto sempre col mio *sudore* (=col mio lavoro); la causa per l'effetto: L'*estate* (=il caldo, effetto dell'estate) ardeva nella campagna; il contenente per il contenuto: Bevemmo tre *bottiglie* (=il contenuto di tre bottiglie); l'autore per l'opera: Hai ascoltato *Chopin* (=musiche di Chopin); Avresti dovuto leggere *Manzoni* (=le opere del Manzoni); lo strumento per chi l'adopera: Questo articolo è di una buona *penna* (=di un buon scrittore); la materia per l'oggetto che di essa è formato: Chi col *ferro* (=con la spada) ferisce, di *ferro* perisce; l'astratto per il concreto: Insorse la *gioventù* (=i giovani) d'Italia. È corretta anche la pronuncia *metonímia*.

metonomàsia: sostantivo femminile. Trasformazione di un nome proprio traducendolo in altra lingua. Es.: *Katia*, russo per: Caterina; *John*, inglese per: Giovanni.

mètrica: scienza delle regole secondo le quali si compongono i versi. Dicesi anche *ritmica*, poiché i versi italiani si fondano sul ritmo, cioè su una regolare successione alternata di sillabe toniche (accentate) e di sillabe atone. V. VERSO.

-metro: suffisso di origine greca che significa: misura. Usato per la formazione di parole indicanti misure di lunghezza: *ettòmetro, chilòmetro, decímetro, centímetro, millímetro*, cioè, dei multipli e sottomultipli del sostantivo MÉTRO che indica l'unità di misura lineare, pari alla quarantamilionesima parte di un meridiano terrestre. Il suffisso *-metro* si usa poi per la formazione di numerose parole indicanti strumenti di misurazione. Es.: ALTÍMETRO (strumento per misurare l'altezza), BARÒMETRO (strumento per misurare la pressione atmosferica), CRONÒMETRO (orologio di precisione), IDRÒMETRO (strumento per misurare il livello delle acque), TERMÒMETRO (strumento per misurere la temperatura), VOLTÀMETRO O VOLTÍMETRO (apparecchio per misurare l'intensità della corrente elettrica).
Nella versificazione il suffisso -METRO vale: piede, sistema metrico. Es.: POLÍMETRO (componimento composto con vario metro), IPÈRMETRO (verso con un piede in più), PENTÀMETRO (verso di cinque piedi), ESÀMETRO (verso di sei piedi).

metro-: primo elemento di parole composte, generalmente contrazione di metropolitana. Es.: *i metronotte di Milano*.

metro: sostantivo, accorciativo di ferrovia metropolitana. Nel discorso corrente si registra sia l'uso al maschile che al femminile (*Prendiamo il metro, Veniamo con la metro*). Molti ancora l'accentano alla francese, con reminiscenza della metropolitana di Parigi.

méttere: verbo della seconda coniugazione, transitivo. *Pass. rem.*: mísi, mettésti, míse, mettémmo, mettéste, mísero. *Part. pass.*: mésso. Significa: collocare, porre (*Lo misero in prima fila*; *Lo ha messo sul tavolo*). Si usa poi in molte locuzioni, con la preposizione *a* davanti ad un nome o ad un altro infinito. Es.: *mettere a posto, mettere a bagno, mettere a ferro e fuoco, mettere alla porta, mettere a giacere, mettere a dormire*. È seguito anche spesso dalla preposizione *in*: *mettere in croce, mettere in imbarazzo, mettere in uso, mettere in testa, mettere in ridicolo*. Si notino poi alcuni significati particolari: aizzare, istigare (*Qualcuno lo ha messo su contro di noi*), impiegare (*Ci ha messo più di un'ora*), imprigionare (*Mi volevano metter dentro*), esser utile, conveniente (*Non mette conto di considerare questa ipotesi*), supporre (*Mettiamo che non ti paghi*). Si usa anche al riflessivo, nel senso di: collocarsi, assumere un atteggiamento, entrare in uno stato, indossare un abito; legarsi, convivere. Es.: *Si mise a letto*; *Vi metteste a piangere*; *Si era già messo in cammino*; *Ti sei messa in ghingheri*; *Miriam avrebbe voluto mettersi con lui*. Intransitivamente (ausiliare: avere) si riferisce a strada, fiume, via; e vale: far capo, sfociare, sboccare. Es.: *La strada che mette in piazza*; *La porta che mette sul-*

la via; *L'indiscrezione che mette sulla pista giusta*.
Con il verbo *mettere* si sono formate molte locuzioni, derivate dal francese, ma ormai invalse nell'uso. Ecco le più comuni: *mettere al corrente* o *mettere al fatto* (informare, avvertire, ragguagliare), *mettere a tacere* (far tacere, occultare, sopire), *mettere in evidenza* o *in rilievo* (dar risalto, far rilevare, mettere in luce, far notare), *mettere a nudo* (svelare, palesare), *mettere in scena* (allestire, curare l'allestimento teatrale).

mèzzo: aggettivo che significa: metà dell'intero. Es.: *mezzo litro, mezza casa* (si prepone sempre al sostantivo). Significa talora *metà*, e in questo caso l'articolo si pone davanti al nome e non davanti a *mezzo*. Es.: *A mezzo il colloquio, a mezzo il campo*. Usato col significato di *dimezzato* si accorda col sostantivo come un qualsiasi altro aggettivo. Es.: *Ho mangiato una mezza mela*.
Come avverbio è naturalmente invariabile. Es.: Siamo arrivati *alle tre e mezzo* (meglio che: tre e mezza); Eravamo *mezzo svegli* e *mezzo addormentati* (e non: mezzi svegli, ecc.). Oggi nel linguaggio familiare si sente anche: ho una *mezza voglia*; ho una *mezza idea*.
Come sostantivo maschile significa la parte centrale o la metà di una cosa. Es.: Era situato *nel mezzo* del castello; Abbiamo preso *un mezzo* (una metà) del totale. Indica inoltre lo strumento, il modo, l'aiuto di cui ci si serve per raggiungere un fine. Es.: *Mi sono servito di tutti i mezzi a mia disposizione*; *Ho raggiunto lo scopo per mezzo* (non: a mezzo) *di un mio amico*; *Ti manderò quei mobili per mezzo* (non: a mezzo) *del corriere*. Il termine vale anche: denaro, sostanze (*I miei mezzi non me lo permettono*), doti naturali (*Uno scrittore che ha mezzi*).

mezzo-: primo elemento di parole composte: MEZZOBÚSTO (plur.: mezzibusti), MEZZOGIÓRNO (mezzogiórni), MEZZÒMBRA (mezzombre), MEZZORILIÉVO (mezzorilievi), MEZZOSOPRÀNO (mezzisoprani), MEZZOTÈRMINE (mezzitermini), MEZZOPÚNTO (mezzipunti), MEZZOCÉRCHIO (mezzicerchi), MEZZATÍNTA (mezzetinte), MEZZALÀNA (mezzelane), MEZZANÒTTE (mezzenotti), MEZZATÉLA (mezzetele), MEZZALÚNA (mezzelune).

mèzzo o struménto (complemento di): indica la persona o la cosa di cui ci si serve per compiere l'azione espressa dal verbo. È retto dalle preposizioni *con, per, di, a, in, mediante* o dalle locuzioni *per mezzo di, per opera di*. Esempi: Egli conquistò il paese *con la forza*; La città fu presa *per fame*; I suonatori vivono *d'aria*; Egli vi ha offeso *a parole*; Fu ucciso *mediante fucilazione*; Il nemico fu informato *per mezzo di spie*; *Per opera di tuo padre* noi fummo salvati; *Con l'aiuto dei tuoi amici* potemmo ritrovare la via.
Si noti inoltre che le espressioni: *a vela, a benzina, a motore, a mano, a vento* e simili, benché abbiano assunto un valore avverbiale, indicano propriamente complementi di mezzo. Il complemento di mezzo si ha quando la parola esprime persona o ente per opera dei quali si compia l'azione; quando invece la parola indica un oggetto, uno strumento (Es.: Io scrivo *con la penna*; Tu lavori *con il piccone*; Egli guarda *con il cannocchiale*, ecc.), si ha il *complemento di strumento* o *strumentale*.

mezzosàngue: sostantivo maschile. È un nome composto invariabile.

mezzosopràno: nome composto da un aggettivo (mezzo) e da un sostantivo maschile (soprano). Plurale: mezzosoprani o mezzi soprani. V. *Composti* (*Nomi*). Si scrive anche separatamente. Es.: *È un mezzo soprano*; *Si distingue tra i mezzi soprani*.

mezzotèrmine: sostantivo maschile. È un nome composto da un aggettivo (mezzo) e da un sostantivo maschile (termine). Plurale: mezzitermini. Significa: ripiego, espediente; perifrasi. Es.: *Gliel'ho detto senza mezzitermini* per: gliel'ho detto chiaro, senza perifrasi. Più frequente è però la grafia separata.

mi: forma atona del pronome personale di prima persona singolare. Si usa soltanto per il complemento oggetto e per il complemento di termine. Es. (complemento oggetto): Egli *mi* aveva chiamato (= aveva chiamato me), Voi *mi* ascoltate (= ascoltate me); (complemento di termine): Voi *mi* portate regali (= portate a me), *Mi* chiesero aiuto (= chiesero a me). Come si vede *mi* precede il verbo in posizione proclitica, appoggiandosi cioè ad esso per l'accento. Si pone invece in posizione enclitica dopo l'interiezione *ecco* (*Eccomi!*) o dopo l'imperativo e le forme indefinite del verbo. Es.: Aveva promesso di accompagnar*mi*; Porta*mi* a casa; Vedendo*mi* con te, si rallegrò; Fam*mi* questo piacere; Dam*mi* un libro (Nota: *mi* raddoppia la iniziale dopo le forme tronche del verbo: fa*mmi*, di*mmi*, da*mmi*, ecc.).

Quando è usato con altra particella atona, la precede nella frase. Es.: *Mi si* fece innanzi; *Mi ti* avevano rappresentato diverso; *Mi ci* trovai all'improvviso. Però davanti a *lo, la, li, le, ne* è sostituito da *me* atono. Es.: *Me la diede*; *Me ne aveva dato*. V. anche PERSONALI (PRONOMI) e ME.

míca: sostantivo femminile che indica una parte piccolissima, una briciola.

È usato come particella rafforzativa di una negazione. Es.: *Non ho mica visto*; *Non lo so mica, io!* Si deve però usare sempre con la negazione (non dirai dunque: *Mica l'ho chiamato*; ma: *Non l'ho mica chiamato*). Si ricordi poi che MÍCA è anche il nome di un minerale. Plurale: míche.

micro-: prefisso di origine greca che significa: piccolo; ed è usato per formare varie parole scientifiche o tecniche. Es.: MICROCÒSMO (piccolo mondo), MICROSCÒPIO (strumento ottico per vedere ingranditi oggetti piccolissimi), MICROMOTÓRE (bicicletta fornita di piccolo motore), MICROSÓLCO (disco che contiene in poco spazio molti solchi sonori), MICROFÍLM (piccola pellicola fotografica), MICROTÀPPA (piccola tappa di un giro ciclistico), MICRORGANÍSMI (micròbi), MICROSPIA (microfono miniaturizzato), MICROSTRUTTURA (struttura di un corpo vista al microscopio; ma anche piccolo gruppo organico ristretto).

micròbio: sostantivo maschile che significa: bacillo, batterio. Plurale: micròbi. La forma *micròbo*, meno corretta, ha prevalso ormai nell'uso. Errata però la pronunzia *mícrobo*, anche se assai comune.

midóllo: sostantivo maschile che indica la sostanza contenuta dalle cavità del tessuto osseo. Plurale: i midólli e le midólla. Es.: *I medici esaminarono diversi midolli spinali*; *Eravamo intirizziti sino alle midolla*.

Si noti il singolare femminile MIDÓLLA che indica invece la mollica del pane.

mielo-: nelle parole composte del linguaggio scientifico e medico, questo primo elemento vale: midollo, attinente al midollo. Es.: *mielografia*, *mielopatia*, *mielotomía*.

miètere: verbo della seconda coniugazione, transitivo. *Pres. indic.*: mièto, mièti, miète, mietiàmo, mietéte, miètono. *Imperf.*: mietévo, mietévi, mietéva, mietevàmo, mietevàte, mietévano. *Pass. rem.*: mietéi, mietésti, mieté, mietémmo, mietéste, mietérono. *Fut. semplice*: mieterò, mieteràì, mieterà, mieterémo, mieteréte, mieterànno. *Part. pass.*: mietúto. Non segue, come si vede, la regola del dittongo mobile, poiché conserva il dittongo *iè* anche quando si sposta l'accento. Significa: falciare il grano. Al figurato: raccogliere. Es.: *Mieteva allori dappertutto*.

migliàio: sostantivo maschile che indica una quantità che arriva al mille. Al plurale cambia genere: le migliàia.

míglio: sostantivo maschile che indica una misura lineare di mille passi (pari a circa 1 km e mezzo). Al plurale: le miglia (femminile). Es.: *Erano ancora lontani dieci miglia*. *Migli* è invece il plurale maschile di MÍGLIO, pianta i cui frutti sono usati come cibo per gli uccelli.

miglioràre: verbo della prima coniugazione, transitivo. Significa: render migliore. Es.: *Abbiamo migliorato le nostre condizioni*. Usato intransitivamente, vale: diventar migliore. Ausiliare: essere. Es.: *Il malato è migliorato*; *Ora è migliorato, ma avresti dovuto vederlo ieri*. Talvolta anche con avere, se riferito a persona. Es.: *Mi sembra che abbia migliorato*; *Nel secondo trimestre ho migliorato in latino*. Ma è bene preferire la coniugazione con l'ausiliare essere.

miglióre: aggettivo qualificativo; è il comparativo di *buono* (V.), così non si può dire *più migliore*, poiché l'aggettivo è già al grado comparativo. Preceduto dall'articolo determinativo assume valore di superlativo relativo. Es.: *Tra tutti era il migliore.*

míla: aggettivo numerale. È il plurale irregolare di *mille*. Es.: *tremila uomini*. Si usa in unione con un numerale per indicare le migliaia (due*mila*, tre*mila*, quattro*mila*, cento*mila*, novecento*mila*, novecentonovantanove*mila*, ecc.); o anche isolatamente, con aggettivi indefiniti. Es.: *Quante mila volte te l'avrò detto!* per: quante migliaia di volte.

miliàrdo: sostantivo maschile, che indica: mille milioni. Aggettivo numerale cardinale. È accrescitivo di *mille*. Ha il plurale: *due miliardi, tre miliardi*, ecc.

milióne: sostantivo maschile che indica mille migliaia. È propriamente un accrescitivo di *mille*. Numerale, che ha anche il plurale: *due milioni, tre milioni*, ecc.

mílle: aggettivo numerale cardinale che indica dieci centinaia (1000). Anche sostantivo per indicare numero di persone o cose che arriva a mille. Plurale: *mila* (V.).

millèsimo: aggettivo numerale ordinale derivato da *mille*. Si noti che il successivo, in una serie, è *millesimoprímo*, mentre comunemente si dice *millunèsimo*.

minàre: verbo della prima coniugazione, transitivo. Significa: porre le mine. In senso figurato è considerato francesismo (Es.: *minare le basi dello Stato*; *minare le fondamenta del diritto*). Dirai meglio: insidiare, minacciare, rovinare.

mini-: primo elemento di parole composte. Significa: piccolo, breve, corto. Es.: *minigonna, miniriforma, minigolf*.

mínimo: aggettivo qualificativo. Superlativo irregolare di *piccolo*. Significa: il più piccolo, piccolissimo. Ha nel linguaggio familiare a sua volta una forma superlativa: *minimissimo*. Il comparativo di *piccolo* è invece *minóre*. Da *minimo* si è coniato il verbo MINIMIZZÀRE, al quale si deve preferire: svalutare, rimpicciolire, ridurre alle minime proporzioni. Es.: *I giornali vogliono minimizzare* (meglio: rimpicciolire, ridurre alle minime proporzioni) *i fatti*; *Vuol minimizzare* (meglio: svalutare) *le nostre offerte*.

minístro: sostantivo maschile che in genere indica anche la donna che sia membro del governo. Es.: *Il ministro del Lavoro Tina Anselmi*. Poco usate o scherzose sono infatti in questo senso le forme proprie *ministra* e *ministréssa*.

minorànza (comparativo di): V. COMPARATIVO.

minóre: aggettivo qualificativo. È il comparativo irregolare di *piccolo*. Significa: più piccolo (il superlativo di *piccolo* è *minimo*). Si usano indifferentemente la forma regolare *più piccolo* e quella irregolare *minóre*.

minúscola (lettera): in contrapposizione a *maiuscola*, è lettera minuscola quella più piccola. Es.: *a* è la minuscola di *A*. Le minuscole sono dunque le lettere che si usano normalmente nel testo scritto, tranne nei casi in cui è prescritta la maiuscola. V. MAIUSCOLA (USO DELLA).

mío: aggettivo possessivo di prima persona singolare. Oltre al maschile *mío*, esistono il femminile *mia*, e il plurale *miei, mie*. Significa: di me, che appartiene a me. Es.: Il *mio* libro; la *mia* casa; i *miei* amici; le *mie* speranze.

Precede solitamente il nome ed un altro eventuale aggettivo. Es.: Ho visto ieri *mio padre*; Ho salutato la *mia cara patria*.

Quando si vuol conferire all'espressione un tono affettuoso, si pospone. Es.: *Mamma mia*; *Italia mia*; *Babbo mio*; *Dio mio*.

Talora il significato di *mio* non è tanto quello di possesso, quanto di pertinenza, di relazione. Es.: *Questo è compito mio*; *Dillo per amor mio*.

Quando precede un nome di parentela non alterato, singolare, si omette l'articolo: Es.: *Mio padre, mia madre, mio fratello, mia sorella*. E invece: *il mio fratellino, la mia sorellina, la mia mamma e il mio babbo* (considerati vezzeggiativi di *padre* e *madre*), *la mia cara nonna* (perché accompagnato da altro aggettivo).

Come pronome *mio* fa le veci del nome ed è sempre preceduto dall'articolo determinativo. Es.: Adopera la tua penna e lascia stare *la mia*; tu pensa al tuo lavoro e io provvedo *al mio*; Egli arrivò con la sua macchina e tu con quella *mia*.

Come sostantivo maschile significa: il mio patrimonio, i miei averi. Es.: Non chiedo niente a nessuno: *vivo del mio*; Dopo tutto pago *del mio*.

Si notino altri usi del pronome possessivo di prima persona: *Essere dalla mia* (essere dalla mia parte, tenere per me); *Ne feci* una *delle mie* (sottinteso: burle, errori, malefatte o stranezze); *I miei* sono contrari (cioè i miei familiari, i miei parenti).

mis-: prefisso che ha valore negativo o peggiorativo. Es.: *miscredènte* (non credente), *misconóscere* (non riconoscere).

mísero: aggettivo qualificativo. Significa: povero, infelice, meschino e simili. Superlativo: miserrimo o miserissimo.

miso-: prefisso di origine greca che indica: odio, avversione. Es.: MISONEÍSMO (avversione alle novità), MISÀNTROPO (non socievole, nemico degli uomini), MISOGINÍA (avversione per le donne).

miss: termine inglese (pr.: mis) che significa: signorina. È usato ora per designare le reginette di bellezza. Es.: *Miss Italia*; *Miss Sorriso.*

míssile: sostantivo maschile. Indica un tipo di armi moderne che si lanciano a grandi distanze, cariche di esplosivo. Anche aggettivo: *armi míssili*. Errata la pronuncia *missíle*, poiché la parola deriva dal latino *míssilis.*

misúra: sostantivo femminile, che significa: determinazione di estensione, sistema e unità di misurazione. In senso figurato: *prender le misure*, nel senso di: prendere le necessarie precauzioni, è ormai nell'uso.

misúra (complemento di): è una varietà del complemento di quantità, come il complemento di *peso* (V.). Specifica la misura ed è retto da verbi che indicano misurare e contengono l'idea di estensione (da ciò anche il nome di *complemento di estensione*), dimensione, oppure da aggettivi che indicano lunghezza, larghezza, profondità, per lo più senza preposizione. Esempi: La strada misura *quattro m di larghezza*; La piazza era larga *venti metri quadrati*; La torre era *di quindici metri* (ma meglio: La torre aveva quindici metri di altezza, oppure: La torre era alta *quindici metri*); Il fiume si estende *quindici chilometri* (o *per quindici chilometri*); Trovammo un fosso profondo *venti metri*; Davanti a noi il monte si elevava *trecento metri*.

misuràre: verbo della prima coniugazione, transitivo. Significa: determinare la quantità, l'estensione o il peso di una cosa (*Misuro il livello dell'acqua*; *Misuro l'altezza dell'edificio*), giudicare, valutare (*Mi misuri sul tuo metro*; *Misurava bene le parole*), dar poco (*Mi misura il vino*). Al riflessivo: competere, paragonarsi. Es.: *Con te non mi misuro*; *I due pugili si misureranno sulla distanza delle dieci riprese*; *Voglio misurarmi con te nel lancio del disco.*

mo': apocope di modo, usata nelle espressioni: *a mo' di esempio, a mo' di ornamento* e simili.

Talora significa: adesso. Es.: *Mo vengo io*. Ma in tal caso si scrive senza apostrofo.

mòbile (dittongo): V. DITTONGO.

mòbili (nomi): i nomi che hanno una forma per il maschile e una per il femminile. V. GENERE, FEMMINILE (FORMAZIONE DEL) e NOME.

mobília: sostantivo femminile che indica l'insieme delle masserizie di una casa. Non è corretto il maschile *mobílio*; è poco usato il plurale *mobilie* poiché *mobilia* è considerato, per il suo significato, nome collettivo, già indicante pluralità.

modàle (proposizione): quella proposizione subordinata che indica il modo dell'azione espressa dalla reggente. Nella forma esplicita è introdotta dalle congiunzioni *come* e *siccome* con il verbo al modo indicativo o dalle congiunzioni o locuzioni *comunque, come se, quasi che, senza che* con il verbo al modo congiuntivo. Nell'ultimo caso è detta anche comparativa ipotetica: V. *comparativa* (*proposizione*). Es.: Ho seguito il lavoro *come tu mi hai consigliato*; Mi ha accolto *come se non mi avesse mai visto*; Ti evita, *quasi che tu dovessi rimproverarlo*; Ti scriverò *comunque vadano le cose*; Il treno partì *senza che potessimo rivederci*.

Come forma implicita della proposizione modale si considera l'infinito preceduto da *senza* o il gerundio. Es.: Se ne andò *senza rispondere*; Noi ci avvicinavamo *cantando*; Mio padre mi aspettava *leggendo.*

modàli (congiunzioni): le congiunzioni che introducono una proposizione *moda-*

le (V.). Esse sono: *come* (Ho eseguito il compito *come* mi hai detto), *quasi* (Si volse indietro, *quasi* avesse avuto un presentimento), *comunque* (*Comunque* vadano le cose sapremo essere pari al nostro compito), *senza che* (Partì, *senza che* potessimo vederlo).

mòdo: sostantivo maschile che significa: maniera, guisa, foggia, metodo. Il sostantivo femminile MÒDA invece significa: modo di vestire, o usanza. Es.: *La moda di primavera*; *È vestito all'ultima moda*; *Ora si è diffusa la moda di allevare i polli in batteria.*

mòdo o **manièra (avverbi di):** sono gli avverbi che indicano la qualità, il modo di una azione; si riferiscono principalmente ad un verbo, oltre che ad un aggettivo o ad un altro avverbio. Derivano dagli aggettivi qualificativi per cui sono anche detti *avverbi qualificativi.* Sono assai numerosi, giacché da quasi tutti gli aggettivi si può ricavare l'avverbio corrispondente. Si formano in vari modi, ma il più frequente è quello di aggiungere il suffisso *-ménte* al femminile dell'aggettivo (*amaramente, crudamente*). Se l'aggettivo termina in *-are, -ere, -ale, -ile, -ole, -ore* (purché la *l* o la *r* non siano precedute da consonanti) la *e* finale generalmente cade (*singolarmente, celermente, platealmente, civilmente, piacevolmente, inferiormente* ma: *pedestremente, follemente*). Si notino: *benevolmente* da *benevolo*, *leggermente* da *leggero*, *violentemente* da *violento*, *parimenti* da *pari*. Talvolta invece che all'aggettivo il suffisso *-mente* si aggiunge al participio (*correntemente, perdutamente*).
Un'altra categoria di avverbi è costituita dall'aggettivo maschile usato (ed è uso elegante) avverbialmente (Ho visto *chiaro*; hai pensato *giusto*). Più rari gli avverbi in *-oni* (*tentoni, ginocchioni*) o in *-one* (*carpone, boccone*).
Con alcune preposizioni si formano poi le locuzioni avverbiali di modo (*alla rinfusa, di corsa, in fretta, per caso*). Avverbi di modo sono *bene, male* con relativi comparativi e superlativi irregolari (V. voci relative).

mòdo o **manièra (complemento di):** indica il modo come si compie l'azione espressa dal verbo. Risponde alle domande: come? in che modo? in che maniera? Il sostantivo che lo costituisce è retto dalle preposizioni *a, con, in, per, di, da.* Esempi: Noi studiamo *con costanza*; Egli faceva *per gioco*; Ti riconosceremmo *a prima vista*; Sono restato *in dubbio*; Egli rimase *di stucco*; Morire *da eroe.*
Il complemento di modo o maniera può quasi sempre essere trasformato in un avverbio. Es.: Noi studiamo *costantemente*; Ti riconosceremmo *subito*; Morire *eroicamente.* In tal caso si chiama *complemento avverbiale di modo* o *maniera.*

mòdo (del verbo): uno degli accidenti della coniugazione del verbo. Specifica il carattere dell'azione (certa o possibile, condizionata o comandata, desiderata o supposta o anche infinita, indeterminata). I modi del verbo si dividono in modi finiti e modi indefiniti: *finiti* sono quelli che si flettono determinando anche la persona (prima, seconda o terza) e il numero (singolare o plurale); *indefiniti* o *infiniti* quelli che esprimono l'idea dell'azione o dello stato senza determinazione. I primi sono: modo *indicativo*, modo *congiuntivo*, modo *condizionale*, modo *imperativo*; i secondi sono: *infinito, gerundio, participio.* V. anche VERBO e le voci relative ai singoli modi.

modus: parola latina che vale: modo, misura. Usata in talune locuzioni, rimaste nell'uso: *est modus in rebus* (c'è una giusta misura in tutte le cose), *modus vivendi* (letteralmente: modo di vivere; compromesso, accordo, accomodamento).

mòggio: sostantivo maschile, che indica una antica misura di capacità. Al plurale, oltre la forma regolare, i *mòggi*, ha anche una forma femminile: le *mòggia.*

mògio: aggettivo qualificativo che significa: avvilíto, abbattuto. Femminile: mògia, mòge (ma anche mogie). Spesso ripetuto per rafforzamento. Es.: *Tornarono a casa moge moge.*

moíne: sostantivo femminile, usato quasi esclusivamente al plurale, per quanto esista anche il singolare *moína.* Significa: carezze, lusinghe, vezzi.

mólcere: verbo della seconda coniugazione, transitivo. È difettivo, ed usato solo in poesia. *Pres. indic.*: mólce (3ª pers.

sing.). *Imperf.*: molceva (3ª pers. sing.). *Fut. semplice*: molcerò, molcerai, molcerà, molceremo, molcerete, molceranno. *Gerundio*: molcendo.

molíno: V. MULINO.

mòlle: aggettivo qualificativo che vale secondo i casi: bagnato, cedevole al tatto, morbido, tenero. Al figurato: effeminato, languido, trattabile. Es.: *Era molle di sudore*; *Questa è terra molle*; *Un letto molle*; *È un giovane molle, viziato*. Tra gli usi più recenti del termine, quello politico nel senso di: non intransigente, accomodante, opportunista. Es.: *Si prevede una lotta tra i «duri» e i «molli» del partito*. Meno corretta è la forma MÒLLO (femminile: mòlla) usata tuttavia in qualche locuzione: *mettere a mollo il bucato*. Non si confonda con MÒLLA (plur.: mòlle) che è invece sostantivo femminile indicante un ordigno d'acciaio avvolto a spirale che, fermo da un lato, si piega dall'altro e lasciato poi libero ritorna nello stato iniziale; al figurato: incentivo, stimolo. Es.: *Ha rotto la molla dell'orologio*; *La sete di guadagno è una molla potente per molti uomini*. MOLLA! è, infine, interiezione (dall'imperativo di *mollare*), specie d'uso marinaresco, per: lascia andare, lascia. Es.: *Molla gli ormeggi!*

mollíca: sostantivo femminile, che indica la midolla del pane. La pronunzia *mòllica* è errata.

moltiplicàre: verbo della prima coniugazione, transitivo. Significa: ingrandire, accrescere (Es.: *Moltiplicò i pani e i pesci*; *Moltiplica i suoi sforzi*), trovare il prodotto di due numeri, ripetendo uno quante volte sono le unità dell'altro (Es.: *Moltíplico il sei per l'otto*). Usato intransitivamente si coniuga con tutti e due gli ausiliari: con avere quando è usato assolutamente nel senso di: fare moltiplicazioni (*Per risolvere questo problema hai moltiplicato invece che dividere*); con essere quando vale: crescere di numero (*Le mie spese sono moltiplicate*). Al riflessivo significa: riprodursi, crescere di numero e di quantità (*Questi insetti si moltiplicano con incredibile rapidità*; *Ora le difficoltà si sono moltiplicate*).

moltiplicatívi (numeràli): sono così chiamati i numerali che indicano un valore due o più volte superiore ad un altro. Sono: *doppio, triplo, quadruplo, quintuplo*, ecc.

mólto: aggettivo indefinito, variabile. Indica una quantità indeterminata abbondante. Es.: *molta gente, molte cose, molti uomini*. Usato assolutamente ha valore di avverbio (*Ho sofferto molto*). Preceduto dall'articolo determinativo funge da aggettivo sostantivato (*Il molto è meglio che il poco*). Superlativo: moltissimo.

mònaco: sostantivo maschile, che significa: frate, uomo dedito alla vita monastica. Plurale: mònaci. Femminile: mònaca, mònache.

monèma: secondo la teoria di A. Martinet, l'unità linguistica elementare dotata di significato: una parola semplice, un radicale, una desinenza, un affisso.

-mònio: suffisso usato per la formazione di nomi astratti. Es.: *matrimònio, patrimònio, mercimònio, pandemònio*.

mono-: prefisso di origine greca, usato per comporre parole scientifiche o tecniche. Indica unità, unicità. Es.: MONOTEÍSMO (religione con un solo dio), MONÒLOGO (discorso di uno solo), MONOGRAFÍA (scritto su un solo argomento), MONOCOLÒRE (di un solo colore), MONOTONÍA (uniformità, l'esser di un tono solo).

monòlito: sostantivo maschile che significa: grossa pietra di un sol pezzo. Errata la pronuncia *monolìto*.

monòlogo: nome sdrucciolo terminante in *-go*, che al plurale finisce in *-ghi*: monologhi. Il lungo discorso che il personaggio di un'opera letteraria o teatrale rivolge a se stesso, pur alla presenza di altri personaggi ovvero rivolto ad un interlocutore immaginario, come nel caso del soliloquio. La narrativa moderna ha fatto del monologo un'eccezionale forma di analisi dei personaggi; per tutti, il celebre esempio del monologo interiore di Molly alla fine dell'*Ulisse* di James Joyce.

monoréma: sostantivo maschile. È la frase costituita da una sola parola. Si dice anche parola-frase. Es.: *Vincere!*; Quando parti? *Subito*. Il monorema è dunque, di converso, una forma *olofrastica*.

monorítmo o **monorítmico:** aggettivi

che si riferiscono a poesia, strofe, o versi composti tutti nello stesso ritmo.

monosíllabo: sostantivo maschile. Significa: parola composta di una sillaba sola. Poiché è ovvio che nei monosillabi l'accento deve cadere sull'unica sillaba, essi non dovrebbero portare nessun accento. Tuttavia sono accentati i monosillabi con dittonghi ascendenti, come *più, può, già, giù, piè*, e altri, nonché quelli che, grazie all'accento, si distinguono da omonimi monosillabi di significato diverso. I principali sono: *che* (pronome relativo e congiunzione) e *ché* (in luogo di perché); *da* (preposizione) e *dà* (voce del verbo dare, terza persona singolare del presente indicativo); *di* (preposizione) e *dí* (sostantivo maschile, sinonimo di giorno); *e* (congiunzione) ed *è* (voce del verbo essere, terza persona singolare del presente indicativo); *la* (articolo determinativo, femminile singolare) e *là* (avverbio di luogo); *li* (pronome dimostrativo, maschile plurale) e *lí* (avverbio di luogo); *ne* (pronome e avverbio) e *né* (congiunzione negativa); *se* (congiunzione) e *sé* (pronome); *si* (pronome) e *sí* (avverbio di affermazione); *te* (pronome personale) e *tè* (sostantivo maschile).

Alcune voci verbali tronche prendono inoltre l'apostrofo per distinguersi da altri monosillabi omofoni: *da'* (imperativo di dare), *da* (preposizione) e *dà* (voce del verbo dare); *di'* (imperativo di dire), *di* (preposizione), *dí* (poetico per: giorno); *fa'* (imperativo di fare), *fa* (indicativo presente di fare) e *fa* (nota musicale); *sta'* (imperativo di stare) e *sta* (indicativo presente di stare); *va'* (imperativo di andare) e *va* (indicativo presente di andare); *ve'* (imperativo di vedere) e *ve* (pronome).

I monosillabi atoni *mi, ti, vi, si, ci, ve, li, lo, la*, ecc. si appoggiano per l'accento o alla parola seguente (e si chiamano allora *proclítiche*) o alla parola precedente (e si chiamano allora *enclitiche*).

Oltre ai troncamenti sopra citati si devono ricordare l'usatissimo *po'* (per poco) e quelli di uso dialettale o letterario. Esempio: *to'* (togli), *te'* (tieni), *mo'* (modo), *vo'* (voglio), *fe'* (fede), *pro'* (prode, scritto da taluni semplicemente *pro*).

monosintagmatica (frase): frase costituita da un solo sintagma. Per es., la risposta *Sì!* ad una domanda.

monstre: parola francese (pr.: mònstr) che vale: anormale, fuori del comune, prodigioso, straordinario, bellissimo e simili. Es.: *Un pranzo monstre* (dirai: eccellente); *Un regalo monstre* (dirai: splendido).

montàre: verbo della prima coniugazione, intransitivo. Si coniuga con l'ausiliare essere nel senso di salire (Es.: *È montato sul letto*), con l'ausiliare avere nel senso di cavalcare (*Ha montato con l'impaccio del principiante*). Usato transitivamente, anche col significato di: comporre, sistemare (*Abbiamo montato una macchina*). Di questo verbo, talvolta si abusa. Non dire: *montare una stanza*, ma: arredarla; *montare una fotografia*, ma: incorniciarla; *montare la sveglia*, ma: caricarla; *montare una notizia*, ma: esagerarla. Così, in luogo di MONTATURA dirai meglio: esagerazione, gonfiatura (di una notizia); cornice (di un quadro).

mónti (nomi dei): i nomi geografici dei monti sono generalmente maschili, anche perché si sottintende sempre l'iperonimc «monte». Es.: Il *Cervino*, il *Bianco*, l'*Everest*, il *Kilimangiaro*. Ma non mancano eccezioni: la *Marmolada*, la *Sila*, la *Gardenaccia*, la *Maiella*.

montóne: sostantivo maschile. Esempio di falsa alterazione. È nome di un animale; non l'accrescitivo di *mónte* (pure sostantivo maschile).

mòrdere: verbo della seconda coniugazione, transitivo. *Pass. rem.*: mòrsi, mordésti, mòrse, mordémmo, mordéste, mòrsero. *Part. pass.*: mòrso.

more solito: espressione latina, rimasta nell'uso corrente. Il senso è: secondo il solito.

more uxorio: locuzione latina rimasta nell'uso. *Vivere more uxorio*: detto di amanti che convivono sotto lo stesso tetto, come marito e moglie.

morfèma: sinonimo di *monema* (V.).

morfología: parte della grammatica che studia la forma delle parole e dei mutamenti di queste in relazione alla funzione svolta nel discorso. Lo studio delle cause logiche di queste trasformazioni compe-

te invece alla *sintassi* (V.). La morfologia si riferisce dunque alla *declinazióne* e *coniugazióne*.
Altro oggetto di studio della morfologia è il processo di composizione delle singole parole attraverso la ricerca degli elementi formativi (affissi, radici, desinenze) e della loro funzione originaria.

moríre: verbo della terza coniugazione, intransitivo. Ausiliare: essere. *Pres. indic.*: muòio, muòri, muòre, moriàmo, moríte, muòiono. *Fut. semplice*: morrò (o morirò), morrài, morrà, morrémo, morréte, morrànno. *Pres. cong.*: muòia, muòia, muòia, moriàmo, moriàte, muòiano. *Pres. condiz.*: morréi (o moriréi), morrésti (morirésti), morrébbe (morirébbe), morrémmo (morirèmmo), morrèste (morirèste), morrèbbero (morirèbbero). *Imper.*: muòri, muòia, moriàmo, moríte, muoiàno. *Part. pass.*: mòrto.

mòrso: participio passato di *mordere*. Sostantivo maschile indicante o l'atto di mordere o il ferro delle briglie (Es.: *Mi diede un morso*; *Il cavallo sentiva molto il morso*). Il femminile, MÒRSA, indica invece un arnese di ferro usato dal fabbro per stringere un oggetto, per tenerlo fermo durante il lavoro. Il diminutivo di *mòrsa* è morsetto (non: morsetta).

mostràre: verbo della prima coniugazione transitivo. Quando regge una proposizione oggettiva si può costruire sia nella forma implicita (*Mostrò di gradire l'invito*) sia in quella esplicita (*Mostrò che aveva avuto ragione*).

móstro: sostantivo maschile indicante essere deforme e spaventoso. Anche prodigio, portento. Altra cosa è il femminile MÓSTRA, che significa: esposizione, sfoggio.

motívo: sostantivo maschile che significa: causa, cagione; talora tema (Es.: *un motivo musicale*). Usato nella espressione *motivo per cui*, non è corretto. Dirai: perciò, onde, per questa ragione.

mòto: sostantivo maschile, che significa: movimento. Il sostantivo femminile MÒTA significa invece: fango. Si noti però che esiste nel linguaggio familiare pure il femminile in *-o* (la *moto*, le *moto*) abbreviazione di *motocicletta*. Come prefisso, *moto-* (che è abbreviazione di motore) forma numerose parole composte: MOTOARATÙRA (aratura meccanica, eseguita con il trattore), MOTOCÀRRO (carro leggero trainato da motocicletta), MOTOCICLÈTTA (bicicletta con motore a scoppio), MOTONÀVE (nave mercantile mossa da motore a scoppio). Tra i neologismi registriamo: MOTORSCOOTER [non motoscooter; pr.: mòtor scùtar(r)] inglese per: MOTORETTA, MOTOLEGGERA; MOTÒDROMO (circuito per le corse in motocicletta), MOTOVELÒDROMO (luogo per corse in moto o in bicicletta).

mòto (complementi di): V. LUOGO (COMPLEMENTI DI).

mòto (verbi di): i verbi che esprimono un movimento reale o ideale. I principali sono: andare, fuggire, immigrare, partire, passare, pervenire, provenire, ritornare, scappare, scorrere, sfuggire, sopraggiungere, sopravvenire, sortire, susseguire, tornare, uscire, venire. Questi verbi intransitivi si coniugano tutti con l'ausiliare essere. Una seconda categoria di verbi di moto si coniuga ora con l'ausiliare essere ora con l'ausiliare avere. I principali sono: approdare, ascendere, avanzare, balzare, circolare, confluire, correre, discendere, emigrare, procedere, progredire, proseguire, retrocedere, salire, saltare, scendere, scivolare, sfilare, volare. L'ausiliare avere si usa quando il movimento è considerato in sé stesso, nel suo manifestarsi, senza riferimento alla mèta. Es.: *Ho corso*; *Hai saltato*; *Aveva emigrato*; *Abbiamo scivolato*. L'ausiliare essere si usa invece quando questi verbi indicano un trasferimento da un luogo ad un altro e la mèta è esplicitamente indicata. Es.: *Son corso a casa*; *Sono saltato oltre il fosso*; *È emigrato in Argentina*; *È scivolato nel canale*. L'estensione a questi verbi di moto dell'ausiliare avere, che è proprio dei verbi transitivi, è probabilmente dovuta ad analogía. In tutti i casi infatti in cui un complemento di spazio o di tempo viene ad assumere figura quasi di *falso complemento oggetto*, l'uso di avere si sostituisce a quello di essere. Es.: *Ho corso tre ore* (la precisazione temporale, *tre ore*, assume la figura di falso complemento oggetto, quasi rispondesse alla domanda: ho corso che cosa? E infatti il verbo correre ammette la costruzione dell'oggetto interno: *Ho corso la corsa dei cento metri*); *Ho saltato un metro e ottanta* (almeno formalmente c'è un complemento oggetto). E invece: *Son corso a casa*; *Sono corsi via*; *Sei saltato di là dal fosso*. Altri esempi: *Ho volato sei ore* e *Sono volati in cielo*; *Ha avanzato dieci chilometri* e *È avanzato oltre il fiume*. V. anche le voci relative a ciascun verbo di moto.

motoscàfo: sostantivo maschile che indica: barca mossa da motore. La pronuncia *motòscafo* sarebbe più corretta, ma non è nell'uso.

mottétto: brevissimo componimento poetico, da due a cinque versi, contenente un motto, una sequenza morale, un proverbio, talvolta inserito nella chiusa di una poesia più lunga. Nel nostro secolo abbiamo un esempio di raccolta di mottetti di Eugenio Montale (lunghi, però, almeno un paio di strofe).

motu proprio: latinismo, che significa: spontaneamente, di propria iniziativa. Si usa per indicare, ad esempio, che il presidente della repubblica ha concesso una onorificenza, senza proposta di un ministro. Indica anche il documento con cui l'autorità (specie pontificia) emette di propria iniziativa l'ordinanza. Es.: *Un motu proprio di Pio IX*.

mózzo e **mòzzo:** il primo termine, sostantivo maschile, indica il giovane marinaio che non ha ancora compiuto 18 anni; il secondo termine, pure sostantivo maschile, indica invece il pezzo centrale di una ruota. La differenza tra i due vocaboli sta nel fatto che la prima *o* è pronunciata chiusa (*ó*) in *mózzo* (giovane marinaio) e aperta (ò) in *mòzzo* (parte della ruota). Inoltre, nel primo caso abbiamo una doppia *z* di suono sordo (e aspro) nell'altro di suono sonoro (o dolce).

múcca: sostantivo femminile; considerato il femminile di bue. È propriamente la vacca lattifera.

muffíre: verbo della terza coniugazione, intransitivo. Ausiliare: essere. In alcuni tempi si coniuga con la forma incoativa *-isc-* tra il tema e la desinenza. *Pres. indic.*: muffísco, muffísci, muffísce, muffiàmo, muffíte, muffíscono. *Pres. cong.*: muffísca, muffísca, muffísca, muffiàmo, muffiàte, muffíscano. *Part. pass.*: muffíto.

muggíre: verbo della terza coniugazione, intransitivo. Ausiliare: avere. Indica il verso del bue. In alcuni tempi tra il tema e la desinenza inserisce il suffisso incoativo *-isc-*. *Pres. indic.*: muggísco, muggísci, muggísce (mugge), muggiàmo, muggíte, muggíscono. *Cong. pres.*: muggísca, muggísca, muggísca, muggiàmo, muggiàte, muggíscano. *Part. pass.*: muggíto.

mulíebre: aggettivo qualificativo, che significa: femminile. Meno corretta è la pronuncia *mulièbre*.

mulíno: sostantivo maschile. Esempio di falsa alterazione. Indica infatti l'edificio ove si macina il grano; non è il diminutivo di MÚLO (pure sostantivo maschile), nome di un animale. Meno comune, ma altrettanto corretta, la variante *molíno*.

multi-: prefisso che indica moltiplicazione, pluralità. Es.: *multicolóre* (di molti colori), *multifórme* (di molte forme), *multimilionàrio* (che ha molti milioni); *multinazionàle* (grossa impresa con attività e mercato in diverse nazioni).

múngere: verbo della seconda coniugazione, transitivo: *Pass. rem.*: múnsi, mungésti, múnse, mungémmo, mungéste, múnsero. *Part. pass.*: múnto.

munífico: aggettivo qualificativo, che significa: generoso, liberale. Ha il superlativo irregolare: munificentissimo.

muníre: verbo della terza coniugazione, transitivo. Tra il tema e la desinenza di alcuni tempi inserisce il suffisso incoativo *-isc-*. *Pres. indic.*: munísco, munísci, munísce, muniàmo, muníte, muníscono. *Pres. cong.*: munísca, munísca, munísca, muniàmo, muniàte, muníscano. *Part. pass.*: muníto. Significa: fortificare, dotare, fornire. Es.: *Lo muní di tutti i documenti necessari*.

muòvere: verbo della seconda coniugazione, transitivo. *Pres. indic.*: muòvo, muòvi, muòve, muoviàmo (moviàmo), muovéte (movéte), muóvono. *Pass. rem.*: mòssi, movésti (muovésti), mòsse, movémmo (muovémmo), movéste (muovéste), mossero. *Pres. cong.*: muòva (mòva), muoviàmo (moviàmo), muoviàte (moviàte), muòvano. *Pres. condiz.*: muoverèi (moverèi), muoverésti (moverésti), muoverébbe (moverébbe), muoverémmo (moverémmo), muoveréste (moveréste), moverébbero (muoverébbero). *Imper.*: muòvi, muòva, muoviàmo (moviàmo), muovéte (movéte), muòvano. *Part. pres.*: movénte. *Part. pass.*: mòsso. Le forme senza dittongo *uò* seguono la regola del *dittongo mobile* (V.). Significa: porre in moto, spingere, spostare, trascinare. Es.: *Ho mosso questi oggetti*; *Chi per primo mosse il mondo?*; *Non muoverti!* Al figurato: indurre, persuadere, porre avanti, dichiarare. Es.: *Muove a compassione; Ha mosso molti rimproveri; Gli mosse guerra*; *Lo muove solo il suo egoismo.* Usato intransitivamente si coniuga con l'ausiliare essere quando vale: avanzare, procedere, andare, partire (Es.: *Il corteo è mosso dalla piazza d'armi*; *Il suo discorso muove da premesse troppo lontane*); raramente con l'ausiliare avere quando indica attività organica di piante o animali (Es.: *È primavera, ma gli alberi non hanno ancora mosso*, cioè: germogliato).

múro: nome maschile sovrabbondante. Ha due desinenze al plurale, con modificazione di significato: i muri (*i muri di una casa*) e le mura ossia la cinta muraria (*le mura di una città, le mura dello stadio*).

musàico: sostantivo maschile. Indica un genere di pittura fatto con tessere unite in modo da comporre un disegno a colori. Plurale: musàici. Nell'uso comune anche la forma *mosàico.*

músico: sostantivo maschile (o aggettivo). Significa: musicista, musicante. Plurale: músici; femminile: música, músiche.

múso: sostantivo maschile, che indica il viso degli animali. Il sostantivo femminile MÚSA era invece il nome di ciascuna delle nove dee delle arti nella mitologia greca.

musulmàno: aggettivo e sostantivo maschile. Significa: seguace dell'Islam, la religione di Maometto. Si dice anche *mussulmano.*

múta: sostantivo femminile. Indica il mutare. Es.: *la muta del vino* (travasatura); *la muta degli uccelli* o *di altri animali* (il cambiamento di penne, o dello strato superficiale dell'epidermide; ma in questo senso il termine scientifico è MÚDA). Il vocabolo indica poi quanto serve a sostituire un complesso di oggetti simili (Es.: *una muta di ceri, di posate, di vestiti*) oppure il numero di cavalli della carrozza (*muta a quattro* o *sei cavalli*). *Múta* è poi il femminile di MÚTO (che non parla o che non può parlare). Es.: *Rimase muta per tutta l'ora*; *Sembrava proprio muta.*

mutànde: sostantivo femminile plurale. Il singolare *mutànda* è di uso dialettale.

mutàre: verbo della prima coniugazione, transitivo. Significa: cambiare, trasformare. Es.: *Mutai il mio programma*; *Avevano mutato atteggiamento.* Usato intransitivamente, col significato di: diventar diverso, si coniuga con l'ausiliare essere o con l'ausiliare avere. Es.: *In tutti questi anni non è mutato affatto*; *Tuo padre ha mutato tanto.*

mutazióne: sostantivo femminile. Termine usato nella metrica italiana per indicare una parte della strofa della *ballata* (V.). Ogni strofa ha la prima e la seconda mutazione.

múte (consonanti): le consonanti che non hanno suono se non in unione con una vocale. Sono anche dette *esplosive*, poiché si possono pronunciare solo con una specie di esplosione della voce attraverso gli organi della bocca.

Sono raggruppate sotto la comune denominazione di *mute* le consonanti labiali *p* e *b*, le gutturali *c* e *g* (dure), e *q*, e le dentali *t* e *d*. Tra queste *p, c, q, t* sono *sorde*; *b, g, d* sono *sonore*. Talvolta si includono fra le mute le spiranti labiali *f* e *v* e generalmente tutte le consonanti, escluse quelle nasali e liquide.

V. anche CONSONANTI.

Si dicono poi *lettere mute* quelle che si scrivono ma non si pronunciano o non hanno suono proprio: per es., la *h* dell'alfabeto italiano.

N

n: dodicesima lettera dell'alfabeto italiano. È la nona consonante, detta *nasale*, perché per pronunciarla si emette una colonna d'aria dal naso, specialmente se nella parola è seguita da altre consonanti (*antico, ancora, anteriore*). È una consonante *continua* poiché può essere pronunciata anche da sola senza appoggio di vocale, con un suono prolungato. Infine, poiché si pronuncia avvicinando la lingua ai denti, è anche chiamata *dentale* o, più precisamente, *alveolare*. Dinanzi a consonanti labiali (*p* e *b*) è sostituita dall'altra nasale *m* (*compagno, combattere*, ecc.), tranne alcune eccezioni (Es.: *benpensante*). Con la gutturale *g* forma il digramma *gn* che ha un suono palatale, di *n* schiacciata contro il palato (Es.: *ingegnere, congegno*). Tuttavia nei nomi stranieri si mantiene di solito la pronuncia staccata originaria (Es.: *Wag-ner*).
Nelle abbreviazioni antiche N significava: Nettuno, le none (del calendario romano), nepote, moneta. Oggi significa: numero (Es.: via Torino N. 5), oppure indica il punto cardinale *Nord*, la *Norvegia* nelle targhe automobilistiche. In chimica è il simbolo dell'azoto.

nàno: sostantivo (o aggettivo) maschile. Indica uomo di statura molto più piccola del normale. Diminutivi: nanetto, nanerottolo, nanerello.

napolitàna: componimento poetico del sec. XV, in forma di canzonetta amorosa di tono popolare, di origine regionale come le affini: calabrese, ciciliana e giustiniana o veneziana. Talora, però, nella letteratura popolare del sud d'Italia, il termine indica il rispetto e lo strambotto formati da tre o quattro distici di endecasillabi con diversi schemi di rima.

nàppo: sostantivo maschile, d'uso antiquato, ad indicare una coppa o analogo recipiente per bere. Il sostantivo femminile NÀPPA, di diversa origine, significa invece: ornamento, fiocco. Usato spesso al diminutivo: nappína.

nàri: sostantivo femminile, usato esclusivamente al plurale. Significa: narici, ed è d'uso colto e letterario.

narratívo (imperfetto): così è chiamato l'imperfetto indicativo quando è usato in una narrazione per sottolineare il prolungarsi dell'azione. Frequente nel linguaggio giornalistico delle pagine di cronaca. Es.: Il malcapitato si *accingeva* a salire sul tram, quando *sopraggiungeva* un'auto a folle velocità che lo *travolgeva*.

nasàli (consonanti): le consonanti *m* ed *n*, così chiamate perché per pronunziarle si emette una colonna d'aria dal naso. Sono entrambe consonanti *continue* o *costrittive*, poiché si possono pronunziare, senza appoggio di vocali, con un suono prolungato. La *m* si pronunzia con l'aiuto delle labbra e perciò è anche detta *labiale*; la *n* invece è detta *dentale* o più precisamente *alveolare* poiché si pronunzia avvicinando la lingua agli alveoli dei denti. Davanti alle labiali *p* e *b* si preferisce sempre la *m* alla *n* (non *in-porre*, ma: *imporre*; non *in-bevere*, ma: *imbevere*). La *n* forma poi il digramma *gn* con suono palatale, di *n* schiacciata. Es.: a*gn*ello, compa*gn*o, inde*gn*o, o*gn*i, biso*gn*o. Inoltre la *n* è preferita alla *m* di fronte alle labiali spiranti *f* e *v* (i*nf*ondere, co*nv*incere, i*nf*uso, i*nv*incibile).

nàscere: verbo della seconda coniugazione, intransitivo. Ausiliare: essere. *Pres. indic.*: nasco, nasci, nasce, nasciamo, nascete, nascono. *Imperf.*: nascevo, nascevi, nasceva, nascevamo, nascevate, nascevano. *Pass. rem.*: nacqui, nascesti, nacque, nascemmo, nasceste, nacquero. *Fut. semplice*: nascerò, nascerai, nascerà, nasceremo, nascerete, nasceranno. *Part. pass.*: nàto. Significa: venir al mondo, cominciare, venir alla luce. Si usa spesso anche al figurato. Es.: *Nacquero disordini*; *È nato un incidente*. Ma è meglio non abusare di queste locuzioni.

nascóndere: verbo della seconda coniugazione, transitivo. *Pass. rem.*: nascósi, nascondésti, nascóse, nascondémmo, nascondéste, nascósero. *Part. pass.*: nascósto.

nasèllo: esempio di falsa alterazione. È infatti sostantivo maschile, nome di un pesce (simile al merluzzo) e non vezzeggiativo di NÀSO (che sarebbe: nasetto).

nàssa: sostantivo femminile. Indica una cesta usata per pescare. Il sostantivo maschile NÀSSO, di diversa origine e di uso toscano antico, indica invece il tasso (pianta).

nàta: participio passato di *nascere* (V.). Si pone davanti ad un cognome per indicare la famiglia originaria di una donna coniugata. Es.: Maria Verdi *nata* Rossi. Più comune è però l'uso di scrivere nome e cognome (originario) della signora, aggiungendo: *in* e il cognome del marito. Es.: Maria Rossi *in* Verdi. Si scrive anche: *Maria Verdi Rossi*, ove il primo cognome è sempre quello del marito.

nature: parola francese (pr.: natür). Vale: naturale. *Omelette nature* (pr.: om'lèt natür): frittata senza contorno e senza ripieno. Fuori del linguaggio di cucina, la voce straniera può essere sostituita da: semplice, genuino, naturale.

naufragàre: verbo della prima coniugazione, intransitivo. *Pres. indic.*: nàufrago, nàufraghi, nàufraga, naufraghiàmo, naufragàte, nàufragano. Può essere coniugato con l'ausiliare essere o con avere. Es.: *Ha naufragato nella sua impresa*; *La nave è naufragata al largo dell'isola*; *Le mie speranze son naufragate miseramente*. Significa: far naufràgio, affondare (detto di nave); fallire, andar male (al figurato).

nàufrago: nome sdrucciolo terminante in *-go*, che al plurale finisce in *-ghi*: nàufraghi. Indica la vittima del naufràgio. *Naufrági* è invece plurale di NAUFRÀGIO, l'atto del naufragare, la catastrofe in mare o, in senso figurato: rovina, disastro, fallimento.

nàuta: sostantivo maschile. È un esempio di nome maschile terminante in *-a*. Al plurale: nàuti. Significa: nocchiero, marinaio; ma è parola di uso raro ed esclusivamente letterario. Più usato oggi come secondo elemento di parole composte: *cosmonauta*, *ufonauta*, *argonauta*.

navétta: sostantivo femminile, che indica la spola. Termine ormai in uso, nella tessitura, sebbene ripreso dai puristi come francesismo. Designa anche un mezzo da trasporto che fa la spola tra due località. È un esempio di falsa alterazione: deriva infatti dal francese *navette* e non è diminutivo di *nàve*.

ne: particella atona (distinta da *né*, congiunzione negativa) che ha varie funzioni e vari significati.

Forma atona di avverbi di luogo, vale: di lì, di là, di qui, di qua. Es.: Arrivai a Roma il mattino e *ne* ripartii la sera. Con funzione pronominale equivale a un pronome indicativo che compia l'ufficio di complemento di specificazione o partitivo. Viene usato in luogo delle espressioni: di lui, di lei, di loro, di questo, di quello. Es.: Possono dirti qualcosa su Giulio: me *ne* ha parlato Sandro; Ho letto il libro, ora te *ne* faccio un riassunto; Ho comprato una torta e ora te *ne* offrirò una fetta. Talora ha valore neutro, riferendosi ad un'intera frase. Es.: Questo me lo ha detto, ma non *ne* son convinto (= di ciò non son convinto).

Unita ad alcuni verbi, vi aggiunge un significato particolare. Es.: *Non ne vale la pena*; *Se ne ebbe a male*.

Altre volte invece ha un semplice valore pleonastico. Es.: *Ne ha dette, però!*; *Che me ne faccio del libro che mi hai dato?*; *Che ne dici di questo quadro?*

In passato (e oggi nell'uso poetico e letterario) *ne* aveva valore di: a noi, ci. Es.: *Egli ne ama*, per: egli ci ama. Si noti poi che *ne* si pone in posizione enclitica con i verbi al modo indicativo, gerundio o imperativo e con l'interiezione *ecco*. Es.: Non posso *farne* a meno; *Dammene* un po'!; *Fanne* molti!; Dovrei *andarmene*; *Eccone* due che arrivano. Quando nella frase vi è altra particella pronominale, *ne* si pone in seconda posizione. Es.: *Me ne andavo*; *Te ne eri accorto*; *Se ne prese mol-*

te; *Gliene rimasero infine pochissime*. Forma con *lo, la, le, gli* le preposizioni articolate di *in*: *nello, nella, nelle, negli*. Talora si scrive anche *ne il, ne lo, ne la, ne gli*, specialmente per riportare integralmente titoli che cominciano con un articolo. Es.: Il Manzoni scrive *ne* «*I* Promessi Sposi»; Ho letto *ne* «*Il* progresso».

né: congiunzione negativa che significa: e non; viene usata per coordinare due membri di una proposizione negativa, di norma ripetuta davanti a ciascuno di essi. Es.: Non è *né* bello *né* buono; Non mi ha detto *né* sí *né* no. Più spesso coordina due proposizioni negative. Es.: Non ha voluto parlare *né* scrivere; Non sappiamo se è partito *né* se desidera partire; Non sa *né* leggere *né* scrivere. Come si vede da questi esempi, nella proposizione e nel periodo la particella *né* si colloca sempre davanti al termine che si vuol negare. Si deve sempre accentare, anche per distinguerla da *ne* pronome e avverbio. Unita a *meno, pure, anche*, forma gli avverbi o congiunzioni negative: *nemmeno, neppure, neanche*.

neànche: avverbio di negazione. Usato come aggiunta rafforzativa di *non* (Es.: *Non* l'ho *neanche* visto). Da solo si adopera in principio di frase (Es.: *Neanche* stasera sei un po' allegro).

necessitàre: verbo della prima coniugazione, transitivo. Significa: costringere. Es.: *Il bisogno lo necessitava a fare qualsiasi lavoro*. Si trova spesso usato impersonalmente, nel senso di: essere necessario, ma è un uso da evitare. Es.: *Necessita provvedere in tempo* (Meglio: bisogna, si deve, è opportuno, è necessario). Poco raccomandabile anche l'uso intransitivo (ausiliare: essere) nel senso di abbisognare, occorrere. Es.: *Necessitano rapidi interventi* (Meglio: sono necessari, occorrono).

necro-: prefisso d'origine greca che significa: morto. Usato in molte parole composte che indicano persone o cose aventi attinenza con i morti. Es.: NECROFOBÍA (paura dei cadaveri), NECRÒFORO (becchíno), NECROLOGÍA O NECROLÒGIO (discorso di elogio di un morto, annuncio di morte), NECRÒPOLI (cimitero, detto specialmente dei cimiteri antichi, venuti alla luce dopo scavi), NECROSCOPÍA (esame di un cadavere a scopo scientifico o per ordine dell'autorità giudiziaria).

nefro-: primo elemento di parole composte, nel linguaggio medico-scientifico. Indica attinenza al rene. Es.: *nefropatia, nefrografia, nefrorragia, nefrosclerosi*.

negàre: verbo della prima coniugazione transitivo. Quando regge una proposizione oggettiva si costruisce nella forma esplicita (*Negò che ciò fosse avvenuto*) o in quella implicita con *di* e l'infinito: *Negava di aver rivelato i nomi dei complici*.

negatíva (proposizione): una proposizione, specialmente enunciativa, che contiene negazione. Questa è generalmente espressa dalla particella *non*; si usano però anche i pronomi o aggettivi indefiniti negativi (*nessuno, niente, nulla*). Esempi: *Non mi hai salutato*; *Non ho visto quello spettacolo*; *Il riso non mi piace*; *La giornata non era bella*; *Nessuno ti ha interrogato*; *Non ti hanno dato nulla*.

negatíve (particelle): particelle che esprimono negazione: *né, non, no, mica, punto*. V. NEGAZIONE (AVVERBI DI).

negatívo: aggettivo qualificativo. Significa: che nega (*cenno negativo*), cattivo (*aspetto negativo*). Sostantivo indica l'immagine fotografica in cui le parti luminose sono scure e viceversa. Ma in questo caso è meglio usare il femminile. Es.: *Ho visto la negativa* (o *il negativo*) *della mia fotografia*.

negazióne (avverbi di): avverbi che esprimo negazione, diniego. La più comune particella negativa è *non*, che ha anche la forma *no*.

Non si usa col valore di particella atona più che di avverbio vero e proprio. Si appoggia perciò ad un'altra parola che viene così investita della qualità negativa. Es.: Oggi *non ho mangiato*; Verrò da te *non più tardi* di domani; È un compito *non facile*; Era un uomo, *non una bestia*; Ho contato bene: sono dieci, *non dodici*. Come si vede dagli esempi citati, *non* può essere posto davanti a un sostantivo, a un verbo, a un aggettivo o ad un avverbio.

No ha invece più valore di avverbio; è tonico e si usa in posizione assoluta. Es.: Ti ho chiesto qualcosa? *No*; Mio padre aveva detto di *no*.

Altra particella negativa è *né* (V.), con la quale si formano gli avverbi *neppure, neanche, nemmeno*, e i pronomi indefiniti *nessuno, niente, nulla* (V. voci relative). Essi costituiscono un rafforzamento della negazione e sono usati con *non* oppure da soli (ma posti, in questo caso, all'inizio della frase). Es.: *Non* lo sa *nessuno*; *Non* ho visto *neanche* il primo arrivato; *Non* ho *nemmeno* letto quell'articolo!; *Non* ti ha detto *nulla!*; *Neanche* il padre sapeva dove era nascosto il figlio; *Niente* poté fermarlo; *Nulla* fu tentato.

Sono pure rafforzativi di *non* e di *né* le particelle *mica, punto* e *affatto* (V. voci relative). Es.: *Non* è *mica* vero; *Non* l'ha *mica* fatto lui; *Non* era *punto* preparato; *Non* è *affatto* degno di essere invitato.

négli: preposizione articolata composta dalla preposizione semplice *in* (che diventa *ne*) e dall'articolo *gli*. Si usa davanti a parole plurali (maschili) che cominciano con vocale, *s* impura, *z, ps, x, gn*. Es.: *negli occhi, negli scogli, negli zaini, negli xilofoni, negli gnocchi, negli pseudonimi*. Davanti a parole comincianti per semplice consonante si usa invece *nei* (V.).

Per i complementi retti da questa preposizione V. *In*. La grafía c pronuncia staccata (*ne gli*) è d'uso letterario (fu adoperata specie dal Carducci).

negligènte: participio presente di *negligere*, usato anche come sostantivo e come aggettivo. È una delle parole italiane in cui il digramma *gl-* conserva il doppio suono distinto (gutturale + liquida) davanti alla vocale *i*. Naturalmente ciò vale anche per il sostantivo NEGLIGENZA e l'avverbio NEGLIGENTEMENTE e derivati.

neglígere: verbo della seconda coniugazione, transitivo. Si usano soprattutto il participio presente (V. *negligente*) e il participio passato *neglètto*.

negoziàti: sostantivo maschile plurale che significa: trattative. Esiste anche il singolare *negoziato*, ma non è quasi mai usato.

nèh!: interiezione che si usa nel linguaggio familiare per chiamare o per ammonire. Es.: *Neh, mi vuoi dar ascolto?; Siamo intesi, neh!* (in questo secondo caso, quando è in fondo alla frase, ha valore di *nevvero*).

néi: preposizione articolata composta dalla preposizione semplice *in* (che diventa *ne*) e dall'articolo *i*. Si usa davanti alle parole maschili plurali che cominciano per consonante, tranne *s* impura, *x, z, ps, gn* (nel qual caso si usa *negli*). Es.: *nei dolori, nei colori, nei poteri, nei sassi*, e invece: *negli zeri, negli stati*, ecc.

Per i complementi retti da questa preposizione V. *In*.

Non si confonda con NÈI, sostantivo maschile, plurale, di NÈO (piccola macchia nera sulla pelle; al figurato: piccolo difetto, imperfezione).

nél: preposizione articolata, composta dalla preposizione semplice *in* (che diventa *ne*) e dall'articolo *il*. Si usa davanti a parole maschili singolari comincianti per consonante, tranne *s* impura, *x, z, ps, gn* (nel qual caso si usa *nello*). Es.: *nel pozzo, nel quadro, nel secchio* (ed invece: *nello zaino, nello spogliatoio*).

nel caso che: locuzione congiuntiva che introduce una proposizione condizionale. Regge il congiuntivo. Es.: *Nel caso che ciò avvenga prenderemo adeguati provvedimenti*. Si trova anche con il futuro, ma è meno corretto. Es.: *Interverremo solo nel caso che gli insorti useranno le armi*.

nélla: preposizione articolata composta dalla preposizione semplice *in* (che diventa *ne*) e dall'articolo *la* (che raddoppia l'iniziale). Si usa davanti a parole femminili singolari, elidendosi davanti a vocale (tranne quando può sorgere confusione). Es.: *nella scatola, nella sera, nella zavorra, nella bambagia, nell'acqua, nella artista* (per non confondere con *nello artista*).

Per i complementi retti da questa preposizione V. IN.

nella misura in cui: abusata locuzione, ora con valore causale (*Reagirò nella misura in cui sono stato offeso*), ora con valore ipotetico (*L'accordo sarà accolto nella misura in cui corrisponderà agli interessi generali*). Per reazione all'abuso che se ne è fatto, oggi si preferisce il più semplice ed equivalente *se*.

nélle: preposizione articolata composta dalla preposizione semplice *in* (che diventa *ne*) e dall'articolo *le* (che raddoppia l'iniziale). Si usa davanti a parole femminili plurali e non si elide mai. Es.: *nelle scuole, nelle sirene, nelle oasi, nelle zie, nelle estasi* (non si elide per non confondere con *nell'estasi*, singolare).

Per i complementi retti da questa preposizione V. IN.

néllo: preposizione articolata composta dalla preposizione semplice *in* (che diventa *ne*) e dall'articolo *lo* (che raddoppia l'iniziale). Si usa davanti a parole maschili singolari comincianti per vocale (dinanzi a cui si elide), *s* impura, *z, x, ps, gn*. Es.: *nell'odore, nell'amore, nello stagno, nello zaino, nello psicodramma, nello xilografo, nello gnomo*.

Per i complementi retti da questa preposizione V. IN.

nemíco: sostantivo maschile o aggettivo. È una delle parole piane terminanti in *-co* che al plurale finiscono in *-ci*: nemíci. Al femminile invece: nemíca, nemíche.

nemmànco: avverbio di negazione, equivalente al più comune *nemmeno* (V.).

nemméno: avverbio di negazione. Usato come aggiunta rafforzativa di *non* (Es.: *Non* l'hai *nemmeno* salutato). Da solo si adopera in principio o alla fine della frase (Es.: *Nemmeno* tu sapesti rispondere; Egli non lo sapeva, e io *nemmeno*).

neo-: prefisso che significa: nuovo. Si scrive unito alla parola (*neorealísmo*) o diviso da una lineetta (*neo-cubista*). Es.: NEOROMANTICÍSMO (nuovo romanticismo), NEONÀTO (appena nato), NEOLATÍNO (derivato dal latino), NEOLÍTICO (secondo periodo dell'età della pietra, età della pietra lavorata), NEOTERÍSMO (smania di continue novità), NEOLOGÍA (abitudine di creare nuove parole), NEOPLÀSMA (nuovo tessuto organico formatosi in condizioni anormali), NEOREALÍSMO (nuovo realismo), NEOFILÍA (amore del nuovo), NEOGUELFÍSMO (nuovo guelfismo).

neòfito: sostantivo maschile che indica colui che è iniziato da poco in una fede politica, religiosa, artistica.

Si usa anche la forma *neòfita*. Errata è però la pronuncia: neofíta.

neologísmo: parola o locuzione nuova. Il patrimonio linguistico di una nazione si arricchisce continuamente di nuovi vocaboli o, per necessità d'espressione, di nuovi usi e significati delle parole vecchie. La lingua riflette infatti usi e costumi del tempo ed è uno strumento vivo per i rapporti tra gli uomini in un determinato periodo. Essa non può perciò restare immobile, chiusa entro limiti accademici, gelosamente difesi come inviolabili confini della purezza e proprietà espressiva. Essa deve invece adeguarsi a sempre nuove esigenze, perché deve indicare cose, fatti, azioni nuove. Oggi più che mai, mentre il progresso scientifico crea continuamente nuovi oggetti, nuove macchine e la scienza indaga e scopre nuovi fenomeni, sarebbe impossibile chiudere la porta della lingua viva al lecito ingresso di neologismi. Così negli ultimi anni i dizionari italiani hanno dovuto registrare una serie di neologismi nati insieme con i nuovi oggetti che essi indicano. Es.: *televisione, micromotore, filmologia, vermiculite, radioattivo, cinerama, fotocronaca, videocamera, videocassetta, compact, computerizzare*. E sono parole queste che ormai hanno diritto di cittadinanza nella lingua italiana. Altri neologismi, spesso risultanti dall'adattamento a usi moderni di vocaboli già esistenti, hanno avuto una fortuna più effimera, legata quasi esclusivamente alla risonanza giornalistica di taluni avvenimenti oppure a situazioni particolari politiche e sociali. Es.: *agit-prop, forchettone, coventrizzato, bikinizzare, Wandissima, funzionismo*. Questi neologismi riflettono gli intenti polemici o caricaturali (o anche di simpatia) di chi li forgiò, in un determinato momento; ma sono destinati a cadere dall'uso vivo non appena siano dimenticati i personaggi che li suggerirono o gli umori che li ispirarono. Anche i dialetti forniscono talora nuovi vocaboli, accolti nell'uso dai benparlanti o per la loro particolare efficacia espressiva o perché indicanti fatti o persone o cose caratteristiche della regione e che perciò meglio non potrebbero esser chiamati che con il nome o l'espressione dialettale. Es.: la *pizza* napoletana, il *grissino* piemontese, la *bora* veneta. Ricco di neologismi è poi il linguaggio degli sportivi, dei cineasti, degli appassionati di

La formazione di neologismi può avvenire attraverso vari procedimenti:

a – applicazione di un suffisso a una parola esistente	oggi sono frequenti le terminazioni in –aro (*magliaro, rockettaro*), in –ista (*saccopelista, piduista*), in –ata (*menata, porcata*), in –iere (*faccendiere*), in –torio (*inquisitorio, inibitorio*), in –oide (*fattoide*), in –oso (*grintoso*), in –ese (*sinistrese*), ecc.;
b – aggiunta di un prefisso a una parola esistente	per esempio, multi– (*multimediale*), inter– (*interpersonale*), neo– (*neoplasia*), para– (*paramedico*), post– (*postcomunismo*), ultra– (*ultrasinistra*), bis o bi– (*bipolarismo*), iper– (*ipertensione, ipermercato*), mini– (*minigonna*) o mega– (*megashow, megadirigente*), pan– (*pansindacalismo*), trans– (*transpartitico, transessuale*);
c – unione di due o più parole esistenti per la creazione di composti	si distinguono vari casi: verbo più nome (*lavastoviglie*), aggettivo più nome (*pornodiva*), aggettivo più aggettivo (*socialriformista, nazionalpopolare*), nome più nome (*divanoletto, videotelefono, telecomando, telenovela, gasdotto*);
d – designazione di oggetti, professioni, attività, costumi assolutamente nuovi	gli esempi sono numerosissimi, e non pochi sono necessariamente stranieri: *bioetica, bioingegneria, pentitismo, bancomat, fax, perestroika, videoclip, overdose, unisex, bricolage, disc jockey, compact disc*;
e – parole macedonia o acronimi, ossia parole formate con elementi parziali di due o più altre parole	sono neologismi tipici del linguaggio giornalistico (es.: *Criminalpol, Polfer, cantautore, autoferrotranvieri*);
f – uso di sigle come sostantivi	per esempio: il *piccì*, la *tivù*, l'*abiesse*, l'*esselunga*;
g – uso di forme abbreviate che tendono a prevalere sulla parola	per esempio: *il lavoro dei sub, fare la spesa al super, entrare con il pass, ha parlato il piemme, le bierre sono state sconfitte*;
h – locuzioni che hanno consolidato nell'uso il legame tra due parole quasi a formarne una composta	per esempio: *governo–ponte, soluzione–ponte, gol–partita, personaggio–chiave, governo ombra, prezzo civetta, fine settimana, porta a porta, famiglia tipo, a tutto campo, a luci rosse, gente bene, usa e getta, scoperto di conto, tavola calda, parti sociali, tutto compreso*;
i – termini di fantasia originati dalla satira di costume ed entrati nell'uso corrente, anche non necessariamente umoristico	*i cipputi, i burosauri, viados, i fantozzi, i vacanzieri, le belle di notte, i videodipendenti, la nube dell'impiegato*, ecc.

musica leggera. Molto spesso però si tratta di vocaboli stranieri accolti nell'uso. Talvolta non esiste il corrispondente italiano o, per lo meno, la parola italiana non indicherebbe con sufficiente precisione la cosa o il fatto; talvolta anche (e questo è il caso soprattutto di neologismi tecnici e scientifici) si preferisce indicare un oggetto con il vocabolo del paese in cui l'oggetto stesso fu inventato.

I neologismi si formano in vario modo. Alcuni risultano composti da due termini già esistenti (Es.: *ferro-via*; *auto-carro*), spesso con il ricorso a parole di origine greca o latina (Es.: *tele-visione, termo-metro, odonto-iàtra, termo-nucleare*). Altri sono formati con l'aggiunta di suffissi o prefissi (da Coppi, *coppiàno*; da sistema, *sistemísta*; da atomo, *atomizzàre*; da utile, *utilizzàre*; da deviazione, *deviazionísmo*; da centro, *centrísmo*; da realismo, *neorealísmo*; da slavo, *filoslàvo*). Alcuni suffissi, come *-ismo, -izzare*, sono oggi assai comuni e spesso anzi se ne abusa. Altri neologismi ancora derivano dall'accorciamento di vecchie parole. Es.: da classificazione, *classífica*; da notificazione, *notífica*; da bonificazione, *bonífica*; da motocicletta, *mòto*; da automobile, *àuto*. Infine molti neologismi sono parole straniere di uso internazionale o trasformate in parole italiane. Es.: *sport* (plurale: gli sport), *film* (plurale: i film), *torero, jazzista, automazione* (dall'inglese *automation*).

V. anche PREFISSI, SUFFISSI.

neppúre: avverbio di negazione. Usato come aggiunta rafforzativa di *non* (*Non* me ne accorsi *neppure*). Da solo si adopera in principio di frase (*Neppure* gli amici lo difesero). Si usa come congiunzione nelle proposizioni coordinate negative. Es.: Non lo vidi *e neppure me lo indicarono*; Tacque *e neppure io parlai*.

nerofúmo: nome maschile composto da un aggettivo (nero) e un sostantivo maschile (fumo). Plurale: nerofúmi. Per la regola relativa V. COMPOSTI (NOMI).

nessúno: aggettivo indefinito, variabile al singolare; non usato al plurale. Indica una quantità totale, indeterminata, in senso negativo. Si tronca davanti a vocale (*nessun uccello*) o consonante semplice (*nessun pudore*), conserva la forma intera davanti a *s* impura, *z, gn* (*nessuno sparo, nessuno zio*), *x* (*nessuno xilofono*), *ps* (*nessuno psichiatra*), si elide davanti a nome femminile cominciante per vocale (*nessun'altra*).

Nelle frasi negative si pone per rafforzare il concetto di negazione. Es.: *Non* ho visto *nessuno* (ma meglio: non ho visto alcuno), in quelle interrogative ha valore di alcuno, qualche (Es.: Hai *nessuna* obiezione?). Può fungere anche da pronome. Es.: *Non ho parlato con nessuno*; *Nessuno vi ha chiamati.*

Nell'uso familiare esiste anche il superlativo: nessuníssimo. Es.: *Nessunissimo deve saperlo*; *Non ho sentito nessunissima parola*; *Non lo voglio vedere per nessunissima ragione.*

Come si vede, *nessuno* basta da solo, in principio di frase, ad esprimere negazione; quando è invece posposto al verbo, occorre mettere *non* all'inizio. Es.: *Non lo sa nessuno*; *Nessuno lo sa.*

Si notino le espressioni: *quel tale è nessuno* (=non vale niente, non conta niente), *è proprio un nessuno* (=non è noto, è uno sconosciuto).

nettàre: verbo della prima coniugazione, transitivo. Significa: pulire. L'infinito si scriva sempre con l'accento tonico, per non confonderlo con il sostantivo NÈTTARE, secrezione dei fiori succhiata dalle api.

nétto: aggettivo qualificativo. Significa: pulito, mondo (Es.: *Abbiamo la coscienza netta*). *Peso netto*: contrario di lordo, senza tara; *guadagno netto*: il guadagno che si ha detratte le spese, le imposte e le altre passività. Usato come avverbio vale: nettamente, chiaramente, distintamente. Es.: *Me l'ha detto chiaro e netto.*

neuro-: prefisso di origine greca che significa: nervo. Usato per comporre numerose parole del linguaggio medico. Es.: NEUROLOGÍA (parte dell'anatomia che descrive il sistema nervoso), NEURALGÍA (dolore acuto ad un nervo), NEUROPATOLOGÍA (studio delle malattie del sistema nervoso). In alcune parole il suffisso *neuro-* si muta in *nevro-* (Es.: *nevralgía, nevrastenía, nevròtico*).

neutralizzàre: verbo della prima coniugazione, transitivo. Significa: render neutro, cioè non attivo e quindi non pericoloso. È sconsigliabile l'uso di questo verbo nel senso di: annullare, render vano, impedire. Es.: *Con il mio intervento ho neutralizzato* (meglio: ho reso vani) *i vostri sforzi*; *Abbiamo neutralizzato* (meglio: abbiamo impedito, ostacolato) *il loro tentativo di impadronirsi del potere.*

nèutro: aggettivo qualificativo. Termine chimico per indicare sostanza non attiva nelle combinazioni (donde: *neutrone*). Sinonimo talora di *neutràle* (che non parteggia per nessuno dei contendenti). Es.: *Gli Stati neutri*. In grammatica, *genere neutro*: il terzo genere dei nomi greci e latini (in origine proprio degli enti inanimati e quindi asessuati). È un genere scomparso nella nostra lingua. Si dice tuttavia che alcuni pronomi hanno talora valore neutro, per analogia col neutro latino. Es.: *ciò* (questa cosa), *questo* (questa cosa), *quello* (quella cosa) in frasi come queste: *Ciò* non mi piace; *Questo* è vero; *Quello* che dici è giusto.

nevicàre: verbo della prima coniugazione, intransitivo. Usato soprattutto impersonalmente. È coniugato con il verbo essere o anche con avere, specie quando si riferisce alla durata dell'azione. Es.: *È nevicato molto*; *Ha nevicato*; *Aveva nevicato tutta la notte.*

nicarchèo: nella metrica greca classica, il metro che corrisponde alla forma catalettica del verso falecio; tipico del poeta Bacchilide.

níckel: nome di un metallo. Si può italianizzare: *nichèlio*. Si trova anche in forma *nichel*, da cui derivano NICHELARE (o: nichellare) e NICHELATURA (o: nichellatura).

nicto-: primo elemento di parole composte, del linguaggio scientifico. Indica: notte, buio. Es.: *nictofobia*, *nictalopia*.

niènte: pronome indefinito, indeclinabile. È negativo e ha un valore neutro: nessuna cosa. Se precede il verbo, conferisce da solo un significato negativo alla proposizione. Es.: *Niente* ha potuto farlo retrocedere; *Niente* servirà contro quel prepotente. Se invece è posposto al verbo, si deve far precedere la negazione a quest'ultimo. Es.: *Non* mi ha detto *niente*; *Non* ho voluto *niente*; *Non* ha chiesto *né* risposto *niente*. Talora è rafforzato in espressioni quali: *un bel niente, niente affatto, niente di niente.*
Acquista valore positivo nelle interrogazioni e nelle proposizioni condizionali, col significato di: qualche cosa. Es.: *Ti serve niente?*; *Non vuoi bere niente?*; *Se niente ti è necessario, io sono qui per aiutarti*. Talora è usato come aggettivo (Non aveva *niente paura*) o come sostantivo (*Il niente* mi spaventa) o come avverbio (Questa casa non costa *niente*).

nientediméno: avverbio e congiunzione avversativa con il significato di: non per tanto, tuttavia. Nelle esclamazioni indica meraviglia. Es.: Hai pagato così tanto? *Nientedimeno!*

nienteméno: avverbio, che significa: nondimeno. Usato specialmente nelle esclamazioni, indicando meraviglia. Es.: *Arrivò nientemeno il re in persona.*

nipóte: sostantivo maschile e femminile. Plurale: i nipoti, le nipoti. Indica il figlio del figlio o il figlio del fratello. La forma *nepóte* è un latinismo; da essa tuttavia deriva il sostantivo NEPOTÍSMO che indica il favoreggiamento da parte di uomini potenti, dei membri della propria famiglia o, per estensione, dei propri amici intimi.

nitríre: verbo della terza coniugazione, intransitivo (ausiliare: avere) che indica il verso del cavallo. È uno dei verbi che inseriscono il suffisso incoativo *-isc-* tra il tema e la desinenza di alcuni tempi. *Pres. indic.*: nitrísco, nitrísci, nitrísce, nitriàmo, nitríte, nitríscono. *Pres. cong.*: nitrísca, nitrísca, nitrísca, nitriàmo, nitriàte, nitríscano. *Part. pass.*: nitríto.

nitro-: primo elemento di parole composte del linguaggio scientifico. Indica presenza di azoto o relazione con l'azoto. Es.: *nitrobenzene*, *nitrocellulosa*, *nitrofosfato*.

no, non: avverbio di negazione. La forma *non* si usa propriamente come avverbio, immediatamente congiunta con il verbo (*Non rubare*), con l'aggettivo (Una parola *non saggia*), con il nome (*Non parole*, ma opere) o con l'avverbio (*Non tardi, non troppo*) cui si riferisce. La forma *no* si usa nelle risposte, in posizione assoluta

(L'hai visto? *No*) o come sostantivo (Mi rispose con un *no* reciso; Sono incerto tra il sì e il *no*). Si rafforza con la ripetizione (*No, no*; *no e poi no*; *no e no*) o con un altro avverbio (*Proprio no, no assolutamente, no certo*).

Sull'uso di *non* si noti altresì: a) nelle proposizioni interrogative assume talora valore enfatico. Es.: *Non l'avevamo prevista?*; *Chi non se lo sarebbe immaginato?*; b) con i verbi esprimenti dubbio, sospetto, timore e reggenti una proposizione oggettiva, si antepone in quest'ultima al verbo. Es.: *Temo che non vi ascolterà*; *Dubito che non verrà*; *Sospettavano che non saremmo venuti*; in questo caso il *non* ha talora valore pleonastico, in quanto la subordinata esprime significato positivo. Es.: *Dubito che non abbia ragione* (=penso che abbia ragione); c) con le espressioni *poco manca, per poco*, si premette al verbo. Es.: *Poco mancò che non arrivasse ultimo*; *Per poco non gli davo uno schiaffo*; d) con *niente, nessuno, nulla*, si deve sempre usare, se quegli indefiniti sono posti dopo il verbo; si può invece omettere quando precedono il verbo. Es.: *Non si vedeva nessuno*; *Non hanno comperato nulla*; *Non si vedeva niente*, e invece: *Nessuno l'ha visto*; *Nulla lo può turbare*; *Niente hanno combinato*.

Infine si noti l'uso di *non che* per: e anche; e di *non c'è di che* per: è cosa da nulla, niente, prego. Es.: Era presente l'avvocato *non che i suoi colleghi* (meglio però: e, e anche i suoi colleghi); Ti volevo ringraziare per il favore che mi hai fatto. Risposta: *Non c'è di che* (meglio: È stata cosa da nulla, prego).

nòcciolo: sostantivo maschile che indica la parte interna di certi frutti, dura e legnosa. Es.: *il nòcciolo della pesca, delle ciliegie*. In senso figurato indica l'essenza, la parte più importante. Es.: *Veniamo al nòcciolo della questione*.

Si noti che NOCCIUÒLO (o NOCCIÒLO) indica invece l'arboscello delle Cupolifere che produce frutti commestibili con guscio legnoso, detti *nocciuòle* o *nocciòle*.

nói: pronome personale di prima persona plurale. Si usa come soggetto della proposizione. Es.: *Noi vogliamo lavorare*; *L'abbiamo fatto noi*; *Saremmo arrivati noi*.

Si usa come complemento oggetto, quando si vuol conferirgli un particolare risalto. Es.: *Ha offeso noi, che l'abbiamo sempre aiutato*; *Intendeva proprio noi*; *Non c'è dubbio: stanno seguendo noi*. Si usa inoltre come predicato dopo i verbi *essere, sembrare, parere* (Es.: *Non sembravamo neanche noi*; *Voi non siete noi*) e nelle esclamazioni (*Poveri noi!*; *Beati noi!*). Come complemento indiretto viene usato dopo le preposizioni *di, a, per, con, in su, fra* (Es.: Parliamo *di noi*; Questa viene *a noi*; Domani sarete *con noi*; Ora siamo *tra noi*). In qualità di soggetto questo pronome viene spesso sottinteso, quando non gli si vuol dare speciale rilievo. Es.: *Arriviamo subito!*; *Non ne sappiamo nulla*.

La forma atona *ci* sostituisce *noi* per il complemento oggetto e il complemento di termine. Es.: Lodiamo*ci* pure (=lodiamo noi); *Ci* vennero incontro (=vennero incontro a noi); *Ci* sono amici (=sono amici a noi).

Noi è usato per il *plurale maiestatico* (V.). Es.: *Noi, Re d'Italia, ordiniamo...*; *Noi, Pio XII, eleviamo a Dio il pensiero*; *Noi diciamo ai lettori...*

Talvolta il pronome *noi* si rafforza con l'indefinito *altri*. Es.: *Noialtri* (o: noi altri) *vi abbiamo aspettato a lungo*.

nòia: componimento medievale (*enueg* è il termine provenzale) in cui il poeta elencava i motivi dei suoi dispiaceri.

nòli: parola latina (imperativo del verbo *nolle*, non volere). Usata nella espressione *Noli me tangere!* (Non mi toccare!) col significato di: non facciamo scherzi, lasciatemi stare.

nóme: sostantivo maschile. Indica l'appellativo proprio di una persona. Es.: Il mio *nome* è Giorgio, il mio *cognome* Colombo; Venne un ragazzo *di nome* Luigi (non: a nome Luigi). Il termine vale anche: fama, notorietà (*Si è fatto un nome in poco tempo*) o persona celebre (*I più bei nomi della nostra società*). Le locuzioni *in nome di* o *a nome di* significano: per parte di (Parlo *a nome di tutti i soci*; *In nome della legge*, aprite!). V. anche PROPRI (NOMI).

nóme o **sostantivo:** la parte del discorso che serve ad indicare (nominare) gli es-

seri animati, le cose inanimate, le idee, le qualità, i fatti, i sentimenti.
I nomi possono essere distinti secondo vari criteri. In relazione all'essere cui si riferiscono si dividono in: *concreti* se indicano persona, animale o cosa che cada sotto i nostri sensi (*fanciullo, cane, pennello*) e *astratti* se indicano esseri che si possono solo pensare (*Dio, diavolo, angelo*) oppure passioni, sentimenti, qualità e in genere cose che non siano percepibili dai sensi (*amore, tenerezza, bellezza, virtù*).
I nomi si dividono altresí in: *propri* se designano individualmente una persona, un animale, una cosa, in modo da distinguerli dagli altri esseri della medesima specie (*Carlo*, il cavallo *Nearco*, la città di *Roma*), e *comuni* se indicano in modo generale le persone, gli animali, le cose della medesima specie (*uomo, cavallo, città*). Quando indicano un insieme di persone, di animali o di cose della stessa specie si dicono nomi *collettivi* (*flotta, classe, esercito, senato, popolo, gregge, stormo*).
Rispetto al genere i nomi si dividono in *maschili* e *femminili*. Per quelli che si riferiscono a persone o animali la classificazione è in relazione al sesso, per gli altri è da considerarsi convenzionale, non essendo possibile giustificarla logicamente.
Tra i nomi di persona ve ne sono alcuni che, pur essendo di genere femminile e terminanti in *-a*, si riferiscono a uomini, e, viceversa, alcuni che, terminanti in *-o* e di genere maschile, si riferiscono a donne. I principali sono: *guardia, sentinella, scolta, birba, guida, recluta, spia, vedetta*; e *soprano, mezzosoprano, contralto*.
Sono generalmente maschili i nomi terminanti in *-o* (ad eccezione di *radio, moto, auto, eco, virago*) o per consonante (lo *sport*, il *bar*, un *record*); i nomi di albero terminanti in *-o* od in *-e* (il *pero*, il *melo*, il *noce*; ma: la *vite* e la *elce*); i nomi di monti, fiumi, laghi (il *Monte Rosa*, il *fiume Po*, il *Lago Maggiore*, e quindi: il *Garda*, il *Lario*, ecc.; ma: *le Alpi, la Maiella, la Stura, la Bormida, la Dora, le Madonie*, ecc.); i nomi dei mesi e dei giorni della settimana sono maschili (tranne *la domenica*).
Sono generalmente femminili i nomi terminanti in *-a* (*penna, carta*), ma con molte eccezioni. I nomi in *-cida* e *-ista* (*omicida, artista*) possono valere per entrambi i generi o per il maschile (*autista*); i nomi di derivazione greca (*asceta, idolatra, ipocrita*), specie quelli terminanti in *-ma* (*patema, anatema, problema*) sono maschili, come pure *monarca, patriarca, peana, boia, papa, gesuita* e alcuni nomi propri come Andrea, Enea, Nicola, ecc.
Sono poi generalmente femminili i nomi terminanti in *-u* (*gioventù, virtù*, tranne *caucciù, zebù* e altri di origine straniera), e in *-i* (*crisi, analisi, eclissi*, eccetto *brindisi*); i nomi di frutti (*mela, pera*, eccetto *dattero, popone, fico, limone*, ecc.); i nomi di città, regione ed isole (*Venezia, Lombardia, Sicilia*, eccettuati *Il Cairo*, il *Madagascar*, il *Veneto*, il *Lazio*, ecc.).
A parte queste indicazioni, la determinazione del genere dei nomi non segue regole fisse, e perciò occorre affidarsi all'uso e consultare il vocabolario.
I nomi si dicono *mobili* quando hanno una forma per il maschile e una per il femminile. Circa le regole sul passaggio da un genere all'altro, V. *Femminile* (*Formazione del*). Si dicono invece di *genere comune* i nomi che hanno una sola forma per il maschile e per il femminile, distinguibili dall'articolo o dall'aggettivo concordanti (*il* nipote e *la* nipote; *il* consorte e *la* consorte; *bravo* violinista e *brava* violinista). Di *genere promiscuo* sono detti i nomi che hanno una sola forma per i due generi e non si possono distinguere nemmeno con l'articolo (*il leopardo, la lucertola, il corvo, la rondine, la mosca*). In questo caso si dice per distinguere: *la mosca maschio*, oppure *la femmina del leopardo*.
Un'altra classificazione dei nomi riguarda il loro *numero*, per cui si distinguono in *singolari*, se indicano un solo individuo, *plurali* se indicano più individui (sing.: *amico*, plur.: *amici*). In generale tutti i nomi possono essere trasformati da singolari a plurali. Circa le regole che presiedono a questo passaggio da un numero all'altro V. *Plurale* (*Formazione del*).
Si dicono *indeclinabili* o *invariabili* i nomi che hanno il singolare uguale al plurale;

(a)

CLASSIFICAZIONE del NOME

secondo la formazione	PRIMITIVO	È formato solo dalla radice e dalla desinenza, e non deriva da altro nome. Es.: *casa, uomo, topo.*
	DERIVATO	È formato mediante l'aggiunta di prefissi o di suffissi alla radice di un nome primitivo. Es.: *casato, superuomo, topaia.*
	ALTERATO	*accrescitivo* - È formato con l'aggiunta di un suffisso che esprime un giudizio di grandezza. Es.: *gattone.* *diminutivo* - È formato con l'aggiunta di un suffisso che esprime un giudizio di piccolezza. Es.: *gattino.* *vezzeggiativo* - È formato con l'aggiunta di un suffisso che esprime un sentimento di simpatia. Es.: *gattuccio.* *peggiorativo* - È formato con l'aggiunta di un suffisso che esprime un sentimento di disprezzo. Es.: *gattaccio.*
	COMPOSTO	È formato con l'unione di due parole. Es.: *dopoguerra.*
secondo il significato	CONCRETO Indica persone, cose, animali che noi percepiamo con i nostri sensi.	*proprio* - Indica una determinata persona, cosa o animale. Es.: *Paola, Milano, Fufi.* *comune* - Indica persone, animali o cose appartenenti ad una determinata specie. Es.: *poeta, cane, libro.* *collettivo* - Indica gruppi di persone, cose, animali considerati insieme. Es.: *flotta, classe.*
	ASTRATTO Indica persone o cose che non percepiamo con i sensi.	*proprio* - Indica persone o cose determinate. Es.: *Dio, Angeli, Paradiso.* *comune* - Indica qualità, sentimenti. Es.: *giustizia, bellezza, felicità, solidità, estensione.*

secondo il genere	MASCHILE	Indica persona o animale di sesso maschile o è nome per convenzione considerato maschile. Es.: *uomo, cane, tavolo.*
	FEMMINILE	Indica persona o animale di sesso femminile o è nome per convenzione considerato femminile. Es.: *donna, gatta, casa.*
	COMUNE	Ha una sola forma per il maschile e per il femminile. Es.: il *nipote* e la *nipote*, l'*artista* e la *artista*.
	PROMISCUO	Nome di animale che ha un'unica forma per designare sia il maschio che la femmina. Es.: il *leopardo* e la *femmina del leopardo*.
secondo il numero	SINGOLARE	Indica un solo individuo. Es.: *Luigi, casa, topo, bellezza.*
	PLURALE	Indica due o più individui. Es.: *case, topi, bellezze.*
secondo la declinazione	INVARIABILE	Non cambia forma nel plurale. Es.: il *re*, i *re*.
	DIFETTIVO Manca della forma o dell'uso di uno dei due numeri	privo del plurale - Es.: *miele, pepe.* privo del singolare - Es.: *nozze, forbici.*
	SOVRABBONDANTE del PLURALE	Ha due forme al plurale. Es.: i *bracci*, le *braccia*.
	SOVRABBONDANTE del PLURALE e del SINGOLARE	Ha due forme, sia al singolare che al plurale. Es.: l'*orecchio*, la *orecchia*, le *orecchie*, gli *orecchi*.

a) Formazione del femminile

Nomi uscenti al maschile in	*-o*	Cambiano la desinenza *-o* in *-a*. Es.: *sarto, sarta; scolaro, scolara.*
	-a	Cambiano la desinenza *-a* in *-essa*. Es.: *poeta, poetessa; duca, duchessa.*
	-e	Cambiano la desinenza *-e* in *-essa*. Es.: *mercante, mercantessa; oste, ostessa.*
	-tore	Cambiano la desinenza *-tore* in *-trice* o *-tora*. Es.: *fattore, fattora; attore, attrice.*
	-ista	Sono invariabili al singolare. Es.: l'*artista, la artista* (ma: *gli artisti, le artiste*).
	-cida	Sono invariabili al singolare. Es.: l'*omicida, la omicida* (ma: *gli omicidi, le omicide*).
Nomi di genere comune		Formano il femminile mediante l'articolo. Es.: *il* nipote, *la* nipote.
Nomi di genere promiscuo		Formano il femminile aggiungendo: femmina. Es.: *il leopardo*, la *femmina* del leopardo.

b) Formazione del plurale

	Singolare	Plurale	Esempi
Nomi con desinenza *-a* al singolare	maschile: *-a*	— *i*	*poeta, poeti*
	femminile: *-a*	— *e*	*casa, case*
	maschile: *-ca*	— *chi*	*patriarca, patriarchi*
	femminile: *-ca*	— *che*	*amica, amiche*
	femminile: *-cía, gía*	— *cíe, gíe*	*farmacía, farmacíe; bugía, bugíe*
	femminile: *-cia, gia*	— *ce, cie* — *ge, gie*	*socia, socie; caccia, cacce* *valigia, valigie; frangia, frange*
Nomi con desinenza *-o* al singolare	maschile: *-o*	— *i*	*topo, topi*
	femminile: *-o*	— *i*	*mano, mani*
	maschile: *-co, -go*	— *chi, ghi* — *ci, gi*	*bàco, bàchi; làgo, làghi* *médico, médici; astrologo, astròlogi*
	maschile: *-ío*	— *íi*	*oblío, oblíi*
	maschile: *-io*	— *i*	*ozio, ozi*
Nomi con desinenza *-e* al singolare	maschile: *-e*	— *i*	*cane, cani*
	femminile: *-e*	— *i*	*legge, leggi*
	femminile: *-ie*	invariabile	*la serie, le serie*

difettivi quelli che mancano del singolare o del plurale; *sovrabbondanti* quelli che hanno desinenze diverse o in tutte e due i numeri, o nel solo singolare o nel solo plurale.
I nomi si dicono *primitivi* quando non derivano da nomi più semplici e sono formati da radice e desinenza (*libro, nave*), *derivati* quando derivano da altri nomi (*libraio* da libro, *canile* da cane.
I nomi poi possono subire alterazioni che riflettono il modo di vedere gli oggetti indicati, da parte di chi parla e scrive. Possono quindi essere *alterati* per indicare la grandezza o la piccolezza, la tenerezza o il disprezzo, per cui si ha l'*accrescitivo*, il *diminutivo*, il *vezzeggiativo* e il *peggiorativo* (V. voci relative). Es.: *naso*, accrescitivo: *nasone*; diminutivo: *nasino*; vezzeggiativo: *nasetto*; peggiorativo; *nasaccio*.
I nomi che risultano dall'unione di due parole si dicono *nomi composti*. Es.: *portalettere, retroterra, capobanda*. Questo della composizione è uno dei metodi con cui si accresce il patrimonio di vocaboli della lingua italiana, la quale è spesso costituita da nomi di origine latina, greca, germanica, araba e delle lingue di altri popoli con i quali è venuto a contatto il nostro durante i molti secoli della sua storia. Ma la vitalità della nostra lingua si dimostra nella continua creazione di nomi nuovi, spesso richiesta dal progresso della scienza e della cultura (V. *Neologismi*). Il ricorso alla lingua greca è frequente, come si vede in parole quali: *telègrafo, termòmetro, terapèutica, filoslàvo*, ecc. In alcuni campi speciali (ad es. nella medicina) è addirittura normale. In molti casi sono episodi, oggetti, persone, fatti, istituzioni, ecc., della vita contemporanea che hanno introdotto nell'uso comune parole nuove (*coventrizzazione, atomica, badogliano, gollismo, borsanerista, ciellenista, erpivori*, ecc.).
In generale la *formazione dei nomi* avviene mediante l'aggiunta di suffissi o prefissi al tema già in uso di sostantivi, aggettivi o verbi. V. PREFISSI e SUFFISSI.
V. anche: ANIMALI (NOMI DEGLI); ASTRATTI (NOMI); ALBERI (NOMI DEGLI); ALTERAZIONE DEI NOMI; COMUNI (NOMI); CONCRETI (NOMI); COMPOSTI (NOMI); COLLETTIVI (NOMI); DIFETTIVI (NOMI); DECLINAZIONE; DERIVATI (NOMI); FEMMINILE (FORMAZIONE DEL); GENERE; GENERE COMUNE (NOMI DI); GENERE PROMISCUO (NOMI DI); GEOGRAFICI (NOMI); INDECLINABILI (NOMI); MASCHILE (GENERE); MOBILI (NOMI); OMONIME (PAROLE); PROPRI (NOMI); PLURALE (FORMAZIONE DEL); PAROLA; SINGOLARE; SOVRABBONDANTI (NOMI); SINONIMI; SOSTANTIVO; VERBALE (NOME); V. inoltre: -CO (NOMI IN); -CÍA (NOMI IN); -GO (NOMI IN); -GÍA (NOMI IN); -IO (NOMI IN); -SORE (NOMI IN); -TORE (NOMI IN).

nomenclatúra: l'insieme dei vocaboli o dei termini particolari che si riferiscono ad una scienza o arte. Per esempio la *nomenclatura linguistica* comprende tutti i termini relativi ai diversi aspetti della lingua (nome, predicato, aggettivo, verbo, pronome, prefisso, litote, complemento, ecc.); la *nomenclatura pittorica* tutti i termini attinenti a quell'arte (pittore, pennello, cavalletto, sfumato, campire, tinteggiare, prospettiva, ecc.).

nominàle (predicato): il predicato costituito dal verbo *essere* e da un sostantivo o aggettivo. Il verbo *essere* si chiama in questo caso *copula*, poiché unisce il soggetto al predicato. Quando il predicato nominale è costituito da un sostantivo questo non concorda col soggetto se non nel numero (quando è possibile). Es.: La *mela* è un *frutto*; Oggi i *disoccupati* sono una *folla* immensa; Voi *impiegati* siete un *esercito*. Quando invece il predicato è costituito da un aggettivo, questo deve concordare con il soggetto sia nel genere che nel numero. Esempio: La *rosa* è *profumata*; Gli *uomini* sono *mortali*; L'*esercito* è *numeroso*.
Il verbo *essere* però, quando significa: trovarsi, stare, vivere, ha funzione di predicato verbale. Es.: *Noi saremo in casa*; *Voi siete ormai in pensione*; *Eravamo tutti in città*.
V. anche COMPLEMENTO PREDICATIVO; ESSERE; PREDICATO; CONCORDANZA (TEORIA DELLA).

nominalizzazióne: procedimento grammaticale per cui una frase si trasforma, di solito in senso passivo, in un sintagma nominale e mantiene inalterato il suo significato. Es.: *La Juventus ha passato il turno in Coppa* diventa, specialmente in un titolo di giornale, *Passaggio del turno in Coppa da parte della Juventus*.

nominatívo: caso della declinazione latina, indicante il soggetto della proposizione.

Oggi si usa talora dire *nominativo* con il significato di *nome*, ma è un uso da evitare. Es.: *Mi diede venti nominativi* (meglio: nomi); *Questo è il nominativo* (meglio: il nome) *che cercavi*.

nomo- e **-nomo:** primo e, rispettivamente, ultimo termine di parole composte. Indica: governo, regola, legge. Es.: *nomografo, agronomo, metronomo*.

non: V. NO.

nòna ríma: forma metrica composta di nove endecasillabi; i primi otto costituiscono un'ottava, mentre l'ultimo fa rima coi versi pari dell'ottava. Lo schema è dunque AB. AB. AB. CCB. Ecco un esempio, di Gabriele D'Annunzio:

«*Noi camminavamo giù per la*
[vermiglia (A)
china che discendeva a l'acque d'oro. (B)
Da lungi a quando a quando una
[famiglia (A)
di villici, sorgendo dal lavoro, (B)
ci guardava con alta meraviglia: (A)
e le fanciulle interrompeano il coro. (B)
Venendo innanzi con giulivo ardire (C)
una gridò: Che mai cerchi, o bel sire?
(C)
Ed io risposi a lei: Cerco un tesoro». (B)

nondiméno: congiunzione coordinante che significa: pure, tuttavia. In correlazione alle congiunzioni subordinanti *quantunque, sebbene, benché*, che introducono proposizioni concessive. Si usa perciò nelle principali da cui dipendono proposizioni *concessive* (V.). Es.: Benché piova, *nondimeno verrò a casa tua*; Sebbene non lo meriti, *nondimeno l'aiuterò*.

nonostànte: usata come preposizione significa: a dispetto di. Es.: *Nonostante le vostre obiezioni*, noi faremo quello che abbiamo deciso; Rimase ad aspettarmi, *nonostante il freddo*.

Come congiunzione (anche: *nonostante che*) introduce una proposizione concessiva e vuole il verbo al modo congiuntivo. Es.: Partì lo stesso, *nonostante che l'avessi ammonito a non andarsene*; *Nonostante fosse malato*, terminò egualmente il lavoro.

Usata anche la forma: non ostante.

nonpertànto: congiunzione coordinante che significa: nondimeno, tuttavia. Si usa nelle proposizioni principali correlativamente a congiunzione che introduca una proposizione concessiva. Es.: Benché sia svogliato, *nonpertanto sarà promosso*.

Usata anche la forma: non pertanto.

nonplusultra: latinismo indeclinabile, che significa: il sommo, il massimo, l'estremo. Es.: *Essi sono il nonplusultra della sfacciataggine*. Ma il termine è usato soprattutto nei motti pubblicitari. Es.: *il nonplusultra degli aperitivi*; *il nonplusultra delle lamette per barba*.

non-sense: frase o verso incongruente sotto il profilo semantico o sintattico, tale da suscitare un senso di paradossalità o di insensatezza o di stravagante umorismo o di totale libertà espressiva; è una forma letteraria tipica del cosiddetto «teatro dell'assurdo»: «*Signor Smith*: C'è una cosa che non capisco. Perché nella rubrica dello stato civile è sempre indicata l'età dei morti e mai quella dei nati? È un controsenso.» (E. Jonesco, *La cantatrice calva*).

nòrma: sostantivo femminile che significa: regola, legge, ordine. Si notino alcuni usi impropri di questo termine o di suoi derivati: invece di *a norma di* dirai: conforme, secondo (Conforme alla legge, secondo la legge; non: *a norma di legge*); invece di NORMALITÀ dirai: regolarità (*Il paese è tornato alla regolarità, alla vita regolare*), invece di NORMALMÉNTE dirai: regolarmente, abitualmente (*Arriva regolarmente il lunedì*).

normo-: primo elemento di parole composte. Indica: normalità, norma. Usato soprattutto nel linguaggio scientifico: *normoblasto, normografo, normotipo*.

nóstro: aggettivo possessivo che significa: di noi, pertinente a noi, relativo a noi. Es.: Voi volete occupare *il nostro territorio*; La mamma è contenta *del nostro amore*; Hanno chiesto *la nostra partecipazione*.

Come sostantivo significa: i nostri averi,

le nostre ricchezze. Es.: Noi spendiamo *del nostro*.

Senza il nome ha valore di pronome possessivo di prima persona plurale. Es.: Questi sono i tuoi libri, quelli sono i *nostri*; Voi amate il vostro paese, noi il *nostro*.

I nostri significa talora: i nostri parenti, i nostri fautori (si noti anche l'espressione: *essere dalla nostra*, sottinteso: *parte*). Es.: *Erano due dei nostri*; *Passarono tutti dalla nostra*. Nelle lettere (abbreviato talora *ns*) significa: nostra lettera, nostro messaggio. Es.: Vi preghiamo rispondere *alla nostra* del 12 c.m.

L'aggettivo possessivo vuole sempre l'articolo determinativo, tranne con i sostantivi indicanti parentela, come *padre, madre, fratello, sorella*, con i quali si può omettere. Es.: *Nostro padre* ci ammonì; Volevano vedere *nostra madre*; però: Vedemmo *la nostra cara madre* (perché il possessivo è seguito da un altro aggettivo); Ci salutò *il nostro babbo* (poiché *babbo, mamma* vogliono l'articolo anche se preceduti dal possessivo in quanto considerati vezzeggiativi).

nòtte: sostantivo femminile che indica lo spazio di tempo tra il tramonto e l'alba. Si notino alcune locuzioni: *giorno e notte* (continuamente: *Lavora giorno e notte*), cambiar *dal giorno alla notte* (cambiare molto, completamente), *nottetempo* (durante la notte), *notte bianca* o *in bianco* (notte passata senza dormire).

novenàrio: uno dei versi della metrica italiana. È composto di nove sillabe. Gli accenti ritmici cadono sulla seconda, quinta e ottava sillaba.

«*Il vòlo d'un grìgio alciòne*
prosègue la dòlce querèla
e sòvra la càndida vèla
s'afflìgge di nùvole il sòl».

(Carducci)

novíssimo: superlativo di *nuovo*. Aggettivo qualificativo. È forma più corretta che *nuovissimo*, per la regola del dittongo mobile. Nel linguaggio della fede il sostantivo plurale NOVISSIMI indica le ultime quattro cose che avvengono all'uomo: la morte, il giudizio universale, l'inferno e il paradiso.

nòzze: sostantivo femminile, che manca del singolare. Significa: matrimonio, sposalizio. Al figurato: *invitare a nozze* vale: invitare a fare una cosa che si fa molto volentieri; *far nozze coi fichi secchi* vale: fare una cosa con spese inadeguate, spendere con troppa parsimonia.

núlla: pronome indefinito, con valore neutro. Significa: nessuna cosa. Si usa nelle proposizioni negative, preposto o posposto al verbo. Nel primo caso si omette la negazione *non*; nel secondo caso è necessario far precedere il verbo dalla negazione. Es.: *Nulla* potrà convincerlo a cambiare idea; *Nulla* è stato predisposto come si prevedeva; *Nessuno* ha visto *nulla*; *Non* hanno capito *nulla*; *Non* devono sapere *nulla*; Spero che *nulla* ti turbi; Spero che *non* ti turbi *nulla*.

Nelle proposizioni interrogative o condizionali ha il significato di: qualcosa. Es.: *Sai nulla?*; Ti chiesero *se sapevi nulla della faccenda*; *Se ti occorre nulla, scrivimi pure!*

Come sostantivo, senza plurale è uno dei nomi terminanti in *-a* di genere maschile. Es.: Il mondo è stato creato *dal nulla*; *Il nulla* è un concetto metafisico.

Nulla è anche considerato avverbio di quantità indeterminata negativa. Es.: *Non costa nulla*; *Non si vede nulla* (= Non si vede punto).

Ha dunque lo stesso valore del più comune *niente* (V.) rispetto al quale prevale nell'uso toscano, letterario e filosofico.

Si noti infine che *nulla* può essere anche il femminile dell'aggettivo NÚLLO che significa: non valido. Es.: *Questa legge è nulla* (non valida, ormai annullata).

numeràli (aggettivi): indicano una quantità determinata. Ve ne sono di quattro tipi: *cardinali* (uno, due, tre, ecc.) che indicano semplicemente la quantità numerica; *ordinali* (primo, secondo, terzo, ecc.) che indicano l'ordine di successione; *moltiplicativi* (doppio, triplo, quadruplo, ecc.) che indicano la moltiplicazione di una data quantità; *distributivi* (singolo, a due a due, a tre a tre, ecc.) che indicano il modo di distribuzione di una quantità.

Dei cardinali (tutti invariabili, tranne *uno*) i primi dieci hanno il nome derivato dal latino: *uno, due, tre, quattro, cinque, sei, sette, otto, nove, dieci*. Gli altri si formano mediante composizione, e cioè da *undici* a *sedici* ponendo *dieci* al secondo posto, da *diciassette* a *diciannove* ponendolo al primo (*undici, dodici, tredici*, ... e *diciassette, diciotto, diciannove*). *Venti* è nome a sé, e la numerazione procede per composizione (*ventuno, ventidue, ventitré*, ecc.), *trenta* ha desinenza *-enta*, mentre le decine, sino a *novanta* hanno la terminazione in *-anta* (*quaranta, cinquanta, sessanta*, ecc.). *Cento* ha nome individuale, mentre le centinaia si formano mettendo innanzi a *cento* il numero progressivo (*duecento, trecento, quattrocento*). *Mille* ha nome a sé e le migliaia si formano allo stesso modo che le centinaia, badando però che *mille* si trasforma in *mila* (*duemila, tremila*). Hanno ancora nome individuale il *milione* e il *miliardo*, variabili al plurale.

Degli ordinali i primi dieci hanno nome individuale (*primo, secondo, terzo, quarto, quinto, sesto, settimo, ottavo, nono, decimo*). Da *undici* in poi si formano mediante l'aggiunta del suffisso *-esimo* al cardinale (*undicesimo, dodicesimo, tredicesimo, ventesimo, centesimo, millesimo*). Si trovano peraltro, per usi particolari, anche le forme composte: *decimoprimo, decimottavo* (*Luigi decimo primo, il secolo decimottavo*).

I numerali possono scriversi *in lettera* (*uno, due, tre*, ecc.) o *in cifre arabe* (1, 2, 3) o *romane* (I, II, III).

Le cifre arabe si usano per i cardinali, quelle romane per gli ordinali (si usa anche però: 1°, 2°, 3°). Quando non si trattano argomenti scientifici è preferibile usare le lettere anziché le cifre, salvo che per le date. Nel qual caso si usano i cardinali (*il 2 giugno 1946*).

Il cardinale precede sempre il nome (*i cinque giorni*), ma nelle date è posposto (*il giorno cinque*). L'ordinale si pospone in espressioni quali *Umberto I, Pio XII*, cioè quando indica la successione di re, papi o altri personaggi dinastici.

Talvolta i numerali acquistano valore indefinito. Es.: *due* passi (pochi passi); un *milione* di parole (tante parole); *cento* volte (spesso), *quattro* gatti (poche persone).

número: uno degli accidenti del nome, dell'aggettivo, del pronome, dell'articolo e del verbo. Esso indica la singolarità o la pluralità. I nomi, gli aggettivi, i pronomi, gli articoli sono *plurali* quando si riferiscono a due o più persone, animali o cose; sono *singolari* quando si riferiscono a una sola persona, animale o cosa. I verbi hanno, nei modi finiti e nel participio, il numero singolare e quello plurale usati per indicare che l'azione è compiuta da una o più persone.

I nomi si distinguono secondo il numero per una diversa desinenza che caratterizza il singolare o il plurale. In genere la desinenza del singolare femminile *-a* diviene *-e* (*porta, porte*); e le desinenze maschili *-a, -o, -e*, nonché quelle femminili in *-o* ed *-e* divengono tutte *-i* (*poeta, poeti; faro, fari*; *padre, padri*; *eco, echi*; *veste, vesti*). I nomi in *-u* restano invariati (*la virtù* e *le virtù*). Per le particolarità e le eccezioni nella formazione del plurale V. la voce *plurale*.

Gli aggettivi seguono generalmente le norme dei sostantivi per quel che riguarda la formazione del plurale. Essi si dividono in due classi con le seguenti desinenze: 1ª classe: *-o* per il maschile singolare (che diviene *-i* al plurale), *-a* per il femminile singolare (*-e* al plurale); 2ª classe: *-e* per il maschile e femminile singolare (*-i* al plurale).

I pronomi personali sono invariabili e hanno forme distinte per il singolare (*io, tu, egli*) e per il plurale (*noi, voi, essi*). Così pure i possessivi (*mio, tuo, suo, nostro, vostro, loro*).

Il verbo, come si è detto, ha forme diverse, per ogni persona singolare o plurale (complessivamente sei forme per tempo): *io sono, tu sei, egli è* (prima, seconda e terza persona singolare), *noi siamo, voi siete, essi sono* (prima, seconda, terza persona plurale). Il participio presente e passato hanno due forme, una per il numero singolare ed una per il numero plurale (*amante* e *amanti*, *amato* e *amati*, *amata* e *amate*).

Nell'analisi grammaticale il numero si indica dopo il genere o dopo la persona. Es.: bicchiere: nome comune di cosa, concreto, maschile *singolare*; bevo = voce

NUMERALI

Cardinali		Ordinali		Numeri romani	Moltiplicativi	Distributivi
in cifre	in lettere	in cifre	in lettere			
1	uno	1°	primo	I	semplice	a uno a uno
2	due	2°	secondo	II	doppio o duplice	a due a due
3	tre	3°	terzo	III	triplo o triplice	a tre a tre
4	quattro	4°	quarto	IV	quadruplo o quadruplice	a quattro a quattro
5	cinque	5°	quinto	V	quintuplo o quintuplice	a cinque a cinque
6	sei	6°	sesto	VI	(sestuplo)	a sei a sei
7	sette	7°	settimo	VII	(settuplo)	a sette a sette
8	otto	8°	ottavo	VIII	(ottuplo)	a otto a otto
9	nove	9°	nono	IX	(nonuplo)	a nove a nove
10	dieci	10°	decimo	X	(decuplo)	a dieci a dieci,
11	undici	11°	undicesimo o decimoprimo	XI		ecc.
12	dodici	12°	dodicesimo o decimosecondo	XII		
13	tredici	13°	tredicesimo o decimoterzo	XIII		
14	quattordici	14°	quattordicesimo o decimoquarto	XIV		
15	quindici	15°	quindicesimo o decimoquinto	XV		
16	sedici	16°	sedicesimo o decimosesto	XVI		
17	diciassette	17°	diciassettesimo o decimosettimo	XVII		
18	diciotto	18°	diciottesimo o decimottavo	XVIII		
19	diciannove	19°	diciannovesimo o decimonono	XIX		

21	ventuno	21°	ventunesimo o ventesimoprimo	XXI
22	ventidue	22°	ventiduesimo	XXII
23	ventitré	23°	ventitreesimo	XXIII
24	ventiquattro	24°	ventiquattresimo	XXIV
25	venticinque	25°	venticinquesimo	XXV
30	trenta	30°	trentesimo	XXX
40	quaranta	40°	quarantesimo	XL
50	cinquanta	50°	cinquantesimo	L
60	sessanta	60°	sessantesimo	LX
70	settanta	70°	settantesimo	LXX
80	ottanta	80°	ottantesimo	LXXX
90	novanta	90°	novantesimo	XC
100	cento	100°	centesimo	C
101	centouno	101°	centunesimo	CI
102	centodue	102°	centoduesimo	CII
103	centotré	103°	centotreesimo	CIII
200	duecento	200°	duecentesimo	CC
300	trecento	300°	trecentesimo	CCC
400	quattrocento	400°	quattrocentesimo	CD
500	cinquecento	500°	cinquecentesimo	D
1.000	mille	1.000°	millesimo	M
2.000	duemila	2.000°	duemillesimo	MM
10.000	diecimila	10.000°	decimillesimo	$\overline{M}$
100.000	centomila	100.000°	centomillesimo	
1.000.000	un milione	1.000.000°	milionesimo	

Note:

1 – Gli ordinali si usano anche per comporre i numeri frazionari (tranne secondo). Es.: *un mezzo, due terzi, quattro ottavi, un decimo, tre decimillesimi*.

2 – Nella grafia corrente i numeri romani si adoperano per indicare l'aggettivo numerale ordinale da *primo* (I) a *novantanovesimo*, ma senza la piccola ° esponente.

del verbo bere, seconda coniugazione, presente indicativo, prima persona *singolare.*

Nella prosa classica greca e latina, il ritmo che caratterizza un periodo, ottenuto attraverso le scelte lessicali, l'uso delle figure di parola, l'ordine sintattico delle frasi e la loro disposizione nel periodo e, soprattutto, il ricorso alle clausole.

nuòcere: verbo della seconda coniugazione, intransitivo. Ausiliare: avere. *Pres. indic.*: nòccio (o nuòccio), nuòci, nuòce, nociàmo, nocéte, nòcciono. *Imperf.*: nocévo, nocévi, nocéva, nocevàmo, nocevàte, nocévano. *Pass. rem.*: nòcqui, nocésti, nócque, nocémmo, nocéste, nòcquero. *Fut. semplice*: nocerò, nocerài, nocerà, nocerémo, noceréte, nocerànno. *Pres. cong.*: noccia (o nuòccia), nòccia, nòccia, nociàmo, nociàte, nòcciano. *Imper.*: nuòci, nòccia, nuociàmo, nocéte, nòcciano. *Part. pres.*: nocènte. *Part. pass.*: nociúto. *Gerundio*: nocéndo.

Nell'uso però si trovano anche le forme che non seguono la regola del dittongo mobile (*nuocévo, nuocerebbe, nuocerà*, ecc.). Significa: danneggiare, offendere. Si costruisce con la preposizione *a*. Es.: *Quel lavoro noceva alla tua salute*; *Quelle parole han nociùto alla tua causa.*

nuotàre: verbo della prima coniugazione, intransitivo. Ausiliare: avere. Fa eccezione alla regola del dittongo mobile per evitare confusioni con il verbo NOTÀRE. *Pres. indic.*: nuòto, nuòti, nuòta, nuotiàmo (non: notiamo), nuotàte (non: notate), nuòtano. *Imperf.*: nuotàvo, nuotàvi, nuotàva, ecc. *Pass. rem.*: nuotài, nuotàsti, nuotò, nuotammo, nuotaste, nuotarono. *Part. pass.*: nuotàto.

nuòvo: aggettivo qualificativo. Si noti che i derivati seguono di norma la regola del dittongo mobile, per cui si dice: *novissimo* o *nuovissimo, novaménte* o *nuovaménte* (che peraltro è più usato).

nutríre: verbo della terza coniugazione, transitivo. Ha oltre la forma regolare, anche quella incoativa con *-isc-* tra il tema e la desinenza di alcuni tempi. *Pres. indic.*: nútro (nutrísco), nútri (nutrísci), nútre (nutrísce), nutriàmo, nutríte, nútrono (nutríscono). *Pres. cong.*: nútra (nutrísca), nútra (nutrísca), nútra (nutrísca), nutriàmo, nutriàte, nútrano (nutríscano). *Imper.*: nútri (nutrísci), nutríte, nútrano (nutriscano). Significa: alimentare, allevare, cibare. Il participio passato *nutríto* è usato come aggettivo anche nel senso di: ricco, abbondante, vivo. Es.: *nutrito applauso, nutrito fuoco d'artiglieria*. Usato intransitivamente (ausiliare: avere) il verbo *nutríre* significa: sostenere, dare le sostanze necessarie per vivere. Es.: *Questa verdura nutre molto*; *È un cibo che nutre*. Nell'uso figurato, nutrire vale: provare, aver nell'animo. Es.: *Nutro poche speranze*; *Nutre una forte simpatia per te.*

núvola: sostantivo femminile che significa: nube. Il maschile NÚVOLO indica una grossa nube. Talora (anche *núgolo*) indica gran quantità. Es.: *Vedemmo un nuvolo di insetti*. Nel linguaggio familiare *nuvolo* sta talora per: *nuvoloso*. Es.: *Stamane era nuvolo* (il cielo era nuvoloso).

O

o: tredicesima lettera dell'alfabeto, quarta delle vocali. È detta vocale *posteriore* poiché si articola nella zona arretrata del palato; le consonanti *c* e *g* seguite da *o* hanno suono gutturale o velare.
Con lo stesso segno alfabetico (o) si designano però due suoni diversi, la *ò* aperta e la *ó* chiusa, distinte rispettivamente dall'accento grave e dall'accento acuto. Il diverso timbro vocalico viene però indicato con l'accento solo in casi di parole *omonime* (V.). Per l'esatta pronunzia di una parola occorre altrimenti consulare il dizionario. Si notino tuttavia alcune regole generali. L'*ò* aperta si trova: a) nelle terminazioni nominali in *-sòrio* (provvisòrio, illusòrio), *-tòrio* (dormitòrio, mortòrio), *-òccio* (figliòccio, fantòccio), *-òzzo* (predicòzzo, tòzzo), *-òtto* (salòtto, biscòtto), *-iòlo* (figliòlo, fagiòlo), *-ò* (falò, Po); b) nelle terminazioni verbali in *-ò* (sto, fo, andò), *-òssi, -òssi, -òsse, -òssero* del passato remoto (mòssi, còsse), *-òlsi, -òlsi, -òlse* (dòlsi, còlsi, còlse, vòlse), *-òsso* (scòsso, mòsso), *-òio* (muòio, annòio). La *ó* chiusa si trova invece: a) nelle terminazioni nominali in *-bóndo* (cogitabóndo, moribóndo), *-óce* (feróce, vóce), *-óio* (scrittóio, lavatóio), *-óne* (burróne, religióne), *-óre* (amóre, colóre), *-óso* (pauróso, doloróso); b) nelle terminazioni verbali in *-óno* (sóno, dóno), in *-ósi, -óse* (rispósi, rispóse), in *-óssi, -ósse, -óssero* dell'imperfetto congiuntivo (fóssi, fósse, fóssero).

o: congiunzione coordinante semplice disgiuntiva, usata per esprimere un'alternativa. Può indicare incertezza (*Non so se partire oggi o domani*), contrapposizione (*O la borsa o la vita*) oppure anche una equivalenza (*Tu o un altro non importa*). L'uso della particella anche davanti al primo termine (*O vincere o morire*) ha valore rafforzativo.
O può congiungere due o più parole di una stessa proposizione (*Verrò domani o dopodomani o lunedí*), oppure due proposizioni dello stesso periodo (*Lasciateci lavorare in pace o ce ne andiamo*). La congiunzione è usata per esprimere nessi correlativi: *O che si faccia o che non si faccia.*
Se la parola seguente comincia con vocale si può aggiungere alla *o* una *d* eufonica (Es.: *od anche, od altro, od uno, od essere*). Ciò vale soprattutto se la parola seguente comincia per *o* (*od opere, od offendere, od otto*).

o: particella vocativa, che si pone davanti ai nomi. Es.: *O Italia mia*; *O tu che vieni in nome della pace*; *Non posso, o mamma, tacerti un segreto.*

ob-: prefisso d'origine latina che significa: di fronte, contro. Si trova in parole che erano già composte in latino. Es.: *obiettare, obbligàre.*

obbedíre: verbo della terza coniugazione, intransitivo. Ausiliare: avere. Si coniuga come *ubbidire* (V.).

obbligàre: verbo della prima coniugazione, transitivo. Si costruisce con la preposizione *a* (non *di*). Es.: *Mi obbligò a eseguire quel lavoro.* Il verbo esprime l'idea di una costrizione morale. Però è nell'uso l'aggettivo participiale OBBLIGÀTO (e il superlativo OBBLIGATÍSSIMO) nel senso di: legato da gratitudine. Es.: *Vi sono obbligato per ciò che avete fatto.* Meno corretto e quindi da evitare è OBBLIGÀNTE per: servizievole, cortese, affabile.

òbbligo: nome sdrucciolo terminante in *-go*, che al plurale finisce in *-ghi*: òbblighi.

oberàto: aggettivo qualificativo. In origine significava, secondo l'etimologia latina: carico di debiti. Oggi però (secondo una consuetudine in verità alquanto impropria) non si usa mai da solo, ma sempre con un complemento che specifica di che cosa uno sia carico od oppresso. Es.: *È oberato dai debiti*; *Siamo oberati dal lavoro, da troppi impegni.*

obiettívo: aggettivo qualificativo che significa: oggettivo, imparziale. Es.: *Il mio sarà un racconto obiettivo degli avvenimenti.* Come sostantivo maschile indica il sistema di lenti della macchina fotografica. Si usa anche nel senso di: scopo, fine, mira. Es.: *Davanti all'obiettivo assunse un atteggiamento molto buffo*; *Solo cosí potrà raggiungere il suo obiettivo, che è quello di dividerci.* Nell'uso anche le forme: *obbiètto, obbiettívo, obbiettivaménte.*

obieziòne: sostantivo femminile, che indica: opposizione a detto altrui. Meno comune la forma *obbieziòne*. Analogamente si preferisce *obiettare* a obbiettare.

oblíqui (casi): nella declinazione del nome, nella grammatica delle lingue latina e greca, i casi obliqui erano: il genitivo, il dativo, l'accusativo, il vocativo, l'ablativo. Solo il nominativo era detto *caso retto*. Oggi però il termine si usa talvolta per indicare i complementi introdotti da preposizione, a differenza del complemento oggetto o *diretto*.

oblò: sostantivo maschile, che indica il finestrino rotondo delle cabine delle navi. Il termine deriva dal francese *hublot* (pr.: üblò), ma è ormai invalso nell'uso, più che le parole italiane *occhiello* o *portellino*; però, specie nelle costruzioni terrestri, si usa assai bene *occhio di bue*.

oca: sostantivo femminile. Nome d'animale, invariabile. Cambia genere nell'accrescitivo, usato con valore ironico e scherzoso: *ocone*.

occhiàli: sostantivo maschile, mancante del singolare. Indica uno strumento per aiutare la vista o proteggere gli occhi. Il singolare OCCHIÀLE indicava, in passato, quello che poi si disse *cannocchiàle*.

-òcchio: terminazione di alcuni nomi. La prima *o* è tonica e si pronuncia aperta. Es.: *ranòcchio, ginòcchio, capòcchio.*

-òccio: suffisso per la formazione di nomi e aggettivi. Es.: *cartòccio, biròccio, bellòccio*. La prima *o* è tonica e si pronuncia aperta.

occlúdere: verbo della seconda coniugazione, transitivo. *Pass. rem.*: occlúsi, occludésti, occlúse, occludémmo, occludéste, occlúsero. *Part. pass.*: occlúso. Significa: ingorgare, chiudere. È d'uso letterario, però da esso deriva il sostantivo femminile OCCLUSIÓNE, usato nel linguaggio medico per: intasamento (*un'occlusione intestinale*).

occlusívo: in fonetica, detto di consonante che si pronuncia con un'occlusione del canale orale seguita da un'improvvisa apertura. Tali consonanti si dicono anche *esplosive*, perché si pronunciano con una specie di esplosione della voce, e *mute* perché non possono pronunciarsi in continuità senza l'appoggio di una vocale. In italiano le occlusive sono *b, p, d, t, c* e *g* gutturali e *q*.

occorrènza: in linguistica computazionale e statistica, la comparsa o ripetizione di un dato elemento linguistico in un testo. L'elemento si dice *type*, mentre ciascuna delle sue occorrenze è detta *token*. Nel seguente testo: «*Gianni ha preso il suo cappotto e il suo ombrello e se n'è andato.*» ci sono due occorrenze della parola *suo*.

occórrere: verbo della seconda coniugazione, intransitivo. Ausiliare: essere. *Pres. indic.*: occórro, occórri, occórre, occorriàmo, occorréte, occórrono. *Pass. rem.*: occórsi, occorrésti, occórse, occorrémmo, occorréste, occórsero. *Part. pass.*: occórso. Significa: bisognare. Es.: *Occorrono venti uomini*; *Sareste occorsi tutti voi.* Può introdurre una proposizione soggettiva. *Occorre provvedere subito*; *Occorse comperare* (non: di comperare) *quello che si trovava.* Nella forma esplicita regge il congiuntivo: *Occorre che tu faccia il tuo dovere.*

-óce: terminazione caratteristica di alcuni aggettivi. Es.: *velóce, feróce, precóce.* La *o* è tonica e si pronuncia chiusa secondo la pronuncia toscana. Nella pronuncia romana è però spesso aperta.

ocre: denominazione francese (pr.: òcr) del colore *ocra*, un giallo bruciato tendente al rosso. In pittura si dice: terra d'ocra.

oculísta: sostantivo maschile che indica il

medico degli occhi. È uno dei nomi maschili in *-a*. Plurale: oculisti. Come sostantivo femminile ha invece plurale regolare: oculiste.

òde: nome di origine greca (significa genericamente: canto) che indica composizione poetica di contenuto profondo e nobile. Nella storia della poesia si distingue l'epoca dell'ode classica, in uso presso Greci e Romani, un periodo dell'ode classicheggiante e il fiorire dell'ode moderna. Con la stessa denominazione si indicano perciò componimenti di struttura metrica assai varia. Lasciando da parte l'ode classica, per limitarci alle sole poesie in lingua italiana, ricorderemo anzitutto le odi classicheggianti del XVII secolo, autori il Chiabrera, il Testi, il Filicaia, il Guidi e più tardi il Frugoni. Fiorì nel '600 l'*ode pindàrica*, sull'esempio del grande lirico greco, detta anche *canzone pindàrica* (V. *Canzone*). I versi erano endecasillabi e settenari o settenari soli. Ma si diffusero poi odi di strofe brevi, di versi settenari, ottonari, decasillabi, doppi quinari, doppi senari. Nei sec. XVIII e XIX l'ode fu usata dal Parini, dal Monti, dal Foscolo, dal Manzoni per esprimere idealità civili e morali. Numerosi furono i poeti moderni che in questa forma poetica cantarono gli argomenti più vari, nelle più varie strutture ritmiche. Non esiste infatti uno schema metrico unico, ma ogni artista adatta il metro al suo sentimento e alla sua sensibilità.
Un cenno particolare meritano le *Odi Barbare* del Carducci che avevano versi armonizzati solo con l'accento (cioè secondo la metrica moderna), ma imitavano la cadenza dei versi classici, suonando perciò «barbare», secondo il poeta, a chi aveva dimenticato il latino.

odònimo: nome di strada. Richiede sempre la maiuscola: *Via dell'Oca*, *Via del Babbuino*, *Vicolo dei Ratti*. Per il complemento di stato in luogo si usa *in* (*abita in via Costantino Baroni*); nel meridione si sente anche la preposizione *a*: *Stava a via Orazio*.

odonto-: primo elemento di parole composte. Indica attinenza ai denti ed è usato nella terminologia medica: *odontoiatria*, *odontostomatologia*, *odontogenesi*.

odoràre: verbo della prima coniugazione. Usato transitivamente significa: fiutar l'odore (*Il cane odorò un vaso di fiori*). Si usa però anche intransitivamente, col significato di: mandar odore (*I fiori odoravano nella serra*) e si coniuga con l'ausiliare avere. In senso figurato (odorare di...) significa: aver qualcosa di, sembrare (*Odora di falso*).

offèndere: verbo della seconda coniugazione, transitivo. *Pass. rem.*: offési, offendésti, offése, offendémmo, offendéste, offésero. *Part. pass.*: offéso. Significa: ingiuriare, ledere, nuocere. Nella forma riflessiva (offendersi *di* o *per* qualcosa) significa: aversene a male, risentirsi, irritarsi per qualche cosa.

offensóre: aggettivo o sostantivo che indica colui che offende. Al femminile: offenditríce. La forma *offensóra* non è usata.

office: parola francese (pr.: ofís) e inglese (pr.: òfis) che indica il locale, specie negli alberghi, ove si tengono i viveri e tutto ciò che serve per la mensa. In italiano si dice: dispensa o tinello (nelle grandi case). La parola *credenza* invece è usata ormai per indicare un armadio da cucina, ove si ripongono vivande e stoviglie.

offríre: verbo della terza coniugazione, transitivo. *Pass. rem.*: offríi (o offèrsi), offrísti, offrí (offèrse), offrímmo, offríste, offrírono (offèrsero). *Part. pass.*: offèrto. Significa: porgere, dare, esporre. Nella forma riflessiva significa: presentarsi, esibire i propri servigi. Es.: *Si è offerto come rappresentante*. Si costruisce con *di* o *a* e l'infinito. Es.: *Si offrì di accompagnarla a casa*; *Si era offerto a riparare il danno*. Detto di occasione, vale: capitare, presentarsi. Es.: *Non gli si offrirà un'occasione simile*.

oftalmo-: primo elemento di parole composte della terminologia medica. Indica attinenza agli occhi. Es.: *oftalmoplegia*, *oftalmoscopio*, *oftalmologia*.

oggettíva (proposizione): la proposizione subordinata che compie la funzione di complemento oggetto della reggente.
È dunque una proposizione che fa le veci di un sostantivo. Es.: *Io dico che tu sei*

buono; *Io dico* è la proposizione reggente, *che tu sei buono* (risponde infatti alla domanda: chi? che cosa?) è la proposizione oggettiva. Questa può dipendere:

a) da verbi quali affermare, dire, negare, narrare, dimostrare, definire, oppure sentire, udire, vedere, ecc., cioè esprimenti asserzione o percezione;

b) da verbi quali pensare, credere, stimare, ritenere, giudicare, opinare, ecc., cioè esprimenti giudizio, opinione, parere;

c) da verbi quali volere, desiderare, sperare, temere, ordinare, concedere, ecc., cioè esprimenti volontà o desiderio;

d) da verbi quali ricordare, dimenticare, rammentare, ecc., cioè indicanti ricordo od oblío.

La proposizione oggettiva, nella forma esplicita, è introdotta dalla particella dichiarativa *che* e può avere il verbo all'indicativo, al congiuntivo o al condizionale. L'*indicativo* si usa quando la proposizione dipende da un verbo indicante certezza e realtà. Es.: *Ti annunzio che hai vinto il concorso*; *Voi dicevate che il treno era partito*; *Mi dichiarasti che avevi ottenuto il permesso.*

Se però il verbo della reggente ha la forma negativa, l'oggettiva ha solitamente il verbo al modo congiuntivo. Es.: *Non dico che tu sia ignorante*; *Non vedo chi possa averlo detto*; *Nessuno afferma che tu sia da espellere.*

Nell'uso parlato tuttavia questa distinzione tra forma negativa e forma positiva non è così rigida e assoluta.

Il *congiuntivo* si usa invece quando la proposizione dipende da verbi indicanti dubbio, incertezza, opinione, probabilità, sentimenti personali, ecc. Esempi: *Dubito che tu abbia ragione*; *Pensavamo che egli avesse avuto paura*; *Temo che ella ci abbia prevenuti*; *Sperò che noi avessimo tardato.* Si usa ancora il modo congiuntivo quando la reggente ha un verbo che esprime desiderio, comando, esortazione. Es.: *Desidero che mia madre sia rispettata*; *L'ufficiale comandò che si facesse fuoco*; *Voglio che tu sia forte e sincero.*

Il modo *condizionale* si usa qualunque sia il tipo del verbo reggente, quando l'azione espressa dall'oggettiva appare subordinata ad una condizione, talora anche sottintesa. Es.: *Io dico che tu saresti migliore, se non fossi mal consigliato* (l'azione *saresti migliore* è condizionata da *se non fossi mal consigliato*); *Credo che avresti fatto meglio, se ti fossi scusato subito*; *Ritengo che ti avrebbero invitato.*

La proposizione oggettiva, nella forma implicita, si costruisce con l'*infinito* retto per lo più dalla preposizione *di*, purché il soggetto sia lo stesso della principale. Es.: *Egli disse di aver scritto una lunga lettera*; *Credeva di aver toccato il cielo con un dito*; *Mi ricordò di aver promesso un dono alla piccola.*

Quando il soggetto è diverso la forma implicita è più rara; è un latinismo da evitare nel linguaggio vivo e moderno. Es.: *Seppe tardi aver tu dato le dimissioni*; *Egli disse aver la lettera un tono molto aspro.*

oggètto (complemento): indica la persona, l'animale o la cosa su cui cade direttamente l'azione espressa dal verbo. È detto anche *complemento diretto.* Esso risponde alla domanda: chi? che cosa? Può essere retto solo da un verbo transitivo attivo. Si riconosce generalmente dal fatto che non è preceduto da preposizioni. È bene tuttavia tenere sempre presente che il complemento oggetto indica la persona o la cosa che riceve l'azione e per tale suo valore logico è riconoscibile in modo certo. Esempi: Io lavoro (che cosa?) *la terra*; Tu chiami *tuo fratello*; Leggo ogni giorno *un libro.*

Quando il soggetto è posposto al complemento oggetto (*Il nemico* odia, lui) una virgola e il tono della voce servono a impedire gli equivoci e rilevare la diversa funzione dei due elementi. Il complemento oggetto può essere rappresentato da un nome (Io leggo *i libri*) o da un pronome (Io *ti* amo; Tu *mi* vedi) o da una proposizione che si dice *oggettiva* (Egli diceva *che ormai era tardi*).

Il complemento oggetto interno è il complemento oggetto retto da verbi intransitivi e costituito da un nome che ha la stessa radice del verbo o lo stesso significato. Es.: Vivere *una vita serena*; Dormire *un sonno placido*; Piangere *lacrime amare*; Soffrire *atroci dolori.*

Come si vede, questo tipo di complemento oggetto è sempre accompagnato da un *attributo* (V.).

Il complemento oggetto, quando indica non il tutto, ma una parte, si costruisce preceduto dalla preposizione *di* in senso *partitivo*. Es.: Ho mangiato *del cibo*; Ho risparmiato *del denaro*. Al plurale la preposizione sostituisce l'articolo o l'aggettivo indefinito. Es.: Ho letto *dei libri*; Hai visto *delle città*; Ha udito *dei dischi*. In questo caso si dice *complemento oggetto partitivo*.

òggi: avverbio di tempo. Indica il presente, sia riferito strettamente a *questo giorno*, sia, più generalmente, all'epoca moderna (*Oggi è il mio compleanno*; *Oggi non si studia più come un tempo*). Si rafforza con l'aggettivo *stesso* (*Me ne occuperò oggi stesso*).

Anche sostantivo, l'*oggi*, per indicare il presente. Es.: *È più certo l'oggi che il domani.*

Usato in varie locuzioni temporali: *dall'oggi al domani* (subito, improvvisamente: *Cambiò idea dall'oggi al domani*); *oggi come oggi* (per il momento, stando così le cose: *Oggi come oggi non prevedo nulla di buono*); *oggigiorno* (ora, nel tempo presente: *Oggigiorno nessuno fa più prestiti*) che è meglio di *al giorno d'oggi* (francesismo).

ógni: aggettivo indefinito, singolare e invariabile. Indica una totalità indeterminata e considerata singolarmente (*Ogni libro ha il suo autore*). Ha pure valore distributivo (Fu assegnata una casa *ogni dieci abitanti*). Deriva dal latino *omnis* (tutto) e conserva l'originario significato in espressioni quali *ogni anno* (tutti gli anni), *ogni cosa* (tutto), *ogni dove* (dappertutto, dovunque) o come prefisso (*ognissanti*). Per il plurale si usa *singoli, singole* (*Vedemmo ogni casa*; plurale: Vedemmo le *singole case*, oppure: *le case una per una*).

ogniqualvòlta: congiunzione che introduce una proposizione temporale, indicando una circostanza iterativa, cioè un ripetersi periodico dell'azione. Significa: ogni volta che; è seguita dal verbo all'indicativo. Es.: *Mi saluta ogniqualvolta mi vede*; *Ogniqualvolta ci incontriamo facciamo gli stessi discorsi*. Sono più usate però le espressioni: tutte le volte che, ogni volta che.

-ognolo: suffisso con valore attenuativo, riferito soprattutto ai colori. Es. *azzurrognolo*.

ognóra: avverbio, di uso ormai letterario, che significa: sempre. Es.: Mi scrive *ognora*; Ci vedemmo *ognora*. Raro è pure l'uso della locuzione *ognora che* per: sempre che, ogni volta che.

ognúno: pronome indefinito di quantità. Indica la totalità indeterminata con valore distributivo o partitivo. Es.: *Quello che sembri lo vede ognuno* (lo vedono tutti); *Ognuno* (ciascun uomo) *è arbitro del proprio destino*; *Ognuno di noi sa ciò che deve fare*; *Assegnarono un premio ad ognuno*.

Il pronome *ognuno* è variabile solo nel genere; non ha plurale. Es.: *Ognuna di voi esegue il suo lavoro*; *Gridavano tutti, ognuno nella sua lingua*.

A differenza di *ciascuno* (V.), di significato assai simile, *ognuno* non è ormai più usato come aggettivo.

oh: esclamazione usata per esprimere vari sentimenti: gioia, dolore, meraviglia, sdegno. Se si usa assolutamente, senza una frase che spieghi il motivo della esclamazione, si pone subito il punto esclamativo: *oh!* Se invece l'interiezione è posta all'inizio di una frase si può mettere l'esclamativo al termine della proposizione. Es.: *Oh, che bella notizia!*; oppure: *Oh! che bella notizia*; o anche: *Oh! che bella notizia!*

ohi, ohimè: interiezioni usate per esprimere dolore, commiserazione. *Ohimè* è usato anche come inciso. Es.: *Mi preparo per l'esame, ma, ohimè, ho un brutto presentimento.*

oibò: esclamazione che esprime ripugnanza, sdegno. Anche *ohibò*.

-oide: suffisso usato per formare nuove parole derivate da aggettivi o sostantivi. Può indicare somiglianza, affinità (*pazzoide*, *socialistoide*), con sfumatura dispregiativa (*intellettualoide*). In alcuni neologismi indica finzione, apparenza: *fattoide* è un fatto creato dall'invenzione, dalla fantasia o dalla menzogna.

okay: voce americana (pr.: oukéi) di uso

internazionale. Vale: benissimo, perfettamente, d'accordo. Si abbrevia OK.

oligo-: prefisso, di origine greca, che significa: poco; viene usato per comporre varie parole della lingua italiana. Es.: OLIGARCHÍA (governo di pochi), OLIGOEMÍA (poco sangue, anemia).

olímpico: aggettivo, derivato da Olimpo, Olimpia e Olimpiadi, e che significa appunto: relativo alle Olimpiadi o ad Olimpia. Es.: *le gare olimpiche, i giochi olimpici, lo stadio olimpico, la serenità olimpica, l'atleta olimpico.* L'aggettivo OLIMPIÒNICO (meno comunemente: olimpioníco) vale solo per indicare il vincitore delle gare olimpiche e (poco correttamente) l'atleta che partecipa ai giochi.
Meno usato è ormai l'aggettivo OLIMPÍACO (di olimpiade, di Olimpia).

-olíno: suffisso per la formazione di diminutivi e vezzeggiativi di nomi e aggettivi. Es.: da pesce, *pesciolíno*; da verde, *verdolíno.*

olo-: prefisso che significa: tutto, intero. Es.: *olocausto, ologenesi.*

olofràstiche (parole): parole equivalenti ad una intera frase o proposizione. Sono tali, per esempio, gli avverbi *sí* e *no*, e le interiezioni che possono significare molte cose. Es.: Vuoi venire? *No* (=no, non voglio venire); Sei offeso? *Sí* (=sí, sono offeso); Sei stato tu a rubare? *Oibò* (=nego sdegnosamente); *Ahi!* (=Come mi fa male! Che dolore provo). A questo scopo si può usare anche un superlativo assoluto. Vuoi venire? *Benissimo.* Talora anche i pronomi personali, usati nelle risposte, sono olofrastici. Es.: Chi ha deciso? *Noi.*

oltra-, ultra-: prefissi che indicano: al di là, accrescimento, superamento. Es.: OLTRÀLPE (al di là delle Alpi), ULTRAMILIONÀRIO (più che milionario), OLTRANATURÀLE (al di là della natura).

oltrànza: sostantivo femminile, usato nella locuzione avverbiale *a oltranza*, che significa: sino all'ultimo, sino all'eccesso. Es.: *Combatteremo ad oltranza*; *Fu proclamato lo sciopero ad oltranza.* È un francesismo; deriva infatti dalla locuzione francese *à outrance* (pr.: a utràns). Si sono tuttavia formati i neologismi OLTRANZÍSMO (intransigenza, estremismo, esagerazione) e OLTRANZÍSTA (ostinato, estremista, propenso alle soluzioni estreme) oggi in voga nel linguaggio politico. Es.: *L'oltranzismo atlantico*; *Il deputato X difende posizioni oltranziste.* Ma non bisogna abusare di questa espressione d'origine straniera.

óltre: preposizione usata per formare complementi di luogo; significa: al di là. Es.: Erano schierati *oltre il fiume*; Si vedevano i fuochi *oltre la siepe.*
Si costruisce con la preposizione *a* quando significa: più che, per di più. Es.: Sfilarono *oltre* (od: oltre a) *centomila uomini*; *Oltre a non pagarmi*, voleva anche aver ragione; Sei presuntuoso, *oltre ad essere* (od anche: oltre che essere) *ignorante.*
Usato come avverbio significa: più avanti, ancora. Es.: *Non continuare oltre*; *Si dovette andare oltre*; *Per veder più oltre.*
Oltre- è prefisso per formare parole contenenti l'idea di passaggio, di cosa che è al di là. Es.: *oltrepò* (al di là del Po), *oltremàre, oltretòmba, oltremisúra* (avverbio), *oltremòdo* (avverbio).

-oma: suffisso usato nella terminologia medica per indicare tumefazione, tumore (*fibroma*, *adenoma*, *carcinoma*, *ematoma*) oppure, ma in botanica, un'unità funzionale (*condrioma*).

ombrèllo: sostantivo maschile indicante il parapioggia. Errata come puramente dialettale è la forma femminile: ombrèlla.

omèga: nome dell'ultima lettera dell'alfabeto greco. Usato nella frase *dall'alfa all'omega*, per significare: dal principio alla fine.

omeo-: prefisso che significa: simile. Usato nella terminologia scientifica. Es.: *omeomorfismo, omeopatia, omeopolare, omeostasi.*

omeotelèuto: ripetizione di alcune sillabe omofone in parole della stessa frase, meglio se poste in posizione simmetrica, o alla fine di due o più frasi o versi come nel caso della rima. Es.: *Si tratta di una persona probabil*mente *capace, sicura*mente *loqua*ce.

ométtere: verbo della seconda coniugazione, transitivo. *Pass. rem.*: omísi, omettésti, omíse, omettémmo, omettèste, omísero. *Part. pass.*: oméssо. Significa: tralasciare, sorvolare, astenersi. Es.: *In quell'elenco omisi dieci nomi importanti*; *Avevi omesso di trascrivere la seconda parte del foglio.*

omissis: parola latina (pr.: omíssis) usata negli estratti di documenti ufficiali per indicare le parti tralasciate. Usata soprattutto negli estratti delle sentenze.

omnibus: parola latina (ablativo di *omnis*, tutti; pr.: òmnibus) divenuta un sostantivo maschile italiano. Indicava un tempo la carrozza di tutti, cioè le grosse vetture a cavalli d'uso pubblico; oggi un treno che ha tutte le classi e ferma a tutte le stazioni, quindi è propriamente *per tutti!*

omo-: prefisso, di origine greca, usato per formare parole che contengono l'idea di eguaglianza. Es.: OMOCROMÍA (eguale colore), OMOFONÍA (eguaglianza di suono), OMOGÈNEO (di eguale origine, affine), OMONIMÍA (eguaglianza di nome).

omofoni: parole che hanno eguale grafia ed eguale pronuncia, ma significato diverso. Es.: *appunto* (dal verbo appuntare, avverbio, o sostantivo), *canto* (sostantivo e verbo), *parte* (sostantivo e verbo).

omografi: parole che hanno uguale grafia e significato diverso: *venti* (numero) e *venti* (fenomeno naturale). Si noti che possono essere anche pronunciate in modo diverso: *pésca* (da pescare) e *pèsca* (frutto) sono omografi, così come *àncora* e *ancóra*.

omònime (parole): parole di significato diverso che hanno lo stesso suono o almeno la stessa grafia; nel primo caso si parla più precisamente di OMÒFONI, nel secondo di OMÒGRAFI. Una particolare categoria di omografi è data dalle parole che si distinguono per il diverso timbro della vocale tonica (*o* od *e*). Es.: *accétta* (scure) e *accètta* (voce verbale), *bótte* (recipiente) e *bòtte* (percosse), *cólto* (istruito) e *còlto* (da cogliere), *scópo* (da scopare) e *scòpo* (fine), *vénti* (numero) e *vènti* (plurale di vento). Quando non si debbono evitare possibili confusioni queste parole si scrivono anche senza accento; in caso contrario è preferibile ricorrere all'accento fonico (grave o acuto). Invece, per quanto riguarda gli omofoni di uguale scrittura, l'unica possibilità distintiva è data dal significato desunto dal contesto. Es.: *cànto* (io canto) e *cànto* (il canto, sostantivo); *vèrso* (preposizione), *vèrso* (io verso, voce verbale), *vèrso* (il verso della poesia, sostantivo maschile); *vàglio* (sostantivo maschile: setaccio, crivello), *vàglio* (io vaglio, voce verbale). In questo dizionario ciascun omografo e omofono è trattato in apposita voce.

onco-: primo elemento di parole composte del linguaggio medico. Indica relazione con tumore. Es.: *oncologo, oncogenesi, oncoterapia.*

ónde: avverbio di luogo, che significa: di dove. Indica perciò provenienza. Es.: *Torna là onde* (o *donde*) *sei partito*; *Onde viene questa puzza?*

Uso antiquato è quello di *onde* con valore pronominale: di che, del quale, per il quale. Es.: *Le cose ond'egli si lamentava.* Come congiunzione ha valore conclusivo, sinonimo di dunque (*Onde, per evitare il peggio, fuggimmo*), oppure finale (Ti regalo questo libro *onde tu possa trarne giovamento*; Vi lascio il mio indirizzo *onde possiate chiamarmi*). Scorretto è l'uso con l'infinito. Es.: *Accorremmo sul posto per* (e non: *onde*) *recare aiuto ai feriti.*

Si noti infine che la parola è omofona del plurale del sostantivo *onda*.

-óndo: terminazione caratteristica di alcuni aggettivi. Es.: *profóndo, immóndo, giocóndo, secóndo*. La prima *o* è tonica e si pronuncia stretta.

-óne: suffisso per la formazione dell'accrescitivo di nomi e aggettivi. Es.: da uomo, *omóne*; da grasso, *grassóne*; da libro, *libróne*. Femminile: *-óna*. Es.: da signora, *signoróna*; da ricca, *riccóna*. Anche terminazione di nomi o aggettivi al grado positivo. Es.: *carbóne, padróne, montóne* (che non è l'accrescitivo di *monte!*). In fisica è la desinenza di parole indicanti entità elementari (*elettrone, protone*), in biologia designa unità anatomiche (*neurone*). La *o* è tonica e si pronuncia stretta.

-ònimo: terminazione di parole, per lo più della linguistica e della grammatica, che significano denominazione. Es.: *omònimo, iperònimo, topònimo, zoònimo, sinònimo, odònimo.* (V. alle voci relative comprese nel presente dizionario).

onni-: prefisso che indica totalità. Es.: ONNISCIÈNTE (che sa tutto), ONNIPOTÈNTE (che può tutto), ONNÍVORO (che mangia tutto).

onomasiología: lo studio delle diverse forme lessicali che assumono i concetti in una data lingua. Nella linguistica contemporanea si preferisce designare come campi semantici gli insiemi di tali forme. Per es.: *grigio, bigio, cinerino, plumbeo, cenerognolo, livido...* formano il campo onomasiologico (o semantico) del colore *grigio*. La prospettiva di studio inversa a quella dell'onomasiologia è costituita dalla semasiologia, che procede dalle parole ai concetti ad essi afferenti.

onomàstica: è il settore della lessicologia che studia l'origine e la storia dei nomi propri. A sua volta si suddivide in antroponimía, che studia i nomi propri di persona, e toponimía o toponomàstica, che studia i nomi propri di luogo.

onomatopèa o **onomatopèia:** espressione capace di riprodurre per imitazione una impressione sonora naturale. Es.: *Ah ah ah!* (onomatopea del ridere), *brrr...* (brivido), *eccì, eccì* (starnuto), *bee, bee* (belati della pecora), *chicchirichì* (canto del gallo), *bum* (detonazione), *don, don* (suono di campana), *drin, drin* (campanello), *patatràc* (cosa che cade rumorosamente), *tàffete* (caduta improvvisa), *tic tac* (dell'orologio).

Oltre a queste voci imitative senza senso preciso, sono onomatopeiche parole (sostantivi, verbi, avverbi) che con il loro suono ricordano la cosa significata. Esempi: *gracidàre, gracchiàre, ragliàre*, e altri versi d'animali; inoltre: *gorgoglío, mormorío, sussúrro, tintinnío, dondolío, borbottío, ululàto, boàto, rómbo, tuòno, scròscio, balbettàre, tartagliàre, digrignare*. Onomatopeica può essere infine una intera frase o una poesia. In questo caso si dice più specificamente armonia imitativa.

Tra i molti esempi che si potrebbero trarre dalle antologie dei poeti italiani citiamo i due seguenti:

«*La cingallegra al ramo*
va richiamando il damo:
cicisbeo, cicisbeo.
E uscendo tra le fronde,
il damo le risponde:
sì son qui, sì son qui».

(Pitteri)

«*Tin tin suonando con sì dolce nota*».

(Dante)

onorévole: titolo che spetta ai membri del Parlamento. Si abbrevia in *on.* Si colloca prima dei titoli accademici e professionali. Es.: *on. prof. dott.*; *on. avv.*; *on. ing.* Vale sia per il maschile che per il femminile (*L'onorevole Giulio Andreotti, L'onorevole Ilona Staller*).

ónta: sostantivo femminile, che significa: vergogna. Le locuzioni *ad onta di* o *in onta a* sono bene usate solo se la frase contiene l'idea di offesa e di vergogna. Es.: *Ad onta dei tuoi nemici hai ottenuto un bel successo*; *In onta alle leggi vigenti, fu arrestato*; *Vendicare l'onta subita.* In altri casi è bene usare: a dispetto di, nonostante. Es.: *Nonostante la pioggia* (non: ad onta della pioggia) *venne lo stesso.*

onto-: primo elemento di parole composte, proprie del linguaggio filosofico. Di origine greca, significa: essere. Es.: *ontología*.

-ónzolo: suffisso per la formazione del peggiorativo di alcuni nomi. Es.: da medico, *medicónzolo*. La prima *o* è tonica e si pronuncia chiusa nella pronuncia toscana, aperta in quella romana.

operàre: verbo della prima coniugazione, intransitivo. Ausiliare: avere. Significa: agire, compiere, tenere una certa condotta. Es.: *Non operò bene in quella occasione*; *Aveva operato per raggiungere quello scopo*.

In medicina significa: eseguire una operazione, un intervento chirurgico. Es.: *Il primario opererà domattina*. Non è corretto l'uso di questo verbo nella forma riflessiva. *Si operò allora un miracolo* (meglio: avvenne, si compì).

-opía: terminazione di parole composte che significano: vista. Es.: *endoscopía, miopía, microscopía*.

oppórre: verbo della seconda coniugazione, transitivo. *Pass. rem.*: oppósi, opponésti, oppóse, opponémmo, opponéste, oppósero. *Pres. cong.*: oppónga, oppónga, oppónga, opponiàmo, opponiàte, oppóngano. *Part. pass.*: oppósto. Significa: porre, rivolgere contro. Es.: *Opponemmo* *tutte le forze ai nemici incalzanti.* Riflessivo, significa: porsi contro, contrastare. Es.: *Ci opponemmo a quella ingiustizia*; *Si opposero alla prepotenza con fermezza encomiabile.*

opposizióne: in linguistica, il rapporto che c'è tra due elementi che appartengono allo stesso paradigma, ossia che sono virtualmente sostituibili entro la stessa struttura linguistica, dando luogo a forme diverse ma morfologicamente, sintatticamente e semanticamente congruenti. Per es.: in *cane*, il fonema *c* è in opposizione con *p* o con *t* (per formare *pane* o *tane*); in *stasera, alla festa, indosserò una cravatta rossa, rossa* è in opposizione a *blu* o a *verde*; in *la luce si attenuò, attenuò* è in opposizione a *impallidí* o *diminuí.*

opprímere: verbo della seconda coniugazione, transitivo. *Pass. rem.*: opprèssi, opprimésti, opprèsse, opprimémmo, oppriméste, opprèssero. *Part. pass.*: opprèsso.

oppúre: congiunzione disgiuntiva usata per esprimere un dilemma o per correggere e rettificare. È composta da *o* e *pure*. Talvolta indica reciproca esclusione (*Dimmi sì oppure no*), talora distinzione (*Stasera leggerò oppure ascolterò la radio*), talora semplicemente rettifica (*Ti avvertirò per telefono oppure per lettera*). Serve per unire due parole o anche due frasi con funzione coordinante (*Andrò oppure scriverò*).

-opsía: terminazione di parole del linguaggio scientifico che indicano metodo diagnostico: *biopsía, autopsía.*

or: apocope di *ora* o di *oro*. Di *ora* ha l'*o* stretta (*ór*), di *oro* ha l'*o* larga (*òr*). Esempi: *Son venuto or ora*; *Hai visto il sole d'òr.* Non si segna l'accento se non quando si vuol evitare possibili confusioni.

óra: avverbio di tempo. Indica generalmente il presente (*Ora è tempo di dormire*). Nell'uso ha tuttavia assunto varie sfumature e significati, dal passato prossimo (*Ho lasciato ora l'inferno*) al prossimo futuro (*Egli parlerà ora*). Raddoppiato fornisce l'idea dell'immediatezza (*Gli ho scritto or ora*), congiunto con *mai* (*ormai*) dà l'idea di fine, di conclusione (*Ormai credo che non lavorerà più*), congiunto con *che* ha valore di locuzione congiuntiva (*Ora che il padre non c'è più*).
Più propriamente come congiunzione ha talora significato equivalente a *ma* (Egli credeva di avere vinto; *ora* io gli dissi la verità). Si usa pure per riprendere il discorso (*Ora accadde che...*) o per concluderlo (*Or dunque, noi diciamo che le cose stanno così*). È pure sovente adoperato nelle correlazioni (*Ora diceva questo, ora quello*).
Locuzioni avverbiali derivate sono: *ora come ora* (in queste circostanze, in questi tempi); *per ora* (per il tempo presente); *d'ora in poi, d'ora in avanti, d'ora in ora, fin d'ora.*

óra: sostantivo femminile che indica la ventiquattresima parte del giorno. Si noti che si deve dire: *le sette* o *le ore sette* (non: le sette ore); *le quattro e mezzo* ma anche: le quattro e mezza (così: un'ora e mezza, o un'ora e mezzo). Si dice poi: *le ore una*; *è la una*; *all'una di notte.*

oramài: avverbio di tempo composto da *ora* e da *mai*. Indica conclusione, fine. Es.: *Oramai tutto è finito*; *Oramai l'inverno è al suo termine.* Più usata la forma sincopata *ormai.*

oratóre: sostantivo maschile, che indica persona esperta nell'arte del dire; eloquente. Femminile: oratríce.

òrbi: sostantivo maschile plurale che significa: ciechi (singolare: *orbo*). ORBI (parola latina: dativo di *orbis*, mondo) è usata nell'espressione *urbi et orbi* che significa: alla città e al mondo (detto della benedizione papale).

òrco: sostantivo maschile che significa: mostro spaventoso. Plurale: òrchi. ORCI è invece il plurale di *órcio*, vaso di terra. Poco usato, ma comunque esistente, il femminile di orco, *orchéssa*: mentre ÓRCA è il nome di un grosso cetaceo.

ordinàli: aggettivi numerali che indicano l'ordine, la successione, la classificazione. I primi dieci ordinali sono: *prímo, secóndo, tèrzo, quàrto, quínto, sèsto, sèttimo, ottàvo, nòno, dècimo.* Da undici in poi il numerale ordinale si forma aggiungendo al cardinale il suffisso *-èsimo*. Es.: *undicèsimo, dodicèsimo, ventèsimo, centèsimo, trecentèsimo, millèsimo, milionèsimo.* Pure usate e talora preferite sono le forme: *decimoprímo, decimosecóndo, decimo-*

nòno, ventésimotèrzo, centésimosecóndo. Poiché esprimono anch'essi una classificazione sono da considerarsi ordinali anche *último, penúltimo, terzúltimo, quartúltimo,* ecc.
Gli aggettivi numerali ordinali concordano in genere e numero con il nome a cui si riferiscono. Es.: *La prima giornata*; *Il ventesimo battaglione*; *Le dodicesime file.*
Le cifre degli ordinali sono i numeri romani: I, II, III, IV, V, VI, VII, VIII, IX, X (primo, secondo, terzo... decimo), XI, XII, XIII, XIV, XV, XVI, XVII, XVIII, XIX, XX (decimoprimo, decimosecondo... ventesimo), L (cinquantesimo o cinquanta), C (cento), D (cinquecento), M (mille). Si può però indicare l'ordinale aggiungendo alla cifra araba un piccolo esponente (°) in alto, o anche una *a* minuscola subito dopo il numero. Es.: 1°, 2°, 3°, 20° (primo, secondo, terzo, ventesimo), 1ª, 2ª, 3ª, 20ª (prima, seconda, terza, ventesima).
L'ordinale si colloca generalmente prima del sostantivo a cui si riferisce. Es.: *il primo arrivato*; *la terza ondata*; *la quinta sinfonia.* Ma si trova posposto nelle successioni di re, papi, imperatori (*Leone decimoterzo*; *Napoleone I*; *Vittorio Emanuele III*) e in talune iscrizioni (*classe V*; *fila seconda*) quando non si preferisce il cardinale (*la poltrona 24*; *la camera 16*).
Taluni ordinali hanno acquistato valore di sostantivi: *un primo* (un minuto primo); *un secondo* (un minuto secondo), *la prima, la seconda, la terza* (marcia), *l'ultimo quarto* (della luna), *le quinte* (del teatro), *l'ottava* (nota musicale, strofa). Sono inoltre usati nelle frazioni (*sette terzi, otto noni, venti decimi, due quarti*).

órdine: sostantivo maschile che significa: armonia, disposizione secondo un criterio razionale, assetto. In senso assoluto si adopera per: ordine costituito, l'assieme delle leggi o delle forze politiche che reggono uno Stato. Es.: *I partiti dell'ordine*; *Io sono per l'ordine!* Altri significati: congregazione religiosa o cavalleresca (*l'Ordine dei Francescani*; *Il Sovrano Ordine di Malta*); grado di capacità o di valore (*Un artista di primo ordine*); comando (*Ho dato un ordine*; *Gli ordini non si discutono*), commessa (*Il settore commerciale ha raccolto molti ordini*).
Ordine alfabetico: serie di nomi ordinata secondo il succedersi delle lettere dell'alfabeto.
È invalsa da qualche tempo la frase: *in ordine a...* per dire: in conseguenza di, in relazione. Prima di usarla sarà bene assicurarsi che risulti chiara.
In grammatica si chiamano *ordine diretto* e *ordine indiretto* rispettivamente la *costruzione diretta* e la *costruzione indiretta.*
Nell'ambito della retorica dedicata alla costruzione e alla regolamentazione del discorso, e in particolare della *dispositio,* si intende con ordine *naturale* la sequenza logico-temporale degli eventi narrati o degli argomenti trattati, che può essere sovvertita dall'autore mediante un nuovo ordine, *artificiale,* ai fini di una maggiore efficacia artistica o espositiva del discorso stesso.

ordíre: verbo della terza coniugazione, transitivo. In alcuni tempi inserisce la forma incoativa *-isc-* tra il tema e la desinenza. *Pres. indic.*: ordísco, ordísci, ordísce, ordiàmo, ordíte, ordíscono. *Imperf.*: ordívo, ordívi, ecc. *Pass. rem.*: ordíi, ordísti, ordí, ordímmo, ordíste, ordírono. *Pres. cong.*: ordísca, ordísca, ordísca, ordiàmo, ordiàte, ordíscano. *Part. pass.*: ordíto. Si dice soprattutto *ordire una trama, ordire una tela*; prevale quasi nell'uso il senso figurato sul significato originario di distendere i fili sul telaio per tessere la tela (*ordire una congiura, un intrigo*).

-óre: terminazione caratteristica di nomi maschili, solitamente astratti. Es.: *amóre, furóre, chiaróre, erróre, fulgóre.* La *o* è tonica e si pronuncia stretta.

orécchio: sostantivo sovrabbondante al singolare e al plurale. Ha infatti una forma maschile singolare (*orécchio*) ed una femminile singolare (*orécchia*); un maschile plurale (*orécchi*) e un femminile plurale (*orécchie*). Indica l'organo dell'udito e, per estensione, parte di un oggetto con forma simile. Nel senso proprio le due forme si alternano con una certa prevalenza del maschile. Per il senso figurato si preferisce la forma femminile (*le orecchie del vaso, le orecchiette* *del cuore*). Indica anche il segno di riconoscimento fatto piegando l'angolo di una pagina di libro (*ho fatto un'orecchia alla pagina che ti interessa*).

ore rotundo: espressione latina che significa propriamente: con bocca rotonda. Si dice di chi parla eloquentemente, con una certa abbondanza.

orgànico (comparativo): il comparativo di aggettivi formato da una radice diversa rispetto al grado positivo. Sono *migliore, peggiore, maggiore, minore, più*, rispettivamente per *buono, cattivo, grande, piccolo, molto*. Questi aggettivi hanno il superlativo organico: *ottimo, pessimo, massimo, minimo, il più*. Essi hanno anche le forme regolari (*più buono, buonissimo; più cattivo, cattivissimo; più grande, grandissimo; più piccolo, piccolissimo; moltissimo*).

orígine o **provenienza (complemento di):** indica da chi, da che cosa, da dove, derivi o provenga una persona o una cosa. È introdotto da verbi, sostantivi o aggettivi che indicano origine o provenienza (e non moto). È retto dalla preposizione *da*. Esempi: Egli proviene *da una famiglia nobile*; La viltà deriva spesso *dalla paura*; L'acqua sorge *dalla terra*; Alcuni si vantano di discendere *dagli antichi Germani*.

Questo complemento non va confuso con quello d'*agente* (V.), pure retto dalla preposizione *da*, ma dipendente sempre da un verbo transitivo passivo. Parimenti non va confuso con il complemento di *moto da luogo* (V.) che dipende da verbi indicanti moto.

ormài: avverbio di tempo che significa: adesso, a questo punto. Esprime anche conclusione, fine. Es.: *Ormai non ti ascolto più*; *Ormai chi ti aiuterebbe?*; *Sono ormai sei mesi che l'aspetto*. È forma sincopata di *oramài*.

ornamentàre, ornamentazióne: termini a cui sono da preferirsi *adornare, adornaménto*. Significano: abbellire, decorare, e: abbellimento, decorazione, addobbo, fregio e simili.

ornitòlogo: sostantivo maschile che indica lo studioso degli uccelli. Plurale: ornitòlogi.

oro-: primo elemento di parole composte, del linguaggio scientifico. Significa: monte. Es.: *orogenetico, orografia, oroidrografia*.

orònimo: nome di monte. Gli oronimi sono generalmente maschili (*il Civetta, il Resegone*) sottintendendo monte. Ma non mancano esempi di femminili: *la Maiella, la Marmolada*.

orripilànte: aggettivo qualificativo. Francesismo che si può evitare usando: raccapricciante, spaventoso, impressionante.

or sono: locuzione avverbiale temporale. D'uso letterario e formale: *deceduto due anni or sono*.

orsù: esclamazione che esprime incitamento, esortazione, impazienza. Es.: *Orsù, fatti coraggio!*; *Orsù non farti pregare!*

orto-: primo elemento di parole composte, che significa: corretto, giusto, conforme alle regole. Es.: *ortopedia, ortografia, ortodossia, ortocentro, ortofrenia*.

ortoepía: sostantivo femminile. Significa: retta pronunzia. Anche il complesso delle regole che si riferiscono alla retta pronunzia. È sinonimo di ORTOFONÍA.

ortografía: parola di origine greca che significa: retta maniera di scrivere. Anche il complesso di regole che si riferiscono alla retta maniera di scrivere. Errori di ortografia sono gli errori che violano le regole del retto scrivere.

I principali sono: uso di consonanti semplici quando sono necessarie doppie o viceversa (*sopratutto* per: soprattutto; *incorraggiare* per: incoraggiare; *cosidetta* per: cosiddetta); uso di lettere maiuscole in luogo di minuscole e viceversa (*I soldati Italiani* per: i soldati italiani; *l'ottocento è il secolo romantico* per: l'Ottocento è il secolo romantico; *Ama Dio e confida in lui* per: Ama Dio e confida in Lui); accentazione sbagliata (*fà* per: fa, *quà* per: qua, *di* per: dí, giorno; *quí* per: qui); troncamento o elisione sbagliati (*un'amico* per: un amico; *l'amiche* per: le amiche; *a mó* per: a mo'; *un pó* per: *un po'*). Errori grossolani sono poi la confusione della *c* con la *q* (*quore* per: cuore, *squola* per: scuola), l'uso della *n* davanti alle labiali *p* e *b* (*conpagno, ganba* per: compagno, gamba), l'uso dell'articolo *il* in luogo dell'articolo *lo* (*il zaino* per: lo zaino; *il stato* per: lo stato), l'erronea divisione sillabica (*im-pa-zi-en-te* per: im-pa-zien-te; *a-i-ú-to* per: a-iu-to).

osàre: verbo della prima coniugazione, transitivo. Regge una proposizione oggettiva che può avere la forma implicita con *di* e l'infinito, ma più frequentemente la forma assoluta, direttamente con l'infinito: *Non osare di guardarmi*; *Chi oserà sfidarci?*

-osi: terminazione di parole mediche che indicano una patologia degenerativa (*necrosi, trombosi, flogosi, artrosi, scoliosi*).

-óso: suffisso per la formazione di aggettivi. Es.: da gola, *golóso*; da gelosía, *gelóso*; da palude, *paludóso*; da vergogna, *vergognóso*. La prima *o* è tonica e si pronunzia stretta.

ossèquio: sostantivo maschile che indica: rispetto, devozione, osservanza. La locuzione *in ossequio* o *in ossequio di* significa: in obbedienza a (*In ossequio alle vigenti disposizioni*). Al plurale, *ossèqui*, forma di saluto conclusivo nelle lettere rivolte a superiori e a persone importanti o degne di grande deferenza.

osservàre: verbo della prima coniugazione, transitivo. Quando regge una proposizione oggettiva, questa può avere un soggetto diverso (*Osservava i passanti passare*; *Osservai che non prendeva appunti*).

ossìa: congiunzione che significa: o, ovvero, cioè. Usata soprattutto per rettificare o completare un concetto già espresso. Es.: *Il Presidente della Repubblica, ossia il Capo dello Stato*; *Noi, ossia la collettività, ti aiuteremo*; *La metafisica, ossia la scienza del trascendente*. Ha valore coordinante unendo due proposizioni. Es.: *Ha rivelato tutto, ossia ci ha messo in un bel pasticcio*. È meno usata di *cioè*. Quando ha valore avversativo o disgiuntivo si preferisce sostituirla con *oppure* (V.). Es.: *Dimmi se la risposta è sì oppure no* meglio che: Dimmi se la risposta è sì ossia no.

ossimòro: sostantivo maschile. Figura retorica che consiste nel ricercare effetti speciali accostando parole di significato contraddittorio. Es.: *Un nome lungo e breve, giovinezza*; *una lucida follia, un silenzio eloquente*.

ossítona (parola): parola che ha l'accento sull'unica o sull'ultima sillaba (*è, perché, virtú*). Le parole ossitone sono invariabili. Es.: *le virtú, i caffè, le città*.

òsso: nome sovrabbondante. Ha due desinenze al plurale, con lieve differenza di significato: gli ossi (*ossi degli animali, ossi spolpati*) e le ossa (*ossa del corpo*). La forma femminile indica il complesso del sistema osseo nel corpo umano.

ossobúco: nome composto da due sostantivi maschili (osso e buco). Plurale: ossibúchi. V. anche COMPOSTI (NOMI).

ostàre: verbo della prima coniugazione, di cui si usano la terza persona singolare e plurale del presente indicativo, dell'imperfetto indicativo, dell'indicativo futuro e del presente condizionale. Es.: *Nulla osta a che la manifestazione si svolga in piazza*; *Nulla più ostava al trasferimento del detenuto*; *A quel punto nulla osterà alla consegna del passaporto*. Come si vede il verbo è usato in espressioni negative e nel linguaggio burocratico o formale. La forma *nullaosta* è diventata un sostantivo, e graficamente la negazione e il verbo si sono fusi in un unico grafema. Analogamente il participio presente *ostante* ha formato con *non* la congiunzione concessiva *nonostante* (V.).

òste: sostantivo maschile (femminile: ostessa), che significa: albergatore, bettoliere. Lo stesso termine indicava un tempo il nemico (dal latino *hostis*) e, al femminile, l'esercito schierato (*L'oste era schierata in campo*). OSTÈLLO per albergo è falsa alterazione di *oste*, ripresa oggi per indicare l'albergo della gioventù. *Oste* nel primo significato deriva da *hospes*, ospite; *ostello* deriva invece dal francese antico *ostel* (a sua volta derivato dal latino *hospitalis*).

ostensiòne: forma di comunicazione di tipo visivo e gestuale che consiste nel mostrare, attraverso o degli oggetti o delle immagini oppure mimicamente, ciò che si intende designare. Per es.: ruotare tra le due mani un piatto per indicare un volante; portare la sciarpa con i colori di una squadra di calcio per indicare che si fa il tifo per essa; alzare le due dita aper-

te per indicare una pistola; mostrare un pacchetto di sigarette per chiedere di fumare.
In lessicografia e nella didattica delle lingue, la definizione per ostensione o *ostensiva* è quella che fa ricorso ad immagini per definire il significato di una parola.

ostentàre: verbo della prima coniugazione, transitivo. Quando regge un'oggettiva ammette il costrutto implicito con *di* e l'infinito. Es.: *Ostentava di non aver affatto paura.*

ostruíre: verbo della terza coniugazione, transitivo. In alcuni tempi tra il tema e la desinenza inserisce il suffisso incoativo *-isc-*. *Pres. indic.*: ostruísco, ostruísci, ostruísce, ostruiàmo, ostruíte, ostruíscono. *Pres. cong.*: ostruísca, ostruísca, ostruísca, ostruiàmo, ostruiàte, ostruíscano. *Part. pass.*: ostruíto. Significa: chiudere, impedire, intasare. Es.: *Ostruire il passaggio.*

oto-: prefisso, di origine greca, usato nel linguaggio medico per formare parole riferentisi all'orecchio. Es.: OTOIATRÍA (medicina dell'orecchio), OTORINOLARINGOIÀTRA (medico specialista dell'orecchio, naso, gola), OTOSCÒPIO (apparecchio per l'ispezione dell'orecchio).

ottatíva (proposizione): una proposizione principale, cioè indipendente, che esprime l'idea di un desiderio, di un augurio, di una aspirazione. Il nome deriva dal latino *optare* (desiderare). Ha il verbo al modo congiuntivo, talora preceduto dalla particella *che*, la quale, però, in questo caso ha solo valore pleonastico (cioè non ha funzione di congiunzione). Esempi: *Tu sia benedetto!, Venga la pace!, Che egli sia fortunato!, Che Dio vi assista!, Vinca il migliore!, Crepi la miseria!* Possono essere usati anche il futuro indicativo (*Verrà l'estate!*) o il condizionale (*Quanto vorrei essere tuo amico!; Come avrei voluto vederlo in faccia!*). L'uso di un tempo passato allude alla vanità del desiderio: *Ah, se mi avesse conosciuto allora!* Anche l'infinito può avere talora significato ottativo (*Ah, saperlo, saperlo!*).

ottàva: strofa di otto versi endecasillabi, dei quali i primi sei sono a rima alternata, gli ultimi due a rima baciata. Lo schema delle rime è dunque ABABABCC. Esempio:

«*Fra due guerrieri in terra ed uno in* [*cielo* (A)
la battaglia durò sin a quell'ora, (B)
che spiegando pel mondo oscuro [*velo,* (A)
tutte le belle cose discolora. (B)
Fu quel ch'io dico, e non v'aggiungo un [*pelo:* (A)
io 'l vidi, i' 'l so; né m'assicuro *ancora* (B)
di dirlo altrui; che questa maraviglia (C)
al falso più ch'al ver si rassimiglia». (C)
(L. Ariosto)

L'ottava fu la stanza poetica preferita per cantare materia cavalleresca. L'usarono il Boccaccio (che primo l'impiegò a tale scopo, mentre prima era un breve componimento), il Poliziano, il Pulci, il Boiardo. Con l'Ariosto raggiunse la perfezione e fu detta l'*ottava d'oro*. In tempi più vicini a noi si servirono dell'ottava, strofa fluente e musicale, il Monti (nella «Musogonia»), il Sestini (nella «Pia dei Tolomei») e il Giusti («S. Ambrogio», «Il sortilegio», «Istruzioni ad un emissario»).

ottenére: verbo della seconda coniugazione, transitivo. *Pass. rem.*: otténni, ottenésti, otténne, ottenémmo, ottenéste, otténnero. *Part. pass.*: ottenúto. Significa: raggiungere uno scopo, conseguire, impetrare, riuscire in un proposito. Es.: *Ho ottenuto finalmente il permesso di uscire solo.*

òttimo: superlativo irregolare di *buono*. Non dirai quindi *più ottimo* o *meno ottimo*. Si ricordi che esiste anche il superlativo regolare di buono: *buoníssimo* (*bonissimo*, per la regola del dittongo mobile, ma meno usato). Parimenti, esistono due comparativi di buono: *più buòno* e *miglióre*. Da *ottimo* deriva il superlativo dell'avverbio *bene*: cioè *ottimamente*.

-òtto: suffisso per la formazione di accrescitivi, ma più attenuati di quelli composti con il suffisso *-one, -ona*. Es.: da barile, *barilòtto*; da vecchio, *vecchiòtto*; da aquila, *aquilòtto*; da giovane, *giovanòtto*; da cucciolo, *cucciolòtto*. La prima *o* del suffisso è tonica e si pronuncia aperta.

ottocènto: numerale cardinale, indica otto volte cento. Deve essere scritto con la lettera iniziale maiuscola quando indica il sec. XIX (secolo decimonono). Es.: *Abbiamo visto ottocento soldati*; *Sto studiando gli scrittori dell'Ottocento.*

ottonàrio: verso di otto sillabe. Ha tre sistemi di accenti:

a) sulla 3ª e 7ª sillaba:
Quanto è bèlla giovinèzza
che si fùgge tuttavía;

b) sulla 2ª, 5ª e 7ª sillaba:
Perché ricordàre invàno
il tèmpo serèno e vèrde?

c) sulla 2ª, 4ª e 7ª sillaba:
Quel càro tèmpo è lontàno
le ròse sòno sfioríte.

Nel primo caso ha un ritmo vivace e incalzante, nel secondo è lento e nostalgico, nel terzo è lieve e dolente. È quindi un verso che si può adattare ai più vari stati d'animo.
Fu usato nelle laudi sacre, e da molti poeti d'ogni tempo, tra cui Lorenzo de' Medici, il Chiabrera, il Monti, il Graf, il Pascoli.

ottúndere: verbo della seconda coniugazione, transitivo. *Pass. rem.*: ottúsi, ottundésti, ottúse, ottundémmo, ottundéste, ottúsero. *Part. pass.*: ottúso. Significa: logorare una punta, ma è poco usato; salvo nel senso figurato: *ottundere il carattere, l'intelligenza*, per: sciupare il carattere, logorare l'intelligenza.

óve: avverbio di luogo. Significa: dove, in quel luogo. Es.: *Andrò ove vorrete.* Meno usato come congiunzione col significato di: purché, se. Es.: «*Ove tu lo voglia, potrei aiutarti molto*». Nel linguaggio poetico ha talora valore temporale (quando, se un giorno). Es.: «*Ove speme di gloria agli animosi intelletti rifulga*» (Foscolo).

òvo: sostantivo maschile. Al plurale: gli ovi e le ova. Più usata la forma *uòvo* (uova, al plurale), ma da *ovo* deriva il diminutivo *ovetto.*

ovúnque: avverbio di luogo con valore relativo, usato cioè solo quando segue una proposizione relativa. Forma più rara di *dovunque*; significa: in ogni luogo che, in ogni luogo in cui. Es.: *Verrò, ovunque tu voglia*; *Ovunque tu sia, pensami.*

ovvéro: congiunzione disgiuntiva coordinante. Più che esprimere una opposizione o un dilemma, ha valore correttivo per precisare o correggere un concetto precedente. Es.: *L'autore, ovvero Alessandro Manzoni, scrive a questo punto che...*; *Lo Stato, ovvero l'insieme dei cittadini, impone i tributi a tutti.* Più ricercata è la forma *ovverosia.*

ovviaménte: avverbio di affermazione. Sinonimo di naturalmente, certamente; nelle forme olofrastiche equivale a *sì. Hai letto il libro? Ovviamente.*

ovviàre: verbo della prima coniugazione, intransitivo. Ausiliare: avere. Significa: opporsi, rimediare a qualche cosa. Si dice: *ovviare ad una difficoltà, ad un inconveniente.*

-òzzo: suffisso per la formazione di accrescitivi, più attenuati di quelli composti con il suffisso *-one, -ona*. Es.: da predica, *predicòzzo*. La prima *o* è tonica e si pronuncia aperta.

P

p: quattordicesima lettera dell'alfabeto italiano, decima consonante. Si chiama *pi*; il suo nome è di genere femminile o maschile, come tutte le lettere dell'alfabeto: la *p*, un *p*. È una consonante *muta*, perché non ha suono continuo, se non in unione con una vocale; è detta anche *esplosiva*, perché si pronunzia con una specie di «esplosione» del fiato attraverso la bocca. Appartiene alla categoria delle consonanti *labiali*, che si pronunciano con l'aiuto delle labbra.

La consonante *p* si pronuncia sempre con lo stesso suono, qualunque sia il posto che occupa nella parola. Davanti ad essa, come davanti alla *b*, la *n* si muta in *m*. Es.: *compagno, impegno, comprensione*. Poche sono le eccezioni: *benpensante, benparlante, benportante* e qualche altro nome composto di *bene*.

Nelle iscrizioni latine può significare: *Publius, pecunia, pontifex, praetor* o *posuit*. In chimica P è il simbolo del fosforo. Nelle iscrizioni moderne PP vale: posero.

pacífico: aggettivo qualificativo che significa: amante della pace, del quieto vivere. Plurale: pacífici. Usato anche come sostantivo, specie al plurale. Es.: *Io preferisco i pacifici ai turbolenti*. La locuzione *è pacifico* è oggi usata nel senso di: è certo, è fuori discussione, è chiaro, s'intende (tutte forme da preferire fuori del linguaggio giudiziario). Es.: *È pacifico che non è stato lui*; *Questo è pacifico, ma la questione è un'altra*.

pàdre: sostantivo maschile, che significa: genitore. Quando è preceduto dall'aggettivo possessivo si deve omettere l'articolo. Es.: *mio padre, tuo padre, suo padre, nostro padre*, e non: il mio padre, il nostro padre, ecc. L'articolo è invece richiesto se il possessivo è preceduto da un altro aggettivo attributivo. Es.: *Il mio povero padre*; *La vostra terribile madre*. Diminutivo di *padre* è considerato il sostantivo *babbo*, il quale vuole invece di norma l'articolo anche se preceduto da possessivo. Es.: *il mio babbo, il vostro babbo*. Più familiare e affettuoso è il termine *papà*, un tempo sconsigliato, come francesismo.

pàio: sostantivo maschile che significa: coppia, due cose della medesima specie. Meno usata la forma *pàro*. Il plurale è di genere femminile: le paia. Non si confondano con le voci del verbo *parére* (io *pàio*, che egli *pàia*).

palatàli: le consonanti che si pronunziano avvicinando la lingua al palato. Sono la *c* e la *g* quando hanno però suono molle, seguite cioè dalle vocali *e* ed *i*, che sono appunto dette *palatali*. Il suono palatale è: *ce, ci, ge, gi*. Es.: *ce*rino, *ci*liegia, *ge*lo, *gi*rone. Davanti alle vocali *a, o, u*, per conservare il suono palatale è necessario inserire una *i* tra la consonante e la vocale. Es.: *cia*nuro, *cio*ndolo, *ciu*ffo, *gia*llo, *gio*rno, *giu*dice (questa *i* si perde nel plurale e nei derivati, quando compare una *-e*: *bacio* e *bacetto*, *frangia* e *frange*).

Sono da considerarsi palatali anche i nomi espressi dai digrammi *gl, gn* e, in parte, *sc*. Si noti poi che la *c* e la *g* con suono duro (*ca*ne, *co*ro, *cu*ore, *ga*ra, *go*la, *gu*sto) appartengono invece al gruppo delle consonanti *gutturali* (V.).

palcoscénico: sostantivo maschile. Composto di un nome (palco) e un aggettivo (scenico). Plurale: palcoscénici. V. anche COMPOSTI (NOMI).

paleo-: prefisso di origine greca che significa: antico. Usato per formare molte parole scientifiche: PALEOGRAFÍA (studio delle scritture antiche), PALEOLÍTICA (la più antica età della pietra), PALEOZÒICA (era antica con prime tracce di animali).

palinodìa: componimento in cui l'autore ritratta quanto scritto in una sua precedente opera; spesso si tratta di una finzione ironica, come nel caso celebre della *Palinodia al marchese Gino Capponi* con cui G. Leopardi finge di abiurare il suo pessimismo.

pàlma: sostantivo femminile, che indica la parte di sotto della mano. In questo senso si preferisce la forma *pàlmo*. *Pàlmo* è usato anche come misura, indicante la distanza dal pollice al mignolo di una mano aperta (Es.: *Conosco quella città a palmo a palmo*; *Un bimbo alto tre palmi*). Il femminile *pàlma* è anche il nome di una nota pianta tropicale; simbolo della vittoria e della gloria. Es.: *Ebbe la palma del martirio*; *Alle Olimpiadi ha ottenuto la palma di corridore più veloce del mondo*.

pàlo: sostantivo maschile che indica: asta, trave, pertica. Il sostantivo femminile PÀLA significa invece: badíle.

pamphlet: parola francese (pr.: panflé) che indica breve pubblicazione polemica, un articolo aggressivo e violento. In italiano: libello, opuscolo polemico.

pan-: prefisso, di origine greca, che significa: tutto. Usato per molte parole (nomi di teorie, dottrine, concezioni), anche di recente formazione, che contengono l'idea di totalità. Es.: PANGERMANÉSIMO (tutti i popoli germanici riuniti in un solo Stato), PANLOGÍSMO (tutto è razionale), PANTEÍSMO (tutto è Dio).

panegìrico: discorso, inventato nella antica Grecia nell'ambito dell'oratoria epidittica, rivolto a lodare, persuadere e biasimare uomini potenti e illustri; nei secoli successivi, il panegirico ha assunto il solo significato di celebrazione, soprattutto in ambito religioso. Oggi il termine si usa con sfumatura ironica per indicare l'esaltazione esagerata e non sempre disinteressata di una persona potente.

pànfilo: sostantivo maschile oggi indicante una nave da diporto. Da rifiutare sono le pronunzie: panfílo e panfílio.

pàngramma: curiosità linguistica, chiamata con voce dotta. È il testo più conciso possibile nel quale compaiono almeno una volta tutte le lettere dell'alfabeto. Es.: *Pranzo d'acqua fa volti sghembi* (riferito da Giampaolo Dossena).

pànico: aggettivo qualificativo; dicesi di paura improvvisa e irragionevole. Es.: *Timor pànico*. È ormai usato come sostantivo (plurale: pànici) nel senso di: sgomento, paura, terrore. Es.: *I viaggiatori furono presi dal pànico*; *In borsa si è registrato un certo pànico*; *Il candidato fu invaso dal pànico davanti alla commissione*. Di diversa origine è il sostantivo maschile PANÍCO, nome di una pianta delle Graminacee, che fornisce un cibo per gli uccelli. Plurale: paníchi.

panne: parola francese (pr.: pann). In italiano: *pànna*, nell'espressione *essere in panna* usata dagli automobilisti per indicare una sosta obbligata, dovuta a guasto al motore, o a mancanza di benzina o ad altro incidente del genere.

pànno: sostantivo maschile, che significa: tessuto. Il sostantivo femminile PÀNNA indica invece il fior del latte.

panoràma: sostantivo maschile, che significa: paesaggio, veduta d'insieme. È uno dei nomi maschili terminanti in *-a*. Plurale: panorami.

pantalóne: sostantivo maschile. Usato prevalentemente al plurale. Ripreso un tempo perché francesismo, oggi si alterna tranquillamente col sinonimo *calzoni*.

pàpa: sostantivo maschile che indica il pontefice. È uno dei nomi maschili terminanti in *-a*. Plurale: pàpi. Si usa senza articolo quando è unito a nome proprio. Es.: *papa Gregorio, papa Ratti*. PAPÀ è invece voce infantile per indicare il padre; ed è voce ormai nell'uso. Plurale: i papà. Si usa sia con l'articolo determinativo, sia senza. Es.: *È andata incontro al papà*; *Voglio giocare con papà*.

para-: prefisso di origine greca il quale aggiunge alla parola l'idea di vicinanza, affinità, attenuazione. Le parole composte con questo prefisso mutano, al plurale, solo la desinenza finale o restano invariate. Es. (il plurale è tra parentesi): PARÀBASI (parabasi, significa intermezzo scenico), PARÀBOLA (parabole, racconto allegorico; figura curvilinea), PARACLÀSI (paraclasi, frattura della crosta terrestre). Indica anche cosa che è a fianco, oppure fuori, contraria ad un'altra. Es.: *paradòsso* (che è fuori dell'opinione retta o normalmente accettata; idea strana, eccentrica). Si noti anche: PARASTATÀLE (detto di ente che, pur non essendo alle dipendenze dell'amministrazione centrale dello Stato, persegue scopi di pubblica utilità; perciò sottoposto a controllo governativo), PARACOMUNÀLE (detto di ufficio non comunale, ma sottoposto a controllo del Comune).

Se invece il prefisso *para-* deriva dal verbo *parare*, aggiunge alla parola il significato di riparo, rimedio. Al plurale i nomi così composti o cambiano la desinenza finale o restano invariati. Es.: PARACADÚTE (paracadute), PARACÀRRO (paracarri), PARAFÀNGO (parafanghi), PARAFÚLMINE (parafulmini), PARAÒCCHI (paraocchi), PARAPIÒGGIA (parapioggia), PARASÓLE (parasoli), PARAPÈTTO (parapetti), PARAÚRTI (paraurti).

paràbola: nei generi letterari, novella breve che contiene una verità educativa, dimostrazione di una concezione filosofica o religiosa. Affine perciò ad *allegoría*, equivale a: raccontino allegorico.

paradígma: sostantivo maschile di origine greca, che significa: modello schematico. Ad esempio: *paradígma di un verbo* è la tavola contenente l'esempio di coniugazione di una certa classe verbale. È uno dei nomi maschili terminanti in *-a*. Plurale: *paradígmi*.

In linguistica, paradigma è l'insieme dei termini che sono virtualmente sostituibili, sotto il profilo morfo-sintattico e/o semantico, in una data posizione di uno stesso contesto (parola o frase), per cui la selezione di un termine esclude tutti gli altri. In questo senso, si dice che ogni termine di un paradigma è in opposizione agli altri. Per es., in: *per il compleanno di Laura ho comprato un pullover*, *pullover* è in rapporto paradigmatico con *golf*, *impermeabile*, *cappello*, *disco*, *giocattolo* ecc., ma morfo-sintatticamente non con *gonna* o *pantofole* e semanticamente, fatti salvi i procedimenti metaforici, non con *pianeta* o *mare* o *amore* o *giorno* ecc.

paradòsso: figura retorica, di pensiero, che consiste in un'affermazione che presenta contraddizioni o al proprio interno o con il senso comune; solo in apparenza assurdo, il paradosso è sempre rivolto ad uno scopo, sia quello di far sorridere, o immaginare, o conoscere o scoprire la contraddittorietà della realtà. Es.: *I popoli sconfitti hanno vinto la guerra*; «*Bisogna che si sappi usare il congiuntivo*» (M. Gardner).

parafònico: parola derivata da un'altra con l'alterazione di uno o più suoni, sia per trovare un eufemismo (*càcchio*, in luogo di cazzo) sia per giochi di parole, doppi sensi, allusioni.

paràfrasi: sostantivo femminile. Indica un modo di spiegazione di un testo mediante circonlocuzioni, amplificazioni e chiarificazioni. Quindi è l'esposizione di un testo semplificato o adattato alle esigenze del lettore, delle circostanze o dell'ascoltatore.

paragòge: figura grammaticale, usata soprattutto dai poeti. Consiste nell'aggiungere una sillaba alla fine di una parola. Es.: *fue* per: fu (*Lo caldo sghermitor sûbito fue* - Dante), *die* per: dì (*Voi vigilate nell'eterno die* - Dante). È detta anche *epítesi*.

paragóne (complemento di): è il complemento *comparativo* che indica il secondo termine di paragone, cioè la persona, la cosa, la qualità con la quale è messa a confronto un'altra persona, cosa o qualità. Esso può essere di maggioranza, di minoranza o di eguaglianza.

Il *complemento comparativo di maggioranza* è costituito da un sostantivo o da un aggettivo, retti dalla preposizione *di* o dalle particelle *che, che non*, a loro volta dipendenti da un aggettivo o da un avverbio di grado comparativo di maggioranza. Es.: Egli era più buono *del fratello*; Voi siete più brutali *degli altri*; Paolo era più intelligente *che volenteroso*; Egli è più debole *che non generoso*; Noi saremo più severi *che indulgenti*.

Analogamente, il *complemento comparativo di minoranza* è costituito da un sostantivo o da un aggettivo retti dalla preposizione *di* o dalle particelle *che, che non*, dipendenti a loro volta da un aggettivo o da un avverbio di grado comparativo di minoranza. Es.: Tu sei meno cattivo *di me*; Egli era meno forte *del fratel-*

lo; Voi siete meno intelligenti *che eruditi*; La gioia degli adulti è meno rumorosa *che non quella dei giovani*; Ho visto con minor piacere il tuo amico *che te*.

Il *complemento comparativo di eguaglianza* stabilisce un confronto di eguaglianza tra due termini. È costituito da un sostantivo o da un aggettivo preceduto dagli avverbi *come*, *quanto*, correlativi agli avverbi (anche sottintesi) *così*, *tanto*, oppure dalle locuzioni *non meno di*, *al pari di*. Es.: Tu sei tanto buono *quanto tuo fratello*; Voi eravate così offesi *come noi*; Essi furono colpiti *non meno di noi*; Paolo è tanto gentile *quanto risoluto*; Luigi è così buono *come intelligente*.

Si noti che, in linea di massima, la preposizione *di* si usa davanti a nomi (Egli è più buono *di suo fratello*) mentre la particella *che* davanti ad aggettivi (Egli è meno buono *che forte*).

paràgrafo: sostantivo maschile. Indica ogni parte in cui è suddiviso un capitolo, una legge, uno scritto qualsiasi. Si distingue con un numero (*paragrafo 7*, *paragrafo 10*, ecc.); oppure si stacca dal resto con una interlinea. Più comunemente si usa un segno grafico convenzionale (§).

paragràmma: accostamento di due parole distinte da una sola lettera. Per es.: *caldo/cardo*, *viso/riso*, *mare/bare*.

paralinguìstica: settore degli studi semiotici che si occupa dei fenomeni comportamentali (intonazione, riso, pianto, sbadiglio ecc.) che accompagnano la comunicazione verbale conferendo ad essa valori e significati convenzionali.

paralipòmeni: sostantivo maschile, privo di singolare. Letteralmente significa: le cose tralasciate. Indica un componimento letterario che è continuazione di un altro, come se intendesse darne il seguito, gli sviluppi quasi che il testo originale li avesse tralasciati (Es.: *Paralipomeni alla Batracomiomachia*, di G. Leopardi).

parallelìsmo: figura retorica, usata specialmente in poesia, consistente nella ripetizione dello stesso concetto in due forme diverse o di due versi aventi la stessa struttura. Si chiama perciò anche *corrispondenza*. Es.:

«*La donna quando canta vuol marito*
L'uomo quando fischia è innamorato».
(Rispetto toscano)

«*Sol nel passato è il bello*
sol nella morte è il vero».
(Carducci)

paràre: verbo della prima coniugazione, transitivo. Significa: adornare, rivestire con paramenti (*Parammo la chiesa a festa*). Significa poi: riparare, proteggere da qualche cosa (*Lo schermitore parò il colpo*; *Gli occhiali parano gli occhi dal sole*). Usato intransitivamente (con l'ausiliare avere) significa: riuscire a un effetto (*Chissà dove vuol andare a parare con quel discorso*).

parasintètiche (formazioni): nomi, aggettivi o verbi derivati dall'affissione sia di un prefisso che di un suffisso. Es.: da *laccio*, più il prefisso *s-* e il suffisso *-ato* deriva *slacciato*, con il suffisso *-are* deriva *slacciare*. Altri esempi: da *motivo*, più *de-* e *-are* deriva *demotivare*, più il suffisso *-ato* deriva *demotivato*; da *amore*, più *in-* e *-are* deriva *innamorare*. I prefissi più frequentemente usati sono *a-*, *de-*, *di-*, *in-*, *trans-*, *per-*.

paratàssi: voce dotta, d'origine greca. Termine grammaticale per: *coordinazione*: V. COORDINATE (PROPOSIZIONI).

parchéggio: sostantivo maschile che indica il luogo riservato alla sosta delle automobili. È preferibile il termine *postéggio*, che è anche più usato.

pàrco: aggettivo qualificativo che significa: moderato, frugale, sobrio, temperante. Es.: *Ci assidemmo alla parca mensa*; *È parco nel mangiare*. Come sostantivo indica vasto territorio boscoso (Es.: *il parco di Monza*; *il parco delle Rimembranze*); se cintato di mura o fitta siepe, una riserva di caccia. Anche: recinto per tenere animali, materiale bellico (*parco di buoi*; *parco d'assedio*) o anche automobili (*parco automobilistico*). Si dice perciò *parcare l'automobile* per: metterla nel parco, posteggiarla. Oggi si usa anche *parchéggio* (V.) o, più correttamente, *postéggio*.

parécchio: aggettivo indefinito variabile. Indica una quantità indeterminata, abbondante (*Erano presenti parecchie persone*). Usato assolutamente ha valore di avverbio (*Ti ho atteso parecchio*).

Usato come pronome, ha valore neutro e

ha, con una certa attenuazione, il significato di: molto. Es.: *Hai speso parecchio*; *Abbiamo ottenuto parecchio.* Il plurale, *parécchi*, indica: molte persone. Es.: *Parecchi mi han parlato di te.*

paremìaco: nella metrica classica greca e latina, verso usato nei proverbi (da cui il nome: in greco *paroimía* significa proverbio). Si tratta di un dimetro anapestico catalettico, simile all'enoplio.

parèntesi quàdra: segno ortografico ([ ]) usato per racchiudere una parola, frase o periodo che non fanno parte del testo, ma sono inseriti per maggiore chiarezza. Es.: *Egli* [*Catone*] *afferma che bisognava distruggere Cartagine.*

Nelle edizioni di scritti antichi le parti incluse tra parentesi quadra indicano le parole o le frasi mancanti nel testo e integrate dalla critica secondo vari criteri ricostruttivi.

parèntesi tónda: segno ortografico ( ) usato per racchiudere una o più parole interposte nel discorso. Serve principalmente a racchiudere gli incisi, ovvero una proposizione *incidentale* (V.) quando le virgole non basterebbero poiché il concetto espresso si stacca nettamente dal resto del discorso. Es.: «Sentendo da Agnese (*Lucia stava zitta con la testa e gli occhi bassi*), ch'era scappato dal suo paese, ne provò e ne mostrò maraviglia e dispiacere» (Manzoni). I segni d'interpunzione del periodo vanno messi sempre dopo la parentesi, non prima.

All'interno della parentesi si scrivono talora il punto esclamativo o il punto interrogativo o anche il punto fermo quando le parole racchiuse formano un periodo a sé. Es.: *Disse: — Questa vostra impennata (sic!) mi sorprende molto*; *Egli non sapeva (e chi avrebbe potuto dirglielo?) come erano andate le cose.* D'ordinario, però, non si scrive nessun segno di punteggiatura entro la parentesi.

Le parentesi tonde si usano per citare esempi, come spesso in questo dizionario, o per segnare il nome dell'autore di un brano o di una frase citata. Es.: *Tanto gentile e tanto onesta pare* (Dante).

parére: verbo della seconda coniugazione, intransitivo (ausiliare: essere). *Pres. indic.*: pàio, pàri, pàre, pariàmo, paréte, pàiono. *Fut. semplice*: parrò, parrài, parrà, parrémo, parréte, parrànno. *Pass. rem.*: pàrvi, parésti, pàrve, parémmo, paréste, pàrvero. *Pres. cong.*: pàia, pàia, pàia, paiàmo, paiàte, pàiano. *Pres. condiz.*: parrèi, parrésti, parrébbe, parrémmo, parréste, parrébbero. *Imperativo*: pàri, pàia, paiàmo, paréte, pàiano. *Part. pres.*: parvènte. *Part. pass.*: pàrso. Significa: sembrare, apparire. Si costruisce con la preposizione *di*. Es.: *Mi pareva di sognare*; *Non ci pareva vero di tornare a casa.* Si usa però anche impersonalmente. Es.: *Pare che le cose si mettano al meglio*; *Pareva che tutto fosse finito.* Come si vede dagli esempi, questo verbo (che appartiene alla categoria dei verbi indicanti dubbio e incertezza), può reggere la subordinata oggettiva con il verbo al modo congiuntivo. Quando è usato impersonalmente, la dipendente è una proposizione soggettiva, costruita talora senza la congiunzione *che*. Es.: *Pare che i vostri amici siano bravi*; *Pare siano bravi i vostri amici.*

paretimologìa: sostantivo femminile. Indica un'errata interpretazione dell'etimologia di una parola, cioè l'accostamento arbitrario di un termine antico ad uno attuale.

pàri: aggettivo indeclinabile, che significa: eguale. *Numero pari* è un numero che può essere diviso esattamente in due.

Usato anche come avverbio. Es.: *Essere pari, Finire pari.* La locuzione avverbiale *alla pari* vale: alle stesse condizioni; in particolare il rapporto di chi ricambia l'ospitalità all'estero con una prestazione di lavoro o servizi.

Come sostantivo, è anche titolo di nobiltà in Inghilterra (i Pari).

parisíllabo: parola composta di un numero pari di sillabe. Verso composto di un numero pari di sillabe (ottonario, senario, decasillabo).

-paro: secondo elemento di parole composte. Si riferisce a persona o animale che partorisce. Es.: *oviparo, primipara.*

parodìa: componimento letterario che imita un'opera celebre o un personaggio famoso o lo stile di un autore noto, con intento comico-canzonatorio o satirico, allo scopo di evidenziarne il modello e rovesciarne criticamente i caratteri e i valori. Genere antico (si pensi alla *Batracomiomachia* rispetto ai poemi omerici), la parodia ha avuto sempre fortuna in tutti i secoli e in tutte le letterature.

paròla: un suono o un insieme di suoni capace di rappresentare un'idea, un concetto, un oggetto. È il mezzo per comunicare con gli uomini. La parola è un insieme di suoni parlati o di segni scritti: l'alfabeto è l'insieme dei segni che esprimono i suoni. Quindi ogni parola detta è un insieme di suoni; ogni parola scritta è un insieme di segni che traducono quei suoni in forma visiva. La parola può essere di uno o più gruppi sonori, cioè monosillaba o polisillaba.

L'ortografia è la parte della grammatica che insegna a scrivere correttamente le parole; l'ortofonìa insegna a pronunciarle bene. I vari suoni che compongono una parola sono subordinati per intensità a un accento fondamentale, detto *accento tonico*: se cade sull'ultima sillaba la parola si dice *trónca*; se sulla penultima, *piàna*; se sulla terzultima, *sdrúcciola*. Rare sono in italiano le parole *bisdrucciole* o *trisdrucciole*.

Ogni parola indica un pensiero, un'idea, una rappresentazione. Ogni parola si compone di un tema e di una desinenza: il *tema* indica appunto l'idea; la *desinenza* precisa l'idea secondo le categorie del nostro pensiero. La forma della parola si adatta ad esprimere il contenuto del pensiero secondo le sue varie modalità logiche. Le *parti del discorso* (studiate dalla *morfologia*, scienza delle forme delle parole) corrispondono alle categorie del pensiero. Esse sono: l'articolo, il nome, l'aggettivo, il pronome e il verbo (*parti variabili*); l'avverbio, la preposizione, la congiunzione, l'interiezione (*parti invariabili*). Le parole italiane appartengono almeno ad una di queste categorie. L'*analisi grammaticale* (V.) consiste appunto nell'indicare la categoria a cui appartiene una parola, nonché le sue determinazioni rispetto al genere, al numero o alla persona, il tempo, il modo secondo le regole della morfologia.

Parola significa inoltre: discorso, pensiero, ragionamento. Si notino alcune locuzioni: *mantener la parola* (mantener la promessa), *due parole* (breve discorso), *la parola di Dio* (il Vangelo), *far parola* (menzionare, parlarne: *Non me ne ha fatto parola*), *essere in parola* (essere in trattative), *parola per parola* (testualmente).

V. anche Nomi, Composti (Nomi), Prefissi, Suffissi.

paròla-macedònia: V. Macedonia (Parole).

paronimìa: somiglianza di due parole nella forma, ma non nel significato. Es.: *avallare* (garantire) e *avvallare* (abbassare). Tra le due parole, che si dicono *parònimi*, non esiste alcun rapporto.

paronomàsia: figura retorica fondata sulla somiglianza di suono di due parole di significato diverso. Per ottenere effetti speciali lo scrittore pone vicino parole così assonanti. Es.: *Un amore amaro*; *Vista la svista?*; *Non aver né arte né parte.*

parossítona: parola con l'accento sulla penultima sillaba. Sinonimo, dunque, di *parola piana*. La maggior parte delle parole italiane sono parossitone.

pàrroco: sostantivo maschile indicante il sacerdote preposto alla parrocchia. Plurale: parroci (parrochi, forma usata dal Manzoni, è ora in disuso).

pàrte: sostantivo femminile. Ha vari significati: porzione, frammento del tutto (*Il libro si divide in tre parti*; *Le parti del discorso sono nove*), luogo (*Lo ritroviamo in tutte le parti*), ruolo (*L'attrice interpretò bene la sua parte*), partito (*I sostenitori di parte guelfa*; *È un uomo di parte*).

Usato come pronome partitivo significa: alcuni; può essere concordato con il verbo alla terza persona plurale o singolare. Es.: *Parte furono chiamati subito, parte furono rimandati a casa*; *Parte dei nostri amici fu contenta, parte no.*

Con *parte* si formano inoltre varie locuzioni: *d'altra parte* (del resto), *da parte di qualcuno* (per conto di qualcuno), *a parte* (separatamente).

partecipàre: verbo della prima coniugazione, intransitivo. Ausiliare: avere. Si costruisce con la preposizione *a* e significa: intervenire, prender parte. Es.: *Partecipammo al pranzo*; *Hanno partecipato al nostro dolore*. Con la preposizione *di* si costruisce quando assume il signifi-

cato di far parte di una qualità. Es.: *Noi partecipiamo della natura animale.*
Usato transitivamente significa: comunicare, render noto. Es.: *Ti partecipo le nozze di mia figlia*; *Vi partecipiamo che domani sarete invitati dai nostri amici.*
L'aggettivo derivato PARTÉCIPE si costruisce sempre con la preposizione *di*. Es.: *Siamo partecipi del vostro dolore.*

partèneo: nella metrica classica greca e latina, verso costituito da una forma acefala di un dimetro coriambeo, ovvero da una forma catalettica del dimetro ionico a *minore*.

partènio: nell'antica poesia classica, canto di ispirazione religiosa, eseguito da un coro di vergini (da cui il nome: *parthénos*, in greco *vergine*) in onore di una divinità femminile.

particèlla: voce che serve di legamento al discorso. Le particelle sono di vario tipo, secondo la funzione che svolgono. Le particelle *avverbiali* si distinguono secondo la specie di avverbio a cui possono appartenere: di tempo (*ora, mo', mai, poi, prima, dopo*), di luogo (*qui, qua, lì, là, ci, vi, ne*), di quantità (*più, meno*), di affermazione o negazione (*sì, no, non, né, mica, punto, affatto*), di dubbio (*forse, se*), di somiglianza (*come, così*).
Le particelle *pronominali* sono le forme atone del pronome e cioè: *mi, ti, si, ci, vi*, usate per il complemento di termine, invece di *a me, a te, a lui, a noi, a voi* oppure come complementi oggetto (*Voi mi avete chiesto un favore*; *Qualcuno mi ha chiamato*); *lo, la, le* usate per il complemento oggetto invece di *lui, lei, loro* (*Noi non lo conosciamo*; *Tu la devi aiutare*; *Noi li abbiamo uditi*; *Essi le onoreranno*); *gli* e *le*, usate per il complemento di termine invece di *a lui* e *a lei* (*Tu gli hai creduto*; *Essi le parlarono in tono cordiale*).
Le particelle pronominali atone si usano in posizione di *enclitiche* o di *proclitiche* (V.). Si pospongono encliticamente al verbo nei modi imperativo (loda*mi*, libera*ti*, parla*gli*), infinito (veder*ci*, amar*si*, poter*vi*), gerundio (vedendo*si*), participio (veduto*si*, parlato*gli*). Tutte (tranne *gli*) raddoppiano la consonante iniziale se unite a voce tronca (*dimmi, fatti, dicci, digli*).
Nell'uso familiare *ci* e *vi* hanno valore pleonastico. Es.: *In città non ci ho visto nessuno*; *In aeroplano ci viaggio poco volentieri*; *In piazza v'erano molte persone.*
Assai comune è l'uso con il verbo essere. Es.: *C'era una volta*; *C'era molta gente*; *Non c'è più tempo*. È però una forma dialettale da evitare l'uso della particella *ci* per la terza persona. Es.: *L'ho visto e ci ho parlato* (invece di: e gli ho parlato); *Sono andata dai nostri amici e ce l'ho detto* (invece di: glielo ho detto). V. anche le voci relative alle varie particelle.

partícipi accorciàti: sono cosí indicati taluni participi senza suffisso usati ormai quasi esclusivamente come aggettivi. Es.: da colmato, *colmo*; da domato, *domo*; da guastato, *guasto*; da conciato, *concio*; da troncato, *tronco*.

partícipio: uno dei modi del verbo, precisamente uno dei modi indefiniti. Esprime l'idea del verbo come se si trattasse dell'attributo di un nome. È perciò simile all'aggettivo e come questo concorda con il sostantivo a cui si riferisce anche nel genere e nel numero. Il nome di participio deriva proprio dal fatto che questo modo *partecipa* della natura del verbo e di quella dell'aggettivo.
Alcune parole hanno persino perduto l'originario valore di participio e sono considerate sostantivi. Es.: l'*insegnante*, il *veggente*, il *sapiente*, l'*ente*, il *posto*, il *fatto*, ecc. Specialmente il participio presente ha sempre più perduto la sua funzione verbale. Esso è usato nelle proposizioni implicite, in luogo di proposizioni circostanziali di vario tipo. Es.: Inseguimmo i nemici *fuggenti* (che fuggivano); In Francia, *regnante Luigi XIV* (participio assoluto: mentre regnava Luigi XIV), si compirono molte opere insigni.
L'uso più comune del participio presente è quello con funzione di nome o di aggettivo (il *tenente*, il *sovrintendente*, il *comandante*, l'*anniversario ricorrente*, la *parola fluente*).
Il participio presente si forma aggiungendo al tema la desinenza *-ante* (prima coniugazione), *-ente* (seconda coniugazione), *-ente* o *-iente* (terza coniugazione).
Il participio passato si forma aggiungendo al tema la desinenza *-ato* (prima co-

niugazione), *-uto* (seconda coniugazione), *-ito* (terza coniugazione). È usato con l'ausiliare essere in tutti i tempi dei verbi transitivi di forma passiva (*Io sono lodato*; *Egli è onorato*; *Voi siete temuti*) e, con gli ausiliari essere o avere, nei tempi composti dei verbi transitivi e intransitivi di forma attiva, riflessiva o pronominale (*Io ho vinto*; *Voi siete venuti*; *Egli si è divertito*; *Noi ci siamo lavati*).

Il participio passato unito al verbo essere si accorda in genere e numero con il soggetto (*Io sono venuto*; *Essi sono venuti*; *Esse sono venute*); nel caso di più soggetti di genere diverso, il part. pass. va di norma al maschile (*La casa e il podere sono stati venduti*); unito al verbo avere rimane generalmente invariato (*Io ho bevuto*; *Voi avete bevuto*; *Essi hanno bevuto*). Si noti tuttavia:

a) il participio passato dei verbi riflessivi apparenti si può accordare anche con l'oggetto. Es.: *Egli si è attirata* (o *attirato*) *una scomunica*; *Voi vi siete meritato* (o *meritati*) *un premio*;

b) il participio passato di un verbo transitivo attivo (coniugato perciò con l'ausiliare avere) può accordarsi con il complemento oggetto, specie se questo precede il verbo o è espresso da una particella pronominale atona (*mi, ti, ci, si, vi, la, le, lo, ne*). Es.: *La torta l'ha tagliata tua madre*; *La guerra l'abbiamo vinta noi* (oppure: *Noi abbiamo vinto la guerra*, o anche: *Noi abbiamo vinta la guerra*); *Noi abbiamo chiusa la porta*, oppure: *Noi abbiamo chiuso la porta* (*La porta l'abbiamo chiusa noi*).

Anche il participio passato è usato spesso come aggettivo o sostantivo. Es.: *I vinti* han sempre torto; Ho visto *i premiati*; Questi sono i candidati *eletti*. È però anch'esso usato nelle proposizioni implicite concessive, modali, temporali, relative, ecc. e può essere risolto sempre in una proposizione esplicita introdotta dalla congiunzione *che*. Es.: Cesare, *vinti i nemici* (=dopo che aveva vinto i nemici), tornò in patria; Il dott. Rossi, *eletto presidente* (=che era stato eletto presidente), pronunciò un discorso.

pàrti del discórso: le parti o categorie in cui sono suddivise le parole secondo la loro funzione. Sono nove: *articolo, nome, aggettivo, pronome, verbo*; *avverbio, preposizione, congiunzione, interiezione* (V. voci relative). Le prime cinque sono *variabili*, cioè possono modificare la parte finale, mentre quella iniziale resta generalmente invariata; le altre quattro sono *invariabili*. Nelle parti variabili si distinguono il *tema* o *radice* (immutabile) e la *desinenza* (variabile). Es.: *bell*-o, *bell*-a; *educ*-o, *educ*-a; *gent*-e, *gent*-i; *l*-o, *l*-a; le parti in corsivo sono invariate e costituiscono il tema; le altre lettere sono la desinenza. Il complesso delle variazioni di una parola si chiama *flessione* (V.).

partíre: verbo della terza coniugazione, intransitivo. Ausiliare: essere. Significa: allontanarsi verso una mèta, mettersi in viaggio. *Pres. indic.*: pàrto, pàrti, pàrte, partiàmo, partíte, pàrtono. *Part. pass.*: partíto.

Partire, transitivo, con il significato di: dividere, separare, segue invece la coniugazione incoativa. *Pres. indic.*: partísco, partísci, partísce, partiàmo, partíte, partíscono. *Cong. pres.*: partísca, partísca, partísca, partiàmo, partiàte, partíscano. *Part. pass.*: partíto. Sostantivato, questo participio indica una corrente d'opinione, parte politica (appunto «partita», divisa dalle altre). Es.: *Il partito di maggioranza*; *Le lotte tra i partiti politici*.

Si notino alcuni usi impropri di partire nel primo significato (intransitivo): *A partire da dopodomani* (dirai: da dopodomani); *Il corteo partirà da piazza Venezia* (dirai: muoverà); *La sua teoria parte da presupposti discutibili* (dirai: muove, si fonda su).

partitívo (complemento): è uno speciale complemento di specificazione, in quanto specifica la parte di un tutto. È retto dalla preposizione *di*. Es.: Una parte *dell'esercito*; Alcuni *di voi*; Una decina *di soldati*; Parecchi *di voi*. Quando è introdotto da un pronome indefinito risponde alla domanda: fra chi, fra che cosa? ed è introdotto anche dalla preposizione *fra* o *tra*. Es.: Uno *tra voi*; Pochi *fra loro*. È un francesismo però abusare degli articoli partitivi (così son chiamate le preposizioni articolate usate con funzione partitiva) per indicare una certa quantità. Es.: Ho mangiato *del pane*; Vi sono *degli uomini* (Meglio: Ho mangiato un po' di pane; Vi sono alcuni uomini). V. anche ARTICOLO PARTITIVO.

pàscere: verbo della seconda coniugazione, intransitivo. Ausiliare: avere. Es.: *Le pecore andarono a pascere* (meglio però: a pascolare) *nei prati*. Anche transitivo, nel senso di mangiare o nutrire. Es.: *Le mucche pascevano l'erba*; *Pascere gli armenti di foglie*. Usato più comunemente nella forma riflessiva. Es.: *Ci pasceremo d'erba*; *Si pasceva di illusioni. Part. pass.*: pasciúto. Es.: *Ci siamo ben pasciuti.*

pasquinàta: componimento poetico satirico, dai toni spesso feroci e dalla forma metrica varia (sonetti, epigrammi, ecc.), che deriva il suo nome dalla tradizione di affiggere, da parte di clandestini oppure di poeti noti che si prestavano per l'occasione, testi di questo genere su una statua romana nota come «di Pasquino». La lingua delle pasquinate va dal latino pedante delle prime uscite al maccheronico al vernacolo romano. L'occasione per le pasquinate (sebbene legate ad una certa epoca dell'anno) era data da fatti interni all'amministrazione politica e religiosa della curia pontificia.

passamàno: parola composta da una voce verbale (passa) e un sostantivo femminile singolare (mano). Plurale: passamàni. V. anche *Composti* (*Nomi*). Indica il passaggio di cosa per più mani. L'omonimo termine derivato dal francese *passement* (pr.: pass'màn) vale: nastro per guarnizione.

passapòrto: nome composto da una forma verbale (passa) e un sostantivo maschile (porto). Plurale: passaporti. Per la regola relativa V. COMPOSTI (NOMI).

passàre: verbo della prima coniugazione. A seconda del significato e del contesto può essere transitivo (*Le truppe passarono il fiume*; *Bisogna pur passare il tempo*) o intransitivo (*Non ti preoccupare, che tutto passa*; *Se il dolore non passa, prenderai un calmante*; *Quando l'ira sarà passata*).

passatèmpo: nome composto da una forma verbale (passa) e un sostantivo maschile (tempo). Plurale: passatémpi. Per la regola relativa V. COMPOSTI (NOMI).

passàto (tempo): tempo del verbo che denota azione già compiuta. Il modo indicativo ha due tempi passati: il passato prossimo e il passato remoto. Il *passato prossimo* indica un'azione avvenuta in passato, ma i cui effetti durano ancora. È un tempo composto, formato con il presente dei verbi ausiliari essere o avere ed il participio passato del verbo. Es.: *Il Manzoni ha scritto «I Promessi Sposi»*; *Tu hai ereditato un ricco patrimonio*; *Io non ho sentito il tuo nome*; *Voi siete arrivati ora.*

Il passato prossimo si usa talora per indicare un'azione compiuta in un tempo non ancora interamente trascorso. Es.: *Stasera non ho visto ancora nessuno*; *Oggi sono stato invitato da più parti.*

Il *passato remoto* si usa per una azione che si vuol considerare staccata dal presente, senza conseguenza su di esso. Es.: (passato prossimo) *Il Manzoni ha scritto «I Promessi Sposi»* (e noi ora li abbiamo e li leggiamo); (passato remoto) *Fu in quegli anni che il Manzoni scrisse «I Promessi Sposi»* (non si vuol indicare conseguenza nel tempo presente); (passato prossimo) *Sí, ma il Machiavelli è morto* (e non ci può dunque aiutare, non può intervenire nel nostro dibattito se non con i libri); (passato remoto) *Il Machiavelli morí nel 1527* (e questa notizia non indica conseguenze per il presente). Il passato remoto è un tempo semplice e si forma, nei verbi regolari, con le desinenze *-ài, -àsti, -ò, -àmmo, -àste, -àrono* (prima coniugazione); *-éi, -ésti, -é, -émmo, -éste, -érono* (seconda coniugazione); *-íi, -isti, -í, -ímmo, -íste, -írono* (terza coniugazione). Es.: Mecenate *aiutò* gli artisti; Tu *venisti* con molto ritardo; Egli *capí* tutto. Il passato remoto si usa anche nei proverbi. Es.: *Un bel tacer non fu mai scritto.*

Per gli altri tempi passati dell'indicativo, quali *imperfetto* e *trapassato*, V. voci relative.

Il modo congiuntivo ha un tempo *passato* che si forma con il presente congiuntivo dei verbi ausiliari essere o avere unito al participio passato del verbo. È usato per indicare un fatto che si desidera avvenuto nel momento in cui si parla o si scrive, senza che si sappia se sia avvenuto. È poi usato nelle proposizioni dipendenti di vario tipo. Es.: *Oh, che almeno si sia ricordato di chiudere le finestre!*; *Non so se sia veramente temuto*; *Spero che abbia compreso le mie parole*. Per gli altri tempi passati del congiuntivo (imperfetto e trapassato), *V. Congiuntivo*.

Il modo condizionale ha un tempo *passato* il quale indica che un fatto sarebbe avvenuto se si fosse realizzata una determinata condizione. Si forma con il presente condizionale di essere o avere seguito dal participio passato del verbo. Es.: *Io* sarei arrivato *in tempo, se il treno non fosse giunto in ritardo*; *Ti* avrei chiamato, *se tu fossi stato solo*; *Ci* saremmo accorti, *se fosse successo qualcosa*.

Anche l'infinito ha il tempo *passato* per indicare azione compiuta. Es.: *Sono contento di* essere arrivato; *Tu sai di* averlo offeso; Aver fatto *il proprio dovere è motivo di soddisfazione*. Si forma con l'infinito degli ausiliari essere o avere seguito dal participio passato del verbo (*esser giunto, aver parlato, aver finito*). V. anche GERUNDIO.

passeggèro: sostantivo maschile; anche aggettivo (col significato di: transitorio, effimero, temporaneo). Es.: *Il passeggero era solo sul treno*; *Fu colpito da un malore passeggero*. La forma *passeggièro* è meno comune.

passíbile: aggettivo che significa: disposto a patire. È ormai un termine accolto nel linguaggio giuridico col significato di: che può essere soggetto a una pena. Es.: *Passibile della pena di morte*; *passibile di multa*.

passim: parola latina (pr.: pàssim) che significa: qua e là; in vari luoghi. Usato nelle citazioni. Es.: *Vedi Dante, «Divina Commedia», passim* (cioè in vari luoghi).

passivànte: termine grammaticale, ad indicare la particella pronominale *si* la quale, premessa alla terza persona singolare o plurale dei tempi semplici di forma attiva, trasforma il verbo da attivo in passivo. Es.: *Questo libro si loda* (= è lodato); *Si percorrevano* (= erano percorsi) molti chilometri; *Si attraversò* (= fu attraversata) un'ampia pianura.

La particella *si* non ha però valore passivante con i tempi composti di forma attiva. Invece, premessa alle voci di terza persona singolare e plurale dei tempi semplici di forma passiva, dà ad esse l'eguale significato dei corrispondenti tempi composti. Es.: *Si è fatto* (= è stato fatto) il tuo nome; *Si son dette* (= sono state dette) molte cose sul tuo conto.

passívo: forma del verbo, usata quando il soggetto subisce l'azione. La forma passiva si ha solo con i verbi transitivi; i verbi intransitivi non possono avere la forma passiva.

Il passivo di un verbo si forma con le voci del verbo essere seguite dal participio passato del verbo. Il verbo essere è coniugato al tempo e al modo in cui si vuol coniugare il verbo passivo. Es.: *io sono lodato* (pres. indicativo), *tu eri lodato* (imperfetto indicativo), *che io sia lodato* (congiuntivo presente), *io sarei lodato* (condizionale presente), *esser lodato* (infinito presente).

Nei tempi semplici si può usare anche il verbo *venire* in luogo dell'ausiliare essere. Es.: *io vengo chiamato*; *egli veniva arrestato*; *che egli venga ammonito*; *io verrei licenziato*.

La terza persona singolare e plurale dei tempi semplici di forma attiva può essere trasformata nella forma passiva con la particella pronominale *si*, che in questo caso viene detta *passivante* (V.).

pastiche: parola francese (pr.: pastísc) derivata dall'italiano *pasticcio*. Indica opera artistica o letteraria d'imitazione, o formata con brani di opere di diversi autori. In italiano: centone, zibaldone, rapsodía o anche, ironicamente e spregiativamente, polpettone, minestrone, pasticcio. Es.: *Ha fatto un minestrone di classicismo e romanticismo, di barocco e di arcadia*; *È una rapsodia di autori ungheresi*; *Il maestro eseguirà al pianoforte una fantasía di successi*.

pàsto: sostantivo maschile, che significa: cibo, colazione. Anticamente *pasto* era anche una forma del participio passato di *pascere*. Il sostantivo femminile PÀSTA indica invece un piccolo dolce o l'impasto di farina (*la pasta del pane*). In senso figurato, anche: natura, indole (*Un uomo di buona pasta*).

pastóre: sostantivo maschile, che indica il custode di greggi. Il femminile è *pastó-*

ra, ma è più usato il diminutivo *pastorèlla*. Al figurato: *pastor di popoli, il buon pastore* (con significato religioso). *Pastore*, nella religione protestante, è il sacerdote, distinto dal *pàrroco* o *préte* cattolici.

pastorèlla: componimento poetico medievale di origine provenzale, per lo più in forma di ballata, in cui dialogano in mezzo ai campi un cavaliere galante, dietro cui spesso parla in prima persona il poeta, e una o più giovani pastore che ne respingono le offerte. Celebri quelle di G. Cavalcanti, F. Sacchetti, A. Poliziano. Per es.: «*In un boschetto trova' pasturella / più che la stella bella al mi' parere*» (G. Cavalcanti). Sia la villanella, in poesia, che il dramma pastorale, in teatro, devono le loro origini alla pastorella.

patèma: sostantivo maschile che indica: turbamento dell'animo, passione. È uno dei nomi maschili terminanti in *-a*. Plurale: patèmi.

pàthos: parola d'origine greca, che significa: passione, commozione, specialmente in quanto possa provocare uno stato di tensione drammatica. Es.: *La scena era ricca di pathos* (era molto commovente, impressionante); *Questo è il pathos* (l'ansia, l'angoscia) *della nostra epoca*. Si scrive anche, ma meno correttamente: pàtos.

-patía: elemento finale di parole composte, proprie del linguaggio scientifico medico. Indica: malattia, sofferenza. Es.: *cardiopatia, artropatia, gastropatia*. Indica anche sentimento, percezione, sensazione: *antipatia, telepatia, apatia*. Da questi sostantivi derivano gli aggettivi in *-patico*. Es.: *cardiopatico, telepatico, antipatico, simpatico*.

patíre: verbo della terza coniugazione, intransitivo. Ausiliare: avere. Significa: sopportare, subire, soffrire. Si coniuga con la forma incoativa *-isc-* tra il tema e la desinenza di alcuni tempi. *Pres. indic.*: patísco, patísci, patísce, patiàmo, patíte, patíscono. *Pres. cong.*: patísca, patísca, patísca, patiàmo, patiàte, patíscano. *Part. pass.*: patíto. Usato talora transitivamente. Es.: *Patimmo un gran freddo*; *Ha patito molte umiliazioni*.

patois: parola francese (pr.: patuà). In italiano: vernacolo, dialetto.

patòlogo: sostantivo maschile, che significa: studioso delle malattie. Plurale: patòlogi.

patriòtta: sostantivo maschile, che indica colui che ama la patria. Esiste anche la forma *patriòta*. È uno dei nomi maschili in *-a* (mentre è in disuso *patriotto*). Plurale: patriotti o patriòti. Significato dispregiativo ha la forma *patriottàrdo*.

patronímico: nome proprio di persona formato con quello del padre. Es.: *Alcíde* (da Alceo, suo padre) era il patronimico di Ercole; *Pelíde* (da Peleo) era il patronimico di Achille; *Atríde* (da Atreo) era il patronimico di Menelao e di Agamennone. Anche in russo: *Alexandrovna* (da Alessandro) è il nome della figlia di un Alessandro; *Jefimovic* è patronimico di un figlio di Jefim. Il suffisso femminile è infatti *-ovna*; quello maschile *-vic* o *-vich*.

pàtta: sostantivo femminile che significa: pareggio. *Far patta*: pareggiare, impattare una partita. Si noti il falso accrescitivo PATTÓNA, che significa: torta di farina di castagne. Analogamente PATTÍNO è falso diminutivo del sostantivo maschile PÀTTO; il primo indica un galleggiante balneare (anche *moscone*), il secondo significa: convenzione, accordo, intesa. PÀTTINO poi è un arnese per scivolare sul ghiaccio o su apposita pista. PATTÍNA, infine, è, nel linguaggio familiare, un piccolo cuscinetto per tenere in mano il ferro da stiro o pentole molto calde allo scopo di non scottarsi.

pattuíre: verbo della terza coniugazione, intransitivo. Ausiliare: avere. Usato anche transitivamente, nel senso di: patteggiare, convenire. Es.: *Pattuímmo un discreto compenso*. Si coniuga nella forma incoativa, con l'inserimento di *-isc-* tra il tema e la desinenza di alcuni tempi. *Pres. indic.*: pattuísco, pattuísci, pattuísce, pattuiàmo, pattuíte, pattuíscono. *Pres. cong.*: pattuísca, pattuísca, pattuísca, pattuiàmo, pattuiàte, pattuíscano. *Part. pass.*: pattuíto.

pàusa: elemento metrico fondamentale costitutivo del ritmo, che interviene sotto forma di breve silenzio, o alla fine del verso (pausa primaria) o al suo interno in corrispondenza della cesura (pausa secondaria). Naturalmente la pausa non si avverte in caso di *enjambement*.

pavimentazióne: sostantivo femminile, che indica l'atto di fare il pavimento delle stanze. Anche l'atto di lastricare le strade. Ma per indicare la cosa in sé userai invece: selciato, lastricato. Es.: *Il selciato della strada era sconnesso.*

pavóne: zoonimo, cioè nome di animale. Al femminile: *pavonessa*.

peàna: inno della poesia classica in onore di Apollo. Canto di vittoria. Ancor oggi conserva questo significato. È uno dei nomi maschili in *-a*. Plurale: i peàna o i peani.

peccàre: verbo della prima coniugazione, intransitivo. Si costruisce con la preposizione *in* (*Peccare in atti o in omissioni*), *con* (*Peccare con lo sguardo*) o *di* (*Peccare di eleganza*).

pèggio: comparativo organico (o irregolare) dell'aggettivo *cattívo* e dell'avverbio *màle*. *Peggio*, che è invariabile, è usato come aggettivo in sostituzione di *peggiore* nel linguaggio familiare. Es.: *Questa è la peggio casa della zona*; *Credo sia il peggio uomo che io abbia conosciuto*.

Come avverbio significa: più male. Es.: *Il malato sta peggio*; *Le cose vanno di male in peggio*; *È peggio mentire che sbagliare*; *Si comportava sempre peggio*.

Talora è usato come sostantivo, indicando la cosa o la qualità più cattiva. Es.: *Ora viene il peggio*; *Il peggio è che non mi vuole aiutare*.

Si notino inoltre le seguenti locuzioni: *alla peggio* (nel caso peggiore, nel modo più cattivo); *avere la peggio* (soccombere, esser vinto); *alla meno peggio* (nel modo migliore possibile, alla buona).

Poiché si tratta di un comparativo, è errore dire: più peggio.

peggioràre: verbo della prima coniugazione, transitivo. Significa: render peggiore. Es.: *Il freddo ha peggiorato le condizioni di quelle genti*. Usato intransitivamente vale: diventar peggiore. Si coniuga con l'ausiliare essere. Es.: *Il tempo è peggiorato*; *Il malato era improvvisamente peggiorato*. Si coniuga con avere quando è detto di qualità spirituali. Es.: *In questo trimestre hai peggiorato molto a scuola*.

peggioratívo: una delle alterazioni dei nomi o degli aggettivi. Con i suffissi del peggiorativo (detto anche spregiativo o dispregiativo) si esprime un sentimento di disprezzo. I più comuni suffissi per il peggiorativo dei nomi sono: *-àstro* (da giovine, *giovinàstro*), *-ónzolo* (da medico, *medicónzolo*), *-iciàttolo* (da mostro, *mostriciàttolo*), *-úcolo* (da poeta, *poetúcolo*) e soprattutto *-àccio* (da foglio, *fogliàccio*; da roba, *robàccia*; da donna, *donnàccia*). Per il peggiorativo degli aggettivi si usano: *-àstro* (da giallo, *giallàstro*), *-íccio* (da malato, *malatíccio*; da imparato, *imparatíccio*), *-ógnolo* (da amaro, *amarógnolo*; da verde, *verdógnolo*).

Attenti ai falsi peggiorativi: *focàccia* (torta) non è alterazione di *foca* (animale); *beccàccia* (uccello) non è peggiorativo di *bécca* (orecchietta, segnalibro).

peggióre: aggettivo qualificativo, comparativo irregolare (od organico) di *cattivo*. Preceduto dall'articolo determinativo forma il superlativo relativo. Es.: *Questo libro è il peggiore di tutti*; *Mi sembra la peggiore città del mondo*. È errore dire: più peggiore, poiché l'aggettivo è già al grado comparativo. Nell'uso familiare, in luogo di *peggiore*, si trova frequente la forma *pèggio* (V.).

pèlago: nome sdrucciolo terminante in *-go*, che al plurale finisce in *-ghi*: pelaghi. Arcaismo per: mare; si usa tuttavia al figurato nel senso di: pericolo, situazione rischiosa o angosciosa. Es.: *Aiutami tu a uscire da questo pelago*; Mi trovo *impelagato* in cento guai.

pelleróssa: nome composto da un sostantivo femminile (pelle) e un aggettivo (rossa). Invariabile al femminile. Plurale: pellirosse ed anche pelleróssa. Al singolare si trova anche la variante meno propria *pellirossa*. Per la regola relativa V. COMPOSTI (NOMI).

pélo: sostantivo maschile. Forma le locuzioni avverbiali: *pelo pelo* che vale: poco poco; e *per un pelo* che vale: per poco, per un nonnulla.

péna: sostantivo femminile, che indica: castigo, punizione. Es.: *La pena fu inflitta dal tribunale speciale*; *Mi presentai sotto pena di morte* (costretto, minacciato di pena capitale); *Non si può attraversare i* *binari, a pena di multa* (meglio: sotto pena di multa); *Bisognava denunciare tutte le armi che si possedevano, pena la vita.* Forma varie locuzioni: *a pena* (a fatica, a stento; anche *appéna*), *a mala pena* (a fatica), *aver pena a* (durar fatica, faticare), *darsi la pena* (prendersi cura, affannarsi, prendersi la briga), *prendersi la pena* (prendersi la briga, cura, sollecitudine), *valer la pena* (metter conto, valer la spesa), *stare in pena* (preoccuparsi, essere inquieto, impensierirsi). Es.: *Si vedevano a mala pena i contorni delle cose*; *Non si diede la pena di comunicarmi la notizia*; *Non vale la pena di arrabbiarsi*; *La madre stette in pena tutta la notte.*

péna (complemento di): indica, come dice il nome stesso, la pena a cui una persona viene condannata. È formato da un sostantivo retto dalle preposizioni *a, in, per* ed è introdotto da verbi che contengono l'idea di condanna, punizione e simili. Es.: Socrate fu condannato *a morte*; Sono stato multato *per mille lire*; L'omicida venne condannato *all'ergastolo.*

pencolàre: verbo della prima coniugazione, intransitivo. Si coniuga con l'ausiliare avere. Significa: pendere, barcollare, pericolare. Es.: *Ha pencolato nel vuoto per quattro ore.* In senso figurato: tentennare, non sapersi risolvere. Es.: *Non lo sapeva esattamente: prima di rispondere ha pencolato.*

pèndere: verbo della seconda coniugazione, intransitivo. Ausiliare: avere. *Pres. indic.*: pèndo, pèndi, pènde, pendiàmo, pendéte, pèndono. *Pass. rem.*: pendéi (o pendetti), pendésti, pendé (o pendette), pendémmo, pendéste, pendérono (o pendettero). *Fut. semplice*: penderò, penderài, penderà, ecc. *Part. pass.*: pendúto. Significa: declinare, essere sospeso o appeso, piegare. In senso figurato: propendere (Es.: *Pendo per il vostro parere*), stare molto attenti a un discorso (*Pendo dalle tue labbra*).

pèndolo: sostantivo maschile che indica un peso pendente, in particolare quello che oscilla negli orologi. Il femminile PÈNDOLA designa invece l'orologio a pendolo.

pensàre: verbo della prima coniugazione, transitivo. Quando regge una proposizione oggettiva si può costruire sia nella forma esplicita (*Pensavo che mi avrebbe dato ragione*) sia in quella implicita con *di* e l'infinito (*Pensava di averla fatta franca*).

penta-: prefisso, di origine greca, che si usa per comporre nomi a cui si vuol aggiungere l'idea di cinque. Es.: PENTACÒRDO (strumento musicale a cinque corde), PENTÀGONO (figura geometrica con cinque lati), PENTAGRÀMMA (le cinque righe su cui si scrive la musica), PENTARCHÍA (governo di cinque), PÉNTATHLON (gara con cinque esercizi), PENTAPARTÍTO (alleanza di cinque partiti, coalizione a cinque).

pentàmetro: verso della metrica classica composto da cinque piedi. Insieme all'esametro formava il *distico elegiaco*, appunto usato dai poeti per le elegie. Il pentametro risultava composto da due membri uguali, ciascuno dei quali era pari a due piedi e mezzo. I due piedi interi erano *dattili* o *spondei*, il primo mezzo piede era costituito da una sillaba lunga, il secondo da una sillaba ancipite. Nella poesia barbara il Carducci rese il pentametro con l'unione di due settenari (*Isola delle belle / isola degli eroi*) o di un quinario piano con un senario sdrucciolo (*E solo il rivo / roco s'ode gemere*) o con un quinario e un senario sdruccioli (*Ma i sen femminei / rompono in aneliti*) o con un senario piano e un settenario (*Filtra con la pioggia / per l'ossa stanche. Io tremo*), o, infine, con un senario sdrucciolo e un settenario (*Cèrilo purpureo / nunzio di primavera*).

pentírsi: verbo della terza coniugazione, intransitivo. Quando regge una proposizione oggettiva si costruisce generalmente nella forma implicita, con *di* e l'infinito. Es.: *Si pentì di aver detto quella frase.*

péntolo: sostantivo maschile, che designa un tipo particolare di PENTOLA, che è la forma al femminile più usata per indicare genericamente recipiente di cucina. Il maschile è però preferito per le forme alterate (*pentolino, pentolone*). Tuttavia *pentolaccia* prevale su *pentolaccio.*

peòne: nella metrica classica greca, piede

di tre sillabe brevi e una lunga; era il metro tipico del peana (da cui il nome).

per: preposizione semplice propria. Composta con l'articolo determinativo forma le preposizioni articolate *pel, pei, pegli, pella*, ecc. (poco usate), e *per il, per la, per gli, per le*, ecc. Sia nella forma semplice che in quella articolata introduce i seguenti complementi: comodo (*Adatto per gli adulti*) e incomodo (*Nocivo per la salute*); scopo (*Lavorare per la vita*), interesse, favore (*Lottare per gli altri*); moto per luogo (*Andare per i campi*; *Passare per la piazza*); moto a luogo (*La corriera per Frascati*); tempo continuato (*Ti ho atteso per dieci anni*); tempo determinato futuro (*Fissare l'appuntamento per domani*); prezzo (*Comprato per mille lire*); causa (*Stare in casa per la pioggia*); mezzo (*Per mezzo del corriere*); limitazione (*Ti è superiore per esperienza se non per competenza*); modo o maniera (*Dire per ischerzo, fingere per burla*); distributivo (*Divisi per età*). La preposizione *per* si usa anche nell'indicazione della moltiplicazione (*due per due*), della percentuale (*il tre per cento*), della sostituzione (*Prendere lucciole per lanterne*); introduce un giuramento, un'esclamazione (*Per i miei morti giuro*), una concessione (*Per paziente che sia*).
Con i verbi all'infinito introduce una proposizione causale o finale (*Per aver taciuto, sono stato punito*; *Per aiutarti, mi sacrifico*) o consecutiva (*Troppo bello per essere vero*).
Nella locuzione *essere, stare per*, indica una intenzione di prossima realizzazione (*Stavo per partire*). Equivale alle espressioni: essere in procinto di, essere sul punto di. Si eviti però di dire *finire per* in luogo di: finire con (*Lo spettacolo finì col piacermi*, non: per piacermi).

peràltro: congiunzione con valore avversativo. Es.: *Queste argomentazioni, peraltro non nuove, ci hanno amareggiato.*

percepíre: verbo della terza coniugazione, transitivo. Si coniuga con la forma incoativa *-isc-* tra il tema e la desinenza di alcuni tempi. *Pres. indic.*: percepísco, percepísci, percepísce, percepiàmo, percepíte, percepíscono. *Pres. cong.*: percepísca, percepísca, percepísca, percepiàmo, percepiàte, percepíscano. *Part. pass.*: percepíto o (meno usato) percètto. Significa: apprendere con la mente. Oggi si usa anche nel senso di: riscuotere. Es.: *Noi percepiamo uno stipendio.*

percezióne (verbi di): verbi che esprimono l'idea di sentire, vedere, osservare, udire, guardare, ascoltare e simili. Se reggono una proposizione oggettiva ammettono il costrutto esplicito (*Sentivo che non suonavano più*; *Vedevo che avanzavano lentamente*) o quello implicito (*Udivo piangere*). In questo secondo caso il soggetto può essere diverso da quello della reggente: *Sentivamo stormir le fronde.*

perché: congiunzione composta dalla preposizione semplice *per* e dalla particella congiuntiva *che*. È congiunzione subordinata che può introdurre una proposizione causale (Ti ho ammonito *perché ti voglio bene*) o finale (Ho fatto questo *perché tu ti ravveda*). Come avverbio introduce proposizioni interrogative (*Perché mi hai chiamato? Perché?*).
Come sostantivo significa: ragione, motivo, causa. Es.: *Ogni cosa ha il suo perché.*

perciò: congiunzione coordinativa dimostrativa, composta dalla preposizione semplice *per* e dalla particella avverbiale *ciò*. Indica la causa per la quale avviene qualcosa: per questo, per la qual cosa. Es.: Hai sbagliato, *perciò ti punisco*; L'ho visto cadere, *perciò ho gridato.*

perciocché: congiunzione causale, di uso antiquato. Equivale a: perché, poiché.

percórrere: verbo della seconda coniugazione, transitivo. È composto dal prefisso *per-*, che indica passaggio, attraversamento, e dal verbo *correre*. Significa perciò: passare, attraversare, muoversi per tutta la lunghezza di un luogo. *Pass. rem.*: percórsi, percorrésti, percórse, percorrémmo, percorréste, percórsero. *Part. pass.*: percórso. Es.: *Percorse cinque chilometri in un'ora.*

per cui: locuzione che vale: per la qual cosa, perciò. È ormai ammessa nell'uso, considerandosi ellissi della più completa forma: *motivo per cui.*

percuòtere: verbo della seconda coniugazione, transitivo. *Pass. rem.*: percòssi, percotésti, percòsse, percotémmo, percotéste, percòssero. *Fut. semplice*: percoterò, percoterài, percoterà, ecc. *Part. pass.*: percòsso. Significa: battere, colpire, picchiare. Si usano anche le forme che non seguono la regola del dittongo mobile: *percuotémmo, percuotévo, percuoterò*, ecc.

pèrdere: verbo della seconda coniugazione, transitivo. *Pass. rem.*: perdéi (pèrsi o perdètti), perdésti, perdé (pèrse, perdètte), perdémmo, perdéste, perdérono (pèrsero, perdèttero). *Part. pass.*: pèrso o perdúto. Talora i due participi hanno qualche differenza di significato. Es.: *Ogni soldato che si lascia indietro è un uomo perso* (smarrito, che non si trova più, che non si ha più in forza); *Quell'uomo è perduto* (rovinato, spacciato).

perdiàna!: interiezione che esprime sorpresa, irritazione, collera. È forma parafonica di *per Dio!*, ed era preferita per ragioni eufemistiche. Oggi è però poco frequente.

perfètto: in grammatica, tempo del verbo che indica un'azione già compiuta. Noi diciamo più comunemente *passato remoto* (V. *Passato*) e chiamiamo *trapassato prossimo* il *più che perfetto* del latino e del greco.

Perfetti sigmatici si dicono le forme del passato remoto in *-si* (*rimasi, persi, vinsi*).

Perfetto è anche aggettivo che significa: completo, eccellente, finito. Es.: *È un perfetto idiota* (cioè, un idiota fatto e finito, un uomo cui non manca nulla per essere tale). Così diciamo (un po' goffamente): *perfettamente inutile* per: completamente inutile, proprio inutile, del tutto inutile.

perfíno: avverbio che indica aggiunta. Es.: *Mi ha perfino insultato*. Meno comune è l'uso nel senso di: sino a. Es.: *Mi seguì perfino a casa*. Anche *persíno*.

performatìvo: secondo la teoria degli «atti linguistici», è il tipo di verbi che nel momento della loro enunciazione fanno sì che si realizzino gli atti da essi descritti, entro messaggi detti di tipo illocutivo. Per es.: *Ti* giuro *di non tradirti mai*; *Ti* dico *che non ho visto nulla*; *Mi* riprometto *di risponderle al più presto.*

peri-: prefisso di origine greca che si usa per formare parole a cui si vuol aggiungere l'idea di: intorno a, circa. Es.: PERICÀRDIO (sacco membranoso intorno al cuore), PERICÀRPO (involucro dei semi dei frutti), PERÍFRASI (giro di parole), PÈRIPLO (circumnavigazione).

perífrasi: figura retorica di pensiero, detta anche *circonlocuzione*, giro di parole. Consiste infatti in un giro di parole usato per indicare un concetto che potrebbe essere espresso con un minor numero di vocaboli o anche con un vocabolo solo. Es.: *l'onor del mento* (la barba), *l'eroe dei due mondi* (Garibaldi), *il re della foresta* (il leone), *è mancato all'affetto dei suoi cari* (è morto).

per il fatto di: locuzione congiuntiva con valore causale. Es.: *Per il fatto d'esser arrivato prima, occupai il posto migliore*. La locuzione *per il fatto che* si usa per le proposizioni causali esplicite. Es.: *Non mi salutava più, per il fatto che gli avevo dato torto in un'occasione specifica.*

período: in grammatica, l'espressione di un pensiero compiuto. Può consistere in una sola proposizione (anche in una sola parola!) così come può comporsi di più proposizioni. Ogni periodo termina con il punto fermo o con il punto e virgola (quando però il pensiero sia già espresso compiutamente).

Le proposizioni di uno stesso periodo sono tra loro: a) *coordinate*, cioè unite da un segno di interpunzione (*Vieni con me, ti mostrerò la via*) o dalle congiunzioni coordinanti (*Dobbiamo andare e vedere che cosa succede*; *Non vengo né desidero venire*; *Vieni tu o mandami un amico*) o dalle congiunzioni indicanti correlazioni (*Così l'accolsero, come egli aveva accolto gli altri*; *Tanto vali quanto possiedi*); b) *subordinate* (secondarie, dipendenti), cioè logicamente complementari di una proposizione principale, che determinano in modo più preciso (indicando circostanze di tempo, di luogo, di causa, di fine, ecc.). Il complesso delle norme riguardanti la coordinazione e la subordinazione delle proposizioni nel periodo si chiama *sintassi del periodo* (V.). V. anche ANALISI DEL PERIODO.

período comparatívo: il complesso della proposizione comparativa e della proposizione reggente. Es.: *Io sono tale qua-*

le mi hai conosciuto; *È più cortese che non sembri*; *Saresti stato meno sfortunato di quello che sono stato io*; sono tutti periodi comparativi. V. per le regole che vi si riferiscono COMPARATIVA (PROPOSIZIONE).

período ipotètico: il complesso della proposizione reggente e della proposizione *condizionale* (V.). Esso costituisce una unità logica oltre che sintattica, essendo le due azioni in stretto rapporto l'una con l'altra. L'azione della principale è condizionata dalla circostanza espressa dalla subordinata. Il periodo ipotetico consta di due elementi: *apòdosi*, che è il nome con cui si designa in questo caso la reggente per indicare che è una dichiarazione conclusiva, e *pròtasi*, cioè la condizionale intesa come premessa, ipotesi, da cui dipende l'azione principale.
Ad esempio, il periodo: *Se fai questo sbagli* è un periodo ipotetico in cui *se fai questo* è la protasi e *sbagli* è l'apodosi.
Si distinguono tre tipi di periodo ipotetico, secondo che l'ipotesi sia considerata reale, possibile, irreale:
1) *periodo ipotetico della realtà*: la condizione è ritenuta realmente sussistente. Il verbo si pone al presente o al futuro indicativo sia nella protasi che nell'apodosi e i tempi delle due proposizioni si corrispondono. Es.: *Se lasci la città* (ipotesi reale), *commetti un errore*; *Se andrai in campagna* (ipotesi reale), *ti divertirai*;
2) *periodo ipotetico della possibilità*: la convenzione è ritenuta soltanto possibile. Il verbo si pone al congiuntivo imperfetto nella protasi e al condizionale presente nell'apodosi. Es.: *Se vincesse la nostra squadra, saremmo contenti*; *Se andassi a Roma, mi recherei a visitarlo*;
3) *periodo ipotetico della irrealtà*: la condizione non è ritenuta né vera né possibile. Se l'irrealtà si riferisce al momento in cui si parla o si scrive, il verbo si pone, come nel periodo della possibilità, al congiuntivo imperfetto nella protasi e al condizionale presente nell'apodosi; la distinzione tra i due tipi di periodo è rilevabile allora dal contenuto. Es.: *Se abitassi in America, mi troverei a disagio*; *Se la terra fosse quadrata, tu avresti ragione.* Se invece l'irrealtà si riferisce al passato, il verbo si pone al congiuntivo trapassato nella protasi e al condizionale presente o passato (secondo che la conseguenza sia ancora valida al presente o no) nell'apodosi. Es.: *Se Annibale non si fosse indugiato a Capua, forse Roma sarebbe stata distrutta*; *Se avessi lavorato con più intelligenza, oggi sarei ricco.* Si ricordi poi che nel periodo ipotetico la protasi può anche essere espressa in forma *implicita* con il verbo al gerundio. Es.: *Lavorando* (= se lavorassi) *troveresti di che sfamarti*; *Ascoltando la radio* (= se ascolti la radio), *non puoi studiare.*
V. anche CONDIZIONALE (PROPOSIZIONE).

períre: verbo della terza coniugazione, intransitivo. Ausiliare: essere. Si coniuga con la forma incoativa *-isc-* tra il tema e la desinenza di alcuni tempi. *Pres. indic.*: perísco, perísci, perísce, periàmo, períte, perìscono. *Pres. cong.*: perísca, perísca, perísca, periàmo, periàte, perìscano. *Part. pass.*: períto. Significa: morire, consumarsi.

per la qual cosa: locuzione congiuntiva, usata nelle proposizioni coordinate, con valore conclusivo. Es.: *Adesso ha esagerato, per la qual cosa romperò ogni rapporto.*

perlocutìvo: tipo di messaggio la cui riuscita dipende non tanto dalla sua comprensione linguistica quanto dalla corrispondenza tra lo scopo che si prefigge colui che lo pronuncia e il comportamento che esso suscita nell'interlocutore. Per es., in: *Se ti prendo, ti spezzo in due*, lo scopo è quello di allontanare una persona con una minaccia; in: *Cosa ne pensi della mia decisione?*, lo scopo potrebbe essere quello di far credere all'interlocutore di essere interessati al suo parere salvo non avere alcuna intenzione di cambiare la propria decisione.

perloméno o **per lo meno:** locuzione avverbiale con valore avversativo o attenuativo. Es.: *Se non vuoi essere gentile, perlomeno sii educato*; *La frase mi è parsa offensiva, per lo meno inopportuna.*

permanére: verbo della seconda coniugazione, intransitivo. Ausiliare: essere. *Pres. indic.*: permàngo, permàni, permàne, permaniàmo, permanéte, permàngono. *Pass. rem.*: permàsi, permanésti, permàse (permanètte), permanémmo, permanéste, parmàsero. *Part. pass.*: permàso o permànso (poco usato). Significa: rimanere, perdurare.

perméttere: verbo della seconda coniugazione, transitivo. *Pass. rem.*: permísi, permettésti, permíse, permettémmo, permettéste, permísero. *Part. pass.*: permésso. Significa: concedere, dar licenza, tollerare. I puristi biasimano l'uso riflessivo apparente di questo verbo. Es.: *Mi permetto di segnalarle il caso.* Ma sono espressioni ormai nell'uso comune. Quando regge una proposizione oggettiva questo verbo si costruisce, nella forma implicita, con *di* e l'infinito (*Permettevano di mangiare sul posto*). Se il soggetto della concessione è diverso da quello della reggente, è espresso da un complemento di termine: *Permettevano loro di mangiare sul posto.* Nella forma esplicita regge il congiuntivo: *Permettevano che si mangiasse sul posto.* Quando è usato impersonalmente regge una soggettiva: *Qui non è permesso mangiare*; *Non era permesso che si mangiasse.*

permissívo (congiuntivo): così è detto il modo congiuntivo quando indica concessione, licenza, permesso. Es.: *Che entrino, che entrino pure*; *Vada, vada, se crede*; *Tenga pure il resto.*

però: congiunzione avversativa. Ha significato analogo a *ma*, da cui può essere sostituita, indicando opposizione, contrasto (*Meritava un aiuto, però voi glielo rifiutaste*). È poco corretto usare le due congiunzioni contemporaneamente (*ma però*).

Però ha talvolta l'antico valore, equivalente a *perciò* (*Partiva da una premessa sbagliata, e però le sue deduzioni erano errate*).

peróne: falso accrescitivo di *péro.* Indica infatti un osso della gamba e deriva da una parola greca. Rara la pronuncia: pèrone. *Péro* è invece il nome della nota pianta da frutti (le pere).

perpetràre: verbo della prima coniugazione, transitivo. *Pres. indic.*: pèrpetro (e non: perpètro), pèrpetri, ecc. Significa: compiere, ed è detto specialmente di azione cattiva. Es.: *Perpetrare un delitto.*

per quanto: locuzione congiuntiva di valore concessivo. Es.: *Per quanto facesse, non riusciva a convincerla.* Si concorda con il sostantivo al quale si riferisce come un aggettivo: *Per quante bugie dicesse, nessuno gli credeva*; *Per quanti soldi gli davo, non bastavano mai.*

perquisíre: verbo della terza coniugazione, transitivo. Si coniuga con la forma incoativa *-isc-* tra il tema e la desinenza di alcuni tempi. *Pres. indic.*: perquisísco, perquisísci, perquisísce, perquisiàmo, perquisíte, perquisíscono. *Pres. cong.*: perquisísca, perquisísca, perquisísca, perquisiàmo, perquisiàte, perquisíscano. *Part. pass.*: perquisíto. Significa: rovistare, investigare.

perseguíre: verbo della terza coniugazione, transitivo. Oltre alla coniugazione normale, ammette anche la forma incoativa *-isc-* tra la desinenza e il tema di alcuni tempi (ma è un uso ormai abbandonato). *Pres. indic.*: perséguo (perseguísco), perségui (perseguísci), perségue (perseguísce), perseguiàmo, perseguíte, perséguono (perseguíscono). *Pres. cong.*: perségua (perseguísca), perségua (perseguísca), perségua (perseguísca), perseguiàmo, perseguiàte, perséguano (perseguíscano). *Part. pass.*: perseguíto. Significa: perseguitare, dar la caccia, oppure: attendere a, mirare a (*perseguire uno scopo*).

persístere: verbo della seconda coniugazione, intransitivo. Ha valore fraseologico quando è usato per caratterizzare la continuità dell'azione di un altro verbo. Es.: *Persisteva a chiedere aiuti*; *Abbiamo a lungo persistito nell'esortarlo a lavorare.* Il verbo, come si vede, evidenzia l'aspetto durativo di *chiedere* ed *esortare* negli esempi proposti.

persóna: sostantivo femminile. Indica: individuo umano, uomo, donna. Si notino alcune locuzioni: *in persona* (proprio lui: *Venne il re in persona*), *pagar di persona* (francesismo per: pagar con la propria persona), *di persona* (direttamente, da sé medesimo: *Ci andò di persona*; *Lo conosco di persona*). Non bisogna però abusare di questa parola. Es.: *È venuta* *una persona* (meglio: è venuto un uomo, un signore); *Ci sono persone che non sanno tacere* (meglio: ci sono uomini che non sanno tacere).

persóna (del verbo): la persona, nel verbo, indica il soggetto che fa o subisce l'azione o si trova in una determinata condizione. Le persone sono tre: prima, seconda, terza. Ciascuna ha il singolare e il plurale. La prima persona, espressa dal pronome personale *io, noi*, affiora dal primo soggetto che noi vediamo agire, cioè noi stessi. L'esperienza prima è dunque, in ordine logico, quella dell'*io* e del *noi*: *io penso, io scrivo, io vedo, io sono, noi siamo, noi amiamo*, ecc. Idealmente o realmente vicini a noi vi sono altri esseri. La seconda esperienza in ordine logico è quella dunque del *tu* e del *voi*, degli esseri vicini. La seconda persona è appunto indicata dal pronome personale *tu, voi*: *tu ascolti, tu sai, tu vai, voi siete, voi leggete, voi udite*, ecc. La terza persona ed ultima esperienza è quella degli esseri lontani, idealmente o realmente. La terza persona è espressa dai pronomi *egli, esso, ella, essa, essi*: *egli studia, egli è, essi sono, essi hanno, egli ha*, ecc.
Il verbo modifica le sue desinenze secondo il variare della persona; così si hanno desinenze di prima persona singolare, di prima persona plurale, di seconda persona singolare, di seconda persona plurale, di terza persona singolare, di terza persona plurale (V. DESINENZE).

personàle: sostantivo maschile, oltre che aggettivo. Significa: corpo, fattezze della persona (Es.: *Quell'indossatrice ha un bel personale*). Ormai nell'uso anche il significato di: maestranze, complesso operativo, impiegati subalterni, organico. (Es.: *Il personale delle ferrovie*; *Il capo del personale*).

personàli (pronomi): i pronomi che nel discorso stanno in luogo di un nome di persona. Hanno forme diverse, secondo che siano in funzione di soggetto o di complemento.
Pronomi personali in funzione di soggetto sono: *io* e *noi* per la prima persona; *tu* e *voi* per la seconda persona; *ella, essa, esso, egli* ed *essi* per la terza persona. Per la terza persona in verità valgono in genere i pronomi *dimostrativi* che assumono valore personale (*costui, colui*, ecc.).
Nell'uso parlato si diffonde oggi l'impiego di *lui, lei, loro*, come soggetti. Uso che, se talora dà maggiore efficacia al discorso, va tuttavia limitato quando è possibile. Queste forme si devono adoperare o si preferiscono dopo *come* e *quando* (*come lei, quanto lui*), dopo *anche, neanche, neppure, nemmeno* (*anche loro, neppure lui, nemmeno lei*), nelle esclamazioni (*Oh lui beato!*; *Contenta lei!*) o quando hanno funzione di predicato (*Capii che era lui*; *Se voi foste loro*).
Pronomi personali in funzione di complemento sono: a) *forme toniche*, cioè per la prima persona singolare *me*, per la seconda persona singolare *te*, per la terza persona singolare *sé* (se ha valore riflessivo, indicando la stessa persona che fa l'azione), *lui, lei, loro* (quando indica persona diversa dal soggetto). La prima e seconda persona plurale sono eguali alla forma del soggetto: *noi* e *voi*. Es.: Tu parli *di me*; Siamo cresciuti *con te*; Egli è contento *di sé*; Tu parlavi *di lui*; La mamma era in pena *per lei*; Voi avete lavorato *con loro*; Essi combattevano *con noi*; Noi cercavamo *con voi*; b) *forme atone*, così dette perché non hanno accento proprio nel discorso e si appoggiano alla parola più vicina: per la prima persona singolare *mi*, plurale *ci*; per la seconda persona singolare *ti*, plurale *vi*; per la terza persona *si* (riflessivo), *lo, la, li, le, gli, loro* (quando non si riferiscono al soggetto della proposizione).
Le forme toniche si usano dopo *soltanto, neanche, neppure* (Non vedo *neanche te*; Tu obbedisci *soltanto a me*), quando nella proposizione c'è un altro complemento uguale a quello del pronome (*Dio pensa a te e a tutti*), quando si vuol rilevare un contrasto (*Io ho parlato a te e non a loro*), o quando infine si vuole evitare la successione di due forme atone (*Io mi rivolgo a te*, meglio che: Io mi ti rivolgo). Le forme atone si adoperano solo per il complemento oggetto e quello di termine. Es.: Tu *mi* rimproveri; Voi *ci* chiamiate; Gli altri *vi* obbediscono; Noi *ti* comprendiamo; Egli *si* pente; Voi *lo* castigate; Esse *la* disprezzano. Le forme

atone possono poi trovarsi a coppie, rappresentando ciascuna un complemento diverso, solitamente un complemento oggetto e uno di termine. In tal caso *mi, ti, si, vi, ci,* che indicano un complemento di termine, precedono *lo, la, le, li,* che indicano un complemento oggetto, ma si mutano in *me, te, se, ve, ce,* così come *gli* diventa *glie-* componendosi con il secondo pronome (*glielo, gliela, glieli, gliele*). Es.: *Ve lo* mostro; *Te la* indicava; *Se lo* annotò; *Ve lo* ricordaste; *Ce le* diedero; *Glielo* presentasti; *Gliene* diedi. Talvolta le forme atone si incorporano nel verbo divenendo enclitiche. Ciò accade con l'infinito (per veder*ti*, nel salutar*vi*, per farte*lo*), con il gerundio (dicendo*glielo*, andando*tene*, conducendo*ti*), con l'imperativo (dim*mi*, perdona*mi*, compra*ti*).

Circa l'uso dei pronomi personali è da osservare che essi precedono di regola il verbo, ma sono omessi quando non sono indispensabili o non si ricercano effetti particolari. Posposti dànno rilievo alla espressione. Es.: *Ci penso io!; Lo punirai tu!; Deciderete voi.*

V. anche, per altre osservazioni, le voci relative a ciascuna forma pronominale e quella relativa alla particella NE.

personificazióne: figura retorica di pensiero, detta anche *prosopopea*, che consiste nell'attribuire qualità e azioni umane ad un'idea astratta o ad una cosa. Es.: *La gloria lo ha baciato*; *Il vento carezzava le messi*; *Il mare rapì i naufraghi.*

perspicàcia: nome femminile terminante in *-ia*, che al plurale conserva la *i* atona (*perspicacie*) anche per distinguersi da *perspicace* che è aggettivo. Significa: acutezza, sagacia, finezza.

persuadére: verbo della seconda coniugazione, transitivo. *Pass. rem.*: persuàsi, persuadésti, persuàse, persuadémmo, persuadéste, persuàsero. *Fut. semplice*: persuaderò, persuaderài, ecc. *Part. pass.*: persuàso. Significa: convincere, consigliare. Si dice: persuadere uno o persuadere uno a far qualcosa. Es.: *Lo persuasi che aveva commesso un errore*; *Lo avevano già persuaso a firmare.* Si usa anche nel senso di: piacere, andare a genio. Es.: *Quel signore non mi persuade.*

Usato riflessivamente significa: convincersi. Es.: *Mi persuasi che diceva la verità*; *Persuaditi che non c'è altro da fare.*

pertànto: congiunzione coordinante composta da *per* e *tanto.* Ha valore conclusivo o illativo, poiché significa: perciò, dunque. Es.: *Ti ho dato un ordine, pertanto non ti resta che obbedire*; *Hai mancato alla promessa, pertanto sarai punito.* L'espressione *non pertanto* (anche: nonpertanto) significa: tuttavia, nondimeno, ma è poco usata.

pertinàcia: nome femminile terminante in *-ia*, che al plurale conserva la *i* atona (*pertinacie*) anche per distinguersi da *pertinace* che è aggettivo. Significa: tenacia, fermezza, ostinazione.

pertinènte: aggettivo qualificativo; significa: che spetta, attinente. Si costruisce con la preposizione *a*, ma è usato anche assolutamente. Es.: *È un obbligo pertinente al suo rango*; *La domanda non è pertinente* (sott.: *all'argomento*).

perveníre: verbo della terza coniugazione, intransitivo. Ausiliare: essere. *Pass. rem.*: pervénni, perveni͏́sti, pervénne, pervenímmo, perveníste, pervénnero. *Part. pass.*: pervenúto.

pervertíre: verbo della terza coniugazione, transitivo. Si coniuga anche con la forma incoativa *-isc-* tra il tema e la desinenza di alcuni tempi (ma è un uso poco seguito). *Pres. indic.*: pervèrto (pervertísco), pervèrti (pervertísci), pervèrte (pervertísce), pervertiàmo, pervertíte, pervèrtono (pervertíscono). *Pres. cong.*: pervèrta (pervertísca), pervèrta (pervertísca), pervèrta (pervertísca), pervertiàmo, pervertiàte, pervertàno (pervertíscano). *Part. pass.*: pervertíto. Significa: corrompere, depravare.

pervicàcia: nome femminile terminante in *-ia*, che al plurale conserva la *i* atona (*pervicacie*) anche per distinguersi da *pervicàce* che è aggettivo. Significa: ostinazione, testardaggine.

pesàre: verbo della prima coniugazione, intransitivo. Si coniuga con entrambi gli ausiliari. Con avere quando significa: aver importanza (*Ha molto pesato il suo parere*) o aver un determinato peso (*Ho pesato persino 80 chili!*); con essere quando significa rincrescere (*Tu non sai quanto mi è pesato questo consenso*). Usato transitivamente significa: misurare il peso di qualcosa o valutare qualcuno (*Ho pesato tutto il carbone*; *Pesava gli uomini con lo sguardo*).

pèsca: sostantivo femminile che indica il frutto di un albero delle Rosacee. PÉSCA è invece l'atto del pescare. Si noti altresì la forma verbale *egli pésca*, terza persona del presente indicativo del verbo *pescare*. Analogamente si distingua PÈSCO (albero che dà le pèsche) e *io pésco* (voce del verbo *pescare*, prima persona dell'indicativo presente).

péso e **misúra (complementi di)**: indicano determinazioni quantitative di un oggetto.
Il complemento di peso specifica, come dice il nome, il peso e non è retto da alcuna preposizione. Es.: Tu pesi *cinquanta chili*; La nave pesava *trenta tonnellate*. Il complemento di misura è più propriamente chiamato di *estensione* (V.).

pèssimo: superlativo irregolare dell'aggettivo *cattivo*. Esiste però anche la forma regolare: cattivissimo. Dal superlativo dell'aggettivo deriva anche il superlativo dell'avverbio: *pessimamente* (nel peggior modo possibile).

pèste: sostantivo femminile, che indica una grave malattia epidemica. PÉSTE è invece il plurale di *pésta* più usato del singolare, e significa: orma, tracce. Es.: *In quel paese infieriva la pèste*; *Noi seguimmo a lungo la péste dei banditi. Lasciar uno nelle péste*: lasciarlo nelle difficoltà. *Quell'uomo è una pèste* (è insopportabile).

peuh!: interiezione, d'origine francese (pr.: pö), che indica disprezzo, negazione. Anche *poh!* Es.: *Adesso va a Hollywood, peuh! vedremo che cosa saprà fare*; *Vuol parlare prima di me? poh! non mi faccia ridere.*

pèzzo: sostantivo maschile che significa: parte, brano, piccola quantità. Es.: *Dammi un pezzo di pane*; *Ho arato un pezzo di campo*. Altri significati: cannone, arma d'artiglieria (*Rimasero sino all'ultimo vicino al pezzo da montagna*), articolo di giornale (*Scrisse il pezzo in redazione*), brano musicale (*Eseguì due pezzi di Vivaldi*), tanto tempo (*Non lo vedo da un pezzo*). Il sostantivo femminile PÈZZA ha invece il significato di: lembo di stoffa; ma designa anche un intero panno (Es.: *Il commerciante ha venduto l'intera pezza*). Nel linguaggio commerciale *pezza giustificativa* (o *pezza d'appoggio*) è il documento che giustifica una spesa.

piacére: verbo della seconda coniugazione, intransitivo. Ausiliare: essere. *Pres. indic.*: piàccio, piàci, piàce, piacciàmo, piacéte, piàcciono. *Pass. rem.*: piàcqui, piacésti, piàcque, piacémmo, piacéste, piàcquero. *Pres. cong.*: piàccia, piàccia, piàccia, piacciàmo, piacciàte, piàcciano. *Imper.*: piàci, piàccia, piacciàmo, piacéte, piàcciano. *Part. pass.*: piaciúto. Si costruisce senza la preposizione *di*. Es.: *Mi piace suonare* (non: di suonare) *il pianoforte*; *Gli piaceva aspettare*; *Non è piaciuto il secondo atto*. Quando è usato impersonalmente regge il congiuntivo: *Piace che ciò avvenga in un modo così squisito.*

piàna (parola): una parola è piana quando ha l'accento tonico sulla penultima sillaba. Es.: *dolòre, felíce, andàre*. La maggior parte delle parole italiane sono piane. Si dice anche *parossítona*.

pianéta: sostantivo maschile che indica un astro che riceve luce dal Sole. Il sostantivo femminile la PIANÉTA indica invece una veste sacerdotale. Il plurale, nel primo caso, è: i pianéti; nel secondo è: le pianéte.

piàngere: verbo della seconda coniugazione, intransitivo. Ausiliare: avere. *Pass. rem.*: piànsi, piangésti, piànse, piangémmo, piangéste, piànsero. *Part. pass.*: piànto. È usato anche nella forma transitiva, col significato di: versar lacrime per qualcosa. Es.: *Piansero a lungo la morte dell'amico.*

piàno: avverbio di modo. È suscettibile di alterazioni: diminutivo (*andare pianíno*) o superlativo (*anzi, pianissimo*).

piazzàre: verbo della prima coniugazione, transitivo. È derivato dal francese *placer*, collocare. Nel linguaggio sportivo si usa al riflessivo per: arrivare tra i primi. Es.: *Quel cavallo si è piazzato al secondo posto* (si dice anche: ha ottenuto un buon piazzamento). Da evitare invece l'uso del verbo nel senso di: collocare un prodotto, venderlo (Es.: *Ho piazzato finalmente quelle due partite di cotone*), trovare un posto, ottenere un incarico, impiegarsi (*Si è piazzato al Ministero*). Dirai invece: *piazzare un cannone*, per: metterlo in posizione di tiro.

píccolo: aggettivo qualificativo. Ha comparativo e superlativo irregolari. Comparativo: *minore*. Superlativo: *minimo*. Anche usate però le forme: *più piccolo* e *piccolissimo*. Come sostantivo maschile significa: bambino, figlioletto. Es.: *Abbiamo messo a letto il piccolo.*

piè: forma apocopata di piede. Si usa in locuzioni quali *a piè di pagina*, *a piè fermo*, *a ogni piè sospinto*, *a piè pari*; scorretta la grafia con l'apostrofo *pie'*.

piède: sostantivo maschile, che indica la parte estrema delle gambe. Per estensione, la base, il sostegno di qualcosa (donde *piedistallo*). Es.: *ai piedi della montagna, i piedi del letto.*

Nella metrica classica, *piedi* erano i raggruppamenti di sillabe brevi e sillabe lunghe che costituivano la misura del verso. Erano così chiamati perché la misura si batteva col piede. I principali erano i seguenti: *trochèo*, *giàmbo*, *dàttilo*, *spondèo*, *anapèsto*, *anfibràchio*. L'unione di due o più piedi formava i versi (*esametro*, *pentametro*, *senario*, *adonio*, ecc.).

Nella versificazione moderna si chiama *piede* ciascuna delle due parti o periodetti minori in cui si suddivide la fronte della strofe della canzone. V. *Canzone*.

L'apocope *piè*, oltre che in poesia, si usa ormai solo in alcune espressioni. V. Piè.

pièga: sostantivo femminile. Significa: crespa, grinza, segno che rimane in una cosa piegata. Al figurato, *prendere una brutta piega*, vale: avviarsi al male (*Gli avvenimenti internazionali stanno prendendo una brutta piega*). *Non fare una piega*: dicesi di vestito che si adatta bene al corpo di chi l'indossa; anche di ragionamento esatto (più comunemente si dice: *non fare una grinza*). Oggi la locuzione vale anche: restare impassibile, non muoversi, mostrare indifferenza. Ma è voce del linguaggio familiare (Es.: *Le son passato davanti più volte, ma non ha fatto neanche una piega*). *Messa in piega*, ormai nell'uso per: ondulazione dei capelli (Es.: *Domani va a farsi la messa in piega*). *Pieghe del bilancio*: voci secondarie del bilancio (Es.: *Il ministro ha promesso di trovare nuovi fondi tra le pieghe del bilancio*).

pièno: aggettivo qualificativo. Significa: colmo, coperto, abbondante. Es.: *un cesto pieno di frutta*; *una pagina piena d'insulti*; *una carrozza piena di viaggiatori*; *un ragazzo pieno di salute*. Si notino le locuzioni: *in piena piazza, in piena assemblea, in pieno inverno, in piena estate* che valgono: nel mezzo della piazza, davanti a tutti i membri dell'assemblea, nel cuore dell'inverno, nel colmo dell'estate. Inoltre si noti: *colpire in pieno* (cioè pienamente, far centro); *aver torto in pieno* (ma meglio: completamente, interamente, in tutto e per tutto); *sbagliare in pieno* (meglio: completamente). Come sostantivo indica il contenuto di un recipiente ed è usato nella nuova espressione: *fare il pieno di benzina* (cioè riempire il serbatoio). Anche semplicemente: *fare il pieno*.

piètra: sostantivo femminile, che indica: minerale di varia natura, sasso, selce. Si noti che nei derivati, per la regola del dittongo mobile, *pie* diventa *pe*: *petràia*, *petrificàre*, *petrificazione*, *petróne*, *petróso* (ma anche: pietrificare, pietroso, ecc.).

pigliamósche: nome composto da una forma verbale (piglia) e un sostantivo femminile plurale (mosche). Plurale: pigliamosche. Per la regola relativa V. Composti (Nomi).

píglio: sostantivo maschile, che significa: l'atto del pigliare. *Dar di piglio*: afferrare, prendere con impeto. Non si confonda con *piglio*, aferesi di *cipiglio*, che significa: aspetto, modo di guardare: *con piglio minaccioso, con piglio altero*.

píla: sostantivo femminile, che designa l'apparecchio elettrico inventato da A. Volta. Anche vaso di pietra (*la pila dell'acqua santa*). Il maschile píLO indicava invece un'arma da getto della fanteria romana.

pilòta: sostantivo maschile che indica il nocchiero della nave o colui che guida un aereo o un'automobile. È uno dei nomi maschili in *-a*, ma esiste (meno usata) anche la forma *pilòto*. È francesismo usare il verbo derivato, *pilotare*, nel senso di: guidare, accompagnare una persona.

pindàrico: aggettivo derivato dal nome del grande poeta greco Pindaro. *Canzone* *pindarica* è un tipo di canzone, imitata appunto da Pindaro, composta di un numero vario di stanze, ognuna delle quali divisa in tre parti: *strofe, antistrofe, epòdo*. Il verso era formato da due reiziani di cinque sillabe intervallati da un hemiepes maschile. La canzone pindarica fu usata dai poeti classicheggianti dei secoli XVI e XVII. *Voli pindarici* sono audaci passaggi da un'idea all'altra o da un argomento all'altro nello scrivere o nel parlare.

pio-: prefisso usato nella terminologia medica per formare parole indicanti infezione: *piorréa, piosalpinge, piodermíte*.

piòvere: verbo della seconda coniugazione, intransitivo. *Pass. rem.*: piòvvi, piovésti, piòvve, piovémmo, piovéste, piòvvero. *Part. pass.*: piovúto. Usato impersonalmente si coniuga con l'ausiliare essere o avere (*È piovuto tutta la notte*, ma anche: *Nella mattinata aveva piovuto per un'ora*). Essere è preferito quando è usato personalmente. Es.: *Gli auguri sono piovuti a centinaia*; *Ti è piovuto addosso un bel guaio*.

piro-: prefisso di origine greca che si usa per formare parole in cui si vuole esprimere l'idea di fuoco. Es.: PIRÒFILA (pentola che resiste al fuoco), PIROGRAFÍA (incisione a fuoco), PIROTÈCNICA (l'arte di fabbricare e usare i fuochi artificiali), PIRÒGENO (generatore di calore).

pirrìcchio: nella metrica classica greca e latina, piede costituito da due sillabe brevi; privo di ritmo proprio, assume valore di figura metrica.

pitiàmbico: nella metrica classica greca e latina, sistema strofico composto da un esametro dattilico seguito da un dimetro giambico (*pitiambico primo*) o da un trimetro giambico puro (*pitiambico secondo*). Nella metrica barbara, Carducci rese i tre metri rispettivamente con un esametro italiano, un settenario sdrucciolo e un endecasillabo sdrucciolo.

più: avverbio che viene usato con diverse funzioni. Anzitutto esprime il comparativo di maggioranza: *più buono, più bello, più alto*. Il secondo termine di paragone può essere introdotto dalla preposizione *di* o dalla particella *che* (specie se segue o è sottinteso un verbo). Es.: *Noi siamo più veloci di loro*; *L'estate è più bella della primavera*; *Egli è più astuto che intelligente*; *È più onesto confessare che mentire*.
Si usa poi per formare il superlativo relativo. Es.: *Milano è la più operosa città d'Italia*; *Dante è il più grande poeta italiano*; *Ettore era l'eroe più valoroso* (non mai: l'eroe il più valoroso, perché ripetere l'articolo è brutto francesismo) *dei Troiani*. Talora forma anche il superlativo assoluto: *È più che soddisfatto* (= soddisfattissimo); *Coraggioso più che mai* (coraggiosissimo).
Preposto agli altri avverbi forma il loro grado comparativo: *più fortemente, più ardentemente, più piano, più adagio*, ecc.
Nelle proposizioni negative indica che un fatto o un'azione sono definitivamente cessati. Es.: *Non ti amo più*; *È un pezzo che non lo vedo più*; *Non ne voglio più sapere*; *Mai più farò una cosa simile*.
Si notino poi le seguenti locuzioni: *mi piace di più* (preferisco), *tutt'al più* (al massimo, in extremis), *per di più* (inoltre), *non più* (meno), ecc. Eviterai però *più tanto* e *più poco* in luogo di *più* e *meno*.
Come aggettivo significa: maggiore. Es.: *Occorre più volontà*; *Voleva più denaro*; *Ho impiegato più tempo*.
È usato infine come sostantivo; al singolare significa: la maggior parte, la parte principale (*Il più deve ancora arrivare*; *Parlammo del più e del meno*); al plurale significa: la maggioranza (*I più preferiscono questo progetto*).
Più (+) è poi il segno aritmetico dell'addizione.

piuttòsto: avverbio usato nei complementi e nelle proposizioni comparative per esprimere preferenza. Si costruisce con la particella *che*. Es.: *Desidero il caffè piuttosto che il latte*; *Voleva morire piuttosto che ritirarsi*; *Preferisco piuttosto ch'egli si presenti anziché vivere in questa ansia*.
Usato anche assolutamente col significato di: più volentieri (*Piuttosto ti presto io i soldi*) o di alquanto (*Mi sembri piuttosto triste*).

pízzico: nome sdrucciolo terminante in *-co*, che al plurale finisce in *-chi*: pízzichi. Indica l'azione del pizzicare; anche sinonimo di presa, presina; in senso figurato significa: piccola quantità. Es.: *Con un pizzico di fortuna si potrebbe riuscire.*

pízzo: sostantivo maschile, che indica una piccola barba oppure un merletto, una frangia. Il femminile, di diversa origine, PÍZZA è invece il nome di una nota specialità napoletana.

-plasía: terminazione di parole del linguaggio medico che indicano alterazione patologica di tessuti. Es.: *neoplasía, displasía.*

platònico (verso): nella metrica classica greca, verso formato da due hemiepes maschili intervallati da un reiziano di cinque sillabe; fu usato dal poeta comico Platone, da cui il nome.

-plegía: terminazione di parole mediche che indicano paralisi. Es.: *emiplegía, paraplegía.* Dai sostantivi derivano gli aggettivi *emiplegico, paraplegico,* ecc.

plèiade: sostantivo femminile. Indicò nel periodo ellenistico della letteratura greca un gruppo di sette poeti tragici. Nel Cinquecento il termine fu usato per designare sette poeti francesi del gruppo di Ronsard. Il plurale, le *plèiadi,* indica una costellazione di sette stelle, che prendono il nome dalle mitiche figlie di Pleione, tramutatesi in stelle per il dolore della morte del padre. Il termine significa dunque: schiera eletta (*una pleiade di eroi, una pleiade di giovani studiosi*). Errato è l'uso nel senso di: pletora, miriade, folla, stuolo, moltitudine (*una pleiade di impiegati* per: una moltitudine di impiegati).

pleonàsmo: figura grammaticale consistente nell'usare una o più parole che non sono necessarie al senso di una proposizione. Es.: In Francia *ci* sono molti monumenti; Tu te ne lavi le mani, *tu!*; È più cattivo di quel che *non* si creda.

plurále (formazione del): i nomi hanno comunemente due forme, una per il singolare, una per il plurale. Quest'ultima si usa se il nome si riferisce a più persone, animali o cose.

Il plurale dei nomi si forma mediante il cambiamento della desinenza e precisamente: i nomi maschili in *-a*, i maschili e femminili in *-o*, i maschili e femminili in *-e* assumono la desinenza *-i*, i nomi femminili in *-a* assumono la desinenza *-e*.

Nel quadro di questa regola generale occorre tuttavia tener presenti alcune osservazioni, che qui verranno ordinatamente esposte. I nomi possono essere distinti in tre classi o declinazioni:

a) *classe dei nomi in -a*: se sono femminili prendono la desinenza *-e*; se sono maschili, la desinenza *-i*; rosa, *rose*; poeta, *poeti*. E così anche i nomi in *-ista* e *-cida* che al singolare sono di *genere comune* (V.): *artista, artiste, artisti*; *omicida, omicide, omicidi*.

I nomi in *-ca* o *-ga* conservano, al plurale, il suono gutturale di *c* e *g* inserendo un'*h*: barca, *barche*; duca, *duchi*; eresiarca, *eresiarchi*, collega, *colleghi*.

I nomi in *-cía* e *-gía* (*i* tonica) terminano al plurale femminile in *-cie* e *-gie*: farmacia, *farmacie*; nostalgia, *nostalgie*.

I nomi in *-cia* e *-gia* (*i* atona), pur non seguendo una regola fissa, conservano generalmente la *i* se le consonanti *c* e *g* sono precedute da vocale (acacia, *acacie*; cupidigia, *cupidigie*) e la perdono invece se le stesse consonanti sono doppie o precedute da altra consonante (caccia, *cacce*; frangia, *frange*). Anche i nomi in *-acia* e *-ocia* fanno il plurale in *-cie*, per distinguersi dai corrispondenti aggettivi (*audace* e *feroce*): *audacie, ferocie*; *camicia* fa *camície* per distinguersi da *càmice*;

b) *classe dei nomi in -o*: sia al maschile che al femminile prendono la desinenza *-i*: fanciullo, *fanciulli*; maestro, *maestri*; mano, *mani*. Da ricordarsi: *dio* che fa *dèi*; uomo, *uomini*; eco, *echi* (maschile); *auto, moto, radio, dinamo* che restano invariati.

I nomi in *-co* e *-go* possono conservare il suono gutturale, ma possono anche perderlo. Non vi è una regola fissa, però si nota che generalmente le parole piane conservano suono gutturale (dràgo, *dràghi*; pedagògo, *pedagòghi*; làgo, *làghi*; màgo, *màghi*; si noti però: amíco, *amíci*; nemíco, *nemíci*; pòrco, *pòrci*) mentre le sdrucciole lo perdono (rústico, *rústici*; pàrroco, *pàrroci*; síndaco, *síndaci*; clàssico, *clàssici*; teòlogo, *teòlogi*; eccetto però: cárico, *cárichi*; rammàrico, *rammàrichi*; vàlico, *vàlichi*; diàlogo, *diàloghi*; pròlogo, *pròloghi*, ecc.). I nomi di origine greca terminanti in *-ologo* e *-ofago* ammettono entrambe le forme o preferiscono quella

con suono palatale: filologo, *filologi* e *filologhi*; sociologo, *sociologi* e *sociologhi*; psicologo, *psicologi* e *psicologhi*; antropofago, *antropofaghi* e *antropofagi*, ecc.
I nomi in *-io* con la *i* tonica al plurale fanno *-ii* regolarmente: oblío, *oblii*; zío, *zii*; tramestío, *tramestii*; leggío, *leggii*. I nomi in *-io* con la *i* atona hanno il plurale in *-i* perdendo la *i-* del tema, salvo nei casi in cui si deve evitare un equivoco e perciò si raddoppia la *i* o si ricorre all'accento interno: bacio, *baci*; fascio, *fasci*; vizio, *vizi*; esilio, *esilii* o *esílì* (per distinguere da *èsili*); principio, *princípi* (per non confondere con *príncipi*); direttorio, *direttòri* o *direttorii* (distinto da *direttóri*, plurale di direttore); tempio, *templi* o *tempii* (per non confondere con *tempi* plurale di *tempo*);

c) *classe dei nomi in -e*: sia al maschile che al femminile assumono la desinenza *-i*: cuore, *cuori*; amore, *amori*; madre, *madri*; rete, *reti*; moglie, *mogli*. Alcuni terminanti in *-ie*, di genere femminile, restano invariati. Sono: *barbarie*, *serie*, *specie*, *progenie*. Da ricordare poi che *mille* fa *mila*; *bue*, *buoi*; *superficie*, *superficie* e *superfici*; *effigie*, *effigie* e *effigi*.
Nei casi dubbi è consigliabile consultare il vocabolario. Anche il presente dizionario indica, alle voci relative, il plurale esatto dei nomi che presentano qualche incertezza. V. anche -CIA (NOMI IN), -GIA (NOMI IN), -IO (NOMI IN), -GO (NOMI IN), -CO (NOMI IN), -TORE (NOMI IN), -SORE (NOMI IN).
Alle stesse regole si uniformano gli AGGETTIVI per i quali vedi anche la voce relativa.

pluri-: primo elemento di parole composte che indicano molteplicità. Es.: *pluriaggravato*, *pluridecorato*, *pluripartitico*, *pluriennale*, *plurigemellare*, *plurilingue*, *plurinazionale*, *plurisillabo*, *plurisecolare*.

pn-: gruppo consonantico che posto all'inizio di parola vuole l'articolo nella forma *lo, gli, uno*, come la *s* impura. Es.: *lo pnèuma*, *gli pneumotoràci*, *uno pneumàtico*. Però anche (oggi anzi più comunemente): *il pneumàtico, i pneumàtici*.

po': apocope di *poco* (V.). Poiché risulta da troncamento è contrassegnato da un apostrofo (non da un accento!).

po-, pos-, post-: prefisso che indica posteriorità. Es.: POSCRÍTTO (scritto dopo, postilla, aggiunta), POSTBÈLLICO (dopo la guerra).

pòco: aggettivo indefinito, variabile. Indica una quantità indeterminata, scarsa. Superlativo: pochíssimo. Manca invece del comparativo, per cui si ricorre a *meno*. Es.: *Dammene meno!* (non: dammene più poco!). Usato assolutamente ha valore di avverbio (*Hai studiato poco*). Preceduto dall'articolo determinativo assume il valore di aggettivo sostantivato (*Il poco che abbiamo ti basterà*). Si notino le espressioni: *a poco a poco* (adagio adagio, un po' alla volta) che non va scritta: poco a poco, poiché sarebbe un francesismo; *poco mancò che non*, *per poco non* (*Poco mancò che non arrivassi tardi*; *Per poco non dicevo una sciocchezza*); *po' po'* (*Che po' po' di roba*). È usato per reggere proposizione consecutiva. *È poco per poter giudicare*; *Tanto poco da non contare quasi niente*.

poèma: componimento poetico che comprende la narrazione di azioni straordinarie epiche, comiche, mitologiche, ecc. Si hanno perciò vari tipi di poemi: il poema *epico*, che narra avvenimenti leggendari attinenti ai primordi di un popolo; il poema *cavalleresco*, che canta le imprese d'arme e d'amori dei cavalieri medievali; il poema *didascalico*, che si propone di divulgare nozioni e concetti morali; il poema *satirico*, che è una satira di persone, costumi e mode, e può essere chiamato anche *eroicomico* o *burlesco*; il poema *mitologico* o *religioso* o *storico*, secondo che l'argomento sia tratto dalla mitologia, dalla religione o dalla storia. Poemi epici sono l'*Iliade* e l'*Odissea* di Omero; cavallereschi *L'Orlando innamorato* del Boiardo e *L'Orlando furioso* dell'Ariosto; didascalico-allegorico è *La Divina Commedia* di Dante; satirici *La secchia rapita* del Tassoni e *Il giorno* del Parini. Il metro del poema varia secondo le epoche e gli autori; Virgilio usò l'esametro, Dante la terzina, l'Ariosto l'ottava, il Parini il verso libero.
Grammaticalmente, si noti che la parola *poema* è uno dei nomi maschili terminanti in *-a*. Plurale: poemi.

poemétto: opera in versi, che dal poema si distingue per la minore ampiezza, sino a raggiungere forme brevissime; nella tradizione italiana, il metro prevalente è la terza rima, oltre alla canzone e, più recentemente, ai versi sciolti.

poèta: sostantivo maschile, che designa colui che scrive versi. È uno dei nomi maschili in *-a*. Plurale: poeti; femminile: poetessa, poetesse.

poètica (funzione): secondo la teoria delle funzioni del linguaggio di Roman Jakobson, con riferimento allo schema generale della comunicazione linguistica, il messaggio svolge una funzione poetica quando pone il suo accento prevalente su sé stesso, come avviene nella letteratura ove il messaggio linguistico tende a farsi opera d'arte.

poggiàre: verbo della prima coniugazione, transitivo (V. *-giare*). Si coniuga con l'ausiliare avere. Significa: dare sostegno, fondarsi, anche in senso figurato. Es.: *L'Impero Romano aveva poggiato sino allora sul valore dei suoi soldati; La sua protesta ha poggiato su fragili basi.*

pòi: avverbio di tempo. Indica generalmente il tempo posteriore (*Ora leggiamo, poi risponderemo*). Oltre al significato temporale, *poi* assume senso diverso in alcune espressioni; equivale a: alla fine, in fin dei conti (*E poi cosa volete da me?*; *Io poi non ne sapevo niente*), indica ironia, contrasto (*E poi dicono che gli uomini sono ragionevoli!*), rafforza un'espressione (*Sono stufo e poi stufo!*), ha valore avversativo (*Io glielo riferisco, egli può poi credere o non credere*).
Meno usato è *pòscia*, specialmente in prosa.

poiché: congiunzione subordinante composta dall'avverbio *poi* e dalla particella congiuntiva *che*. Introduce le proposizioni causali. Es.: Ti ho punito, *poiché hai offeso tuo padre*; Lo sapeva, *poiché qualcuno lo aveva informato*.
Con il significato di *dopo che* è meglio scriverla in due parole separate: poi che. Es.: *Poi che* (o poiché) *seppe la verità, si mostrò rassegnato*. In questo caso introduce una proposizione temporale.

poli-: prefisso, di origine greca, che significa: molto, e viene usato per formare parole a cui si vuol conferire il significato di molteplicità e abbondanza. Es.: POLICLÌNICO (ospedale con più cliniche), POLICROMÍA (varietà di colori), POLIFÒNICO (a più suoni), POLIGAMÍA (matrimonio con più mogli), POLIGLÒTTA (che parla più lingue), POLISÍLLABO (che ha più sillabe), POLITEÍSMO (religione che ammette molti dèi).

polímetro: componimento poetico in cui si avvicendano versi differenti. Ad esempio, il *ditirambo* (V.) è solitamente polimetro, senza un metro vero e proprio. Ma anche la caccia, la canzone, l'ode sono talora composte con molta varietà di metri.

pòlipo: sostantivo maschile. Nome di un celenterato marino, che ha corpo a forma di sacco e circondato di piccoli tentacoli. Nel linguaggio medico indica un'escrescenza carnosa che si sviluppa nelle parti mucose e tende a riprodursi ogni volta che si estirpa.
Con il termine PÓLPO si intende invece un mollusco marino con otto lunghi tentacoli, muniti di ventose. È commestibile.
Di origine diversa è poi il sostantivo femminile PÓLPA che indica la parte carnosa del corpo umano; la carne senza osso né grasso (*Il macellaio ha venduto un chilo di polpa di vitello*), la parte molle e sugosa della frutta fresca (*la polpa della ciliegia, dell'albicocca, della prugna*).

poliptòto: figura retorica, di parola, che consiste nella ripetizione dello stesso vocabolo con funzioni sintattiche diverse nella stessa frase o verso, oppure in frasi o versi contigui. Per es.: Forte *con i* deboli *e* debole *con i* forti; «*Sol contra il* ferro *il nobil* ferro *adopra*» (T. Tasso).

polisemìa: la proprietà dei segni linguistici di avere più significati. *Massa* è una parola polisemica in quanto possiede diversi significati in diversi contesti d'uso, come per es.: in fisica, in elettrotecnica, in musica, in sociologia, in politica, oltre che nella lingua comune. La polisemia non va confusa con l'omografia, in cui diversi significati appartengono a parole anch'esse diverse seppure scritte con la stessa forma. Per es., *ratto* è una parola caratterizzata da omografia (*ratto* nel significato di topo che non ha nulla a che fare con *ratto* nel significato di rapimento), mentre la polisemia può riguardare separatamente ciascun omografo: *ratto* in quanto rapimento può anche significare estasi religiosa.

polisíllaba (parola): parola di più sillabe. Per il computo delle sillabe di una parola V. SILLABA.

polisíndeto: figura grammaticale consistente nel ripetere la congiunzione davanti ad ogni elemento, frase o semplice parola, che si vuol coordinare. Si usa quando si vogliono raggiungere speciali effetti nella narrazione, come quello di rilevare la quantità delle cose numerate o il loro immediato susseguirsi. Es.: *Passarono dinanzi a noi i fanti e i cavalieri e gli aviatori e i marinai*; *Facevano un gran chiasso: cantavano e bevevano e urlavano e litigavano*. Contrario dell'*asindeto* (V.).

pólpo: V. POLIPO.

pomodòro: sostantivo maschile che indica una pianta e il suo frutto, assai noti. Al plurale: pomodòri. Però esiste anche la forma *pomidòro* per il singolare (e il plurale) e *pomidòri* per il plurale.

pomogranàto: nome composto da un sostantivo maschile (pomo) e un aggettivo (granato). Plurale: pomigranàti. È voce antiquata e, oggi, dialettale. Meglio: melogràno (albero e frutto).

pompàre: verbo della prima coniugazione, transitivo. Significa: mettere in azione una pompa (per gonfiare, per attingere acqua o per gettare acqua a distanza). Al figurato: gonfiare, esagerare, battere la grancassa pubblicitaria. Es.: *I giornali han pompato la notizia*. Ma questa è voce di gergo; non abusarne.

pòrco: è uno dei nomi piani terminanti in *-co* che al plurale finiscono in *-ci*: porci. Al femminile (come aggettivo) invece: porca, porche; il femminile del sostantivo è invece: scròfa.

pòrgere: verbo della seconda coniugazione, transitivo. *Pass. rem.*: pòrsi, porgésti, pòrse, porgémmo, porgéste, pòrsero. *Part. pass.*: pòrto. Significa: offrire, presentare, dare.

porno-: primo elemento di neologismi sorti in corrispondenza del diffondersi della pornografia, ossia del mercato del sesso. Es.: *pornodiva, pornostar, pornoshow*.

pórre: verbo della seconda coniugazione, transitivo. *Pres. indic.*: póngo, póni, póne, poniàmo, ponéte, póngono. *Imperf.*: ponévo, ponévi, ponéva, ponevàmo, ponevàte, ponévano. *Fut. semplice*: porrò, porrài, porrà, porrémo, porréte, porrànno. *Pass. rem.*: pósi, ponésti, póse, ponémmo, ponéste, pósero. *Pres. cong.*: pónga, pónga, pónga, poniàmo, poniàte, póngano. *Imperf. cong.*: ponéssi, ponéssi, ponésse, ponéssimo, ponéste, ponéssero. *Pres. condiz.*: porrèi, porrèsti, porrèbbe, porrèmmo, porrèste, porrèbbero. *Imper.*: póni, pónga, poniàmo, ponéte, póngano. *Part. pres.*: ponènte. *Part. pass.*: pósto. *Gerundio presente*: ponèndo. Significa: collocare, mettere (*Pose il cappello sul tavolo*; *Pose mente a un nuovo lavoro*; *Pongo tutta la speranza in te*), supporre (*Poniamo che lui non venga*), impostare (*Non si è posto il problema*).

porta-: prefisso con il quale si formano molte parole indicanti oggetti destinati a portare o custodire qualcosa. Indichiamo i più comuni, ponendo entro la parentesi tonda la forma del plurale, quando il nome non sia indeclinabile, come accade per la maggioranza delle parole composte di *porta-*: *portabagàgli, portabandièra, portacàrte, portacénere, portacípria, portadólci, portaferíti, portafiàsco* (portafiaschi), *portafiόri, portafòglio* (portafogli, usato anche come sing.), *portafortúna, portagiòie, portainségna, portalàpis, portaléttere, portamonéte, portaombrèlli, portaórdini, portapàcchi, portapénne, portasígaro* (portasigari), *portasapóne, portasigarétte, portaspílli, portaritràtti, portauòvo, portavóce* (portavoci, ma anche: i portavoce).

portàre: verbo della prima coniugazione, transitivo. Ha vari significati: sostenere, reggere (*Portava in braccio il suo bambino*; *Questo carro porta venti quintali*), trasportare, recare, condurre, accompagnare (*Ho portato la posta a casa*; *Voleva portarmi al cinematografo*), avere (*Porta un buon nome*), indossare (*Non porto gli occhiali*; *Portava un abito grigio*), indurre, muovere, consigliare (ma è uso da evitare: *Tutto porta a credere che non abbia se-*

guito i nostri consigli; *Ciò mi portava a illudermi*), sentire, provare, dimostrare (uso però da evitare: *Mi porta un odio, grandissimo*; *Bisogna proprio portar pazienza*), notificare, far sapere (uso da evitare: *La notizia fu portata a nostra conoscenza subito*), lodare, sostenere, parteggiare per uno (*I delegati del sud lo portano moltissimo*). Al riflessivo vale: portare sé stesso, recarsi (ma è uso da evitare: *Le autorità si portarono sul posto*), comportarsi (*Come ti sei portato a scuola?*), portare a sé stesso o con sé (*Si portò le mani al viso*; *Mi son portato l'ombrello*).

portière: sostantivo maschile. Designa il guardiano che sta alle porte dei palazzi, delle scuole, degli istituti, ministeri, musei, ecc. Da non confondersi con PORTINÀIO, che è il custode delle comuni case d'abitazione. *Portiere* indica anche giocatore di calcio che sta a guardia della porta e rete della sua squadra. Il femminile è *portièra*; la stessa parola indica anche una tenda che si mette davanti alle porte, per ornamento o anche per riparo. *Portiera* è anche lo sportello delle automobili.

pòrto: sostantivo maschile. Indica il luogo ove approdano le navi (Es.: *La nave salpò dal porto di Genova*). Al figurato: mèta, rifúgio (Es.: *Spero di condurre in porto la difficile impresa*; *La famiglia è il porto ove si rifugia ogni sera*). Il termine significa anche: trasporto, o il prezzo del trasporto stesso (Es.: *La merce è spedita franco di porto*, cioè il suo trasporto è pagato dal mittente). Di diversa origine è il sostantivo femminile PÒRTA che significa: ùscio, ingresso, entrata (Es.: *Aprì la porta agli ospiti*; *Non si può chiudere la porta in faccia al progresso*). Le due parole non si debbono confondere con le omofone del verbo portàre: io *pòrto*, tu *pòrti*, egli *pòrta*.

pos-: V. PO-.

pòsa: sostantivo femminile che significa: riposo, quiete, pausa. Es.: *Lavora senza pòsa dal mattino alla sera.* Anche: atteggiamento della persona. Es.: *Il pittore lo ha ritratto in una pòsa solenne.* Vale poi: ostentazione, affettazione. Es.: *Non la pensa proprio così, io credo sia una posa.*
L'uso è biasimato come gallicismo (dal francese *pose*), ma ormai invalso e accettato anche da buoni scrittori; così il verbo POSÀRE nel senso di ostentare, darsi delle arie. Es.: *È una ragazza che posa, non è sincera*; *Adesso posa a grande attrice.* Del resto il verbo *posàre* significa (oltre che: deporre, porre giù) anche: mettersi in un atteggiamento determinato davanti ad un pittore, scultore o fotografo. Es.: *Ha posato per due ore davanti al pittore.*
Il plurale del sostantivo *pòsa* (pòse) non va confuso con le forme omografe del verbo *pórre* (egli *póse*), che si pronunciano con la *ó* stretta.

pòscia: avverbio di tempo, che significa: poi, dopo. È di uso letterario; così pure *posciaché* (dopoché).

positívo: aggettivo qualificativo. Vale: certo, reale, concreto, effettivo. Es.: *Le scienze positive* (esatte, che si fondano sull'esperienza). Talora vale: affermativo. Es.: *Mi diede risposta positiva.* Si notino alcune locuzioni: *è positivo* (è certo), *badare al positivo* (badare ai fatti, non seguire la fantasia), *di positivo* (certamente). Da evitare invece l'espressione familiare *uomo positivo* per: uomo pratico.

positívo (grado): la forma semplice e originaria di un aggettivo qualificativo distinta dal *comparativo* e dal *superlativo* (V.). Es.: *bello* è il positivo di *più bello, meno bello, il più bello, bellissimo.*

posizióne: in generale significa: posa, situazione, posto, ubicazione. In grammatica, posizione di una vocale è la sua collocazione tra le altre lettere della parola. *Posizione assoluta* di una parola: parola che sta a sé nel discorso, senza legami con il testo della frase o del periodo.
La parola ha anche assunto il significato di: grado, stato, condizione, sistemazione. Es.: *Ora penso solo a farmi una posizione*; *Si trova nella posizione di congedo illimitato*; *Si trova in una posizione molto delicata.*

posizióne: nella metrica moderna, l'unità minima del verso costituita dalla presenza (o assenza, come nel caso, per es., di un verso acefalo) di una sillaba metrica, la quale non coincide necessariamente con la sillaba grammaticale per l'azione delle figure metriche.

pospórre: verbo della seconda coniugazione, transitivo. *Pass. rem.*: pospósi, posponésti, pospóse, posponémmo, posponéste, pospósero. *Part. pass.*: pospósto. Significa: metter dopo, ritardare, retrocedere.

possedére: verbo della seconda coniugazione, transitivo. *Pres. indic.*: possièdo (possèggo), possièdi, possiède, possediàmo, possedéte, possièdono (possèggono). *Pass. rem.*: possedètti o possedèi, possedèsti, possedètte, possedémmo, possedèste, possedèttero. *Pres. cong.*: possègga, possègga, possègga (o possièda, possièda, possièda), possediàmo, possediàte, possèggano (o possièdano). *Part. pass.*: possedúto. Significa: avere, tenere in dominio, occupare.

posseditóre: sostantivo maschile che significa: padrone, colui che possiede. Il femminile è: posseditríce. Più comune è però la forma *possessóre* per il maschile, mentre *possessóra* è meno usato.

possessívi (aggettivi): indicano da un lato la cosa posseduta e dall'altro la persona del possessore. Concordano perciò in genere e numero con il nome cui si riferiscono e hanno la prima, seconda e terza persona singolare o plurale per indicare il possessore. Es.: *La mia sedia* indica tanto che la sedia è posseduta quanto che il possessore sono io.

Le forme del possessivo sono: per la prima persona singolare: *mio, mia, miei, mie*; per la seconda persona singolare: *tuo, tua, tuoi, tue*; per la terza persona singolare: *suo, sua, suoi, sue*; per la prima persona plurale: *nostro, nostra, nostri, nostre*; per la seconda persona plurale: *vostro, vostra, vostri, vostre*; per la terza persona plurale: *loro* (invariabile).

Altri due aggettivi possessivi sono *altrui* e *proprio* (V. voci relative). L'idea di possesso non è l'unica che viene espressa dall'aggettivo possessivo. In espressioni quali: *mio padre, il mio compagno, il tuo insegnante, il suo consigliere*, ecc., esso indica legame di affetto, di dipendenza, di parentela, e simili. Talora può sottolineare un intimo e indefinito rapporto con le cose o le persone (*le mie montagne, il mio Pascoli*) oppure un'abitudine (*le sue chiacchierate, i suoi divertimenti*) o un dovere (*il mio compito, il vostro ufficio*). Il possessivo, quando si riferisce a nomi che indicano azione, può avere valore soggettivo e oggettivo. Es.: *Il suo timore mi inquieta*, può significare il timore che egli ha (meglio allora: il timore di lui) o il timore che egli suscita.

L'aggettivo possessivo è normalmente preceduto dall'articolo, tranne coi nomi di parentela, soprattutto *padre, madre, figlio, figlia* (*mia figlia* e non: la mia figlia). Si usa invece l'articolo quando il nome è al plurale (*i nostri padri*) oppure è alterato (*i vostri fratellini*) o anche accompagnato da altri aggettivi (*il tuo celebre padre*). Si usa sempre con *loro* (*la loro madre*). *Mamma, papà* e *babbo* vogliono di norma l'articolo.

L'aggettivo possessivo si pone, di regola, prima del nome; viene posposto se si vuol conferirgli un rilievo particolare (*Il padre nostro, figlio mio, mamma tua*) e in questo caso ha una forte accentuazione.

È buona norma tralasciare il possessivo quando esso sarebbe superfluo. Es.: *Mi cadono le* (mie) *braccia*; *Ti si annebbia la* (tua) *vista*.

possessívi (pronómi): i pronomi che indicano possesso. Hanno le stesse forme degli aggettivi (*mio, tuo, suo, nostro, vostro, loro*, variabili, tranne *loro*, al femminile e al plurale), dai quali si distinguono perché sono usati non accompagnati dal nome, di cui fanno le veci. Generalmente si usano con l'articolo determinativo (Tu ami tua madre ed io *la mia*) specie quando si vuol rilevare un contrasto (Questo è *il mio* e quello è *il tuo*) e quando il pronome, usato in posizione assoluta, ha valore di sostantivo. Es.: *Il mio* (= ciò che posseggo, i miei averi) è a tua disposizione. Significati particolari ha il pronome possessivo nella corrispondenza epistolare (*in risposta alla tua, con questa mia*) in cui è sottinteso *lettera*, e nelle espressioni *essere dalla mia, dalla nostra* (sott.: parte) e *i miei, i tuoi, i nostri*, per indicare parenti, compagni correligionari, amici, ecc.

post-: prefisso di molte parole composte. Indica posteriorità temporale, spaziale o logica: *postrinascimentale, postalveolare,* *postmoderno, postindustriale.* V. anche Po-.

pòsta: sostantivo femminile che significa: luogo per l'agguato (*Il cacciatore attese la bestia alla posta*) o per convegno (*Si diedero la posta per la stessa ora*); la spedizione e recapito della corrispondenza e la corrispondenza stessa (*Ai soldati fu distribuita la posta*); il premio per il vincitore di una gara, di un duello (*La posta in giuoco è molto alta*). Come avverbio (*a posta, apposta, a bella posta*) significa: di proposito, volutamente.

PÓSTA è invece il femminile del participio passato di *pórre* e significa: collocata, situata. Il sostantivo maschile PÓSTO vale: luogo determinato (*Ho trovato un posto per riposare*), impiego, ufficio (*Ho cercato un posto*).

posterióre: aggettivo qualificativo, che significa: che è dietro o che vien dopo. È un comparativo della preposizione latina *post* (dopo) da cui deriva. Il superlativo è *postrémo.*

La locuzione *a posteriori* (contrapposta ad *a priori*) indica una nozione o affermazione derivata da principi già posti prima, o risultata da un ragionamento, dedotta da un'esperienza, quindi non primaria.

pósto che: locuzione congiuntiva con valore causale. Es.: *Posto che si devono pagare le tasse, chiediamo che il rigore sia uguale per tutti.*

postrémo: superlativo di *posteriore* (V.).

potenziàre: verbo della prima coniugazione, transitivo. Neologismo molto in uso; ma nella buona prosa lo sostituirai con: far potente, rafforzare, fortificare, sviluppare. Così sostituirai, fuor del linguaggio politico o burocratico, il sostantivo POTENZIAMÉNTO con: rafforzamento, sviluppo, arricchimento, rinvigorimento e simili.

potére: verbo della seconda coniugazione, intransitivo. Ausiliare: avere. *Pres. indic.*: pòsso, puòi, può, possiàmo, potéte, pòssono. *Pass. rem.*: potéi, potésti, poté, potémmo, potéste, potérono. *Fut. semplice*: potrò, potrài, potrà, potrémo, potréte, potrànno. *Pres. cong.*: pòssa, pòssa, pòssa, possiàmo, possiàte, pòssano. *Part. pass.*: potúto. Significa: avere possibilità, aver potere, forza. È uno dei verbi servili, così detti perché reggono spesso un altro verbo all'infinito, dal quale prendono l'ausiliare nella coniugazione. Se il verbo ha l'ausiliare avere, *potere* si coniuga con avere; se ha l'ausiliare essere, anche *potere* si coniuga con essere. A questa regola generale si fa eccezione quando si vuol mettere in risalto l'idea di potere. Es.: *Non aveva potuto lavorare* (perché *lavorare* si coniuga con avere); *Non son potuto venire prima* (perché *venire* vuole l'ausiliare essere); *Ho potuto venire solo adesso* (perché si vuol mettere in rilievo l'idea di possibilità espressa dal verbo potere). Si noti poi che se segue un verbo riflessivo, si possono avere due costruzioni: a) una con l'ausiliare avere e la particella riflessiva unita encliticamente all'infinito del verbo (*Ha potuto ravvedersi in tempo*); b) l'altra con l'ausiliare essere e la particella riflessiva prima del verbo potere (*Si è potuto ravvedere in tempo*).

pòvero: aggettivo qualificativo (e talora sostantivo). Significa: indigente, bisognoso (*i bambini poveri*; *le genti povere*), misero, scarso (*un discorso povero di idee*; *uno stile povero*), morto, compianto (*la mia povera mamma*; *il suo povero padre*). Premesso al sostantivo indica affetto e compassione per la cosa o la persona da questo indicata: *una povera donna*; *quel povero vecchio*; *un povero infermo.* Talora ha sapore ironico: *povera innocentina!*; *povero cocco!* Si elide (e perciò vuole l'apostrofo) davanti a vocale: *pover'uomo.*

pragmàtica: il settore della semiotica e della linguistica che si occupa delle relazioni tra i messaggi linguistici e le circostanze in cui si realizza lo scambio comunicativo (ruoli degli interlocutori, scopi, presupposizioni, attese, aspetti circostanziali, ecc.).

Anche la competenza di chi dimostra una sufficiente capacità di produrre e interpretare adeguatamente i messaggi in base alle circostanze specifiche della loro attuazione.

prassíleo: nella metrica greca classica, verso costituito o da una forma acefala del falecio, o da un asinarteto; fu usato dalla poetessa Prassilla, da cui il nome.

praticaménte: avverbio di modo. Letteralmente significa: in pratica, in concreto. Es.: *Praticamente si devono usare chiodi e martello.* Ma si usa, anche troppo, nel senso di: in sostanza, in effetti, quasi. Es.: *Praticamente ho finito*; *Praticamente fa il commerciante*; *Si vedono praticamente tutti i sabati.*

praticàre: verbo della prima coniugazione, transitivo. Significa: mettere in pratica, eseguire, esercitare un mestiere. Es.: *Praticava la virtù della purezza*; *Praticai per qualche tempo la professione del medico*; *È un cattolico fervente, sebbene non pratichi.* È usato anche intransitivamente, con l'ausiliare avere, nel senso di esercitare (*È avvocato, ma non pratica*). È da evitarsi come sinonimo di fare. Es.: *Mi praticò uno sconto del 10%.* Tuttavia in alcune locuzioni specifiche si può ammettere anche quest'uso. Es.: *Il medico praticò un'incisione*; *Si pratica un forellino* (nel linguaggio dei fisici).

pre-: prefisso che indica precedenza, anteriorità. Es.: PREMATÚRO (maturo prima del tempo), PRESTABILÍTO (stabilito prima), PRESCÈLTO (scelto prima), PREAVVÍSO (avvertimento dato prima), PRECURSÓRE (pioniere, anticipatore).

precèdere: verbo della seconda coniugazione, transitivo. *Pass. rem.*: precedètti (precedéi), precedésti, precedètte (precedé), precedémmo, precedéste, precedèttero (precedérono). *Part. pass.*: precedúto. Significa: arrivar prima, prevenire.

precipitàre: verbo della prima coniugazione, transitivo. Significa: gettare in luogo profondo, scagliare in basso. Es.: *Dio precipitò gli angeli ribelli nell'inferno.* Usato intransitivamente vale: cadere a precipizio, rovinare; si coniuga con essere. Es.: *La motocicletta è precipitata nel burrone.* Significa anche: fare precipitosamente, senza riflettere. Es.: *Ha precipitato le decisioni.* Al riflessivo: gettarsi dall'alto in basso, accorrere. Es.: *Si è precipitato nel fiume*; *Mi son precipitato a casa sua.*

precipitevolissimevolménte: avverbio di modo. Per convenzione e per tradizione era ritenuta con le sue 26 lettere la più lunga parola italiana. Si tenga conto tuttavia che con i numerali si possono formare parole più lunghe; inoltre ci sono termini di chimica e le cosiddette parole-macedonia anch'essi più lunghi dell'avverbio che deve la sua celebrità al presunto primato di lunghezza.

preclúdere: verbo della seconda coniugazione, transitivo. *Pass. rem.*: preclúsi, precludésti, preclúse, precludémmo, precludéste, preclúsero. *Part. pass.*: preclúso. Significa: impedire, chiudere il passaggio, vietare.

precursóre: sostantivo maschile (o aggettivo) che significa: pioniere, antesignano. Il femminile è: precorritríce.

predecessóre: sostantivo maschile che significa: colui che è stato prima in un ufficio o in una carica. Il femminile è: predecessóra (ma è poco usato, essendo parola dialettale toscana; si deve perciò ricorrere a una perifrasi).

predétto: aggettivo o pronome dimostrativo derivato dal participio passato di *predire.* Vuol dire: già nominato, citato, sullodato. È di uso burocratico. Es.: *I predetti reati sono contestati a tutti gli imputati*; *Il predetto ha dichiarato di essere estraneo al fatto.*

prèdica: sostantivo femminile che significa: sermone, omelia, esortazione. Plurale: prèdiche. Da non confondersi con le forme del verbo *predicàre* (egli *prèdica*) e tanto meno con quelle del verbo *predíre* (che egli *predìca*).

predicàto: predicato di una proposizione è ciò che si dice del soggetto, sia una azione sia uno stato, un modo di essere del soggetto stesso. Es.: Il cane *corre*; Lo scolaro indisciplinato *è punito*; Tu *sei lieto*; Egli *ha ragione*; Noi *dormiamo.*

Vi sono due specie di predicati: il predicato verbale e il predicato nominale.

Il *predicato verbale* è quello costituito da una qualsiasi forma verbale avente senso compiuto di un verbo transitivo o intransitivo. Es.: Io *lavoro*; Tu *vivi*; Carlo *è andato*; Luigi *ha visto*; Gli uomini *gridano.* Il predicato verbale (come si vede dagli esempi) concorda col soggetto nella persona e nel numero.

Nel caso dei verbi intransitivi o passivi che nelle forme composte hanno il verbo essere, il verbo concorda anche nel numero e nel genere, mediante la flessione

del participio. Es.: *Tu sei partito*; *Ella è venuta*; *Le donne furono salvate.*
Il *predicato nominale* esprime un modo di essere, una qualità, uno stato del soggetto, con un nome o un aggettivo collegati al soggetto con una forma del verbo essere. Es.: Voi siete *buoni*; Noi siamo *stanchi*; Napoleone era *un imperatore*.
In questo caso il verbo essere si dice *copula*, in quanto unisce il predicato al soggetto. Il nome o l'aggettivo sono propriamente il predicato nominale (detto anche *parte nominale*). L'aggettivo concorda col soggetto in genere e numero: La rosa è *bella*; L'eroe è *glorioso*; Gli amici sono *fedeli*; Le ragazze erano *allegre*; Io e te siamo *amici*, V. però *Concordanza*. Se il predicato è costituito da un nome, questo concorda col soggetto solo relativamente, in quanto il nome per la sua indipendenza può avere genere, e talora anche numero, diverso. Es.: La tigre è un *animale* (soggetto femminile e predicato maschile); I feriti furono *legione* (soggetto maschile plurale e predicato femminile singolare). Il verbo essere non è copula (e perciò non si ha il predicato nominale) quando significa: esistere, stare, appartenere (Io *sono*; Tu *sei* in casa; Voi *siete* dei loro) oppure quando assolve la sua funzione di verbo ausiliare (*Io sono stato chiamato* dal preside; *Voi siete venuti* da me; Carlo *è andato* a casa).
Il predicato nominale si può avere anche con i verbi appellativi, elettivi, estimativi, effettivi e con alcuni intransitivi. Si chiama allora *complemento predicativo del soggetto* (V.). Oltre che da un aggettivo o da un nome, il predicato nominale può essere costituito da altre parti del discorso: da un pronome (Il libro è *mio*), da un verbo all'infinito (Volere è *potere*), da un participio presente (Le armi erano *terrificanti*), da un avverbio (Ciò è *male*). Si noti, poi, che il predicato nominale può essere preceduto dalla congiunzione *come* (Tu sei *come un fratello*), o da espressioni come: *in qualità di, in funzione di*... (Era qui *in veste di piacere*; Tu sei *in qualità di scolaro*).
V. anche CONCORDANZA (TEORIA DELLA).

predilígere: verbo della seconda coniugazione, transitivo. *Pass. rem.*: predilèssi, prediligésti, predilèsse, prediligémmo, prediligéste, predilèssero. *Part. pass*: predilètto. Significa: preferire, amare con predilezione, con preferenza.

predominàre: verbo della prima coniugazione, intransitivo. Ausiliare avere. Si costruisce con la preposizione *su* (non con la preposizione *a*). Es.: *In quel paese gli immigrati predominano sugli indigeni*; *In quell'uomo l'interesse predomina sulla bontà*. Usato talora transitivamente, in luogo di: dominare; ma non è elegante. Es.: *La passione lo predominava* (meglio: lo dominava).

prefàto: forma arcaica, d'uso burocratico. Equivale a *predetto* (V.).

preferíre: verbo della terza coniugazione, transitivo. Si coniuga con la forma incoativa *-isc-* tra il tema e la desinenza di alcuni tempi. *Pres. indic.*: preferísco, preferísci, preferísce, preferiàmo, preferíte, preferiscono. *Pres. cong.*: preferísca, preferísca, preferísca, preferiàmo, preferiàte, preferíscano. *Part. pass.*: preferíto. Significa: scegliere, volere piuttosto. Si costruisce direttamente con l'infinito non preceduto da preposizione. Es.: *Preferisco lavorare piuttosto che farmi aiutare* (meglio che: preferisco di lavorare).

prefiggere: verbo della seconda coniugazione, transitivo. *Pass. rem.*: prefíssi, prefiggésti, prefísse, prefiggémmo, prefiggéste, prefíssero. *Part. pass.*: prefísso. Significa: prestabilire, predisporre. Usato più spesso in forma riflessiva apparente con il significato di: proporsi. Es.: *Ci prefiggemmo di partire subito.*

prefíssi: particelle preposte a verbi, aggettivi o sostantivi per formare parole composte di significato diverso. Il significato della parola composta deriva in parte da quello del prefisso, che può essere una preposizione o un avverbio italiani o anche latini (*post, super, circum*) e greci (*proto, pan, piro, teo*) o particelle speciali come *dis-, re-, ri-*, ecc. I principali prefissi della nostra lingua sono: *a-* (privazione: *ateo, amorale*), *ante-, anti-* (precedenza o avversità: *anteguerra, antincendio*), *arci-* (superiorità, eccesso; *arcinoto, arcimilionario*), *avam-* o *avan-*

(precedenza, priorità: *avancorpo, avambraccio*), *bi-*, *bis-* (raddoppiamento: *bilingue, bisnonno*), *bene-* (*benedire, benevolenza*), *circum-*, *circon-* (circolarità, intorno: *circumnavigazione, circonvallazione*), *con-* (comunanza: *condiscepolo, corrèo*), *contra-*, *contro-* (opposizione: *contrastante, controcorrente*), *de-*, *di-*, *dis-* (separazione, allontanamento: *decentramento, dimissioni, dispersioni*), *e-*, *es-* (emissione, espulsione: *escluso, esautorato, emesso*), *ex-* (cessazione: *ex combattente, ex moglie*), *estra-* o *extra-* o *stra-* (eccesso o estraneità: *estralegale, extralusso, stracotto*), *fra-* (luogo in mezzo: *frapposto, frammischiare*), *in-* o *im-* (negazione, interiorità, azione intensiva: *inabile, incerto, incluso, imposto, inasprire, inviperire*), *infra-* (frapposizione: *infrasettimanali, infrascritto*), *inter-*, *intra-*, *intro-* (frapposizione, introduzione: *interregno, intravisto, introdotto*), *lungi-* (lontananza: *lungimirante*), *mis-* (negazione: *miscredente, misconosciuto*), *filo-* (amicizia: *filoslavo*; *filoinglese*), *meta-* (oltre: *metastorico, metafisico*), *mono-* (unicità: *monologo, monoteismo*), *neo-* (novità: *neorealismo, neopositivismo*), *ob-* (di fronte: *obiettare*), *oltra-*, *oltre-*, *ultra-* (al di là, accrescimento: *oltralpe, oltrecortina, ultramoderno*), *onni-* (totalità: *onnipotente, onnivoro*), *paleo-* (antichità: *paleografia, paleologia, paleolitico*), *pan-* (totalità: *panslavismo, panteismo*), *para-* (attenuazione, somiglianza: *paratifo, parastatale*), *peri-* (intorno: *pericardio, peripezia, pericarpo*), *piro-* (fuoco: *pirografia, pirotecnico*), *per-* (attraverso: *percorrere, perlustrare*), *po-*, *pos-* (posterità: *pomeriggio, posdomani*), *proto-* (priorità: *protomartire, protonotaio*), *pre-* (precedenza: *preludio, preannunzio*), *pro-* (precedenza, sostituzione: *prologo, proemio, pronipote, prosindaco*), *pseudo-* (falsità: *pseudonimo, pseudomembrana*), *poli-* (molteplicità: *polivalente, policromia*), *re-*, *ri-* (ripetizione: *restauro, ridire, rivedere*), *retro-* (indietro: *retroguardia, retrocedere*), *s-* (separazione, negazione: *svincolarsi, scatenare, scomparire*), *semi-* (metà: *seminfermo, semicirconferenza*), *sopra-*, *sovra-*, *sor-*, *sur-* (superiorità, sopra: *soprattutto, sopraddetto, sopraffatto, sovrumano, sorpassato, surreale*), *sotto-*, *sub-* (sotto: *sottocasa, subalterno, subumano*), *sta-* (questa: *stasera, stanotte, stamane*), *trans-*, *tras-*, *tra-* (attraverso, oltre: *transiberiana, trasteverino, trapuntato*), *tri-* (tre volte: *trisillabo, trifora, trilobato*), *uni-* (unità: *unilaterale, univoco*), *teo-* (divinità: *teologia, teofania, teocrazia*), *termo-* (calore: *termometro, termodinamica*), *vice-* (sostituzione: *viceré, vicepresidente*), *zoo-* (animale: *zoologico, zootecnía*).

Si noti tuttavia che alcune parole sono solo apparentemente composte: manca infatti la parola primitiva da cui dovrebbero derivare. I gruppi di lettere iniziali sono perciò falsi prefissi (Es.: *mistero, spionaggio, rischio, trionfo, piroga, prendere*, ecc.). I principali prefissi e i primi elementi di parole composte sono trattati ciascuno in apposita voce nel presente dizionario.

pregàre: verbo della prima coniugazione, transitivo. Quando regge una proposizione oggettiva, vuole *di* più l'infinito nella forma implicita (*Pregai di aspettare*) e il congiuntivo nella forma esplicita (*Pregai che fosse ascoltato subito il mio consulente*).

pregiàre: verbo della prima coniugazione, transitivo. Molto usato nella corrispondenza commerciale. Significa: stimare, ma è usato soprattutto nella forma riflessiva: onorarsi, rallegrarsi. Es.: *Ci pregiamo informarvi*; *Mi pregio darle comunicazione*. Assai comune, con valore di aggettivo, il participio passato (*pregiàto*) nel senso di stimato, tenuto in conto, apprezzato (merce pregiata). L'aggettivo *pregévole* è più frequente fuori del linguaggio commerciale. Es.: *Un'opera pregevole*.

prelúdere: verbo della seconda coniugazione, intransitivo. Ausiliare: avere. *Pass. rem.*: prelúsi, preludésti, prelúse, preludémmo, preludéste, prelúsero. *Part. pass.*: prelúso. Significa: precedere, preparare; si costruisce con la preposizione *a*. Es.: *La tensione ai confini tra i due Stati prelude a un nuovo conflitto.*

prèmere: verbo della seconda coniugazione. *Pass. rem.*: premètti (preméi), preméstі, premètte (premé), premémmo, preméste, premèttero. *Part pass.*: premúto. Intransitivamente (con l'ausiliare avere) significa: far pressione, pigiare.

Es.: *Premeva con tutte le sue forze*; *Aveva premuto col dito sul campanello*. Transitivamente significa: costringere, comprimere, schiacciare, spingere. Es.: *Premetti il bottone*; *Avevamo premuto troppo la leva*. Si coniuga con l'ausiliare avere anche nel senso di: importare, stare a cuore, aver premura di. Es.: *Quel discepolo mi premeva molto*; *Mi avrebbe premuto che avesse mostrato riconoscenza*; *Ai genitori premeva conoscere la sorte del figlio*.

preméttere: verbo della seconda coniugazione, transitivo. *Pass. rem.*: premísi, premettésti, premíse, premettémmo, premettéste, premísero. *Part. pass.*: preméssо. Significa: mettere prima qualcosa, far precedere, dire prima. Es.: *Premise alcuni avvertimenti al corso di lezioni*; *Avevamo premesso due parole alla sua lettera*.

premoníre: verbo della terza coniugazione, transitivo. In alcuni tempi si coniuga con la forma incoativa *-isc-* tra il tema e la desinenza. *Pres. indic.*: premonísco, premonísci, premonísce, premoniàmo, premoníte, premoníscono. *Pres. cong.*: premonísca, premonísca, premonísca, premoniàmo, premoniàte, premoníscano. *Part. pass.*: premoníto. Significa: ammonire in anticipo, preavvertire.

premuníre: verbo della terza coniugazione, transitivo. In alcuni tempi si coniuga con la forma incoativa *-isc-* tra il tema e la desinenza. *Pres. indic.*: premunísco, premunísci, premunísce, premuniàmo, premuníte, premuníscono. *Pres. cong.*: premunísca, premunísca, premunísca, premuniàmo, premuniàte, premuníscano. *Part. pass.*: premuníto. Significa: difendere, fortificare anticipatamente. Usato al riflessivo per: armarsi, munirsi, prepararsi alla difesa, anche in senso figurato. Es.: *Si premunì di una pistola*; *Mi ero premunito contro le sue obiezioni*.

prèndere: verbo della seconda coniugazione, transitivo. *Pass. rem.*: prési, prendésti, prése, prendémmo, prendéste, présero. *Part. pass.*: préso. Ha molti e vari significati: pigliare, afferrare (*Prese il coltello*; *Presero un barile*), subire (*Prese una lezione*), assumere (*Prendemmo possesso*; *Prese il comando*), mangiare (*Prese una fetta di panettone*), sposare (*Prender moglie*), comperare (*Ti ho preso un abito*), cominciare (*Prese a menar botte*), trattare (*Bisogna prenderlo con le buone*). È pure usato in varie locuzioni come: *prender nota* (annotare), *prender cura* (curare), *prender visione* (esaminare), *prender cappello* (infuriarsi), *prender mano* o *la mano* (far pratica), *prender alloggio* (stabilirsi), *prender a cuore* (interessarsi), *prender piede* (affermarsi, diffondersi), *prender tempo* (ritardare), *prender di mira* (osservare attentamente), *prendersi la libertà* (permettersi), *prendersela* (offendersi). Si evitino alcune locuzioni che sono francesismi: *prendere un bagno* (dirai: fare un bagno), *prender atto* (prender nota), *prender possesso* (entrare in possesso). Sarà bene inoltre non abusare di questo verbo, e sostituirlo, quando è possibile, con sinonimi più specifici e adatti al caso. Es.: *prender da terra* (sollevare), *prendere un raffreddore* (buscarsi), *prender sul fatto* (cogliere), *prender la bicicletta* (inforcare, saltare in sella), *prender il volo* (spiccare), *prendere i gradi* (meritare), *prendere il colpevole* (scoprire, arrestare, catturare), *prendere un'arma* (impugnare, afferrare), *prender notizie* (raccogliere, cercare), *prendere il nome* (assumere), ecc.

prenóme: presso i Romani era il nome che si poneva davanti al nome gentilizio per designare la persona singola. Oggi diciamo: nome proprio. È così chiamato (prenome) perché si pone prima del cognome, cioè del nome della famiglia o casata. Es.: *Caio* (prenome) *Giulio* (nome gentilizio) *Cesare* (cognome della famiglia); *Alessandro* (prenome) *Manzoni* (cognome).

preoccupaziòne: sostantivo femminile. Letteralmente significa: occupazione precedente, ma l'uso più comune è ormai quello col significato di: inquietudine, pensiero, cruccio. Es.: *Mio figlio mi dà molte preoccupazioni*; *La tua preoccupazione maggiore è il guadagno*. Anche quella figura retorica, più nota col nome di *prolessi* (V.), consistente nell'anticipare quello che andrebbe detto o scritto dopo.

prepórre: verbo della seconda coniugazione, transitivo. *Pass. rem.*: prepósi, preponésti, prepóse, preponémmo, preponéste, prepósero. *Part. pass.*: prepósto. Significa: porre prima, porre a capo. Si costruisce con la preposizione *a*. Es.: *Fu preposto alla sorveglianza speciale della città*; *Nella graduatoria egli fu preposto a me.*

prepositívo: termine grammaticale. *Vocali prepositive*, sono le vocali che vengono prima in un dittongo (*a*u, *u*o, *i*e, ecc.). *Modi prepositivi*, sono le locuzioni composte da preposizioni e modi avverbiali o complementi (Es.: *a favore di, a prezzo di, di qua da, in fatto di, per mezzo di, per opera di, in odio a, ad onta di, in luogo di*, ecc.). *Articoli prepositivi*, sono detti anche *preposizioni articolate* (V.).

preposizióne: parte invariabile del discorso che si prepone ad un nome, ad un pronome, ad un verbo all'infinito per formare i complementi, cioè per stabilire un rapporto tra le parole.

Salvo il soggetto e il complemento oggetto, tutti i complementi sono introdotti da preposizioni. L'uso di queste ultime è quindi molto importante.

Le preposizioni sono proprie e improprie. Le *proprie* sono quelle che nel discorso non hanno mai altro valore che quello di preposizione. Esse sono *semplici* (*di, a, da, in, con, su, per, fra, tra*) o *articolate* (V.), cioè risultanti dall'unione di quelle semplici con gli articoli determinativi (*dello, sulla, dai*, ecc.). *Improprie* sono quelle costituite da altre parti del discorso (avverbi, aggettivi, participi e anche nomi o forme verbali) che possono acquistare valore di preposizione (*sopra, contro, secondo, stante, dato, tranne*, ecc.).

Si noti che ciascuna preposizione può introdurre diversi complementi, i quali si riconoscono di volta in volta dal contesto del discorso. P. es., la preposizione *di* può introdurre i complementi di specificazione (*I libri* di *scuola*; *I ferri* del *mestiere*), di argomento (*Parlare* di *politica*), di origine (*Nativo* di *Milano*), partitivo (*Alcuni* dei *nostri*; *Portami* del *vino*), di materia (*Fatto* di *pietra*), di mezzo (*Recingere* di *filo spinato*), di causa (*Morire* di *crepacuore*), di qualità (*Scrittore* di *grande ingegno*), di modo (*Lavorare* di *buona lena*), di limitazione (*Debole* d'*udito*), di colpa (*Accusare* di *omicidio*), di pena (*È stato multato* di *diecimila lire*), ecc.

A sua volta uno stesso complemento può essere retto da diverse preposizioni; anche in questo caso il senso logico dell'espressione e il contesto del discorso aiuteranno a distinguere le varie funzioni grammaticali delle preposizioni. Per es., il *complemento di modo* può essere introdotto dalle preposizioni *di* (*Accettammo* di *buon grado*), *a* (*Furono accolti* a *braccia aperte*), *da* (*Non seppe comportarsi* da *uomo d'onore*), *in* (*Potete darci una risposta* in *piena libertà di giudizio*), *con* (*È una decisione da prendersi* con *calma e* con *prudenza*), *per* (*Stavi parlando* per *scherzo?*).

Vi sono infine le *locuzioni prepositive* costituite dall'unione di due preposizioni, o di preposizioni con altre parole (*davanti a, insieme con, a guisa di, per mezzo di*). V. anche le voci relative a ciascuna preposizione e ai vari complementi.

preposizióni articolàte: le preposizioni che si uniscono con gli articoli determinativi e premesse ai nomi indicano i complementi. Si dicono anche *articoli composti*. Le preposizioni che si articolano sono: *di* (che diventa *de*) *a*, *da*, *in* (che diventa *ne*), *su*. L'unione avviene, con fusione, con *il* (*del, al, sul*, ecc.), con legamento, con *i* e *gli* (*dei, degli*), con raddoppiamento, con *lo, la, le* (*dello, nella, sulle*). Pertanto il quadro delle preposizioni articolate risulta il seguente:

a e *lo* = *allo;* | *a* e *i* = *ai;*
a e *il* = *al;* | *a* e *gli* = *agli;*
a e *la* = *alla;* | *a* e *le* = *alle;*

da e *il* = *dal;* | *da* e *i* = *dai;*
da e *lo* = *dallo;* | *da* e *gli* = *dagli;*
da e *la* = *dalla;* | *da* e *le* = *dalle;*

di e *il* = *del;* | *di* e *i* = *dei;*
di e *lo* = *dello;* | *di* e *gli* = *degli;*
di e *la* = *della;* | *di* e *le* = *delle;*

in e *il* = *nel;* | *in* e *i* = *nei;*
in e *lo* = *nello;* | *in* e *gli* = *negli;*
in e *la* = *nella;* | *in* e *le* = *nelle;*

su e *il* = *sul;* | *su* e *i* = *sui;*
su e *lo* = *sullo;* | *su* e *gli* = *sugli;*
su e *la* = *sulla;* | *su* e *le* = *sulle.*

PREPOSIZIONI

<table>
<tr><td rowspan="7">PROPRIE</td><td>SEMPLICI</td><td>di</td><td>a</td><td>da</td><td>in</td><td>con</td><td>su</td><td>per</td><td>fra (tra)</td></tr>
<tr><td rowspan="6">ARTICOLATE</td><td>del</td><td>al</td><td>dal</td><td>nel</td><td>con il</td><td>sul</td><td>per il</td><td>fra il</td></tr>
<tr><td>dello</td><td>allo</td><td>dallo</td><td>nello</td><td>con lo</td><td>sullo</td><td>per lo</td><td>fra lo</td></tr>
<tr><td>della</td><td>alla</td><td>dalla</td><td>nella</td><td>con la</td><td>sulla</td><td>per la</td><td>fra la</td></tr>
<tr><td>dei</td><td>ai</td><td>dai</td><td>nei</td><td>con i</td><td>sui</td><td>per i</td><td>fra i</td></tr>
<tr><td>degli</td><td>agli</td><td>dagli</td><td>negli</td><td>con gli</td><td>sugli</td><td>per gli</td><td>fra gli</td></tr>
<tr><td>delle</td><td>alle</td><td>dalle</td><td>nelle</td><td>con le</td><td>sulle</td><td>per le</td><td>fra le</td></tr>
<tr><td colspan="2">IMPROPRIE</td><td colspan="8">specifiche: verso, senza.
avverbi usati come preposizioni: Es.: oltre, presso, sopra, sotto, dentro, dietro, contro.
aggettivi usati come preposizioni. Es.: lungo, secondo, salvo.
participi presenti usati come preposizioni. Es.: durante, mediante, stante, rasente, nonostante.
participi passati usati come preposizioni. Es.: dato, tolto, eccettuato.
voci verbali usate come preposizioni. Es.: tranne.</td></tr>
<tr><td colspan="2">LOCUZIONI PREPOSITIVE</td><td colspan="8">preposizione impropria seguita da preposizione propria. Es.: fuori di, rispetto a, lungi da.
nome o avverbio seguito da preposizione propria. Es.: in luogo di, accanto a, in mezzo a, insieme con.</td></tr>
</table>

Alcuni scrittori usano, per la preposizione *su*, la forma letteraria in due parole: *su i, su gli, su le, su la, su lo.*

Anche le preposizioni *con* e *per* possono essere articolate, ma l'uso è sconsigliabile sia per evitare suoni spiacevoli, sia per evitare somiglianze con altre parole. Poco usate sono perciò le forme *collo, colla, cogli, colle* e *pel, pello, pella, pei, pegli, pelle.* Al posto di esse si adoperano le forme separate: *con lo, per il, con la, per la*, ecc.

Le preposizioni articolate composte dalla preposizione *di*, oltre che indicare i relativi complementi possono avere talora significato *partitivo* (V.). Le forme plurali valgono poi come plurale dell'articolo indeterminativo.

presagíre: verbo della terza coniugazione, transitivo. Si coniuga con la forma incoativa *-isc-* tra il tema e la desinenza di alcuni tempi. *Pres. indic.*: presagísco, presagísci, presagísce, presagiàmo, presagíte, presagíscono. *Pres. cong.*: presagísca, presagísca, presagísca, presagiàmo, presagiàte, presagíscano. *Part. pass.*: presagíto. Significa: prevedere, indovinare.

prescíndere: verbo della seconda coniugazione, intransitivo. *Pass. rem.*: prescíssi, prescindésti, prescísse, prescindémmo, prescindéste, prescíssero. *Part. pass.*: prescísso. Poco usati i tempi composti. Significa: eccettuare, lasciar da parte; si costruisce con la preposizione *da*. Es.: *Anche a prescindere da quel che ha fatto ieri, non è uomo degno di stima*; *Prescindendo da questo incidente, tutto si è svolto regolarmente.* Eviterai invece la brutta e pur comune locuzione *prescindendo dal fatto che.* Dirai: anche volendo ignorare che, tralasciando il fatto che, o altre simili espressioni.

presènte: aggettivo qualificativo che significa: che è nel luogo ove si parla. Si usa per taluni costrutti simili all'ablativo assoluto latino. Es.: *Presente il ministro* (=alla presenza del ministro o in presenza del ministro) fu scoperta la lapide; *Te presente* (=mentre tu eri presente) disse cose inopportune. Come sostantivo significa: il tempo attuale, l'oggi. Es.: *Il presente non deve fare dimenticare il futuro.* In funzione di aggettivo femminile sostantivato vale talora: questa lettera, questo messaggio. Es.: *Il latore della presente è l'amico di cui ti ho parlato.* Si noti infine l'espressione *aver presente* o *tener presente* per: ricordare, prender nota. Come sostantivo, infine, vale: dono. Es.: *Quel libro gli piaceva e allora gliene feci un presente.*

presènte (tempo): tempo semplice del verbo che esprime stato o azione che si realizza nel momento in cui si parla o si scrive. Tutti i modi del verbo hanno il tempo presente; perciò esistono: il presente indicativo, il presente congiuntivo, il presente condizionale, l'imperativo presente, il participio presente, il gerundio presente e l'infinito presente.

Il *presente indicativo* si forma, nei verbi regolari, aggiungendo al tema le desinenze: *-o, -i, -a, -iamo, -ate, -ano* (prima coniugazione: *lodo, lodi, loda, lodiamo, lodate, lodano*); *-o, -i, -e, -iamo, -ete, -ono* (seconda coniugazione: *credo, credi, crede, crediamo, credete, credono*); *-o, -i, -e, -iamo, -ite, -ono* (terza coniugazione: *parto, parti, parte, partiamo, partite, partono*). Il passivo dei verbi transitivi si forma con il presente del verbo essere e il participio passato del verbo (*io sono lodato, tu sei lodato*, ecc.; *io sono creduto, tu sei creduto*, ecc.; *io sono punito, tu sei punito*, ecc.).

Il presente indicativo esprime un'azione che si compie con certezza nel momento in cui si parla. Es.: *Io parto per Roma*; *Noi lavoriamo*; *Voi correte troppo*. È altresì usato nei proverbi, nelle sentenze e negli aforismi, indicando che l'azione continua sempre. Es.: *La fortuna aiuta gli audaci*; *Chi va con lo zoppo impara a zoppicare*. Il presente indicativo si usa per esprimere azioni consuete, che si ripetono con regolarità, anche se non avvengono mentre si parla. Es.: *Natale viene in dicembre*; *La vendemmia si fa in settembre*; *Il Parlamento fa le leggi*. Si adopera pure nel riferire e citare passi di autori, anche antichissimi, considerandoli presenti nei loro scritti. Es.: *Manzoni dice: «L'uomo che vuole offendere, o che teme, ogni momento, d'essere offeso, cerca naturalmente alleati e compagni».* Nei titoli il presente è adoperato per esprimere azione passata. Es.: *Il Presidente convoca* (=ha convocato) *i ministri*; *Un treno deraglia presso Bari*; *Uccide la moglie e si costituisce.* Nel linguaggio familiare denota un'azione futura, purché considerata certa. Es.: *Domani parto per Londra*; *Questa estate vado a Cortina.*

Un uso particolare del presente indicativo è quello di raccontare un'azione passata esprimendola con questo tempo per conferire maggiore efficacia alla narrazione. In tal caso si chiama *presente storico*. Es.: *Cesare giunge in Egitto ed è informato dell'uccisione di Pompeo*; *In quel tempo Mazzini è a Londra per diffondere l'idea della «Giovane Europa».*

Il *presente congiuntivo* si forma con le desinenze: *-i, -i, -i, -iamo, -iate, -ino* (prima coniugazione: *lodi, lodi, lodi, lodiamo, lodiate, lodino*); *-a, -a, -a, -iamo, -iate, -ano* (seconda coniugazione: *creda, creda, creda, crediamo, crediate, credano*); *-a, -a, -a, -iamo, -iate, -ano* (terza coniugazione: *parta, parta, parta, partiamo, partiate, partano*). Il passivo dei verbi transitivi si forma con il presente congiuntivo del verbo essere ed il participio passato del verbo (Es.: *io sia lodato, tu sia lodato*, ecc.; *egli sia creduto, voi siate creduti*, ecc.; *voi siate puniti, essi siano puniti*, ecc.). Nelle proposizioni indipendenti il presente congiuntivo si usa solo per esprimere un augurio (Es.: *Sia benedetto il Suo nome*; *Che tu possa riuscire*; *Vi aiuti la fortuna*) oppure una preghiera o un comando (Es.: *Faccia il suo dovere!*; *Pensi ai fatti suoi!*; *Compiamo il nostro dovere!*; *Mi faccia un piacere!*). Nelle proposizioni dipendenti il presente congiuntivo è adoperato ogni volta che si debba esprimere dubbio, incertezza o irrealtà. In particolare si usa nelle proposizioni oggettive dipendenti da una principale negativa (*Non dico che ciò cambi molto*; *Non credete che sia aiutato*) o rette da verbi di dubbio (*Dubito che possa venire*; *Non so se apprezzi più la sincerità o la docilità*); nelle proposizioni soggettive con gli stessi verbi di dubbio o di opinione (*Si spera che faccia una eccezione*; *È opportuno che voi rimediate*); nelle proposizioni relative, finali, temporali, causali, consecutive, condizionali, interrogative indirette, cioè ogni volta che si debba esprimere un'azione possibile, dubbia o desiderata. Il tempo presente del congiuntivo si usa secondo la regola fondamentale della dipendenza dei tempi, che vuole nella proposizione subordinata un tempo dello stesso tipo di quello della principale. Il presente congiuntivo si adopera perciò quando nella reggente vi è un tempo di tipo presente. Es:: *Questo è l'unico uomo che possa tenergli testa*; *Cerco un amico che gli parli in vece mia*; *Quando tu lo voglia, posso sempre aiutarti*; *Me ne vado perché son stanco, non perché sia annoiato*; *Ti scrivo in modo che tu comprenda bene*; *Nella ipotesi che ciò accada, saprò regolarmi*; *Ti chiedo quale sia il tuo nome.*

Il *presente condizionale* si forma con le desinenze: *-erei, -eresti, -erebbe, -eremmo, -ereste, -erebbero* (prima e seconda coniugazione: *loderei, loderesti, loderebbe, loderemmo, lodereste, loderebbero*; *crederei, crederesti, crederebbe, crederemmo, credereste, crederebbero*); *-irei, -iresti, -irebbe, -iremmo, -ireste, -irebbero* (terza coniugazione: *partirei, partiresti, partirebbe, partiremmo, partireste, partirebbero*). Il passivo dei verbi transitivi si forma con il presente condizionale del verbo essere ed il participio passato del verbo (*io sarei lodato, tu saresti lodato*, ecc.; *io sarei creduto, tu saresti creduto*, ecc.; *io sarei punito, tu saresti punito*, ecc.). Nelle proposizioni indipendenti il condizionale presente indica azione incerta o attenuazione delle affermazioni di chi parla o scrive. Es.: *Direi che non è il caso di arrabbiarsi*; *Sembrerebbe che questo non ti importi molto.* Si usa soprattutto nella apodosi (o principale) del *periodo ipotetico* (V.) quando è espressa un'azione possibile (Es.: *Ti aiuterei, se tu studiassi*) o anche irreale (Es.: *Se fosse finita, farei salti di gioia*; *Se fossi una donna, seguirei la moda*; *Se avessimo vinto, ora ce la potremmo spassare*).

Per il *participio presente*, l'*infinito presente* e il *gerundio presente* V. rispettivamente le voci PARTICIPIO, INFINITO, GERUNDIO.

presenziàre: verbo della prima coniugazione, transitivo (*Il ministro ha presenziato l'assemblea*) o, più comunemente, intransitivo, con l'ausiliare avere (*Il ministro ha presenziato all'assemblea*).

presèpio: sostantivo maschile. Anche *presèpe*. Parola di origine latina; originariamente significava: greppia. Oggi, per estensione, la rappresentazione della nascita di Gesù.

presidènte: sostantivo maschile, che indica colui che presiede, capo di uno Stato, di una assemblea, di un tribunale, di un consiglio, ecc. Femminile: presidentéssa o, meno correttamente, la presidènte.
Si noti tuttavia che la forma maschile si trova usata anche riferita a una donna. Es.: *Il presidente della Camera, on. Nilde Jotti* oppure *La presidente della Camera, on. Nilde Jotti*; *Presidente della Commissione è l'on. Tina Anselmi*.

presièdere: verbo della seconda coniugazione, intransitivo. Ausiliare: avere. Non segue la regola del *dittongo mobile* (V.). *Pres. indic.*: presièdo, presièdi, presiède, presiediàmo, presiedéte, presièdono. *Pass. rem.*: presiedéi (o presiedètti), presiedésti, presiedé (o presiedètte), presiedémmo, presiedéste, presiedérono (o presiedèttero). *Part. pass.*: presiedúto. Si costruisce con la preposizione *a*. Es.: *Presiedeva alla seduta il Capo dello Stato*; *Il direttore ha presieduto alla riunione.* Oggi si è diffuso anche l'uso transitivo. Es.: *Debbo presiedere una riunione.*

pressànte: participio presente di *pressare*. Usato come aggettivo nel senso di: urgente, incalzante, impellente. Es.: *In seguito a pressanti richieste*; *Per le pressanti necessità del momento.* È voce poco elegante.

pressappòco: avverbio che significa: quasi, all'incirca, a un dipresso. Si scrive anche *press'a poco.*

prèsso: preposizione impropria che significa: vicino. Es.: *Un comune presso Roma*; *Stava presso alla casa*; *Ci ritrovammo presso di lui.* Si costruisce direttamente o con le preposizioni *a* e *di*. Come avverbio vale: vicino, quasi (*presso che* o *pressoché*). Es.: *Mi stava sempre da presso*; *Erano presenti presso che centomila persone*; *A un di presso saranno stati in venti.* Si notino altri usi particolari: *presso i Romani* (ai tempi dei Romani), *presso Platone* (secondo Platone), *presso a fare* (in procinto di fare). Al plurale, come sostantivo, indica: vicinanze, sobborghi. Es.: *Fu trovato nei pressi di Napoli.*

prestabilíre: verbo della terza coniugazione, transitivo. In alcuni tempi si coniuga con la forma incoativa *-isc-* tra il tema e la desinenza. *Pres. indic.*: prestabilísco, prestabilísci, prestabilísce, prestabiliàmo, prestabilíte, prestabilíscono. *Pres. cong.*: prestabilísca, prestabilísca, prestabilísca, prestabiliàmo, prestabiliàte, prestabilíscano. *Part. pass.*: prestabilíto. Significa: stabilire prima, predeterminare. Es.: *Questo era lo scopo prestabilito.*

prèstito: l'adozione da parte di una lingua nel proprio lessico di una parola straniera. Per es.: *abat-jour* è un prestito dal francese, *computer* dall'inglese, *lager* dal tedesco. Si tratta, in questi casi, di prestiti che non hanno subito adattamento o integrazione, ossia che hanno mantenuto la loro forma originaria. In parole come *treno* o *bistecca* o *paltò*, invece, c'è stato un processo di adattamento del prestito alla nostra lingua (da: *train, beefsteak, paletot*).

prèsto: avverbio di tempo. Indica la rapidità di un'azione (*La casa fu presto costruita*) o genericamente il tempo circoscritto in cui è avvenuta, avviene o avverrà (*Se ne andò presto*; *Ti lascio presto*; *Si stancherà presto*). Anche aggettivo: sollecito, svelto. Es.: *Lavora con mano presta.*

presúmere: verbo della seconda coniugazione, intransitivo. Ausiliare: avere. *Pass. rem.*: presuméi (presúnsi), presumésti, presúnse (presumètte), presumémmo, presuméste, presumérono (presúnsero). *Part. pass.*: presúnto. Significa: pretendere oltre il lecito, essere tronfio. *Presumere troppo di sé stessi*: aver troppo fiducia in sé stessi. Più usato, ormai, transitivamente nel senso di: congetturare. Es.: *Presumevo che foste stati informati.*

preténdere: verbo della seconda coniugazione, transitivo. *Pass. rem.*: pretési, pretendésti, pretése, pretendémmo, pretendéste, pretésero. *Part. pass.*: pretéso. Quando regge una proposizione oggettiva si costruisce con *di* più l'infinito nella forma implicita (*Pretendeva di correggermi*) e con il congiuntivo nella forma esplicita (*Pretese che gli fosse sottoposta la lista degli invitati*).

preteríto: participio passato di *preteríre*, usato anche come aggettivo. Significa: trasgredito, tralasciato. Da non confondersi con l'aggettivo PRETÉRITO che significa: passato, trascorso. Sono tuttavia entrambe voci antiquate.

preterizióne: figura retorica che consiste nel fingere di non voler dire una certa cosa (un nome, un fatto, un'idea), parlandone però subito dopo in modo da metterla in evidenza. Notissimo l'esempio del Petrarca:

«Cesare taccio, che per ogni piaggia
fece l'erbe sanguigne
di lor vene ove il nostro ferro mise».

prevalére: verbo della seconda coniugazione, intransitivo. *Pres. indic.*: prevàlgo, prevàli, prevàle, prevaliàmo, prevaléte, prevàlgono. *Pass. rem.*: prevàlsi, prevalésti, prevàlse, prevalémmo, prevaléste, prevàlsero. *Fut. semplice*: prevarrò, prevarrài, prevarrà, prevarrémo, prevarréte, prevarrànno. *Part. pass.*: prevàlso. Si coniuga con entrambi gli ausiliari. La costruzione più comune è quella con la preposizione *su*. Es.: *Noi prevalemmo su di loro per numero.* Si trovano però anche costruzioni con la preposizione *fra*. Es.: *Fra tutti i pareri prevalse il migliore*. Significa: vincere, predominare.

priapèo: nella metrica classica greca e latina, verso composto da un gliconeo e da un ferecrateo, separati quasi sempre da una dieresi; veniva usato per i canti in onore di Priapo, da cui il nome.

prigióne: sostantivo femminile che significa: carcere, galera. Il sostantivo maschile PRIGIÓNE (d'uso antiquato, però) significa invece: prigioniero. Es.: *Hanno messo in prigione il colpevole*; *Michelangelo scolpì alcune statue in forma di prigioni.*

príma: avverbio di tempo. Indica generalmente il tempo anteriore (*Prima studiavamo, adesso lavoriamo*). Talora ha valore di congiunzione (*Prima che tu lo sappia*) o di preposizione (*Prima della guerra*).
Come aggettivo sostantivato indica la prima rappresentazione di uno spettacolo (V. PRIMO).

primitíve (parole): parole formate solo dalla radice e dalla desinenza, non derivate cioè da altre più semplici. Dalle parole primitive, con l'aggiunta di *suffissi* o *prefissi* se ne possono derivare altre dette appunto *derivate*. Es.: *uomo, vino, monte, cavallo* sono tutti nomi primitivi, da cui derivano, per esempio, *umanità, vinaio, montanaro, cavalleria*, ecc. V. anche NOME, PREFISSI, SUFFISSI.

prímo: aggettivo numerale ordinale; indica colui che sta innanzi a tutti in una serie progressiva ordinata. Con la cifra araba si esprime così: 1°; con quella romana invece così: I. Si dice anche brevemente *un primo, due primi*, ecc. per: un minuto primo, due minuti primi, ecc. Si usa poi per indicare il giorno in cui comincia il mese o l'anno: *il primo gennaio, il primo dell'anno, ai primi di febbraio*. Al femminile, sostantivato, vale: prima rappresentazione. Es: *Non manca a nessuna prima teatrale*; *Domani sera c'è la prima della «Traviata».*

principàle (proposizione): proposizione, detta anche *indipendente*, che sta a fondamento di tutto un periodo, senza essere dipendente da nessun'altra. Da essa dipendono le proposizioni subordinate. Es.: *Io credo* (principale) *che tu verrai* (oggettiva), *benché tu sia ostinato* (concessiva) *e non voglia smentire le parole* (coordinata alla concessiva) *che avevi pronunziato ieri* (relativa). Nella costruzione diretta, come nell'esempio ora riferito, la proposizione principale è posta all'inizio del periodo, mentre nella costruzione indiretta (o inversa) può, per esigenze dell'espressione e dello stile, trovarsi anche dopo proposizioni secondarie. Si noti che le proposizioni principali possono essere di diverso tipo, distinte secondo il diverso valore del loro contenuto: *enunciative*, se enunciano un fatto o un giudizio (*Paolo è caduto*; *Luigi è buono*), *interrogative*, se esprimono una domanda diretta (*Che ora è?*; *Come ti chiami?*), *esclamative*, se esprimono una esclamazione (*Va' fuori di qui!*; *Quanto ha sofferto!*), *ottative*, se esprimono un augurio o un desiderio (*Voglia il cielo!*; *Si* *compia l'auspicio*). V. PROPOSIZIONE e PERIODO.

principiàre: verbo della prima coniugazione, transitivo. Significa: cominciare, dare inizio. Es.: *Avevo appena principiato un nuovo lavoro.* Usato intransitivamente, si coniuga con tutti e due gli ausiliari e significa: aver inizio, cominciare, iniziarsi. Es.: *Ora è principiato l'autunno*; *Ho principiato a scrivere le prime pagine nel mese di gennaio.*

privatíva (particella): particella che preposta a un nome aggiunge l'idea di privazione o negazione. Le più comuni particelle privative sono *a, de, in, s.* Es.: *amorale* (senza morale), *ateo* (senza dio), *decentramento* (contrario di accentramento), *insoddisfatto* (non soddisfatto), *incompleto* (non completo), *scarico* (non carico), *sdentato* (senza denti).

pro-: prefisso che indica precedenza, anteriorità o continuazione. Es.: PRODÚRRE (porre avanti), PROÈMIO (inizio, introduzione), PRÒLOGO (inizio), PRONIPÓTE (figlio del nipote), PROÀVO (padre dell'avo).

Davanti ai nomi indicanti carica significa: sostituzione, invece di, vice. Es.: PROSÍNDACO (vicesindaco), PRORETTÓRE (vicerettore o facente funzione di rettore).

PRO, usato come sostantivo maschile, senza accento né apostrofo (con la pronunzia aperta dell'*o*), significa: vantaggio. Es.: *Buon pro ti faccia*; *Non so a che pro tu insista.* Con lo stesso significato si usa come preposizione. Es.: *Fondo pro disoccupati*; *La società pro Lecco*; *La sottoscrizione pro orfani di guerra.* Nell'originaria forma latina concorre a formare locuzioni rimaste nell'uso: *pro domo sua* (a suo favore), *pro bono pacis* (per quieto vivere), *pro forma* (per formalità).

probabilménte: avverbio di dubbio. Indica la probabilità, con un senso di maggior certezza rispetto a *forse* (V.). Es.: *Tu probabilmente sei stanco*; *Egli verrà probabilmente domani.*

procàcia: nome femminile terminante in *-ia,* che al plurale conserva la *i* atona (*procacie*) anche per distinguersi da *procàce* che è aggettivo. Significa: sfacciataggine, sfrontatezza.

procèdere: verbo della seconda coniugazione, intransitivo. *Pass. rem.*: procedètti, procedésti, procedètte, procedémmo, procedéste, procedèttero. *Part. pass.*: procedúto. Si coniuga con l'ausiliare essere quando significa: andare avanti o derivare. (Es.: *Le operazioni di sbarco sono procedute regolarmente*; *Dalla tua menzogna è proceduto molto dolore per tutti*); con l'ausiliare avere quando significa: dar principio, dar corso alla procedura, agire contro (Es.: *Ha proceduto alla escussione dei testi*; *Avevano già proceduto contro di lui su denunzia del ferito*).

proceleusmàtico: nella metrica classica greca e latina, piede formato da quattro sillabe brevi; privo di ritmo proprio, assume il valore di figura metrica.

proclítica: la sillaba atona che si appoggia per l'accento alla parola successiva. Es.: *da* bere, *la* vedo, *ci* viene. È il contrario di *enclitica* (V.).

pròdigo: nome (e aggettivo) sdrucciolo terminante in *-go,* che al plurale finisce in *-ghi*: pròdighi. Significa: generoso, liberale, scialacquatore.

proflúvio: sostantivo maschile che indica: sovrabbondanza di liquido; per estensione, sovrabbondanza in genere. Es.: *Me lo disse con un profluvio di parole.* Errata la forma femminile *profluvie.*

pròfugo: nome (e aggettivo) sdrucciolo, terminante in *-go,* che al plurale finisce in *-ghi*: profughi. Significa: esule, fuggiasco, ramingo.

progènie: sostantivo femminile, che significa: stirpe, discendenza. Plurale: le progènie (ma non è usato). Es.: *La gloriosa progenie dei Romani.* Talora ha significato dispregiativo. Es.: *La triste progenie dei Borgia.*

programmaziòne: sostantivo femminile. È un neologismo del linguaggio teatrale e cinematografico. Es.: *Hanno presentato le prossime programmazioni*; *Questo film era in programmazione al Cinema Nuovo.* Il termine ha avuto poi grande fortuna nel linguaggio dei manager per indicare: pianificazione, previsione.

progredíre: verbo della terza coniugazione, intransitivo. Si coniuga con l'ausiliare avere quando è riferito a persona, con essere quando il soggetto è una cosa. Significa: procedere, avanzare, migliorare. Es.: *La medicina è progredita molto in questo mezzo secolo*; *L'acqua è progredita verso i campi, allagando strade e ponti*; *Il nemico ha progredito di qualche chilometro*; *L'allievo ha progredito in latino, ma ha peggiorato in matematica.*

proibíre: verbo della terza coniugazione, transitivo. In alcuni tempi si coniuga con la forma incoativa *-isc-* tra il tema e la desinenza. *Pres. indic.*: proibísco, proibísci, proibísce, proibiàmo, proibíte, proibíscono. *Pres. cong.*: proibísca, proibísca, proibísca, proibiàmo, proibiàte, proibíscano. *Part. pass.*: proibíto. Significa: vietare, impedire, inibíre. Come tutti i verbi di volizione e di imperio, quando regge una proposizione oggettiva, si costruisce con *di* e l'infinito nella forma implicita e con il congiuntivo nella forma esplicita. Es.: *Ti proibisco di fumare*; *La legge proibisce che si stampino monete false.* Quando l'oggettiva ha un soggetto diverso dalla reggente, il destinatario della proibizione è espresso da un complemento di termine. Es.: *Fu proibito a tutti di fumare.*

pròle: sostantivo femminile. Difettivo, non ha plurale. Ha significato collettivo: figli, figliolanza, discendenza. Es.: *Saranno assunti tutti gli impiegati con prole.*

prolèssi: figura retorica che consiste nel rispondere anticipatamente ad una prevista obiezione. Es.: *Bugie? La vedremo se son bugie*; *Voi direte: ma chi pagherà? Ho pensato anche a questo.* Anche figura grammaticale consistente nell'anticipare nella proposizione alcuni elementi, mutando l'ordine naturale (cioè la costruzione diretta) per porre in risalto alcuni termini piuttosto che altri. Es.: *Libri dovete regalargli, non giocattoli* (costruzione diretta: Dovete regalargli libri, non giocattoli). V. anche INVERSIONE.

Nell'analisi del testo, è l'anticipazione di elementi narrativi che lo svolgimento logico-temporale della trama prevede successivamente.

pròlogo: nome sdrucciolo terminante in *-go*, che al plurale finisce in *-ghi*: prologhi. Significa: introduzione, principio, esordio, proemio, preambolo.

prométtere: verbo della seconda coniugazione, transitivo. *Pass. rem.*: promisi, promettesti, promise, promettemmo, prometteste, promisero. *Part. pass.*: proméssso. Quando regge una proposizione oggettiva, ammette sia il costrutto implicito con di e l'infinito (*Promise di aiutarmi*) sia quello esplicito (*Promise che mi avrebbe aiutato*). In questo secondo caso vuole l'indicativo nella dipendente: *Prometto che lo farò.*

promíscuo (genere): V. NOME e GENERE.

pronóme: parte variabile del discorso che fa le veci del nome. Il pronome sostituisce il nome, mentre l'aggettivo sostantivato lo sottintende. Secondo la tradizionale suddivisione, i pronomi si distinguono nel seguente modo: personali, dimostrativi o indicativi; relativi o congiuntivi; indefiniti o quantitativi; interrogativi, possessivi. Ciascuna di queste categorie fa voce a sé nel presente dizionario, così come ogni pronome è trattato in una apposita voce con osservazioni particolareggiate sull'uso, sul significato e su eventuali modi errati. Per comodità del lettore, che voglia avere raggruppato tutto l'argomento, ripetiamo qui i principi generali sul pronome e sul suo uso.

Pronomi personali sono quelli che fanno le veci dei nomi di persona, propri o comuni. Quello di prima persona (singolare: *io*; plurale: *noi*) indica colui o coloro che parlano; quello di seconda persona (singolare: *tu*; plur.: *voi*) indica colui o coloro a cui si parla; quello di terza persona (sing.: *egli, ella, essa*; plur.: *essi, esse*) colui o coloro di cui si parla. Si noti tuttavia che il pronome personale non varia solo secondo il numero (*io, noi*; *tu, voi*; *egli, essi*) e secondo il genere (*egli, ella*; *essi, esse*), ma anche secondo l'ufficio che compie nella proposizione. Alle forme già citate occorre aggiungere le forme toniche del pronome personale in funzione di complemento: *me, noi* (1ª persona), *te, voi* (2ª persona), *sé* (3ª persona, quando ha valore riflessivo), *lui, lei, loro* (3ª persona, quando è diverso dal soggetto o dopo *come, quanto*, nelle esclamazioni o in funzione di predicato). Es. (in funzione di soggetto): *Io* lavoro tutto il giorno; *Tu* ami Lucia; *Egli* veniva da lontano; *Noi* siamo arrivati; *Voi* lodate i buoni; *Essi*

PRONOMI

PERSONALI	1ª persona: soggetto: *io, noi.* complemento: *me* (tonico), *mi, ci* (atono). 2ª persona: soggetto: *tu, voi.* complemento: *te* (tonico), *ti, vi* (atono). 3ª persona: soggetto: *egli, ella, esso, essa, essi, esse.* complemento: *sé* (riflessivo), *lui, lei, loro, si* (riflessivo), *lo, la, li, le, gli, le* (atono).
POSSESSIVI:	*mio, tuo, suo, nostro, vostro, loro, proprio, altrui.*
DIMOSTRATIVI:	*questo, codesto, quello, ciò, questi, quegli, costui, costoro, colui, colei.*
INDEFINITI:	*uno, qualcuno, ognuno, ciascuno, nessuno, alcuno, taluno, certuno, chiunque, chicchessia, certi, niente, nulla, altro, altrettanto, parecchio, molti, tanti, quanto, qualcosa, checché, tale* e altri meno usati.
RELATIVI:	*che, cui, il quale, la quale, i quali, le quali, chi.*
INTERROGATIVI:	*chi? che cosa? quale? quanto?*

sono cattivi; (in funzione di complemento) Paolo chiamava *me*; Cercavano proprio *noi*; Parlavamo *di voi*; Partirono *con loro*; È capace *quanto te*; Se tu fossi *me*; Beato *te!* È opportuno aggiungere che le forme *lui, lei, loro*, nel linguaggio familiare, hanno ormai assunto anche una funzione soggettiva. Es.: *Lui dice di no*; *Lei ha detto questo?*; *Loro non vogliono.*

I pronomi personali hanno anche forme atone, che fungono da complemento oggetto o complemento di termine. Esse si appoggiano alla parola seguente (proclitiche) o a quella precedente (enclitiche, con l'imperativo o i modi indefiniti dei verbi). Esse sono: *lo, la, li, le* (complemento oggetto); *gli, le* (complemento di termine); *mi, ti, ci, vi, si* (complemento oggetto o di termine), *ne* (specificazione). Es.: *Lo* chiamai, ma non rispose; Quando *la* vidi, sussultai; Non *li* aiuterò più; *Le* cacciarono subito; Non *gli* diede nulla; Andai a casa sua, ma non *le* dissi niente; Fam*mi* un piacere; *Mi* vuole aiutare; *Ti* sento bene; *Ci* volevano uccidere; *Vi* abbiamo udito; Dovrebbero ascoltar*vi*; *Si* fece tradire; Bisogna dar*si* la mano; Non me *ne* ricordo più.

Pronomi dimostrativi o indicativi sono eguali agli aggettivi dimostrativi e indicano le stesse relazioni di luogo o di posizione. Sono: *questo* (per indicare persona, cosa o animale vicino a chi parla), *codesto* (vicino a chi ascolta) e *quello* (lontano da chi parla e da chi ascolta). Inoltre è molto usata la forma neutra *ciò* (questa cosa, quella cosa). Per le persone (e solo per le persone) esistono i pronomi *questi, quegli, costui, costei, costoro, colui, colei, coloro* che non sono mai usati come aggettivi, mentre *questo, codesto* e *quello*, uniti ad un nome (*questo letto, codesta casa, quel maestro*) acquistano valore di aggettivi. Si noti poi che mentre *questo, codesto* e *quello* si usano tanto per il soggetto, quanto per i complementi, le forme *questi, quegli, costui, colui*, ecc. sono adoperate solo come soggetto. Es.: Ti manderò *questo* (complemento oggetto); *Questi* (soggetto) mi rispose troppo tardi; *Costui* (soggetto) non deve venire a casa tua; *Coloro che* (soggetto) ti aiutano, fanno bene; Ho pensato *a questo* (compl. termine) prima di te; Non sai *ciò* (compl. oggetto) che vuoi.

Pronomi indefiniti o quantitativi possono indicare unità indeterminata, positiva o negativa (*uno, alcuno, taluno, ciascuno, nessuno* che sono anche oggettivi; *qualcuno, ognuno*, ecc.) oppure quantità indeterminata, positiva o negativa (*poco, molto, parecchio, troppo, tanto, quanto, altrettanto* che sono anche aggettivi; *nulla, niente*) oppure qualità (*altro, certo*, che sono anche aggettivi; *certuni, altri, altrui, chiunque, chicchessia*). Es.: *Uno* va a scuola, l'*altro* studia in casa; *Nessuno* può dire niente; *Altri* potrà dire il contrario; *Chiunque* osi tradire, sarà ucciso; *Tutto* va bene. Come si rileva da questi esempi i pronomi indefiniti possono adempiere alla funzione di soggetto o di complemento.

Pronomi relativi sono quelli che uniscono due proposizioni facendo le veci, nella seconda, di un nome contenuto nella prima. Sono: *che, il quale, la quale, chi, cui*. Di questi *che* è invariabile, vale per il singolare e il plurale, per il maschile e il femminile. Es.: Il ragazzo *che* ti ho presentato; La ragazza *che* hai visto; I nemici *che* hanno vinto; Le scolare *che* avete premiato. Si rileva anche che il pronome *che* (da non confondersi con l'identica congiunzione) può far l'ufficio di complemento oggetto (Il bimbo *che* hai lodato) o di soggetto (Gli scolari *che* hanno studiato). *Il quale* è declinabile: *la quale, i quali, le quali*; occupa il primo posto nella proposizione di cui fa parte e può anch'esso fare da complemento o da soggetto. Es.: Paolo, *il quale* studia, sarà promosso; Luisa, *della quale* ti ho parlato, arriverà domani; Gli amici, *ai quali* abbiamo donato un libro, ci ringraziano. Il pronome *chi*, invariabile, vale solo per il singolare ed è considerato pronome doppio, poiché equivale a un relativo più un dimostrativo o indefinito. Es.: *Chi* (colui che) mi vuole mi segua; Non vedo *chi* (quello che, colui che) possa avere fatto ciò; Sono grato *a chi* (a colui il quale) mi ha invitato. Il pronome *cui*, infine, è invariabile e si usa solo come complemento. Es.: Ecco la donna *di cui* (= della quale) ti ho parlato; Benedetto il giorno *in cui* (nel quale) nacqui. Usato senza preposizione, ha valore di complemento di termine. Es.: Il signore, *cui* (=al quale) mi rivolgo, viene dall'America.

Pronomi interrogativi sono quelli usati in una interrogazione, diretta o indiretta. Sono: *chi?, che?, che cosa?, quale?, quanto? Chi* si riferisce a persona (*Chi* ha parlato?; Ti chiedo *chi* è stato; *Di chi* sono queste scarpe?) usato, come si vede, sia come soggetto che come complemento. *Che?* e *che cosa?* si usano per gli oggetti, anch'essi in funzione di soggetto o di complemento (*Che* gli hai fatto?; *Che* è stato?; *Che cosa* vuoi?; Non so *di che cosa* ti lamenti). *Quale* indica la qualità (*Quale* ti piace?; *Quale* dei due è il migliore?), *quanto* la quantità (*Quanto* hai speso?; *Quanti* sono?; Ti ha chiesto *quanti* sono).

Pronomi possessivi sono gli aggettivi possessivi usati senza il nome: *mio, tuo, suo, nostro, vostro, loro*. Queste particelle, nell'uso pronominale, vogliono sempre l'articolo determinativo. Es.: Ti dò il tuo libro e tu dammi *il mio*; Io preferisco *la mia*; Ne ha fatta qualcuna *delle sue*; Questo coltello è *loro*; quello è *il nostro*.

Per le osservazioni particolari vedi: PERSONALI (PRONOMI); POSSESSIVI (PRONOMI); INDEFINITI (PRONOMI); RELATIVI (PRONOMI); INTERROGATIVI (PRONOMI); DIMOSTRATIVI (PRONOMI); nonché le singole voci riferentisi ai pronomi stessi (QUESTO, COLUI, CHIUNQUE, CHI, CHE, ecc.).

pronominàle (forma): si ha la forma pronominale con alcuni verbi di forma riflessiva ma di valore intransitivo. Ciò si verifica quando i verbi sono accompagnati dalle particelle *mi, ti, si, ci, vi*, ma senza che queste abbiano valore di complemento oggetto (come nella forma *riflessiva*) o di complemento di termine (come nella forma *riflessiva apparente*) e neppure indichino azione scambievole (come nella forma *reciproca*). Esse hanno solo funzione pleonastica. *Tu ti duoli, egli si pente, noi ci accorgiamo*. In questi casi, è evidente, le particelle non hanno valore di complemento oggetto o di termine (non si può dire infatti: tu duoli te stesso o a te stesso, egli si pente se stesso o a se stesso, ecc.). In tal modo si può distinguere questa forma da quella riflessiva. Si noti l'uso dell'ausiliare quando i verbi pronominali sono usati all'infinito retto da un verbo servile. Se il pronome atono precede i due verbi, l'ausiliare è essere; se il pronome è enclitico, l'ausiliare è avere. Es.: *Si è dovuto ricordare*; *Ha dovuto ricordarsi*.

pronominàli (particelle): V. PARTICELLA.

pronúncia: il modo di proferire le parole tenendo conto della posizione degli accenti e del suono delle vocali e delle consonanti. La pronuncia della lingua italiana era un tempo regolata, nel tentativo di raggiungere la maggiore uniformità, sul modello dei toscani, anzi dei fiorentini colti. Ma dopo l'unità d'Italia, divenuta Roma capitale e centro di fusione e di convergenza di genti e interessi, e quindi di parlate, di tutta la penisola, si venne creando un altro grande centro linguistico, che si distingueva da Firenze nella pronuncia di quelle parole ove ricorrevano le vocali toniche *e* od *o*, i dittonghi mobili *iè, uò*, o il suono della consonante *s* (sempre sorda a Roma, quando è posta tra due vocali). La lingua italiana, in altre parole, subì una naturale evoluzione, si arricchì per vari fattori culturali, sociali e politici di nuovi termini e di nuove locuzioni e non fu più possibile regolarla con l'originario metro fiorentino. In particolare, per quel che riguarda i problemi della pronuncia, si accolsero alcune innovazioni, come, per esempio, la conservazione dei dittonghi mobili anche in sillabe atone.

L'unificazione della pronuncia, pensabile a tavolino, fu ed è più difficile nell'uso parlato, ove i diritti linguistici della capitale e delle varie regioni italiane si affermano eguali a quelli della regione che fu la culla del nostro idioma.

La nostra lingua non ha dunque una unità completa, essendoci forti differenze regionali di pronunzia, tra le quali note e caratteristiche sono, ad esempio, la *u* alla francese di liguri e lombardi, la tendenza dei veneti a semplificare le consonanti doppie, la tendenza al contrario dei meridionali a raddoppiare le consonanti semplici, la *a* tendente all'*e* dei pugliesi,

l'aspirazione della *c* da parte dei toscani, la tendenza dei napoletani a spostare l'accento verso la fine delle parole, ecc. Ma le differenze maggiori si notano a proposito della pronuncia aperta o chiusa della *e* e della *o*. Per alcune parole, poco più di un centinaio, si è anzi ormai legittimata la doppia pronuncia, quella «fiorentina» e quella «romana».
Eccone un elenco; quella in corsivo è la pronuncia *fiorentina*, quella tra parentesi è la pronuncia *romana*: *affógo* (affògo), *affóllo* (affòllo), *allégro* (allègro), *annégo* (annègo), *annètto* (annétto), *arèna* (aréna) nel senso di «anfiteatro», *atróce* (atròce), *attènto* come verbo (atténto), *béstia* (bèstia), *bipènne* (bipénne), *bisógno* (bisògno e bisógno), *bistécca* (bistècca), *bórdo* (bòrdo), *capéstro* (capèstro), *carógna* (carògna), *cèffo* (céffo), *cémbalo* (cèmbalo), *cèntro* (céntro), *cércine* (cèrcine), *cétra* (cètra), *chiérica* (chièrica), *cilécca* (cilècca), *cinciallégra* (cinciallègra), *cognóme* (cognòme), *collètta* (collétta), *colónna* (colònna), *colóro* (colòro) come pronome, *cométa* (comèta), *cómpito* (còmpito), *coòrte* (coórte), *concèntro* (concéntro), *còrico* (córico), *costóro* (costòro), *crèsima* (crésima), *désto* (dèsto), *diléguo* (dilèguo), *dimòra* (dimóra), *discépolo* (discèpolo), *dópo* (dòpo), *elènco* (elénco), *enórme* (enòrme), *érpice* (èrpice), *érto* (èrto), *esèmpio* (esémpio), *esòso* (esóso), *faléna* (falèna), *fèccia* (féccia), *fedéle* (fedèle), *feróce* (feròce), *fèto* (féto), *fóce* (fòce), *fóga* (fòga), *fólla* e *fòlla* (fòlla), *fóndaco* (fòndaco), *fòrmula* (fórmula), *frégio* (frègio), *frèno* (fréno), *germóglio* (germòglio), *giovènco* (giovénco), *gólfo* (gòlfo), *gònna* o *gónna* (gónna), *gótta* (gòtta), *grégge* (grègge), *gróppo* (gròppo), *insórgo* (insòrgo), *intéro* (intèro), *intònso* (intónso), *lébbra* (lèbbra), *lèrcio* (lércio), *lésina* (lèsina), *lèttera* (léttera), *lóro* (lòro), *maèstro* (maéstro), *manigóldo* (manigòldo), *marèngo* (maréngo), *mèlma* (mélma), *mèmbra* (mémbra), *mènomo* (ménomo), *méscita* (mèscita), *méscolo* (mèscolo), *méstola* (mèstola), *mòccolo* (móccolo), *nascòsto* (nascósto), *négo* (nègo), *nèsso* (nésso), *nóme* (nòme e nóme), *obèso* (obéso), *órcio* (òrcio), *òrco* (órco), *òrgano* (órgano), *orgóglio* (orgòglio), *órma* (òrma), *ostènto* (osténto), *ótre* (òtre), *palafrèno* (palafréno), *pandètte* (pandétte), *péntola* (pèntola), *pòrgo* (pórgo), *prètto* (prétto), *quadrirème* (quadriréme), *quattórdici* (quattòrdici), *ramméndo* (rammèndo), *rèdini* (rédini), *rèmo* (rémo), *rèni* (réni), *rènna* (rénna), *résina* (rèsina), *rigóglio* (rigòglio), *rimèmbro* (rimémbro), *rintócco* (rintòcco), *rispósta* (rispòsta), *rivèlo* (rivélo), *sbilènco* (sbilénco), *scéndere* (scèndere), *scèttro* (scéttro), *schèletro* (schéletro), *schiètto* (schiétto), *scólta* (scòlta), *scròfa* (scrófa), *sède* (séde), *sèggio* (séggio), *sèggo* (séggo), *sènza* (sénza), *sèppi*, *sèppe* (séppi, séppe), *sfógo* (sfògo), *sghèrro* (sghérro), *sgómino* (sgòmino), *siète* (siéte), *sógno* (sògno), *sónno* (sònno), *sóno* (sòno), *sórdido* (sòrdido), *spèngo* (spéngo), *spilórcio* (spilòrcio), *spòso* (spóso), *stènto* (sténto), *stèrpo* (stérpo), *stòrpio* (stórpio), *strégua* (strègua), *strènna* (strénna), *svélo* (svèlo), *svèlto* (svélto), *tèmpia* (témpia), *tèmpio* (témpio), *tènto* (ténto), *tèschio* (téschio), *tócco* (tòcco), *tórba* (tòrba), *tórma* (tòrma), *tórnio* (tòrnio), *trafóro* (trafòro), *trégua* (trègua), *trénta* (trènta), *vèglio* (véglio) nel senso di vecchio, *velóce* (velòce), *vèltro* (véltro), *vóga* (vòga), *vógo* (vògo). Una divergenza di pronuncia si nota anche per alcuni nomi propri di persona: *Abbóndio* (Abbòndio), *Agnèse* (Agnése), *Bertóldo* (Bertòldo), *Césare* (Cèsare), *Élda* (Èlda), *Elisabètta* (Elisabétta), *Giórgio* (Giòrgio), *Maddaléna* (Maddalèna), *Rómolo* (Ròmolo), *Sinforósa* (Sinforòsa), *Stéfano* (Stèfano).

pronunziàre: verbo della prima coniugazione, transitivo. Significa: dire, recitare, enunciare. Nell'uso anche *pronúncia* e *pronunciàre*. Si noti che l'uso riflessivo di questo verbo (pronunziarsi), nel senso di: prender partito, dire il proprio giudizio, è diffidato dai puristi, benché ormai comune. Es.: *Il medico non si è pronunziato.*

proparalèssi: figura grammaticale o licenza poetica consistente nell'aggiunta di una sillaba in fine di parola. Es.: *giue* per: giù, *beltade* per: beltà, *puote* per: può. Si chiama anche *epìtesi* o *paragòge*.

proparossítona (parola): si dice di parola che ha l'accento tonico sulla terzultima sillaba (*lúcido, àvido, àmino*). Sinonimo, quindi, di *sdrucciola*.

propèndere: verbo della seconda coniugazione, intransitivo. Ausiliare: avere. *Pass. rem.*: propendètti (propési), propendésti, propendètte (propése), propendémmo, propendéste, propendèttero. *Part. pass.*: propendùto o propéso. Significa: inclinare, preferire, esser favorevole; e si costruisce con le preposizioni *per* e *verso*. Es.: *Propendeva per la seconda soluzione*; *Noi propendiamo verso il perdono.*

propórre: verbo della terza coniugazione, transitivo. *Pass. rem.*: propósi, proponésti, propóse, proponémmo, proponéste, propósero. *Fut. semplice*: proporrò, proporrài, proporrà, proporrémo, proporréte, proporrànno. *Part. pass.*: propòsto. Significa: porre avanti, consigliare, presentare, offrire. Es.: *Mi propose un affare*; *Gli proporrei di venire con me*; *È stato proposto come* (o per) *consigliere della società*. Usato come riflessivo apparente, significa: decidere, deliberare, prefiggersi. Es.: *Mi proposi di parlargli il mattino seguente.*

proporziòne: sostantivo femminile. Vale: convenienza, armonia delle parti fra loro e con il tutto; corrispondenza. Es.: *Le proporzioni dei monumenti classici*; *Non c'è proporzione tra il prezzo e il valore dell'oggetto.* Invalso nell'uso, ma da evitare, il significato di: dimensioni. Es.: *Un disastro di vaste proporzioni*; *Ridusse l'avvenimento alle sue giuste proporzioni*. Dirai secondo i casi: dimensioni, grandezza, intensità.

proposiziòne: un pensiero o un giudizio espresso con parole (Es.: *Io leggo*; *Egli è buono*). Gli elementi essenziali di ogni proposizione sono il *soggetto* e il *predicato*. Il soggetto è la persona, l'animale o la cosa di cui si parla. Il *predicato* è ciò che si dice del soggetto ed è costituito da un verbo.

Negli esempi addotti sono soggetti: *io* ed *egli*; predicati: *leggo* ed *è*. Una proposizione è *semplice* quando contiene unicamente gli elementi essenziali, il soggetto e il verbo. È *complessa* quando contiene il soggetto, il predicato e i complementi che ne integrano il senso (*Io leggo un libro*; *Egli è buono con te*). È *composta* quando risulta da più proposizioni semplici o complesse riunite in una sola. Es.: *Tu ed io leggiamo* (= Io leggo, tu leggi); *Io leggo e scrivo* (= Io leggo, io scrivo); *Io leggo un libro e i giornali* (= Io leggo un libro, Io leggo i giornali). Il soggetto può essere talora sottinteso. Es.: *Venite* (sott.: voi); *Vai* (sott.: tu); *Sono andati* (sott.: essi), ecc. In questo caso la proposizione si dice *ellittica del soggetto*, cioè mancante del soggetto.

Anche il predicato può essere sottinteso. Es.: *Giusto!* (sott.: è); *Chi ti ha chiamato?* R.: *Tu* (sott.: mi hai chiamato). In questo caso la proposizione si dice *ellittica del predicato*, cioè mancante del predicato.

L'ordine normale degli elementi della proposizione sarebbe quello di porre prima il soggetto, poi il verbo e infine i complementi. Es.: *Gli uomini amano la pace*; *Gli scolari imparano la lezione.* Il complemento oggetto ha la precedenza sugli altri. Es.: *Ho visitato la città* (oggetto) *con i miei amici* (complemento di compagnia). La costruzione normale e diretta subisce però inversioni, quando si vuol mettere in risalto qualche elemento e lo si pone perciò in testa alle proposizioni o in altra posizione di rilievo. Es.: a) *Mi ha dato solo parole* (costruzione diretta); b) *Solo parole mi ha dato* (inversione tra complemento oggetto e soggetto). La seconda forma, come si vede, acquista una sfumatura particolare. Le ragioni e la forma delle inversioni sono quindi suggerite volta a volta da esigenze stilistiche particolari, e affidate al gusto dello scrittore. In poesia la posizione della parola acquista particolare importanza ed è collegata alle regole della versificazione.

Le proposizioni si distinguono in: *principali* o *reggenti*, *coordinate*, *dipendenti* o *subordinate*. A loro volta le *principali* si dividono in: *enunciative* (*affermative* o *negative*), *interrogative, esclamative, imperative, ottative*; le *coordinate* si dividono in: *coordinate alla principale* o *coordinate alla subordinata*; le *subordinate* si dividono in: *soggettive, attributive, oggettive e circostanziali* (cioè *modali, temporali, finali, consecutive, condizionali, causali, concessive, interrogative indirette, locali, comparative, incidentali*, ecc.). *Reggenti* sono le proposizioni che reggono altre *(a)* PROPOSIZIONI

PRINCIPALI	ENUNCIATIVE (esprimono un fatto o un giudizio) a) AFFERMATIVE b) NEGATIVE	a { *La Terra è rotonda.* *Il sasso è caduto.* *Lo scolaro è diligente.* b { *L'uomo non è immortale.* *Nessun piatto si è rotto.* *Tu non sei cattivo.*
	ESCLAMATIVE (esprimono una esclamazione)	*Finalmente è arrivato!* *Ahimè, quanto è cattivo!* *Evviva! Abbiamo vinto!*
	INTERROGATIVE (esprimono una domanda)	*Chi è stato?* *Quando sei arrivato?* *Quanto hai pagato?*
	OTTATIVE (esprimono un desiderio)	*Possa tu salvarti!* *Che il cielo ti assista!* *Possa egli riuscire!*
	IMPERATIVE (esprimono un comando)	*Taci!* *Uscite subito tutti!* *Nessuno parli!*
COORDINATE (alla principale o alla secondaria)	PER ASINDETO	Io lavoro, *tu studi, egli parla.*
	COPULATIVE (con *e, anche, pure, inoltre*)	Io lavoro *e studio.*
	DISTINTIVE O DISGIUNTIVE (con *o, oppure, ovvero*)	Io studio *o lavoro.* Egli ha paura *o ha bisogno di voi.*
	AVVERSATIVE (con *ma, però, invece, anzi*)	Io non studio, *ma lavoro.*
	CONCLUSIVE (con *dunque, infine, poi, insomma*)	Sto pensandoci: *insomma, verrò.* Esitava: *infine si decise.*

	Tipo	Congiunzioni	Esempi { a) esplicite / b) implicite
SUBORDINATE	OGGETTIVE	*che*	a) Io dico *che tu sei buono.* b) Vide *partire il treno.*
	SOGGETTIVE	*che*	a) È bello *che tu vinca.* b) È giusto *servire la patria.*
	CAUSALI	*perché, poiché, giacché*	a) Vengo *perché lo vuoi.* b) È punito *per aver sbagliato.*
	COMPARATIVE	*così... come, più* (*o meno*) *... che non piuttosto che, anziché*	a) Non è così ingenuo *come sembra.* b) *Piuttosto che sottomettermi,* preferisco rinunciare.
	CONCESSIVE	*benché, quantunque, sebbene*	a) Venne, *benché piovesse.* b) *Ammalato,* partì lo stesso.
	CONDIZIONALI	*se, qualora*	a) *Se vuoi,* vengo con te. b) *Volendolo,* potrei farlo.
	CONSECUTIVE	*così... che, tale... che, tanto che*	a) È così folle *che non capisce nulla.* b) Era tanto triste *da impietosire.*
	ECCETTUATIVE	*tranne che, salvo*	a) È uguale a me, *tranne che è più alto.* b) Farei tutto, *salvo tradire.*
	FINALI	*affinché, perché*	a) Lo aiuto *affinché vinca.* b) Lavorano *per mangiare.*
	INCIDENTALI	—	a) È, *come vedi,* molto tardi.
	INTERROGATIVE INDIRETTE	*se, dove, quando, perché, come*	a) Dimmi *se verrai.* b) Chiedeva *dove andare.*
	MODALI	*come*	a) Ho fatto *come fai tu.* b) *Sbagliando* si impara.
	RELATIVE	(pronome o avverbio relativi)	a) Il libro *che mi hai dato.* b) Ho visto i soldati *partenti.*
	TEMPORALI	*dopo, prima, quando, mentre, appena*	a) Verrò *quando vorrai.* b) Parlò *dopo aver ascoltato.*

proposizioni. Vedi per ciascuna specie la voce relativa.
Si ricordi infine che le proposizioni possono essere *implicite* ed *esplicite*. Si dicono *implicite* quelle che hanno il verbo al modo indefinito, cioè infinito, participio o gerundio. Es.: Tu lavori *per mangiare*; Fu punito *per avere rubato*; *Giunto a casa*, trovai mio padre; *Scrivendo*, dimenticai i miei affanni; *Avendo sofferto*, mi puoi comprendere.
Si dicono *esplicite* tutte le altre, cioè le proposizioni che hanno il verbo ad un modo finito. Si noti tuttavia che le implicite si possono sempre ridurre in esplicite. Es.: Fu punito *perché aveva rubato*; *Quando giunsi a casa*, trovai mio padre; *Mentre scrivevo*, dimenticai i miei affanni; *Poiché hai sofferto*, mi puoi comprendere.
V. anche SINTASSI, ANALISI LOGICA DELLA PROPOSIZIONE.

pròpri (nomi): in contrapposizione a *comuni* (V.) i nomi che indicano individualmente una persona, una cosa o un animale in modo da distinguerli da tutte le altre persone, cose o animali della stessa specie.
Si scrivono con la lettera maiuscola. Es.: *Annunciata, Carlo, Victor, Roma, Tevere, Fiat*. Talora possono anche indicare un gruppo rispetto a una totalità: la famiglia *Rossi*, la catena degli *Urali*.
Alcuni nomi propri di persona sono diventati comuni nell'uso per il loro valore simbolico. Es.: *cicerone* (guida), *tartufo* (ipocrita), *luigi* (moneta), *atlante* (volume di carte geografiche). A loro volta alcuni nomi comuni, assunti come personificazione o come titoli di opere o di giornale, diventano propri. Es.: *La Divina Commedia*, la *Traviata*, la *Stampa*, il *Barbiere*.
I *nomi propri di persona* servono ad individuare una persona. Una o più famiglie si contraddistinguono dal *cognome* e nel seno della famiglia ciascuno si distingue per mezzo del *nome*. Salvo che nei documenti ufficiali o negli elenchi, il nome va anteposto al cognome. Quindi, ad esempio, non *Rossi Carlo*, ma *Carlo Rossi*. Le donne maritate scrivono dopo il cognome del marito il proprio casato; meno frequente la dicitura: *in* e il cognome del marito. Es.: *Paola Bianchi Bernini* o *Paola Bernini in Bianchi*.
L'articolo si pone davanti ai nomi propri solo per alcune espressioni. Es.: *le Cornelie* (=le madri come Cornelia), *i Cesari* (=i capi, o gli uomini come Cesare); oppure *un Tintoretto, un Ariosto, un Omero* per: un'opera del Tintoretto, dell'Ariosto, di Omero.
I nomi propri di persona italiani hanno diversa origine: alcuni sono tratti dalla Bibbia (*Adamo, Eva, Mosè, Abramo, Rachele*), altri erano nomi gentilizi romani (*Fabio, Giunio, Giulio*), altri ancora sono d'origine germanica (*Adalberto, Adelaide, Adolfo, Federico, Ulderico, Ugo*); alcuni derivano da nomi di santi (*Ambrogio, Pietro, Paolo, Gennaro, Nicola*) o comunque di significato religioso (*Concetta, Rosario, Carmelo, Salvatore, Pasquale, Annunziata*). Altri nomi propri hanno avuto diffusione per i personaggi storici che li portavano (*Enea, Ettore, Achille, Federico, Ferdinando, Caterina*) o perché resi celebri da protagonisti di opere e romanzi (*Aida, Amleto, Armida, Norma, Otello, Mila*). Nel corso della storia vi sono stati periodi in cui hanno prevalso i nomi di significato religioso e periodi in cui i genitori hanno imposto più volentieri nomi di origine classica; in ogni tempo poi, oltre ai nomi tradizionali, hanno avuto successo quelli in voga per cause contingenti. Così nel Risorgimento, per esempio, furono di moda i nomi patriottici (*Italo, Libero*, e persino cognomi come *Ricciotti, Manara, Menotti*).
Nelle famiglie italiane è ancora radicato l'uso di imporre ai nipoti i nomi dei nonni e degli zii; i nomi tradizionali sono perciò ancora largamente popolari. Anche se ormai non si crede più che l'anima del nonno riviva nel nipote, né l'invocazione del Santo è più l'unico motivo per scegliere il suo nome per un neonato, gran parte dei nomi di persona italiani si trovano sul calendario. Tra questi, alcuni sono comunissimi: *Luigi, Giovanni, Antonio, Carlo, Ambrogio, Nicola, Gennaro, Enrico, Giorgio, Pietro, Paolo, Giuseppe, Francesco, Maria, Rita, Caterina, Teresa*. Notevole fortuna hanno avuto alcuni

nomi derivati dal mondo dello spettacolo: *Sabina* e *Sabrina*, *Tiziana*, *Donatella*, *Loredana*, *Luchino*, *Betty*, *Marilina*, *Cristina*, *Patty*, *Susanna*, *Daniela*, *Giada*.
L'assegnazione del nome proprio non è più fatta tenendo conto del significato originario della parola. Tuttavia si può notare che il significato dei nomi è solitamente laudativo o augurale. I nomi d'origine ebraica esprimono quasi sempre un rapporto con Dio o indicano semplicemente uno stato, una condizione. Es.: *Adamo* (uomo fatto di terra), *Eva* (colei che dà la vita), *Abele* (il figlio), *Giuseppe* (l'aggiunto), *Gabriele* (l'uomo di Dio), *Rachele* (pecorella), *Rebecca* (rete, che irretisce), *Tobia* (il Signore è il mio bene), *Emanuele* (Dio è con noi). I nomi di origine germanica esaltano invece virtù nobiliari e guerriere. Es.: *Adelaide* (figlia nobile), *Adolfo* (nobile lupo), *Ermanno* (guerriero), *Astolfo* (la lancia che soccorre), *Rodolfo* (lupo glorioso), *Adalgisa* (nobile ostaggio). I nomi latini e umanistici hanno vari significati: quelli terminanti in *-io* derivano dal nome gentilizio (*Giunio, Fabio, Giulio*); quelli in *-iàno* sono patronimici (*Ottaviano*, figlio di Ottavio; *Luciano*, figlio di Lucio; *Tiziano*, figlio di Tizio); quelli in *-enzo*, d'origine participiale, indicano qualità attiva (*Vincenzo*, colui che vince; *Terenzio*, colui che gira la macina; *Innocenzo*, colui che è innocente).
Nomi di indubbio significato augurale sono: *Benedetto, Benvenuto, Giusto, Giocondo, Grazia, Letizia, Fortunato, Felice, Onorato, Prospero, Serena.*
I nomi propri cambiano genere, cambiando desinenza: Paolo, *Paola*; Pietro, *Piera*; Camillo, *Camilla*; Alberto, *Alberta*. Alcuni nomi sono però solo maschili (*Alfredo, Victor, Arturo, Corrado, Egidio, Guido*), altri solo femminili (*Emma, Amalia, Edvige, Noemi, Miranda, Anna*). Alcuni nomi maschili assumono per il femminile una forma diminutiva. Es.: da Guglielmo, *Guglielmina*; da Cesare, *Cesarina*; da Giuseppe, *Giuseppina*.
L'uso di vezzeggiativi e diminutivi è assai diffuso. Di talune forme alterate si è addirittura dimenticata quella primitiva. Es.: *Agostino* (da Augusto), *Alberto* (da Adalberto), *Aldo* (da Teobaldo o Beroaldo), *Attilio* (da Atto), *Bettina* (da Benedetta o Elisabetta), *Enzo* (da Lorenzo, Vincenzo, Fiorenzo, Renzo), *Gianni* (da Giovanni), *Gino* (da Angelo o Luigi), *Dino* (da Claudio, Armando, Corrado), *Dante* (da Durante), *Lina* (da Natalina, Nicolina, Angelina, Carolina, ecc.), *Marcello* (da Marco), *Franco* (da Francesco), *Miriam* (da Maria), *Nuccia* o *Nucci* (da Annunciata), *Tino* (da Agostino, Martino o Albertino).
Alcuni nomi propri sono nomi composti; ora formanti una sola parola (*Giancarlo, Giambattista, Gianmaria, Giandomenico, Gianluigi, Giangaleazzo*), ora scritti in due parole (*Giovan Battista, Anna Maria, Maria Luisa, Maria Teresa*).
Infine si noti che, come in ogni campo, anche in quello dell'onomastica, si registrano numerosi barbarismi, cioè nomi scritti e detti in forma straniera. Es.: *Bill* per Guglielmo, *Carmen* per Carmela, *Katia* per Caterina, *Fanny* per Stefania, *Franz* per Francesco, *Fritz* per Federico, *Greta* per Margherita, *Ines* per Agnese, *John* per Giovanni, *Sam* per Samuele, *Teddy* per Edoardo, *Tony* per Antonio, *Walter* per Gualtiero.

pròprio: aggettivo possessivo usato come rafforzativo degli altri *possessivi* (V.) o in sostituzione di *suo* e *loro* (*La mia propria regione*; *Egli vede la propria immagine*; *Gli artisti ammirano la propria opera*). Da solo è adoperato quando il possessore è il soggetto stesso della proposizione. Es.: *Egli ama il proprio figlio*. Serve anche a sostituire *suo* quando potrebbe esserci equivoco. Es.: *Pietro vide Andrea partire con la propria auto* (sua sarebbe ambiguo). È pure usato quando il soggetto è indefinito o la frase è impersonale (*Qualcuno declina la propria responsabilità*; *Occorre difendere la propria idea*). Come avverbio, ha valore rafforzativo: *Non ci vengo proprio*; *Sono proprio indignato*.

proseguíre: verbo della terza coniugazione. Transitivo, se usato nel senso di continuare (*Proseguimmo il nostro lavoro*); intransitivo, nel senso di andare avanti. Si coniuga, in quest'ultimo caso, con l'ausiliare avere se riferito a persona (Es.: *L'attrice ha proseguito per Londra*), con essere o avere se riferito a cosa (Es.: *Il treno è proseguito sino alla stazione successiva*; *L'aeroplano ha proseguito nel suo volo*). Usato anche nel senso di persistere, con la preposizione *a*. Es.: *Proseguí a scrivere per tutto il tempo*.

prosièguo: sostantivo maschile. Usato nella locuzione: *in prosièguo di tempo*. Neologismo dell'uso burocratico. Dirai: in seguito, poi, con il passar del tempo.

prosímetro: dicesi di opera letteraria che alterna i versi alla prosa. Per esempio, la *Vita nova* di Dante.

prosodía: dottrina che insegna a conoscere la quantità delle vocali e delle sillabe, a distinguere cioè sillabe lunghe e sillabe brevi. Nella metrica greca e latina ha le stesse funzioni della *ritmica* (V.) rispetto alla versificazione italiana. *Accento prosòdico* è l'accento che indica la lunghezza della vocale.

prosodìaco (verso): nella metrica classica greca, verso costituito dalla forma catalettica dell'enoplio; su di esso si fondavano i canti rituali, come indica la stessa origine del nome (dal greco *prosódion*, canto processionale).

prosopopèa: figura retorica consistente nel dare vita e qualità umane a cosa inanimata o ad una idea astratta o anche nel far parlare persone lontane o morte. Ad es., il Monti nella poesia «La prosopopea di Pericle» immagina che la statua di Pericle parli dell'epoca di Pio VI. Il termine vale comunemente: superbia, boria, gravità presuntuosa.

prospiciènte: aggettivo qualificativo, che significa: volto, rivolto, che si affaccia. Si costruisce con la preposizione *su* o direttamente. Es.: *Il balcone prospiciente sulla piazza*; *La terrazza prospiciente il lago*.

pròstesi: figura grammaticale consistente nell'aggiunta di una lettera o sillaba in principio di parola, per eufonía. Si aggiunge soprattutto la vocale *i*, detta in questo caso, *i prostética*, davanti a parole che cominciano con *s* impura, quando la parola precedente termina per consonante. Es.: *in Ispagna, per iscritto, in istrada*.

pròtasi: nel *periodo ipotetico* (V.), così è chiamata la proposizione *condizionale* (V.). Il nome deriva dal greco e significa: premessa. Indica infatti l'ipotesi, la condizione, data la quale, avviene o può avvenire l'azione espressa dalla proposizione reggente, che prende il nome di *apodosi* (V.). *Se tu lavorassi* (protasi), *saresti ricco* (apodosi).

protèggere: verbo della seconda coniugazione, transitivo. *Pass. rem.*: protèssi, proteggésti, protèsse, proteggémmo, proteggéste, protèssero. *Part. pass.*: protètto. Significa: difendere.

proténdere: verbo della seconda coniugazione, transitivo. *Pass. rem.*: protési, protendésti, protése, protendémmo, protendéste, protésero. *Part. pass.*: protéso. Usato anche riflessivamente: *Protendersi in avanti*.

pròtesi: lo stesso che *prostesi* (V.).

proto-: prefisso di origine greca che si usa per comporre parole alle quali si aggiunge l'idea di anteriorità storica o di primato. Es.: PROTOMÀRTIRE (primo martire), PROTOMÀSTRO (capo di un'arte), PROTOPLÀSMA (sostanza fondamentale di tutte le cellule animali o vegetali), PROTOZÒI (animali unicellulari), PROTÒTIPO (modello, tipo esemplare).

protràrre: verbo della seconda coniugazione, transitivo. *Pres. indic.*: protràggo, protrài, protràe, protraiàmo, protraéte, protràggono. *Pass. rem.*: protràssi, protraésti, protràsse, protraémmo, protraéste, protràssero. *Fut. semplice*: protrarrò, protrarrài, ecc. *Pres. condiz.*: protrarrèi, protrarrésti, ecc. *Pres. cong.*: protràgga, protràgga, protràgga, protraiàmo, protraiàte, protràggano. *Part. pass.*: protràtto. Significa: differire, prorogare.

provàre: verbo della prima coniugazione. Può essere transitivo o intransitivo. È transitivo nel senso di dimostrare (*Provò la sua innocenza*); è intransitivo nel senso di sperimentare (*Provare per credere*). Quando regge una proposizione oggettiva ammette il costrutto implicito con *a* e l'infinito (*Provò a convincere gli amici*).

provèrbio: detto popolare che riassume con una formula, spesso caratterizzata da un andamento metrico e infarcita di figure retoriche, un dato dell'esperienza, una credenza, un monito. Per es.: Ca*m*-*pa*, ca*v*allo, che *l'erba* cresce (allitterazione); *Chi* di spada ferisce di spada perisce (parallelismo); *Chi non risica non rosica* (paragramma); *Chi si scusa si accusa* (paradosso); *Il sangue* non è *acqua* (litote); *Non c'è* pane *senza* pena (anagramma). In poesia i proverbi sono resi prevalentemente con distici a rima baciata o con rimalmezzo, oltre che con quartine di versi brevi o con stornelli.

província: sostantivo femminile, che indica una suddivisione amministrativa del territorio italiano. Sono ammesse, per il plurale, le due forme: *provincie* e *province*, sebbene quest'ultima sia da considerarsi più normale.

prúdere: verbo della seconda coniugazione, intransitivo. Difettivo; manca il participio presente e quello passato. Significa: dar prurito, pizzicare; al figurato: sentir stizza. Es.: *Mi prudono le mani, quando sento certe cose.*

p.s.: abbreviazione per: *post scriptum* (dopo lo scritto). Si pone in uno scritto, dopo la firma, per un'aggiunta o codicillo.

PS: gruppo consonantico che, se iniziale di parole, vuole l'articolo determinativo *lo* e *gli* (*lo psicologo, gli psicologi*) e l'indeterminativo *uno* (*uno psichiatra*).

pseudo-: prefisso che significa: falso. Es.: PSEUDOSCIENTÍFICO (non scientifico, falsamente presentato come scientifico), PSEUDOPOÈTA (falso poeta), PSEUDÒNIMO (falso nome).

psico-: prefisso di origine greca che si usa per formare composti ai quali si vuole conferire il significato di: relativo, attinente all'anima. Es.: PSICÒLOGO (studioso dell'anima), PSICANÀLISI (analisi dell'anima), PSICHIÀTRA (medico dell'anima, specialista delle malattie mentali).

puàh!: interiezione che indica nausea, disprezzo, derisione. È una variante di *peuh!* (V.).

pudíco: aggettivo qualificativo, che indica colui che ha pudore; onesto, verecondo. La pronuncia *púdico* è scorretta. Plurale: *pudíchi;* femminile: *pudíca, pudíche.*

púgno: sostantivo maschile che indica la mano chiusa; anche: percossa con la mano chiusa. Al plurale: i pugni o le pugna (antiquato). Es.: *Gli diedi molti pugni*; *Vuol dire che faremo a pugni*; *In quel momento serrò le pugna* (= morì). Il femminile, la PÚGNA, è latinismo per: battaglia (plurale: pugne).

puh!: interiezione che indica nausea. Es.: *Puh, che puzza!* Anche *puff.*

pulíre: verbo della terza coniugazione, transitivo. Si coniuga con la forma incoativa *-isc-* tra il tema e la desinenza di alcuni tempi. *Pres. indic.*: pulísco, pulísci, pulísce, puliàmo, pulíte, pulíscono. *Pres. cong.*: pulísca, pulísca, pulísca, puliàmo, puliàte, pulíscano. *Part pass.*: pulíto. Significa: nettare, detergere, lavare. Con forme verbali di *pulire* si formano alcune parole composte indeclinabili: PULISCIORÉCCHI, PULISCIPÉNNE, PULISCISCÁRPE, ecc.

pullulàre: verbo della prima coniugazione, intransitivo. Si coniuga con l'ausiliare avere quando si vuol rilevare l'azione del pullulare; con essere quando si vuol esprimere lo stato, l'effetto del pullulare stesso. Il verbo significa: germogliare, venir fuori in gran numero, anche in senso figurato. Es.: *Gli insetti hanno pullulato in quel giardino*; *Sono pullulate le acque di molte sorgenti*; *I giornali a rotocalco pullulano ormai nelle edicole.*

púngere: verbo della seconda coniugazione, transitivo. *Pass. rem.*: púnsi, pungésti, púnse, pungémmo, pungéste, púnsero. *Part. pass.*: púnto. Significa: ferire, forare con un aculeo o una spina; anche in senso figurato. Es.: *Fu punto sul vivo*; *Le tue parole erano pungenti.*

puníre: verbo della terza coniugazione, transitivo. Si coniuga con la forma incoativa *-isc-* tra il tema e la desinenza di alcuni tempi. *Pres. indic.*: punísco, punísci, punísce, puniàmo, puníte, puníscono. *Pass. rem.*: puníi, punísti, puní, punímmo, puníste, punírono. *Pres. cong.*: punísca, punísca, punísca, puniàmo, puniàte, puníscano. *Part. pass.*: puníto. Significa: castigare, condannare.

púnta: sostantivo femminile. Indica l'estremità acuminata di una cosa (*la punta dell'ago, della spada, della matita, dell'angolo*, ecc.), cima (*la punta del Cervino*), promontorio (*Punta Stilo*), un poco, una piccola quantità (*una punta d'invidia*), parte finale di un arnese per incidere (*la punta del tornio, la punta del bulino*). Si notino alcune locuzioni: *in punta* *di piedi* (modo di camminare, appoggiando la sola punta dei piedi; al figurato: timidamente, cautamente), *aver una parola sulla punta della lingua* (esser lì lì per ricordarsela), *uomo di punta* (uomo d'avanguardia o, anche, d'assalto), *ora di punta* (ora di affollamento), *prender di punta* (prender con ardore, con impeto; aggredire), *fare una punta a un luogo* (meglio: fare una scappata, dare una capatina, a un luogo).

punteggiatúra:•la segnatura delle pause nel discorso per mezzo degli appositi segni ortografici. Si dice anche *interpunzione*. I segni sono: la *virgola*, il *punto fermo*, il *punto e virgola*, il *punto interrogativo*, il *punto esclamativo*, i *due punti*, i *puntini di sospensione*, le *virgolette*, le *parentesi*.

L'uso di questi segni d'interpunzione è molto importante, poiché essi servono a dare ordine al pensiero scritto indicando le pause, il ritmo, per così dire, del pensiero di chi scrive. Vi sono regole generali che suggeriscono l'uso più corretto dei segni ma non costituiscono un rigido sistema di precetti valido per tutti e per ogni argomento. Ogni scrittore ha una sua caratteristica punteggiatura, che riflette non solo il ritmo del suo pensiero, ma anche il suo gusto e la sua sensibilità. Tuttavia alle voci riguardanti i vari segni d'interpunzione questo dizionario indica, nel modo più particolareggiato possibile, come si debbano adoperare i vari segni secondo norme che riflettono l'uso più comune.

puntíni o **púnti di sospensióne:** segno di interpunzione costituito da tre puntini (...) e che assume significato dal contesto. Può indicare infatti interruzione del discorso (Es.: *Stavo per dire...*; *Ma non sai che...*), una pausa eloquente, un cambiamento del tono (Es.: *Certe volte ti vorrei picchiare... beh, non pensiamoci più*; *Una soluzione ci sarebbe... se tu volessi*) o una reticenza (Es.: *Non vorrei che...*; *Non dico questo, ma...*; *Tante volte gli uomini...*). I puntini si pongono prima o dopo il punto esclamativo o il punto interrogativo secondo che s'intenda omessa qualche parola necessaria per compiere il senso, oppure si voglia indicare una pausa, dopo l'interrogazione o l'esclamazione. Es.: *Cosa pretendete con codesta vostra parola? Di farmi...?*; *Cosa ho fatto io?... Nessuno più mi crede!...*

I puntini di sospensione si usano talora per preparare il lettore a una metafora ardita o per rilevare un'allusione. Es.: *Direi quasi che cantava... in punta di piedi*; *Claudio affermò che studiava con... Letizia.*

Al termine di un racconto o di un articolo i puntini sono un invito al lettore a trarre le sue conclusioni. Si usano poi all'inizio e alla fine di una citazione in luogo di quanto precede o quanto segue. Es.: «*...mi ritrovai per una selva oscura...*».

I puntini si pongono alla fine di una serie, per indicare che la serie stessa continua. Es.: *Vedemmo cavalli, asini, buoi...*; *Primo, secondo, terzo...*; *1, 2, 3, 4, 5...*

Talora indicano che una parola o un numero o parte di una parola sono stati omessi o debbono essere scritti per completare la frase o la parola o la dicitura. Es.: *Abitante in via... n. ...*; *Il signor A... B... ci scrive da Torino*; *Della firma si legge solo Ros...*; *Questa è una casa...* (*mettere l'aggettivo*). Dopo i puntini si usa la maiuscola solo se essi indicano la fine di un periodo.

púnto: sostantivo maschile, che significa: luogo (*Ci troviamo nello stesso punto*), segno di interpunzione (*Dopo il punto ci vuole la lettera maiuscola*), cucitura (*Ti dò due punti alla giacca*), entità geometrica (*Una retta che passa per due punti*), sutura fatta dai medici (*Domani mi toglieranno i punti dalla ferita*), unità numerica nelle gare e nei giochi (*Vinse per tre punti a zero*; *Ho segnato un punto*). Si notino inoltre le espressioni: *punto morto* (incaglio, momento di stasi in una questione), *essere a buon punto* (aver quasi finito un lavoro o averne compiuto molto), *fare il punto* (esaminare una situazione in tutti i suoi aspetti), *mettere a punto* (preparare bene), *di tutto punto* (completamente), *essere in punto di* (stare per..., essere in procinto di...), *di punto in bianco* (improvvisamente, senza preavviso), *punto di vista* (modo di vedere, opinione).

Punto è usato come avverbio nel senso di: affatto. Es.: *Non l'ho punto rimproverato.*

Il femminile PÚNTA (V.) è invece sostantivo che significa: estremità. Es.: *L'ho sulla punta della lingua.*
Il participio passato di *pungere, púnto,* che è usato anche come aggettivo vuol dire: offeso, ferito. Es.: *punto nel suo amor proprio, punto sul vivo.*

púnto di vísta: l'angolatura da cui si pone, in un testo narrativo, il narratore rispetto a ciò che racconta, ossia quanto egli già conosce della storia: se sa già tutto, come il narratore de *I promessi sposi,* si dice che si tratta di un punto di vista «dal di dentro»; se ne sa quanto i suoi personaggi, o addirittura è un personaggio egli stesso, come nel caso dell'«io narrante», si tratta allora di un punto di vista «con»; se ne sa meno dei personaggi, come i narratori naturalisti o veristi che ostentano distacco dalla materia narrata, allora si tratta di un punto di vista «dal di fuori».

púnto esclamatívo: segno di interpunzione (!) detto anche punto *ammirativo* che indica stupore, meraviglia, dolore, in generale uno stato d'animo eccitato. Si usa perciò dopo l'imperativo per esprimere l'intenzione di comando, dopo il congiuntivo per esprimere forte augurio, e dopo le interiezioni. Si pone alla fine della frase o della parola-frase, in sostituzione del punto fermo per chiudere il periodo (e in tal caso la parola seguente avrà la lettera maiuscola). Es.: *Hanno ammazzato tutti!*; *Possa tu almeno vincere questa gara!*; *Sbrigati!*; *Tacete!*; *Evviva!*; *Abbasso il re!*; *Aiuto!* Si pone però anche nel mezzo della frase creando una pausa qualificativa (e in tal caso la parola seguente può essere scritta con lettera minuscola). Es.: *Quando ti vidi, ahimè!, mi sentii mancare*; *Oh! finalmente siete arrivate!*; *Alla fine, quale orrore!, li vidi precipitare tutti*; *Allarmi! aiuto! i ladri! presto! accorrete!*
Oh, ah, ih, uh, ahimè, oibò e simili, quando sono in posizione assoluta vogliono sempre il punto esclamativo. Quando sono seguite da una intera proposizione esclamativa, ora si pone il punto due volte (*Oh! che pena mi hai fatto!*) ora una volta sola (*Oh, che pena mi hai fatto!*).
Il punto esclamativo si pone anche tra parentesi dopo una frase o una parola riferite da un altro autore, quasi come lapidario commento. Es.: *Il giornalista scriveva: La ormai provata (!) colpevolezza dell'imputato*; *La nostra proposta fu giudicata allora «paradossale» (!).*

púnto e vírgola: segno d'interpunzione (;) che indica una pausa più forte della virgola; separa due membri di uno stesso periodo, ma non così che non continui ad esistere una certa relazione tra loro. La frase che precede il punto e virgola deve perciò aver senso compiuto e poter stare a sé. Es.: «*Senza aspettar risposta, fra Cristoforo andò verso la sacrestia; i viaggiatori usciron di chiesa; e fra Fazio chiuse la porta, dando loro un addio, con la voce alterata anche lui*» (Manzoni). Il punto e virgola si usa nelle enumerazioni di pensieri, nelle descrizioni, nelle rappresentazioni di varie azioni successive e quasi collegate l'una all'altra. Es.: «*Prendeva, per esempio, il bicchiere, beveva un sorso e poi lo rimetteva a posto con un colpo forte sulla tavola; cercava la saliera, ne toglieva un pizzico di sale e poi giù, deponendola, un altro colpo; afferrava il pane, lo spezzava e quindi lo riposava con un terzo colpo*» (Moravia); «*Chiese quindi licenza; e, abbracciato di nuovo il padron di casa, e tutti quelli che, trovandosi più vicini a lui, poterono impadronirsene un momento; si liberò da essi a fatica; ebbe a combatter nell'anticamera, per isbrigarsi da' servitori, e anche da' bravi, che gli baciavano il lembo dell'abito, il cordone, il cappuccio; e si trovò sulla strada, portato come in trionfo, e accompagnato da una folla di popolo, fino a una porta della città; donde uscì, cominciando il suo pedestre viaggio verso il luogo del suo noviziato*» (Manzoni).
Come si vede da quest'ultimo esempio è opportuno usare il punto e virgola specialmente quando tante proposizioni principali si susseguono, con frapposte tra di loro molte proposizioni secondarie, così che è necessario interrompere il troppo lungo discorso con qualcosa di più di una virgola, distinguendo ciascun gruppo. Conviene pure usare il punto e virgola quando ad una proposizione ne segue un'altra con soggetto diverso. Es.: *Paolo leggeva il libro con molta attenzione;*

Francesco eseguiva i compiti di scuola.
Si usa poi il punto e virgola nelle contrapposizioni, prima della particella avversativa *ma* (la virgola è sufficiente quando si contrappone un solo elemento della proposizione: *bello, ma sciocco*). Es.: *Ti avrei avvertito in tempo; ma me lo hanno impedito.*
Il punto e virgola si adopera per separare, come accade in questo dizionario, una serie di proposizioni citate come esempio. In questo caso la parola che segue si scrive in genere con lettera maiuscola.

púnto férmo: segno d'interpunzione (.) che indica la fine di un periodo, significando che un pensiero è stato compiutamente espresso. Si dice anche semplicemente *punto.* Può essere posto alla fine di una sola parola, che costituisce periodo a sé (Es.: *Morire.*) o di un lungo periodo comprendente varie proposizioni. Il periodare spezzettato con molti punti fermi è più moderno ed indica un ritmo del pensiero veloce e sintetico. Il periodare disteso, con ampie e ben costrutte architetture sintattiche, indica una meditazione più lenta, uno spirito di osservazione più ricco e meticoloso, una elaborazione più riflessa. La frequenza o la rarità del punto fermo nella pagina di un autore è perciò un segno dello stile e della personalità. Si considerino, ad esempio, i seguenti periodi d'ampio respiro: «*Senonché, quando si comincia a provare la stanchezza dell'infeconda difesa dell'uno o dell'altro punto di vista parziale; quando, soprattutto, dalle ordinarie opere d'arte, che sono prodotti della scuola romantica e della classicistica, dalle opere convulse di passione e da quelle freddamente decorose, si volge lo sguardo alle opere, non degli scolari ma dei maestri, non dei mediocri ma dei sommi; si vede dileguare lungi il contrasto e non si ha più modo di adoperare l'uno o l'altro motto di scuola: i grandi artisti, le grandi opere, o le parti grandi di quelle opere, non si possono chiamare né romantiche né classiche, né passionali né rappresentative, perché sono insieme classiche e romantiche, sentimenti e rappresentazioni: un sentimento gagliardo, che si è fatto tutto rappresentazione nitidissima*» (Croce); «*Come le persone di poca immaginazione e sentimento non sono atte a giudicare di poesia o scritture di tal genere, e leggendole e sapendo che sono famose non capiscono il perché, a motivo che non si sentono trasportare e non s'immedesimano in verun modo collo scrittore, e questo quando anche siano di buon gusto e giudizio; così vi sono molte ore, giorni, mesi, stagioni, anni, in cui le stesse persone di entusiasmo ecc. non sono atte a sentire e ad essere trasportate e però a giudicare rettamente di tali scritture*» (Leopardi). Ecco invece esempi di periodi brevi continuamente interrotti dal punto fermo: «*La musica è per noi la fusione delle altre arti. Essa costruisce, scolpisce e dipinge tutte le fantasie della nostra realtà quotidiana. Del resto, tutte le arti tendono alla musicalità. L'architettura è armonia di linee. In musica, Sebastiano Bach. La scultura è armonia di forma. Musicalmente, Beethoven...*» (Salvaneschi).
Il punto fermo indica dunque la pausa maggiore nello scrivere e nel leggere. Se si vuole distinguere ancor più il nuovo periodo si vada a capo, cominciando un po' più in dentro dell'allineatura normale.
Il punto si pone anche al termine delle abbreviazioni (*ecc.*, *part.*, *sm.*, *avv.*) o tra le lettere di una sigla (*O.N.U.*, *O.E.C.E.*, *C.G.I.L.*) ed in questo caso l'ultimo punto non è seguito da lettera maiuscola.

púnto interrogatívo: segno di interpunzione (?) che esprime interrogazione, domanda (si dice infatti anche *punto di domanda*). Esso serve per avvertire il lettore che deve dare alla frase un tono interrogativo. L'interrogazione deve essere però diretta; altrimenti non si deve porre il punto interrogativo. Es.: *Cosa dice?*; *Dimmi cosa dice*; *Dimmi: Cosa dice?*
Il primo esempio indica una interrogazione diretta, il secondo una interrogazione indiretta, il terzo infine una interrogazione diretta, sia pure retta da un verbo asseverativo. Se il punto interrogativo chiude un periodo, un pensiero che lo scrittore considera compiuto, la parola seguente si scrive con la maiuscola; se invece si succedono più interrogazioni, dopo ogni punto interrogativo potrà se-

guire la lettera minuscola. Es.: *Dove sei stato? Ti ho cercato tutto il giorno*; *Chi è stato? chi ha fatto ciò?*
Il punto interrogativo si scrive dopo gli incisi racchiusi entro parentesi, mentre si omette talora dopo gli incisi racchiusi tra due virgole: Es.: *Il capo non sapeva (e chi avrebbe dovuto dirglielo?) che alcuni avevano tradito*; *Un giorno, chi sa, potremo incontrarci ancora*. Si noti poi che la locuzione *chi sa* può essere seguita da un punto interrogativo o esclamativo o anche dal semplice punto fermo. Es.: *Chi sa se ha detto la verità?*; *Chi sa se ha detto la verità!* (Nel primo caso si propende per il sì, nel secondo per il no); *Ha aiutato chi sa quanti poveri*. Il punto interrogativo si pone anche tra parentesi dopo una frase o una parola, specie di altro autore, per indicare ironia o incredulità. Es.: *Il nostro interlocutore dice: «Ho fatto anche più di quanto era possibile (?)»*; *Il dottor (?) Tizio ha detto il contrario*.

púnto místo: segno d'interpunzione (!?) esclamativo ed interrogativo ad un tempo. Esprime sorpresa, meraviglia, incredulità. Es.: *Ha mentito. Possibile!?* La parola seguente si scrive maiuscola.

purché: congiunzione subordinante composta dall'avverbio *pure* e dalla particella congiuntiva *che*. Introduce proposizioni condizionali e significa: se, a patto che. Vuole il verbo al modo congiuntivo. Es.: *Farò quel lavoro, purché tu lo voglia*; *Verrò con te, purché non si sappia*.

púre: congiunzione semplice copulativa o coordinativa e anche avverbio. Si usa per aggiungere un nuovo concetto (*Lavoravano, pure cantavano*) o per precisare o rafforzare una affermazione (*L'ho pur pregata!*). Usata anche con altri significati: nondimeno, tuttavia (*L'ho esortato, pure non mi ha obbedito*; *Sebbene l'avessero avvertito, pure partì lo stesso*); solamente, nelle frasi negative (*Non pure io, ma tutti glielo abbiamo rivelato*); anche, medesimamente (*C'era pure lui*; *Un altro vestito, pure di seta*); sebbene, se usata con il gerundio (*Pur sapendolo, non disse chi era stato*). Forma la locuzione *pur senza* per introdurre una concessiva negativa, sia nella forma implicita (*Parlava del libro pur senza averlo letto*) sia in quella esplicita (*Parlava del libro pur senza che l'avesse letto*). Si usa poi nelle espressioni come: *fate pure, dica pure, entri pure,* per esprimere concessione.
V. anche le forme composte *oppure, neppure* e *purché*. Poco usata è ormai la forma *purchessía* o *pur che sia* nel senso di: qualunque esso sia.

purosàngue: sostantivo maschile. Nome composto da un aggettivo (puro) e un sostantivo (sangue). Plurale: purosangue. V. anche COMPOSTI (NOMI).

p. v.: abbreviazione per: prossimo venturo. Si usa nelle date, specie nella corrispondenza (*Verrò il 16 p. v.*; *Saremo da voi domenica p. v.*; *Giungerà il 10 gennaio p. v.*).

Q

q: quindicesima lettera dell'alfabeto. Si pronuncia *cu*. È, come tutte le lettere dell'alfabeto, di genere femminile o maschile, sottintendendo rispettivamente *lettera* o *segno*: la *q*, un *q*. È consonante *gutturale*, cioè che si pronuncia con la gola. Si dice *muta* perché non si può pronunciare senza la vocale *u* che sempre l'accompagna; *esplosiva* poiché nel pronunziarla si produce una piccola esplosione dell'aria attraverso la bocca. Si raddoppia solo nella parola *soqquadro*; negli altri casi di raddoppio si fa precedere da una *c* che nella divisione in sillabe si unisce alla vocale precedente. Es.: *ac-qua, ac-que-dot-to.* Si noti poi la differenza tra suoni apparentemente identici: *qua, que, qui, quo* e *cua, cue, cui, cuo*. Si usa la *q* quando le due vocali (*ua, ue, ui, uo*) formano un suono unico (*quaderno, questo, quinario, quoziente*): si usa invece la *c* quando il suono della consonante non si fonde con quello della vocale, specie se la *u* è accentata (*innòcua, profícue, cúi, cuòre*). Così *taccuíno* si sillaba *tac-cu-i-no* (e non: tac-cui-no).
Nelle abbreviazioni *q* indica quintale o quadrato: *q 15, 13 mq, 43 kmq*. Nelle locuzioni latine indica o il *-que* enclitico (S.P.Q.R., cioè *Senatus Populusque Romanus*) o è abbreviazione di *Quintus, Quintius, Quintilianus* o *quaestor*.

qua: avverbio di luogo che significa: in questo luogo. Indica luogo vicino a chi parla. Es.: *Qua staremo bene*; *Siamo arrivati qua ieri*. Rafforza l'aggettivo *questo*. Es.: *Questo qua non sa nulla*; *Questo paese qua è ameno*. Si rafforza con *ecco*. Es.: *Eccoci qua*. Forma le locuzioni avverbiali: *di qua e di là* (da entrambe le parti); *qua e là* (in ogni luogo, alla rinfusa); *di qua* (da questa parte); *in qua* (sino adesso). Es.: *Erano sparsi qua e là*; *Combattemmo di qua e di là del fiume*; *Deve essere passato di qua*; *Da quando in qua tu comandi?* Per la sottile distinzione di significato rispetto all'avverbio *qui*, V. quest'ultima voce. Non si deve mai accentare.

quadèrno: sostantivo maschile, che indica l'insieme di quattro fogli; o l'insieme di più fogli per scrivervi sopra. Il femminile QUADÈRNA indica invece quattro numeri giocati al lotto; ed è variante meno comune ma altrettanto corretta di *quaterna*.

quadràre: verbo della prima coniugazione, transitivo. Significa dar forma quadrata. Usato intransitivamente significa: convenire, star bene, pareggiare, o anche soddisfare. Si coniuga con entrambi gli ausiliari. Es.: *Quadrare il circolo*; *Il bilancio non ha quadrato*; *Lo spettacolo non gli era quadrato.*

quadrèllo: sostantivo maschile, che indicava una certa qualità di dardi o frecce (plurale: le quadrella); oggi vale: mattone quadrato. Plurale: quadrelli.

quadri-: prefisso con il quale si formano parole alle quali si vuole aggiungere l'idea di quattro. Es.: QUADRIÈNNIO (quattro anni), QUADRIFÓRME (di forma quadrata), QUADRILÀTERO (che ha quattro lati), QUADRIMÈSTRE (quattro mesi), QUADRIMOTÓRE (aereo che ha quattro motori), QUADRIPARTÍTO (diviso in quattro parti o alleanza di quattro partiti), QUADRISÍLLABO (che ha quattro sillabe).

quadripartíre: verbo della terza coniugazione, transitivo. In alcuni tempi si coniuga con la forma incoativa *-isc-* tra il tema e la desinenza. *Pres. indic.*: quadripartísco, quadripartísci, quadripartísce, quadripartiàmo, quadripartíte, quadripartíscono. *Pres. cong.*: quadripartísca, quadripartísca, quadripartísca, quadripartiàmo, quadripartiàte, quadripartìscano. *Part. pass.*: quadripartíto. Significa: dividere in quattro parti.

quadrisíllabo: parola di quattro sillabe. Es.: *ro-vi-nà-re*; *tac-cu-í-no*. Anche il nome del verbo che ha quattro sillabe. Si dice però meglio *quaternario* (V.).

quaggiù: avverbio di luogo composto dagli avverbi *qua* e *giù*. Indica: in questo luogo basso. Si usa per indicare luogo vicino a chi parla o ascolta. Es.: *Siamo caduti quaggiù*; *Noi che ancora viviamo quaggiù* (in questo senso indica anche il mondo, la vita terrestre, la Terra).

quàlche: aggettivo indefinito che indica una pluralità indeterminata. È invariabile: si usa però solo al singolare. Significa: alcuno; talora anche: pochi. Sostituisce *alcuno*, quando esso ha valore aggettivale; gli corrisponde, a sua volta, il pronome *qualcuno*. Es.: *Verrò tra qualche giorno* (=tra pochi giorni); *L'ha detto qualche signora* (=una signora indeterminata o alcune signore). Si usa raramente con l'articolo determinativo (Es.: *La qualche considerazione che avete per me*); si rafforza con l'articolo indeterminativo (*Mi pare nascosta una qualche diavoleria*).

Non si può usare sostantivato, ma esiste la sua forma neutra *qualche cosa* o *qualcosa* che indica: più di una sola cosa, una quantità indeterminata. Es.: *Vieni, ti darò qualcosa*; *Mi pare che egli abbia detto qualcosa*.

Si noti che nelle proposizioni negative si deve usare *alcuno* e non *qualche*. Es.: *Non ho visto alcun soldato* (non: qualche soldato) *sulla via*.

qualcòsa: sostantivo femminile. È la forma contratta di *qualche cosa*, è considerato perciò la forma neutra dell'aggettivo indefinito *qualche*. Indica quantità indeterminata. Es.: *Ho comprato qualcosa*; *Mangerò qualcosa stasera*. Si noti che la forma *qual cosa* (derivante da *quale cosa* e non *qualche cosa*) ha significato diverso, poiché è il neutro del pronome relativo *il quale, la quale, la qual cosa*. Es.: *Sei stato promosso; della qual cosa mi rallegro*.

Nel linguaggio familiare si trova anche unito ad *altro*. Es.: *Ti serve qualcos'altro?* Ma è meglio dire: *qualche altra cosa*.

Sono entrate nell'uso anche forme alterate, diminutive e attenuative. Es.: *Qualcosetta c'è*; *Qualcosina provo*.

qualcúno: pronome indefinito che significa: qualche persona. Indica unità indeterminata; si usa però al singolare anche col significato di: pochi, poche. Es.: *Qualcuno di voi deve partire subito*; *Sceglieremo qualcuna di voi*; *Se qualcuno vuol provare, si faccia avanti*. Non si usa mai come aggettivo; in questo caso si usa *qualche* (V.). La forma *qualchedúno* è ormai caduta dall'uso.

Si riferisce sempre a persona o essere animato; a cosa, solo nell'espressione: *qualcuna delle mie, delle sue*. Es.: *Ne avrà detta qualcuna delle sue* (cioè: battute, stupidaggini e simili).

Oggi si dice: *essere qualcuno, diventare qualcuno*, per: essere noto, avere una personalità, distinguersi dagli altri.

quàle: aggettivo interrogativo, che riguarda la qualità. Usato nelle proposizioni interrogative dirette e in quelle indirette. Es.: *Quale regalo sceglie?*; *In quale città sei nato?*; *Con quali soldi hai pagato?*; *Dimmi qual è la via giusta*; *Non so quale cosa abbia scelto*. Si usa nelle esclamazioni. Es.: *Quale onore!*; *Quale mirabile pittura!*; *Quali orrori dovemmo vedere!* Non seguito dal nome, ha valore di pronome ed è spesso accompagnato da complemento partitivo. Es.: *Ha comperato un libro ma non so quale*; *Quale di voi è il maggiore?*

Si usa pure nelle frasi distributive in luogo degli indefiniti correlativi: *chi... chi...*, *alcuni... altri...* Es.: *Seguivano molti ufficiali, quali con l'alta uniforme, quali in divisa da campo*.

Nelle proposizioni comparative in correlazione con *tale*, significa: come. La particella, però, si omette quando non si vuole sottolineare il valore di paragone. Es.: *Non era tale, quale l'aveva desiderato*; *La villa in campagna non era bella, quale l'aveva sperata*.

Si notino poi alcune locuzioni formate con *quale*: *tale e quale* per: somigliantissimo, identico (*Sei tale e quale tua madre*) e *tal quale* per: un certo (*Avevi un tal quale aspetto*). Si noti poi che si dice: *Vi parlo come legale della vostra parte*, e non: quale

legale ecc.; *Vengo come ambasciatore*, e non: quale ambasciatore.
Qual non si apostrofa mai, in quanto è troncamento e non elisione di *quale*. Es.: *Qual anima*; *qual è*; *qual ente*; *qual era*.
Si usa anche come sostantivo, nel linguaggio filosofico, per: qualità.
Con l'articolo determinativo (*il quale, la quale, i quali*, ecc.) forma il pronome relativo, V. perciò RELATIVI (PRONOMI).

qualificatívi (aggettivi): gli aggettivi che qualificano il nome, attribuendogli una qualità, per meglio specificare l'idea generica espressa dal sostantivo. Se, ad esempio, diciamo *casa grande, bel bambino, uomo forte*, noi aggiungiamo all'idea di casa, di bambino e di uomo una qualità che illustra meglio ciò che vogliamo indicare. Gli aggettivi qualificativi sono i più numerosi, tanti quante sono le qualità che possiamo attribuire a persone, cose, animali e anche a concetti astratti.
Gli aggettivi qualificativi sono tutti variabili, poiché concordano in genere e numero con i nomi a cui si riferiscono. Si distinguono perciò in due classi, la prima con terminazione *-o* (singolare) ed *-i* (plurale) per il maschile, *-a* (singolare) ed *-e* (plurale) per il femminile; la seconda con terminazione *-e* (singolare) ed *-i* (plurale) per il maschile e il femminile. Esempi: (1ª classe) *buono, buoni, buona, buone*; (2ª classe) *celere, celeri*.
L'aggettivo qualificativo, quando si riferisce a più nomi di genere e numero diversi ed è in funzione di predicato, si accorda secondo le seguenti regole: a) si pone al plurale maschile se riferito a sostantivi maschili (*Il terzino e il mediano furono bravissimi*); b) si pone al plurale femminile se riferito a sostantivi femminili (*La madre e la figlia sono serene*); c) si pone al plurale maschile se riferito a sostantivi di genere diverso (*Il figlio e la figlia sono studiosi*). Quando invece l'aggettivo è in funzione di attributo ci si regola nei modi seguenti: a) si pone al genere dei sostantivi e al numero plurale se riferito a sostantivi dello stesso genere (*Uno scrittore ed un poeta ammirati*); b) si pone al plurale maschile se riferito a sostantivi di genere diverso (*Un cane e una cavalla splendidi*; *Una rosa e un garofano odorosi*); c) si accorda col sostantivo più vicino se i vari sostantivi hanno significato affine o rappresentano gli elementi di un insieme organico (*Una virtù e una pazienza incredibile* o *incredibili*; *Abbiamo notato viali e piazze gremite*).
Gli aggettivi qualificativi hanno diversi gradi (V. *Comparativo* e *Superlativo*) e forme alterate (V. *Alterazione*). Sono talora usati come sostantivi e si dicono aggettivi *sostantivati*. Es.: *il bello, il brutto, il freddo*, ecc.
Per la formazione degli aggettivi qualificativi con suffissi, prefissi o per mezzo di composizione di nomi o aggettivi, V. la voce generale AGGETTIVO.

qualificatívi (avverbi): sono detti anche *avverbi di modo* o *maniera* (V.).

qualità (complemento di): indica qualità di una persona, di un animale o di una cosa. È formato solitamente da un sostantivo accompagnato da un attributo. È retto dalle preposizioni *di* e *da*. *Di*, che non si articola se non quando segue un superlativo relativo, è più usata per le qualità morali o astratte. Es.: Un uomo *di grande ingegno*; Una stoffa *della qualità più pregiata*. *Da* è invece sempre articolata e si usa per le qualità fisiche (per quanto la distinzione non sia rigida). Es.: Caronte *dagli occhi* di bragia; Una donna *dalla lingua lunga*. Si noti poi che *di* può essere seguita dall'articolo indeterminativo. Es.: *È di una astuzia incredibile*. Si usano talora anche le preposizioni *a* e *con*. Es.: Ho comprato una stoffa *a quadrettoni*; È un corridore *con buoni garretti*. In casi come questi il complemento di qualità tende a confondersi con quello di modo: V. *Modo o maniera* (*complemento di*).
QUALITÀ, sostantivo femminile, significa: specie, requisito, caratteristica, natura e simili. Non usarlo nella locuzione: in qualità di. Es.: *Si presentò come ambasciatore*, e non: in qualità di ambasciatore.

qualòra: congiunzione subordinante, composta di *quale* e di *ora*. Introduce una proposizione condizionale indicando solo possibilità; è perciò sempre seguita dal congiuntivo. Es.: *Qualora tu lo voglia,* *posso parlargli io*; *Avremmo vinto, qualora ci fossimo impegnati con tutte le forze*. Il significato della congiunzione è: se, quando, ogni volta che, dato che.

qualsíasi: aggettivo indefinito di qualità, che significa: qualunque, l'uno o l'altro che sia. È composto del troncamento di *quale* e della forma del verbo essere *siasi*. È invariabile e di numero singolare; il plurale *qualsiansi* o *qualsisiano* è poco usato. Simile a *qualsiasi* è *qualsivòglia*, composto con le forme verbali *si voglia* e *si vogliano* (plurale). Es.: *Qualsiasi pianta attecchisce in questo terreno*; *Rispose adducendo un pretesto qualsiasi*; *I cittadini sono tutti uguali, qualsisiano le loro fedi politiche.*

Qualsiasi è solo aggettivo; il pronome corrispondente è *chicchessía* (V.).

Si noti che il significato di *qualsiasi* può cambiare secondo la posizione nella frase. Es.: *Portatemi un qualsiasi libro* può voler dire che l'uno o l'altro libro vanno bene, che l'interlocutore ne vuole uno. Invece: *Non voglio leggere un libro qualsiasi* ha sfumatura spregiativa.

qualúnque: aggettivo indefinito di qualità, che significa: l'uno o l'altro che sia. È invariabile ed è usato solo come aggettivo: il pronome corrispondente è *chiunque* (V.). Es.: *Qualunque scolaro lo saprebbe*; *Accetterebbe qualunque proposta di lavoro*. Si trova anche preceduto da articolo o altro aggettivo indicativo. Es.: *Va bene un qualunque regalo*; *La stimavo come un mio qualunque amico*. Posposto al nome assume una sfumatura di significato dispregiativo. Es.: *una donna qualunque*; *una ragione qualunque*; *un uomo qualunque*. Nella costruzione con il verbo essere si trova anche staccato dal nome a cui si riferisce. Es.: *Qualunque sia il tuo parere, bisogna far così*; *Qualunque sia il vero motivo di questa azione, io la disapprovo*.

Qualunque è poi aggettivo relativo e unisce due proposizioni. Il verbo che segue va al congiuntivo o all'indicativo. È errore, si noti, ripetere in questo caso il pronome relativo: *che*. Es.: *Voglio sapere qualunque cosa tu faccia* (non: che tu faccia); *Verrò a qualunque ora volete*.

Raro è l'uso di *qualunque* al plurale; in ogni caso va sempre posto dopo il sostantivo. Es.: *Le obiezioni, qualunque esse siano, le farai a casa.*

qualvòlta: avverbio che oggi si usa solo nella locuzione congiuntiva *ogni qualvolta*. Vale: ogni volta che.

quàndo: congiunzione subordinante semplice. Anche avverbio di tempo. Come congiunzione introduce una proposizione temporale, solitamente seguìta dal verbo al modo indicativo. Es.: *Vieni quando vuoi*; *Arrivò quando noi partivamo*; *Quando mi scriverai, ricordati di darmi quelle notizie*. Talora ha valore condizionale significando: se, qualora; ed è seguito dal verbo al congiuntivo. Es.: Potrai avere il passaporto, *quando ne faccia richiesta*; Lo respingerai, *quando venisse un'altra volta*. Si notino poi le seguenti locuzioni: *quand'anche* (ancorché), *quand'ecco* (usato nelle narrazioni per indicare un fatto improvviso), *di quando in quando* (ogni tanto), *di quando* (del tempo in cui). Es.: *Non rivelerò nulla, quand'anche mi torturassero*; *Stavamo per partire, quand'ecco giunse un messaggero*; *Di quando in quando lo vedo passare*; *Questo è un ricordo di quando ero militare.*

Quando come avverbio si usa infine nelle interrogazioni. Es.: *Quando è venuto?*; *Quando partiremo?*

quantità: l'indicazione del numero e della misura.

Gli AVVERBI DI QUANTITÀ esprimono la misura di un'azione, di un aggettivo o di un altro avverbio. Sono costituiti in gran parte dal maschile degli aggettivi indefiniti e possono essere collocati in una scala ideale che va da *nulla* a *tutto*. I principali sono: *nulla, niente, poco, alquanto, parecchio, molto, assai, troppo, tanto, appena, più, meno, affatto*, ecc. (V. le voci relative). Gli avverbi di quantità si riferiscono al verbo (*Abbiamo parlato molto*), all'avverbio (*Non vedevamo troppo bene*) o all'aggettivo (*Mi era molto simpatico*).

COMPLEMENTI DI QUANTITÀ sono genericamente tutti quelli che esprimono un rapporto di quantità: *stima e prezzo, misura, peso, distanza, estensione* (V. voci relative). Per questi complementi si usano appunto gli avverbi di quantità oppure un aggettivo o sostantivo determina-

to, anche senza preposizione. Es.: Voi mi stimate *troppo*; La casa è larga *cinque metri*; La villa era *a due chilometri*; La somma era *di circa un milione*; Guadagnava *sulle novecentomila lire mensili*.
QUANTITÀ DELLE SILLABE era, nella metrica classica, la misura delle sillabe stesse. Si distinguevano la sillaba *breve* (◡) e la sillaba *lunga* (—), pari a due brevi.

quantitatívi (indefiniti): sono così chiamati gli aggettivi e i pronomi che indicano una quantità indeterminata. Sono: *poco, molto, troppo, tanto, parecchio, alquanto*, V. voci relative.

quantitatívo: aggettivo qualificativo; significa: di quantità, relativo alla quantità. Errato l'uso come sostantivo per: quantità. Es.: *Non so ancora il quantitativo* (dirai: la quantità) *della merce*.

quànto: aggettivo e pronome relativo di quantità. Es.: *Ti ho mandato quanto mi avevi chiesto*; *Gli ho dato quanto costava*. Si usa in correlazione con *tanto*, anche se questo è spesso sottinteso. Es.: *Abbiamo tanti regali quanti ne desideravamo*; *Siamo tanto amici quanto leali avversari*; *Gli dissi* [*tanto*] *quanto bastava*. Si usa nelle proposizioni interrogative, sia come aggettivo che come pronome. Es.: *Quante parole hai scritto?*; *Non so quanti siano*; *Quanti uomini volete?*; *A quanto l'hai comperato?*; *Per quanto avete venduto la vostra villa?* Si usa poi nelle esclamazioni. Es.: *Quanta imprudenza!*
Come avverbio, ha gli stessi valori. Es.: *Bisogna studiare* [*tanto*] *quanto è necessario*; *Quanto ti interessa l'affare?*; *Quanto hai sofferto!*
Come pronome indefinito, al maschile plurale, può significare: tutti coloro che. Es.: *Tra il rimpianto di quanti lo conobbero*; *Quanti l'hanno visto han dichiarato che era vestito bene*. Il maschile singolare di *quanto* è usato anche come avverbio col significato di: più che. Es.: *Faceva quanto poteva*; *Studia quanto puoi*.
Si notino infine le seguenti espressioni o locuzioni avverbiali: *quanto* per: quanto tempo (*Da quanto non ci incontravamo!*), *quanto a* per: riguardo a (*Quanto a me, stai tranquillo*), *quanto mai* per: moltissimo (*Era divertente quanto mai*), *quanto prima* per: al più presto possibile (*Ti scriverò quanto prima*), *quanto meno* per: almeno, che è forma più corretta.

quantúnque: congiunzione subordinante composta. Introduce la proposizione concessiva (come *sebbene, ancorché, benché*, alle quali equivale per significato) e vuole il verbo al congiuntivo. Es.: *Quantunque tu non voglia, noi partiremo*; *Quantunque stia meglio, deve restare in casa*.

quartína: strofa di quattro versi. In essa le rime possono essere alternate (AB, AB) oppure incrociate (AB, BA). Esempio di quartina a rime alternate:

«Calda è la notte. A guisa di scintille,
che sprizzano dal ferro arroventato,
sotto i colpi del maglio, a mille a mille
volteggiano le lucciole nel prato».
(Zanella)

Esempio di quartina a rime incrociate:

«L'azzurro infinito del giorno
è come una seta ben tesa;
ma sulla serena distesa
la luna già pensa al ritorno».
(Gozzano)

La quartina può essere formata da endecasillabi, oppure da combinazioni di versi di varia lunghezza: endecasillabi e settenari; novenari e settenari, o anche da tutti quinari. È quindi strofa di varia struttura metrica.
Quartina è sostantivo femminile; il maschile QUARTÍNO indica invece uno strumento musicale oppure la misura di un quarto di litro.

quàsi: avverbio che indica approssimazione e significa: press'a poco, circa. Es.: *Sembrava quasi vero*; *Erano presenti quasi tutti i soci*; *Sono passati quasi quindici giorni*. Talora significa: forse; si raddoppia per indicare che poco è mancato o manca a farsi una determinata azione. Es.: *Quasi quasi vengo io a casa tua*; *Quasi quasi gli avrei creduto*; *Quasi quasi ti accompagno a casa*.
Nelle comparazioni significa: come se; vuole il verbo al congiuntivo. Es.: Insisteva *quasi avesse ragione*; Tu parli *quasi fossi io a decidere*.
La locuzione *senza quasi* equivale a: senza dubbio, certamente.

quasiché: locuzione composta da *quasi* e

che. Introduce una proposizione modale. Si scrive anche in due parole; quasi che. Errata invece la forma *quasicché*.

quassù: avverbio di luogo composto da *qua* e *su*. Indica luogo alto vicino a chi parla o scrive: in questo luogo alto. Es.: *Come avete fatto a venire quassù?*; *Se restiamo quassù, potremo ammirare uno splendido tramonto.*

quaternàrio: verso di quattro sillabe. Si dice anche *quadernàrio* o *quadrisíllabo*. Ha solitamente un accento ritmico sulla terza sillaba; talora un secondo accento sulla prima. Es.:

«*C'è un castèllo,*
c'è un tesòro,
c'è un avèllo.
Dov'è? Ignòro».

(Mazzoni)

Nelle strofe il quaternario si trova però spesso combinato con versi più lunghi, specie con l'ottonario. Si veda questo esempio del Carducci:

«*Il poeta, o vulgo sciocco,*
un pitocco
non è già, che a l'altrui mensa
via con lazzi turpi e matti
porta i piatti
ed il pan ruba in dispensa».

Strofa quaternaria è la strofa di quattro versi, V. QUARTINA.

quégli: pronome dimostrativo, usato solo per il maschile singolare e solo in posizione di soggetto. Indica persona lontana da chi parla e da chi ascolta. Es.: *Quegli mi ha annunciato il suo arrivo*; *Quegli vuole la sua parte.* Come pronome personale in luogo di: colui, egli. Es.: *Quegli dorme*; *Quegli lavora troppo.* L'uso di questo pronome va però decadendo. Da non confondersi con l'aggettivo *quegli* (plurale maschile di *quello*) usato dinanzi a vocale, *s* impura, *z, gn, ps*. In poesia si trova la forma *quei*, corrispondente a *quegli*. Es.: «*È come quei che con lena affannata*» (Dante).

quéllo: aggettivo dimostrativo che serve ad indicare persona, cosa od animale lontani da chi parla e da chi ascolta. Es.: *Arrivammo in quella città*; *Passeremo per quella via.* La relazione di lontananza può anche essere astratta. Es.: *Mi riferisco a quella tesi esposta da te poco fa*; *Mi preoccupi, con quelle idee che hai!* Ormai antiquato l'uso in frasi vocative. Es.: *Ehi, quell'uomo, potrebbe indicarmi la via?*

Quello concorda in genere e numero con il nome al quale si riferisce. Al singolare maschile la forma intera si usa solo davanti a *s* impura, *z, gn, ps* (*quello psichiatra, quello zaino, quello stupido*) oppure in posizione assoluta (*il vero motivo è quello*); si elide davanti a vocale (*quell'asino, quell'idiota*) e si tronca davanti a consonante (*quel canestro, quel rumore*); per il plurale maschile si usa la forma intera *quelli* solo quando è in posizione assoluta (*I miei cani sono quelli*); altrimenti si usa *quei* davanti a consonante (*quei cavalli, quei palazzi*), *quegli* davanti a vocale, *z, s* impura, *ps, gn* (*quegli onori, quegli uomini, quegli Stati, quegli psicologi*); il singolare femminile *quella* si elide davanti a vocale (*quell'asina!, quell'amica, quell'attesa*), il plurale *quelle* resta sempre invariato, anche davanti a vocale (*quelle amiche, quelle donne, quelle aiuole*).

Quello è rafforzato, specie nell'uso parlato, dagli avverbi di luogo *lì* e *là*. Es.: *Quella casa là, quell'uomo lì.*

Anche pronome dimostrativo. In tal caso il plurale è sempre *quelli* (*quegli* è singolare!). Es.: *Io prendo questo mantello, tu prendi quello*; *La mia veste è questa, la tua quella.* Al maschile singolare ha talora valore neutro, significando: quella cosa. Es.: *Non pensi che a quello!*; *Quello che voglio dirti è che non ti devi spaventare.* In correlazione con *questo*, se riferito a cosa già detta, indica la più lontana nel discorso, la prima nominata. Es.: *Torino e Genova sono due città: quella* (Torino) *è nel Piemonte, questa* (Genova) *nella Liguria.*

Talora *quello* conferisce all'espressione una sfumatura dispregiativa. Es.: *Quel disgraziato!*; *Ascolta quello lì, tu!*; *Non parlarmi di quella là!* Si notino poi alcune locuzioni tipiche: *non esser più quello* per: non essere più lo stesso (*Da quando è caduto non è stato più quello*); *in quel di* per: nel territorio di (*in quel di Milano, in quel di Lecco*); *in quella che* per: mentre (*Arrivò in quella che stavo per partire*).

Nell'uso parlato si adopera spesso in luogo di *codesto*. Es.: *Bello quel vestito!* per: bello codesto vestito. Ma *codesto*, quando si deve indicare cosa vicina a chi ascolta, è certo da preferirsi.

quèrcia: sostantivo femminile che indica una nota pianta. Plurale: querce. Meno usata è la forma *querce* (singolare) e *querci* (plurale).

quésti: pronome dimostrativo di persona; indica persona vicina a chi parla. Si usa solo in posizione di soggetto e solo per il maschile singolare. Es.: *Ho visto Mario e Paolo*; *questi* (cioè Paolo) *mi ha raccontato tutti i particolari della faccenda.*

questióne (in): le espressioni: *in questione* per: di cui si tratta; *essere in questione* per: trattarsi; *porre in questione* per: trattare, sono francesismi entrati nell'uso burocratico. Es.: *La persona di cui si parla* (e non: in questione).

quésto: aggettivo dimostrativo che indica persona, cosa o animale vicini a chi parla. Concorda con il nome a cui si riferisce in genere e numero; non si apostrofa mai al plurale. È talora rafforzato dagli avverbi di luogo *qui* e *qua*. Es.: *Questo cavallo è mio*; *Questo uomo qui è terribile*; *Restiamo in questa casa qua*; *Quest'anno andrò in riviera*; *Voglio sentire queste altre canzoni*. Talora conferisce all'espressione un significato particolare, specie nelle esclamazioni. Es.: *Questi ragazzi! non ci lasciano mai in pace*; *Questo stupido!*; *Questo nostro mondo!* Il femminile *questa*, ridotto per aferesi in *sta*, si unisce ad altre parole: *stamane, stasera, stanotte*. Riferito al tempo, *questo* indica infatti il presente (*quest'anno, questa stagione*) o il passato o futuro prossimo (*Quest'inverno siamo stati a Cortina d'Ampezzo*; *Quest'autunno verrò nel tuo podere*).

È usato anche come pronome. In corrispondenza a *quello*, se riferito a cose dette precedentemente, indica quella più vicina, quella nominata per ultima. Es.: *Ho letto la lettera di Franco e quella di Antonio*; *questa* (cioè la lettera di Antonio) *mi è parsa più sincera, quella più abile.* Il maschile singolare ha spesso funzione di neutro e significa: questa cosa, ciò. Es.: *Questo volevo dirti e te l'ho detto*; *Non mi importa nulla di questo*; *Allora a questo tendevi!*

Si notino alcune locuzioni specifiche: *a questo* per: a questo punto (*Siamo dunque ridotti a questo?*), *in questa* per: in questo mentre (*In questa arriva proprio lui*), *con questo che* per: con il patto che (*L'ho assunto, con questo che se sbaglia lo licenzia subito*), *per questo* in luogo di: perciò (*Per questo ti ho punito*).

qui: avverbio di luogo che indica vicinanza o prossimità rispetto a chi parla: in questo luogo. Talora rafforza l'aggettivo o il pronome dimostrativo *questo*. Es.: *Qui stiamo molto bene*; *Qui occorre molta astuzia*; *Questi lavori qui non mi piacciono*. Significa anche: in questo caso, in questo frangente, ora, adesso, allora. Es.: *Qui bisogna prendere una risoluzione*; *Qui si esagera*; *Qui cominciò il disastro*. Si notino le locuzioni: *di qui* per: da questo luogo o da questo momento (*Di qui a Milano non puoi andar solo*; *Ti aspetterò di qui a cent'anni!*), *di qui a lì* per indicare breve spazio (*Non si vedeva di qui a lì*). Rispetto a *qua* (V.), indica luogo più ristretto e determinato. Es.: *Mettilo qui sul tavolo!* (invece: *Qua ci troviamo bene*). Non si deve mai accentare.

quia: voce latina che significa: perché. Si usava nel linguaggio filosofico o giuridico, per indicare il perché, la causa.

quibus: voce latina, significa: con i quali, per mezzo dei quali. Usata scherzosamente per indicare i soldi, il denaro. Es.: *Mi occorrono i quibus* (o: i *conquibus*).

quid: voce latina che significa: alcuna cosa. Usata nel linguaggio filosofico o giuridico per indicare un certo che indefinito. È inutile pedanteria nel linguaggio parlato. Es.: *I filosofi cercano il quid che è sostanza dell'universo*; *Quella donna ha un quid che affascina*. Da *quid* è derivata la parola QUIDDITÀ per: essenza, sostanza.

quietàre: verbo della prima coniugazione, transitivo. Non segue la regola del dittongo mobile. Es.: io *quietàvo* (non: quetàvo), io *quieterèi* (non: queterei), *quietàto* (non: quetàto). Significa: calmare. Usato anche al riflessivo. Es. *Finalmente il mare si è quietato.*

quinàrio: verso di cinque sillabe. Ha l'accento ritmico sulla quarta sillaba; raramente ne ha due, uno sulla seconda e l'altro sulla quarta. È un verso adatto per esprimere sentimenti tenui, argomenti delicati; fu molto usato per le ariette dei melodrammi settecenteschi. Nella strofe saffica sostituisce l'adonio, che nella metrica classica era il quarto verso della strofa stessa. Es.:

«*Amo te solo,*
te solo amai,
tu fosti il primo,
tu pur sarai
l'ultimo oggetto
che adorerò».

(Metastasio)

«*Taccion le fiere e gli uomini e le cose,*
roseo il tramonto ne l'azzurro sfuma,
mormoran gli alti vertici ondeggianti:
Ave Maria».

(Carducci)

quínci: avverbio di luogo, usato però raramente. Significa: da qui, da questo luogo; è usato per il complemento di moto da luogo.

quíndi: avverbio di luogo, che significa: di qui, di qua. Ma è ormai usato più comunemente con altri significati: perciò, dunque, con valore di congiunzione conclusiva (*Hai detto il falso, quindi devi esser punito*); poi, dopo, in seguito, con valore temporale (*Passò in rivista le truppe, quindi pronunciò un discorso*).

quínta ríma: strofa di cinque versi di misura variabile, che segue differenti schemi di rima; si tratta di una struttura relativamente moderna, anche se se ne trova già un esempio nella poesia *Il pericolo* di Giuseppe Parini.

qui pro quo: locuzione latina che significa: qui invece di quo. Usata per: equivoco, malinteso, scambio di persona.

quívi: avverbio di luogo, significa: in quel luogo, da quel luogo (non: qui, in questo luogo). Es.: *Andai a Napoli e quivi trovai molti amici*. È però di uso letterario.

quiz: parola angloamericana (pr.: quis) di origine incerta, che significa: domanda, quesito, indovinello. In Italia si pronuncia solitamente com'è scritta.

quod: parola latina che significa: ciò che. Si usa in frasi latine rimaste nell'uso: *quod erat demonstrandum* (come volevasi dimostrare), *quod differtur non aufertur* (rinviare non è rinunciare).

quorum: parola latina; significa: dei quali. Usata come sostantivo: il *quorum*, raggiungere il *quorum*. Significa: numero legale; nelle elezioni, il minimo dei voti necessari per essere eletti.

quotàre: verbo della prima coniugazione, transitivo. Significa: assegnare a ciascuno la parte da pagare. Anche al riflessivo. *I soci si son quotati per mille lire ciascuno*. Nel linguaggio finanziario: determinare il prezzo di titolo di Borsa. Es.: *I titoli di Stato sono quotati in Borsa*. Non è corretto l'uso del verbo per: giudicare, stimare. Es.: *È un professore quotato*; *Era un chirurgo molto quotato*.

quotidiàno: aggettivo qualificativo. Vale: di ciascun giorno. La forma *cotidiàno* è dell'uso letterario, poco comune. Come sostantivo indica il giornale che esce ogni giorno. Anche: la vita di ogni giorno, il vissuto abituale.

R

r: sedicesima lettera del nostro alfabeto; dodicesima consonante. Si chiama *èrre*, ed è di genere femminile o maschile, sottintendendo rispettivamente *lettera* o *segno*: la *r*, un *r*. È *consonante costrittiva* o *continua*, perché può essere pronunziata anche senza l'appoggio di una vocale. Si pronunzia accostando la lingua al palato, ove sporgono i denti; perciò è detta *linguale*. Inoltre, poiché il suo è un suono tremulo e scorrevole, si dice *liquida*. Nella divisione in sillabe si deve tener presente che la *r*, quando è prima di un nesso consonantico, fa sillaba con la vocale precedente. Es.: *ar-pa, cor-po, ar-do-re, par-ti-re*. Molte parole si troncano quando terminano con vocale preceduta da *r*. Es.: *aver(e) dato*; *suor(a) Amalia*; *signor(e) Carlo*; *andar(e) via*.
Nelle abbreviazioni delle iscrizioni latine (R.) può significare *Roma* o *Romanus* (S.P.Q.R.); talvolta anche *rex* o *rostrum*. Nella numerazione romana indica 80, se sormontata da una lineetta 8000 ($\overline{R}$). Oggi può significare: *regio* (R.M., Regia Marina). Negli orari ferroviari, il segno R indica che il treno è *rapido*.

rabboníre: verbo della terza coniugazione, transitivo. Si coniuga con la forma incoativa *-isc-* tra il tema e la desinenza di alcuni tempi. *Pres. indic.*: rabboníscо, rabboníscі, rabbonísce, rabboniàmo, rabboníte, rabboníscono. *Pres. cong.*: rabbonísca, rabbonísca, rabbonísca, rabboniàmo, rabboniàte, rabboníscano. *Part. pass.*: rabboníto. Significa: pacificare, calmare. Usato anche in forma riflessiva. Es.: *Quando arrivammo, si era già rabbonito*.

rabbrividíre: verbo della terza coniugazione, intransitivo. Si coniuga con la forma incoativa *-isc-* tra il tema e la desinenza di alcuni tempi. *Pres. indic.*: rabbrividísco, rabbrividísci, rabbrividísce, rabbrividiàmo, rabbrividíte, rabbrividíscono. *Pres. cong.*: rabbrividísca, rabbrividísca, rabbrividísca, rabbrividiàmo, rabbrividiàte, rabbrividíscano. *Part. pass.*: rabbrividíto. Si coniuga con l'ausiliare essere e anche con avere. Es.: *A quella vista eravamo rabbrividiti* (o *avevamo rabbrividito*). Significa: sentire un brivido per timore o ribrezzo, o anche per il freddo.

raccògliere: verbo della seconda coniugazione, transitivo. *Pres. indic.*: raccòlgo, raccògli, raccòglie, raccogliàmo, raccogliéte, raccòlgono. *Pass. rem.*: raccòlsi, raccogliésti, raccòlse, raccogliémmo, raccogliéste, raccòlsero. *Pres. cong.*: raccòlga, raccòlga, raccòlga, raccogliàmo, raccogliàte, raccòlgano. *Part. pass.*: raccòlto. Significa: accumulare, riunire, adunare (*Raccolse molti frutti*; *Abbiamo raccolto interessanti notizie*; *Aveva raccolto tutti i suoi uomini*); riflessivamente, significa: concentrarsi, meditare (*Prima di affrontare l'esame, si raccolse in sé stesso*) o adunarsi (*Si raccolsero intorno al capo*). Da *raccogliere*, deriva il sostantivo RACCOGLITÒRE che al femminile fa *raccoglitríce*.

raccomandàre: verbo della prima coniugazione, transitivo. Quando regge una proposizione oggettiva ammette il costrutto implicito con *di* e l'infinito (*Raccomando di leggere bene le istruzioni*) o quello esplicito con il congiuntivo (*Raccomando che si faccia il possibile*). Quando c'è diversità di soggetti, nella dipendente il soggetto della raccomandazione è espresso con un complemento di termine: *Raccomandava ai figli di telefonare ogni sera*.

raccontàre: verbo della prima coniugazione, transitivo. Quando regge una proposizione oggettiva, si costruisce con *di* e l'infinito (*Raccontava di aver visto gli Ufo*) o nella forma esplicita (*Raccontava che aveva visto gli Ufo*).

ràdar: parola derivata dalla sigla inglese Ra.D.a.R. (*Radio Detecting and Ranging*). Voce di uso internazionale; indica un apparato radioelettrico che serve per individuare a distanza corpi non visibili ad occhio nudo.

raddolcíre: verbo della terza coniugazione, transitivo. Si coniuga con la forma incoativa *-isc-* tra il tema e la desinenza di alcuni tempi. *Pres. indic.*: raddolcísco, raddolcísci, raddolcísce, raddolciàmo, raddolcíte, raddolcíscono. *Pres. cong.*: raddolcísca, raddolcísca, raddolcísca, raddolciàmo, raddolciàte, raddolcíscano. *Part. pass.*: raddolcíto. Significa: render più dolce, mitigare, temperare. Usato anche intransitivamente e in forma riflessiva. Es.: *In quel modo raddolcí la nostra pena*; *Negli ultimi tempi (si) era raddolcito.*

raddoppiaménto: figura retorica consistente nel ripetere consecutivamente lo stesso vocabolo per ottenere un effetto più colorito. Es.: *Pane, pane! – gridarono i presenti*; *Largo, largo, figlioli*; *a casa, a casa...*

raddoppiaménto delle consonànti: la doppia consonante si può trovare all'interno di una parola o in speciali casi di parole composte. Le consonanti doppie sono sempre precedute da vocale e possono essere seguite solo da un'altra vocale o da *r, l, h.* Es.: *panno, grosso, attrazione, acclimatare, occhio.* Nell'interno della parola si raddoppiano: la *s* nelle parole in cui il latino usava la *x* o il gruppo *ps* (da *duxi, condussi*; da *luxus, lusso*; da *scripsi, scrissi*); la *t* nelle parole in cui il latino usava i gruppi *bt, pt, ct* (da *subtilis, sottile*; da *captivus, cattivo*; da *doctus, dotto*); la *g* nelle parole in cui il latino usava *d* più *i* semiconsonantica più vocale (da *radium, raggio*; da *podium, poggio*); *c* e *g* nei suoni *chi* e *ghi*, quando vengono dopo la vocale tonica (*tícchio, múgghio, ràcchio*) e nelle parole derivate (*occhiali* da occhio, *gracchiare* da gracchio, *invecchiare* da vecchio); *r, l, d* e talora altre consonanti nelle parole in cui, essendo caduta per sincope una vocale interna, si troverebbero vicine due consonanti che formano un gruppo non facilmente pronunciabile (si ha dunque l'assimilazione). Es: da *venirò*, caduta la *i* e non potendosi pronunciare facilmente *venrò*, la *n* è divenuta *r* (*verrò*). La lettera *z* non si scrive doppia davanti a *ia, ie, io* (*eccezione, sezione, infezione, obiezione, malizia, vizio, calvizie*), anche se la corretta pronunzia toscana vuole il rafforzamento. La *z* doppia si scrive nei derivati da parole che già contenevano il raddoppiamento: *corazziere* da corazza, *pazzia* da pazzo. Le parole derivate tendono infatti a conservare le consonanti doppie che esistevano nella parole da cui derivano: *cappotto* da *cappa* (e invece *capello* da *capo*); *scorrazzare* da *correre*; *reggimento* da *reggere*. A queste regole fanno eccezione, tra l'altro: *abbazia* da abate, *accomiatare* da *commiato*, *cavaliere* da *cavallo*, *legittimo* da *legge*, *lucciola* da *luce*, *effeminato* da *femmina*, e altre parole ancora. Si ricordino poi i seguenti suffissi che formano numerose parole derivate che contengono consonanti doppie: *-acchio* (spauracchio), *-accio* (omaccio), *-azzo* (codazzo), *-ecchio* (parecchio), *-eccio* (cicaleccio), *-ello* (ramoscello), *-essa* (fattoressa), *-etto* (piccoletto), *-ezza* (bellezza), *-iccio* (imparaticcio), *-occhio* (ranocchio), *-occio* (figlioccio), *-otto* (grassotto), *-ozzo* (predicozzo), *-uccio, -ucchío* (amoruccio, sbaciucchío), *-uzza* (pietruzza), ai quali vanno aggiunti *-aggine* e *-uggine* (goffaggine, ruggine, testuggine) tranne che in *farragine, immagine, voragine, lanugine*, e qualche altro, e *-igine* che raddoppia solo in *fuliggine* e *lentiggine*.

Nelle parole composte si ha il raddoppiamento: a) quando la prima parola è tronca (*sì* e *come, siccome*; *così* e *detto, cosiddetto*; *però* e *che, perocché*; *là* e *su, lassù*; *fa'* e *lo, fallo*; *di'* e *mi, dimmi*); b) quando la prima parola è costituita da *contra, da, fra, sopra* o *sovra, e, o, né, se, come, dove* (*contrassegno, contravveleno, davvero, dapprima, frattanto, soprattutto, sovrannaturale, eccome, eppure, ovvero, ossia, neppure, sebbene, comecché*, ecc. con la sola eccezione di *contradire* e derivati accanto a *contraddire* e derivati); c) quando si verifica un'assimilazione tra la consonante finale della prima parte e l'iniziale della seconda parola, se la prima parola è *a*, derivata dal latino *ad*: *ad* e *lo, allo*; *ad* e *tendere, attendere*; *ad* e *fluire, affluire*; *ad* e *giunto, aggiunto*. Lo stesso accade con *ra-* (un tempo *re-* più *ad*): *raddrizzare, rabberciare, rabbonire, raddolcire, raccogliere*, ecc.; e con *so-* (latino: *sub*): *soccorrere, sovvenire, soffiare*; d) quando la prima parola è costituita da *in* o *con* e l'iniziale della seconda sia *m, r, l* (la *n* si assimila): *inmeritevole* diventa *immeritevole*; *in-logico, illogico*; *in-riverente, irriverente*; *con-reo, correo*; *con-laterale, collaterale*.

ràdere: verbo della seconda coniugazione, transitivo. *Pass. rem.*: ràsi, radésti, ràse, radémmo, radéste, ràsero. *Part. pass.*: ràso. Significa: tagliarsi i peli col rasoio; anche: sfiorare (*Il fiume in quel punto radeva le case*), abbattere (nella locuzione: *radere al suolo*).

radíce (delle parole): l'elemento base che esprime l'idea fondamentale della parola.
Nel linguaggio dei primitivi esistevano forse solo radici o radicali costituiti da voci imitative, senza nessuna determinazione. La radicale era una *parola-frase*. Oggi invece l'idea fondamentale della parola è specificata mediante suffissi che indicano anzitutto se si tratta di una cosa, persona o animale (sostantivo) o di un'azione (verbo) o di una qualità (aggettivo) o di un modo (avverbio), ecc. Es.: dalla radice *am-* si formano il sostantivo *amore*, il verbo *amare*, l'aggettivo *amabile*, l'avverbio *amabilmente*, ecc. Per ulteriori specificazioni si aggiungono a questi temi (*tema* è quanto resta di una parola togliendo la desinenza) le desinenze che indicano il genere e il numero dei nomi oppure la persona, il tempo e il modo dei verbi. In una parola si possono dunque distinguere: i *prefissi*, cioè lettere o gruppi di lettere posti prima della radice; la *radice*, che esprime l'idea originaria della parola nel modo più indeterminato; il *tema* (che nelle parole primitive è uguale alla radice); i *suffissi*, cioè lettere o gruppi di lettere posti dopo la radice; la *desinenza*, che determina grammaticalmente la parola. Es.: *lodava* (*lod*: radice; *av*: suffisso; *a*: desinenza; *lodav*: tema); *lodevole* (*lod*: radice; *evol*: suffisso; *e*: desinenza; *lodevol*: tema). Le parole possono avere anche più prefissi o suffissi. Es.: *innominabile* (*in-*: prefisso; *nom*: radice; *inabil*: suffisso; *e*: desinenza; *innominabil*: tema); *lodevolissimo* (*lod*: radice; *evol*: suffisso; *issim*: suffisso; *o*: desinenza; *lodevolissim*: tema).
Le parole si raggruppano in famiglie derivanti tutte dalla stessa radice, che può essere comune a tutte le lingue dello stesso ceppo.

ràdio: sostantivo maschile. Nome di una sostanza o elemento chimico. È invariabile. Da esso derivano numerose parole scientifiche: *radiazióne, radioattívo, radiografía, radiología, radioscopía, radioterapía*. Come abbreviazione di *radiotelefonía* o di apparecchio radiotelefonico è divenuto sostantivo femminile. È un neologismo di creazione recente, ed è uno dei nomi femminili in *-o*, invariabile. Es.: *una radio, la radio, le radio*. Come tale anche prefisso di parole composte, riferentisi alla radiotelefonia o radiotelegrafia. Es.: *radioaudizióne, radioascoltatóre, radiotelevisióne, radiodràmma*.

raggiúngere: verbo della seconda coniugazione, transitivo. *Pass. rem.*: raggiúnsi, raggiungésti, raggiúnse, raggiungémmo, raggiungéste, raggiúnsero. *Part. pass.*: raggiúnto. Significa: riunirsi a uno che cammina innanzi, afferrare, cogliere. Nel senso di conseguire è ripreso dai puristi, ma ormai nell'uso. Es.: *Raggiungemmo i primi della fila*; *Se vai a Parigi, ti raggiungerò là*; *Abbiamo finalmente raggiunto il nostro scopo*.

raggruppaménto: in lessicografia, il procedimento mediante il quale si definisce il gruppo composto da una parola-base semplice e tutti i suoi derivati che ne hanno mantenuto il significato, allo scopo di delineare i rapporti sintattici e semantici. Per es.: sotto il vocabolo *campo* si raggruppano i derivati *accampare, campeggiare, scampare* ecc. Il raggruppamento costituisce quindi un sottoinsieme della famiglia.

-ragía: terminazione di parole del linguaggio medico che indicano un fenomeno di patologica fuoruscita di sangue o altro liquido. Es.: *emorragía, metrorragía, otorragía, gastrorragía, encefalorragía.*

rallegràre: verbo della prima coniugazione, transitivo. Significa: dare allegrezza, far lieto, e simili. Es.: *La tua venuta rallegra tutti noi.* Usato riflessivamente, significa: compiacersi, provar gioia per un successo proprio o di altri.
Se regge una proposizione oggettiva si costruisce con *di* e l'infinito (*Mi rallegro di aver fatto il mio dovere*) o nella forma esplicita, preferibilmente con il congiuntivo (*Si rallegrava che l'avessero premiato*).

rammaricàrsi: verbo della prima coniugazione, intransitivo pronominale. Quando regge un'oggettiva, si costruisce con *di* e l'infinito (*Mi rammarico di doverti lasciare*) o nella forma esplicita (*Mi rammarico che dobbiate partire*), preferibilmente con il congiuntivo nella dipendente.

rammàrico: nome sdrucciolo terminante in *-co*, che al plurale finisce in *-chi*: rammàrichi. Vale: rincrescimento, rimpianto, amarezza.

rapíre: verbo della terza coniugazione, transitivo. Si coniuga con la forma incoativa *-isc-* tra il tema e la desinenza di alcuni tempi. *Pres. indic.*: rapísco, rapísci, rapísce, rapiàmo, rapíte, rapíscono. *Pres. cong.*: rapísca, rapísca, rapísca, rapiàmo, rapiàte, rapíscano. *Part. pass.*: rapíto. Significa: portar via con violenza, strappare, prendere.

rarefàre: verbo della prima coniugazione, transitivo. *Pres. indic.*: rarefàccio, rarefài, rarefà, rarefacciàmo, rarefàte, rarefànno. *Imperf.*: rarefacévo, rarefacévi, rarefacéva, rarefacevàmo, rarefacevàte, rarefacévano. *Pass. rem.*: rareféci, rarefacésti, rareféce, rarefacémmo, rarefacéste, rarefécero. *Part. pass.*: rarefàtto. È usato riflessivamente; vale: divenir raro. Es.: *Quella merce si rarefà sul mercato.*

rasènte: preposizione che significa: vicino, accosto, a pelo. Si costruisce direttamente o con la preposizione *a*. Es.: *Passò rasente il muro* o *al muro.*

ràzzo: sostantivo maschile che significa: fuoco artificiale. Anche tipo di motore a reazione e missile dotato di tale motore. Di diversa origine è il sostantivo femminile RÀZZA, che vale: stirpe, schiatta, progenie.

re-: prefisso, talora ridotto alla semplice *r* (e talora anche mutato in *ra*). Es.: RESTÀURO (riparazione), REINTEGRÀRE (ripristinare). Denota anche allontanamento. Es.: *respíngere, recèdere, regressióne.*

re: sostantivo maschile (femminile: regína), che indica il capo dello Stato in regime monarchico. Si pronunzia con la *e* stretta; si scrive con la lettera maiuscola quando indica la dignità o la persona del sovrano; con la lettera minuscola quando accompagna un nome proprio o quando è usato come nome comune. Es.: *In quel momento arrivò il Re*; *Nel Vecchio Testamento si trova il Libro dei Re*; *I patrioti si presentarono a re Carlo Alberto*; *Nella Repubblica nessuno è re.*
Se è pronunziato con la *e* larga, è il nome della seconda nota musicale.

-rèa: terminazione di parole del linguaggio medico che indicano secrezione eccessiva di umori. Es.: *diarrèa, amenorrèa, leucorrèa.*

realizzàre: verbo della prima coniugazione, transitivo. Francesismo, ma ormai molto usato. Si può sostituire con: effettuare, compiere, tradurre in atto. Es.: *effettuare un piano, mandare ad effetto un disegno, tradurre in realtà un'idea, incassare una somma* o *guadagnare, mantenere una promessa.* Nella forma riflessiva si usa in luogo di: verificarsi, avverarsi; anche trovare la propria strada, perfezionare la propria personalità. Es.: *Il nostro sogno ha potuto realizzarsi*; *Si realizzava tutta nella carriera.*

rebus sic stantibus: locuzione latina (pr.: rébus síc stàntibus) rimasta nell'uso nostro che significa: stando cosí le cose, data la situazione.

recensíre: verbo della terza coniugazione, transitivo. Si coniuga con la forma incoativa *-isc-* tra il tema e la desinenza di alcuni tempi. *Pres. indic.*: recensísco, recensísci, recensísce, recensiàmo, recensíte, recensíscono. *Pass. rem.*: recensíi, recensísti, recensí, recensímmo, recensíste, recensírono. *Pres. cong.*: recensísca, recensísca, recensísca, recensiàmo, recensiàte, recensíscano. *Part. pass.*: recensíto. Significa: esaminare un'opera, criticarla, presentarla al pubblico. Un tempo indicava la correzione e revisione di un testo fatta per darne un'edizione critica, cioè quanto più possibile simile all'originale.

rècere: verbo della seconda coniugazione, transitivo. *Pres. indic.*: rècio, rèci, rèce, reciàmo, recéte, rèciono. *Pres. cong.*: rècia, rècia, rècia, reciàmo, reciàte, rèciano. *Part. pass.*: reciúto. Significa: vomitare; e si usa ormai soltanto all'infinito. Es.: *Questo odore mi fa recere.*

recídere: verbo della seconda coniugazione, transitivo. *Pass. rem.*: recísi, recidésti, recíse, recidémmo, recidéste, recísero. *Part. pass.*: recíso. Significa: tagliare, troncare.

recipe: voce latina (pr.: récipe) usata dai farmacisti e dai medici. Si abbrevia: *r.* Letteralmente significa: *prendi* (s'intende, del tale ingrediente, la quantità indicata).

recíproca (forma): forma dei verbi che indicano nella forma riflessiva un'azione reciproca tra due soggetti. Es.: *Noi ci salutiamo*; *Voi vi combattete*; *Essi si lodano tra di loro*; *Noi ci aiuteremo.* Per distinguere, nei casi in cui potrebbe sorgere dubbio, la forma reciproca da quella *riflessiva* (V.) è opportuno verificare se l'aggiunta di locuzioni quali *fra loro, scambievolmente, a vicenda, l'un l'altro* e simili non modificherebbe il significato della frase. Es.: *Essi si lodano* (= lodano se stessi; in questo caso non si può aggiungere *fra loro* senza modificare completamente il senso della frase. Il verbo è qui nella forma riflessiva).

rècluta: sostantivo femminile che indica però persona maschile: coscritto, cappellone, o, per estensione, novizio. La pronunzia corretta sarebbe *reclúta*, ma oggi è completamente caduta dall'uso.

record: parola inglese (pr.: récood) che indica il massimo risultato raggiunto in un determinato campo (letteralmente: un risultato da ricordare, memorabile). In italiano: primato. Detentore di un record o *recordman* (pr.: récoodmen): possessore di un primato, primatista.

redarguíre: verbo della terza coniugazione, transitivo. Si coniuga con la forma incoativa *-isc-* tra il tema e la desinenza di alcuni tempi. *Pres. indic.*: redarguísco, redarguísci, redarguísce, redarguiàmo, redarguíte, redarguíscono. *Pres. cong.*: redarguísca, redarguísca, redarguísca, redarguiàmo, redarguiàte, redarguíscano. *Part. pass.*: redarguíto. Significa: rimproverare, biasimare.

redde rationem: locuzione latina (pr.: rèdde raziònem) rimasta nell'uso nostro. Letteralmente significa: rendi il conto; ma viene usato come un sostantivo: rendiconto, esame finale. Es.: *Siamo giunti finalmente al redde rationem*; *Verrai anche tu al redde rationem.*

redígere: verbo della seconda coniugazione, transitivo. *Pass. rem.*: redàssi, redigésti, redàsse, redigémmo, redigéste, redàssero. *Part. pass.*: redàtto. È errata la forma *redarre* usata per l'infinito. Significa: compilare uno scritto, stendere un articolo. Da questo verbo deriva il sostantivo *redattore* (femminile: redattríce), che significa: giornalista, compilatore di un testo.

redímere: verbo della seconda coniugazione, transitivo. *Pass. rem.*: redènsi, redimésti, redènse, redimémmo, rediméste, redènsero. *Part. pass.*: redènto. Significa: riscattare, riabilitare.
Da non confondere con REDIMÍRE, latinismo che vuol dire incoronare. Si conosce l'uso del participio passato *redimito* nel celebre verso del Carducci «*Te redimito di fior purpurei / april te vide sul colle emergere*».

rèdina: sostantivo femminile, che indica la striscia di cuoio usata per guidare il cavallo. Più comune è la forma RÈDINE; al plurale le rèdini. Usato anche in senso figurato. Es.: *Le redini del governo.*

referendum: voce latina (pr.: referèndum), ormai nell'uso come sostantivo maschile. Significa: votazione su una questione sottoposta direttamente al giudizio dei cittadini.

referènte: la realtà extralinguistica, vera o immaginaria che sia, a cui rinvia il segno linguistico.

referenziàle (funzione): secondo la teoria delle funzioni del linguaggio di Roman Jakobson, con riferimento allo schema generale della comunicazione linguistica, il messaggio svolge una funzione referenziale quando pone il suo accento prevalente sul contesto, ossia la realtà extralinguistica a cui rinvia il messaggio.

reggènte (proposizione): nel periodo, la proposizione che sostiene, cioè condiziona sintatticamente, un'altra proposizione, detta *dipendente* o *subordinata*. Questa esprime una circostanza, specifica il pensiero espresso dalla reggente. La reggente determina il modo e il tempo del verbo della proposizione dipendente, secondo il principio generale che un tempo di tipo presente nella reggente vuole un tempo di tipo presente nella dipendente e un tempo passato nella reggente vuole un tempo passato anche nella dipendente. Es.: *Credevo che tu volessi partire* (e non: Credevo che tu voglia partire); *Penso che tu sia obbediente* (non: Penso che tu fossi obbediente). V. anche *Dipendenza dei verbi, Sintassi, Modo del verbo, Subordinazione.*

Si noti che proposizione reggente non è solo la proposizione *principale*; ogni subordinata può essere a sua volta reggente, se ad essa è collegata sintatticamente un'altra proposizione. Es.: *Io penso* (principale e reggente) *che tu partirai* (oggettiva); *Io voglio* (principale e reggente) *che tu vada quest'estate a Roma* (oggettiva, ma reggente di quella che segue) *per ammirare le splendide vestigia del passato* (finale, dipendente dalla oggettiva).

reggènza: in grammatica il costrutto che è determinato da un verbo, o da una preposizione, da una congiunzione o da un aggettivo. *Reggenza dell'infinito*, per esempio, è quella dei verbi di opinione, promessa, dubbio e simili, che reggono l'infinito (*Voglio partire*; *Ti prometto di studiare*; *Temo di sbagliare*, ecc.). Si dice poi che alcune congiunzioni *reggono* il congiuntivo (*sebbene, benché*, ecc.), che le preposizioni *reggono* i complementi (*con* regge il complemento di compagnia, *di* quello di specificazione), che alcuni aggettivi *reggono* particolari complementi (*privo* regge il complemento di privazione, *pieno* quello di abbondanza, ecc.). La sintassi studia le varie *reggenze*, dalle quali scaturisce l'ordine logico e sintattico del discorso.

règgere: verbo della seconda coniugazione, transitivo. *Pass. rem.*: rèssi, reggésti, rèsse, reggèmmo, reggéste, rèssero. *Part. pass.*: rètto. Significa: tener ritto, sostenere, guidare. Usato intransitivamente (ausiliare: avere), significa: resistere, sopportare una prova. Es.: *Reggemmo alla dura fatica*; *Aveva retto al freddo e alla pioggia*.

reggi-: forma verbale che concorre alla formazione di vari nomi composti, dei quali indichiamo, tra parentesi, la forma del plurale: *reggicatinèlle* (reggicatinelle), *reggilúme* (reggilume), *reggipància* (reggipancia), *reggipètto* (reggipetti), *reggisèlla* (reggisella), *reggiséno* (reggiseni). V. anche COMPOSTI (NOMI).

regíme: sostantivo maschile che significa: governo; talora: dieta, cura. La pronunzia *règime* trova sostenitori almeno quanto quella di *regíme*. Se si vuol tener conto che la parola deriva dal latino *règimen*, si può pronunziare *règime*; se si vuol seguire l'uso più comune si dica pure *regíme*.

regístro: in linguistica, la varietà del codice che il parlante sceglie per l'occasione, facendola dipendere dalle circostanze (luogo, tempo, ruoli, scopi ecc.) in cui avviene la comunicazione, indipendentemente dal significato che resta lo stesso. I registri si collocano su una scala che va dal formale all'informale, su cui si rappresenta la gradazione di toni e di stile che caratterizza i comportamenti verbali nelle diverse situazioni. Per es.: *Che cavolo vuoi essere promosso se non hai fatto un accidente per tutto 'sto tempo?* è una frase che usa un registro informale e che potrebbe essere detta da uno studente ad un suo compagno o da un padre al figlio, ma non da un insegnante ad uno studente, né da un dirigente ad un suo impiegato in una lettera ufficiale. La stessa frase può però essere espressa con un registro formale adeguato ai casi prima esclusi, ma non per forza inadeguato a quelli prima inclusi: *Come puoi pretendere di essere promosso senza aver fatto nulla per tutto questo tempo?*

regnàre: verbo della prima coniugazione, intransitivo. Ausiliare: avere, *Pres. indic.*: régno, régni, régna, regniàmo (non:

regnamo), regnàte, régnano. *Pres. cong.*: régni, régni, régni, regniàmo (non: regnamo), regniàte, régnino. *Part. pass.*: regnàto. Significa: governare, dominare.

regolamentàre: aggettivo qualificativo che significa: conforme alle regole. Francesismo d'uso burocratico. Userai: regolare, normale, legale, prescritto. Es.: *la distanza prescritta* (non: regolamentare), *la divisa normale* (non: regolamentare). Il sostantivo REGOLAMENTAZIÓNE, anch'esso francesismo, è invalso da noi per via del gergo militare, e si è diffuso nel linguaggio politico e amministrativo.

regolarizzàre: verbo della prima coniugazione. Francesismo invalso nell'uso. Si può sostituire con: regolare, assestare, risolvere, sistemare, render normale. Es.: *Ho normalizzato* (non: regolarizzato) *la mia situazione familiare*.

règolo: sostantivo maschile, che indica lo strumento per tirare linee rette. Il sostantivo femminile RÈGOLA significa invece: norma, legge, precetto.

reiziàno: nella metrica classica greca e latina, verso di origine popolare usato per accompagnare canti rituali, scoperto da uno studioso di nome Reiz da cui il nome. Presenta una grande varietà di forme e si caratterizza per associarsi ad una molteplicità di altri versi.

relata refero: locuzione latina (pr.: relàta rèfero) rimasta nell'uso nostro. Significa: riferisco ciò che mi è stato detto. Con questa espressione chi parla vuol evitare ogni responsabilità su quanto dice, dichiarandosi semplice portavoce. Vale: a quanto si dice, a quanto pare.

relatíva (proposizione): la proposizione subordinata che è introdotta da un pronome o da un avverbio relativo. Essa può avere il valore di soggetto di un'altra proposizione: *Chi comanda* (sogg.) *non suda* (pred. verbale), oppure di complemento oggetto: *Noi* (soggetto) *seguiamo* (pred. verbale) *chi ci guida* (compl. oggetto) o anche di altri complementi: Io vado *con chi mi pare* (compl. di compagnia); Scriverò *a chi mi vorrà rispondere* (compl. di termine). La proposizione relativa ha talora un valore specificativo e talora un valore attributivo e incidentale. Nel primo caso si scrive senza virgola, nel secondo tra due virgole. Es.: 1) *Gli amici che ti amano ti aiutano* (relativa con valore specificativo in quanto determina quali amici *ti aiutano*, cioè *quelli che ti amano*); 2) *Gli amici, che ti amano, ti aiutano* (relativa con valore incidentale, indica un attributo del soggetto). Come si vede il senso di una medesima frase può mutare secondo il valore della relativa.
La proposizione relativa può indicare varie circostanze dell'azione principale acquistando spesso valore temporale, causale, finale, concessivo, condizionale, ecc. Es.: (relativa temporale) Mi incontrò *che arrivavo* (mentre arrivavo); (relativa causale) Lo vidi allegro *che aveva vinto* (poiché aveva vinto); Ho perdonato a te, *che ti sei pentito* (perché ti sei pentito); (relativa finale) Lo consegnai a sua madre, *che glielo restituisse* (affinché glielo restituisse); Cercavo una persona, *che mi parlasse di lei* (affinché mi parlasse di lei); (relativa concessiva) L'uomo, *che ha tanto cercato* (per quanto abbia cercato), non sa nulla; Tu, *che potresti parlare* (benché possa parlare), non ti lamenti; (relativa consecutiva) Non c'era persona *che non si commovesse* (tale che non si commovesse); C'è una sola persona *che mi conforti* (tale da confortarmi); (relativa condizionale) Il libro *che vuol essere letto* (se vuol essere letto) deve interessare; *Chi lo avesse visto* (se qualcuno l'avesse visto), si sarebbe spaventato. La proposizione relativa ha solitamente il verbo al modo indicativo. Tuttavia si trova anche il congiuntivo quando si vuol esprimere dubbio, probabilità, desiderio: Vorrei un libro *che tratti di astronomia*; Dubito che esista una scuola *che insegni queste cose*; È possibile trovare un amico *che sia sopportabile*. Il modo congiuntivo si usa anche, come si è visto, quando la proposizione ha valore finale, consecutivo o condizionale: Furono mandati ambasciatori *che trattassero col nemico* (finale); Non c'era via *che si potesse percorrere* (consec.); *Chi fosse passato per quella via*, avrebbe visto (cond.). Nella forma implicita la proposizione relativa si costruisce con il modo infinito o col participio, ma è sempre risolvibile nella forma esplicita. Es.: Ho sentito tuo padre

urlare (=che urlava); Gli allievi *obbedienti* (che obbedivano) furono promossi; I soldati *partiti* (che erano partiti) scrissero a casa. Quando due relative sono coordinate tra loro e hanno lo stesso valore grammaticale si può omettere il pronome relativo nella seconda proposizione. Es.: I libri, *che ho letto e studiato,* sono utili (il *che* ha valore di complemento oggetto in entrambe le proposizioni); invece: I bambini *che vedemmo e che ci salutarono* erano belli (il primo *che* ha valore di oggetto, il secondo di soggetto); Gli amici *che* hai conosciuto e *con i quali* trascorri le ore di riposo sono fedeli.

relativaménte: avverbio che significa: in modo relativo, in proporzione. Es.: *Le spese sono state relativamente* (cioè in senso relativo, non assoluto) *poche.* È sconsigliabile l'espressione *relativamente a* nel senso di: rispetto a, a proposito di. Es.: *Mi ha parlato a proposito* (e non: relativamente a) *del tuo viaggio.* Cosí non dirai: *in relazione a,* che è espressione burocratica, ma: rispetto a, quanto a.

relatívi (pronomi): i pronomi che, riferendosi ad un nome o pronome di una proposizione antecedente, mettono in relazione (donde il nome di *relativi*) o congiungono (donde anche il nome di *congiuntivi*) la proposizione a cui appartengono con quella antecedente. In altre parole, essi stabiliscono una relazione tra le due proposizioni poiché fanno le veci, in una, di una parola contenuta nell'altra. Possono infatti essere risolti in pronomi dimostrativi, unendo le due proposizioni con una congiunzione o un segno di punteggiatura. Es.: *Ho letto il libro, che* (=il libro) *tratta del nostro argomento*; la frase equivale alla seguente: *Ho letto il libro; questo tratta del nostro argomento.* Il pronome relativo stabilisce però tra le due proposizioni un rapporto più stretto; la proposizione relativa, retta dal pronome, è subordinata infatti alla reggente.

I pronomi relativi sono: *il quale, che, cui, chi.*

Il quale è declinabile (*il quale, la quale, al quale, del quale, i quali, le quali,* ecc.); può riferirsi a persona o a cosa, fare da soggetto o da complemento oggetto o complemento indiretto (Non si deve confondere con *quale,* pronome e aggettivo interrogativo). Esso occupa il primo posto nella proposizione di cui fa parte, talora anche nel periodo. Es.: *L'amico, del quale mi hai parlato, è molto intelligente*; *Ho visto Antonio, il quale aveva appena lasciato il suo studio*; *Luisa, alla quale ti avevo presentato, ha parlato bene di te*; *La casa, nella quale abitiamo, è stata costruita recentemente. Il quale* si colloca dopo un'altra parola della proposizione solo quando è complemento di questa parola, che a sua volta è complemento della proposizione. Es.: *L'unica persona, a favore della quale tu hai parlato, è un tuo amico*; *Gli amici, in casa dei quali tu hai vissuto, ti pregano di tornare.*

Il pronome *che* è molto frequente; è invariabile, sia nel genere che nel numero, e può essere adoperato solo come soggetto o complemento oggetto. Es.: *Il bambino, che* (soggetto, maschile singolare) *è nato ora, è bello*; *I bambini che* (soggetto, maschile plurale) *sono nati ora, sono belli*; *La bambina, che* (soggetto, femminile singolare) *è nata ora, è bella*; *Le bambine, che* (soggetto, femminile plurale) *sono nate ora, sono belle*; *Il banco che* (oggetto, maschile singolare) ho comperato; *I banchi che* (oggetto, maschile plurale) *ho comperato*; *La rosa che* (oggetto, femminile singolare) *avete colto*; *Le rose che* (oggetto, femminile plurale) *avete colto.* Talora il pronome *che* si riferisce ad un'intera frase e ha allora valore neutro; si trova anche preceduto dall'articolo. Es.: *Domani comincerai a lavorare, che è una bella cosa*; *Mi han detto che sei stato promosso: del che mi rallegro*; *Dicono che io abbia scritto quella lettera: il che è falso.*

Si noti che il pronome *che,* sebbene più semplice ed elegante delle forme composte con *quale,* deve essere sostituito da queste ultime quando in una frase si susseguono più *che* o quando si potrebbe creare confusione circa il numero o il genere del pronome stesso. Es.: Ho visto *che* Antonio *che* scrive a te, *che* sai tutto...; per evitare tre *che* consecutivi dirai: *Ho visto che Antonio, il quale scrive a te, che sai tutto...* Altro esempio: *Il marito della signora che abita vicino a noi* (Il *che* può riferirsi sia al marito sia alla signora); dirai più chiaramente: *Il marito della signora, la quale abita vicino a noi* oppure *Il marito della signora, il quale abita vicino a noi*.

Il pronome *cui* è invariabile; si usa solo come complemento ed è preceduto da preposizione. Es.: *La persona di cui ho parlato*; *La figlia a cui ha lasciato la sua eredità*; *Il giorno in cui ci siamo visti*; *Lo scopo per cui ti ho chiamato*. Si può tralasciare la preposizione *a* del complemento di termine, ricordando che *cui* era la forma del dativo del pronome relativo latino (Es.: *Voi, cui fortuna ha posto in mano il freno delle belle contrade*). Si deve invece tralasciare il *di* del complemento di specificazione quando il pronome è posto tra l'articolo e il nome. Es.: *L'uomo, la cui famiglia* (non: la di cui) *era stata tratta in salvo, gridò di gioia*. Letterario l'uso di *cui* con valore di complemento oggetto. Es.: «*Oh solitaria casa d'Ajaccio / cui verdi e grandi le querce ombreggiano*» (Carducci).

Il pronome *chi* si riferisce a persona o ad animale; è invariabile; vale per il singolare maschile o femminile. Ha valore doppio, equivalendo a *il quale* più un dimostrativo: *colui il quale, colei la quale, quello il quale*, ecc. Può essere: a) soggetto di due proposizioni. Es.: *Chi rompe paga* (=colui paga che rompe); *Chi ama teme* (=colui teme il quale ama); b) oggetto della prima proposizione e soggetto della seconda. Es.: *Io ammiro chi dice la verità*, cioè: Io ammiro colui (compl. oggetto) che (soggetto) dice la verità; c) complemento indiretto della prima proposizione e soggetto, o complemento simile a quello della prima, nella seconda frase. Es.: *Sii buono con chi ti vuol bene*, cioè: Sii buono con colui (compl. indiretto) che (soggetto) ti vuol bene; *Il messaggio giunse a chi era destinato*, cioè: Il messaggio giunse a colui (compl. indiretto) al quale (compl. indiretto) era destinato.

V. anche le voci relative ai singoli pronomi CHI, CHE, CUI.

relazióne (complemento di): indica relazione tra individui. È retto dalla preposizione *con*, la quale, invece di indicare semplicemente compagnia, indica in questo caso amicizia o ostilità o avversione o altro tipo di rapporto. Es.: Sono molto amico *con Antonio*; Ero in causa *con i miei inquilini*; Si è fidanzata *con Giorgio*; L'Italia era in guerra *con l'Austria*. Anche la preposizione *fra* o *tra* serve ad esprimere questo complemento. Es.: Litigare *tra fratelli* è grave colpa; Ci accordammo *tra noi soci*.

rèma: la parte della proposizione che informa sul *tema*, ossia l'argomento rappresentato dal soggetto, che non deve essere necessariamente espresso ma deve essere noto al destinatario. Per es., in: *Ha perso quattro a due*, l'intera proposizione è il rema di un *tema* (*la squadra dell'Inter*) che, o è presupposto o è stato indicato in una domanda di cui la proposizione in questione è la risposta (per es.: *Che cosa ha fatto la squadra dell'Inter?*). Sinonimo di predicato e di commento.

remòto: V. PASSATO (TEMPO).

rèndere: verbo della seconda coniugazione, transitivo. *Pass. rem.*: rési (o rendéi), rendésti, rése (o rendé o rendètte), rendémmo, rendéste, résero (o rendérono o rendèttero). *Part. pass.*: réso. Significa: restituire, dar frutto, manifestare, esprimere e anche: far diventare (Es.: *render migliore*), ma in quest'ultimo senso si deve usare con discrezione. Al riflessivo, è francesismo usarlo nel senso di: recarsi, dirigersi. Es.: *Si recò* (non: *si rese*) *nel paese d'origine*.

rendicónto: V. RESOCÓNTO.

rène: sostantivo maschile che indica ciascuna delle due ghiandole secretorie poste nella cavità addominale. Plurale: i reni. Il femminile, *le reni* (senza singolare), indica invece la regione della schiena opposta al ventre. Il sostantivo femminile RÈNA è semplicemente l'apocope di *arena* (sabbia).

reo-: prefisso che significa flusso, corrente, scorrimento, fluidità. Es.: *reografo* (misuratore di corrente), *reoscòpio* (segnalatore di corrente elettrica).

repetita iuvant: locuzione latina (pr.: repetíta iúvant) rimasta nell'uso. Significa: giova ripetere le cose.

reprímere: verbo della seconda coniugazione, transitivo. *Pass. rem.*: reprèssi, reprimésti, reprèsse, reprimémmo, repriméste, reprèssero. *Part. pass.*: reprèsso.

Significa: frenare, trattenere. Oggi usato anche riflessivamente nel senso di: contenersi, frenarsi, dominarsi, ma preferirai queste espressioni.

requisíre: verbo della terza coniugazione, transitivo. Si coniuga con la forma incoativa *-isc-* tra il tema e la desinenza di alcuni tempi. *Pres. indic.*: requisísco, requisísci, requisísce, requisiàmo, requisíte, requisíscono. *Pres. cong.*: requisísca, requisísca, requisísca, requisiàmo, requisiàte, requisíscano. *Part. pass.*: requisíto. Significa: prendere, sequestrare di autorità.

Il participio passato REQUISÍTO, usato come sostantivo, significa: dote, titolo richiesto per un dato scopo o ufficio. Es.: *Ha tutti i requisiti necessari per ottenere quell'impiego.*

rescíndere: verbo della seconda coniugazione, transitivo. Si coniuga come *scindere*. *Pass. rem.*: rescíssi, rescindésti, rescísse, rescindémmo, rescindéste, rescíssero. *Part. pass.*: rescísso.

resocónto: sostantivo maschile, che significa: relazione, rapporto. Questa voce, come le analoghe RESOCONTÍSTA e RENDICÓNTO, è ammessa solo nel linguaggio amministrativo. Nel linguaggio giornalistico si dirà: cronaca, relazione.

respíngere: verbo della seconda coniugazione, transitivo. *Pres. indic.*: respíngo, respíngi, respínge, respingiàmo, respingéte, respíngono. *Pass. rem.*: respínsi, respingésti, respínse, respingémmo, respingéste, respínsero. *Part. pass.*: respínto. Significa: mandare indietro, rifiutare, scacciare.

rèsta: sostantivo femminile che indica una lunga setola della gluma di alcuni cereali. Anche: lisca di pesce. Di diversa origine è il sostantivo maschile RÈSTO che vale: avanzo, residuo, rimasuglio. Al plurale: *i resti di un edificio* (i ruderi, le rovine), *i resti mortali di una persona* (il cadavere, le spoglie).

restituíre: verbo della terza coniugazione, transitivo. Si coniuga con la forma incoativa *-isc-* tra il tema e la desinenza di alcuni tempi. *Pres. indic.*: restituísco, restituísci, restituísce, restituiàmo, restituíte, restituìscono. *Pres. cong.*: restituísca, restituísca, restituísca, restituiàmo, restituiàte, restituíscano. *Part. pass.*: restituíto. Significa: rendere, ridare.

restríngere: verbo della seconda coniugazione, transitivo. *Pres. indic.*: restríngo, restríngi, restrínge, restringiàmo, restringéte, restríngono. *Pass. rem.*: restrínsi, restringésti, restrínse, restringémmo, restringéste, restrínsero. *Part. pass.*: ristrétto. Significa: stringere molto, ridurre. La forma *ristríngere* ha valore iterativo.

restrittíva (proposizione): la proposizione subordinata che restringe entro un certo ambito l'estensione di ciò che è detto nella reggente. Dicesi anche *limitativa*. È solitamente introdotta da *per quanto, in quanto, secondo che, per quello che*; il verbo si pone al modo indicativo, se la restrizione è considerata un fatto certo o reale; al modo congiuntivo, se la restrizione è considerata una mera possibilità. Es.: *Per quello che so*, non è venuto nessuno; *Per quanto mi riguarda*, non ho nulla da aggiungere; Tu non dovresti uscire, *secondo ciò che dice tuo padre*; Non ci sarà alcun pretesto, *per quanto ne sappia io.*

reticènza: figura retorica consistente nel tacere qualcosa del discorso. Questa figura si usa o per richiamare l'attenzione su ciò che è taciuto (e perciò lasciato immaginare dal lettore) o per indicare una certa esitazione, un dubbio, una perplessità dell'autore. È indicata con i puntini di sospensione. Es.: «*Lo può; e potendolo... la coscienza... l'onore...*» (Manzoni). Nella frase è omesso il verbo; ma il lettore può facilmente capire dal contesto che esso sarebbe «*glielo impone*» e chi parla non ha voluto esprimersi cosí chiaramente.

rètina: sostantivo femminile. Indica una parte dell'occhio, la membrana ove ha termine il nervo ottico. Se pronunciata piana, questa parola è invece il diminutivo di *rete* e vale perciò: piccola rete. Es.: *La rètina dell'occhio destro*; *Ho comperato la retína per i capelli.*

retòrica: l'arte di parlare e scrivere con proprietà, efficacia ed eleganza, secondo determinate regole espressive. In senso negativo, uso di norme astratte puramente tecniche o di forme enfatiche e artificiose per lo più prive di contenuti significativi.

retòrica (interrogativa): proposizione interrogativa che solo apparentemente chiede una risposta, in quanto questa è già compresa nella domanda. Es.: *Forse che i morti possono ascoltare?*; *È molto bello, qui, vero?*; *Chi mi dice che non l'abbia già fatto ad altri?*

retribuíre: verbo della terza coniugazione, transitivo. Si coniuga con la forma incoativa *-isc-* tra il tema e la desinenza di alcuni tempi. *Pres. indic.*: retribuísco, retribuísci, retribuísce, retribuiàmo, retribuíte, retribuíscono. *Pres. cong.*: retribuísca, retribuísca, retribuísca, retribuiàmo, retribuiàte, retribuíscano. *Part. pass.*: retribuíto. Significa: ricompensare, dare la mercede per qualche servizio.

rètro: avverbio che significa: dietro; usato nelle locuzioni *a retro, di retro*, ecc.; talora sostantivo maschile, significando la parte posteriore. Es.: *Scrivi a retro l'indirizzo*; *Nel retro del foglio*; *Ci investí nel retro della macchina*.
Prefisso che si aggiunge a molte parole per formare nomi composti che contengono l'idea di posteriorità, passato; posizione arretrata. Es.: RETROATTÍVO (valido per il passato), RETROBOTTÉGA (maschile o femminile, il vano dietro la bottega), RETROCÀRICA (carica delle armi fatta dalla parte posteriore), RETROCESSIÓNE (l'andare o il mandare indietro), RETRODATÀRE (munire di data anteriore), RETRÒGRADO (che marcia indietro, che guarda al passato), RETROGUÀRDIA (coda dell'esercito), RETROSCÈNA (invariabile; spazio dietro le quinte o maneggio, trama segreta), RETROTÈRRA (zona posta dietro la costa, precedenti culturali o sociali), RETROVÍA (zona posta dietro il fronte), RETROVERSIÓNE (rivolgimento; versione nella lingua originale di un brano tradotto in altra lingua).

retrocèdere: verbo della seconda coniugazione, intransitivo. *Pass. rem.*: retrocedètti (o retrocèssi), retrocedésti, retrocedètte (retrocèsse), retrocedémmo, retrocedéste, retrocedèttero (retrocèssero). *Part. pass.*: retrocedúto o retrocèsso. Significa: andare indietro, indietreggiare, ritirarsi. Si coniuga con entrambi gli ausiliari. Es.: *Non è retroceduto dalla sua decisione*; *I nostri avevano retrocesso* (o erano retrocessi) *sino al Piave*.

rettóre: sostantivo maschile; indica colui che regge, che governa. In particolare il capo dell'Università: *il rettore magnifico*. Il femminile è *rettríce*; *rettoréssa* è invece la moglie del rettore, ma è poco usato.

revèllere: verbo della seconda coniugazione, transitivo. *Pass. rem.*: revúlsi, revellésti, revúlse, revellémmo, revelléste, revúlsero. *Part. pass.*: revúlso. Usato ormai solo in medicina, indica l'azione per espellere gli umori da una parte del corpo.

reverenziàli (formule): nel linguaggio burocratico e formale si dicono reverenziali l'uso della terza persona nel rivolgersi al destinatario o interlocutore (*Spero che Ella vorrà comprendere il mio punto di vista*) e l'uso eccessivo della maiuscola (*Mi rivolgo a Sua Eccellenza; Mi pregio rivolgerVi questa preghiera*).

ri-: prefisso che indica ripetizione (*ri*fare, *ri*condurre, *ri*dire, *ri*aprire, ecc.) oppure rafforza l'idea originale (*ri*leggere, *ri*cercare, *ri*scaldare). Con esso si rendono iterativi i verbi.

riandàre: verbo della prima coniugazione, intransitivo. Ausiliare: essere. Forma iterativa di *andàre*. *Pres. indic.*: rivàdo, rivài, rivà, riandiàmo, riandàte, rivànno. *Fut. semplice*: riandrò, riandrài, riandrà, riandrémo, riandréte, riandrànno. *Pres. cong.*: rivàda, rivàda, rivàda, riandiàmo, riandiàte, rivàdano. *Part. pres.*: riandànte. *Part. pass.*: riandàto. Significa: andare di nuovo, ricordare, rivangare. Letterario l'uso transitivo, specie in senso figurato. Es.: *Riandava i giorni del passato*.

riassúmere: verbo della seconda coniugazione, transitivo. *Pass. rem.*: riassúnsi, riassumésti, riassúnse, riassumémmo, riassuméste, riassúnsero. *Part. pass.*: riassúnto. Significa: riepilogare, compendiare.

riattivàre: verbo della prima coniugazione, transitivo. Iterativo di *attivare*: rimettere in uso. Meglio: ripristinare, riaprire.

ribadíre: verbo della terza coniugazione, transitivo. Si coniuga con la forma incoativa *-isc-* tra il tema e la desinenza di alcuni tempi. *Pres. indic.*: ribadísco, ribadísci, ribadísce, ribadiàmo, ribadíte, ribadíscono. *Pres. cong.*: ribadísca, ribadísca, ribadísca, ribadiàmo, ribadiàte, ribadíscano. *Part. pass.*: ribadíto. Significa: confermare, asserire nuovamente.

ribaltàre: verbo della prima coniugazione, intransitivo. Si coniuga con l'ausiliare essere. Es.: *L'automobile è ribaltata nel burrone.* Significa: rovesciarsi, capovolgersi.

ribòbolo: parola e costrutto dell'uso dialettale toscano da evitarsi nella buona lingua.

ricètto: sostantivo maschile, che significa: ricovero, rifugio. Il sostantivo femminile RICÈTTA è invece la prescrizione del medico o la formula per preparare vivande o bevande.

ricevènte: nello schema generale della comunicazione, è l'elemento (uomo o animale o organismo o dispositivo ufficiale) che riceve il messaggio. Nel caso della comunicazione con una persona attraverso una macchina, come nel caso del telefono, si distingue talora tra l'elemento ricevente, costituito dall'apparecchio, e l'elemento destinatario, rappresentato dalla persona che è all'apparecchio.

ricordàre: verbo della prima coniugazione, transitivo e intransitivo pronominale. Es.: *Ricordo tutto quanto è avvenuto*; *Mi ricordo sempre di te.* Come intransitivo pronominale, il significato può differire secondo la presenza della particella atona. Es.: *Mi ricordo che andavo a scuola in un'altra città*; *Andavo a scuola in un'altra città, mi ricordo.* Quando regge una proposizione oggettiva si costruisce con *di* e l'infinito (*Ricordava di aver fatto cose meravigliose*) o con la forma esplicita (*Ricordava che aveva fatto cose meravigliose*; *Non ti ricordi che me l'hai promesso*) generalmente con l'indicativo nella dipendente.

ricórrere: verbo della seconda coniugazione, intransitivo. *Pass. rem.*: ricórsi, ricorrésti, ricórse, ricorrémmo, ricorréste, ricórsero. *Part. pass.*: ricórso. Ausiliari: essere e avere. Es.: *Il condannato è ricorso in appello* o *ha ricorso in appello*; *Ho ricorso* (o *son ricorso*) *contro la vostra decisione.*

ricorsività: in linguistica, in particolare nella teoria elaborata da Noam Chomsky di cui costituisce un elemento basilare, la proprietà di costruire frasi in numero virtualmente infinito; la loro costruzione prevede infatti, sulla base di regole dette ricorsive, la possibilità di inserire un elemento dentro un elemento della stessa natura; per es., si può inserire un sintagma preposizionale in un altro sintagma preposizionale (*il cane* di Anna dell'interno 5 della scala destra del numero civico 5 di piazzetta Tre lampade [di...] *è scappato*) oppure una frase in un'altra frase (*la finestra* che Sandro che il caldo che il mese di luglio [che...] ha portato opprime ha aperto *deve rimanere chiusa*). Il fatto che nella realtà non si adoperino frasi cosí complicate è dovuto, secondo Chomsky, alla limitatezza esecutiva del parlante, ma in teoria esse sono corrette e dotate di significato tanto che una macchina che superi i limiti umani può agevolmente governare strutture simili.

rídere: verbo della seconda coniugazione, intransitivo. Ausiliare: avere. *Pass. rem.*: rísi, ridésti, ríse, ridémmo, ridéste, rísero. *Part. pass.*: ríso. Es.: *Abbiamo riso molto per quello scherzo*; *Egli se ne ride* (non se ne cura); *Egli ride* (si rallegra) *delle nostre disgrazie*; *Tu ridi di me* (mi deridi).

ridondànza: secondo la teoria della comunicazione, la parte del messaggio che potrebbe essere eliminata senza un'effettiva perdita di informazione, ma con il rischio che un qualunque fenomeno di rumore (ossia un difetto o un disturbo anche su uno solo degli elementi del sistema di trasmissione) pregiudichi la comunicazione. Per es., in: *i gatti inseguono il topo*, c'è ridondanza per quanto concerne le informazioni grammaticali (per es.: il numero del soggetto è indicato sia dall'articolo, che dalle desinenze del nome e del verbo), per cui la stessa frase mutilata dal rumore (*i gatt insegu il top*) non perderebbe il suo contenuto informativo essenziale. V. RUMORE.

ridótto: sostantivo maschile che indica un luogo di ritrovo (Es.: *il ridotto di un teatro*). Il sostantivo femminile, RIDÓTTA, indica invece una piccola fortezza. Ma nell'ultimo senso è usato anche il maschile.

ridúrre: verbo della seconda coniugazione, transitivo. *Pass. rem.*: ridússi, riducésti, ridússe, riducémmo, riducéste, ridússero. *Part. pass.*: ridótto. Significa: ricondurre, far tornare, diminuire, mutare, convertire. Nella forma riflessiva, significa: rendersi, portarsi in una condizione (*ridursi a chieder l'elemosina*).

riempíre: verbo della terza coniugazione, transitivo. Si coniuga anche con la forma incoativa *-isc-* tra il tema e la desinenza. *Pres. indic.*: riémpio (o riempísco), riémpi (o riempísci), riémpie (o riempísce), riempiàmo, riempíte, riémpiono (o riempíscono). *Pres. cong.*: riémpia (o riempísca), riémpia, riémpia, riempiàmo, riempiàte, riémpiano (o riempíscano). *Part. pass.*: riempíto. Il prefisso *ri-* indica iterazione (*Riempire il bicchiere*) o intensificazione (*Riempire bene la cassa*). È in uso anche la forma sovrabbondante *riempiere*.

riempitívi: sono segnali discorsivi costituiti da parole che avvertono l'interlocutore dell'imminenza di una conclusione o sollecitano una risposta. Es.: *Allora*, andiamo?; *Dunque*, le cose stanno cosí; *Insomma*, me ne andai.

riepílogo: nome sdrucciolo terminante in *-go*, che al plurale finisce in *-ghi*: riepíloghi. Significa: ricapitolazione, riassunto finale, compendio.

rifàre: verbo della prima coniugazione, transitivo. Iterativo di *fare* (del quale segue la coniugazione: *rifò* o *rifaccio, riféci, rifarèi, rifàccia, rifà*, ecc.). Significa: fare di nuovo, ricostruire, ripetere. Il riflessivo *rifarsi* significa: vendicarsi, prendersi la rivincita (*Ci rifaremo al momento buono della perdita di oggi*); oppure partire da un punto della narrazione (*Si rifece all'unità d'Italia*; *Bisogna che ci rifacciamo all'anno scorso*), ricostituire, rimettere in vigore (*Si è rifatto, ormai, dopo la malattia*).

riferíre: verbo della terza coniugazione, transitivo. Si coniuga con la forma incoativa *-isc-* tra il tema e la desinenza. *Pres. indic.*: riferísco, riferísci, riferísce, riferiàmo, riferíte, riferíscono. *Pres. cong.*: riferísca, riferísca, riferísca, riferiàmo, riferiàte, riferíscano. *Part. pass.*: riferíto. Significa: narrare, ridire, riportare (*Mi hanno riferito tutte le sue parole*); in forma riflessiva significa: rapportarsi, aver relazione (*Mi riferisco a tutte le sue parole*; *Questa parte si riferisce anche a te*).

rifioríre: verbo della terza coniugazione, intransitivo. Ausiliare: essere. Si coniuga con la forma incoativa *-isc-* tra il tema e la desinenza. *Pres. indic.*: rifiorísco, rifiorísci, rifiorísce, rifioriàmo, rifioríte, rifioríscono. *Pres. cong.*: rifiorísca, rifiorísca, rifiorísca, rifioriàmo, rifioriàte, rifioríscano. *Part. pass.*: rifioríto. Es.: *La speranza è rifiorita*; *La mia salute era già rifiorita*; *Nel Rinascimento le arti e le lettere sono rifiorite.*

rifiutàre: verbo della prima coniugazione, transitivo. Significa: non accettare, ricusare. Es.: *Ha rifiutato il nostro aiuto*; *Il ministro ha rifiutato l'accordo*. Nel senso di: non dare si preferisca *negare*. Es.: *Ci ha negato* (non: rifiutato) *il permesso*. Quando regge una proposizione oggettiva ammette il costrutto implicito con *di* e l'infinito (*Rifiutò di arrendersi*). Anche intransitivo pronominale: *Mi rifiuto di credere*.

riflessíva (forma): forma del verbo che esprime azione compiuta dal soggetto e che, invece di passare sul complemento diretto, ricade (cioè si riflette) sul soggetto. È quindi una forma attiva del verbo, poiché è sempre il soggetto che compie l'azione, anche se su sé stesso. Possono avere forma riflessiva solo i verbi transitivi. La coniugazione riflessiva è fatta con le particelle pronominali *mi, ti, si, ci, vi, si* che precedono immediatamente il verbo nei modi finiti o lo seguono encliticamente nell'imperativo e nei modi indefiniti. Le particelle rappresentano il soggetto, ma fanno da complemento oggetto del verbo. Es.: *Io mi lavo* (io lavo me); *Tu ti senti* (tu senti te); *Egli si veste* (egli veste sé); *Essi si preparano* (essi preparano sé stessi).

Non si ha dunque forma riflessiva quando le particelle sono in funzione di complemento di termine. Es.: *Io mi lavo il vestito* (io lavo il vestito a me); *Essi si preparano un dolce* (essi preparano un dolce a sé stessi). Questa forma con la particella pronominale che non fa da complemento oggetto è definita *riflessiva apparente.*

Simile alla forma riflessiva è poi la forma *reciproca* (V.) che esprime azione vicendevole tra due o più persone (*Noi ci salutiamo*; *Voi vi aiutate*; *Essi si calunniano a vicenda*).

Forma *pronominale* del verbo è invece quella in cui le particelle non hanno alcuna funzione. È il caso di verbi intransitivi come *pentirsi, accorgersi, dolersi, impadronirsi*, ecc. A questa forma si accosta il cosiddetto *complemento etico*. Es.: *Io me ne vado*; *Tu ti sei mangiato mezzo pollo*; *Egli si è preso un ceffone.*

Nella forma riflessiva, come si è detto, le particelle pronominali precedono il verbo nei modi finiti (*io mi lavo, egli si veste, noi ci vediamo*) e lo seguono encliticamente nell'imperativo e nei modi indefiniti (*lavarsi, vestendosi, vedendoci, vestiamoci, vestitomi, amatevi*). Nei tempi composti l'ausiliare è sempre essere (*Essi si sono lavati*; *Voi vi siete vestiti*; *Essi si saranno visti*). Con i verbi *fare* o *lasciare* che reggono un infinito la particella si appoggia al verbo reggente (*Ti fai uccidere*; *Ci facciamo aiutare*; *Ci eravamo lasciati vestire*).

Non si confonda la forma riflessiva con quella *passiva*, nelle forme simili. Per esempio, nella frase: *Questo libro si legge con piacere*, è chiaro che *si legge* equivale alla forma *è letto* e non indica azione riflessa. Si vedano, per questo, le voci PASSIVANTE, PASSIVO e SI.

riflèttere: verbo della seconda coniugazione, transitivo. *Pass. rem.*: riflettéi, riflettésti, riflettè, riflettémmo, rifletteste, riflettérono. *Part. pass.*: riflettúto o riflèsso. Significa: rivolgere indietro (*L'acqua riflette la nostra immagine*; *Il volto è riflesso nello specchio*). Usato intransitivamente (ausiliare: avere) nel senso di: meditare, pensare. Es.: *Ho riflettuto sul nostro lavoro*; *Questa è una risoluzione presa senza riflettere.*

rifràngere: verbo della seconda coniugazione, transitivo. *Pass. rem.*: rifrànsi, rifrangésti, rifrànse, rifrangémmo, rifrangéste, rifrànsero. *Part. pres.*: rifrangènte. *Part. pass.*: rifrànto (franto di nuovo) o rifràtto (deviato, detto di raggio luminoso o anche di suono). Significa: spezzare di nuovo (Es.: *Erano olive rifrante*), deviare un raggio luminoso dal suo cammino per mezzo di un ostacolo (Es.: *Raggio di luce rifratto*).

rifúlgere: verbo della seconda coniugazione. *Pass. rem.*: rifúlsi, rifulgésti, rifúlse, rifulgémmo, rifulgéste, rifúlsero. *Part. pass.*: rifúlso. Si coniuga con entrambi gli ausiliari. Es.: *Sul campo ha rifulso* (o: *è rifulso*) *il valore dei nostri soldati.* Significa: splendere.

rígo: sostantivo maschile, che significa: linea tracciata su un foglio. Plurale: ríghi. Nel senso di: scritto posto su una sola linea, è uso dialettale. Userai meglio il sostantivo femminile RÍGA (plurale: righe). Es.: *Dovresti sottolineare con un rigo le parole straniere*; *Mi scrisse due righe.*

riguàrdo: sostantivo maschile. Significa: cura, preoccupazione, deferenza. Es.: *Usare il dovuto riguardo*; *Ricevere con tutti i riguardi*; *È una persona di riguardo*; *Aver riguardo* significa: aver cura, esser cauti (*Ha riguardo della sua salute*; *Ho molto riguardo per sua madre*). Si usa poi in alcune locuzioni: *a tal riguardo* (a tal proposito), *riguardo a* (*Riguardo al tuo avvenire, ne parleremo*).

ríma: elemento importante della versificazione italiana, che serve a raggruppare insieme i versi in strofe e metri. È un elemento non indispensabile (i versi detti *versi liberi* sono sciolti dal legame della rima), ma sostanziale ed intrinseco al fatto poetico.

La rima, che nei poeti classici era solo casuale, divenne uno dei fattori principali della metrica accentuativa, quando decadde il senso della quantità delle sillabe.

La rima unisce due o più versi, i quali finiscono con parole identiche dall'accento tonico in poi. Due versi risultano dunque rimati fra loro se sono foneticamente identici dall'ultima vocale accentata in poi. In genere è ammessa la rima tra vocali toniche con accento fonico diverso, sul tipo *stélla* e *bèlla*, *pésca* e *pèsca*, *amóre* e *cuòre* ecc.

Le rime sono *piane, sdrucciole* o *tronche* secondo che la parola finale del verso è

piana, sdrucciola o tronca. Esempio:
rime piane:

«Odio fanciul soverchiamente saggio:
non è tempo di nevi aprile e maggio».
(Baldi)

rime sdrucciole:

«...anzi, tutto di pianto e dolor màcero,
siede in un freddo sasso a pie' di un [acero».
(Poliziano)

rime piane alternate con rime tronche:

«Ma un asin bigio, rosicchiando un [cardo
rosso e turchino, non si scomodò:
tutto quel chiasso ei non degnò d'un [guardo
e a brucar serio e lento seguitò».
(Carducci)

Nelle strofe si possono trovar combinate rime piane con sdrucciole, rime piane con tronche, rime piane con versi sdruccioli non rimati, rime sdrucciole sole, rime tronche con versi sdruccioli non rimati. Le rime sono *equivoche* quando sono ottenute con due parole omofone, cioè di suono identico ma di significato diverso. Es.:

«...guardan mute e sóle
mute e digiune al sóle».
(D'Annunzio)

L'uso di parole omofone e aventi lo stesso significato è ammesso solo in casi eccezionali (Dante, per esempio, non ritenne nessuna parola degna di rimare con *Cristo* e ripeté in fin di verso sempre il nome del Signore). La rima si dice allora *univoca*.
Rima composta è quella risultante dall'accostamento di due o tre parole, quasi sempre monosillabi, che per mezzo dell'accento danno il suono desiderato.
Si veda come il secondo verso della prima terzina rimi con il primo e il terzo della seconda terzina:

«S'io fossi pur di tanto ancor leggiero,
*ch'io potessi in cent'anni andare [un'*oncia,
io sarei mosso già per lo sentiero,
cercando tra questa gente sconcia,
con tutto ch'ella volge undici miglia
e men d'un mezzo di traverso non ci [ha».
(Dante)

Rima ipermetrica è quella ottenuta con una parola sdrucciola la cui ultima sillaba viene computata nel verso seguente o elisa, per sinalefe, dalla vocale iniziale di questo. Es.:

«Chè se uno squillo si senta
passar in Romagna la forte,
*tutti d'un cuore s'*avventa*no*
tumultuando alla morte».
(Pascoli)

Rima interna o *rimalmezzo* è quella che si verifica tra la parola finale di un verso e una parola posta nel mezzo del verso successivo. Es.:

«...onde, siccome suole,
*ornare ella si app*resta
*dimani, al dì di f*esta, *il petto e il [crine».*
(Leopardi)

*«Odi greggi belar, muggire arm*enti;
*gli altri augelli cont*enti, *a gara insieme*
per lo libero ciel fan mille giri».
(Leopardi)

V. anche le voci ASSONANZA e CONSONANZA.
Le rime, come si è detto, si combinano secondo schemi che vengono indicati con le lettere maiuscole dell'alfabeto (AB, ABCB, ABBA, ecc.). Non sono schemi rigidi, poiché ogni poeta è libero di adattare il metro della poesia alla propria ispirazione e al proprio sentimento. Tuttavia gli schemi che riporteremo sono quelli più comunemente usati. Per la loro disposizione le rime si dicono: baciate, alternate, incrociate, incatenate. *Baciate* o *accoppiate* si susseguono in due versi consecutivi (AA, BB, CC, talora anche AAA, BBB, CCC...).
Es.:

«Ho il cuore cosí perduto in te (A)
che non c'è più vita per me». (A)
(Valeri)

«Celarsi crede, (A)
ma sempre vede (A)
cose d'inferno (B)
coll'occhio interno (B)
della paura (C)
che non si tura». (C)
(Giusti)

Rime alternate si hanno quando il primo verso rima con il terzo (e gli altri dispari) e il secondo con il quarto (e gli altri pari secondo lo schema AB AB AB). Es.:

«*I cipressi che a Bólgheri alti*
[e schietti, (A)
van da San Guido in duplice filar (B)
quasi in corsa giganti giovinetti (A)
mi balzarono incontro e mi
[guardar». (B)
(Carducci)

Rime incrociate o *chiuse* si hanno quando il primo verso rima con il quarto e il secondo con il terzo: AB BA. Es.:

«*Tanto gentile e tanto onesta pare* (A)
la donna mia quand'ella altrui
[saluta (B)
che ogni lingua deven tremando
[muta (B)
e gli occhi non ardiscon di
[guardare». (A)
(Dante)

Rime incatenate si hanno quando in un gruppo di terzine il secondo verso della prima terzina rima con il primo e il terzo della seconda, e il secondo di questa con il primo e il terzo della terza terzina: ABA, BCB, CDC, DED... Es.:

«*Nel mezzo del cammin di nostra*
[vita (A)
mi ritrovai per una selva oscura, (B)
che la diritta via era smarrita. (A)
Ah quanto a dir qual era è cosa dura (B)
esta selva selvaggia e aspra e forte (C)
che nel pensier rinnova la paura! (B)
Tant'è amara che poco è più morte; (C)
ma per trattar del ben ch'io vi trovai (D)
dirò dell'altre cose ch'io v'ho scorte». (C)
(Dante)

Le terzine possono però essere anche a rime *ripetute* o *rinterzate*, con il primo verso di una terzina che rima con il primo verso della seconda terzina, il secondo verso con il secondo, il terzo con il terzo: ABC, ABC; oppure possono essere a rime *invertite*, se nella seconda strofe l'ordine delle rime è inverso a quello della prima strofe: ABC, CBA.
V. anche STROFE.

rimanére: verbo della seconda coniugazione. *Pass. rem.*: rimàsi, rimanésti, rimàse, rimanémmo, rimanéste, rimásero. *Fut. semplice*: rimarrò, rimarrài, rimarrà, rimarrémo, rimarréte, rimarrànno. *Part. pass.*: rimàsto. Significa: restare.

rimarcàre: verbo della prima coniugazione, transitivo. È un francesismo in luogo di: notare, rilevare. Cosí pure l'aggettivo RIMARCHÉVOLE (dirai: notevole, importante) e il sostantivo RIMÀRCO (dirai: nota, appunto, osservazione).

rimbalzàre: verbo della prima coniugazione, intransitivo. Si coniuga con tutt'e due gli ausiliari, quando è usato assolutamente. Es.: *La palla ha rimbalzato male* o *è rimbalzata male*. Solo con essere quando è unito a un'indicazione di luogo. Es.: *La palla è rimbalzata oltre il muro*; *Il pallone era rimbalzato contro il palo della porta.*

rimolatíno: componimento poetico che contiene lamenti e doglianze, soprattutto di ordine politico, nello schema di serventese.

rincréscere: verbo della seconda coniugazione, intransitivo. Ausiliare: essere. *Pass. rem.*: rincrèbbi, rincrescésti, rincrèbbe, rincrescémmo, rincrescéste, rincrèbbero. *Part. pass.*: rincresciúto. Quando regge una proposizione soggettiva si costruisce con la forma implicita, direttamente con l'infinito: *Mi rincresce disturbarti*. Nella forma esplicita vuole il congiuntivo nella dipendente: *Mi rincresce che tu abbia pensato una cosa simile.*

rino-: primo elemento di parole composte che hanno attinenza al naso. Es.: *rinofaringíte, rinología*. Anche *rinocerónte* (animale col naso a forma di corno).

rinterzàto (sonetto): sonetto al quale sono stati aggiunti sei settenari, uno dopo ogni verso dispari delle quartine e dopo il secondo verso di ciascuna terzina.

rinúncia: sostantivo femminile. Plurale: rinúnce. Valida anche la forma *rinúnzia* (plurale: rinúnzie). Significa: rifiuto, abbandono.

ripetizióne: figura retorica consistente nella replica di uno stesso vocabolo o di una stessa frase nello stesso periodo. Es.: «*Don Abbondio stava, come abbiamo detto, sur una* vecchia *seggiola, ravvolto in una* vecchia *zimarra, con in capo una* vecchia *papalina*» (Manzoni). Tra i diversi tipi di ripetizione, possiamo distinguere l'*anafora*, l'*epistrofe* e il *raddoppiamento*. V. le voci relative.

risarcíre: verbo della terza coniugazione,

transitivo. Si coniuga con la forma incoativa *-isc-* tra il tema e la desinenza. *Pres. indic.*: risarcísco, risarcísci, risarcísce, risarciàmo, risarcíte, risarcíscono. *Pres. cong.*: risarcísca, risarcísca, risarcísca, risarciàmo, risarciàte, risarcíscano. *Imper.*: risarcísci, risarcísca, risarcíscano. *Part. pass.*: risarcíto. Significa: compensare di qualche danno.

riscuòtere: verbo della seconda coniugazione, transitivo. *Pres. indic.*: riscuòto, riscuòti, riscuòte, riscuotiàmo (riscotiàmo), riscuotéte (riscotéte), riscuòtono. *Imperf.*: riscuotévo (riscotévo), riscuotévi (riscotévi), riscuotéva (riscotéva), ecc. *Pass. rem.*: riscòssi, riscuotésti (riscotésti), riscòsse, riscuotémmo (riscotémmo), riscuotéste (riscotéste), riscòssero. *Part. pass.*: riscòsso. Le forme tra parentesi seguono la regola del *dittongo mobile* (V.). Significa: ricevere il pagamento di somma di denaro (*Ha riscosso il premio di un milione*), conseguire, ottenere (*Ha riscosso un grande successo*). Al riflessivo: destarsi, insorgere (*Si riscosse da lungo sonno*; *Il popolo si riscosse dal secolare dominio*).

ríso: sostantivo maschile. Indica la nota pianta graminacea e il suo frutto commestibile. Il plurale è: i risi. *Riso*, nel senso di: ridere, modo di ridere, atto del ridere, al plurale cambia genere: le rísa.

risòlvere: verbo della seconda coniugazione, transitivo. *Pass. rem.*: risòlsi (o risolvéi o risolvètti), risolvésti, risòlse (o risolvé o risolvètte), risolvémmo, risolvéste, risòlsero (o risolverono o risolvèttero). *Part. pass.*: risòlto. Significa: decidere, stabilire, dirimere. Es.: *Risolse tutti i nostri dubbi.* Usato anche riflessivamente, nel senso di: decidere, deliberare. Es.: *Alla fine ci risolvemmo di partire*; *Egli non sa risolversi a nulla.* Quando vale: ridursi, si costruisce con la preposizione *in*. Es.: *Tanto rumore si risolse in nulla.*

risonàre: verbo della prima coniugazione, intransitivo. Si coniuga con entrambi gli ausiliari. Secondo la regola del *dittongo mobile* (V.), *uò* diventa *o* quando non è accentato. *Pres. indic.*: risuòno, risuòni, risuòna, risoniàmo (risuoniàmo), risonàte (risuonàte), risuònano. Usate anche le forme che non seguono la regola: *risuonato, risuonerò, risuonerei*, ecc. Significa: echeggiare, esser noto, celebre. Es.: *La sua fama è risonata per tanti anni*; *I monti avevano risonato di canti.*

rispètto: sostantivo maschile, che indica stima, deferenza. Usato nelle locuzioni *a rispetto, rispetto a, per rispetto a, in rispetto a* nel senso di: a paragone, in confronto. Es.: *Hai fatto meglio le cose rispetto a quello che mi aspettavo*; *Rispetto allo scarso numero degli invitati, il pranzo fu allegro.* RISPÈTTO (forma metrica): componimento poetico toscano, cosí chiamato per il rispetto e la venerazione dimostrata dai cantori verso l'oggetto amato. Ha la stessa forma metrica dello *strambotto* (V.), consta di otto versi disposti, per la rima, secondo lo schema ABABABCC oppure ABABCCDD.

«*O sol che te ne vai, che te ne vai,*
o sol che te ne vai su per i poggi,
fammelo un bel piacer, se tu potrai:
salutami il mio amor, non l'ho
[*vist'oggi.*
O sol che te ne vai su per quei peri,
salutameli un po' quegli occhi neri;
o sol che te ne vai su per gli ornelli,
salutameli un po' quegli occhi belli».
(Anonimo Toscano)

rispóndere: verbo della seconda coniugazione, intransitivo. Ausiliare: avere. *Pass. rem.*: rispósi, rispondésti, rispóse, rispondémmo, rispondéste, rispósero. *Part. pass.*: rispósto. Quando vale: farsi garante, si costruisce con la preposizione *di*. Es.: *Della mia opera rispondo io.* Quando vale: soddisfare una domanda, si costruisce con *a*. Es.: *Ho risposto a tuo fratello.* Talora transitivo. Es.: *Rispondemmo poche parole.* Quando regge un'oggettiva ammette il costrutto implicito con *di* e l'infinito (*Rispose di non poter accettare*) o quello esplicito (*Rispose che non poteva accettare*).

risultàre: verbo della prima coniugazione, intransitivo. Ausiliare: essere. Regge proposizioni soggettive nella forma implicita con *di* e l'infinito (*Non risultava di aver presentato domanda*) e in quella esplicita (*Risulta che non ha presentato domanda*).

risuscitàre: verbo della prima coniugazione. È intransitivo, ausiliare: essere. Es.: *È risuscitato dopo tre giorni.* Usato anche transitivamente. Es.: *Risuscitare i morti*; *Un'eco può risuscitare un'atmosfera.*

ritardàre: verbo della prima coniugazione, transitivo. Significa: rinviare (*Ho dovuto ritardare la partenza*). Più comunemente usato come intransitivo nel senso di: essere in ritardo, arrivare in ritardo, indugiare, farsi aspettare. L'ausiliare normalmente richiesto è avere. Es.: *Il treno ha ritardato la partenza*; *Questa mattina ha ritardato parecchio al nostro appuntamento.*

ritenére: verbo della seconda coniugazione, transitivo. *Pass. rem.*: riténni, ritenésti, riténne, ritenémmo, ritenéste, riténnero. *Part. pass.*: ritenúto. Per reggere un'oggettiva si costruisce con l'infinito con o senza *di* (*Ritenne utile intervenire*; *Non ritengo di intervenire*) o nella forma esplicita (*Riteneva che si dovesse intervenire*).

rítmica: l'insieme delle regole e l'arte di comporre versi. V. VERSO.

rítmo: cadenza musicale da cui deriva l'armonia poetica che è fondamento del verso. Il ritmo, nella metrica italiana, è determinato dal numero delle sillabe del verso e dagli accenti ritmici disposti secondo particolari schemi in ogni tipo di verso. Gli accenti ritmici (che coincidono quasi sempre con quelli grammaticali) sono gli accenti fondamentali del verso e danno rilievo alle sillabe su cui si appoggia la voce, secondo una cadenza armonica. V. VERSO.

ritornèllo: in poesia, strofe o verso che si ripete a intervalli regolari.

riuscíre o **riescíre:** verbo della terza coniugazione, intransitivo. Ausiliare: essere. *Pres. indic.*: rièsco, rièsci, rièsce, riusciàmo, riuscíte, rièscono. *Pres. cong.*: rièsca, rièsca, rièsca, riusciàmo, riusciàte, rièscano. *Pres. condiz.*: riuscirèi, riuscirésti, riuscirèbbe, riuscirémmo, riuscirèste, riuscirèbbero. *Imper.*: rièsci, riuscíte. *Part. pass.*: riuscíto. Significa: uscire di nuovo (*Tornato a casa, riuscí poco dopo*), aver esito (*L'operazione è riuscita bene*), esser capace (*Riuscirebbe bene in canto, se studiasse*), essere, tornare (*Questa notizia mi riesce gradita*). Quando regge una proposizione soggettiva, nella forma implicita, si costruisce con *di* e l'infinito: *Non mi riusciva di addormentarmi.* Si noti che il sostantivo RIUSCÍTA, derivante da questo verbo, indica semplicemente *esito*, non *buon esito* (come *riuscire* vuol dir solo *aver esito*, non: aver buon esito). Dirai perciò: buona o cattiva riuscita. Meglio comunque usare: successo, vittoria, o fiasco, insuccesso, scacco. Lo stesso dicasi del participio RIUSCÍTO, usato anche come aggettivo. Es.: *La buona riuscita dell'iniziativa*; *È una manifestazione ben riuscita.*

ríva: sostantivo femminile che significa: sponda, costa, spiaggia. Il sostantivo maschile RÍVO (più antiquata la forma *río*) indica invece: ruscello, piccolo fiume.

riveríre: verbo della terza coniugazione, transitivo. Si coniuga con la forma incoativa *-isc-* tra il tema e la desinenza. *Pres. indic.*: riverísco, riverísci, riverísce, riveriàmo, riveríte, riveríscono. *Pres. cong.*: riverísca, riverísca, riverísca, riveriàmo, riveriàte, riveríscano. *Imper.*: riverísci, riverísca, riveríscano. Significa: ossequiare, rispettare. La prima persona del presente indicativo, *riverísco*, è forma di deferente saluto. Da *riveríre*, deriva RIVERÈNZA (ossequio, stima, rispetto) e REVERÈNZA, titolo dato un tempo a persona degna d'ossequio. *Riverito* è ormai nell'uso solo con significato ironico (Es.: *I suoi riveriti interessi*; *Il suo riverito marito*).

rizo-: primo elemento di parole composte. Indica attinenza con la radice. Es.: *rizòbio, rizotassi.*

rizotònico: aggettivo che designa il vocabolo accentato sulla vocale della sillaba della radice. Il contrario, cioè il vocabolo accentato sulla desinenza o sul prefisso, si chiama *rizoàtono* o *rizàtono.*

roccafòrte: nome composto da un sostantivo femminile (rocca) e da un aggettivo (forte). Plurale: roccaforti o roccheforti. Per la regola relativa V. COMPOSTI (NOMI).

ródere: verbo della seconda coniugazione, transitivo. *Pass. rem.*: rósi, rodésti, róse, rodémmo, rodéste, rósero. *Part. pass.*: róso. Significa: rosicchiare.

romanísmo: parola o locuzione del dialetto romanesco che sia entrata nell'uso comune, accolta talora anche dagli scrittori. Es.: *bisbóccia* per: baldoria, *búttero* per: mandriano a cavallo, *còcco* per: prediletto, *púpo* per: bimbo.

romànzo: genere letterario solitamente in prosa. Il romanzo è un'ampia narrazione di fatti verosimili. Il nome deriva dal *sermo romanicus*, lingua romanza nella quale furono scritti i primi romanzi. È un genere letterario che si è sviluppato e diffuso soprattutto nell'epoca moderna. Secondo il contenuto i romanzi vengono cosí classificati: romanzo *storico*, se narra fatti, veri o immaginari, collocati in un determinato periodo storico (Es.: *I promessi sposi* del Manzoni, *Guerra e pace* del Tolstoi); romanzo *psicologico*, che si fonda sulla descrizione degli affetti più intimi dell'uomo, analizza i moti segreti dell'anima (Es.: *Le ultime lettere di Jacopo Ortis* del Foscolo, *Il fu Mattia Pascal* del Pirandello); romanzo *sociale*, se rappresenta aspetti e problemi della vita sociale con intenzioni critiche e talora rivoluzionarie (Es.: *I Miserabili* di V. Hugo, *Cristo si è fermato a Eboli* di Carlo Levi); romanzo *verista*, se tende, per principi estetici e culturali, alla rappresentazione quanto più possibile fedele della realtà naturale e sociale (Es.: *I Malavoglia* del Verga); romanzo *neorealista*, se ritrae la società attuale indicandone l'intima dinamica rinnovatrice (Es.: *La luna e i falò* di Cesare Pavese; *Cronache di poveri amanti* di Vasco Pratolini); romanzo *d'ambiente*, se rappresenta usi e costumi di un'epoca o di un paese (Es.: *Via al calvario* di A. N. Tolstoi, *Quo vadis?* di H. Sienkiewicz); romanzo *satirico*, se scritto con intenti di parodia o di satira (Es.: *Don Chisciotte della Mancia* del Cervantes, *I viaggi di Gulliver* di J. Swift); romanzo *umoristico*, scritto cioè con umorismo, o per puro diletto (*Ma cos'è quest'amore?* di A. Campanile) o perché l'umorismo è la prospettiva con cui l'autore guarda al mondo, con un fondo però di serietà e di malinconia (Es.: *Davide Copperfield* di C. Dickens); romanzo *d'avventura*, se intessuto di elementi imprevisti nei quali predomina il meraviglioso (Es.: *Robinson Crusoe* del De Foe, *Ventimila leghe sotto i mari* di G. Verne); romanzo *introspettivo* o *memorialistico*, se tende alla ricostruzione di un'epoca attraverso la rievocazione analitica del proprio passato (Es.: *Alla ricerca del tempo perduto* di M. Proust); romanzo *giallo* o *poliziesco*, se narra come i rappresentanti della giustizia scoprono l'autore di un delitto misterioso (Es.: i libri di Agatha Christie, Ellery Queen, Georges Simenon, ecc.).

rómpere: verbo della seconda coniugazione, transitivo. *Pass. rem.*: rúppi, rompésti, rúppe, rompémmo, rompéste, rúppero. *Part. pass.*: rótto. Significa: infrangere, troncare, mandare in pezzi; oggi è molto usato nel senso di arrecare fastidio, seccare. Anche intransitivo, con l'ausiliare avere. Es.: *Abbiamo rotto con i nostri amici*; *Quel tale rompe troppo!*

rompi-: voce verbale usata come prefisso per parole composte a cui si vuol aggiungere l'idea di rottura. Es.: ROMPICÀPO (plur. rompicapi; fastidio, indovinello), ROMPICÒLLO (plur.: rompicolli; luogo dirupato, persona scapestrata), ROMPIGHIÀCCIO (plur.: rompighiaccio; arnese o nave che rompe il ghiaccio), ROMPINÓCI (plur.: rompinoci; schiaccianoci), ROMPISCÀTOLE (plur.: rompiscatole; oggi anche nella forma abbreviata ROMPI per evitare di citare altre cose rotte; seccatore).

rondò o **rotondèllo** o **rondèllo:** antica forma metrica simile ad una ballata ridotta entro uno schema semplice a due sole rime, di origine francese (il nome italiano deriva dal francese *rondeau*), accompagnata dalla musica e destinata all'accompagnamento della danza.

rotàre: verbo della prima coniugazione, transitivo. Per la regola del *dittongo mobile* (V.), *uò* diventa *o* quando non vi cade l'accento. *Pres. indic.*: ruòto, ruòti, ruòta, rotiàmo (ruotiàmo), rotàte (ruotàte), ruòtano. *Imperf.*: rotàvo (ruotàvo), rotàvi (ruotàvi), ecc. *Fut. semplice*: roterò (ruoterò), roterài (ruoterài), ecc. *Pres. cong.*: ruòti, ruòti, ruòti, rotiàmo (ruotiàmo), rotiàte (ruotiàte), ruòtino. *Imper.*: ruòta, ruòti, rotàte (ruotàte), ruòtano. Usate anche le forme con il dittongo atono. Significa: girare. Usato intransitivamente (ausiliare: avere) significa: girare intorno, muoversi con moto circolare. Es.: *La Terra ruota intorno al Sole.*

Per la stessa regola del dittongo mobile i derivati da *ruota* cambiano *uò* in *o* quando l'accento non cade più sul dittongo: *rotaziòne, rotatíva, roteàre, rotàbile,* ecc.

rovèscio: sostantivo maschile, che indica la parte opposta alla diritta. Es.: *Mi mostrò poi il rovescio della medaglia.* Anche aggettivo. Es.: *Un punto dritto e un punto rovescio.* Come avverbio significa: supino. Es.: *Giaceva rovescio sulla strada.* La locuzione *a rovescio* o *alla rovescia* significa: in modo contrario al dritto. Es.: *Mi hai capito alla rovescia; Hai indossato la giacca alla rovescia; Tutte le cose mi vanno a rovescio, cioè male.* Da ciò è derivato l'uso di ROVÈSCIO come sostantivo nel senso di: sconfitta, disgrazia, rovina. Ma è uso da evitare.

rubacuòri: nome composto da una forma verbale (ruba) e un sostantivo plurale (cuori). Plurale: rubacuori. Per la regola relativa V. COMPOSTI (NOMI).

rúbbio: sostantivo maschile. Misura agraria equivalente a 18 000 m², usata nel Lazio. Anche misura di capacità per i cereali, pari a 2 quintali. Plurale: i rubbi o le rubbie.

rubríca: sostantivo femminile, indicante un quaderno con margini laterali a scaletta, sui quali sono scritte le lettere alfabetiche. Settore di un giornale (*rubrica letteraria, sportiva, economica, teatrale,* ecc.), elenco telefonico, repertorio. Errata la pronuncia *rúbrica.*

rumòre: qualsiasi disturbo su uno degli elementi di un sistema di comunicazione, che provoca una perdita di informazione del messaggio. Per es., un rumore sull'emittente può essere rappresentato da un difetto di pronuncia; sul ricevente, da un problema di sordità; sul canale, da un'interferenza di altre voci e suoni. Per ovviare al rumore si ricorre alla *ridondanza* (V.).

ruòlo: elemento compreso nello schema generale della comunicazione allargato alle variabili extralinguistiche, identifica la reciproca collocazione sociale degli interlocutori nel momento in cui intervengono nell'atto comunicativo (rapporto simmetrico: tra pari, per esempio uno studente di fronte a uno studente; asimmetrico: tra impari, per esempio un insegnante di fronte a uno studente). Si tratta di un fattore che influenza notevolmente la scelta del registro.

S

s: diciassettesima lettera dell'alfabeto; tredicesima consonante. Si chiama *esse* ed è di genere femminile: una *esse*, la *esse*. Maschile, se si vuole indicare il segno. Es.: *Ho tracciato un esse.* Consonante *costrittiva* o *continua*, perché si può pronunziare anche senza l'appoggio di una vocale; *sibilante* o *spirante*, perché pronunziata da sola dà un soffio o sibilo; *dentale* o *alveolare*, perché si pronunzia avvicinando la lingua agli alveoli dei denti. Ha una duplice pronunzia: sorda (o aspra) e sonora (o dolce). Non si ha una regola generale per distinguere i due suoni. Tuttavia si può notare che la *s* è sorda, in principio di parola, quando è seguita da vocale (*sano, selezione, supplichevole*) o dalle consonanti sorde *c, p, f, t, q* (*scala, spoglio, sfondo, storia, squadra*); nel mezzo di una parola quando è doppia (*sasso, fosso, masso*); ha suono dolce quando è seguita dalle consonanti sonore *g, b, v, d, m, n, l, r* (*slogarsi, sbavatura, svarione, sdentato, smemorato, snodato, slacciare, sradicare*). I dizionari indicano con la *s* lunga il suono dolce o sonoro. Non vi sono criteri precisi per distinguere il suono della *s* intervocalica. È sorda in ca*s*a, co*s*a, ra*s*o, spe*s*a, te*s*a, ecc.; è sonora in bia*s*imo, e*s*ame, e*s*agono, i*s*olato, spo*s*are, ecc. Quando poi la *s* è immediatamente preceduta da *n* o *r*, essa assume un suono simile alla *z* sorda (pen*s*are, an*s*ia, den*s*o, scar*s*o, bor*s*a) che è particolarmente accentuato nella pronuncia dialettale di alcune regioni meridionali.
Quando la *s* è seguita da altra consonante si chiama *s* impura; e, se si trova in principio di parola, vuole l'articolo nella forma *lo, gli* (*lo sposo, gli storici*) e *uno* (*uno straccio, uno sparo*), e non ammette troncamento (*un grande stagno*, e non: un gran stagno; *bello scopo*, e non: bel scopo; *begli scorci*, e non: bei scorci; *quello stadio*, e non: quel stadio; *quegli storici*, e non: quei storici).
Si trova raddoppiata nelle parole che in latino avevano la *x* (*lusso* da *luxus*) o *ps* (*scrissi* da *scripsi*); non si raddoppia nelle parole composte, se impura, neppure dopo i prefissi che esigono il raddoppiamento: *soprascarpe, contrastare.*
Come prefisso, *s-* indica negazione (*scomparire, scaricare, slegare*), separazione (*svincolarsi*) oppure ha valore intensivo (*sbevazzare, sfoggiare*).
Nelle abbreviazioni latine significa: *Servius, Senatus, sacer, solvit* (pagò). Oggi può significare *santo* (*S. Pietro, S. Francesco*); in chimica indica lo zolfo; in musica: *solo.*

sabotàre, sabotàggio: parole derivate dal francese *saboter* (originariamente: rovinare a colpi di zoccolo, *sabot*). Ormai entrate nell'uso italiano, col significato di: danneggiare, rovinare. Es.: *Sabotare la produzione in una fabbrica*; *Sabotò il nostro piano.* Userai anche: danneggiare, intralciare, ostacolare, non collaborare, opporsi.

saccaro-: primo elemento di parole composte, nel linguaggio scientifico. Indica presenza di zucchero o relazione con lo zucchero. Es.: *saccaromiceti, saccarifero, saccarificare.*

sàcco: sostantivo maschile che indica un arnese di tela per conservare o trasportare roba. Plurale: sacchi o anche, nell'uso toscano, le sacca (ma solo per i sacchi pieni). Si notino alcune espressioni: *un sacco di roba, un sacco di soldi, un sacco di guai* (molta roba, molti soldi, molti guai); *mettere a sacco* (saccheggiare, distruggere); *metter nel sacco* (imbrogliare); *farina del proprio sacco* (produzione originale); *vuotare il sacco* (dire tutto, sfogarsi, confessare senza alcuna reticenza); *con le mani nel sacco* (sul fatto, in flagrante), *piacere un sacco, guadagnare un sacco* (moltissimo). Il sostantivo femminile SÀCCA significa invece: borsa, piccola bisaccia; oppure, nel linguaggio militare, rientranza del fronte.

sàcra rappresentazióne: genere teatrale d'argomento religioso che raggiunge la forma letteraria nei secoli XIV e XV sviluppandosi dalle laudi drammatiche e dialogate del Medioevo.

sacrifício: sostantivo maschile che significa: olocausto, rinunzia. Anche: sacrifizio. Non è bene abusare di questo termine e del verbo *sacrificare* per indicare rinunzie di poca entità. Es.: *Ho sacrificato il mio vestito per pulire la moto*; *Ho fatto il sacrificio di attenderlo per un'ora*. Userai, secondo i casi, i verbi abbandonare, perdere, incomodarsi, ecc., o i sostantivi fatica, danno, perdita, privazione e simili.

sacrílego: aggettivo qualificativo che significa: profanatore, autore di un sacrilégio. Parola sdrucciola terminante in *-go*, col plurale in *-ghi*: sacrileghi. Da non confondere col plurale di SACRILÈGIO che è invece: sacrilègi.

sàffica (strofe): strofe composta di quattro versi: i primi tre endecasillabi (con forte cesura dopo la quinta sillaba che li fa assomigliare a quinari accoppiati a senari), il quarto (detto *adònio*), un quinario fortemente accentato sulla prima sillaba. È una strofe che nella metrica classica era composta da tre versi saffici minori e dall'adonio.

La poetessa greca Saffo la predilesse per i suoi componimenti e la legò così al suo nome. Fu ripresa, con o senza rima, dal Parini e dal Monti, ma le più celebri *odi saffiche* (composte cioè con strofe saffiche) della nostra letteratura sono quelle del Carducci (*Su Monte Mario, Piemonte, Alle fonti del Clitumno, Miramar, La chiesa di Polenta*). Es.:

> «*Ombra di un fiore è la beltà, su cui*
> *bianca farfalla poesia volteggia:*
> *eco di tromba che si perde a valle*
> *è la potenza*».
>
> (Carducci)

sàga: sostantivo femminile che indica i poemi narrativi delle antiche letterature nordiche (plurale: le saghe) e quindi, per estensione, un componimento letterario di contenuto mitologico ed eroico o anche una storia romanzata di personaggi e famiglie celebri lungo l'arco di più generazioni. Il sostantivo maschile SÀGO (plurale: i saghi) indicava il mantello dei soldati romani. È anche il nome di una fecola ricavata dalle palme.

sagàcia: nome femminile terminante in *-ia*, che al plurale conserva la *i* atona (sagacie) anche per distinguersi da *sagàce* che è aggettivo. Significa: astuzia, perspicacia.

sàio: sostantivo maschile che significa: abito, specialmente la tonaca monacale. Plurale: sài. Il sostantivo femminile SÀIA indica invece un sottile panno di lana.

salàto e **sàlso:** aggettivi qualificativi che significano: che ha sale o che sa di sale. Il primo si usa in genere quando è riferito a cosa in cui il sale sia stato messo; il secondo quando il sale è contenuto per natura dalla cosa a cui si riferisce. Perciò: *acqua salsa* (del mare), *minestra salata*.

salíre: verbo della terza coniugazione. *Pres. indic.*: sàlgo, sàli, sàle, saliàmo, salíte, sàlgono. *Pres. cong.*: sàlga, sàlga, sàlga, saliàmo, saliàte, sàlgano. *Imper.*: sàli, saliàmo, salíte, sàlgano. *Part. pass.*: salíto. Ausiliare: essere, quando è usato intransitivamente (*Io sono salito in casa*), avere, quando è usato transitivamente (*Io ho salito le scale*). Il participio presente, *saliènte*, è usato nel senso di: notevole, importante, rilevante (Es.: *i fatti salienti, i passi più salienti*).

saliscéndi: nome composto da due forme verbali (sali e scendi). Plurale: saliscendi. Per la regola relativa V. COMPOSTI (NOMI).

sàlma: sostantivo femminile che significa: cadavere. Di diversa origine è il sostantivo maschile SÀLMO, canto religioso. Falso accrescitivo è SALMÓNE, parola di diversa origine, che indica un pesce marino che risale i fiumi. Da *salma* (che in origine significava: carico, peso) deriva invece SALMERÍE, nome usato solo al plurale, che indica i servizi logistici dell'esercito.

salóne: sostantivo maschile, accrescitivo di sala: grande sala. Dal francese proviene l'uso nel senso di mostra, esposizione (*Salone del mobile, Salone dell'automobile*).

salsíccia: sostantivo femminile che indica un tipo di carne insaccata. Popolare la variante *salciccia*.

saltàre: verbo della prima coniugazione, intransitivo. Si coniuga con l'ausiliare essere quando l'azione è considerata in rapporto a un luogo (*È saltato dalla finestra*; *Era già saltato sul muricciolo*), con l'ausiliare avere quando l'azione viene considerata in sé (*Abbiamo saltato per un'ora*; *Ha saltato più alto di me*). Con essere si coniuga quando significa: esser proiettato in alto per esplosione (ma in tal caso è bene aggiungere sempre *in aria*). Es.: *Saremmo saltati tutti in aria*; *Erano saltati in aria per lo scoppio della mina*. *Saltar su* significa: insorgere, prender la parola (Es.: *A questo punto saltò su uno a dire...*; *Perché sei saltato su così?*). Il verbo può anche significare: omettere (*Hai saltato una riga*), esser rilevante (*Son cose che saltano agli occhi*), oltrepassare, transitivamente (*Saltò il fossato*; *Saltò l'ostacolo a piè pari*), rosolare (*carne saltata, funghi saltati in padella*). Si notino poi le espressioni: *saltar di palo in frasca* (passare disordinatamente da una cosa all'altra), *saltar in mente* (detto di idea improvvisa), *saltar la mosca al naso* (inquietarsi, incollerirsi), *saltare in bestia* (infuriarsi).

salúbre: aggettivo qualificativo che significa: salutare, che conserva o procura la sanità. Superlativo: saluberrimo. Errata la pronunzia *sàlubre*.

salúto (formule di): grammaticalmente sono interiezioni. Le formule di saluto riflettono il rapporto tra due o più interlocutori e si modificano anche in relazione alle mode e al costume. Un'espressione come *ciao*, che un tempo era limitata ai rapporti amichevoli e confidenziali, tra chi si dava del tu, oggi è usata anche per salutare, con una certa civetteria, un'intera platea; *addio*, che aveva significato solenne e definitivo, oggi può indicare anche un congedo temporaneo; *salve* è la formula scelta dai dipendenti per affermare, con un pizzico di provocazione, un rifiuto di riverenza rivolgendosi a un superiore; è un modo per evitare il sempre più impopolare *lei* e i conseguenti rispettosi *buongiorno* e *buona sera*. Resistono nell'uso anche *buonanotte, buonaserata, buonpomeriggio*, ma prendono piede nuove forme di augurale congedo: *buon weekend, bye bye, ci vediamo, ci sentiamo* (in luogo di *arrivederci, arisentirci*). Nella chiusa delle lettere le forme più complicate (*La prego gradire i più distinti saluti*; *Mi è gradita l'occasione per porgerle i miei cordiali saluti* e simili) sono sempre più sostituite da quelle più abbreviate: *distinti saluti, cordiali saluti*, o il più rapido *cordialmente*.

salva-: prefisso, derivato dal verbo *salvare*, con il quale si formano nomi di oggetti che servono a proteggere o conservare qualcosa. Es.: SALVACONDÓTTO (plur.: salvacondotti; passaporto, lasciapassare), SALVADANÀIO (plur.: salvadanai; cassetta o vaso per serbare i soldi), SALVAGÈNTE (plur.: salvagènte; galleggiante, arnese per mantenere a galla; marciapiede posto in mezzo a vie o piazze), SALVATÀCCO (plur.: salvatacchi; dischetto che evita il logorio delle suole e dei tacchi). V. anche COMPOSTI (NOMI).

salvaguàrdia: sostantivo femminile che significa: difesa, tutela. Francesismo, ma ormai nell'uso, come il verbo *salvaguardare*, da esso derivato. Si può sostituire con: custodire, proteggere, tutelare, sostenere.

salviétta: sostantivo femminile, derivato dal francese *serviette*, ma ormai nell'uso. Significa: tovagliolo, asciugamano, asciugatoio. Si noti che non ha nulla a che fare con SÀLVIA, che deriva invece dal latino e indica una pianta aromatica.

sàlvo: aggettivo qualificativo che significa: immune, sano, sicuro. Usato come avverbio vale: eccetto, fuorché. Es.: *Hanno aderito tutti, salvo te*; *Fu l'anno scorso, salvo errore*. La locuzione *salvo che* introduce una proposizione eccettuativa esplicita, con il verbo al congiuntivo. Es.: *Non lascerò il posto, salvo che me lo chiedano*.

sancíre: verbo della terza coniugazione, transitivo. Si coniuga con la forma incoativa *-isc-* tra il tema e la desinenza in alcuni tempi. *Pres. indic.*: sancísco, sancísci, sancísce, sanciàmo, sancíte, sancíscono. *Pres. cong.*: sancísca, sancísca, sancísca, sanciàmo, sanciàte, sancíscano. *Imper.*: sancísci, sancísca, sancíscano. *Part. pass.*: sancíto. Significa: ratificare, approvare con un decreto. Si usa anche nel senso di: stabilire, statuire. Es.: *Il consiglio ha sancito che la prova sarà ripetuta.*

santabàrbara: nome composto da un aggettivo (santa) e un sostantivo femminile (Barbara). Plurale: santebarbare. Per la regola relativa V. *Composti* (*Nomi*). Il termine indica il deposito di munizioni sulle navi da guerra.

santità: titolo dato al Pontefice, per lo più usato con la maiuscola. *Sua Santità Pio XII.* Anche rivolgendosi al Papa direttamente si dice: *Santità*. Si abbrevia *S. S.* (da non confondersi con *Santissimo* che si abbrevia così: SS).

sànto: aggettivo qualificativo; titolo che si dà a persone venerate dalla Chiesa (*Santo martire, Santa Vergine, Santo Padre*). Quando è seguito da un nome proprio si scrive solitamente minuscolo e si tronca in *san* davanti a nomi comincianti con consonante che non sia *s* impura (*san Giulio, san Francesco; santo Stanislao; santo Stefano, san Zeno*); davanti a vocale si elide (*sant'Anna, sant'Andrea*). Si abbrevia in S. (*S. Paolo, S. Giovanni, S. Caterina*); al plurale si abbrevia in *S.S.* (*i S.S. Pietro e Paolo*; *S.S. Almacchio e Teodoro*); *Santissimo* si abbrevia di solito in *SS.* Come aggettivo, *santo* si scrive di solito maiuscolo nelle espressioni: *Santa Sede, Santo Padre, Santissimo Sacramento, Terra Santa, Sant'Uffizio.* Come sostantivo, si scrive maiuscolo quando si riferisce a un determinato personaggio. Es.: *Il Santo ha fatto la grazia*; *Domani è la festa di tutti i Santi.*

L'aggettivo *santo* significa: pio, religioso, buono, ma acquista diverso significato se posposto al nome. Es.: *parole sante* (parole giuste, ma spiacevoli), *verità sante* (come vere, ma spiacevoli); invece le espressioni *sante parole, sante verità* significano semplicemente: parole e verità pie, giuste, buone. *Santo* significa anche: degno di un santo. Es.: *santa pazienza, santa misericordia; santa pace* vuol dire: rassegnazione (*in santa pace*, con rassegnazione); *santa ragione* equivale a: giustamente, adeguatamente (*Gliene ha date di santa ragione*).

sapére: verbo della seconda coniugazione, transitivo. *Pres. indic.*: so, sai, sa, sappiàmo, sapéte, sànno. *Fut. semplice*: saprò, sapràì, saprà, saprémo, sapréte, sapránno. *Pass. rem.*: sèppi, sapésti, sèppe, sapémmo, sapéste, sèppero. *Pres. cong.*: sàppia, sàppia, sàppia, sappiàmo, sappiàte, sàppiano. *Pres. condiz.*: saprèi, saprésti, saprèbbe, saprémmo, sapréste, saprèbbero. *Part. pres.*: sapiènte. *Part. pass.*: sapúto. Significa: conoscere (*Io so il tuo indirizzo*), essere astuto (*Ne sa una più del diavolo*), esser dotto (*Chi sa vuol sapere sempre più*). Quando significa: potere, esser capace, si comporta come i *verbi servili* (V.). Es.: *Non ha saputo rispondere*; *Sapresti suonare al pianoforte?*; *Non aveva saputo accorrere in tempo*; *Si è saputo difendere bene.* Si noti l'uso pleonastico delle forme *sa, sapete* (*Ho dovuto, sa, difenderla con tutte le forze*; *Sapete, io non credo a queste cose*). *Si sa*, come inciso vale: è noto, è risaputo (*Queste cose, si sa, finiscono sempre così*). Nelle frasi che contengono dubbio e incertezza si usa, anche come inciso, *chi sa? chi sa mai?* Es.: *Chi sa che non cambi idea?*; *E poi, chi sa mai, non potresti essere eletto?*; *Chi sa che non vinca.* Usato intransitivamente (ausiliare: avere) il verbo vuol dire: aver sapore (*Questa minestra non sa di nulla*; *Il vino sa d'aceto*).

Saper vivere, dal francese *savoir faire*, significa: buone maniere, educazione, talora anche abilità.

sapro-: primo elemento di parole composte, nel linguaggio scientifico. Indica putrefazione, deterioramento, marciume. Es.: *saprofitísmo, sapròbio, saprozòo, sapròfago.*

sarco-: primo elemento di parole composte, nel linguaggio scientifico. Indica carne, più esattamente muscolo. Es.: *sarcolèmma, sarcoplàsma, sarcòfago.*

sarcòfago: sostantivo maschile che significa: sepolcro, tomba. Nome sdrucciolo in *-go* col plurale in *-ghi*: sarcòfaghi (ma anche: sarcòfagi).

sàrdo: sostantivo e aggettivo che significa: appartenente alla Sardegna, nato in Sardegna. Di diversa origine è il sostantivo femminile SÀRDA, nome di un piccolo pesce marino.

sàtiro: sostantivo maschile che indicava, nella mitologia antica, divinità dei boschi. Il sostantivo femminile SÀTIRA indica invece un componimento poetico di carattere lirico-didascalico e d'intento moraleggiante, attraverso l'uso arguto e pungente dell'ironia.

satúrnio: nella metrica latina, verso arcaico, considerato addirittura come quello originario della poesia latina. Non è accertato se si trattasse di un metro di natura quantitativa (dimetro giambico catalettico e un itifallico) o accentuativa (due emistichi, il primo con tre accenti tonici, il secondo con due). Famosa resta la traduzione in saturni dell'*Odissea* da parte di Livio Andronico.

sbàfo: sostantivo maschile, ma di uso dialettale, come il verbo *sbafàre. A sbafo*: senza pagare, alla portoghese. *Sbafàre*: scroccare, prendere o usufruire di qualche cosa senza pagare.

sbagliàre: verbo della prima coniugazione, transitivo. Significa: commettere un errore. Es.: *Chi sbaglia, paga*; *Ha sbagliato i suoi calcoli*. Sebbene nell'uso, è invece impropria la forma riflessiva *sbagliarsi* (*Lei sbaglia*, non: Lei si sbaglia; *Se non sbaglio*, non: Se non mi sbaglio).

sballàto: aggettivo qualificativo che significa: tolto dalla balla. In senso figurato, vale: disordinato, senza equilibrio. Es.: *storia sballata*. Viene usato anche nel senso di: infondato, senza speranza; ma in questo caso si dovrebbe dire: *spallàto* (da *spallato*, cavallo a cui son state rovinate le spalle e non si regge in piedi). Es.: *causa spallata* (non: sballata). Si dice poi *sballarle grosse* per: raccontar bugíe madornali.

sbalordíre: verbo della terza coniugazione, transitivo. Si coniuga con la forma incoativa *-isc-* tra il tema e la desinenza di alcuni tempi. *Pres. indic.*: sbalordísco, sbalordísci, sbalordísce, sbalordiàmo, sbalordíte, sbalordíscono. *Pres. cong.*: sbalordísca, sbalordísca, sbalordísca, sbalordiàmo, sbalordiàte, sbalordíscano. *Imper.*: sbalordísci, sbalordísca, sbalordíscano. Significa: meravigliare, stordire, confondere.

sbandàre: verbo della prima coniugazione, intransitivo (ausiliare: avere). Significa: dar di banda, cioè inclinarsi su un fianco (detto di una imbarcazione, e anche di un veicolo e di un ciclista); oppure, nella forma riflessiva, uscir da una banda, dai ranghi, e quindi disperdersi. Es.: *La nave, dopo la collisione, cominciò a sbandare*; *Noi, sciolta l'associazione, ci sbandammo*; *Gli uomini si erano tutti sbandati*. Usato intransitivamente, detto di veicolo che va qua e là senza guida, si coniuga con l'ausiliare avere. Es.: *L'auto ha sbandato improvvisamente.*

sbandíre: verbo della terza coniugazione, transitivo. In alcuni tempi si coniuga con la forma incoativa *-isc-* tra il tema e la desinenza. *Pres. indic.*: sbandísco, sbandísci, sbandísce, sbandiàmo, sbandíte, sbandíscono. *Pres. cong.*: sbandísca, sbandísca, sbandísca, sbandiàmo, sbandiàte, sbandíscano. *Part. pass.*: sbandíto. Significa: mandare in esilio; è forma intensiva di *bandíre*. Da non confondere con il sovrabbondante *sbandàre* (V.) di diverso significato.

sbarrètta: segno ortografico (/) usato per separare un verso dall'altro, quando non si va a capo alla fine di ciascun verso. Es.: «*Ei fu. Siccome immobile / dato il mortal sospiro / stette la spoglia immemore / orba di tanto spiro /...*» (Manzoni).

sbiadíre: verbo della terza coniugazione, intransitivo. Ausiliare: essere. Si coniuga con la forma incoativa *-isc-* tra il tema e la desinenza di alcuni tempi. *Pres. indic.*: sbiadísco, sbiadísci, sbiadisce, sbiadiàmo, sbiadíte, sbiadíscono. *Pres. cong.*: sbiadísca, sbiadísca, sbiadísca, sbiadiàmo, sbiadiàte, sbiadíscano. *Imper.*: sbiadísci, sbiadísca, sbiadíscano. *Part. pass.*: sbiadíto. Significa: scolorire, perdere la vivezza del colore.

sbigottíre: verbo della terza coniugazione, transitivo. Si coniuga con la forma incoativa *-isc-* tra il tema e la desinenza di alcuni tempi. *Pres. indic.*: sbigottísco, sbigottísci, sbigottísce, sbigottiàmo, sbigottíte, sbigottíscono. *Pres. cong.*: sbigottísca, sbigottísca, sbigottísca, sbigottiàmo, sbigottiàte, sbigottíscano. *Imper.*: sbigottísci, sbigottísca, sbigottíscano. *Part. pass.*: sbigottíto. Significa: turbare, sbalordire. Usato anche intransitivamente e in forma riflessiva nel senso di: perdersi d'animo, impaurirsi.

sc-: gruppo consonantico che ha suono tra sibilante e palatale quando è seguito dalle vocali *e, i* (*sc*emo, *sc*ena, *asc*ensione, *sc*emare, *sc*intilla, *sci*roppo, *sci*mmia); ha invece doppio suono distinto (sibilante + gutturale) quando è seguito dalle vocali *a, o, u* (*sca*la, *sco*po, *scu*ola, *sca*ricare, *sco*lorire, *scu*do). Per ottenere suono palatale anche davanti ad *a, o, u* si inserisce una *i* che è puro segno ortografico (quindi né vocale, né semivocale) e che scompare nelle parole derivate, ove non sia più necessaria. Es.: *scià*me, *sciò*lto, *sciú*po, là*scia*, fà*scio*, pa*sciú*to, ma: *lasceremo, fasceremo, pascete*. Così pure le parole terminanti in *-scia* al plurale terminano solitamente in *-sce*, non essendo più necessaria la *i* ortografica (*fascia, fasce*; *liscia, lisce*). Si noti che in due soli casi si trova la vocale *i* (veramente vocale, rimasta dal latino) tra il digramma *sc* e la vocale *e*: in *scienza* e *coscienza* (e, s'intende, nei loro derivati). Quando si vuole invece conservare al digramma *sc* il suono doppio anche dinanzi ad *e, i*, si pone nel mezzo una *h*: *sche*letro, *schie*na, *sche*ma, *schi*fo.

È dialettale la pronunzia del digramma *sc* come se si trattasse di due consonanti staccate, non formanti un unico suono (*s-cervellato* per: scervellato; *s-cerpellini* per scerpellini), ma è un uso che si va diffondendo (Es.: *s-centrare* per: scentrare).

scaccia-: prefisso, dal verbo *scacciàre*, usato per formare varie parole composte, contenenti l'idea di respingere, scacciare. Sono tutte invariabili. Es.: *scacciacàni, scacciafúmo, scacciamósche, scacciapensièri*, ecc. V. Composti (Nomi).

scalda-: prefisso, dal verbo *scaldàre*, che si usa per formare varie parole composte, contenenti l'idea di riscaldare, dar calore. Es.: *scaldalètto* (plur.: scaldaletti), *scaldabàgno* (plur.: scaldabagni), *scaldamàno* (plur.: scaldamani), *scaldapànche* (invariabile), *scaldapiàtti* (invariabile), *scaldapièdi* (invariabile), *scaldasèggiole* (invariabile), *scaldavivànde* (invariabile). V. anche Composti (Nomi).

scalfíre: verbo della terza coniugazione, transitivo. Si coniuga con la forma incoativa *-isc-* tra il tema e la desinenza di alcuni tempi. *Pres. indic.*: scalfísco, scalfísci, scalfísce, scalfiàmo, scalfíte, scalfíscono. *Pres. cong.*: scalfísca, scalfísca, scalfísca, scalfiàmo, scalfiàte, scalfíscano. *Imper.*: scalfísci, scalfísca, scalfíscano. *Part. pass.*: scalfíto. Significa: incidere, ferire lievemente.

scàlo: sostantivo maschile, che indica luogo di arrivo e partenza per navi, aerei, treni e altri mezzi di trasporto. Di diversa origine è il sostantivo femminile scàla che indica una successione di gradini per salire o scendere da un luogo. La locuzione *su vasta scala* (derivata, per estensione, dalla *scala* delle carte geografiche) vale: in grandi proporzioni.

scaltríre: verbo della terza coniugazione, transitivo. Si coniuga con la forma incoativa *-isc-* tra il tema e la desinenza di alcuni tempi. *Pres. indic.*: scaltrísco, scaltrísci, scaltrísce, scaltriàmo, scaltríte, scaltríscono. *Pres. cong.*: scaltrísca, scaltrísca, scaltrísca, scaltriàmo, scaltriàte, scaltríscano. Si usa anche in forma riflessiva nel senso di: farsi astuto, furbo. Il participio passato, *scaltríto*, ha spesso valore di aggettivo.

scalzacàne: nome composto da una forma verbale (scalza) e un sostantivo maschile (cane). Plurale: scalzacani. Per la regola relativa V. Composti (Nomi).

scandíre: verbo della terza coniugazione, transitivo. Si coniuga con la forma incoativa *-isc-* tra il tema e la desinenza di alcuni tempi. *Pres. indic.*: scandísco, scandísci, scandísce, scandiàmo, scandíte, scandíscono. *Pres. cong.*: scandísca, scandísca, scandísca, scandiàmo, scandiàte, scandíscano. *Imper.*: scandísci, scandísca, scandíscano. *Part. pass.*: scandíto. Significa: pronunziare le parole o le sillabe in modo distinto. In particolare: leggere metricamente le poesie greche o latine, cioè facendo sentire gli accenti ritmici e la pausa tra ciascun *metro*.

scansióne: nella metrica classica, lettura dei versi ponendo l'accento sulle sillabe lunghe.

scàpolo: sostantivo maschile che significa: celibe, uomo non coniugato. Di diversa origine è il sostantivo femminile SCÀPOLA, che indica un osso della spalla.

scàrico: nome (e aggettivo) sdrucciolo terminante in *-co* che al plurale finisce in *-chi*: scàrichi.

scarsézza: sostantivo femminile che significa: deficienza, penuria, mancanza. Si usa specialmente in senso figurato. Es.: *scarsezza d'ingegno, scarsezza di fantasia*. Per gli altri usi è più comune il sostantivo SCARSITÀ.

scàrto: procedimento che consiste nel togliere ad una parola una lettera per ottenere una nuova parola. Lo scarto può essere *iniziale* (da *scarpa, carpa*), mediano (da *palma, pala*) o finale (da *gratis, grati*).

scattàre: verbo della prima coniugazione che significa: prorompere, balzare, scoppiare. Intransitivo. Si coniuga con gli ausiliari essere e avere se riferito a cosa (*La molla non aveva scattato*; *La legge non è scattata*); con il solo ausiliare essere se riferito a persona (Es.: *Il corridore è scattato sulla prima salita*; *A quelle parole siamo scattati*; *Eri scattato troppo impetuosamente*).

scaturíre: verbo della terza coniugazione, intransitivo. Ausiliare: essere. Si coniuga con la forma incoativa *-isc-* tra il tema e la desinenza di alcuni tempi. *Pres. indic.*: scaturísco, scaturísci, scaturísce, scaturiàmo, scaturíte, scaturíscono. *Pres. cong.*: scaturísca, scaturísca, scaturísca, scaturiàmo, scaturiàte, scaturíscano. *Imper.*: scaturísci, scaturísca, scaturíscano. *Part. pass.*: scaturíto. Indica l'uscir fuori dell'acqua sotterranea, perciò: zampillare, rampollare, sgorgare. Usato in senso figurato, vale: aver origine, derivare, balzar fuori (Es.: *L'idea è scaturita da una lunga esperienza*).

scavezzacòllo: nome composto da una forma verbale (scavezza) e un sostantivo maschile (collo). Plurale: scavezzacòlli. Per regola relativa V. COMPOSTI (NOMI).

scazònte: nella metrica antica, una varietà di trimetro giambico in cui la sillaba lunga dell'ultimo piede è sostituita da una breve; donde l'impressione di un verso zoppicante, e da ciò il nome. Era detto anche *coliambo* o *ipponatteo* (dal poeta Ipponatte).

scègliere: verbo della seconda coniugazione, transitivo. *Pres. indic.*: scélgo, scégli, scéglie, scegliàmo, scegliéte, scélgono. *Pass. rem.*: scélsi, scegliésti, scélse, scegliémmo, scegliéste, scélsero. *Pres. cong.*: scélga, scélga, scélga, scegliàmo, scegliàte, scélgano. *Imper.*: scégli, scélga, scegliàmo, scegliéte, scélgano. *Part. pass.*: scélto. Significa: preferire, cernere.

scéndere: verbo della seconda coniugazione. *Pass. rem.*: scési, scendésti, scése, scendémmo, scendéste, scésero. *Part. pass.*: scéso. Ausiliare: essere, quando è usato intransitivamente (Es.: *Io sono sceso dalle alture*; *È scesa la notte*), avere quando è usato transitivamente (Es.: *Io ho sceso le scale di casa*). Con avere si coniuga pure quando l'azione è considerata in sé (Es.: *Ho sceso per una giornata intera*); ma non è uso frequente. Per questo verbo è ammessa, e forse preferibile, anche la pronuncia *scèndere* (con la *e* aperta), secondo l'uso romano.

scendilètto: sostantivo maschile che indica un tappetino posto accanto al letto. Nome composto da una forma verbale (scendi) e da un sostantivo maschile (letto). Invariabile al plurale. V. per la regola relativa COMPOSTI (NOMI).

scèrnere: verbo della seconda coniugazione, transitivo. *Pass. rem.*: scèrsi (scernéi o scernètti), scernésti, scèrse (scerné o scernette), scernémmo, scernéste, scèrsero (scernérono o scernèttero). *Part. pass.*: scèrto (non usato). Significa: scegliere, distinguere.

schermíre: verbo della terza coniugazione, intransitivo. Ausiliare: avere. Si coniuga con la forma incoativa *-isc-* tra il tema e la desinenza di alcuni tempi. *Pres. indic.*: schermísco, schermísci, schermísce, schermiàmo, schermíte, schermíscono. *Pres. cong.*: schermísca, schermísca, schermísca, schermiàmo, schermiàte, schermíscano. *Imper.*: schermísci, schermísca, schermíscano. *Part. pass.*: schermíto. Significa: tirar di scherma.

Usato soprattutto nella forma riflessiva, *schermirsi*, col significato di: difendersi, destreggiarsi. Da non confondersi con SCHERMÀRE, che vale: protegger con uno schermo, e quindi anche: celare, smorzare (Es.: *Le luci erano tutte schermate*).

schérmo: sostantivo maschile, che significa: riparo. Anche la tela sulla quale si proiettano le immagini del cinematografo. Di diversa origine è il sostantivo femminile SCHÉRMA che indica l'arte di combattere con arma bianca.

scherníre: verbo della terza coniugazione, transitivo. Si coniuga con la forma incoativa *-isc-* tra il tema e la desinenza di alcuni tempi. *Pres. indic.*: scherníscо, scherníscі, schernísce, scherniàmo, scherníte, scherníscono. *Pres. cong.*: schernísca, schernísca, schernísca, scherniàmo, scherniàte, scherníscano. *Part. pass.*: scherníto. Significa: deridere, burlare crudelmente.

scherzàre: verbo della prima coniugazione, intransitivo. Ausiliare: avere. Significa: celiare, giocare. Es.: *Abbiamo scherzato tutto il giorno*; *Con te non si può scherzare*. È dialettale l'uso transitivo del verbo nel senso di: deridere. Es.: *Hai paura che ti scherzino* (dirai invece: che ti deridano, che ti scherniscano).

schettinàre: verbo della prima coniugazione. Barbarismo per: pattinàre. Analogamente dirai: *pattini a rotelle* e non *schettini*; *pattinaggio* e non *schettinaggio*.

schìvo: aggettivo qualificativo che significa: non disposto ad accettare qualcosa, ritroso, restio. Si costruisce con la preposizione *di*, davanti a verbi anche con *a*. Es.: *Era schivo di onori*; *Sono schivo dal* (o *a*) *mostrarmi severo*.

schizo-: nel linguaggio medico, primo elemento di parole composte che indicano dissociazione o scissione. Es.: *schizofrenía, schizogonía, schizomanía, schizotimía, schizoficee*.

-scia (nomi in): i nomi che finiscono in *-scia* di solito perdono al plurale la *i* (semplice segno grafico, al singolare, per conservare suono palatale al digramma *sc*). Es.: *còscia, còsce*; *fàscia, fàsce*. *Scía* però fa *scíe*, poiché la *i* è tonica e non semplice segno grafico.

sciàlle: sostantivo maschile, che indica un drappo (di lana o di seta) portato sulle spalle dalle donne. Meno usata è la forma *sciàllo*.

scícche, scicchería: francesismi entrati nell'uso per eleganza, raffinatezza. Es.: *È una cosa veramente scicche!* (dirai meglio: squisita, raffinata, di lusso). Si trova anche scritto nella forma originaria *chic*.

sciènza: sostantivo femminile che significa: dottrina, sapere. È uno dei due nomi italiani che hanno la vocale *i* tra il digramma *-sc-* e la vocale *e* (V. *Sc-*). Naturalmente la *i* rimane anche nei derivati: *scienziato, scientifico, scientemente*, ecc.

scíndere: verbo della seconda coniugazione, transitivo. *Pass. rem.*: scíssi, scindésti, scísse, scindémmo, scindéste, scíssero. *Part. pass.*: scísso. Significa: dividere, separare nettamente (come con un taglio).

scioccàre: verbo della prima coniugazione, transitivo. Neologismo che significa propriamente: provocare uno *shock*. Per estensione si usa nel senso di: impressionare, colpire, turbare, scuotere.

sciògliere: verbo della seconda coniugazione, transitivo. *Pres. indic.*: sciòlgo, sciògli, sciòglie, sciogliàmo, sciogliéte, sciòlgono. *Pass. rem.*: sciòlsi, sciogliésti, sciòlse, sciogliémmo, sciogliéste, sciòlsero. *Pres. cong.*: sciòlga, sciòlga, sciòlga, sciogliàmo, sciogliàte, sciòlgano. *Imper.*: sciògli, sciòlga, sciogliàmo, sciogliéte, sciòlgano. *Part. pass.*: sciòlto. Significa: liberare, slegare, svincolare, liquefare.

sciòlti (versi): versi sciolti dalla rima, cioè non collegati tra loro da rime. Erano detti anche liberi, ma non bisogna confonderli con gli odierni *versi liberi* che sono espressioni poetiche libere da qualsiasi legge metrica tradizionale (numero delle sillabe, accenti ritmici, rime). *Sciolti* sono quasi unicamente gli endecasillabi. Il poemetto del Parini *Il Giorno* è appunto in versi sciolti; in endecasillabi sciolti sono pure composizioni del Monti (*Feroniade*), del Foscolo (*I Sepolcri*), del Leopardi (*Le Ricordanze*), del Pascoli (*Poemi conviviali*) e di molti poeti contemporanei.

sciuscià: sostantivo maschile, derivato dalla parola inglese *shoe-shine* (pr.: sciù-sciàin) che significa: lustrascarpe. Nel dopoguerra indicò, oltre al ragazzo che lustrava le scarpe e rendeva altri servizi ai soldati alleati (o trafficava con loro), anche, in generale: monello, scugnizzo.

scivolàre: verbo della prima coniugazione, intransitivo. Significa: sdrucciolare. Si coniuga con l'ausiliare avere quando l'azione è considerata in sé (Es.: *Stava raggiungendoci, ma poi ha scivolato*); con essere quando l'azione è in rapporto a un luogo (Es.: *È scivolato sul lastrico*; *Son scivolato sulle scale*).

scòlio: in filologia, breve annotazione in margine o tra le righe di un manoscritto antico, introdotta da eruditi allo scopo di chiarire aspetti grammaticali oppure per offrire riferimenti culturali.

scolpíre: verbo della terza coniugazione, transitivo. In alcuni tempi si coniuga con la forma incoativa *-isc-* tra il tema e la desinenza (distinguendosi così le sue forme da quelle di SCOLPÀRE, liberare da colpa). *Pres. indic.*: scolpísco, scolpísci, scolpísce, scolpiàmo, scolpíte, scolpíscono. *Pres. cong.*: scolpísca, scolpísca, scolpísca, scolpiàmo, scolpiàte, scolpíscano. *Pass. rem.*: scolpíi (o scúlsi), scolpísti, scolpí (o scúlse), scolpímmo, scolpíste, scolpírono (o scúlsero). *Part. pass.*: scolpíto. Significa: formare figure in pietra o marmo; incidere, imprimere (anche al figurato: *Quelle parole sono scolpite nella mia mente*).

scomparíre: verbo della terza coniugazione, intransitivo. Ausiliare: essere. Si coniuga anche con la forma incoativa *-isc-* tra il tema e la desinenza di alcuni tempi. *Pres. indic.*: scompàio (scomparísco), scompàri (scomparísci), scompàre (scomparísce), scompariàmo, scomparíte, scompàiono (scomparíscono). *Pass. rem.*: scomparíi (scomparvi), scomparísti, scomparí (scompàrve), scomparímmo, scomparíste, scomparírono (scompàrvero). *Pres. cong.*: scompàia (scomparísca), scompariàmo, scompariàte, scompàiano (scomparíscano). *Part. pass.*: scompàrso e scomparíto. Significa: sparire, dileguarsi; nelle forme incoative assume il significato di: sfigurare (e vuole l'ausiliare avere). Es.: *Egli di fronte a te scomparisce.*

sconfíggere: verbo della seconda coniugazione, transitivo. *Pass. rem.*: sconfíssi, sconfiggésti, sconfísse, sconfiggémmo, sconfiggéste, sconfissero. *Part. pass.*: sconfítto. Significa: battere, superare, vincere.

scongiuràre: verbo della prima coniugazione, transitivo. Significa: pregare con scongiuri, supplicare. Es.: *Ti scongiuro di rispondere.* Per estensione, dal significato religioso primitivo, è derivato l'uso moderno nel senso di: evitare, scansare, allontanare (detto di pericolo o minaccia). Es.: *Abbiamo scongiurato per ora il pericolo di un'alluvione.*

scooter: parola inglese [pr.: scúta(r)], abbreviazione di *motor-scooter.* Indica una motoleggera di piccola cilindrata. In italiano sono ormai affermati i termini: *motoleggera, motoretta* e ancor più i nomi propri, per così dire, di queste popolarissime motociclette: *vespa, lambretta, guzzino, galletto, mosquito*, ecc. Così, oltre che dell'aggettivo *scooterísta* (o *scuterísta*), il vocabolario si è arricchito degli aggettivi *vespista, lambrettista.*

-scopía: terminazione di parole che indicano: indagine, esame, visione. Usato soprattutto nel linguaggio tecnico e scientifico. Es.: *endoscopía, gastroscopía, radioscopía, microscopía, necroscopía.* Dai sostantivi derivano gli aggettivi in *-scopico*: *microscopico, macroscopico, radioscopico.*

scòpo: sostantivo maschile, che significa: fine, méta. Plurale: scòpi. Il presente indicativo del verbo *scopàre* ha invece le forme *scópo* e *scópi*, con la *o* chiusa. Di diversa origine è poi il sostantivo femminile SCÓPA, che indica l'arnese per spazzare.

scopríre: verbo della terza coniugazione, transitivo. *Pass. rem.*: scoprii, scopiísti, scoprí (scopèrse), scoprímmo, scopríste, scoprírono (scopèrsero). *Part. pass.*: scopèrto. Quando regge un'oggettiva, nella forma implicita vuole *di* + l'infinito (*Scoprí di aver lavorato per nulla*), nella forma esplicita vuole il modo indicativo della certezza e della realtà (*Scoprí che l'ama-*

va; *Aveva scoperto che l'avevano ingannato*).

scòrgere: verbo della seconda coniugazione, transitivo. *Pass. rem.*: scòrsi, scorgésti, scòrse, scorgémmo, scorgéste, scòrsero. *Part. pass.*: scòrto. Ha alcune forme omonime (ma non omofone) a quelle del verbo SCÓRRERE (fluire, trascorrere, passare). *Pass. rem.*: scórsi, scorrésti, scórse, scorrémmo, scorréste, scórsero. *Part. pass.*: scórso. *Scorgere* significa: vedere (più propriamente vedere all'improvviso), distinguere; nell'italiano antico e nell'uso letterario, anche: discernere, e quindi: scernere, scegliere.

scorrazzàre: verbo della prima coniugazione, intransitivo, che si coniuga con l'ausiliare avere. Significa: correre qua e là per diletto, detto specialmente di bambini. Deriva da scorrere, ed è quindi errata la grafia piuttosto diffusa SCORAZZÀRE.

scórrere: verbo della seconda coniugazione. Deriva da *córrere*, di cui segue la coniugazione. Usato intransitivamente, con ausiliare essere (*Il tempo è scorso velocemente*; *Le lacrime gli scorrevano sul viso*; *Il Tevere scorre nel Lazio*). Anche transitivo. Es.: *Scorrere rapidamente una pagina.*

scòtto: sostantivo maschile che significa: quota, prezzo, fio. Di diversa origine è il sostantivo femminile SCÓTTA, che nel linguaggio marinaresco indica una corda che serve a distendere le vele.

scrívere: verbo della seconda coniugazione, transitivo. *Pass. rem.*: scríssi, scrivésti, scrísse, scrivémmo, scrivéste, scríssero. *Part. pass.*: scrítto. Quando regge un'oggettiva, nella forma esplicita vuole il modo della certezza, ossia l'indicativo. Es.: *Scrisse che non l'avrebbe abbandonata per nessuna ragione.*

scuoiàre: verbo della prima coniugazione, transitivo. Dell'uso letterario sono le forme che seguono la regola del *dittongo mobile* (V.). *Pres. indic.*: scuòio, scuòi, scuòia, scuoiàmo (scoiàmo), scuoiàte (scoiàte), scuòiano. *Imperf.*: scuoiàvo, scuoiàvi, scuoiàva, ecc. (scoiàvo, scoiàvi, scoiàva, ecc.). *Fut. semplice*: scuoierò, scuoierài, scuoierà, ecc. (scoierò, scoierài, scoierà, ecc.). *Part. pass.*: scuoiàto (scoiàto). Significa: scorticare, spellare.

scuòla: sostantivo femminile. Seguendo la regola del *dittongo mobile* (V.) le parole derivate cambiano in *o* il dittongo *uo* quando non è accentato. Perciò bisognerebbe dire: *scolàccia* e non: scuolaccia; *scolètta* e non: scuolètta; e inoltre: *scolàstico, scolàro, scolasticaménte.*

scuòtere: verbo della seconda coniugazione, transitivo. *Pass. rem.*: scòssi, scuotésti, scòsse, scuotémmo, scuotéste, scòssero. *Part. pass.*: scòsso. Le forme che seguono la regola del *dittongo mobile* (V.) sono usate soprattutto in Toscana (*scotévo, scoterò, scoterài, scoterèi*, ecc.). Significa: agitare, sommuovere.

sdrúcciola: parola che ha l'accento tonico sulla terzultima sillaba. Anche *proparossitona*. Es.: àncora, òttimo, ànimo. *Verso sdrucciolo* è un verso che finisce con una parola sdrucciola; *rima sdrucciola*, quella ottenuta con due parole sdrucciole.

sdrucíre: verbo della terza coniugazione, transitivo. Si coniuga con la forma incoativa *-isc-* tra il tema e la desinenza di alcuni tempi. *Pres. indic.*: sdrucísco, sdrucísci, sdrucísce, sdruciàmo, sdrucíte, sdrucíscono (ma anche: sdrúcio, ecc.). *Pres. cong.*: sdrucísca, sdrucísca, sdrucísca, sdruciàmo, sdruciàte, sdrucíscano. *Part. pass.*: sdrucíto. Significa: strappare, consumare un tessuto in modo da produrvi una lacerazione.

se: congiunzione semplice subordinante. Introduce la protasi nel periodo ipotetico, cioè la proposizione condizionale. Significa: qualora, nel caso che. Vuole il verbo al modo indicativo quando si esprime opinione di chi parla o scrive, o fatto certo e vero; la proposizione reggente o apodosi ha in tal caso il verbo all'indicativo. Es.: *Se ti dico questo*, è perché conosco bene i fatti; *Se la terra è rotonda*, ci ritroveremo nello stesso punto; *Se il ministro ha disposto così*, avrà le sue buone ragioni. Quando l'apodosi ha il verbo al condizionale, *se* è seguita dal verbo al modo congiuntivo ed indica ipotesi possibile o irreale. Es.: *Se tu mi avessi aiutato*, ora sarei ricco; *Se gli altri avessero taciuto*, anche noi non avremmo detto nulla; *Se Pompeo non fosse stato ucciso,* forse la storia avrebbe avuto un corso diverso.

La congiunzione *se* seguita dal verbo al congiuntivo esprime talora augurio, auspicio, desiderio. Es.: *Se Dio ti salvi!*; *Se potessi parlargli!*; *Ah, se non mi avesse visto!*

Se introduce pure proposizioni dubitative e interrogative indirette, reggendo il verbo al modo indicativo o al modo congiuntivo o condizionale. Es.: Non so *se verrà*; Non so *se tu lo sai*; Mi chiese *se avrei accettato il suo invito*; Ti ho chiesto *se vieni o no.*

Se ha infine valore eccettuativo unita con la particella *non.* Es.: Nessuno può avergliela detto, *se non tu*; Chi ci aiuterà, *se non lui?*

Si notino inoltre le seguenti locuzioni: *se non che* o *sennonché* nel senso di: ma, tuttavia (Es.: Stavo per confessargli tutto, *sennonché* mi accorsi che mentiva); *se no* nel senso di: altrimenti, in caso contrario (Es.: Scrivimi se vieni; *se no* faccio programmi diversi); *seppure* che significa: quand'anche, con valore concessivo (Es.: L'ha detto lui *seppure* l'ha detto); *se non altro* che vale: almeno (Es.: *Se non altro* ho fatto un esperimento). Come *sennonché* e *seppure,* anche le altre parole composte con *se* prefisso vogliono il raddoppiamento dell'iniziale della seconda parola (*semmai, sebbene, sennò,* ecc.).

Come sostantivo (il *se,* un *se,* i *se*) significa: dubbio. Es.: *Non c'è né se né ma: è tempo di prendere una risoluzione.*

Se (senza accento) è particella pronominale di terza persona. Sostituisce *si,* quando questa forma atona del pronome di terza persona si trova unita in coppia con altra particella pronominale. Es.: *Se ne discusse a lungo*; *Se l'è presa troppo*; *Ora deve vedersela con il maestro.*

Si badi dunque a saper distinguere il diverso valore di *se* congiunzione e di *se* particella pronominale atona. *Sé* (V. oltre) è pronome personale di terza persona e non può essere confuso con queste due forme perché sempre accentato.

sé: forma tonica del pronome personale di terza persona in funzione di complemento. Tempo fa si è divulgato l'uso di scriverlo senza l'accento quando sia seguito da *stesso* e *medesimo*; ma ciò non è obbligatorio, anzi neppur molto consigliabile. Non lo si deve confondere con *se* congiunzione o *se* particella pronominale (che lo sostituisce quando è in coppia con altra particella pronominale). *Sé* vale per il maschile e per il femminile, per il singolare e per il plurale. Es.: *Paolo pensava solo a sé stesso*; *La casa non si è fatta da sé*; *Le ragazze provvedevano a sé stesse*; *Gli uomini non si preoccuparono per sé stessi.*

Si noti però che *sé* si usa in funzione di complemento diretto o indiretto solo se riferito al soggetto della proposizione, e quindi con valore riflessivo; altrimenti si usano le forme *lui, lei, loro* (quest'ultima preferita anche quando si vuol indicare azione reciproca). Es.: *Il comandante ordinò ai soldati di portare le armi con loro* (e non: con sé, perché ci si riferisce ai soldati e non al comandante, soggetto); *Vidi che i consiglieri parlavano tra loro* (azione reciproca).

Con la preposizione *con,* forma la voce *seco* che vuol dire: con sé. *Disse che voleva portarmi seco.*

sebbène: congiunzione subordinante, composta di *se* e *bene.* Ha valore concessivo, significando: benché, quantunque, nonostante. Introduce una proposizione concessiva e regge il verbo al modo congiuntivo. Es.: Il mio amico, *sebbene fosse stato ferito,* non mi abbandonò mai; *Sebbene fossi stanco,* volli partire.

seccàre: verbo della prima coniugazione, transitivo. Significa inaridire, prosciugare, render secco (*Seccavano i fichi al sole*; *Il caldo aveva seccato il terreno*); infastidire, turbare, importunare (*Lo seccavano con continue richieste*). Anche intransitivo (ausiliare: essere) col significato di inaridire (*I fiori erano seccati per la prolungata siccità*), infastidirsi, inalberarsi (*Era seccato per le continue proteste*). Usato impersonalmente può reggere proposizioni soggettive con *di* e l'infinito (*Mi secca di dover aspettare*) o anche con il solo infinito (*Mi secca chiedere*). Nella forma esplicita vuole il congiuntivo (*Gli seccava che gli altri avessero saputo la notizia prima di lui*).

secèrnere: verbo della seconda coniugazione, transitivo. *Pres. indic.*: secèrno, secèrni, secèrne, secerniàmo, secernéte, secèrnono. *Part. pass.*: secrèto. Il *pass. rem.* è regolare (secernéi, secernésti, ecc.) ma praticamente disusato. Significa: emettere un succo, detto specialmente di ghiandole. Il participio passato si usa solo sostantivato e nel linguaggio medico. Es.: *Il secreto del pancreas*.

séco: voce derivante dalla fusione della preposizione semplice *con* e del pronome personale *sé*. Simile alla forma latina *secum*. Significa: con sé. Vale per il singolare e per il plurale. Es.: *Voleva portarmi seco*; *Se ne andarono portando seco i nostri ritratti*. È uso troppo antiquato dire *seco loro, seco lui*, o *seco lei* e si ammette oggi solo nel linguaggio scherzoso.

sécolo: sostantivo maschile che indica un periodo di cento anni. Talora significa: il mondo, le cose mondane. Es.: *Le lusinghe del secolo*. L'espressione *al secolo* significa: nella vita mondana, in contrapposizione a vita religiosa. Si dice anche per indicare un nome di una persona che abbia assunto uno pseudonimo. Es.: *Alberto Moravia, al secolo Alberto Pincherle*. I nomi dei secoli si scrivono con la lettera maiuscola (il Trecento, l'Ottocento), però si trova: *il secolo ventesimo, il secolo decimonono*.

secondària (proposizione): proposizione che integra il pensiero espresso dalla proposizione principale chiarendone e determinandone aspetti e circostanze particolari. La proposizione secondaria, detta anche *subordinata* o *dipendente*, non esprime da sola un pensiero grammaticalmente e logicamente compiuto. Essa dipende dalla principale e non può essere staccata dal periodo di cui fa parte. Es.: Io sono partito per Roma *perché sono stato informato da amici, che abitano in quella città, che mio padre desiderava vedermi*. *Io sono partito per Roma*, è la principale e ha senso compiuto: a) *perché sono stato informato da amici*; b) *che abitano in quella città*; c) *che mio padre desiderava*; d) *vedermi* sono quattro proposizioni secondarie che, in sé stesse, non hanno senso compiuto. Le proposizioni secondarie dipendono per il modo e il tempo del verbo da una proposizione reggente, che può essere la principale o un'altra secondaria. Es.: *Io lavoro per mangiare*: *per mangiare* è proposizione secondaria dipendente dalla principale. *Noi studiamo per avere quel diploma, che ci sarà utile*: *che ci sarà utile* è secondaria dipendente dalla precedente secondaria: *per avere quel diploma*. Per le regole sulla subordinazione V. *Dipendenza dei tempi*, *Sintassi* e *Subordinazione*. Le proposizioni secondarie sono di vario tipo e indicano varie circostanze, da cui prendono il nome. Le principali sono: *soggettiva, oggettiva, relativa, causale, finale, consecutiva, concessiva, comparativa, modale, eccettuativa, temporale, avversativa, condizionale, interrogativa indiretta* (V. le voci relative).

secóndo: aggettivo numerale ordinale, indica colui che viene dopo il primo. Anche forma abbreviata di *minuto secondo*, sessantesima parte del minuto primo. Es.: *Tu sei arrivato secondo*; *Dopo tre secondi ha tagliato il traguardo il terzo concorrente*. Talora significa: inferiore. Es.: *Sei un campione, a nessuno secondo*; *Come matematico, non è secondo a nessuno*. Come sostantivo può indicare il padrino di un duello, il comandante in seconda di una nave, l'assistente e allenatore di un pugile.
Come preposizione significa: conforme, nell'opinione di. Es.: *Secondo la legge; secondo le norme vigenti; secondo certi autori; secondo te, secondo lui, secondo loro*. Talora significa: dipendentemente. Es.: *Secondo quello che mi dirà*; e con questo significato esprime anche incertezza, dubbio, reticenza. Es.: *A che ora chiudi il negozio? Secondo: il sabato anche alle 23*; *Parteciperai alla corsa? Secondo*. È poco corretto dire *a seconda di, a secondo di*. Es.: *A seconda delle sue parole* (meglio: secondo le sue parole) *io gli risponderò*. La proposizione introdotta da *secondo che* può essere considerata di tipo modale. Es.: *Mi comporterò secondo che mi accolga bene o male*.

sedére: verbo della seconda coniugazione, intransitivo. Segue la regola del *dittongo mobile* (V.), ma sono in uso anche le forme con il dittongo *ie* atono. *Pres. indic.*: sèggo (sièdo), sièdi, siède, sediàmo, sedéte, sèggono (sièdono). *Pass. rem.*: sedéi (sedètti), sedésti, sedé (sedètte), sedémmo, sedéste, sedérono (sedèttero). *Fut. semplice*: sederò, sederài, sederà, ecc. (siederò, siederài, siederà, ecc.). *Pres. cong.*: sègga (sièda), sègga, sègga, sediàmo, sediàte, sèggano (sièdano). *Part. pass.*: sedúto. Si coniuga con l'ausiliare avere, tranne che nella forma riflessiva. Es.: *Il Parlamento ha seduto in permanenza*; *Ci siamo seduti in riva al fiume.*

sedicènte: aggettivo qualificativo che vale: falso; dicesi di persona che si attribuisce falsi titoli o false qualità: *un sedicente medico, un sedicente maestro.* Francesismo, ma ormai accolto nell'uso. Noi diciamo anche: uno *pseudo medico, uno pseudomaestro, il cosiddetto filosofo.*

sedúrre: verbo della seconda coniugazione, transitivo. *Pass. rem.*: sedússi, seducésti, sedússe, seducémmo, seducéste, sedússero. *Fut. semplice*: sedurrò, sedurrài, sedurrà, ecc. *Part. pass.*: sedótto. Significa: adescare, lusingare, trarre alle proprie opinioni e al proprio volere con mezzi ingannevoli.

segna-: primo elemento di parole composte. È una forma verbale, da *segnare*. Es.: *segnalinee, segnaposto, segnaprezzo, segnapunti.*

segnacàso: dicesi delle preposizioni che poste davanti al nome indicano il caso, cioè il complemento. Plurale: segnacàsi.

segnalíbro: nome composto da una forma verbale (segna) e un sostantivo maschile (libro). Plurale: segnalibri. Per la regola relativa V. COMPOSTI (NOMI).

ségni d'interpunzióne: i segni grafici usati per indicare le pause del discorso. L'uso di questi segni si chiama *punteggiatura*. I principali segni d'interpunzione sono: la *virgola* (,), il *punto e virgola* (;), i *due punti* (:), il *punto fermo* (.), il *punto interrogativo* (?), il *punto esclamativo* (!), la *parentesi tonda* ( ), la *parentesi quadra* [ ], la *lineetta* (–), i *puntini di sospensione* (...). V. voci relative e PUNTEGGIATURA.

ségni ortogràfici: segni grafici convenzionali usati per far intendere a prima vista la struttura delle parole o per contraddistinguere certi modi del discorso. I principali sono l'*accento* (´), l'*apostrofo* ('), la *dieresi* (••), le *lineette* (=), le *virgolette* (« »), la *lineetta* (—), la *stanghetta* (-), la *sbarretta* (/), l'*asterisco* (*) e la *parentesi quadra* [ ]. Circa l'uso e la funzione di ciascuno d'essi V. le voci relative.

ségno: in semiologia, elemento che serve a rappresentare e a comunicare un significato. La relazione che si stabilisce tra segno (o significante) e significato ha carattere convenzionale e talora arbitrario, come nel caso delle lingue umane, ossia privo di nessi logici, se non nei rari casi dell'onomatopea o nell'ampio fenomeno della neurologia per derivazione.

ségo: sostantivo maschile che indica una sostanza grassa usata per candele e saponi. Plurale: *séghi*. Di diversa origine il sostantivo femminile SÉGA che indica lo strumento adatto per tagliare il legno.

seguitàre: verbo della prima coniugazione, intransitivo (ausiliare: avere). Verbo fraseologico che mette in rilievo l'aspetto continuativo e duraturo dell'azione espressa dal verbo al modo infinito. Si costruisce con la preposizione *a*: *Seguitava a parlare, anche se gli altri non l'ascoltavano più.*

séguito: sostantivo maschile che significa: accompagnamento, le persone che accompagnano una persona importante, i seguaci. Es.: *Arrivò il Presidente con il suo seguito*; *Quel deputato ha un seguito notevole.* Vale anche: continuazione, esito. Es.: *La sua proposta non ha avuto seguito* (successo, esito, effetto). Nella corrispondenza invece che *far seguito a* (che è burocratico) è meglio dire: rispondere, riferirsi (*Facciamo seguito alla vs. del...*; meglio: Rispondiamo, ci riferiamo alla vs. del...); invece di *a seguito* è meglio usare: in risposta, in riferimento a (*A seguito vs. del...*; meglio: Riferendoci alla vs. del...; In risposta alla vs. del...). Eviterai poi di dire *in seguito* per: poi, in appresso, più tardi (Es.: *Ti raggiungerò più tardi*; non: in seguito); invece di *in seguito a* dirai: per, per causa (*La morte è venuta in seguito ad avvelenamento*; meglio: per avvelenamento, a causa di un avvelenamento).

Séguito è anche la prima persona del presente indicativo di *seguitàre*; *seguíto* invece il participio passato di *seguíre*.

seleno-: primo elemento di parole composte, che indica relazione, attinenza con la Luna. Es.: *selenografia.*

sélva: nel periodo umanistico, opera in ottava rima (per esempio, le selve di Lorenzo de' Medici). Successivamente componimento poetico caratterizzato da una sequenza irregolare di versi sciolti, endecasillabi e settenari, senza vincoli di strofe o di rime.

semàntica: parte della linguistica che studia il significato dei segni, e quindi delle parole, delle frasi e dei periodi.

sembràre: verbo della prima coniugazione, intransitivo (ausiliare: essere). Significa: parere, rassomigliare. Es.: *Sembrava un bravo maestro*; *Sembrò per un istante un vero lottatore*; *Tu sei sembrato stanco e annoiato*; *Non sembrava molto convinto.* Nel senso di: credere, stimare, si usa impersonalmente. Es.: *Mi sembra di sognare*; *Ti sembra di esser già stato in questo posto. Sembrare* regge la proposizione soggettiva con il verbo al congiuntivo (quando indica dubbio, incertezza) o al condizionale (quando la proposizione esprime azione possibile ma condizionata). Es.: *Sembra che tu abbia bevuto troppo*; *Sembra che tu avresti piacere, se Paolo non vincesse la gara.* Nella forma implicita può reggere assolutamente l'infinito (*Sembrava aver accolto l'invito*) o usare la preposizione *di* (*Ci sembra di aver sentito tutti*). Quando è usato impersonalmente vuole sempre *di* (*Sembrava di esser tornati agli inizi del secolo*).

semel: parola latina (pr.: sèmel) che significa: una volta; rimasta nell'uso nostro per alcune sentenze: *semel in anno licet insanire* (una volta all'anno è lecito far pazzie); *semel abbas, semper abbas* (una volta abate, si è sempre abate), per dire di un titolo, di una dignità (o, scherzosamente, un'abitudine, un vizio) che una volta acquisiti non si perdono più.

seménte: sostantivo femminile che indica i semi usati per seminare. Plurale: le sementi. Il singolare *seménta*, privo del plurale, indica invece la seminagione o semina; anche il seminato.

semi-: prefisso che indica: metà, mezzo. Usato per comporre numerose parole: SEMIAPÈRTO (aperto per metà), SEMICÉRCHIO (mezzo cerchio), SEMICIRCONFERÈNZA (mezza circonferenza), SEMIDÍO (metà uomo e metà dio), SEMINFERMITÀ (infermità parziale), SEMISÈRIO (non del tutto serio, quasi comico), SEMIVÍVO (mezzo vivo e mezzo morto), ecc. V. anche *emi-*, che ha eguale significato.

semiconsonànti: V. SEMIVOCALI.

semio-: primo elemento di parole composte, nel linguaggio dotto. Vale: segno. Es.: *semiòlogo, semiografía.*

semiología: studio scientifico dei segni e dei codici nell'ambito della vita sociale.

semiòtica: nome con il quale si designa la teoria generale dei modi di significazione.

semivocàli: termine che nella grammatica tradizionale indica le consonanti *continue* o *costrittive* (V. *Consonanti*). Nella linguistica moderna sono invece così chiamati i suoni a metà tra vocali e consonanti. In pratica in italiano sono tali la *i* e la *u* quando precedono o seguono un'altra vocale con cui formano dittongo. Nel primo caso si dicono anche *semiconsonanti.* Nell'ortografia antica la *i* semiconsonante veniva spesso indicata con il segno *j* (i lunga).

semmài o **se mai:** congiunzione che introduce una proposizione condizionale e vuole il congiuntivo (*Gli risponderò, semmai avesse voglia di scrivermi*). Talora anche il futuro: *Se mai gli dirò di sì, farà delle pazzie.*

sèmpre: avverbio di tempo. Indica la continuità di un'azione sia nel passato (*Piangeva sempre*), che nel presente (*Legge sempre*) e nel futuro (*Si divertirà sempre*). Nell'uso ha acquistato varie sfumature di significato. Può valere *ancora* (*Mi saluta sempre*, per: mi saluta ancora), o indicare una indefinita durata futura (*Ti amerò per sempre*; *Si congedarono per sempre*) o passata (*La conosco da sempre*) o di una eternità (*Ormai tace per sempre*). Talora equivale alla congiunzione *purché* (*Ti aiuterò, sempre che tu lo voglia*) o alla locuzione *ogni volta che* (*Sempre che tu lo desideri, potrai chiamarmi*).

Locuzioni avverbiali derivate sono: *sempre più* (ogni volta di più), *sempre meno, sempre meglio, sempre peggio.*

senàrio: verso di sei sillabe. Ha accenti ritmici sulla seconda e quinta sillaba; talora sulla prima e quinta. Es.:

«La péndola bàtte
nel cuór della cása.
Ho l'ánima invása
del témpo che fú».

(Pascoli)

Il senario doppio o dodecasillabo è stato usato dal Manzoni per il primo coro dell'*Adelchi*:

«Dagli átri muscósi / dai fóri cadénti,
dai bóschi dall'árse / fucíne stridénti...».

seniòre: aggettivo corrispondente al comparativo latino *senior*, più vecchio. Si trova anzi usato nella forma originale *senior* per distinguere tra due omonimi (padre e figlio, o nonno e nipote) il più vecchio. Es.: *Falconi senior* (l'attore) e *Falconi junior* (il giornalista, figlio del precedente); *Luigi Barzini senior* e *Luigi Barzini junior* (due giornalisti, padre e figlio, omonimi).

sénno: sostantivo maschile che significa: giudizio, prudenza, saggezza. Di diversa origine il sostantivo femminile SÈNNA che indica una pianta dalle cui foglie si ricava un purgante. Anche *sèna.*

sennonché: congiunzione avversativa che significa: ma, tuttavia. Es.: *Stavo per dargli ragione, sennonché mi ripresi in tempo.* È scritta talora *se non che*; meno giusta, sebbene largamente usata, la forma *senonché* perché il prefisso *se* vuole il raddoppiamento della consonante iniziale del termine a cui si unisce.

séno: sostantivo maschile. Indica il petto, specialmente quello della donna. In questo caso è erroneo dire *seni* per: mammelle, il singolare indicando già tutto il petto. Il plurale *seni* si usa invece quando il termine vale: golfo, insenatura, rientranza della costa. Si evitino poi le espressioni: *in seno a questa lettera* (meglio: in questa lettera), *in seno alla commissione* (nella commissione); invece esprimono bene il concetto di intimità le locuzioni: *in seno ai suoi, in seno alla famiglia, in seno al suo gruppo*, e simili.

sensazionàle: aggettivo qualificativo, molto usato nel senso di: meraviglioso, impressionante. Voce riprovata dai puristi, ma ormai largamente accolta nell'uso giornalistico: *notizia sensazionale, intervista sensazionale, dichiarazioni sensazionali.* Anche: *a sensazione.* Es.: *titoli a sensazione, servizio a sensazione, annuncio a sensazione.* Brutta espressione, anche questa, ma nell'uso. Preferisci: *da far colpo, d'effetto, di grande effetto.*

sensíbile: aggettivo qualificativo che significa: atto ad essere percepito dai sensi; oppure: che ha buona sensibilità, quindi: impressionabile, delicato. Es.: *È un bambino molto sensibile: si commuove facilmente.* È francesismo, ma ormai accettato, l'uso di questo aggettivo nel senso di: notevole, rilevante. Es.: *un sensibile aumento, conseguenze sensibili, un sensibile miglioramento.* Da questo uso è derivato anche quello dell'avverbio *sensibilmente* per: notevolmente, in misura rilevante.

sènso: sostantivo maschile che indica la facoltà di percepire gli oggetti esterni. *Senso* di una parola o di una frase è il suo significato. Si notino le locuzioni tipiche del linguaggio burocratico o giudiziario: *a senso di, ai sensi dell'articolo* per: in conformità, secondo. Di derivazione inglese è la locuzione *un non senso* per: un'assurdità.

sentènza: figura retorica di pensiero che consiste in una frase contenente un principio o una norma morale.

sentíre: verbo della terza coniugazione, transitivo. È un verbo di percezione e come tale ammette nel costrutto implicito della proposizione oggettiva un soggetto diverso dalla reggente. Es.: *Sento qualcuno cantare.* Oppure: *Sento qualcuno che canta* o anche: *Sento che qualcuno canta.* Quando è usato nella forma intransitiva pronominale vuole sempre *di* più l'infinito. Es.: *Non mi sento più di tollerare questa vergogna.* Nella forma esplicita regge di regola l'indicativo, modo della certezza. Es.: *Sentivamo che ormai tutto era perduto*; *Sento che il tempo cambierà.*

sentíto, sentitaménte: aggettivo e avverbio. Si usano nelle formule di ringraziamento e di auguri epistolari (*ringrazio sentitamente, ricambio sentitamente, sentite condoglianze, sentiti rallegramenti, sentiti auguri* e simili). È meglio dire secondo i casi: sinceri, vivi, cordiali, profondi.

sènza: preposizione specifica che regge il complemento di esclusione; indica mancanza, esclusione, privazione. Si unisce direttamente al nome, tranne che davanti ai pronomi personali, nel qual caso vuole la preposizione *di*. Es.: Sono rimasto *senza soldi*; Ascoltava la lezione *senza interesse*; Se non verrete, andremo *senza di voi*; *Senza di me*, nessuno si muova. Forma talune locuzioni: *senza dubbio* (certamente), *senza sosta* (incessantemente), *senza indugi* (subito), *senz'altro* (sicuramente, subito), *senza numero* (innumerevole), *far senza* (rinunciare), *non senza* (con), *senza meno* (sicuramente). Un uso assoluto di questa preposizione si ha nello sport con le locuzioni *due senza*, *quattro senza*, lasciando capire dal contesto che è stata omessa la parola timoniere. Seguita dall'infinito del verbo o da *che* e il congiuntivo regge una particolare proposizione modale detta *esclusiva*, perché indica appunto l'esclusione di una circostanza dall'azione espressa dalla reggente. Es.: Partì *senza salutarmi*; Fece tutto *senza che ce ne accorgessimo*. Come prefisso forma composti indeclinabili: *senzapatria* (plurale: i senzapatria), *senzatetto* (i senzatetto).

separàre: verbo della prima coniugazione, transitivo. Significa: disgiungere, staccare, dividere cose o persone unite. *Pres. indic.*: sepàro, sepàri, sepàra, separiàmo, separàte, sepàrano (meglio che: sèparo, sèpara, sèparano). *Pres. cong.*: sepàri, sepàri, sepàri, separiàmo, separiàte, sepàrino (meglio che: sépari, séparino). La pronuncia piana, ancorché meno fedele all'originaria forma latina (*sèparo*) ci pare preferibile.

separatíve (particelle): V. DISGIUNTIVE (CONGIUNZIONI).

separaziòne (complemento di): V. ALLONTANAMENTO (COMPLEMENTO DI).

seppellíre: verbo della terza coniugazione, transitivo. Si coniuga con la forma incoativa *-isc-* tra il tema e la desinenza di alcuni tempi. *Pres. indic.*: seppellísco, seppellísci, seppellísce, seppelliàmo, seppellíte, seppellíscono. *Pres. cong.*: seppellísca, seppellísca, seppellísca, seppelliàmo, seppelliàte, seppellíscano. *Part. pass.*: seppellíto o sepòlto. Significa: sotterrare; in senso figurato: dimenticare, eliminare.

seppúre: congiunzione subordinante, composta da *se* e *pure* (con raddoppiamento dell'iniziale voluto dal prefisso *se*). Introduce una proposizione condizionale o concessiva e regge il verbo al modo indicativo o al congiuntivo. Es.: Lo puniremo quando verrà, *seppure verrà*; *Seppure volesse*, ormai non potrebbe più rimediare.

serenàta: componimento poetico in forma di strambotto o di rispetto. Detto anche *vesperana* in quanto, accompagnata dalla musica, si recitava o cantava sotto le finestre dell'amata.

sermocinatio: procedimento retorico consistente nell'introdurre nel proprio discorso le parole di un altro riportandole in forma diretta.

sermóne: componimento poetico senza metro fisso, di argomento didascalico e moraleggiante.

seròtino: aggettivo qualificativo che significa: tardivo. Improprio quindi l'uso di questo aggettivo nel senso di: serale, vesperale. Errata anche la pronuncia *serotíno*.

sèrpe: sostantivo maschile o femminile: si usa infatti in entrambi i generi. Es.: *È un serpe velenoso*; *Cova la serpe in seno*. Plurale: serpi (maschile e femminile, ma più spesso femminile). Si noti che il sostantivo femminile *sèrpe* o *sèrpa* indicava la cassetta ove sedeva il cocchiere delle carrozze; ma è parola di origine diversa da *serpe* (serpente, biscia).

serraménto: sostantivo maschile con il quale si indica qualsiasi arnese adatto a serrare, a chiudere porte e finestre, ecc. Plurale: i serramenti o le serramenta.

serventése: V. SIRVENTESE.

servígio: sostantivo maschile, usato in luogo di *servizio* (che è più frequente) quando indica favore. Es.: *Mi ha reso ottimi servigi*; *Gli siamo grati per il servigio resoci*.

servíli (verbi): i verbi *potere*, *volere*, *dovere*, *solere* e *sapere* (nel senso di *potere*), così chiamati perché reggono l'infinito di un altro verbo unendosi ad esso senza preposizione e formando un unico predicato verbale. Essi sono perciò soggetti, «servono» all'infinito del verbo che contiene l'idea principale. Sono detti anche *modali* perché indicano un modo dell'azione principale. I verbi *potere, volere, dovere*, ecc., quando non sono in funzione di verbo servile, hanno tutti, tranne *solere*, l'ausiliare avere (*ho potuto, ho voluto, ho dovuto*, ecc.). Quando invece svolgono la funzione di verbo servile prendono di regola l'ausiliare richiesto dall'infinito del verbo che servono. Es.: *Aveva potuto rispondere*; *Abbiamo dovuto scrivere*; *Son saputo venire da solo*; *Sei solito arrivare prima*; *Era dovuto partire subito* (nell'uso parlato va diffondendosi invece la tendenza a considerare indipendente il verbo servile e a coniugarlo con il suo ausiliare avere. *Ho saputo venire*; *Aveva dovuto partire*). Quando l'infinito è sottinteso riprendono a coniugarsi con l'ausiliare avere. Es.: *Sei partito presto? Non ho potuto* (sott.: partire); *Sei fuggito in tempo? No, non ho potuto* (sott.: fuggire). Quando l'infinito è un riflessivo, si possono avere due costruzioni: a) la particella riflessiva si unisce all'infinito e il verbo servile è considerato indipendente (*Non ha saputo pentirsi*; *Ha dovuto arrendersi*); b) la particella riflessiva si pone prima del verbo servile e questo assume l'ausiliare del verbo servito, cioè essere, trattandosi di forma riflessiva (*Non si è saputo pentire*; *Si è dovuto arrendere*).

servíre: verbo della terza coniugazione, transitivo. Significa: obbedire, esser soggetti (*Servire il padrone*), ma anche portar la propria opera, giovare, compiere il proprio dovere (*Servire Dio, la Patria, un'Idea*, ecc.). Talora significa: rifornire (*Quella ditta serve tutti noi*) e in questo senso anche riflessivo (*Mi servo da un sarto di Milano*). Intransitivo, con l'ausiliare avere ha due significati: militare (*Ho servito nei bersaglieri*) o: preparare, offrire (soprattutto: *servire a tavola*). Con l'ausiliare essere significa: giovare. Es.: *A che serve?* (e non: *Che serve?*); *A che cosa è servito il nostro sacrificio?* Sono formule di cortesia: *per servirvi, in che posso servirvi?* (offerta di piaceri e servigi), *si serva, servitevi pure* (si dice offrendo qualcosa).

sèrvo, servitòre: come formule di saluto e di cortesia (*servo vostro, servo umilissimo, servitor vostro* e simili) sono ormai antiquate. Il termine *servo-* entra come primo elemento in parole composte nel linguaggio tecnico: *servofreno, servosterzo, servomeccanismo.*

sestína: strofe di sei versi. Lo schema più frequente delle rime è il seguente: ABABCC. I primi quattro versi sono cioè a rima alternata, gli ultimi due a rima baciata. Si trovano però anche altri schemi: ABBACC oppure AABCCB oppure anche ABBAAB. Il verso tipico è l'endecasillabo, ma esistono anche sestine di endecasillabi misti e settenari o di soli settenari. Strofe usate per argomenti leggeri e faceti, di un sentimentalismo casalingo. Es.:

«*E intanto eccomi qui roso e negletto,*
sbrancicato da tutti, e tutto mota:
e qualche gamba da gran tempo aspetto
che mi levi di grinze e che mi scuota;
non tedesca, s'intende, né francese,
ma una gamba vorrei del mio paese».
(Giusti)

sestína lírica o **provenzàle:** componimento poetico assai complesso, variazione della *canzone* antica. È costituita da sei sestine di endecasillabi, più un *commiato* di tre endecasillabi. I versi sono senza rima, ma le sei parole finali della prima strofa si ripetono nelle altre strofe secondo questo schema: ABCDEF, FAEBDC, CFDABE, ECBFAD, DEACFB, BDFECA. Nel commiato tre di queste parole si pongono nel mezzo dei tre versi, e tre in fine. Ecco un esempio (tre strofe solo ed il commiato) di G. D'Annunzio (*Poema paradisiaco*):

«*In vano, in vano! È il tuo, misero, un*
[*dio*
terribile. Tu chiami in van la morte.
Tu non morrai: tu non avrai riposo;
tu non potrai, tu non potrai dormire.
È morto il sonno, il lene amico, il
[*sonno!*
Tu non morrai. Per te sempre la luce;
per te, pur nelle tènebre, la luce;
sempre la luce. È il tuo, misero, un dio
terribile. — Me misero! Né il sonno

mi chiuderà questi occhi, né la morte...
Oh, non è vero. Fatemi dormire,
voi care mani; datemi il riposo!
Pallide mani, datemi il riposo;
premete le mie pàlpebre! La luce
è come un dardo. Oh fatemi dormire,
pallide mani! Alzatevi al mio Dio,
congiunte, e voi pregatemi la morte
se troppo è dolce al mio peccato il sonno.
Non chiedo il sonno. Io sol chiedo il
[riposo
de la morte! non più veder la luce
orrida; eternamente, o Dio, dormire».

sèsto: sostantivo maschile che significa: ordine, assetto. *Rimettersi in sesto* o *a sesto*: rimettersi in ordine, riordinare i propri affari, rifiorire (detto della salute). Da non confondere con l'aggettivo numerale ordinale. Es.: *È il sesto anno*; *Sei arrivato sesto*; *Il sesto di nove figli*; *Parete di sesto grado.*

séte: sostantivo femminile che indica il desiderio di bere. Es.: *Morire di sete*; *La terra ha sete*. Non ha plurale. *Sète* è infatti plurale di *séta*, tessuto. *Séte* è anche voce verbale di uso antiquato e poetico per *siéte.*

settenàrio: verso di sette sillabe. Ha due accenti ritmici: uno sulla sesta sillaba e l'altro su una delle prime quattro sillabe. Verso breve e d'andatura facile, adatto per canzonette e madrigali; in unione ad endecasillabi usato anche per componimenti solenni come la canzone. Esempi:

«*Come è bianca la lùna,*
mentre declìna stànca».
(Graf)

«*Chi della gloria è vàgo*
sol di virtù sia pàgo».
(Parini)

«*Scoppiò da Scilla al Tanai*
dall'uno all'altro már».
(Manzoni)

Il settenario doppio è detto anche *martelliano*, dal poeta P. J. Martelli che nel '700 lo riesumò per il teatro. Fu perciò il verso di commediografi come il Goldoni, il Giacosa e il Ferrari. Es.:

«*E non credan, signori, che niente io mi*
[disperi
tanto per quei che ridono, che per quei
[che stan seri!».
(Paolo Ferrari)

sètto: sostantivo maschile che indica una membrana ossea, specie la membrana del naso. Di diversa origine è il sostantivo femminile SÈTTA che indica: partito, fazione.

sfilàre: verbo della prima coniugazione, transitivo. Significa: togliere il filo. Es.: *sfilare una tela, sfilare l'ago.* Come riflessivo apparente, vale: togliersi di dosso. Es.: *sfilarsi la giacca, sfilarsi i guanti.* Usato intransitivamente, nel senso di: marciare in fila, si coniuga con entrambi gli ausiliari. Es.: *Hanno sfilato i marinai e gli avieri*; *I bersaglieri sono sfilati di corsa*. Non c'è regola per distinguere i due usi. Si noti ancora: *I cadetti hanno sfilato in bell'ordine*; *Mi sono sfilati sotto gli occhi i più bei nomi dell'aristocrazia*; *Le truppe hanno sfilato sotto gli occhi delle autorità presenti.*

sfioràre e **sfioríre:** verbi sovrabbondanti. Il primo, della prima coniugazione, significa: toccare leggermente, di sfuggita (*Le sfiorò il braccio*; *L'argomento fu soltanto sfiorato*). Il secondo, della terza coniugazione, significa: perdere il fiore, appassire. È intransitivo; ausiliare: essere. Si coniuga con la forma incoativa *-isc-* tra il tema e la desinenza di alcuni tempi. *Pres. indic.*: sfiorísco, sfiorísci, sfiorísce, sfioriàmo, sfioríte, sfioríscono. *Pres. cong.*: sfiorísca, sfiorísca, sfiorísca, sfioriàmo, sfioriàte, sfioríscano. *Part. pass.*: di sfiorare: sfioràto; di sfioríre: sfioríto. Es.: *Le azalee di questa primavera sono già tutte sfiorite.*

sfollagènte: nome composto da una forma verbale (sfolla) e da un sostantivo femminile (gente). Plurale: sfollagente. V. anche COMPOSTI (NOMI).

sfollàre: verbo della prima coniugazione, intransitivo. Ausiliari: essere e avere. Indica il diradarsi della folla (*Gli spettatori sono sfollati* o *hanno sfollato rapidamente dallo stadio*). Indicò anche l'abbandono dei centri urbani da parte della popolazione civile, durante la guerra (*Siamo sfollati in un paesino della Brianza*; *Avevamo sfollato in tempo*). Usato anche transitivamente nel senso di: sgombrare, liberare dalla folla (*Bisogna sfollare gli uffici*).

sforzàre: verbo della prima coniugazione, transitivo. Nella forma intransitiva pronominale regge una proposizione oggettiva con il costrutto implicito, ossia *di* più l'infinito. Es.: *Si sforzava di convincermi*; *Si erano sforzati di seguirlo*.

sfuggíre: verbo della terza coniugazione, transitivo e intransitivo. Si dice infatti: *sfuggire un pericolo* o *sfuggire a un pericolo*. Talora tra i due usi si nota una certa differenza di significato. Es.: *Io sfuggo a questa persona* (gli scappo via, mi libero da lei); *Io sfuggo quella persona* (la evito, cerco di non incontrarmi con lei). Costruito intransitivamente (ausiliare: essere), il verbo significa, in particolare: mancare, venir meno (Es.: *Non poté sfuggire alla promessa fatta*) oppure: scampare (*Sono sfuggiti miracolosamente alla morte*), oppure anche: uscir di memoria, passare inosservato (*Mi sfugge il suo nome*; *Gli sono sfuggite pericolose ammissioni*).

sgocciolàre: verbo della prima coniugazione, transitivo. Significa: stillare, sgocciare, far cadere un liquido a gocciole. Usato intransitivamente, si coniuga con essere se il soggetto è il liquido versato (*Il vino era sgocciolato dalla botte*), con avere se il soggetto è il recipiente (*Quella botte aveva sgocciolato*).

sguainàre: verbo della prima coniugazione, transitivo. Si noti la pronunzia corretta di alcune forme. *Pres. indic.*: sguaíno, sguaíni, sguaína, sguainiàmo, sguainàte, sguaínano (e non: sguàino, sguàinano). *Pres. cong.*: sguaíni, sguaíni, sguaíni, sguainiàmo, sguainiàte, sguaínino (e non: sguàini, sguàinino), ecc. Significa: sfoderare (la spada o il pugnale).

sgualcíre: verbo della terza coniugazione, transitivo. Si coniuga con la forma incoativa *-isc-* tra il tema e la desinenza di alcuni tempi. *Pres. indic.*: sgualcísco, sgualcísci, sgualcísce, sgualciàmo, sgualcíte, sgualcíscono. *Pres. cong.*: sgualcísca, sgualcísca, sgualcísca, sgualciàmo, sgualciàte, sgualcíscano. *Part. pass.*: sgualcíto. Significa: spiegazzare, sciupare.

si: particella pronominale atona di terza persona. Vale per il maschile e per il femminile, il singolare e il plurale. Si adopera invece di *sé* (V.) quando non si vuole dare particolare rilievo al pronome personale, per esprimere il complemento oggetto o il complemento di termine. Es.: Essi *si lodano* (= essi lodano sé stessi); *Si diede un colpo sul dito* (= egli diede a sé un colpo). È usata generalmente in posizione proclitica, posta cioè prima del verbo al quale si appoggia per l'accento. Tuttavia in alcuni casi diventa enclitica incorporandosi nelle forme indefinite del verbo (infinito: *vedersi*; participio: *vedutosi*; gerundio: *vedendosi*) o nell'imperativo (*facciasi, leggasi*). La particella *si* precede immediatamente il verbo quando si trova unita ad altra particella (*Ti si* rivolse contro); ma se viene a trovarsi dinanzi a *lo, la, li, ne*, si antepone e si cambia in *se* (senza accento). Es.: *Se lo prese* (= lo prese per sé). La particella *si* quando è unita a un verbo transitivo gli conferisce valore *riflessivo* (V.) o *reciproco* (V.). Es.: *Si vestì*; *Si salutarono*; *Si scambiarono una stretta di mano*; *Si parlavano poco*.

Talvolta invece, unita al verbo alla terza persona singolare, conferisce valore impersonale. Es.: *Se si potesse fare quel che si vuole*; *Si fa ma non si dice*. In tal caso equivale a uno (*Se uno potesse fare quel che vuole*) oppure anche a noi (*Si diceva or ora*: dicevamo or ora; *Si andò tutti insieme*: andammo tutti insieme).

Si passivante è detta la particella *si* quando conferisce significato passivo al verbo transitivo alla terza persona singolare o plurale. Es.: *Si loda* da tutti il tuo coraggio (= il tuo coraggio è lodato da tutti); *Si acquistano* libri usati (= i libri usati sono acquistati). Il verbo naturalmente si accorda in genere e numero col soggetto (perciò non dirai: si acquista libri usati). V. anche PERSONALI (PRONOMI) e PRONOME.

Si noti infine che *si* (atono) è anche sostantivo maschile e indica la settima nota musicale.

sí: avverbio di affermazione. Sempre accentato. Si dice *olofrastico*, perché nelle risposte sta per una intiera frase. Es.: L'avevi detto a Giorgio? *Sí* (l'avevo detto a Giorgio). Il suo valore è reso più intenso con la ripetizione (Es.: Sei certo di averglielo dato? *Sí, sí*, sono proprio certo) oppure dall'unione con un altro avverbio di affermazione (Sei convinto? *Sí, naturalmente*). È anche avverbio di quantità e di modo: *sí forte, sí degno*, ma in questo caso oggi si preferisce il composto *cosí* (*cosí forte, cosí grande*).

sía: particella correlativa, derivata dalla terza persona singolare del presente congiuntivo del verbo essere. Vale: o, oppure. Es.: Parlò a tutti, *sia* ai sani, *sia* ai malati; Devi obbedire, *sia* che tu voglia, *sia* che tu non voglia. Anche in correlazione con *o, ovvero, ossia, oppure*. Es.: *Sia* intelligente *o* no, deve prima far l'esame. La locuzione *sia pure* ha invece valore concessivo. Es.: Un uomo, *sia pure ubriaco*, non può dire queste cose. Al termine delle preghiere: *cosí sia* è formula augurale.

sibilànti (consonanti): le consonanti *s* e *z* così chiamate perché la loro pronuncia richiede un soffio o sibilo contro i denti (perciò si dicono anche *dentali*). Sono *continue*, poiché si possono pronunciare anche senza l'appoggio di una vocale. Hanno una duplice pronunzia, sorda e sonora. La *s* è sorda in principio di parola e seguita da vocale (*senato, sapore, succo*), oppure quando è seguita da *p, f, t* (*spavento, sfoderare, stagno*); è sonora quando è seguita da *g, b, v, d, m, n, l, r* (*sgelo, sbalzo, svarione, sdrucciola, sminuire, snaturato, slegato, sregolare*). Lo stesso accade anche nel mezzo di una parola; si tenga conto inoltre che la *s* dopo consonante è sorda (*terso, Lipsia, Alsazia*); tra due vocali talora è sorda (*casa, rasoio, vaso*, ecc.), talora sonora (*esame, usare, osare*). V. anche *S* e *Sc-*.
Non vi è regola invece per distinguere la *z* sorda dalla *z* sonora. È sorda per esempio in *zappa, zeppa, zio, zoppo, zucchero*; è sonora invece in *zinco, zanzara, zotico, zelo*. V. anche Z.

sic: avverbio latino che significa: cosí. È rimasto nell'uso nostro per alcune espressioni. Es.: *sic et simpliciter* (semplicemente così, proprio così); *sic transit gloria mundi* (così passa la gloria mondana). È usato poi tra parentesi per indicare che una citazione è testuale, spesso per far notare un errore. Es.: *L'autore dice: «Non ho mai (sic!) detto queste cose!»*; *A pagina tale è scritto: «lo stato della situazione (sic!) era grave»*.

sicché: congiunzione subordinante composta da *sí* (cosí) e *che*. Introduce una proposizione consecutiva e vale: così che, tanto che, talmente che. Es.: Era burbero *sicché nessuno osava parlargli*. Talora ha valore di avverbio conclusivo. Es.: Hai deciso, *sicché non possiamo che obbedire*. Nelle interrogazioni vale: dunque. Es.: *Sicché il signorino non vuol più studiare?*

siccóme: congiunzione subordinante composta da *sí* (cosí) e *come*. Nel senso di: come, nel modo che, introduce una proposizione modale. Es.: Ho fatto *siccome tu hai detto* (ma è uso antiquato; oggi si usa *come*). Nel senso di: poiché, perché, giacché, regge invece una proposizione causale. Es.: *Siccome vuoi fare di tua testa*, pagherai di tua borsa.

siero-: primo elemento di parole composte, proprie del linguaggio scientifico e medico. Indica: liquido, relazione con liquido biologico. Es.: *sieroterapia, sieropositivo, sierodiagnosi.*

siffàtto: aggettivo dimostrativo, un po' antiquato, rimasto nell'uso con qualche sfumatura ironica o spregiativa. Es.: *E ci propinò un siffatto discorso*; *Non voglio aver a che fare con un uomo siffatto*. Vuol dire: di tal fatta, di tal genere.

sig., sig.ra, sig.na: abbreviazioni rispettivamente di *signore, signora, signorina*. È il più diffuso appellativo, usato nelle lettere e nel discorso. Gli aggettivi più usati sono *egregio* (signore), *gentile* (signora o signorina). Si prepone ai titoli accademici o nobiliari o indicanti cariche: *Egregio signor professore, signor presidente, signor colonnello, signora marchesa.*

sigle: V. ABBREVIAZIONI.

signoría: titolo di rispetto e di cortesia. Usato nelle lettere e nel discorso rivolgendosi a persona di riguardo: *Sua Signoria, Vostra Signoria, la Signoria Vostra Illustrissima*, che si abbreviano: *S.S., V.S., S.V. Ill.ma*. Ma è ormai un uso limitato al linguaggio burocratico e formale.

síllaba: è rappresentata da una semplice vocale o da un gruppo di lettere (tra le quali sempre deve esserci almeno una vocale) che si pronunciano con una sola emissione di voce. Si dicono *aperte* le sillabe che terminano in vocale; *chiuse* quelle che escono in consonante (Es.: in *ga-lop-pa-ta* sono aperte la prima, la terza e la quarta sillaba, chiusa la seconda); *toniche* le accentate; *atone* quelle senza accento.

DIVISIONE IN SILLABE DELLE PAROLE. Una sillaba può essere formata da una vocale (*a*-mo), da un dittongo (*uo*-vo) o trittongo (a-*iuo*-la), o da vocale, dittongo, trittongo seguiti o preceduti da consonante (*pa-re-re, mie-le, fi-gliuo-li*).

Per un'esatta divisione in sillabe, allo scopo di non incorrere in errore alla fine di una riga, ove non vi sia spazio per terminare la parola, è bene ricordare le norme seguenti:

a) una sola consonante forma sillaba con la vocale che segue (*fe-de*);

b) con le consonanti doppie, la regola prescrive di assegnarne una alla sillaba precedente e l'altra a quella seguente (*tut-to*);

c) con i gruppi di consonanti si segue lo stesso principio, specie se la prima consonante è liquida o nasale (*ar-co, can-to, lam-po*), lo stesso con il gruppo *cq* (uguale a doppia *q*: *ac-qua*);

d) i gruppi consonantici che possono stare all'inizio di parola fanno sillaba con la vocale seguente: Es.: *co-spi-ra-re*, in quanto *spi* può iniziare una parola (Es.: *spi-ra-glio*). Generalmente questi gruppi risultano dall'unione della *s* impura e una consonante muta come *p, t, f*;

e) le parole con i prefissi vengono divise nei loro componenti (*dis-o-no-re*);

f) dittonghi e trittonghi contano per una sillaba sola (*au*-ra, o-*dio*).

La parola tradizionale che vieta di terminare una riga con una consonante apostrofata tende oggi ad essere abbandonata. Questa tendenza è da incoraggiare. L'apostrofo in fin di riga è infatti preferibile al sistema per cui si elimina l'elisione e si ripristina la vocale originaria, contraddicendo così alla corretta pronuncia delle parole. Quindi, per esempio, la locuzione *un'anima* si può dividere *u-n'a-nima* o anche *un'-anima* (meglio che: *una anima*). Ciò vale a maggior ragione nelle citazioni letterali, quando si rischia di commettere una vera e propria alterazione del testo.

sillabàre: dividere una parola in sillabe, sia nella pronuncia che nella scrittura. Anche: scandire, compitare. SILLABÀRIO è il libro usato dagli scolari della prima classe elementare per imparare i segni dell'alfabeto, le vocali e le consonanti e la loro unione in sillabe prima, e in parole poi. MONOSÍLLABO, BISÍLLABO, TRISÍLLABO, ecc. significano rispettivamente: parola di una sillaba, di due sillabe, di tre sillabe, ecc. Dei versi si dice, secondo il numero delle sillabe di cui son composti: *trisillabi, quadrisillabi, decasillabi, endecasillabi.*

sillèssi o **sillèpsi:** figura della retorica classica, per cui si estendono arbitrariamente a tutti i termini di un'enunciazione l'attributo logico o il costrutto sintattico proprio di ciascuno di essi. Si definisce con lo stesso nome una figura di sintassi, detta anche *costruzione a senso*, per cui si stabilisce una concordanza non secondo il valore grammaticale di una parola, ma secondo il suo senso. Es.: *Conosco gente che sembrano onesti ma non lo sono* (sillessi del numero e del genere, perché il plurale maschile del predicato nominale si accorda con il singolare femminile del nome collettivo *gente*).

sìllo: componimento poetico greco antico, satirico e parodistico, prevalentemente in esametri a volte intercalati da trimetri giambici.

símbolo: traslato consistente nell'assumere stabilmente una cosa o un fenomeno dell'ordine materiale per significare cose o fenomeni d'ordine morale o spirituale. Es.: il *verde* è simbolo della *speranza*, la *bandiera* è simbolo della *Patria*, la *bilancia* è simbolo della *Giustizia*, la *croce* è simbolo del martirio di Gesù e, in genere, dei dolori che gli uomini debbono sopportare nella loro vita terrena.

símile: aggettivo qualificativo che significa: quasi eguale, somigliante, analogo. Es.: *Sono due casi simili*; *Questo vestito è simile a quello.* Talora ha valore dimostrativo e significa: tale, siffatto. Es.: *Non avrei creduto a una simile calunnia*; *Con un freddo simile si deve stare in casa.*

L'espressione *e simili*, dopo una enumerazione, equivale ad *eccetera*, ma solo nel caso che le cose enumerate siano somiglianti tra loro.

similitúdine: figura retorica, fondata sull'associazione d'idee, e consistente nel paragonare fra loro due oggetti o sentimenti mettendone in rilievo un elemento comune, astraendo da ogni altra qualità. Serve perciò a chiarire un concetto poco noto con uno più familiare oppure a descrivere un fatto o una cosa con maggiore vivacità. Scrittori e poeti sanno inventare similitudini nuove e di poetica bellezza; ma anche nel discorso comune noi usiamo spesso similitudini. Es.: *duro come una pietra, freddo come il ghiaccio, astuto come una volpe, muto come un pesce*, ecc.

sin-: prefisso che significa: con. Indica contemporaneità, unione. Es.: SÍNCRONO (contemporaneo), SINFONÍA (concerto di suoni), SÍNTESI (unione), SINTONÍA (contemporaneità delle oscillazioni elettromagnetiche).

sinafìa: nella metrica classica greca e latina, unione di due versi: la sillaba finale del primo, per lo più ipermetro, si fonde mediante sinalefe o elisione con l'iniziale del secondo. Nella metrica moderna un fenomeno simile è rappresentato dall'*enjambement* (V.).

sinalèfe: fenomeno simile alla *elisione* (V.), consistente nella contrazione in una sola sillaba della vocale finale di una parola con la vocale iniziale della parola successiva. A differenza dell'elisione, nella sinalefe non si ha caduta della vocale finale e quindi apostrofo. La sinalefe ha molta importanza nella versificazione dove assume i caratteri di una figura metrica. Es.: nel verso «*Quel che impone i comandi o addita i fati*» (D'Annunzio) si hanno sedici sillabe. Ma con le sinalefi esso risulta un endecasillabo. Il fenomeno contrario è detto *dialèfe* (V.).

síncope: fenomeno fonetico consistente nella caduta di uno o più suoni all'interno di una parola, di solito per ragioni di evoluzione storica (Es.: *aumento* da *augumento*, *caldo*, dal latino *càlidus*, ecc.). Come uso particolare, la sincope può diventare una licenza poetica. Es.: *spirto* invece di *spirito*, *opre* invece di *opere*, *carco* invece di *carico*.

sincràsi: figura grammaticale consistente nella fusione della pronunzia di tre o quattro sillabe in una sola.

sincronía: una delle due dimensioni (l'altra è la diacronía) in cui viene analizzata la lingua. L'analisi sincronica riguarda lo stato delle sue strutture e del suo funzionamento in un dato momento storico.

sìndaco: sostantivo maschile indicante il capo di un Comune. Plurale: sindaci. Per le donne che coprono tale carica invece che *sindaca* o *sindachessa*, conviene seguire, come in altri casi simili, la forma maschile. Es.: *La signora Tale, sindaco del mio paese*.

sine: preposizione latina che significa: senza. Rimasta nell'uso in alcune locuzioni: *sine die* (a tempo indeterminato); *sine qua non* (condizione indispensabile).

sinèddoche: figura retorica di parola consistente nel trasferire una parola dal suo significato proprio a un altro che abbia col primo un rapporto di quantità. Più precisamente consiste nel nominare: la parte per il tutto (campione *del pedale*, invece che *della bicicletta*), il tutto per la parte (scarpe *di camoscio* invece che di *pelle del camoscio*), il genere per la specie (l'*animale* invece di *uomo*), la specie per il genere (lo *zefiro* invece di *vento*), il singolare per il plurale (il *vizio* invece de *i vizi*), il plurale per il singolare (*i cieli* invece di *il cielo*). Es.: *Girardengo fu un grande campione del pedale*; *Ho comperato un paio di scarpe di camoscio*; *L'animale che ha il dono della parola*; *Lo zefiro spirava lungo la costa*; *Il vizio corrompe l'anima e il corpo*; *I cieli erano luminosi*. V. anche METONIMÍA.

sinèresi: figura metrica consistente nel considerare come unica sillaba due o tre vocali contigue appartenenti alla stessa parola, ma non formanti dittongo o trittongo. Es.: «*...e fuggiano e pareano un corteo nero*» (Carducci): nel verso sono contenute tre sineresi. La sineresi non ha luogo in fin di verso o quando le vocali *a*, *e*, *o* sono seguite da una vocale accentata. Es.: «*Vegno dal loco ove tornar disìo*» (*sio* conta per due sillabe); «*Galeòtto fu il libro e chi lo scrisse*» (le due vocali *eò* di *galeotto* formano due sillabe). La sineresi è detta anche *sinizèsi.*

sinestesía: particolare tipo di metafora che consiste nel trasferimento di significato tra due termini appartenenti a domini sensoriali diversi. Es.: *pigolío di stelle* (G. Pascoli), *lampi d'afa* (E. Montale); *caldi silenzi, ruvidi sguardi, prezzi salati.*

singeniònimi: così sono detti i nomi che indicano parentela: *madre, padre, figlio, figlia, nipote, zia, nonno, nonna, cognato.* Sono generalmente usati senza articolo (*Vidi mio padre*; *Abitava con sua sorella*; *Mi incontrai con mio cognato Carluccio*), tranne alcuni casi: quando sono alterati (*Mi recai dalla mia cara nonnina*), quando riguardano parentele non definite (*Vidi la sua fidanzata*; *Miriam era la sua amante*; *Litigava spesso col suo patrigno*).

singolàre: in grammatica uno degli accidenti del nome, dell'aggettivo, del verbo e dell'articolo. È uno dei due numeri del nome e indica che la persona, la cosa o l'animale è uno, in opposizione al *plurale*. Tutti gli esseri e tutte le cose possono essere considerati sotto l'aspetto della singolarità o della pluralità. Singolare è il sostantivo indicante persona, animale o cosa singola; singolari sono le prime tre persone del verbo (*io, tu, egli*); singolari sono gli aggettivi e gli articoli che si riferiscono a un nome singolare. La distinzione del singolare dal numero plurale avviene per mezzo di desinenze. Per il maschile la desinenza dei nomi singolari è *o* od *e* (*topo, pane*), per il femminile *a* od *e* (*casa, fede*). Per le desinenze del plurale V. *Nome* e *Plurale* (*formazione del*).
Si dicono *invariabili* i nomi che restano invariati al plurale. Sono, soprattutto, i monosillabi, i nomi tronchi, i nomi terminanti in consonante e alcuni nomi composti (Es.: il *re* e i *re*, la *città* e le *città*, il *bar* e i *bar*, lo *sport* e gli *sport*, il *guardacoste* e i *guardacoste*, il *lustrascarpe* e i *lustrascarpe*). *Difettivi* sono invece i nomi privi di uno dei due numeri. Non hanno il singolare alcuni nomi come le *calende*, le *cesoie*, le *esequie*, i *fasti*, le *forbici*, le *idi*, le *interiora*, le *mutande*, le *nozze*, le *nari*, gli *occhiali*, i *precordi*, i *pressi*, i *prolegomeni*, le *stoviglie*, le *terme*, ma a questo elenco possono essere aggiunte molte altre parole usate solo al plurale (le *dimissioni*, le *masserizie*, le *ferie*, le *manette*, le *moine*, i *posteri*, le *spezie*, le *spoglie*, le *tenaglie*, le *veci*, ecc.). Sono invece usati comunemente al singolare o sono privi del plurale i nomi: la *copia* (abbondanza), il *domani*, la *fame*, il *nulla*, la *progenie*, la *prole*, la *sete*, la *tema* (paura), l'*uopo* e qualche altro.

singolatívi: così si dicono quegli aggettivi o pronomi indefiniti che indicano una sola persona: *qualcuno, alcuno, certo, taluno, tale, altro, quale*. V. voci relative.

sinizèsi: lo stesso che *sinèresi* (V.).

síno: preposizione impropria che si costruisce con la preposizione *a*. Si usa per il complemento di tempo (Attenderò *sino alle sei*) e per quello di luogo (L'acqua arrivava *sino al ponte*).

sinònimi: parole che, pur esprimendo un comune concetto fondamentale, ne indicano aspetti o particolari diversi. Sono, per esempio, sinonimi di *fare*, i verbi: *operare, agire, eseguire, produrre, creare, compiere, cagionare, comporre, edificare, costruire, generare, formare, mettere in atto, realizzare* e altri ancora. Sono sinonimi di *vedere* i verbi: *guardare, osservare, considerare, mirare, contemplare, fissare, scorgere, discernere, notare*, ecc. Sinonimi di *casa* sono i sostantivi: *abitazione, dimora, alloggio, domicilio, residenza, focolare, appartamento*, ecc. Dell'aggettivo *buono* sono sinonimi: *affettuoso, dolce, cordiale, mite, mansueto, umano, onesto, dabbene, caritatevole*, ecc. Da questi esempi si comprende come i sinonimi, pur esprimendo un concetto comune, non siano perfettamente identici, ma abbiano ciascuno una sfumatura di significato propria. Colui che parla o scrive tenderà dunque ad usare convenientemente, caso per caso, il nome, l'aggettivo o il verbo che meglio si adatta. La capacità di usar la parola che risponde esattamente all'idea che si vuole esprimere si chiama *proprietà del linguaggio* ed è una delle doti principali di chi vuol scrivere rettamente. Si consiglia perciò la consultazione frequente di quei dizionari speciali che appunto indicano i sinonimi di ogni parola della lingua italiana (Es.: il *Diziona-*

rio dei sinonimi e dei contrari, di Decio Cinti, Istituto Geografico De Agostini, Novara) o, in ogni caso, del vocabolario, per controllare l'esatto significato di ogni termine. Si badi tuttavia di non confondere i sinonimi con i *doppioni*, cioè con quei vocaboli che hanno significato almeno materialmente identico (*gota* e *guancia*, *tossico* e *veleno*) o con gli *allotropi*, cioè con quei vocaboli che differiscono lievemente nella forma (*domani* e *dimani*, *cuna* e *culla*, *aere* e *aria*).

sintàgma: sostantivo maschile che indica l'unità sintattica. Può essere nominale, se basato su un nome (*i membri del consiglio, i consigli d'amministrazione, i piloti da corsa*), e verbale se basato su un verbo (*Il sole tramonta*; *Noi abbiamo pianto*; *Lavorare è bello*). Plurale: sintàgmi.

sintàssi: parte della grammatica che detta le regole per ordinare e coordinare le parole in modo che esprimano l'ordine delle idee nella mente (cioè l'ordine logico). È dunque la scienza che studia l'ordine delle varie parti del discorso, le relazioni tra le varie parole che noi diciamo o scriviamo. Per mezzo della sintassi le parole riflettono l'ordine del nostro pensiero e si adattano ad esprimere il contenuto della nostra mente. Ogni parola acquista valore e significato secondo la posizione e la funzione svolta nel discorso. La più semplice espressione del nostro pensiero è la *proposizione*; più proposizioni formano un pensiero complesso e si chiamano *periodo*. La sintassi si divide in due sezioni: sintassi *semplice*, che studia gli elementi della proposizione, sintassi *composta*, che studia gli elementi del periodo.

SINTASSI SEMPLICE. Una *proposizione* è un pensiero espresso con un soggetto e un verbo (il soggetto talora è sottinteso). Es.: *Noi partiamo*; *Partiamo*. Non avrebbe senso una proposizione senza verbo (cioè senza l'indicazione di un'azione o di uno stato) o senza soggetto (cioè senza la persona, l'animale o la cosa di cui predicare l'azione o lo stato). In qualche caso può essere sottinteso anche il verbo (*Chi è stato? - Io*; sottinteso: sono stato). Il soggetto può essere costituito da un sostantivo (Il *ragazzo* studia; La *bambina* è buona), da un pronome (*Noi* siamo cattivi; *Essi* lavorano), da un aggettivo sostantivato (Il *bello* piace; L'*utile* è ricercato), da un verbo in funzione di sostantivo (*Morire* è triste; *Combattere* è duro), da altra parte del discorso sostantivata (I *perché* sono troppi; Il tuo *sì* non convince). La proposizione è dunque composta dal verbo che indica l'azione (*predicato verbale*) o fa da *copula* a un nome o a un aggettivo (predicato *nominale*) e dal *soggetto* che fa l'azione (o la subisce). Completano però il senso della proposizione i *complementi* che precisano le circostanze dell'azione espressa. La sintassi stabilisce le norme che collegano i vari elementi della proposizione e prescrive che il predicato nominale formato da un aggettivo deve concordare in genere e numero con il soggetto (*La rosa è bella*) e che il predicato verbale deve concordare nella persona e nel numero col soggetto (*Noi lavoriamo*; *Paolo e Antonio studiano*). Se il predicato nominale è costituito da un sostantivo, l'accordo è relativo, cioè si compie solo quando è possibile (*La quercia è un albero*; *I laureati sono un esercito*; *Io e te non siamo nemici*). V. anche *Predicato* (*Concordanza del*) e *Proposizione*. Nella proposizione si distinguono ancora: l'*attributo*, che è un aggettivo unito al soggetto o ai complementi o al predicato nominale per precisarne una qualità (Lo scolaro *buono* sarà promosso; Ho comprato un podere *vastissimo*; Tu sei uno scrittore *elegante*) e l'*apposizione* che è un sostantivo o una locuzione che accompagna un altro sostantivo per specificarne il significato (Michelangelo, *artista eminente*, scolpì il Mosè; Roma, *capitale d'Italia*, è nel Lazio). La sintassi prescrive che l'attributo concordi nel genere e nel numero con il nome a cui si riferisce; se si riferisce a più nomi si usa il plurale (Ho letto un articolo e un racconto *divertenti*); se si riferisce a nomi di diverso genere prevale il maschile (I figli e le figlie *amatissimi* lo ricorderanno sempre; Hai letto un verbo e una parola *sbagliati*) o il genere del nome più vicino (Ha mangiato un fico, una banana e una pera *gustosissime*). Le parole dell'apposizione devono concordare con il nome a cui si riferiscono nel genere e nel numero o solo nel numero se si riferiscono a nomi di genere diverso (La cetra, *antico strumento musicale*, era usata dai poeti), sempre s'intende, che non sia impossibile (I figli, *mia ultima speranza*, crescono bene). V. anche le voci *Attributo* e *Apposizione*. Quanto ai complementi, essi sono uniti alle altre parole della frase per mezzo di *preposizioni* o *locuzioni prepositive* (eccetto il complemento oggetto, che si costruisce senza preposizione, e alcuni complementi come quello di misura, di durata, di esclamazione che possono anche essere costruiti senza preposizione). I principali complementi sono: *oggetto, partitivo, vocativo, esclamativo*, di *specificazione*, di *denominazione*, di *termine*, d'*agente*, di *causa efficiente*, di *tempo*, di *luogo*, di *origine e provenienza*, di *separazione*, di *relazione*, di *compagnia* o *unione*, di *mezzo* o di *strumento*, di *modo* o *maniera*, di *qualità*, di *fine*, di *scopo*, di *causa*, d'*argomento*, di *materia*, di *paragone*, di *quantità*, di *stima*, di *prezzo*, di *peso* o *misura*, di *distanza*, di *età*, di *limitazione*, *distributivo*, di *vantaggio* o *svantaggio*, di *abbondanza* o *privazione*, di *colpa*, di *pena*, di *esclusione*. Per le reggenze e il significato di tutti questi complementi V. le voci relative.

L'ordine naturale degli elementi della proposizione è il seguente: soggetto, complementi che si riferiscono al soggetto, predicato, complementi.

Questa è la *costruzione diretta*, la quale però non è obbligatoria; l'ordine delle parole può essere infatti liberamente cambiato da chi parla o scrive. Il diverso ordine delle parole nella proposizione (costruzione *inversa* o *indiretta*) può dare particolare risalto a un elemento che non sia il soggetto o può conferire alla frase una sfumatura particolare di significato.

Si noti infine che le proposizioni che esprimono un giudizio o annunciano un fatto sono dette *enunciative* o *dichiarative* (*Io lavoro*; *Giulio è un bravo ragazzo*; *La mela è caduta*); quelle che esprimono una invocazione o una imprecazione e terminano con il punto esclamativo sono dette *esclamative* (*Qualcuno ha chiamato!*; *Abbasso la miseria!*; *Andiamo all'assalto!*; *Quanto mi dispiace!*); quelle che esprimono una domanda e terminano con il punto interrogativo sono dette *interrogative* (*Chi l'ha chiamato?*; *Che ora è?*; *Quando verrà?*); quelle che contengono una negazione sono dette *negative* (*Non verrò*; *Nessuno mi ha chiamato*; *Non ho visto alcuno*). Sono infine *ellittiche* le proposizioni in cui è sottinteso il verbo: *Parti? Sì* (sott.: parto), o il soggetto: *Andiamo* (sott.: noi).

SINTASSI COMPOSTA. Studia le parti del periodo, per cui si dice anche *sintassi del periodo*. Il periodo è formato da due o più proposizioni; più precisamente da tante proposizioni quanti sono i verbi in esso contenuti. Le proposizioni possono essere *implicite* o *esplicite*: le prime hanno il verbo a un modo indefinito (infinito, participio, gerundio), le seconde a un modo finito (indicativo, congiuntivo, condizionale, imperativo). Es.: *Sono partito ieri per arrivare oggi, mentre tu eri ancora a letto*. Il periodo ha tre proposizioni: a) *sono partito ieri*; b) *mentre tu eri ancora a letto*, proposizioni esplicite; c) *per arrivare oggi*, proposizione implicita.

Il periodo ha sempre una proposizione *principale* che esprime l'azione o il pensiero più importante; le altre sono *subordinate* a questo per completarne il senso, per precisarne aspetti e circostanze, allo stesso modo che i complementi completano il senso dell'azione espressa dal verbo o il significato del soggetto o del predicato nominale.

La sintassi del periodo studia perciò i rapporti tra le varie proposizioni in modo da unirle in una unità organica e di senso compiuto quale appunto è il periodo, riflettendo l'ordine dei pensieri della nostra mente. Si distinguono perciò nel periodo le proposizioni *principali* o *indipendenti* e le proposizioni *secondarie* o *dipendenti* o *subordinate*. I pensieri della nostra mente, e quindi le proposizioni che li esprimono, possono però succedersi senza un legame di dipendenza e in tal caso si ha il rapporto di *coordinazione* invece che quello di *subordinazione*. La coordinazione (che si può verificare sia tra proposizioni principali che tra proposizioni

secondarie) si ottiene con il semplice accostamento delle frasi divise solo dalla virgola o da congiunzioni coordinanti (*e, anche, pure, inoltre, né, dunque, o, ma, ovvero*, ecc.). Es.: *Io lavoro, tu scrivi, egli si riposa* (tre coordinate principali); *Io studio* (principale) *e lavoro* (coordinata alla principale), *mentre tu giochi* (temporale) *e scherzi* (coordinata alla temporale).
Nella sintassi del periodo le congiunzioni (e talora i pronomi e gli avverbi) svolgono funzione analoga a quella delle preposizioni nella sintassi semplice (cioè di reggenza dei complementi) costituendo il legame sintattico tra la proposizione reggente e la subordinata, determinando il valore di questa (causale, temporale, finale, consecutiva, ecc.). Abbiamo detto *reggente* e non solo *principale* perché ogni proposizione nel periodo può avere a sua volta una subordinata, detta di secondo, di terzo, di quarto grado, ecc. Es.: *Noi diciamo* (principale) *che tu sarai promosso* (oggettiva, subordinata di primo grado e reggente della successiva causale), *perché sei un bravo scolaro* (causale, subordinata di secondo grado).
Le principali proposizioni subordinate sono: *soggettiva, oggettiva, relativa, temporale, causale, finale, consecutiva, concessiva, condizionale, interrogativa indiretta, comparativa, modale, eccettuativa, incidentale* (V. voci relative e V. anche *Periodo, Principale, Reggente, Coordinazione, Subordinazione*).
La sintassi composta indica il valore di ogni subordinata, le congiunzioni o gli avverbi o i pronomi che la reggono, i costrutti particolari, ma soprattutto regola l'uso dei modi e dei tempi del verbo, ordinando logicamente i pensieri e le azioni secondo i loro rapporti di realtà e di possibilità e secondo il succedersi temporale delle azioni espresse.
La regola generale della *sintassi del verbo* prescrive l'uso dell'indicativo quando si esprime, nella dipendente, fatto od opinione certa, e l'uso del congiuntivo quando si esprime fatto possibile od opinione dubbia. Quanto ai tempi la regola prescrive che ad un tempo di tipo presente o futuro nella proposizione reggente corrisponda nella proposizione dipendente col verbo al congiuntivo il tempo presente o passato; mentre ad un tempo di tipo passato nella proposizione reggente corrisponderà nella proposizione dipendente con il verbo al congiuntivo il tempo imperfetto o il trapassato. Es.: *Temo* (tempo presente) *che tu sia ingannato* (presente congiuntivo); *Crederò* (tempo futuro) *che tu abbia sbagliato* (passato congiuntivo); *Volevo* (tempo di tipo passato) *che tu facessi* (imperfetto congiuntivo) *ciò*; *Avrei voluto* (tempo passato) *che tu fossi stato chiamato* (trapassato congiuntivo). Quando la reggente ha il verbo al condizionale (presente e passato) la dipendente deve avere l'imperfetto o il trapassato congiuntivo, considerandosi i due tempi del condizionale come tempi di tipo passato. Es.: *Vorrei* (condizionale presente) *che tu studiassi* (imperfetto congiuntivo); *Avrei voluto* (condizionale passato) *che tu fossi stato avvisato* (trapassato congiuntivo) *in tempo*. V. anche, per maggiori ragguagli, le voci SUBORDINAZIONE e DIPENDENZA DEI TEMPI.

sintàssi (figure di): irregolarità o licenze di costruzione sintattica volute dagli scrittori per ottenere particolari effetti. Le principali sono: *anacoluto, asindeto, ellissi, enallage, iperbato, pleonasmo, polisindeto, sillessi e zeugma* (V. voci relative).

sintètico: aggettivo derivato da *sintesi* (riassunto, conciliazione degli opposti) e usato per definire un modo di scrivere incisivo, conciso, lapidario. Plurale: sintètici. *Sostanze sintetiche* o *prodotti sintetici*: ottenuti con sintesi, per combinazione chimica, o con altri processi artificiali (*pelliccia sintetica*).

síre: voce antiquata per: signore. Usata solo per i sovrani. Oggi è pronunciata o scritta con ironia.

sírima: sostantivo femminile che indica nella struttura metrica della *canzone* (V.) la seconda parte della strofe, che segue alla *fronte*, alla quale è collegata da un verso detto *concatenazione*. La sirima si divide in due *volte*, ciascuna di tre versi. Anche *sírma*.

sirventése o **serventése:** parola di genere maschile che indica un componimento poetico nato in Provenza con l'intento di «servire» un signore, del quale si tessevano le lodi. Il nome derivò forse dal contenuto adulatorio; ma derivò forse anche dal fatto che le parole del sirventese «servivano» alla musica di un altro canto già composto. Il sirventese fu molto usato nel XIV secolo, specialmente per trattare argomenti storici e politici; nel sec. XV era però già quasi completamente scomparso. Gabriele D'Annunzio riprese questa forma metrica nella tragedia *La Nave* seguendo la struttura metrica più frequente: terzine monorime dette *copule*, con un quarto verso, un quinario detto *coda*, che proponeva la rima alla terzina successiva (schema: AAAb, BBBc...). Es.:

«Odi, Signore Iddio grande e tremendo,
cui fecer grido i padri combattendo
su le rembate; questo ch'io t'accendo
è il Rogo e il Faro.
Tra Pola e Albona presso del Quarnaro
tagliai l'abete audace e il lauro amaro
e la ròvere santa con l'acciaro
della bipenne...».

(D'Annunzio)

sístole: nella metrica, il ritrarsi dell'accento tonico di una parola verso l'inizio di questa. Es.: *pièta* invece che *pietà*, *Ànnibal* invece che *Anníbale*. Il fenomeno contrario è la *diastole* (V.).

slalom: parola norvegese (pr.: slàlom), usata nel linguaggio sportivo per indicare una pista obbligata con ostacoli ravvicinati per le corse con gli sci. Il termine è di uso internazionale. Derivato è l'aggettivo *slalomista*.

slanciàto: participio passato di *slanciare*. Come aggettivo, è ormai nell'uso il significato (derivato dal francese) di: alto, snello (*figura slanciata*).

smaltíre: verbo della terza coniugazione, transitivo. Si coniuga con la forma incoativa *-isc-* tra il tema e la desinenza di alcuni tempi. *Pres. indic.*: smaltísco, smaltísci, smaltísce, smaltiàmo, smaltíte, smaltíscono. *Pres. cong.*: smaltísca, smaltísca, smaltísca, smaltiàmo, smaltiàte, smaltíscano. *Imper.*: smaltísci, smaltísca, smaltíscano. *Part. pass.*: smaltíto. Significa: dirigere, disfarsi di qualcosa, consumare.

smarríre: verbo della terza coniugazione, transitivo. Si coniuga con la forma incoativa *-isc-* tra il tema e la desinenza di alcuni tempi. *Pres. indic.*: smarrísco, smarrísci, smarrísce, smarriàmo, smarríte, smarríscono. *Pres. cong.*: smarrísca, smarrísca, smarrísca, smarriàmo, smarriàte, smarríscano. *Part. pass.*: smarríto. Significa: perdere; al riflessivo: perdersi d'animo, sbagliare strada, turbarsi.

sméttere: verbo della seconda coniugazione, transitivo. *Pass. rem.*: smísi, smettésti, smíse, smettémmo, smettéste, smísero. *Part. pass.*: sméesso. Es.: *Smettere un vestito.* È un verbo fraseologico che mette in evidenza l'aspetto conclusivo del verbo cui è unito, all'infinito preceduto da *di*. Es.: *Smisi di fumare tre anni fa*; *Non smetteva di mangiarsela con gli occhi.*

sminuíre: verbo della terza coniugazione, transitivo. Si coniuga con la forma incoativa *-isc-* tra il tema e la desinenza di alcuni tempi. *Pres. indic.*: sminuísco, sminuísci, sminuísce, sminuiàmo, sminuíte, sminuíscono. *Pres. cong.*: sminuísca, sminuísca, sminuísca, sminuiàmo, sminuiàte, sminuíscano. *Part. pass.*: sminuíto. Significa: diminuire; usato anche riflessivamente, nel senso di: farsi minore, abbassarsi.

snob: parola inglese (pr.: snòb), forse derivata dal latino *s.nob.* (*sine nobilitate*) con cui si designavano i nati da famiglie plebee. Oggi il termine, di uso internazionale, indica, con intenzione satirica, l'imitazione di costumi raffinati e alla moda da parte di persone plebee e volgari, o l'affettazione di usi, modi e gusti particolari, che si stimano signorili e distinti, ma sostanzialmente non lo sono. Da *snob* sono derivati poi il sostantivo SNOBÍSMO e l'aggettivo SNOBÍSTICO.

so-: prefisso che richiede il raddoppiamento della consonante iniziale della parola a cui si aggiunge, purché non si tratti di *s* impura, *z, x, gn*, e *ps.*; Indica inferiorità materiale o morale (*soggiacere, sobborgo*).

sobillàre: verbo della prima coniugazione, transitivo. Significa: incitare, aizzare, istigare. Anche *sobbillàre*.

soccórrere: verbo della seconda coniugazione, transitivo. *Pass. rem.*: soccórsi, soccorrésti, soccórse, soccorrémmo, soccorréste, soccórsero. *Part. pass.*: soccórso. Significa: correre in aiuto, giovare. Usato intransitivamente (ausiliari: essere o avere) significa: venire in mente o in aiuto. Es.: *Non mi era soccorsa nessuna idea migliore*; *Le signore hanno soccorso alla nostra iniziativa*. Ma è uso letterario.

sòcia: nome femminile terminante in *-ia*, che al plurale conserva la *i* atona (socie). Il maschile *sòcio* fa al plurale: *soci*.

socio-: primo elemento di parole composte. Vale: sociale, società. Es.: *sociologia, sociometría, socioculturale, socioeconomico.*

sociòlogo: sostantivo maschile, che indica lo studioso di fenomeni sociali. Nome sdrucciolo in *-go* con due forme per il plurale: sociòlogi o sociòloghi.

sodisfàre: verbo della prima coniugazione, transitivo. *Pres. indic.*: sodisfàccio o sodisfò (non: sodísfo), sodisfài (o sodísfi), sodisfà (o sodísfa), sodisfacciàmo, sodisfàte, sodisfànno (non: sodísfano). *Pres. cong.*: sodisfàccia (o sodísfi), sodisfàccia, sodisfàccia, sodisfacciàmo, sodisfacciàte, sodisfàcciano (o sodísfino). *Pass. rem.*: sodisféci, sodisfacésti, sodisféce, sodisfacémmo, sodisfacéste, sodisfécero. *Part. pass.*: sodisfàtto. Oggi più comuni le forme *soddisfare, soddisfatto, soddisfazione*, ecc. *Sodisfare* significa: accontentare, pagare, appagare, piacere (*Egli ha sodisfatto la nostra attesa*; *Abbiamo finalmente sodisfatto quel grosso debito*; *La sua risposta non mi ha sodisfatto*). Intransitivamente (con l'ausiliare avere) si costruisce assolutamente (*Quell'uomo sodisfa sicuramente*) o con la preposizione *a* (*Ha sodisfatto agli obblighi di leva*).

sofà: sostantivo maschile, invariato al plurale (i sofà). Indica un divano con spalliera bassa o senza spalliera.

soffítto: sostantivo maschile che indica il cielo della stanza. Il sostantivo femminile SOFFÍTTA indica un locale sotto il tetto.

soffríre: verbo della terza coniugazione, transitivo. *Pass. rem.*: soffríi (o soffèrsi), soffrísti, soffrí (o soffèrse), soffrímmo, soffríste, soffrírono (o soffèrsero). *Part. pass.*: soffèrto. Significa: sopportare, subire, provare dolore (*Soffrirono il freddo e la fame*; *Soffrì insulti atroci*), tollerare (*Soffrì che le rapissero il figlio*). Usato anche intransitivamente (ausiliare: avere) nel senso di: sentir dolore, patire per qualche cosa (*Ha molto sofferto*; *Soffre di insonnia*).

-sofía: terminazione di parole composte. Dal greco, vale: sapere, studio, scienza, conoscenza. Es.: *filosofía, teosofía*. Dai sostantivi derivano gli aggettivi in *-sofo* (*filosofo, teosofo*) e in *-sofico* (*filosofico, teosofico*).

soggettíva (proposizione): la proposizione subordinata che fa da soggetto alla proposizione reggente. È una proposizione che fa dunque le veci di un sostantivo. Essa è retta: a) dai verbi impersonali: *accade, avviene, bisogna, conviene, occorre, pare, sembra*, ecc.; b) da verbi passivi usati impersonalmente: *si dice, si crede, si narra, si spera*, ecc.; c) da locuzioni temporali (*è ora, è tempo*, ecc.) e da sostantivi e aggettivi con il verbo essere (predicato neutro): *è giusto, è bello, è necessario, è facile*, ecc.

La proposizione soggettiva fa da soggetto logico ed è introdotta dalla congiunzione *che*. Il verbo va all'indicativo se si esprime certezza, al congiuntivo se si esprime dubbio od opinione personale e se la proposizione precede la reggente. Es.: Si dice *che tu hai rubato* (certezza); Si dice *che tu abbia rubato* (dubbio); Accade talora *che gli uomini dimenticano le buone usanze* (certezza); *Che tu sia pigro* è sconveniente (sogg. precede la reggente); È bene *che tu arrivi presto*. La proposizione soggettiva si esprime anche con infinito senza preposizione o preceduto dalla preposizione *di*. Es.: È opportuno *tacere*; *Obbedire* è dovere; È giusto *pagare*; *Non opporre resistenza* era opportuno, ecc. (infinito senza preposizioni); Sembra *di morire*; Si spera *di riuscire*; È tempo *di studiare* (infinito con *di*).

Talora la soggettiva presenza il modo congiuntivo e la congiunzione *che* sottintesa. Es.: Sembra *sia morto*; Il tuo lavoro pare *sia stato apprezzato*.

soggètto: soggetto di una proposizione è ciò di cui si parla. Ogni proposizione ha necessariamente un soggetto con il qua-

le si accorda il verbo. Es.: *Io* lavoro (il verbo concorda con il soggetto nella persona e nel numero: prima persona singolare); Le *case* sono costruite dai muratori (il verbo concorda con il soggetto nella persona, nel numero e nel genere: terza persona plurale, femminile). Il soggetto risponde alla domanda: chi?, che cosa?, posta idealmente davanti al verbo. Esso può essere rappresentato da qualsiasi parte del discorso: da un *nome* (*Paolo* lavora; Il *cane* abbaia; La *ruota* gira); da un *aggettivo* o *participio sostantivato* (I *buoni* sono premiati; I *puniti* si ravvederanno); da un *pronome* (*Tu* ami; *Egli* ha una casa; *Voi* vedete la collina); dall'*infinito* di un verbo (*Lavorare* stanca; *Volere* è potere; È bello *amare*); da un *avverbio* (Il *troppo* stroppia); da un *articolo* (*La* è articolo femminile; *Il* è articolo singolare maschile); da una *preposizione* (Il *de* indica derivazione; *Per* è una preposizione); da una *interiezione* (*Ahimè* esprime dolore); da una *congiunzione* (*Affinché* e *acciocché* sono congiunzioni finali). Talora una intera proposizione può far da soggetto. V. *Soggettiva* (*Proposizione*).
Si badi infine che il soggetto, nel caso del partitivo, è introdotto da una preposizione, ma non va confuso con il complemento di specificazione o altri complementi. Es.: *Dei nemici* ci vennero incontro; *Del vino* fu rovesciato sul tavolo; Furono narrate *delle storie*.

soggiuntívo (modo): modo del verbo che indica azione possibile, non certa. V. *Congiuntivo* (*Modo*), che è il nome più comune.

sòglio: sostantivo maschile, che indica il tronco, seggio regale o pontificio (Es.: *Salì al soglio pontificio Pio IX*). Di diversa origine è il sostantivo femminile SÒGLIA indicante il limitare di una porta; in senso figurato, l'inizio di qualcosa (Es.: *Si fermò sulla soglia di casa nostra*; *Era alla soglia della maturità*).

sognàre: verbo della prima coniugazione, transitivo. Significa: vedere in sogno (*Stanotte ho sognato mia moglie*), desiderare (*Sognava una casetta al mare*). Quando regge una proposizione oggettiva, nel costrutto implicito vuole *di* e l'infinito (*Aveva sognato di arruolarsi*; *Sognava di vincere al totocalcio*); nel costrutto esplicito regge l'indicativo (*Sognò che aveva vinto*).

solaménte: avverbio di modo che vale: soltanto, solo. Es.: *Solamente tre persone ascoltarono il discorso*. In correlazione spesso con *ma anche*. Es.: *Non solamente tu ma anche gli altri dovranno partire subito*. La locuzione *solamente che* ha valore concessivo, significando: purché. Es.: *Solamente che lo volesse, quanti gli verrebbero in aiuto!* Ma è meglio usare: soltanto, solo che.

solecísmi: parola derivata dal nome della città greca di Soli, ove gli Ateniesi emigrati corruppero il linguaggio della madrepatria. Oggi indica i grossolani errori di fonetica, di morfologia o di sintassi. Possono essere: errori di flessione dei verbi (*dassi* per: dessi, *dichino* per: dicano, *potette* per: poté, *saressimo* per: saremmo, *stassi* per: stessi, *vadi* per: vada, *vadino* per: vadano, *venghino* per: vengano, *se potrei* per: se potessi, *se andrei* per: se andassi, ecc.); errori di concordanza (*la sale* per: il sale, *gli diede* per: le diede, *ce n'è molti* per: ce ne sono molti, *pensavo che diceva* per: pensavo che dicesse); pleonasmi (*A me mi piace* per: a me piace, *la non mi dica* per: non mi dica); errori di pronunzia (*èdile* per: edìle, *sàlubre* per: salùbre, *zàffiro* per: zaffìro); uso errato della maiuscola (*il Popolo Italiano* per: il popolo italiano, *la nazione Francese* per: la nazione francese). Altri errori comuni sono, per esempio: *uovi* per: uova; *esser dietro a fare* per: star facendo; *sbucciare un arancio* per: sbucciare un'arancia; *è più migliore di* per: è migliore di; *la Lucia* per: Lucia, *a gratis* per: gratis, ecc. Il presente dizionario indica, alle voci relative, la retta pronunzia dei nomi, la costruzione dei verbi e i modi errati da evitare, cioè tutti i solecismi più comuni e la forma corretta corrispondente.

solére: verbo della seconda coniugazione, intransitivo. *Pres. indic.*: sòglio, suòli, suòle, sogliàmo, soléte, sògliono. *Imperf.*: solévo, solévi, soléva, solevàmo, solevàte, solévano. *Pres. cong.*: sòglia, sògliamo, sogliàte, sògliano. *Imperf. cong.*: soléssi, soléssi, solésse, soléssimo, soléste, soléssero. *Gerundio*: solèndo. È verbo difettivo; per tutte le altre forme si ricorre alla coniugazione di *esser sòlito*. È un verbo *servile* (V.) e si costruisce nei tempi semplici con l'infinito senza preposizione. Es.: *Soleva dire*; *Suole accompagnare*; *Era solito dire*; *È solito accompagnarci a casa*. Significa: usare, aver per costume, essere avvezzo. Si noti che la costruzione con la preposizione (Es.: *Era solito di dire*) è un dialettismo toscano.

sollético: nome sdrucciolo terminante in *-co*, che al plurale finisce in *-chi*: solletichi.

sólo: aggettivo qualificativo che significa: unico (*Sei il solo uomo che io stimi*), senza accompagnamento (*Son venuto solo*). Il femminile *sola* non si tronca, tranne nell'espressione *sol una volta*. *Solo* è sottinteso nelle espressioni *da me, da te, da sé* (*L'ho capito da me*; *Ti sei punito da te*; *Fa tutto da sé*). Meno corretto il semplice *da solo* (Es.: *L'ho capito da solo*; *Fa tutto da solo*, ecc.). Come avverbio, vale: soltanto, solamente. *Solo che* ha valore concessivo e vuole il congiuntivo (*Solo che lo volessi!*).

solvíbile: aggettivo da *sòlvere* (pagare). Significa: che si può pagare. *Debito solvibile*: debito che si può pagare. Nel linguaggio commerciale l'aggettivo è però spesso riferito, per estensione, a persona, con il significato attivo: che può pagare. Es.: *È un debitore solvibilissimo* (meglio sarebbe in questo caso: solvente).

sombrèro: termine spagnolo derivato da *sombra* (ombra), passato nell'uso per indicare: cappello, anche femminile, a larghe tese, per proteggere il viso dal sole.

somigliàre: verbo della prima coniugazione, transitivo e intransitivo (coniugato con entrambi gli ausiliari). Es.: *Il figlio somiglia al padre*; *Quest'opera non può essere somigliata ad altra*; *Non ci somigliamo nella buona volontà*. Significa: sembrare, esser simile e anche paragonare.

sommèrgere: verbo della seconda coniugazione, transitivo. *Pass. rem.*: sommèrsi, sommergésti, sommèrse, sommergémmo, sommergéste, sommèrsero. *Part. pass.*: sommèrso. Significa: coprire d'acqua, tuffare, affondare.

sómmo: superlativo irregolare di *alto* (come *supremo*, ma esiste anche la forma *altissimo*). Significa: eccelso, il più alto: *La somma cima, il Sommo Pontefice*. Non si deve dire, trattandosi di superlativo: più sommo o il più sommo.

sonàre o **suonàre:** verbo della prima coniugazione, intransitivo. *Pres. indic.*: suòno, suòni, suòna, suoniàmo (soniàmo), suonàte (sonàte), suònano. *Imperf.*: suonàvo, suonàvi, suonàva, ecc. (e sonàvo, sonàvi, sonàva, ecc.). *Pres. cong.*: suòni, suòni, suòni, suoniàmo (soniàmo) suoniàte (soniàte), suònino. *Part. pass.*: suonàto o sonàto. Si usano sia le forme normali, sia quelle che, seguendo la regola del dittongo mobile, cambiano il dittongo *uò* nella semplice *o*, quando l'accento si sposta. Significa: far emettere un suono ad un corpo. Es.: *Ho suonato il violino*; *Suonava il campanello*. Usato intransitivamente con entrambi gli ausiliari. Es.: *Le campane suonavano a distesa*; *Hai suonato meravigliosamente*; *Sono suonate le otto*; *Questa locuzione non suona bene*.

Nel gergo sportivo *suonàto* significa: finito, liquidato (*un pugile suonato*). Anche nel linguaggio familiare *suonato* vale: menomato intellettualmente, finito.

sonettéssa: sonetto caudato, in cui la coda viene ripetuta più volte. Esempi celebri si trovano nella poesia burlesca di Berni. V. SONETTO.

sonétto: componimento poetico di quattordici endecasillabi, diviso in quattro strofe: le prime due sono quartine a rime aperte o alternate, le seconde sono terzine. Forma metrica antichissima, definita dal Carducci «breve ed amplissimo carme». Fu usato in ogni secolo dai nostri maggiori poeti e adattato ad esprimere sentimenti e contenuti vari. Come esempio, riportiamo un sonetto di Ugo Foscolo, con quartine a rima alternata:

«Forse perché della fatal quiete
tu sei l'imago, a me sì cara vieni,
o sera! E quando ti corteggian liete
le nubi estive e i zeffiri sereni,
e quando nel nevoso aere inquiete
tenebre e lunghe all'universo meni,

sempre scendi invocata, e le secrete
vie del mio cor soavemente tieni.
Vagar mi fai co' miei pensier sull'orme
che vanno al nulla eterno; e intanto
[fugge
questo reo tempo, e van con lui le torme
delle cure, onde meco egli si strugge;
e mentre io guardo la tua pace, dorme
quello spirto guerrier ch'entro mi
[rugge».

Oltre alla forma originale e più comune del sonetto, si debbono ricordare alcune variazioni e specialmente il sonetto *caudato* o *ritornellato* detto anche *sonettessa*, nel quale si aggiungono, secondo l'arbitrio dell'autore, una o più terzine (che formano la *coda*) alle due regolari. Ecco un esempio di sonettessa, dal quale il lettore potrà anche verificare come questa forma metrica possa esprimere stati d'animo e immagini anche non solenni e austeri:

«*Passeri e beccafichi magri arrosto;*
e mangiar carbonata senza bere;
esser stracco, e non poter sedere;
avere il fuoco presso, e il vin discosto;
riscuoter a bell'agio e pagar tosto,
e dare ad altri per avere a avere;
essere ad una festa e non vedere,
e sudar di gennaio come d'agosto;
avere un sassolin 'n una scarpetta,
ed una pulce dentro ad una calza,
che vada in giù e in su per istaffetta;
una mano imbrattata ed una netta,
una gamba calzata ed una scalza;
esser fatto aspettare, ed aver fretta:
chi più n'ha più ne metta,
e conti tutti i dispetti e le doglie:
ché la maggior di tutte è l'aver moglie».
(F. Berni)

Altre variazioni del sonetto sono: il *sonetto doppio* o *rinterzato* che è un sonetto a cui è stato aggiunto un settenario dopo ogni verso dispari delle quartine e dopo ogni secondo verso delle terzine; il *sonetto minore*, composto con versi più brevi dell'endecasillabo; il *sonetto continuo*, in cui le quartine e le terzine hanno la stessa rima; il *sonetto anacreontico* che ha versi più brevi dell'endecasillabo e la coda come la sonettessa.

sonòro: aggettivo qualificativo riferito a cosa che rende suono, che ha risonanza. In grammatica, *consonanti sonore* sono quelle la cui emissione è accompagnata da vibrazioni laringee. Tali consonanti, che hanno dunque una pronuncia alquanto morbida e risonante, sono: *b, d, g, l, m, n, r, v* (V. le voci relative). Le consonanti *s* e *z* hanno pronunzia *sonora* in alcune parole, *sorda* in altre. La pronunzia *sonora* è detta anche *dolce* (*sbattere, svanire, smaliziare, zafferano, orzo*). Si oppongono alle consonanti *sorde*. V. SORDA (CONSONANTE).

sopíre: verbo della terza coniugazione, transitivo. Si coniuga con la forma incoativa *-isc-* tra il tema e la desinenza di alcuni tempi. *Pres. indic.*: sopísco, sopísci, sopísce, sopiàmo, sopíte, sopíscono. *Pres. cong.*: sopísca, sopísca, sopísca, sopiàmo, sopiàte, sopíscano. *Part. pass.*: sopíto. Significa: calmare.

sopperíre: verbo della terza coniugazione, intransitivo. Ausiliare: avere. Si coniuga con la forma incoativa *-isc-* tra il tema e la desinenza di alcuni tempi. *Pres. indic.*: sopperísco, sopperísci, sopperísce, sopperiàmo, sopperíte, sopperíscono. *Pres. cong.*: sopperísca, sopperísca, sopperísca, sopperiàmo, sopperiàte, sopperíscano. *Part. pass.*: sopperíto. Significa: provvedere (è forma alterata di *supplire*) e si costruisce con la preposizione *a*. Es.: *La Giunta ha sopperito alle necessità più urgenti.*

sopprímere: verbo della seconda coniugazione, transitivo. *Pass. rem.*: sopprèssi, sopprimésti, sopprésse, sopprimémmo, soppriméste, sopprèssero. *Part. pass.*: sopprèsso. Significa: eliminare, toglier di mezzo; anche: uccidere.

sopra- e **sovra-:** prefissi che indicano superiorità, anche in senso figurato. Vogliono il raddoppiamento della consonante semplice iniziale della parola a cui sono aggiunti. Il raddoppiamento non si verifica quando l'iniziale è *s* impura oppure *z*.

Es.: *soprabbondànte* (eccessivo), *sopraccàrico* (caricato troppo), *sopracciò* (saccente, presuntuoso), *sopraccopèrta* (coperta che si mette sopra le altre, o quella che protegge la copertina di un libro), *sopraddétto* (detto innanzi), *sopraffazióne* (prepotenza), *sopraffíno* (finissimo), *so-*

praggiúngere (giungere improvvisamente), *sopralluògo* (controllo eseguito sul luogo di un delitto o di un incidente), *soprammòbile* (oggetto ornamentale che si pone sopra i mobili), *soprammòdo* (eccessivamente, oltre misura), *soprannóme* (nomignolo, appellativo), *soprannaturàle* (prodigioso), *soprannúmero* (oltre il numero normale), *soprappensièro* (distrattamente), *soprapprèzzo* (ciò che si paga oltre il prezzo), *soprapprofítto* (guadagno superiore al previsto), *soprassàlto* (balzo improvviso), *soprassedére* (rimandare), *soprascàrpa* (caloscia), *soprassòldo* (aggiunta al soldo dei militari), *soprastruttùra* (opera leggera, sulla coperta di una nave o su una costruzione), *soprattàssa* (tassa aggiunta), *sopravanzàre* (superare), *sopravvènto* (vantaggio), *sopravvenire* (arrivare all'improvviso), *sopravvèste* (veste che si mette sopra un'altra), *sopravvivere* (esser superstite, continuare a vivere), *soprintendènte* (persona che vigila o cura qualcosa), ecc. Molte di queste parole si usano anche staccando *sopra* dalla seconda parola che le compone: *sopra coperta, sopra detto, sopra mercato, sopra pensiero, sopra tutto.*

sópra: preposizione specifica che indica la superiorità di un luogo. Regge sostantivi (ai quali si unisce direttamente) per i complementi di luogo. Es.: Salí *sopra il monte*; Era *sopra il tavolo*; Volava *sopra la città*. In qualche caso, specie davanti ai pronomi personali, può costruirsi con la preposizione *di* (o, meno comunemente, *a*). Es.: Abita *sopra a noi*; Cadrà *sopra di voi*. *Sopra* ha vari significati: oltre (Campo dei fiori, *sopra Varese*), dopo (Non si deve bere il vino *sopra il latte*), intorno (Trattato *sopra l'uguaglianza*), *più che* (Lo odia *sopra tutti gli altri*). Si notino inoltre alcune espressioni: *passar sopra a una cosa* (trascurarla, perdonare), *esser sopra pensiero* (esser distratto, pensar ad altro), *tornar sopra un argomento* (ripensarci, tornare a parlarne). Usato assolutamente, *sopra* è avverbio di luogo. Es.: *Sto sopra*; *Vado di sopra*; *L'hai ricoperto sopra e sotto*. Francesismo è la locuzione *al di sopra* (Es.: *Era al di sopra di tutti, al di sopra della mischia*). Dirai semplicemente: sopra o di sopra.

Sovra è lo stesso che *sopra* ma è forma più rara.

sopraccíglio: parola composta dalla preposizione *sopra* e dal sostantivo maschile *ciglio*. Ha due forme per il plurale: i sopraccigli e le sopracciglia (la seconda è più comune).

sopraffàre: verbo della prima coniugazione, transitivo. *Pres. indic.*: sopraffò (o sopraffàccio), sopraffài, sopraffà, sopraffacciàmo, sopraffàte, sopraffànno. *Imperf.*: sopraffacévo, sopraffacévi, sopraffacéva, sopraffacevàmo, sopraffacevàte, sopraffacévano. *Pass. rem.*: sopraffèci, sopraffacésti, sopraffèce, sopraffacémmo, sopraffacéste, sopraffécero. *Pres. cong.*: sopraffàccia, sopraffàccia, sopraffàccia, sopraffacciàmo, sopraffacciàte, sopraffàcciano. *Pres. cond.*: sopraffarèi, sopraffarésti, sopraffarebbe, ecc. *Part. pass.*: sopraffàtto. Significa: vincere, superare, opprimere.

soprannóme: nomignolo dato a qualcuno per una sua qualità fisica o morale, o per qualche fatto particolare. I soprannomi si scrivono con la lettera maiuscola e sono solitamente preceduti dall'articolo. Es.: Scipione *l'Africano*, Ivan *il Terribile*, Carlo *il Grosso*, Giovanna *la Pazza*, ecc. Senza articolo: Carlo *Magno*, Riccardo *Cuor di Leone*, Giovanni *Senzaterra*, Gualtieri *Senzadenari*.

sopràno: sostantivo maschile che indica sia la più alta voce femminile del canto, sia la cantante stessa. Plurale: soprani. Es.: *Il soprano* (non: *la soprano*) *ha cantato benissimo*; *La Callas è stata uno dei maggiori soprani contemporanei.*

soprattútto: avverbio che significa: sopra ogni altra cosa, anzitutto, prima di tutto. È errore scrivere, come fanno molti, *sopratutto*, poiché *sopra* vuole il raddoppiamento della consonante iniziale della parola a cui si premette come prefisso. Si può però scrivere: sopra tutto, sopra tutti.

soqquàdro: sostantivo maschile, che significa: disordine. È l'unica parola italiana con la *q* raddoppiata.

sor-: prefisso che indica superiorità, eccesso (è abbreviazione di *sopra*). Es.: SORMONTÀRE (montare di sopra, superare), SORVOLÀRE (volare sopra, trascurare), SORPRÉNDERE (prender sopra, cogliere di sorpresa).

sorbíre: verbo della terza coniugazione, transitivo. *Pres. indic.*: sorbísco, sorbísci, sorbísce, sorbiàmo, sorbíte, sorbíscono. *Pres. cong.*: sorbísca, sorbísca, sorbísca, sorbiàmo, sorbiàte, sorbíscano. *Part. pass.*: sorbíto. Significa: bere; talora: subire, sopportare. Es.: *Mi son sorbito un discorso di due ore.*

sórda (consonante): consonante che ha suono articolato senza vibrazioni laringee, cioè una pronunzia forte e aspra. Sono sorde le consonanti *c, p, f, t*; hanno pronunzia *sorda* le sibilanti *s* e *z* in taluni casi, mentre in altri hanno pronunzia sonora o dolce (V. *Sibilanti* e le voci relative a *S* e *Z*). Il contrario di sorda è *sonora*. V. SONORO.

-sóre (nomi in): i nomi di persona terminanti al maschile singolare in *-sóre* fanno generalmente il femminile in *-trice*, aggiungendo questo suffisso alla seconda persona dell'indicativo del verbo da cui derivano. Es.: da difensore, *difenditrice*; da invasore, *invaditrice*; da possessore, *posseditrice*; da estensore, *estenditrice*; da precursore, *precorritrice*; da uccisore, *ucciditrice*. Alcuni però hanno solo la forma del maschile (*confessore, oppressore*); altri hanno una forma femminile in *-sora* (da assessore, *assessóra*; da censore, *censóra*; da successore, *successóra*). *Professóre* fa *professoréssa*.

sórgere: verbo della seconda coniugazione, intransitivo (ausiliare: essere). *Pass. rem.*: sórsi, sorgésti, sórse, sorgémmo, sorgéste, sórsero. *Part. pass.*: sórto. Significa: alzarsi, cominciare, nascere.

sòrta: sostantivo femminile che significa: forma, qualità, categoria. Plurale: sòrte. Ma *sòrte* è anche sostantivo femminile singolare che significa: caso, fortuna, destino. Plurale: sòrti. Non si confondano queste parole con le forme del participio passato di *sórgere* (*sórti, sórta, sórte*) che hanno invece la *o* chiusa.

sortíre: verbo della terza coniugazione, transitivo. Si coniuga con la forma incoativa *-isc-* tra il tema e la desinenza di alcuni tempi. *Pres. indic.*: sortísco, sortísci, sortísce, sortiàmo, sortíte, sortíscono. *Pres. cong.*: sortísca, sortísca, sortísca, sortiàmo, sortiàte, sortíscano. *Part. pass.*: sortíto. Significa: avere in sorte (*Sortimmo l'esito sperato*). Usato intransitivamente, si coniuga nella forma normale (*sòrto, sòrti, sòrte, sortiàmo, sortíte, sòrtono*) con l'ausiliare essere e significa: uscire a sorte dall'urna (*Sono sortiti cinque nomi*). Francesismo discutibile l'uso di questo verbo nel senso di uscire (Es.: *Sortì di casa*).

sospensívi (punti): V. PUNTINI DI SOSPENSIONE.

sospettàre: verbo della prima coniugazione, transitivo. Es.: *Sospettavo un intrigo sin dall'inizio*. Quando regge una proposizione oggettiva, nel costrutto implicito vuole *di* più l'infinito (*Sospettavano d'esser stati ingannati*), nella forma esplicita vuole il congiuntivo (*Sospetto che abbia capito tutto*).

sostantivàto: detto di parte del discorso usata come sostantivo. Es.: Il *bello* piace (l'aggettivo *bello* è considerato sostantivo); Lo *sperare* dà conforto (il verbo *sperare* è usato come sostantivo). I tuoi *se* e i tuoi *ma* mi danno fastidio (le particelle *se* e *ma* sono usate come sostantivo); Tu sei l'uomo del *mai* (l'avverbio *mai* è usato come sostantivo); Gridò un *ahimè* terribile (l'interiezione *ahimè* è usata come sostantivo). Sono oggi sostantivate anche alcune locuzioni: Praticavano il *porta a porta*; Speriamo in un sereno *fine settimana*; Un drammatico *faccia a faccia* tra i due testimoni.

sostantívo: parola con la quale indichiamo una persona, un animale o una cosa. È una delle parti variabili del discorso. Noi diciamo più comunemente *nome*, ma in origine si diceva *nome-sostantivo* per indicare quello che oggi diciamo semplicemente *nome* o *sostantivo* e *nome-aggettivo* per indicare quello che oggi chiamiamo semplicemente *aggettivo*. V. NOME.

sostenére: verbo della seconda coniugazione, transitivo. *Pass. rem.*: sosténni, sostenésti, sosténne, sostenémmo, sostenéste, sosténnero. *Pres. condiz.*: sosterrèi, sosterrèsti, sosterrèbbe, sosterrèmmo, sosterrèste, sosterrèbbero. *Pres. cong.*: sostènga, sosteniàmo, sosteniàte, sostèngano. *Part. pass.*: sostenúto. Significa: tener in piedi (*Sosteneva il peso*), appoggiare, favorire (*Sostenne il candidato radicale*), ritenere, dichiarare, affermare (*Sostenemmo il principio della libertà*). Quando regge una proposizione oggettiva vuole il modo indicativo, il modo della certezza. Es.: *Sostenevano che avevano detto tutta la verità*. Nel costrutto implicito, vuole *di* più infinito. Es.: *Sostenevano d'aver detto tutta la verità*.

sostituíre: verbo della terza coniugazione, transitivo. Si coniuga con la forma incoativa *-isc-* tra il tema e la desinenza di alcuni tempi. *Pres. indic.*: sostituísco, sostituísci, sostituísce, sostituiàmo, sostituíte, sostituíscono. *Pres. cong.*: sostituísca, sostituísca, sostituísca, sostituiàmo, sostituiàte, sostituíscano. *Part. pass.*: sostituíto. Significa: supplire, rimpiazzare.

sottintéso: participio passato di *sottintendere*. Si dice specialmente di parola non detta, ma implicita nella frase. Nelle proposizioni *ellittiche* è sottinteso il soggetto, il predicato o qualche complemento. Es.: *Parti* (sottinteso: tu); *Stai bene? Sí* (sottinteso: io sto bene).

sotto-: prefisso che indica inferiorità, soggezione. Es.: SOTTOBICCHIÉRE (piattino che si mette sotto il bicchiere), SOTTOBÒSCO (vegetazione spontanea nei boschi ad alto fusto), SOTTOCHIÀVE (chiuso a chiave), SOTTOCOPÈRTA (parte della nave sotto il ponte), SOTTOCORRÈNTE (l'acqua che scorre nella parte inferiore dei fiumi), SOTTOCUTÀNEO (sotto la cute), SOTTOGÀMBA (senza riguardo), SOTTOGÓLA (gorgiera), SOTTOLINEÀRE (tirare una linea sotto una riga o una parola), SOTTOMARÍNO (sommergibile), SOTTOMISSIÓNE (soggezione), SOTTOPASSÀGGIO (passaggio sotterraneo), SOTTOSCÀLA (spazio sotto la scala), SOTTOSCRÍTTO (colui che firma), SOTTOSPÈCIE (gruppo inferiore alla specie), SOTTOSUÒLO (parte inferiore alla superficie), SOTTOTÈRRA (come sottosuolo), SOTTOVÈSTE (indumento che le donne portano sotto la veste). Come si vede dagli esempi, il prefisso *sotto-* non vuole il raddoppiamento della consonante iniziale della parola a cui si aggiunge. Quanto al plurale di questi nomi composti, alcuni sono invariabili (*i sottobottiglia, i sottocoda, i sottofascia, i sottogola, i sottopancia, i sottoscala*, ecc.), altri hanno plurale regolare (*i sottobicchieri, i sottoboschi, le sottovesti, i sottopassaggi, i sottomarini*, ecc.). *Sotto* unito ad un nome che indica carica, significa: vice o un grado inferiore. Ecco gli esempi più comuni; hanno tutti il plurale regolare: *sottocàpo, sottocommissióne, sottoprefètto, sottosegretàrio, sottotenénte, sottufficiàle*.

sótto: preposizione specifica che indica inferiorità di luogo o di condizione. Si unisce direttamente al nome e con le preposizioni *di* o *a*, specie davanti ai pronomi. Es.: Restò *sotto il ponte*; Il fiume è *sotto il livello di guardia*; Cinque gradi *sotto zero*; L'ho avuto *sotto di me*; Abita *sotto a noi*. Si notino i vari significati di *sotto* in alcune espressioni: *sott'occhio, sotto mano* (vicino, in prossimità, a portata di mano), *sotto il regno di, sotto il governo di* (durante il regno, durante il governo di), *sotto le armi* (in servizio militare), *esser sotto processo* (esser imputato), *sotto voce* (con voce bassa), *sotto questo rapporto* (in questo rapporto, che è forma da preferirsi), *sotto agli esami* (vicino, prossimo agli esami), ecc. Usato assolutamente, è avverbio di luogo e indica il luogo inferiore. Es.: *C'è sotto qualcosa*; *È meglio andare sotto*; *Lo guardò sotto e sopra*; *Sotto sotto* (di nascosto). *Sotto!*: interiezione che vale: orsù, coraggio, avanti (*Sotto, ragazzi, è il vostro momento!*). Sostantivato (il *di sotto* o anche il *disotto*, con grafia unita) significa: la parte inferiore. Es.: *Era scritto sul di sotto del piatto*. La locuzione *al di sotto* è francesismo da evitare (*Al di sotto di tutti*; meglio: sotto a tutti o di tutti).

sottocòdice: codice particolare interno al generale codice rappresentato dalla lingua, che corrisponde al linguaggio usato in uno specifico contesto sociale. Esistono il sottocodice della politica, della burocrazia, dello sport, della scuola ecc. È costituito soprattutto dal lessico specifico del settore, ma anche da una specifica sintassi e da una varietà interna di registro. Per es.: *Senza un pivot, sul quale ogni difesa è costretta a chiudersi, i tiratori bolognesi si sono trovati sempre marcatissimi e le percentuali delle guardie sono di-*

ventate disastrose (dalla cronaca giornalistica di una partita di pallacanestro).

sottoscrítto: forma burocratica per indicare la prima persona singolare, che viene così trasformata in terza. Es.: *Il sottoscritto dichiara con la presente.*

sovènte: avverbio di tempo. Significa: spesso. Raro l'uso dell'avverbio come aggettivo (*Soventi volte lo vedo*). Anche *di sovente*. Es.: *Ci incontriamo di sovente*; *Capita di sovente.*

soviet: parola russa (pr.: sovièt) che significa: consiglio, in particolare, le assemblee degli operai e dei contadini. Da questa parola è derivato l'aggettivo *soviètico* (come sinonimo di comunista o di russo) e il verbo *sovietizzare* (socializzare, comunistizzare). Poco usato il plurale adattato *sovièti*; prevale infatti il plurale invariabile.

sóvra: preposizione specifica che indica luogo o condizione superiore. Poco usata ormai, essendo preferita la forma *sopra* (V.). Come prefisso, in alcune parole composte, sostituisce ancora *sopra* e vuole il raddoppiamento della consonante semplice iniziale della parola a cui si aggiunge. Es.: SOVRABBONDÀRE (abbondare molto), SOVRACCÀRICO (carico eccessivamente), SOVRAPPÓRRE (porre sopra, imporre), SOVRASTÀRE (superare, esser imminente), SOVRECCITÀRE (eccitare al massimo grado), SOVRUMÀNO (più che umano), SOVRIMPÒSTA (soprattassa).

sovrabbondànti (nomi): nomi che hanno doppia desinenza al singolare o al plurale o in tutti e due i numeri. Sono, per esempio, sovrabbondanti al singolare i seguenti nomi: *forestiero* e *forestiere, scudiero* e *scudiere, nocchiero* e *nocchiere, sparviero* e *sparviere, destriero* e *destriere, arma* e *arme*. Il significato non muta, ma una forma è generalmente quella più usata, l'altra è di uso letterario e ricercato. Sono invece sovrabbondanti al plurale molti nomi maschili in *-o* che hanno due forme per il plurale: una in *-i* (maschile) e una in *-a* femminile derivata dal neutro latino. Si ha dunque cambiamento di desinenza e anche cambiamento di genere; per lo più il plurale in *-i* si usa per il senso proprio del nome, il plurale in *-a* per quello figurato (ma talvolta accade il contrario). Ecco un elenco dei più comuni; tra parentesi le due forme del plurale: *anèllo* (gli anelli, le anella), *bràccio* (i bracci e le braccia), *budello* (i budelli e le budella), *calcagno* (i calcagni e le calcagna), *carro* (i carri e le carra), *cervello* (i cervelli e le cervella), *ciglio* (i cigli e le ciglia), *coltello* (i coltelli e le coltella), *corno* (i corni e le corna), *cuoio* (i cuoi e le cuoia), *dito* (i diti e le dita), *filamento* (i filamenti e le filamenta), *filo* (i fili e le fila), *fondamento* (i fondamenti e le fondamenta), *fuso* (i fusi e le fusa), *gesto* (i gesti e le gesta), *ginocchio* (i ginocchi e le ginocchia), *granello* (i granelli e le granella), *grido* (i gridi e le grida), *labbro* (i labbri e le labbra), *lenzuolo* (i lenzuoli e le lenzuola), *membro* (i membri e le membra), *muro* (i muri e le mura), *osso* (gli ossi e le ossa), *sacco* (i sacchi e le sacca), *urlo* (gli urli e le urla), *vestigio* (i vestigi e le vestigia). Per l'uso e il significato delle forme plurali di questi nomi V. le voci relative. Alcuni nomi infine hanno una doppia forma sia al singolare sia al plurale, talora con qualche differenza di significato. Es.: *il legno* e *la legna* (i legni e le legna), *l'orecchio* e *la orecchia* (gli orecchi e le orecchie), *la sorta* e *la sorte* (le sorte e le sorti), *la strofa* e *la strofe* (le strofe e le strofi), *il frutto* e *la frutta* (i frutti, le frutta e le frutte), *la quercia* e *la querce* (le querce e le querci), *la vesta* e *la veste* (le veste e le vesti). V. anche per questi nomi le voci relative.

sovrabbondànti (verbi): verbi che appartengono a due coniugazioni, pur avendo uno stesso tema o derivando dalla stessa parola. Taluni conservano lo stesso significato (e in questo caso una delle due forme è più usata dell'altra). Sovrabbondanti solo per la forma sono i verbi che hanno diverso significato nelle due coniugazioni. Ecco un elenco di verbi sovrabbondanti propriamente detti: *adèmpiere* e *adempíre, ammansàre* e *ammansíre, anneràre* e *anneríre, assordàre* e *assordíre, attristàre* e *attristíre, coloràre* e *coloríre, cómpiere* e *compíre, dimagràre* e *dimagríre, émpiere* ed *empíre, fallàre* e *fallíre, imbiancàre* e *imbianchíre, imbrunàre* e *imbruníre, impazzàre* e *impazzíre,* *incoraggiàre* e *incoraggíre*, *induràre* e *induríre*, *intorbidàre* e *intorbidíre*, *infradiciàre* e *infracidíre*, *rammorbidàre* e *rammorbidíre*, *rinfrancàre* e *rinfranchíre*, *riémpiere* e *riempíre*, *scarnàre* e *scarníre*, *scàndere* e *scandíre*, *schiaràre* e *schiaríre*, *scoloràre* e *scoloríre*, *starnutàre* e *starnutíre*. Per il diverso uso delle due forme di questi verbi (e di altri sovrabbondanti) vedi le voci relative. Sono invece sovrabbondanti solo per la forma i seguenti verbi che, cambiando coniugazione, cambiano anche significato: *abbonàre* (prendere l'abbonamento) e *abboníre* (calmare), *abbrunàre* (prendere il lutto) e *abbruníre* (colorire in bruno), *ammollàre* (mettere a mollo, bagnare) e *ammollíre* (render molle), *arrossàre* (render rosso) e *arrossíre* (divenir rosso), *imboscàre* (nascondere) e *imboschíre* (coltivare a bosco), *sfioràre* (toccare leggermente) e *sfioríre* (perdere il fiore), *tornàre* (venir di nuovo) e *torníre* (lavorare al tornio). V. le voci relative. Quando i due verbi simili, ma di diversa coniugazione, derivano da parole diverse si dicono pseudo-sovrabbondanti. Es.: *atterràre* (deriva da terra) e *atterríre* (deriva da terrore).

sovrastàre: verbo della prima coniugazione, intransitivo. Ausiliare: avere. *Pres. indic.*: sovràsto, sovràsti, sovràsta, ecc. *Pass. rem.*: sovrastài, sovrastàsti, sovrastò, sovrastàmmo, sovrastàste, sovrastàrono. *Part. pass.*: sovrastàto. La forma *soprastàre* segue invece la coniugazione di *stare*, ma è meno usata (*Pres. indic.*: soprastò, soprastài, ecc. *Pass. rem.*: soprastètti, ecc.). *Sovrastare* significa: esser superiore, star sopra e si costruisce con o senza la preposizione *a*. Es.: *Sovrastava a tutti gli altri*; *La parete rocciosa sovrasta il villaggio*. Usato transitivamente anche nel senso di: superare. Es.: *Lo sovrastava di altezza.*

sovveníre: verbo della terza coniugazione, transitivo. *Pass. rem.*: sovvénni, sovvenísti, sovvénne, sovvenímimo, sovveníste, sovvénnero. *Part. pass.*: sovvenúto. Significa: aiutare, soccorrere, e in questo senso si costruisce anche intransitivamente, con l'ausiliare avere e la preposizione *a*. Es.: *Sovviene tutti i poveri della città*; *Aveva sovvenuto ai nostri amici*. Coniugato con l'ausiliare essere significa: venir in mente, ricordare. Es.: *Gli è sovvenuto il tuo nome* (meglio che con la costruzione riflessiva: *Si è sovvenuto del tuo nome*). Da sovvenire è derivato SOVVENZIONÀRE (aiutare con sussidio o prestiti, finanziàre) che è voce criticata dai puristi, ma ormai di largo uso.

spagnolísmo: parola o locuzione propria della lingua spagnola entrata nell'uso nostro o nella sua forma originale o adattata alla nostra lingua. Es.: *apartado* (la cella dei tori rinchiusi per la corrida), *banderillero* (l'uomo che aizza il toro, nelle corride, con apposite frecce), *cañon* (vallone con pareti a picco), *caramba* (esclamazione di meraviglia o di rabbia), *chistera* (racchetta per il gioco della pelota), *corrída* (combattimento dei tori), *embarcadero* o *imbarcadero* (imbarcatoio), *embargo* (interdizione, fermo, sequestro, staggimento), *espada* (torero), *estancia* (fattoria), *estudiantina* (complesso musicale formato da studenti), *gaucho* (mandriano delle Pampas), *matador* (il torero incaricato di uccidere il toro), *muleta* (drappo rosso usato nella corrida per sviare il toro), *pelota* (gioco della palla al muro), *poncho* (mantello con foro per far passare la testa), *siesta* (riposo pomeridiano), *sombrero* (cappello a larghe tese), ecc. Spagnoli sono i nomi di alcune danze: *bolero, carioca, conga, cucaracha, fandango, malagueña, rumba, samba, tango*, ecc.

spàlla: sostantivo femminile che indica una parte superiore del tronco umano, dove il braccio si attacca al tronco stesso. Al plurale ha spesso il significato più generale di schiena ed è usato in molte espressioni tipiche: *mettere con le spalle al muro* (costringere uno a risolversi), *caricarsi sulle spalle* (oltre al senso proprio anche quello di assumersi la responsabilità), *volger le spalle* (fuggire), *voltar le spalle* (segno di superbia e disprezzo), *parlar dietro le spalle di qualcuno* (sparlare, fare della maldicenza contro qualcuno in sua assenza), *stringersi nelle spalle* (segno di rassegnazione o di indifferenza), *vivere alle spalle* (vivere a carico, sfruttare).

spallàto: participio passato di *spallare*.

Usato come aggettivo nel senso di infondato (*causa spallata, argomento spallato*). Impropriamente sostituito da *sballàto* (V.).

spàndere: verbo della seconda coniugazione, transitivo. *Pass. rem.*: spandéi (o spandètti), spandésti, spandé (o spandètte), spandémmo, spandéste, spandérono (o spandèttero). *Part. pass.*: spànto o spandúto (ma si usa più comunemente il participio di *spargere, spàrso*). Significa: spargere, distendere largamente. Riflessivo, significa: riversarsi, dilatarsi (*La folla si spandeva per la via*; *Questa macchia si spande su tutto il foglio*).

sparàre: verbo della prima coniugazione, transitivo (Es.: *Sparare il fucile*) o intransitivo, *Sparare a qualcuno* (talvolta anche: *sparare qualcuno*), *Sparare al cuore*. Si noti l'uso della forma riflessiva invalso nel gergo giovanile: *Spararsi in via De Amicis al cinema* (= correre, precipitarsi); *Si è sparato due pizze in un'ora* (= si è ingollato).

spàrgere: verbo della seconda coniugazione, transitivo. *Pass. rem.*: spàrsi, spargésti, spàrse, spargémmo, spargéste, spàrsero. *Part. pass.*: spàrso. Significa: spandere, divulgare, sparpagliare.

sparíre: verbo della terza coniugazione, intransitivo. Ausiliare: essere. Si coniuga con la forma incoativa *-isc-* tra il tema e la desinenza di alcuni tempi. *Pres. indic.*: sparísco, sparísci, sparísce, spariàmo, sparíte, sparíscono. *Pass. rem.*: sparíi (sparvi), sparísti, sparí (spàrve), sparímmo, sparíste, sparírono (spàrvero). *Pres. cong.*: sparísca, sparísca, sparísca, spariàmo, spariàte, sparíscano. *Part. pass.*: sparíto. Significa: dileguarsi, involarsi, consumarsi rapidamente.

spartíre: verbo della terza coniugazione, transitivo. Si coniuga con la forma incoativa *-isc-* tra il tema e la desinenza di alcuni tempi. *Pres. indic.*: spartísco, spartísci, spartísce, spartiàmo, spartíte, spartíscono. *Pres. cong.*: spartísca, spartísca, spartísca, spartiàmo, spartiàte, spartíscano. *Part. pass.*: spartíto. Significa: dividere, distribuire. Es.: *Non voglio aver niente da spartire con quell'uomo.*

spaventàre: verbo della prima coniugazione, transitivo. Nella forma riflessiva e intransitiva pronominale, quando regge una proposizione oggettiva si costruisce con *di* e l'infinito (*Si erano spaventati di entrare nel buio*).

spazza-: forma del verbo *spazzare* usata per formare nomi composti contenenti l'idea di pulire, nettare, liberare. Es.: SPAZZACAMÍNO (plur.: spazzacamini; colui che pulisce il camino), SPAZZACAMPÀGNA O SPAZZACAMPÀGNE (plur.: spazzacampagna; antica arma da fuoco), SPAZZAFÓRNO (plur.: spazzaforni; arnese per pulire i forni), SPAZZAMÍNE (plur.: spazzamine; nave che libera il mare dalle mine), SPAZZANÉVE (plur.: spazzaneve; arnese che libera le strade dalla neve), ecc. V. anche COMPOSTI (NOMI).

specialísta: sostantivo maschile usato nel senso di: esperto, perito di una parte o di un ramo di un'arte o scienza. Termine ormai nell'uso, benché un tempo inviso ai puristi. Es.: *Specialista per le malattie della pelle* (o *specialista delle malattie della pelle*; meno bene: *specialista nelle malattie della pelle*).

specialità: sostantivo femminile, usato nel senso di: ramo, sezione, parte di una scienza o disciplina. Es.: *Le diverse specialità della medicina*; *La sua specialità è pediatria*. Da questo uso del termine deriva quello di *specialista* nel senso di esperto in un ramo particolare. Anche nell'esercito si dice: *le specialità della fanteria* (cioè i vari corpi della fanteria: *il corpo dei bersaglieri, il corpo degli alpini*). Non bello, ma ormai diffuso è l'uso di *specialità* nel senso di: preparato farmaceutico, medicina, farmaco preparato per una data malattia. Si dice anche: *specialità della cucina toscana, specialità emiliane* nel senso di: prodotti eccellenti, piatti, cibi caratteristici di una determinata regione. *Essere una specialità* è locuzione passata a significare: essere eccellente, essere ottimo. Es.: *Questa torta è una specialità!*; *Quell'oculista è una specialità nel suo campo.* Ma è un uso da evitare.

spècie: sostantivo femminile, invariabile. Es.: *Tutte le specie di animali*; *Ogni specie di uomini*. Significa: forma (*Vasi di ogni specie*), qualità (*Ogni specie di pesce*), apparenza, somiglianza (*È una specie di capogruppo*). Usato in alcune locuzioni: *in* *specie* o *specie* (con valore avverbiale nel senso di: specialmente); *nella fattispecie* (nel caso particolare); *sotto specie di* (col pretesto di).

specificazióne (complemento di): il complemento che serve a specificare il significato del nome generico che precede. È introdotto sempre dalla preposizione *di*. Risponde alla domanda: di chi? di che cosa? Esempio: Dario era re (di chi?) *dei Persiani*.
Si sogliono distinguere vari tipi di specificazione, secondo i vari significati:
1) specificazione *attributiva* o *qualificativa*. Il complemento equivale a un attributo e indica la qualità di una cosa e di una persona. Es.: Le sere *d'estate* (=estive); I funzionari *dello Stato* (=statali); Le feste *di Pasqua* (=pasquali);
2) specificazione *possessiva*. Il complemento indica l'appartenenza. Es.: Il libro *di Paolo*; la casa *di Luigi*; oppure, in dipendenza dal verbo essere: Il giardino è *di Franca*; Il vestito era *del padre*;
3) specificazione *oggettiva*. Il complemento è retto da un aggettivo o da un nome che equivalgono a verbi, dei quali potrebbe essere il complemento oggetto. Es.: Il desiderio *di ricchezze* (=desiderare le ricchezze); L'amore *dei figli* (= amare i figli) da parte dei genitori; La speranza *della pace* (=sperare la pace);
4) specificazione *soggettiva*. Il complemento è retto da un nome o da un aggettivo che equivalgono a verbi, dei quali potrebbe essere il soggetto. Es.: L'odio *dei nemici* (=che i nemici hanno) verso di noi; L'amore *della madre* (=che la madre ha) verso i figli.
Il complemento di specificazione indica inoltre la parte di un tutto (Es.: Alcuni *di noi*). In tal caso prende il nome di *complemento partitivo* (V.). Si badi a non confondere con il complemento di specificazione altri complementi retti dalla preposizione *di*, come il complemento oggetto (Ho visto *dei quadri*), o il complemento di denominazione (La città *di Roma*), o il complemento di causa (Muoio *di sete*).

specimen: parola inglese (pr.: spésimin). Significa: saggio, modello, facsimile, generalmente a scopo pubblicitario. Il termine si può usare anche in italiano, non essendo altro che una parola latina (e come tale si può pronunciare: spècimen). Come tutte le parole straniere, conviene mantenerla invariata al plurale.

spedíre: verbo della terza coniugazione, transitivo. Si coniuga con la forma incoativa *-isc-* tra il tema e la desinenza di alcuni tempi. *Pres. indic.*: spedísco, spedísci, spedísce, spediàmo, spedíte, spedíscono. *Pres. cong.*: spedísca, spedísca, spedísca, spediàmo, spediàte, spedíscano. *Part. pass.*: spedíto. Significa: mandare, inviare; sbrigare.

spégnere: verbo della seconda coniugazione, transitivo. *Pres. indic.*: spéngo, spégni (spéngi), spégne (spénge), spegniàmo (spengiàmo), spegnéte (spengéte), spéngono. *Pass. rem.*: spénsi, spegnésti, spénse, spegnémmo (spengémmo), spegnéste (spengéste), spénsero. *Pres. cong.*: spénga, spénga, spénga, spegniàmo (spengiàmo), spegniàte (spengiàte), spéngano. *Part. pres.*: spegnènte o spengènte. *Part. pass.*: spento. *Infinito*: spégnere o spéngere. Significa: estinguere, smorzare. L'accentazione qui riportata segue la pronunzia romana, più conforme all'evoluzione fonetica della parola; l'uso toscano comporta invece una *e* tonica aperta: *spègnere, spènsi*, ecc.

spelàre: verbo della prima coniugazione, transitivo. Significa: togliere i peli o le penne. Non si confonda quindi con *spellàre*, che invece significa: togliere la pelle.

speleo-: primo elemento di parole composte. Indica attinenza con le grotte e le caverne. Es.: *speleologo, speleobotanica*.

spèndere: verbo della seconda coniugazione, transitivo. *Pass. rem.*: spési, spendésti, spése, spendémmo, spendéste, spésero. *Part. pass.*: spéso. Significa: consumare, dare denaro in pagamento.

speràre: verbo della prima coniugazione, intransitivo. Ausiliare: avere. Es.: *Sperava nell'aiuto degli amici*. Talvolta usato anche transitivamente: *Sperava almeno un guadagno modesto*. Quando regge una proposizione oggettiva, nella forma implicita si costruisce con *di* e l'infinito o anche assolutamente (*Sperava proprio di vincere*; *Sperava uscire indenne dall'av-*

ventura). Nella forma esplicita vuole generalmente il congiuntivo (*Speravamo che avesse capito*; *Spero che non accada più*, ma anche *Spero che non accadrà più*).

spèsso: avverbio di tempo. Indica il ripetersi frequente di un'azione (*Gli scrivo spesso*). *Spesso e volentieri*: molto spesso. Il superlativo è *spessissimo*. L'avverbio deriva dall'aggettivo *spesso*, che significa: denso, fitto, frequente (Es.: *un olio spesso, un bosco spesso, spesse volte*).

spettàbile: aggettivo usato negli indirizzi e nelle intestazioni di lettere commerciali. Es.: *Spett. Famiglia Rossi*; *Spett. Casa Editrice*. Significa: degno di riguardo.

spettacolàre: aggettivo qualificativo. Francesismo per: spettacoloso, cioè sorprendente, meraviglioso, teatrale, grandioso. Es.: *parata spettacolare, un tuffo spettacolare, una caduta spettacolare*, ecc.

spettànza: sostantivo femminile, in uso nel linguaggio burocratico nel senso di: competenza, proprietà, giurisdizione. Es.: *Questo problema è di spettanza del sindaco*; *Il compenso di mia spettanza*. Meglio usare il verbo *spettare* (V.).

spettàre: verbo della prima coniugazione, intransitivo. Ausiliare: essere. Significa: competere, incombere, toccare. Es.: *Al giudice spetta l'applicazione della legge*; *Questo incarico non ti spetta*; *Mi sarebbe spettata una promozione*. Seguito da un infinito, il verbo si costruisce più comunemente senza la preposizione *di*, poiché in tal caso l'infinito rappresenta una proposizione soggettiva. Es.: *A te spetta decidere.*

spèzie: sostantivo femminile plurale. Ormai disusato il singolare invariato. Significa: aromi, piante e frutti aromatici per lo più di provenienza esotica, un tempo molto usati in medicina. Perciò *speziàle* significava: farmacista.

spiacènte: participio presente di *spiacere*; come tale significa: che spiace, che non piace. I linguisti moderni hanno però riconosciuto in *spiacènte*, e nel participio passato *spiaciúto*, un esempio del tipico caso di participio bivalente, attivo e passivo. Dirai quindi correttamente: *Sono spiacente* o *spiaciuto che tu sia stato bocciato*; *Sono spiacente di annunciare che lo spettacolo sarà rinviato. Esser spiacente* vale dunque: aver dispiacere, esser dolente.

spiccàre: verbo della prima coniugazione, transitivo. Significa: distaccare (*spiccare una mela dall'albero*), staccare, disgiungere (*spiccare la testa dal busto*), staccare le sillabe l'una dall'altra (*spiccare le parole*), staccarsi da terra (*spiccare un salto, spiccare il volo*). Anche *spiccare un ordine, un mandato di cattura*, ma in questo caso è meglio usare *emettere*. Usato intransitivamente (con l'ausiliare avere), significa: aver risalto, esser notato, esser ben visibile. Es.: *Spiccava il colore delle divise grigioverdi*; *La sua eloquenza aveva spiccato molto*. Da ciò l'uso del participio aggettivale *spiccàto* nel senso di: rilevato, notevole, insigne. Es.: *Aveva una spiccata attitudine per la musica.*

spiegàre: verbo della prima coniugazione, transitivo. Es.: *Spiegare il funzionamento della macchina*. Quando regge una proposizione oggettiva, nel costrutto implicito vuole *di* più l'infinito (*Aveva spiegato di non poter eseguire il lavoro*); nella forma esplicita regge di norma l'indicativo (*Spiegò che non poteva eseguire il lavoro*).

spillàre: verbo della prima coniugazione, transitivo. Significa: far uscire il vino dalla botte (*spillare una bottiglia di moscato*); cavare (*spillar denari, spillar notizie*). Usato intransitivamente, se si riferisce ai liquidi che si versano (nel senso di: sprizzar fuori) vuole l'ausiliare essere (*Il vino è spillato dalla botte*), se si riferisce invece al recipiente, da cui esce il liquido, vuole l'ausiliare avere (*La botte aveva spillato per tutta la notte*).

spinàcio: sostantivo maschile che indica un genere di verdura. Al singolare ha anche la forma *spinàce*. Si usa però soprattutto al plurale: gli spinàci (e non: gli spinacci, come pur accade spesso di leggere sui cartellini degli erbivendoli).

spíngere: verbo della seconda coniugazione, transitivo. *Pass. rem.*: spínsi, spingésti, spínse, spingémmo, spingéste, spínsero. *Part. pass.*: spínto. Significa: cacciare avanti, incitare, indurre. Non dirai *spingere le indagini*; ma: condurre le indagini o, semplicemente, indagare. Il participio passato, usato come aggettivo, vale: ardito, audace, arrischiato. Es.: *È una barzelletta un po' spinta; Sono idee troppo spinte.*

spirànti (consonanti): così sono chiamate le consonanti *f, s, v, z* perché, pronunziate da sole, darebbero luogo a un soffio o a un sibilo. Perciò sono dette anche *sibilanti* (V.).

spiràre: verbo della prima coniugazione, intransitivo. Si coniuga con avere nel senso di soffiare (*Il vento aveva spirato da tramontana*), con essere nel senso di morire (*È spirato subito*). Transitivo, nel senso di emanare (*Spirava fuoco dalle nari*).

spiro-: primo elemento di parole composte. D'origine greca, indica spirale, a forma di spirale. Es.: *spirochéta, spirometría, spirotromba.*

spízzico: nome sdrucciolo terminante in *-co*, che al plurale finisce in *-chi*: spizzichi. Significa: piccola dose.

splèndere: verbo della seconda coniugazione, intransitivo. *Pass. rem.*: splendéi (splendètti), splendésti, splendé (splendètte), splendémmo, splendéste, splendérono (splendèttero). *Part. pass.*: splendúto (usato raramente). Si coniuga con entrambi gli ausiliari, ma i tempi composti sono poco usati. Significa: rifulgere e, al figurato, essere illustre (*Il suo nome splende di gloria*).

spleno-: primo elemento di parole composte, nel linguaggio medico. Indica riferimento alla milza. Es.: *splenocontrazione, splenomegalía, splenorragía, splenoptosi.*

spòglio: sostantivo maschile che significa: cernita, computo, raccolta di dati. Al plurale *spògli* indica i vestiti smessi. Il sostantivo femminile SPÒGLIA (e più spesso le SPÒGLIE) indica la salma, il cadavere; talora anche vesti: *sotto mentite spoglie* (sotto vesti diverse dalle solite).

spondèo: nella metrica classica greca, piede di quattro tempi, con ritmo discendente, formato da due sillabe lunghe con l'ictus sulla prima. Equivalente al dattilo, che sostituisce nell'esametro (esametro spondaico), serve a sostituire anche altri piedi quando si vuole accentuare il ritmo lento e solenne del verso.

sponte: voce latina rimasta nell'uso nostro. Significa: spontaneamente. Anche *sua sponte*. Nella locuzione *spinte o sponte*: per amore o per forza.

spòrco: aggettivo qualificativo che significa: sudicio, lordo; anche in senso figurato: disonesto, immorale. Plurale: spòrchi.

spòrgere: verbo della seconda coniugazione. *Pass. rem.*: spòrsi, sporgésti, spòrse, sporgémmo, sporgéste, spòrsero. *Part. pass.*: spòrto. Si usa intransitivamente, con l'ausiliare essere, nel senso di: venir in fuori, fare aggetto (*Il balcone sporge dalla facciata*); riflessivo, significa: protendersi, spingersi fuori o avanti (*Non sporgersi dal finestrino*). Anche transitivo, nel senso di: metter fuori, protendere (*Sporse il capo dal finestrino*). Si usa pure nella espressione *sporger querela*, nel senso di presentar una denuncia all'autorità giudiziaria.

spòrt: sostantivo maschile, derivato dall'inglese *sport*, che significa: diporto (ma inteso oggi come esercizio di grande impegno agonistico). È ormai voce di uso internazionale, accolta anche nella lingua italiana. È però errore declinarla alla maniera francese o inglese aggiungendo una *s* al plurale. *Sport*, in italiano, è invariabile: gli sport. La locuzione *per sport* può essere invece evitata; dirai: per divertimento, per diporto.

sposàre: verbo della prima coniugazione, transitivo. Ha vari significati secondo l'uso: prendere in matrimonio (*Nostra figlia ha sposato un bravo ragazzo*), dare marito o dar moglie (*I parenti vogliono sposare quella ragazza a una persona ricca*), celebrare le nozze (*Il sindaco li ha sposati in Municipio*).

Nel senso di unirsi in matrimonio è usato intransitivamente con l'ausiliare avere (*Hanno sposato ieri*), ma è un uso dialettale. Più comune il riflessivo (*Ci sposeremo in primavera*). Il verbo è usato anche nel senso figurato (*sposare un'idea, una causa* e simili) con il significato di: prender a cuore, accettare.

spregiatívo: alterazione dei nomi e degli aggettivi. V. PEGGIORATIVO.

sputapépe: nome composto da una forma verbale (sputa) e un sostantivo maschile (pepe). Plurale invariabile. Per la regola relativa V. *Composti* (*Nomi*). Indica persona arguta e petulante.

sputasentènze: nome composto da una forma verbale (sputa) e un sostantivo femminile plurale (sentenze). Resta invariato al femminile e al plurale. Per la regola relativa V. *Composti* (*Nomi*). Indica persona che esprime pareri su tutto, sentenziosa.

sputavelèno: nome composto da una forma verbale (sputa) e un sostantivo maschile (veleno). Plurale sputaveleni. Per la regola relativa V. *Composti* (*Nomi*). Indica persona maldicente, cattiva.

sta, sto: aggettivo dimostrativo, aferesi di *questa* o *questo*. Forma dialettale. Es.: *Guarda sto illuso!*; *Sta vecchia carcassa!* *Sta* è usato come prefisso per comporre alcune parole: *staséra, stamàne* o *stamàni, stavòlta, stanótte*. Non vuole il raddoppiamento della consonante iniziale (errata perciò la forma *stassera*).

stabilíre: verbo della terza coniugazione, transitivo. Si coniuga con la forma incoativa *-isc-* tra il tema e la desinenza di alcuni tempi. *Pres. indic.*: stabilísco, stabilísci, stabilísce, stabiliàmo, stabilíte, stabilíscono. *Pres. cong.*: stabilísca, stabilísca, stabilísca, stabiliàmo, stabiliàte, stabilíscano. *Part. pass.*: stabilíto. Significa: fissare, statuire, deliberare, decidere. Riflessivo, significa: prender dimora, domiciliarsi (Es.: *Ci stabilimmo a Napoli per due anni*).

stàio: sostantivo maschile che indica una misura di capacità per cereali. Sovrabbondante al plurale: gli stai (indica il recipiente usato per misurare) e le staia (indica la quantità contenuta negli stai). *A staia*: a iosa, a palate.

stàlla: sostantivo femminile che indica il luogo ove si tengono gli animali. Deriva dal latino *stàbulum*; il sostantivo maschile STÀLLO (da *stare*) significa invece: sedile, seggio, separato dagli altri a mezzo di tramezzini (in specie, il posto di un cantore nel coro della chiesa).

stamàni: avverbio di tempo derivato dalla composizione di *sta* (aferesi di *questa*) e *mane* (latinismo per *mattina*). Perciò è comune anche la forma *stamàne*. Usato anche l'avverbio *stamattina*.

stàmpa: sostantivo femminile con vari significati: indica l'atto e l'arte dello stampare (*la stampa dei tessuti, la stampa di un libro, libro in corso di stampa, dare alle stampe*, ecc.), i giornali e i giornalisti (*l'opinione della stampa, la tribuna della stampa, i rappresentanti della stampa*, ecc.). Si usa anche nel senso di qualità, ma in questo caso è oggi più comune il sostantivo STÀMPO, che indica un arnese per stampare, modello, timbro o stampino. Es.: *Voi siete tutti dello stesso stampo*; *Le donne sembran tutte dello stesso stampo*; *Si è perduto lo stampo di certi maestri.*

stampíglia: sostantivo femminile che indica un timbro con lastre di gomma o di metallo sulle quali è incisa una dicitura da riprodursi su carta, legno o altro. È però uno spagnolismo da *estampilla*. Dirai meglio: stampino. Il verbo che ne deriva è *stampigliàre*, ma è più corretto *stampinàre*.

stanghétta: segno ortografico (-), più breve della lineetta, usato per congiungere due parole che esprimono un unico concetto ma delle quali non si è voluto o potuto formare una sola parola. Es.: la guerra *italo-turca*, le lingue *neo-latine*, il sistema *neuro-vegetativo*. Si chiama anche *trattino* o, alla francese, *tratto d'unione*.

stànte: participio presente del verbo *stàre*, usato talora con valore di preposizione, nel senso di: a causa, per, per causa di. Es.: *Stante il cattivo tempo*, la partenza fu rinviata; *Stante questa tua condotta*, noi ce ne andremo. Ma è uso da limitare come pure quello della congiunzione *stante che* o *stanteché* in luogo di: perché, poiché. Es.: *Stante che tu non sai nulla*, è inutile citarti come testimone. Il participio *stante* è usato bene, invece, nelle locuzioni *seduta stante* (subito), *a sé stante* e simili. Es.: *Prendemmo quella risoluzione seduta stante.* Usata pure la parola *benestànte* per: agiato, ricco.

stànza: sostantivo femminile, che indica la dimora, luogo ove si dimora (*Un reggimento di stanza nella nostra città*). Anche locale, parte della casa (*stanza da letto, stanza da pranzo, stanza da bagno*, ecc.). Nella versificazione *stanza* è sinonimo di *strofe* (V.). Al plurale, indica in modo particolare le ottave, cioè le strofe in ottava rima (Es.: le *Stanze per la giostra* del Poliziano).

stàre: verbo della prima coniugazione, intransitivo. Ausiliare: essere. *Pres. indic.*: sto, stài, sta, stiàmo, stàte, stànno. *Fut. semplice*: starò, staràì, starà, starémo, staréte, staranno. *Pass. rem.*: stètti, stésti, stètte, stémmo, stéste, stèttero. *Pres. cong.*: stía, stía, stía, stiàmo, stiàte, stíano. *Imperf. cong.*: stéssi, stéssi, stésse, stéssimo, stéste, stéssero. *Pres. condiz.*: starèi, starésti, starébbe, starémmo, staréste, starébbero. *Imper.*: sta o sta' o stài, stía, stiàmo, stàte, stíano. *Part. pres.*: stànte (V.). *Part. pass.*: stàto. *Gerundio*: stàndo. Sono dunque forme errate: *stò* e *stà* del presente indicativo perché in questo caso non vi è ragione di fare eccezione alla regola che vuole atoni i monosillabi; *stàsti, stàmmo, stàste* e *stàrono* del passato remoto; *stàssi, stàssimo, stàssero* del congiuntivo imperfetto. Nei tempi composti il verbo si confonde con le forme corrispondenti del verbo *essere* (Pass. prossimo di *stare*: *io sono stato, tu sei stato, egli è stato*, ecc.; di *essere*: *io sono stato, tu sei stato, egli è stato*, ecc.).
I composti *ristàre, soprastàre* e *sottostàre* seguono fedelmente la coniugazione di *stare*, mentre *contrastàre, restàre, prestàre, sostare, sovrastàre, sostàre* ed altri seguono regolarmente la prima coniugazione. V. le voci relative. *Stare* significa: essere fermo in un posto. Assume però vari significati, che ora brevemente indicheremo. Costruito con un gerundio indica azione continuata (*Stava camminando*; *Stavo scrivendo*). Con un infinito preceduto dalla preposizione *a* indica azione continuata o stato, condizione, posizione (*Stare a sedere*; *Staremo a vedere*). Con la preposizione *per* significa: essere in procinto (*Stavo per partire*; *Stava per dire la verità*). Come ausiliare è usato talora in luogo di essere (*Sta scritto*; *Stava chiuso*). Sostituisce *essere* anche in alcune espressioni (di uso però dialettale) come *stava inquieto, sto preoccupato* e simili. *Stare* significa poi: dimorare, abitare (*Sto a Milano*), indugiare, fermarsi in un luogo (*Stette due ore nello studio*; *Starò tutto il giorno in casa*), essere in una posizione (*Star bocconi, stare in piedi, stare a letto, stare supino*, ecc.), o in una condizione d'animo o di salute o di vita (*Sto meglio*; *Sta bene*; *Star tranquilli*), convenire, spettare, essere giusto (*Non sta a te rimproverarmi*; *Sta al maestro educare gli scolari*; *Non sta bene offendere i vecchi*), schierarsi, prender partito (*Starai con noi o contro di noi?*), partecipare (*Ci stai a fargli uno scherzo?*), dipendere (*Se stesse in me, avrei già concesso il permesso*), importare (*Quel libro mi sta a cuore*).
Si notino ancora i seguenti modi di dire: *stare all'erta, in guardia, a occhi aperti, in vedetta* (vigilare), *star sulle mie, sulle sue* (esser sostenuto, riservato), *star fresco* (avere una delusione, subire una sconfitta, una lezione), *lasciar stare* (lasciar tranquillo, in pace).

starnutàre e **starnutíre:** verbi sovrabbondanti di eguale significato. Più usata è la forma *starnutíre*, che si coniuga con il suffisso *-isc-* incoativo tra il tema e la desinenza di alcuni tempi (*starnutísco, starnutísci, starnutísce*, ecc.). Sono intransitivi e vogliono l'ausiliare avere. Significano: fare uno starnuto.

staséra: avverbio di tempo, composto da *sta*, aferesi di *questa*, e dal sostantivo *sera*: questa sera. Errata la forma *stassera*: *sta* non vuole il raddoppiamento della consonante iniziale della parola a cui si aggiunge.

-stasi: terminazione di parole scientifiche composte che indicano arresto, cessazione. Es.: *emostàsi*. Dai sostantivi derivano gli aggettivi in *-statico*: *emostatico, termostatico*.

stàto: sostantivo maschile, significa: condizione, modo di essere. Es.: *Sei in uno stato pietoso*; *Il mio stato di celibe*; *Il suo stato di salute*. Quando significa l'insieme dei cittadini abitanti in uno stesso territorio e governati da una legge, è meglio scriverlo, per chiarezza, con la maiuscola. Es.: *Lo Stato richiede ai cittadini il compimento di alcuni doveri*; *Lo Stato italiano si fonda sulla Costituzione repubblicana.* Da *Stato* derivano STATÀLE (impiegato, funzionario dello Stato), STATALIZZÀRE (lo stesso che *statizzare*), STATÍSTA (uomo di Stato).
Per quel che riguarda il genere gram-

maticale, i nomi degli Stati possono essere maschili (*il Giappone, il Belgio, l'Iran, il Nepal, il Ciad, il Congo, l'Egitto*) o femminili (*l'Italia, la Russia, l'India, l'Etiopia, la Finlandia, la Cina*).

statuíre: verbo della terza coniugazione, transitivo. Si coniuga con la forma incoativa *-isc-* tra il tema e la desinenza di alcuni tempi. *Pres. indic.*: statuísco, statuísci, statuísce, statuiàmo, statuíte, statuíscono. *Pres. cong.*: statuísca, statuísca, statuísca, statuiàmo, statuiàte, statuíscano. *Part. pass.*: statuíto. Significa: deliberare, stabilire (*Statuirono l'abolizione della monarchia e la proclamazione della Repubblica*; *Hanno statuito che si abolisca la pena di morte*). Ma è voce ormai rara.

statu quo: locuzione latina, abbreviazione di *statu quo ante*. È usata, da noi, come un sostantivo per: lo stato o la condizione precedente, rispetto a un evento significativo in campo storico-politico. Es.: *Lasciare le cose allo* statu quo; *Vorremmo tornare allo* statu quo. Si scriva però sempre tra virgolette o con carattere diverso. La variante *status quo* è ammessa solo quando la locuzione è usata come soggetto. Es.: *Lo* status quo *ritornava inalterato.*

stazionàre, stazionàrio: francesismi. In luogo del verbo potrai usare: sostare, star fermo, parcare, stare. In luogo dell'aggettivo, nell'uso figurato, preferirai: statico, che non progredisce, immobile, immutato. Es.: *Le condizioni del ferito sono immutate.*

stélla: sostantivo femminile, che indica ogni corpo celeste che brilla di luce propria. Nel linguaggio familiare è un vezzeggiativo nel senso di: caro, buono, bello. Es.: *Quel bambino è proprio una stella.* Nel linguaggio parlato e figurato si trovano anche le espressioni: *salire alle stelle* (aumentare enormemente. Es.: *Il prezzo dell'olio è salito alle stelle*), *portare alle stelle* (celebrare, esaltare), *vedere le stelle* (soffrire un dolore acuto). Oggi è anche sinonimo di diva: *una stella del cinema, del teatro.* Anche al diminutivo *stellina*: attricetta, giovane attrice.

Stellétta è invece un sinonimo di *asterisco*, ed è un segno tipografico usato per separare pezzi di uno stesso articolo o parti di un capitolo per richiami (*). Le *stellétte* militari sono invece le piccole stelle a cinque punte che i soldati portano sul bavero, simbolo dell'esercito.

stèlo: sostantivo maschile che indica il gambo dei fiori. Il sostantivo femminile STÈLA significa invece cippo funerario; ma è più spesso usata la forma invariabile STÈLE.

steno-: primo elemento di parole composte. Dal greco, significa: restringimento, abbreviazione, accorciamento. Es.: *stenografía, stenocardía, stenotipía.*

stentàre: verbo della prima coniugazione, intransitivo. Ausiliare: avere. Si usa assolutamente nel senso di: soffrire, penare. Es.: *Stentava da quando fu licenziato.* Si costruisce con la preposizione *a* nel senso di: durar fatica, non risolversi a fare una cosa. Es.: *Stento a credere*; *Stentava a pagare.* Talora usato transitivamente: *stentare il pane, stentare la vita.*

stereo-: prefisso d'origine greca che significa: solido, rigido; anche spaziale, tridimensionale. Usato per comporre varie parole: STEREÒBATE (piedistallo), STEREOFONÍA (riproduzione del suono che rende la spazialità originaria), STEREOGRAFÍA (disegno di corpi solidi su un piano), STEREOMETRÍA (tecnica di ripresa delle immagini che consente la percezione volumetrica degli oggetti), STEREOTIPÍA (tipo di stampa), STEREOTOMÍA (scienza del taglio dei solidi).

stereòtipo: in linguistica è l'accoppiamento fisso di parole; frase fatta, luogo comune. Vedi riquadro a pag. 480.

stesicorèa: nella lirica corale greca, triade strofica recitata composta da strofe, antistrofe ed epodo; fu usata da Stesicoro, da cui il nome.

stésso: aggettivo e pronome dimostrativo che indica: identità, somiglianza perfetta. Es.: *Ha detto le stesse cose di ieri*; *Compie sempre le stesse azioni*; *È sempre lo stesso.* Talora ha invece valore intensivo. Es.: *Io stesso* (=io in persona, proprio io) *gli andai incontro*; *Lo stesso comandante* (=persino, anche il comandante) *volle aiutare il ferito*; *Parlavo con me stesso*; *Conosci te stesso.* Per esprimere indifferenza o equivalenza si usa con valore neutro nelle espressioni *fa lo stesso, è lo stesso.*

Stereotipi, frasi fatte, luoghi comuni

Alcune locuzioni sono diventate così abituali e ripetute che hanno perso il loro originario valore espressivo. Specialmente taluni ricorrenti accoppiamenti di nomi e aggettivi sono ormai frasi fatte, o stereotipi, che è bene evitare quando si vuol dare un tono personale al proprio discorso. Tali espressioni sono invece ormai luoghi comuni negli articoli di cronaca, nei verbali, nei rapporti ufficiali.
Eccone alcuni esempi: *soliti ignoti, brutale aggressione, accurate indagini, rigorosa inchiesta, pronto intervento, fonte autorevole, franco confronto, insanabile contrasto, netta opposizione, fulminea risposta, cristallina limpidezza, cielo plumbeo, di facili costumi, inconsolabile dolore, triste annuncio, augusto patrocinio, fiera protesta, mano omicida, acuta diagnosi, cortese invito, pregiata lettera, profondo cordoglio, tempi stretti, illustri ospiti, mortale sciagura, eccelse vette, infinita gratitudine, dolce metà, estremo rimedio, spettabile clientela, urla strazianti, ciglio asciutto, frutto della colpa, assoluto divieto, emerito imbecille, stupido scherzo, ricco sfondato, ubriaco fradicio, stanco morto, aurea mediocrità, folto gruppo, riccamente illustrato, facile divulgazione, ricco dono, speciale benedizione, partecipazione straordinaria, a briglia sciolta, a spron battuto, amato bene, focolare domestico, fraterna amicizia, asse portante, bagno di sangue, stangata fiscale, limite estremo, carta bianca, puro caso, degno compare, gloriosa memoria, interno affanno, lieto fine, osso duro, ragion veduta, a scatola chiusa, ultima spiaggia, a tamburo battente, prematura scomparsa, immortali principi, incrollabile fede, torbida vicenda, insulti irripetibili.*

Es.: *Anche se non vieni fa lo stesso*; *Se i soldi li dai a lui, è poi lo stesso.* Usato anche il superlativo *stessíssimo*, per sottolineare l'identità.

stìchico: il componimento poetico intenzionalmente non strutturato in strofe per rompere con le convenzioni metriche, nato nel secolo XVI assieme al verso libero ad imitazione della poesia classica.

stigmatizzàre: verbo della prima coniugazione che significa: imprimere il marchio d'infamia. Oggi è largamente usato in senso figurato: bollare, condannare severamente, biasimare.

stilàre: verbo della prima coniugazione, transitivo. Di uso pedantesco, ristretto ormai ad alcune espressioni (*stilare un contratto, stilare una nota*) per: scrivere, stendere. Da non confondere con *stillare* (V.).

stilèma: particolare elemento stilistico che caratterizza un autore o una scuola o un periodo. Per esempio, l'omissione della punteggiatura è uno stilema della prosa della neoavanguardia.

stilística: la scienza che studia lo stile e insegna a scrivere e a parlare con arte. Anche l'analisi che ha per oggetto i procedimenti stilistici propri della lingua di uno scrittore rispetto al codice medio della lingua letteraria. Un tempo la *retorica*, o arte del bello scrivere, era racchiusa in trattati, che contenevano i precetti ricavati dall'analisi dei classici, e che costituivano un organico complesso di norme alle quali gli scrittori avrebbero dovuto uniformarsi. Oggi, in relazione anche alle moderne concezioni estetiche, la stilistica riguarda soltanto un insieme di consigli generali, che lasciano libero lo scrittore di costituirsi uno stile personale, aderente ai suoi gusti e alla materia trattata.
Valgono pur sempre i consigli, dati specialmente agli scolari, di esprimere il proprio pensiero in maniera chiara e ordinata, evitando i difetti della *prolissità* (cioè di una lunghezza inutile) e della *affettazione* (cioè dell'uso superfluo di parole e locuzioni ricercate). Quando non è necessario, è bene infatti evitare l'uso di termini difficili, o di costruzioni sintattiche troppo involute, cercando invece di esprimersi con *semplicità* e *naturalezza.*
Pure da evitare sono le parole e le locuzioni antiquate (Es.: *eziandio, conciossiacosaché, duolo, duo, dirolti, stavvi, teco,* e simili).
Chiunque voglia esporre il proprio pensiero con ordine, prima di scrivere la let-

tera, il tema, l'articolo, la relazione o altro, si preparerà uno schema (magari anche soltanto mentale), nel quale disporrà secondo l'importanza e la convenienza i vari argomenti. La *disposizione* delle varie parti era anche nella vecchia retorica uno degli elementi fondamentali che il buon scrittore doveva imparare.
La lingua italiana è composta di sessantamila vocaboli, dei quali però usiamo normalmente solo quattro o cinquemila. Abituarsi ad usare un ricco patrimonio di parole è invece una dote essenziale del bravo scrittore. In particolare si dovrà curare di esprimersi con *proprietà*, cioè con le parole adatte, che indicano con precisione quello che vogliamo rappresentare all'interlocutore e al lettore. A tale scopo sarà bene evitare le parole troppo generiche o quelle che, per non ricercare il termine appropriato, si è ormai abituati ad usare senza parsimonia (si noti, ad esempio, l'abuso dei sostantivi *cosa, roba, fatto, oggetto, macchina*, ecc. e dei verbi *fare, dare, lasciare, guardare*, ecc.). La proprietà dello stile deriva anche dalla capacità di saper scegliere con esattezza tra vari sinonimi la parola adatta al caso. *Fitto* e *folto*, per esempio, sono sinonimi, ma nessuno direbbe *fitto gruppo di persone* e *folto bosco*. Si dirà, con termini propri: *folto gruppo* e *bosco fitto*.
Si farà uso con criterio di *dialettismi*, cioè di voci gergali, proprie delle parlate delle varie regioni, e di quelli che un tempo erano spregiativamente definiti *barbarismi* o *forestierismi*, parole e locuzioni straniere arbitrariamente assunte nel linguaggio. Ma si tenga conto che oggi le barriere nazionalistiche sono cadute anche nel campo linguistico e che la comunicazione internazionale ha favorito il flusso di parole straniere. Il purismo, in questo senso, ha fatto il suo tempo.
L'arte dello scrivere consiste però essenzialmente nell'efficacia e nella vivezza della descrizione e dell'esposizione del pensiero. Consiste, in altri termini, nella capacità di servirsi del *linguaggio figurato* (V. *Figure retoriche*), non solo usando in modo appropriato immagini e similitudini già note, ma inventandone addirittura di nuove. Quest'arte però non si insegna; essa è la dote che contraddistingue il poeta, l'artista. Vi si può essere tuttavia introdotti, per mezzo dell'attenta lettura dei migliori scrittori antichi e moderni.

stilizzàto: aggettivo derivato dal verbo *stilizzàre*. Francesismo, ma voce usata ormai nel linguaggio della critica d'arte nel senso di: elegante, ridotto a puro ornamento, trasfigurato secondo un determinato codice figurativo.

stillàre: verbo della prima coniugazione intransitivo. Si coniuga con l'ausiliare essere quando vale: versarsi a goccia a goccia (*L'acqua stillava dalla roccia*; *Il succo è stillato dall'albero*); con l'ausiliare avere quando vale: arzigogolare, ma in questo senso è più usata la forma riflessiva apparente (*Si è stillato il cervello per trovare una soluzione*). Nell'uso transitivo, meno frequente, vale: mandar fuori a goccia a goccia (*Il vaso era fesso e stillava acqua*).

stilo- e **-stilo:** dal greco (= colonna), prefisso o suffisso che nelle parole composte indica attinenza con elemento cilindrico, colonna e simili. Es.: *stilòbate, stilòforo, tetràstilo.*

stima e **prézzo (complementi di):** indicano il valore di una persona o di una cosa. Se questo valore è definito, il complemento è formato da un sostantivo; se è indeterminato, il complemento è rappresentato da un avverbio di quantità (*poco, tanto, molto, più, meno*, ecc.).
Il complemento di *stima* indica quanto è valutata, stimata, una persona o una cosa. Si intende che la stima può essere tanto materiale quanto morale. Es.: Il tuo libro è stimato *molto*; La mia casa è valutata *cinquanta milioni*; La diligenza è *molto* apprezzata; Gli uomini tengono *in gran conto* la sincerità. Il complemento di *prezzo* indica il prezzo col quale si compera o si vende una cosa. Es.: Ho comperato una penna *per quindicimila lire*; Ho pagato le uova *mille lire* la dozzina; Comperai quel libro *per poco*; Te lo vendo *per mille lire*.

stimàre: verbo della prima coniugazione, transitivo. Es.: *Stimava molto i suoi colleghi*; *Lo stimo per la sua lealtà*. Quando regge una proposizione oggettiva ammette il costrutto implicito con o senza *di* e l'infinito (*Stimava di dover rifare tutto*; *Stimo doveroso non lasciar passare questa scorrettezza*). Indicando opinione, parere, ecc. nella forma esplicita vuole generalmente il congiuntivo (*Stimo che abbia speso più di un miliardo*).

stipèndio: sostantivo maschile che indica la retribuzione, per lo più a rate mensili, per un lavoro intellettuale o direttivo. *Salario* è invece il compenso (a rate settimanali, mensili o quindicinali) del lavoro manuale; *onorario* il compenso della prestazione di un professionista.

stizzíre: verbo della terza coniugazione, transitivo. Si coniuga con la forma incoativa *-isc-* tra il tema e la desinenza di alcuni tempi. *Pres. indic.*: stizzísco, stizzísci, stizzísce, stizziàmo, stizzíte, stizzíscono. *Pres. cong.*: stizzísca, stizzísca, stizzísca, stizziàmo, stizziàte, stizzíscano. *Part. pass.*: stizzíto. Significa: indispettire; usato riflessivamente, incollerire, adirarsi.

stómaco: nome sdrucciolo terminante in *-co*, che al plurale finisce in *-chi*: stomachi.

stop: parola inglese (pr.: stòp), di uso internazionale. Significa: alt, arresto, fermata; nei telegrammi sostituisce il punto fermo. Anche nei segnali stradali viene usata per comandare l'arresto dei veicoli. Da stop è derivato AUTOSTÒP, neologismo che indica un tipo di turismo internazionale, consistente nella richiesta di «passaggi» (cioè di ospitalità) a veicoli fermati, lungo la via, con un convenzionale gesto della mano. Nel calcio, lo STÒPPER è il difensore incaricato di fermare le azioni offensive avversarie e di respingere la palla. STOPPARE è un modo particolare di ricevere la palla, fermarla col petto e con la gamba, per poi rilanciarla. NON STOP è una locuzione invalsa nell'uso per: ininterrottamente, senza soste, a oltranza.

stordíre: verbo della terza coniugazione, transitivo. Si coniuga con la forma incoativa *-isc-* tra il tema e la desinenza di alcuni tempi. *Pres. indic.*: stordísco, stordísci, stordísce, stordiàmo, stordíte, stordíscono. *Pres. cong.*: stordísca, stordísca, stordísca, stordiàmo, stordiàte, stordíscano. *Part. pass.*: stordíto. Significa: intontire, sbigottire, spaventare. Presso gli antichi autori si trova anche usato intransitivamente (con ausiliare essere) nel senso di: stupire, restar stupito.

stornèllo: brevissimo componimento poetico popolare, detto anche *fiore*, composto di tre versi, un quinario e due endecasillabi. Nel quinario (che rima solitamente col terzo verso) si richiama un fiore; nei due endecasillabi si esprime un pensiero d'amore o anche scherzoso e satirico. Talora, invece del quinario, si trova un terzo endecasillabo. Ecco alcuni esempi di stornelli:

1

«*Fiore di pepe*
tutte le fontanelle son seccate:
povero amore mio! muore di sete»;

2

«*Quando nascesti tu, nacque un bel*
[*fiore:*
la luna si fermò nel camminare,
e le stelle cangiarono colore»;

3

«*Fior tricolore,*
tramontano le stelle in mezzo al mare
e si spengono i canti entro il mio core».
(Carducci)

stra-: prefisso che indica superiorità, eccesso; si usa premesso ad aggettivi o a voci verbali. Es.: STRACITTADÍNO (più che cittadino), STRAPOTÈNTE (potentissimo, troppo potente), STRAORDINÀRIO (fuori dell'ordinario), STRACÀRICO (eccessivamente carico), STRACÒTTO (troppo cotto), STRAFÀRE (fare più del necessario), STRAGRÀNDE (grandissimo), STRAMALEDÍRE (maledire con tutta l'anima), STRAVÍNCERE (vincere nettamente, clamorosamente), ecc.

strambótto: componimento poetico di origine popolare, nato in Sicilia, di contenuto amoroso. Ha la stessa forma metrica dell'ottava, essendo formato di otto versi legati, per la rima, secondo lo schema ABABABAB. In origine lo strambotto era intonato a uno strumento musicale, la viola o il liuto. Ecco un esempio, di un anonimo siciliano:

«*Nu jornu ccu la morti mi scuntravi,*
ca di la caccia so' stanca vinìa,

e ccu curiusità cci addumannavi:
— Dimmi, tu ca lu sai, ppi curtisia:
unni su' li me' genti e li me' avi?
Unn'è lu patri miu, la matri mia?
Idda rispusi: — L'aju sutta chiavi,
cinniri ed ossa, c'aspettanu a tia».

Questa forma metrica, passando in Toscana, fu poi detta *rispetto* (V.).

stràno: aggettivo qualificativo. Significa: insolito, curioso, bizzarro. È oggi usato, quasi come eufemismo, per dire: sbagliato, scorretto. Introduce proposizioni limitative costruito con *a* e l'infinito, anche con il *si* passivante. Es.: *Questo è strano a dirsi.* Specialmente negli incisi. Es.: *Eppure, strano a dirsi, nessuno protestava.*

stràscico: nome sdrucciolo terminante in *-co*, che al plurale finisce in *-chi*: strascichi.

stratèga: nome maschile in *-a*. Anche stratègo. Invariabile al femminile (*È stata la stratega delle rivendicazioni femministe*). Plurale: strateghi.

strétta (vocale): che si pronunzia con suono chiuso, indicato dall'accento acuto. Es.: la *ó* stretta, la *é* stretta.

strétto: sostantivo maschile che significa: braccio di mare tra due terre. Il sostantivo femminile STRÉTTA indica invece l'atto di stringere (*una stretta di mano*) e anche: crisi, difficoltà, bisogno (*mettere alle strette, essere alle strette*) o: ansia, angoscia (*una stretta al cuore*).

Come aggettivo, *strétto* significa: angusto (*una porta stretta*), rigoroso (*stretta osservanza*), intimo (*parente stretto*).

strídere: verbo della seconda coniugazione, intransitivo. Non ha tempi composti, poiché manca del participio passato. *Pass. rem.*: stridètti, stridésti, stridètte, stridémmo, stridéste, stridèttero. Significa: mandar suoni acuti ed aspri (Es.: *Il vento strideva*; *Il maiale stridette*). Verbo sovrabbondante: esiste infatti anche la forma STRIDÍRE, con coniugazione incoativa (*stridísco, stridísci*, ecc.), ma è meno usata.

stríngere: verbo della seconda coniugazione, transitivo. *Pass. rem.*: strínsi, stringésti, strínse, stringémmo, stringéste, strínsero. *Part. pass.*: strétto. Significa: serrare fortemente, unire assieme, costringere.

stròfa o **stròfe:** sostantivo femminile; al plurale: le *strofe* (raro: le strofi). Indica un insieme ordinato di versi, raggruppati secondo uno schema in modo da formare un periodo ritmico compiuto, spesso anche un periodo logico. Il termine deriva dall'antico teatro greco: *strophé* era il giro del coro nell'orchestra. Sinonimo di strofa è *stanza* ma i due termini non si equivalgono perfettamente. *Stanza* è propriamente una serie di versi con una forte pausa alla fine, e con lo schema delle rime esaurientesi in essa (stanza per eccellenza è l'*ottava*; stanze sono le *sestíne*); *strofa* è invece, più genericamente, un insieme di versi riuniti secondo uno schema che può continuare anche nei raggruppamenti successivi (come accade, per esempio, per le terzine dantesche a rima incatenata).

Ogni poeta può comporre strofe aventi la lunghezza e la struttura che più si adattano al suo gusto e alla sua ispirazione. Tuttavia dalla storia letteraria si possono desumere alcuni tipi di strofe ormai cristallizzati nella loro struttura. Le principali strofe a schema fisso sono: il *distico*, la *terzina*, la *quartina*, la *sestina*, l'*ottava*, la *nona rima*, che prendono il nome dal numero dei versi di cui sono composte (V. le voci relative). *Strofe a schema libero* sono quelle dei componimenti ove si alternano strofe diverse e anche versi di vario metro (come le strofe della canzone leopardiana). Strofe classiche sono quelle imitate dagli antichi poeti greci: strofe *alcaica, anacreontica, asclepiadea, archilochìa, alcmania, giambica, pitiambica, saffica* (V. voci relative).

strúggere: verbo della seconda coniugazione. *Pass. rem.*: strússi, struggésti, strússe, struggémmo, struggéste, strússero. *Part. pass.*: strútto. Si usa transitivamente nel senso di: distruggere, fondere col calore (*Struggere la cera*). Nella forma riflessiva si usa in senso figurato per: tormentarsi, consumarsi dal desiderio. Es.: *Mi struggo di vederti.*

strumentàle (proposizione): quella proposizione che indica il mezzo con il quale si attua l'azione espressa dalla reggente. È assai simile alla proposizione *modale* (V.). Ha solo la forma implicita e si esprime con l'infinito preceduto da *con* o per mezzo del gerundio. Es.: *Con il viaggiare* si accresce la cultura; *Scrivendo libri* ci si procura la fama.

studènte: sostantivo maschile che indica l'allievo di una scuola media o superiore. Si dice *studente di lettere, studente di economia e commercio*, meglio che: studente *in* lettere, studente *in* economia e commercio. Al femminile: studentessa.

stupirsi: verbo della terza coniugazione, intransitivo pronominale. Ausiliare: essere. Si coniuga con la forma incoativa *-isc-* tra il tema e la desinenza di alcuni tempi. *Pres. indic.*: stupísco, stupísci, stupísce, stupiàmo, stupíte, stupíscono. *Pres. cong.*: stupísca, stupísca, stupísca, stupiàmo, stupiàte, stupíscano. *Part. pass.*: stupíto. Significa: meravigliarsi, empirsi di stupore. Es.: *Ci stupimmo per tanto coraggio*; *Non ci si può stupire di nulla.* Anche transitivo. Es.: *Ha stupito tutti i presenti.* Quando regge una proposizione oggettiva ammette sia il costrutto implicito con *di* e l'infinito (*Non ci stupimmo di vederlo così impaurito*) o quello esplicito (*Non mi stupisco che si sia comportato così*). Usato impersonalmente, regge una proposizione soggettiva. Es.: *Stupisce che non sia accaduto prima.* Come si vede, regge prevalentemente il congiuntivo.

su: preposizione semplice propria. Composta con l'articolo determinativo forma le preposizioni articolate *sul, sullo, sulla, sui, sugli, sulle.* Sia nella forma semplice che in quella articolata introduce i seguenti complementi: stato in luogo (Fermarsi *sul marciapiede*; Ordinare le carte *sul tavolo*); moto a luogo (Salire *sulla montagna*; Puntare *sulla città*; Abbattersi *sulle case*); modo (*Su due piedi*; *Sul serio*); argomento (Un libro *sulla storia d'Italia*; Parlare *sulla filosofia esistenzialista*); età (Essere *sulla cinquantina*). *Su* indica anche approssimazione (Spendere *sulle due o tremila lire*) anche con valore temporale (*Sul far del mattino*). Tra le locuzioni avverbiali notiamo: *sul punto di, sul tardi, sul davanti di, sul momento.* Sono poco corrette le locuzioni *su domanda di* in luogo di: per domanda di; *su due file, su due ordini* per: in due file, in due ordini.
Davanti all'articolo indeterminativo si aggiungeva in passato una *r* eufonica (*sur una collina; sur un pezzo di terra*). Si noti che la preposizione *su* si costruisce direttamente senza la preposizione *di*, tranne che con i pronomi personali. Es.: *Su una casa* (non: su di una casa); *su di me* (anche: su me). Nelle locuzioni *su di lì, su di qui, su di sopra* la preposizione *di* si usa perché riferita alla seconda parte dell'espressione (*di lì, di qui, di sopra*).
Su, come avverbio di luogo, indica: in alto, nella parte superiore; e da taluni si scrive con l'accento per distinguerlo dalla preposizione e per rendere la più vigorosa accentazione che gli viene dall'essere usato solo. Es.: *Venir sù*; *Tirar sù*; *Dalla cintola in sù*. Con *là, qua, costà*, forma gli avverbi *lassù, quassù, costassù.* Si usa poi in alcune locuzioni: *metter su* (allestire; talora istigare, eccitare: *L'ha messo su contro di me*), *tirarsi su* (migliorare, rialzarsi), *su per giù* (quasi, circa), *sù!* (esortazione per *orsù*).
Come prefisso si usa per formare parole composte che contengono l'idea di: sopra, prima, precedentemente. Vuole il raddoppiamento della consonante iniziale della parola a cui si unisce. Es.: *sullodàto, summenzionàto, suddétto, susseguíto.* Il raddoppiamento non si verifica con *s* impura, *z, x, ps, gn.*

sub: preposizione latina che significa: sotto; ancora usata in talune locuzioni: *sub iudice* (detto di questione non ancora decisa), *sub specie aeternitatis* (dal punto di vista dell'eternità). Prefisso di varie parole, talvolta mutato in *sob-*: SUBALPÍNO (che è ai piedi delle Alpi), SUBÀCQUEO (che sta sotto l'acqua), SUBAFFÍTTO (affitto di seconda mano), SUBALTÈRNO (dipendente, inferiore), SOBBALZÀRE (balzare di sotto in su), SUBCOSCIÈNTE (stato psichico oscuro, coscienza secondaria), SUBNORMÀLE (inferiore alla norma).

subíre: verbo della terza coniugazione, transitivo. Si coniuga con la forma incoativa *-isc-* tra il tema e la desinenza di alcuni tempi. *Pres. indic.*: subísco, subísci, subísce, subiàmo, subíte, subíscono. *Pres. cong.*: subísca, subísca, subísca, subiàmo, subiàte, subíscano. *Part. pass.*: subíto. Significa: assoggettarsi, sopportare, patire; meno bene: sostenere (*Subire un interrogatorio, un esame*).

súbito: avverbio di tempo. Indica genericamente il tempo circoscritto di un'azione: passato (*Se ne andò subito*), presente (*Te lo dico subito*). Significa: improvvisamente, presto, all'istante. Anche aggettivo; vale: subitaneo. Da non confondersi con *subíto*, participio passato di *subíre*.

sublíme: aggettivo qualificativo che significa altissimo, eccelso, sommo. Poiché ha già significato superlativo non ha né comparativo né superlativo.

subodoràre: verbo della prima coniugazione, transitivo. *Pres. ind.*: subodóro.

subordinazióne: in grammatica, il rapporto che lega in un periodo la proposizione *reggente* con una *dipendente*, detta appunto *subordinata* o anche *secondaria*. La subordinazione avviene, per le proposizioni esplicite, per mezzo di *congiunzioni subordinanti* (Es.: *quando, poiché, se, benché, qualora*) o *avverbi relativi* (Es.: *dovunque, donde*) o *pronomi relativi*; per le proposizioni implicite, attraverso *preposizioni* (Es.: Credo *di sapere*; Cerca *di riuscire*). Esistono vari gradi di subordinazione: la secondaria che dipende direttamente dalla principale è *subordinata di primo grado*; la secondaria che dipende dalla subordinata di primo grado è *subordinata di secondo grado*; la secondaria che dipende dalla subordinata di secondo grado è *subordinata di terzo grado* e così via. Es.: *Io credo* (principale) *che tu sarai promosso* (subordinata di primo grado), *se dimostrerai* (subordinata di secondo grado) *di avere buona volontà* (subordinata di terzo grado). Le proposizioni subordinate si distinguono secondo la funzione svolta nel periodo: si dicono *oggettive* o *soggettive* se fanno da complemento oggetto o da soggetto alla reggente; *attributive*, quando hanno funzione di attributo alla principale; *complementari* quando completano il senso della reggente indicando una circostanza particolare (proposizioni *relative, temporali, causali, finali, consecutive, concessive, condizionali, interrogative indirette, comparative, modali, eccettuative*). V. le voci relative.
È importante conoscere la correlazione dei modi e dei tempi nelle subordinate. In generale l'indicativo e il condizionale nella subordinata indicano certezza e realtà (Es.: *Io so che tu verrai*; *Sai bene cosa farei*), mentre il congiuntivo indica possibilità, opinione, irrealtà (Es.: *È possibile che faccia anche questo*; *Credo che tu sia finito*). Per altre osservazioni e per l'uso dei tempi V. DIPENDENZA DEI TEMPI ove è riassunta tutta la sintassi del verbo.

succèdere: verbo della seconda coniugazione, intransitivo. Ausiliare: essere. *Pass. rem.*: succedéi (o succedètti o succèssi), succedésti, succedé (o succedètte o succèsse), succedémmo, succedéste, succedérono (succedèttero o succèssero). *Part. pass.*: succedúto o succèsso. Significa: venir dopo, prendere il posto di un altro (Es.: *Succedette al padre*; *Alla tempesta succede il bel tempo*). Nel senso di accadere si usa quando si vuol indicare un'azione o un atto avvenuti come conseguenza di azioni o fatti precedenti. Es.: *Tutti protestavano e successe il finimondo*; *Non ti sarebbe successo se fossi stato in casa tua.* Usato impersonalmente, regge una proposizione soggettiva con *di* e l'infinito (costrutto implicito) o con l'indicativo e il congiuntivo (costrutto esplicito). Es.: *Succede anche di doversi lasciare*; *Succede che io debbo partire*; *È successo che il treno era in ritardo*; *Può succedere anche che io non accetti.*

succèsso: sostantivo maschile che significa: esito, risultato. Ormai si usa nel senso di: buon successo, trionfo, riuscita, anche senza l'aggettivo. Es.: *La commedia ha avuto successo*; *Il mio tentativo ha avuto successo.* Per cattivo successo è stato coniato il termine INSUCCÈSSO, ormai anch'esso affermatosi nell'uso.

súccubo: sostantivo maschile che indica persona soggetta al potere di un'altra. Plurale: succubi. Errata, benché diffusa, la forma *súccube* per il maschile singolare. *Súccube* è il femminile plurale, dal singolare *succuba*.

suddètto: aggettivo dimostrativo, usato

SUFFISSI

Secondo la base di partenza	Secondo la parola derivata			
	nominali	**aggettivali**	**verbali**	**avverbiali**
Denominali (da nome)	da parola *parolaio*	da curia *curiale*	da tempo *tempificare*	da dondolo *dondoloni*
Deaggettivali (da aggettivo)	da franco *franchezza*	da bello *belloccio*	da forte *fortificare*	da rapido *rapidamente*
Deverbali (da verbo)	da constatare *constatazione*	da immaginare *immaginabile*	da dormire *dormicchiare*	da ruzzolare *ruzzoloni*
Deavverbiali (da avverbio)	da pressappoco *pressappochista*	—	da indietro *indietreggiare*	da presto *prestamente*

soprattutto nel linguaggio burocratico. Vale: il già nominato, citato precedentemente.

suespòsto: aggettivo dimostrativo, usato soprattutto nel linguaggio burocratico. Vale: citato, sopranominato.

sufficiènte: aggettivo qualificativo che significa: bastevole, che basta al bisogno.

suffísso: terminazione che si aggiunge al tema o alla radice di una parola (nome, aggettivo, verbo) per modificare il significato. Ecco un elenco di suffissi o terminazioni caratteristiche di nomi e aggettivi: *-abile, -evole, -ibile* (contabile, amabile, socievole, possibile), *-ace* (fornace, mendace), *-aceo* (coriaceo, cartaceo), *-aco, -acco* (maniaco, vigliacco), *-acolo* (tabernacolo, cenacolo), *-acchio* (pennacchio), *-aglio* (serraglio, sonaglio), *-agine, -igine, -ugine* o *-aggine, -iggine, -uggine* (immagine, fuliggine, testuggine), *-aglia, -iglia* (gentaglia, fanghiglia), *-aglio, -iglio, -uglio* (bagaglio, naviglio, intruglio), *-aldo* (spavaldo), *-ale* (vitale, mortale), *-ame* (bestiame, ossame), *-ando, -anda, -endo, -enda* (venerando, reverendo, lavanda, faccenda), *-aneo* (temporaneo, cutaneo), *-ano* (lontano, italiano), *-agno* (taccagno, compagno), *-ante* (birbante), *-anza, -enza* (baldanza, prevalenza), *-ardo* (patriottardo, testardo), *-are* (solare, polare), *-ario, -aro, -aio, -iero, -ière* (volontario, corsaro, vetraio, salumaio, barricadiero, corriere), *-asco* (fuggiasco, piovasco), *-astro* (pollastro, giovinastro, rossastro), *-atico, -etico, -itico* (companatico, stallatico, eretico, politico), *-ato, -ado* (soldato, ducato, contado), *-ato, -ito, -uto* (parlato, quadrato, muggito, saluto), *-atto* (cerbiatto), *-azzo* (palazzo, paonazzo), *-colo, -chio* (pulviscolo, nevischio), *-edine, -idine* (libidine, salsedine), *-ela* (lamentela), *-ele* (fedele), *-ello* (coltello), *-ena* (quarantena), *-ense, -ese* (parmense, milanese), *-eo* (museo, corteo), *-erno* (interno, quinterno), *-esco* (poliziesco, fiabesco), *-este, -esto, -estre, -estro* (celeste, molesto, pedestre, maldestro), *-eto* (canneto, uliveto), *-iccio, -eccio, -izio* (pasticcio, rossiccio, cicaleccio, fittizio), *-ice* (radice, cornice), *-ico* (panico, pudico), *-icolo, -ecchio, -icchio, -iglio* (cunicolo, parecchio, radicchio, vermiglio), *-igno* (maligno, macigno), *-ile* (civile, porcile, canile, facile), *-ime* (concime, regime), *-ineo* (sanguineo), *-ingo* (solingo, casalingo), *-ino* (spezzino, mattino, canino), *-io* (assassinio, sterminio), *-ione* (opinione, fusione), *-ismo* (formalismo, socialismo), *-ista* (artista, comunista), *-ita* (barnabita, archimandrita), *-ivo* (nocivo, palliativo, determinativo), *-izia, -igia, -ezza* (avarizia, alterigia, tenerezza), *-izie* (canizie, primizie), *-izio, -igio* (servizio, servigio, sodalizio), *-mento* (mutamento, pentimento), *-monio* (pandemonio, mercimonio), *-occhio* (marmocchio, ranocchio), *-occio, -ozzo* (cartoccio, predicozzo), *-occo* (balocco), *-oce* (precoce, feroce), *-ondo* (rotondo, giocondo), *-one* (padrone, portone, carbone), *-oneo, -ognolo* (erroneo, amarognolo), *-ore* (sudore, valore), *-oso* (amoroso, odoroso), *-otto* (cappotto, salotto), *-tore* (vincitore, calciatore), *-torio, -sorio, -toio, -soio* (rotatorio, accessorio, mattatoio, rasoio), *-tura, -sura* (cucitura, chiusura), *-uco* (caduco, sambuco), *-ugio* (indugio), *-ule* (grembiule), *-ulo, -olo* (garrulo, modulo, pettegolo), *-ume* (sudiciume, lordume), *-uno* (opportuno), *-uo* (assiduo), *-uolo* (lenzuolo), *-ura* (sozzura, tortura), *-urno* (diurno), *-zione* (concezione, combinazione). A questi suffissi si devono poi aggiungere quelli che servono per formare le *alterazioni* dei nomi.

Suffissi usati per i verbi sono: *-acchiare, -ecchiare, -icchiare, -ucchiare, -ugliare*, che conferiscono valore diminutivo o frequentativo (rubacchiare, sonnecchiare, leggicchiare, baciucchiare, farfugliare); *-ellare*, con valore diminutivo (canterellare, giocherellare); *-ettare, -ottare*, con valore diminutivo (balbettare, parlottare); *-icare, -igare, -eggiare*, con valore frequentativo e diminutivo (zoppicare, istigare, veleggiare); *-izzare, -ezzare, -eggiare* (statizzare, guerreggiare). V. anche le voci relative ai singoli suffissi.

suggeríre: verbo della terza coniugazione, transitivo. Si coniuga con la forma incoativa *-isc-* tra il tema e la desinenza di alcuni tempi. *Pres. indic.*: suggerísco, suggerísci, suggerísce, suggeriàmo, suggeríte, suggeríscono. *Pres. cong.*: suggerísca, suggerísca, suggerísca, suggeriàmo, suggeriàte, suggeríscano. *Imper.*: suggerísci, suggerísca, suggeríscano. *Part. pass.*: suggeríto. Significa: ricordare qualcosa ad alcuno, consigliare, proporre. Quando regge una proposizione oggettiva si costruisce, nella forma implicita con *di* e l'infinito (*Suggerì di trasferire il capitale all'estero*) o in quella esplicita, preferibilmente con il congiuntivo, trattandosi di verbo di volizione e di opinione (*Suggerì che fossero allontanati i vecchi e i bambini*). Se il soggetto è diverso, il destinatario del suggerimento è espresso con un complemento di termine. Es.: *Suggerì agli scolari di consultare il dizionario*; *Suggerì che gli scolari consultassero il dizionario*; *Gli suggerì di tacere.*

suggestióne: sostantivo femminile che indica l'istigazione fatta con inganno o malizia, forzando la volontà di altri, senza che questi se ne accorga. Suggerimento a un ipnotizzato. Molto usati oggi i derivati SUGGESTÍVO per: fascinoso, incantevole, impressionante; e SUGGESTIONÀRE per: impressionare, ingannare, ipnotizzare (anche metaforicamente).

suicidàrsi: verbo della prima coniugazione, riflessivo, che significa: uccidersi, togliersi la vita. Questa forma è ormai invalsa nell'uso, anche se, alla maniera francese, ripete inutilmente il riflessivo (*sui* e *sì*).

sui generis: locuzione latina (pr.: súi gèneris) rimasta nell'uso nostro, nel senso di: speciale, singolare, originale. Es.: *È un padre* sui generis (originale); *Ha un maestro* sui generis. Si scriva però sempre tra virgolette o in carattere tipografico diverso.

sullodàto: aggettivo dimostrativo, usato nel linguaggio burocratico. Vale: già citato, sopranominato, già menzionato.

summum: parola latina che significa: sommo, rimasta nell'uso nostro. Il *summum* di una cosa è il suo apogeo, il culmine, l'acme. Usata anche nell'espressione latina: *summum ius summa iniuria* (la legge applicata alla lettera può diventare ingiusta).

súo: aggettivo o pronome possessivo di terza persona. Femminile: sua; plurale: sue, suoi. Si riferisce sempre al soggetto della proposizione; se si riferisce ad altra persona che non sia il soggetto, è sostituito, specie quando si vuol evitare l'equivoco, da *di lui, di lei, di esso, di essa.* Es.: *Il ragazzo giocava con la sua palla*; *Il professore donò allo scolaro il suo libro*; *Egli parla a Paolo dei figli di lui*; *Accompagnò Paolo a casa sua.* Si rafforza con *proprio*, che può sostituirlo quando è riferito al soggetto. Es.: *Ognuno ha il suo proprio carattere*; *Egli pensa al proprio interesse. Suo* si omette quando è intuitiva l'appartenenza della cosa o della persona di cui si parla. Es.: *Si è ferito al* (suo) *braccio*; *Il figlio ha parlato con il* (suo) *padre.* Talora invece si pone con funzione intensiva o pleonastica. Es.: *L'ha visto coi suoi occhi*; *Avrà i suoi dispiaceri*; *Ha la sua bella età*. Quando il soggetto è indeterminato si sostituisce con *proprio*. Es.: *Ognuno dica il proprio nome* (meglio che: il suo nome); *Quando ne va di mezzo la propria reputazione, bisogna stare attenti.* Si ricordi che con i nomi di parentela al singolare (purché non alterati e tranne *babbo* e *mamma*) non si usa l'articolo determinativo davanti a *suo*. Es.: *suo padre, sua zia, i suoi nipoti, il suo padrino, la sua mamma.* Come sostantivo, *il suo*, significa: i propri averi, le proprie sostanze (*Vive del suo*). Si notino infine alcune espressioni: *star sulle sue* (non dar confidenza), *i suoi* (i parenti di lui o di lei), *una delle sue* (una sua trovata, una prodezza), *dire la sua* (sottinteso: opinione).

suòcero: sostantivo maschile che indica il padre della moglie o del marito. È preceduto dall'articolo *il*; l'uso dell'articolo *lo* è dialettale o antiquato, residuo dei tempi in cui la *u* si considerava una semiconsonante (e perciò la *s* iniziale era impura).

suòlo: sostantivo maschile che indica la superficie del terreno. Plurale: suòli. Il sostantivo femminile SUÒLA indica invece la parte della scarpa che posa in terra. Plurale: suòle.

suonàre: V. SONARE.

suòno: sostantivo maschile che indica la sensazione percepita dall'orecchio. Suoni sono gli elementi più semplici del linguaggio: suoni vocali e suoni consonanti (detti brevemente *vocali* e *consonanti*). Si noti che per la regola del *dittongo mobile* (V.) i derivati di suono mutano il dittongo *uo* in *o* quando non è più accentato. Es.: *sonare, sonata, sonatore, sonetto*, ecc. Ma, fuor di Toscana, sono ormai più usate le forme con il dittongo *uo* non accentato (*suonàvo, suonàta, suonatóre*, ecc.).

suòra: sostantivo femminile, che significa: monaca. È un nome in *-a* che si tronca davanti a nomi propri. Es.: *Suor Adele, Suor Marina.*

super: preposizione latina che significa: sopra. Usata come prefisso in varie parole per indicare superiorità, eccesso. Es.: SUPERUÒMO (più che uomo), SUPERÀSSO (più che asso), SUPERCÍNEMA (grande cinema), SUPERSÒNICO (più veloce del suono), SUPERAFFOLLÀTO (affollatissimo), SUPERMERCÀTO (grande superficie commerciale), SUPERVISIÓNE (controllo finale, revisione generale).

superfície: sostantivo femminile che indica ogni estensione su un piano in lunghezza e larghezza. Ha due forme per il plurale: la superficie e le superfici (più usato).

superióre: aggettivo qualificativo che significa: più alto, che sta sopra. È comparativo irregolare di *alto*, ma significa talora anche: più buono o più grande. Es.: *Andarono al piano superiore*; *La sua abilità è superiore*; *Questa quantita è superiore al necessario. Superiore* è anche sostantivo, nel senso di: capo, persona elevata in grado.

superlatívo: uno dei gradi dell'aggettivo qualificativo, e più precisamente quello che serve ad esprimere la qualità del suo massimo grado, sia senza confronto (*superlativo assoluto*) sia relativamente (*superlativo relativo*) ad altri.

Il superlativo *relativo* può essere di *maggioranza* o di *minoranza.* Si esprime con l'articolo determinativo (*il, lo, la, le, gli, i*) e gli avverbi *più* o *meno*; il termine di confronto è introdotto dalla preposizione *di* o *fra* e *tra*. Es.: Voi siete i *più cattivi di noi* (o *fra noi*); Essi sono i *meno dotati tra gli scolari.* Talora il termine di confronto è sottinteso: Il giorno *più bello* (sott.: tra gli altri giorni). Oppure può essere rappresentato da una proposizione *relativa consecutiva* (V.). Es.: Il volto *più bello che abbia mai visto.*

Il superlativo *assoluto* si forma con l'aggiunta della desinenza *-issimo* al tema dell'aggettivo: *carissimo, facilissimo, preziosissimi, graziosissime.* Gli aggettivi terminanti in *-co* e *-go* conservano il suono gutturale della *c* e della *g* solo se lo conservano nel plurale maschile. Così *poco* (plur. maschile: *pochi*) fa *pochissimo*; ma *amico* (plur. maschile: *amici*) fa *amicissimo.*

Gli aggettivi terminanti in *-io* conservano

la *i* solo se tonica. Così *pío* (plur. maschile: *píi*) fa *piissimo*; ma *volontàrio* (plur. maschile: *volontàri*) fa *volontaríssimo*.
Alcuni aggettivi conservano la terminazione latina in *-errimo*: acre, *acerrimo*; integro, *integerrimo*; misero, *miserrimo*; aspro, *asperrimo*. Altri (terminanti in *-dico, -fico, -volo*) assumono il suffisso *-entissimo*: maledico, *maledicentissimo*; malevolo, *malevolentissimo*; benefico, *beneficentissimo*. Sono però poco usati. Il superlativo assoluto si può esprimere anche facendo precedere l'aggettivo al grado positivo da avverbi quali *molto, assai, oltre modo, sommamente, enormemente, terribilmente* (con valore iperbolico). Ciò è necessario soprattutto quando l'aggettivo termina con due vocali (eccetto *-io*), e non può avere la forma in *-issimo*. Es.: *molto idoneo, estremamente arduo, molto terreo, assai estraneo.*
Il concetto di superlativo si può anche esprimere ripetendo l'aggettivo (*Era bagnato bagnato*), o ricorrendo a particolari prefissi con valore elativo, che cioè vogliono indicare il più alto grado di qualcosa (*straricco, arcinòto, ultraràpido*, ecc.).
Per i superlativi irregolari od organici di *grande, buono, cattivo, piccolo, alto, basso, esterno, interno* V. le voci relative.
Si possono anche aggiungere al positivo aggettivi o locuzioni che ne intensifichino il senso. Es.: stanco *morto*, bagnato *fradicio*, magro *da far paura*.
Assai diffuso è oggi l'abuso di superlativi che hanno valore enfatico o ironico, spesso applicati anche a sostantivi. Es.: *campionissimo, Wandissima, finalissima, veglionissimo*, e anche *suissimo, tuissimo*. Uso però da lasciar al linguaggio giornalistico o familiare.

suppletivísmo: presenza di più radici o nella coniugazione di un verbo (*vad-* e *and-* nel verbo *andare*, *dov-* e *deb-* nel verbo *dovere*) o in una serie di parole appartenenti ad aree semantiche affini: *idro-* e *acqua-* per serie quali *idrologia, idroterapia*, ecc. e *acquaplano, acquifero*, ecc.; oppure *sangue* ed *ematico*, *ippico* ed *equino*.

supplíre: verbo della terza coniugazione, intransitivo. Ausiliare: avere. Si coniuga con la forma incoativa *-isc-* tra il tema e la desinenza di alcuni tempi. *Pres. indic.*: supplísco, supplísci, supplísce, suppliàmo, supplíte, supplíscono. *Pres. cong.*: supplísca, supplísca, supplísca, suppliàmo, suppliàte, supplíscano. *Part. pass.*: supplíto. Significa: sostituire, surrogare, sopperire. Es.: *Supplisce con la volontà alla mancanza di memoria*; *Suppliva al ministro assente*. Usato anche transitivamente. Es.: *Supplisco molto volentieri il mio collega malato* (meglio però: *Supplisco al mio collega*).

suppórre: verbo della seconda coniugazione, transitivo. *Pass. rem.*: suppósi, supponésti, suppóse, supponémmo, supponéste, suppósero. *Part. pass.*: suppósto. *Fut. semplice*: supporrò, supporrài, supporrà, supporrémo, supporréte, supporrànno. Quando regge una proposizione oggettiva, essendo un verbo di opinione, vuole il congiuntivo nella forma esplicita (*Supponiamo che io non voglia venire*) e *di* più l'infinito nella forma implicita (*Supponiamo di partire domani*).

suprèmo: aggettivo qualificativo che significa: sommo, il più alto di tutti, eccellente. È superlativo irregolare di *alto*. Significa talora anche: massimo (*la suprema autorità, la suprema felicità*).

sur-: prefisso che ha lo stesso valore di *super-* (V.). Es.: *surreale, surgelato.*

surclassàre: verbo della prima coniugazione, transitivo. Francesismo da *surclasser*. Usato specialmente nel linguaggio sportivo nel senso di: stravincere, superare nettamente, dominare.

surrogàre: verbo della prima coniugazione, transitivo. *Pres. indic.*: surrògo, surròghi, surròga, ecc. (non: sùrrogo, sùrroghi, ecc.). Significa: sostituire, supplire.

sursum corda: locuzione latina (pr.: súrsum còrda), rimasta nell'uso nostro. Significa: in alto i cuori!

sussístere: verbo della seconda coniugazione, intransitivo. *Pass. rem.*: sussistètti, sussistésti, sussistètte, sussistémmo, sussistèste, sussistèttero. *Part. pass.*: sussistíto. Si coniuga con entrambi gli ausiliari, e significa: aver fondamento, esser valido, esistere (in quest'ultimo significato è però bene non abusarne). Es:

Le sue ragioni non sussistono; *Sussiste la possibilità di trovare altro lavoro.*

susurràre o **sussurràre**: verbo della prima coniugazione; transitivo, ma usato spesso assolutamente. Significa: mormorare, talora criticare o accusare a bassa voce. Si noti che sono corrette tutte e due le forme, così come SUSÚRRO e SUSSÚRRO, SUSURRÍO e SUSSURRÍO.

svalutàre: verbo della prima coniugazione, transitivo. Significa: diminuire di valore, deprezzare. La corretta pronuncia dell'*indic. pr.* è: svalúto, svalúti, ecc. (non: svàluto).

svaníre: verbo della terza coniugazione, intransitivo. Ausiliare: essere. Si coniuga con la forma incoativa *-isc-* tra il tema e la desinenza di alcuni tempi. *Pres. indic.*: svanísco, svanísci, svanísce, svaniàmo, svaníte, svanísscono. *Pres. cong.*: svanísca, svanísca, svanísca, svaniàmo, svaniàte, svaníscano. *Part. pass.*: svaníto. Significa: dileguarsi, sfumare, perder forza.

svèllere: verbo della seconda coniugazione, transitivo. *Pres. indic.*: svèlgo (svèllo), svèlli, svèlle, svelliàmo, svelléte, svèlgono (svèllono). *Pass. rem.*: svèlsi, svellésti, svèlse, svellémmo, svelléste, svèlsero. *Pres. cong.*: svèlga (svèlla), svèlga, svèlga, svelliàmo, svelliàte, svèlgano. *Part. pass.*: svèlto. Significa: sradicare.

sveltíre: verbo della terza coniugazione, transitivo. Si coniuga con la forma incoativa *-isc-* tra il tema e la desinenza di alcuni tempi. *Pres. indic.*: sveltísco, sveltísci, sveltísce, sveltiàmo, sveltíte, sveltíscono. *Pres. cong.*: sveltísca, sveltísca, sveltísca, sveltiàmo, sveltiàte, sveltíscano. *Part. pass.*: sveltíto. Significa: render svelto, agile, disinvolto.

svólgere: verbo della seconda coniugazione, transitivo. *Pass. rem.*: svòlsi, svolgésti, svòlse, svolgémmo, svolgéste, svòlsero. *Part. pass.*: svòlto. Significa: stendere una cosa avvolta (*Svolgere un involucro*), sviluppare, mettere in opera, compiere (*Svolgere un tema, un problema*; *Svolgere un programma*).

T

t: diciottesima lettera dell'alfabeto, quattordicesima consonante. Si chiama *ti*, ed è considerata di genere femminile o maschile, sottintendendo rispettivamente *lettera* o *segno*: la *t*, un *t*. È una consonante *muta*, perché non si può pronunciare senza l'appoggio di una vocale; *esplosiva*, perché si pronunzia con una specie di esplosione d'aria dalla bocca. È una delle *dentali*, cosí chiamate perché si pronunziano avvicinando la lingua ai denti. La *t* si pronunzia sempre allo stesso modo qualunque sia la sua posizione nella parola. Si trova raddoppiata specialmente nelle parole che in latino avevano i gruppi consonantici *bt* (da *subtilis*, sottile), *pt* (da *scriptum*, scritto), *ct* (da *factus*, fatto). Nelle abbreviazioni latine significa: *Titus, Tullius, Titius, tribunus.* Oggi *t* significa: tonnellata. In musica indica il «tutti», cioè il brano eseguito dagli strumenti di massa.

-tà: terminazione caratteristica di molte parole astratte. Es.: *attività, beltà, civiltà, docilità, fedeltà, idoneità, lealtà, novità, operosità, povertà, serietà, viltà*. Molte di queste parole sono un troncamento di voci oggi antiquate o poetiche uscenti in *-tàte* o *-tàde* (*beltàde, povertàte, viltàde*).

tablòide: sostantivo maschile, derivato dall'inglese *tabloid* (pr.: tèbloid) usato nel linguaggio medico per: pasticca, compressa (propriamente: tavoletta). Oggi l'inglese TABLOID indica anche un formato di giornale corrispondente a circa la metà dei normali quotidiani.

tabù: sostantivo maschile, derivato da una voce dei popoli primitivi della Polinesia che con essa indicano l'oggetto o la persona sacra, intoccabile. Si noti che la corretta pronuncia, conforme alla lingua d'origine, sarebbe *tàbu*. L'accento tronco è dovuto all'influsso francese. Nell'uso internazionale indica cosa proibita, intoccabile, inviolabile. Es.: *Il loro capo è tabù, non si può criticare*; *Gli argomenti che tu esponi da noi sono tabù, non si possono trattare.*

tacciàre: verbo della prima coniugazione, transitivo. *Pres. indic.*: tàccio, tàcci, tàccia, tacciàmo, tacciàte, tàcciano. *Pass. rem.*: tacciài, tacciàsti, tacciò, tacciàmmo, tacciàste, tacciàrono. *Pres. cong.*: tàcci, tàcci, tàcci, tacciàmo, tacciàte, tàccino. *Pres. condiz.*: taccerèi, taccerèsti, taccerèbbe, taccerèmmo, taccerèste, taccerèbbero. *Part. pass.*: tacciàto. Significa: accusare, attribuire una colpa, un difetto, un vizio. Si costruisce con la preposizione *di*. Es.: *Non mi tacceranno di avarizia*; *Lo avevano tacciato di incoerenza*. Il verbo ha molte forme identiche a quelle di *tacére* (V.), ma nel contesto si può facilmente discernere il diverso significato. Es.: *Io lo taccio* (da tacciare) *di viltà*; *Io non lo accuso di viltà, ma taccio* (da tacere).

tacére: verbo della seconda coniugazione, intransitivo. Ausiliare: avere. *Pres. indic.*: tàccio, tàci, tàce, taciàmo, tacéte, tàcciono. *Pass. rem.*: tàcqui, tacesti, tàcque, tacémmo, tacéste, tàcquero. *Pres. cong.*: tàccia, tàccia, tàccia, taciàmo, taciàte, tàcciano. *Imper.*: tàci, tàccia, taciàmo, tacéte, tàcciano. *Part. pass.*: taciúto. Significa: non parlare. Usato transitivamente significa: nascondere, passar sotto silenzio. Es.: *Perché mi hai taciuto questi fatti?*; *Non posso tacere i nomi dei responsabili*; *Mise in tacere tutte quelle voci.*

tachi-: primo elemento di parole del linguaggio scientifico e medico. D'origine greca, vale: velocità, veloce, accelerazione. Es.: *tachicardía, tachímetro, tachipnèa, tachistoscòpio.*

tacitàre: verbo della prima coniugazione,

transitivo. È un neologismo che vale: far tacere, usato soprattutto nel linguaggio commerciale e burocratico per: pagare un debito, saldare un conto, soddisfare un credito. Es.: *Finalmente ha tacitato tutti i suoi creditori*; *Gli ha dato un acconto per tacitarlo.*

taglia-: voce verbale con la quale si formano vari composti contenenti l'idea di tagliare, scindere. Eccone un breve elenco con la forma del plurale e il significato tra parentesi: TAGLIABÓRSE (tagliaborse; borsaiolo), TAGLIABÒSCHI (tagliaboschi; boscaiolo), TAGLIACÀRTE (tagliacarte; arnese per tagliare i fogli di carta), TAGLIAFÈRRO (tagliaferri; scalpello di acciaio), TAGLIALÉGNA (taglialegna; spaccalegna, boscaiolo), TAGLIAMÀRE (tagliamari; l'estremità della prora), TAGLIAPÈLLI (tagliapelli; arnese per tagliare le pelli), TAGLIAPÉSCE (tagliapesci; coltello per tagliare il pesce grosso), TAGLIAPIÈTRA (tagliapietre; spaccapietre, scalpellino). Per la regola V. COMPOSTI (NOMI).

talasso-: primo elemento di parole composte. D'origine greca, significa: mare, marino. Es.: *talassocrazía, talassofilía, talassoterapía, talassofobía.*

talché: congiunzione che introduce una proposizione consecutiva esplicita. Es.: *Ci eravamo tanto arrabbiati, talché ce ne andammo.* Ma è di uso antiquato.

tàle: aggettivo e pronome indefinito, variabile. Talora ha valore dimostrativo, se in relazione a qualcosa già citata o nota. Es.: *Dette tali* (= queste) *parole, l'oratore si inchinò*; *Quel tale* (sott.: di cui parlammo) *amico di Franco.* In correlazione a *quale* indica eguaglianza, somiglianza (*Tale il frutto, quale l'albero*; e anche: *La figlia è tale e quale la madre*).

Talora introduce una proposizione consecutiva (*Aveva una tale espressione da far paura*). L'espressione *tale quale* indica identità [Es.: *È tal(e) quale suo padre*; non: tale quale a suo padre]. *Tal quale* (come anche il semplice *tale*) indica anche indeterminatezza. Es.: *Aveva un tal quale* (un certo) *ritegno*; *Tali turisti svedesi*; *Un tal capitano Bianchi.* Preceduto dall'articolo (*il tale, un tale*) indica persona indeterminata. Es.: *Bisogna render conto del parere del tal signore e della tal signora*; *È venuto un tale a chiedere il suo indirizzo*; *Mi disse tutto di sé stesso, di essere il tal dei tali, di abitare nel tal posto, di voler la tal cosa.* Nelle correlazioni, il secondo termine è *talaltro*. Es.: *Perché non ci dicono che il tale studente è stato ammesso e il talaltro respinto?*

Quel tale è invece determinazione più precisa, perché indica persona o cosa che si presuppone nota a chi ascolta. Es.: *È venuto quel tale a cercarti*; *Adesso vorrei quella tal cosa.* Si noti che *tale*, quando si tronca in *tal*, non deve essere mai apostrofato. Es.: *una tal angoscia, una tal attesa, una tal onestà.*

Da *tale* derivano l'avverbio TALMÉNTE (in maniera tale), che è di solito seguito da una proposizione consecutiva (Es.: *Gli ho fatto talmente male, che se ne ricorderà per un pezzo*), e la congiunzione consecutiva TALCHÉ (cosicché), di uso più antiquato (Es.: *Ci offese, talché ce ne andammo*). Altri derivati sono: *talora, talvolta, taluno* (V.).

tallonàre: verbo della prima coniugazione, transitivo. Deriva dal francese *talonner* (pr.: taloné). Dirai secondo i casi: seguir da presso, incalzare, urgere, stare alle calcagna (o ai tacchi).

talloncíno: sostantivo maschile. Diminutivo di *tallone*. Indica però un tagliando che si stacca da un foglio, da un blocco o da un biglietto per ricevuta. Francesismo da *talon* (pr.: talòn) che si usa non solo per indicare il tallone del piede, ma anche per l'ultima parte di una cosa. Potrai usare comunque: cedola, tagliando, o, oggi diffusissima, un'altra parola straniera: l'inglese *ticket*.

talménte: avverbio che serve a introdurre una consecutiva. Es.: *Era talmente stravolto che non lo si riconosceva più.*

talóra: avverbio di tempo che significa: qualche volta, alle volte, talvolta.

talúno: aggettivo indefinito, variabile. Indica una quantità indeterminata, ma piuttosto ridotta; si usa per lo più al plurale (Es.: *Talun autore approva l'eutanasia*; *Taluni autori approvano l'eutanasia*). Può anche essere pronome. Es.: *Taluno dirà che noi ci preoccupiamo troppo*; *Ta-*

luni usano il maschile per il femminile (e in questo caso vale: alcuni).

talvòlta: avverbio di tempo che significa: alle volte, certe volte, talora, qualche volta.

tambúro: sostantivo maschile. Nome di uno strumento musicale a percussione. La locuzione *a tamburo battente* vale: subito, senza indugio, celermente. Riprovato dai puristi come francesismo, ma ormai nell'uso. Si può anche dire: sul tamburo. In architettura *tamburo* è la parte della cupola compresa tra la cornice e l'inizio della volta.

tampòco: avverbio che si usa solo se preceduto da negazione. Es.: *Non l'ho chiamato né tampoco voglio chiamarlo adesso.* Uso ormai pedantesco; dirai meglio: e neppure, e nemmeno.

tanàglia: sostantivo femminile, usato soprattutto al plurale: le tanaglie. Indica uno strumento formato di due leve per afferrare. Esiste anche, ed è anzi oggi prevalente, la variante TENÀGLIA.

tandem: avverbio latino (pr.: tàndem) che significa: finalmente; in questo senso è usato solo scherzosamente. Come sostantivo maschile indica un tipo di bicicletta a due posti. Da questo significato è derivata l'espressione *lavorare in tandem* per: lavorare in coppia, collaborare.

tàngere: verbo della seconda coniugazione. Nell'uso letterario, e oggi con valore scherzoso, sopravvivono solo la terza persona singolare e la terza persona plurale. Es.: *Questa faccenda non mi tange* (= mi lascia indifferente, non mi interessa). Goliardica è la citazione latina *Noli me tangere* (per un enfatico: non toccarmi!). Il participio presente *tangente*, sostantivato, ha corso in geometria, ed è divenuto di moda pari passo con la corruzione della burocrazia e l'imporsi della mafia. Es.: *Nessun negozio oggi può sfuggire alla tangente.*

tàngo: parola di origine argentina che indica un notissimo ritmo lento di danza. Plur.: tànghi. La voce è di uso internazionale.

tantíno: diminutivo di *tanto*, usato spesso in senso ironico. Es.: *Mi sembra un tantino sciocco*; *Mi hai un tantino stancato.* Si usa sempre preceduto da *un* o *quel*. Es.: *Spostati di quel tantino che basta.*

tànto: aggettivo indefinito, variabile. Indica una quantità indeterminata abbondante. Es.: *Ha avuto tanta fortuna*; *Ha tante speranze.* Usato assolutamente ha valore di avverbio (Es.: *Egli ha penato tanto*). Preceduto dall'articolo ha valore di sostantivo (Es.: *Un tanto al mese*). Superlativo: tantissimo. Usato in correlazione con *quanto* (Es.: *Tanto sei sfortunato, quanto ti mostri volonteroso*) nelle proposizioni *comparative* (V.). In correlazione con *che* e *da* nelle proposizioni consecutive. Es.: *Era tanto stanco che non riusciva a stare in piedi*; *Non sarai tanto sciocco da accettare quell'invito.* Talvolta si rafforza con *mai, poi, ma.* Es.: *Aveva tanti mai debiti*; *C'erano tanti e poi tanti bambini*; *I carri erano tanti ma tanti.* Si usa spesso sottintendendo il sostantivo, che però si intuisce facilmente dal contesto. Es.: *È tanto* (tempo) *che non ci vediamo*; *Non è tanto* (spazio) *per passare*; *Gliene ha dette tante* (offese, accuse).

Con valore neutro, si costruisce con la preposizione *di* per indicare abbondanza, intensità. Es.: *Lo ascoltava con tanto d'orecchi*; *Qui c'è tanto di certificato.*

Come pronome assume talora il significato di: questo (Es.: *Tanto ti volevo dire*); oppure di: parecchi, molti (Es.: *Tanti credono che io sia finito*). Si notino inoltre le seguenti locuzioni: *tant'è, tanto è* (è proprio cosí: *Tant'è, fa sempre di testa sua*); *tanto fa* (è lo stesso: *Per quello che otterremo, tanto fa non scrivere*); *se tanto mi dà tanto* (a fil di logica: *Se tanto mi dà tanto, tu non hai neppure aperto il libro di geografia*).

Tanto, usato come avverbio, significa: assai; forma varie locuzioni avverbiali: *né tanto né quanto* (nulla: *Non mi è piaciuto né tanto né quanto*); *tanto quanto* (cosí cosí: *Sei piaciuto al pubblico tanto quanto*); *di tanto in tanto* (di quando in quando: *Di tanto in tanto viene a trovarmi*); *tanto per* (solo per: *L'ho fatto tanto per accontentarti*); *tanto più che* (inoltre, anche perché: *Non l'ho salutata, tanto più che avevamo litigato il giorno prima*).

Tante cose è espressione di saluto e di augurio. Es.: *Tante cose a Lei e a suo mari-*

to. Meglio però dire: auguri, complimenti, saluti.

tàppa: sostantivo femminile che significa: riposo, fermata durante una marcia. Es.: *Il reggimento fece tappa a Belluno*. Nel linguaggio sportivo, una frazione di quelle corse che si dicono appunto *a tappe*. Es.: *Quel corridore vinse la tappa Napoli-Roma*; *Il Giro d'Italia è una corsa a tappe*. *Tappa* deriva dal francese *étape*. Il sostantivo maschile TÀPPO è invece di origine diversa (dal germanico *tap*, turare) e indica il turacciolo.

tardàre: verbo della prima coniugazione, intransitivo. Si usa con l'ausiliare avere quando significa: fare una cosa oltre il tempo conveniente (Es.: *Hai tardato troppo a scrivermi*); con l'ausiliare essere quando significa: indugiare, parer tardi, di cosa aspettata con desiderio (Es.: *Quanto è tardata questa lettera!*).

tàrdi: avverbio di tempo. Significa: dopo il tempo debito, fuori ora. Indica il tempo circoscritto di un'azione: passato (*Se ne accorse tardi*), presente (*Il sole tramonta tardi*), futuro (*Si comincerà tardi*). Si notino alcune locuzioni: *al più tardi* (alla più lunga, al massimo: *Verrò al più tardi giovedí*), *far tardi* (arrivare tardi, star alzato sino a notte alta: *Ho fatto tardi per il pranzo*; *Ogni sera facevo tardi per studiare*). L'avverbio ammette alterazioni. Es.: *È un po' tardino per pentirsi*; *Secondo me è tardissimo*.

tàssa: sostantivo femminile che indica il contributo pagato allo Stato, al Comune o ad altro ente pubblico. Si suole distinguere fra *tàssa*, a cui corrisponde un determinato beneficio per il contribuente, che acquista cosí un servizio o diritto o vantaggio preciso (Es.: *la tassa scolastica*), e *impòsta*, a cui non corrisponde un beneficio determinato (Es.: *imposta sulla ricchezza mobile*). Ma è una distinzione che è scomparsa nel linguaggio comune. Il sostantivo maschile TÀSSO, di diversa origine (dal francese *taux*: pr.: tò), indica invece l'interesse, il saggio, il frutto del capitale (tutti termini da preferire al francesismo *tasso*, fuorché nel linguaggio tecnico). Es.: *il tasso di sconto*.

tautología: ripetizione inutile di due concetti identici. Si ha specialmente quando un concetto da definire è ripreso analiticamente (cioè senza aggiungere una qualità nuova e caratterizzante) nella definizione. Es.: *Il fine è lo scopo che ci si propone*.

tàvola: sostantivo femminile. Indica il mobile formato da un piano largo, sorretto da tre, quattro o più gambe. *Tavola* è sinonimo di mensa, perché con il termine si intende soprattutto quella ove si mangia (Es.: *Andare a tavola*; *Sedere a tavola*; *Cenare alla tavola calda*; *La buona tavola concilia anche gli avversari*). Il maschile TÀVOLO è più generico, e anche meno corretto (Es.: *Posò quei libri sul tavolo*; *Sul tavolo c'erano quattro vasi*; *Fu fotografato al tavolo di lavoro*). Specialmente il diminutivo *tavolíno* si usa per: scrivania (Es.: *Stare a tavolino*; *Veder le cose a tavolino*). Si ricordi che *tavola* significa anche: tabella (Es.: *In questo libro troverai la tavola delle coniugazioni del verbo avere*) o prontuario schematico o pagina a colori (Es.: *Un volume con trenta tavole a colori fuori testo*).

taxi: la parola è francese (pr.: tacsí) ed è di uso internazionale. Da noi è invalso l'uso della forma *tassí*. In italiano si può anche dire: auto pubblica.

te: pronome personale di seconda persona singolare. Si usa sempre come complemento. È la forma tonica, distinta da quella atona *ti* (V.) D'obbligo dopo *come* (Son buono *come te*) e *quanto* (Ne so *quanto te*); quando è in funzione di predicato (*Se io fossi te*); nelle esclamazioni (*Povero te!*). Nelle proposizioni implicite, se il pronome è oggetto dell'azione del verbo si usa *te* (*Udito te, noi ce ne andammo*), altrimenti si usa anche *tu* (*Morto tu, o te morto, i parenti si dimenticheranno*). Il pronome *te* si usa anche come soggetto delle proposizioni oggettive all'infinito (*Videro combattere te contro il nemico*).

Si preferisce a *ti*: per ottenere un effetto particolare di risalto, preceduto da *soltanto* e *neppure* (*Ho visto soltanto te*; *Non stimo neppure te*); per sottolineare un contrasto (*Noi abbiamo riconosciuto te e non gli altri*); quando vi sono due o più complementi dello stesso tipo (*Ho scritto a te, a mio fratello e agli altri*); per evitare la vicinanza di due forme atone (*Io mi ri-*

volgo a te, al posto di: *Io mi ti rivolgo*). Si può unire con la preposizione *con* formando la parola *teco*. Es.: *Il Signore è teco*. Ma è uso ormai antiquato.

te: particella pronominale atona di seconda persona. Si usa solo quando la particella *ti* è unita ad altre particelle pronominali. Es.: *Te ne saremo grati*; *Te lo saresti tenuto tu*. Non la si confonda con il pronome personale *te*.

tè: sostantivo maschile. Indica la pianta (*Thea sinensis*) e la nota bevanda che si ricava per infusione delle foglie. Inutili ed errate le forme *tea* all'inglese o *thé* alla francese. Si ponga sempre l'accento grave per distinguere la parola dal pronome *te* che si pronunzia con la *e* stretta.

-teca: suffisso di origine greca che significa: custodia. Usato per comporre varie parole: *bibliotèca* (luogo ove si custodiscono i libri), *emerotèca* (luogo ove si raccolgono e si conservano i giornali), *cinetèca* (archivio di pellicole cinematografiche), *pinacotèca* (luogo di raccolta e di conservazione di quadri).

-tecnía: secondo elemento di parole composte. D'origine greca, significa: tecnica. Es.: *zootecnía*.

tecno-: prefisso di origine greca che significa: tecnica; è usato in varie parole composte. Es.: TECNOCRAZÍA (governo di tecnici), TECNOLOGÍA (studio razionale dei procedimenti tecnici), TECNOPATÍA (malattia che ha carattere professionale). La stessa radice è alla base delle parole derivate dal sostantivo femminile, TÈCNICA, che indica il complesso delle regole da seguire per praticare un'arte o un mestiere: *tecnico, tecnicamente, tecnicismo*, ecc. Si noti che nella pronuncia corrente si tende a risolvere il digramma *cn* nel raddoppiamento della *n* (si dice cioè: tennico, tennicamente).

tele-: prefisso di origine greca che significa: lontano; è usato per comporre molte parole moderne, specialmente indicanti nuovi strumenti ideati dalla scienza. Eccone alcune: TELEÀRMA (arma scagliata molto lontano), TELECÀMERA (apparecchio per le riprese televisive), TELECOMANDÀTO (comandato a distanza), TELECRONÍSTA (cronista della televisione), TELEFÒTO (foto trasmessa a distanza), TELÉFONO (apparecchio per parlare a distanza), TELÉGRAFO (apparecchio per comunicare a distanza), TELEGÉNICO (viso adatto alla televisione), TELEGRÁMMA (messaggio inviato per mezzo del telegrafo), TELÈMETRO (apparecchio per misurare le distanze indirettamente), TELESCÒPIO (apparecchio per osservare i corpi celesti), TELESCRIVÉNTE (macchina da scrivere comandata elettricamente da lontano), TELEVISIÓNE (trasmissione di visioni per mezzo di onde elettromagnetiche; anche l'apparecchio ricevente, meglio TELEVISORE). Con lo sviluppo della televisione sono molto frequenti i neologismi con il prefisso *tele-*, ormai inteso come abbreviazione di *televisione*. Ricordiamo, tra gli altri, *telequíz* (gioco di quiz rappresentato alla televisione), *telespettatóri* (gli spettatori della televisione), *teleannunciatríce* (annunciatrice della televisione), *teleindulgènze* (scherzoso: indulgenze verso i giocatori del telequiz), *telemàrket* (vendita per mezzo di trasmissione televisiva), *teledipendènte* (che non sa fare a meno di guardare la televisione), *telenovéla* (sceneggiato a puntate, d'impostazione molto popolare). Alcuni, sebbene ambigui (Es.: *telecronísta*, letteralmente: cronista da lontano; ma noi lo usiamo nel senso di: cronista della televisione, *telecomàndo*, letteralmente: comando da lontano, ma ci si riferisce al ben noto strumento per cambiare canale dalla propria poltrona), sono ammessi nel linguaggio tecnico.

telesillèo: nella metrica classica greca, il verso che corrisponde ad una forma acefala del gliconeo e che prende il nome dalla poetessa Telesilla di Argo.

tèma: sostantivo maschile che indica il soggetto o argomento da trattare. Es.: *Il tema della conferenza, il tema della discussione*. Nel linguaggio musicale: il motivo principale di un componimento. Come termine glottologico indica la parte invariabile della parola, quella che rimane costante e a cui si aggiungono suffissi, prefissi e desinenze. Si dice anche *radice* (V.). Es.: *onor-* è il *tema* di molte parole formate mediante l'aggiunta ad esso di desinenza (*onor*e, *onor*i, o anche *onor*a, voce verbale) o di prefissi (dis-*onore*) o di

suffissi (*onor*-evole). In particolare, *tema verbale* dicesi la parte costante di ogni voce verbale e ad essa si aggiungono, nella coniugazione regolare, le desinenze. Il tema verbale si ottiene togliendo la desinenza dell'infinito presente. Es.: *am*-are, *tem*-ere, *ved*-ere, *fin*-ire.
TEMA è anche la parte di un discorso supposta già nota all'interlocutore, mentre *rema* è quella non nota che si comunica. Es.: *Il listino di Borsa* (tema) *oggi è in rialzo* (rema).
Il sostantivo maschile *tèma* è uno dei nomi maschili in *-a*. Plurale: tèmi. Da non confondere con il sostantivo femminile TÉMA (secondo la pronuncia romana: tèma), di uso letterario, che vale: paura, timore; e non ha plurale. È usato ancora nella frase *per tema di* (per paura di). Es.: *Per tema di sbagliare ha taciuto*.

temàtica (vocale): la vocale che nell'infinito dei verbi è posta tra il tema puro e la desinenza *-re*. Es.: am-*a*-re, tem-*e*-re, fin-*i*-re. Essa può mutare nel corso della coniugazione. Es.: am-*e*-rèi, am-*e*-rò, am-*a*-vo. V. VERBO e CONIUGAZIONE.

temére: verbo della seconda coniugazione, transitivo. Significa: aver paura, aver rispetto o soggezione. Es.: *Temevano la nostra protesta*; *Chi teme la legge non vuol commettere reati*. Quando regge una proposizione oggettiva, ammette nel costrutto implicito *di* più l'infinito (*temeva di sbagliare*) e nel costrutto esplicito vuole il congiuntivo (*Temo che non possa venire*) soprattutto quando indica aspettativa e timore; l'indicativo quando indica piuttosto previsione motivata (*Temo che ciò accadrà*). Usato anche intransitivamente (ausiliare: avere) nel senso di: essere in timore. Es.: *Teme per la sua sorte*; *Temeva del buon esito dell'esame*.

temperamatíte: nome composto da una forma verbale (tempera) e un sostantivo femminile plurale (matite). Plurale: temperamatite. Per la regola relativa V. *Composti* (*Nomi*). Anche TEMPERALÀPIS, pure invariabile.

temperàre: verbo della prima coniugazione, transitivo. Significa: moderare, mitigare, frenare. Es.: *Bisogna temperare l'ardore delle passioni*; *Temperò con parole cortesi il grave rimprovero*. Si notino alcuni usi particolari: *temperare la matita* (farle la punta), *temperare l'acciaio* (dargli la tempera, cioè indurirlo immergendolo surriscaldato in acqua fredda). La forma sincopata *tempràre* è più usata, specialmente al figurato. Vale: render forte. Es.: *Temprò l'animo e il corpo ai disagi*; *È stato temprato dal dolore*. Si dice però anche: *temprare l'acciaio*.

tempèrie: sostantivo femminile, indeclinabile, usato per lo più al singolare. Significa: stato dell'aria o situazione del clima in un determinato momento. Indica specialmente lo stato sereno dell'atmosfera, contrario di INTEMPÈRIE, che indica condizioni di clima con frequenti perturbazioni atmosferiche. Anche figurato, per indicare la particolare atmosfera di un certo momento storico.

tempestàre: verbo della prima coniugazione. Usato intransitivamente o impersonalmente (ausiliare: essere o avere) vale: far tempesta, grandinare. Es.: *Ieri ha tempestato*. Al figurato è usato più spesso transitivamente. Es.: *Lo tempestò di pugni*; *Quell'ufficio è tempestato di domande*.

tèmpio: sostantivo maschile che indica: chiesa, edificio consacrato al culto. Plurale: tèmpli (da non confondere con il sostantivo maschile TÈMPO che fa invece: tèmpi).

tempísmo: neologismo che vale: convenienza con una circostanza determinata, tempestività. Usato specialmente nel linguaggio sportivo per indicare l'abilità di un atleta nell'intervenire o nello scattare al momento giusto. Altrimenti userai: tempestività.

tèmpo: sostantivo maschile. Plurale: tèmpi. Ha vari usi e significati. Indica la durata delle cose, per lo più, distinta e misurata secondo i movimenti della Terra (Es.: *Un giorno di tempo*; *Aver molto tempo*; *Fatto in poco tempo*). Significa poi: epoca, era, periodo, specialmente al plurale (Es.: *Al tempo di Nerone*; *Erano i tempi delle lotte di religione*; *Ai nostri tempi non succedevano queste cose*); stagione, stato dell'atmosfera (Es.: *Il bel tempo*; *Ha fatto brutto tempo*); occasione (Es.: *Questo è tempo di grandi imprese*; *È il tempo di comperare*); parte, ripresa (Es.: *Il secondo* *tempo di un film*; *Il primo tempo dell'azione teatrale*). Si notino poi le seguenti locuzioni: *a tempo* (nel tempo opportuno: *Queste cose bisogna farle a tempo*), *in tempo* (nel tempo stabilito: *Non ho fatto in tempo*), *da tempo* (ma meglio: da molto tempo: *Da molto tempo si sapeva che sarebbe finita cosí*), *per tempo* (di buon'ora: *Ci siamo incamminati per tempo*), *ad un tempo* (contemporaneamente, in una volta: *Questo lavoro è a un tempo utile e divertente*) *a far tempo da* (ma meglio: a cominciare da), *fare il suo tempo* (ma meglio: passar di moda: *Questo genere di letteratura ha fatto il suo tempo*, è passato di moda), *di tempo in tempo* (ma meglio: di tanto in tanto, ogni tanto).

tèmpo (avverbi di): sono gli avverbi che indicano il tempo dell'azione espressa dal verbo, a cui sono sempre uniti. Possono indicare il presente (*ora, oggi, adesso*), il passato (*prima, dapprima, allora, ieri, precedentemente*), il futuro (*domani*), la posteriorità generica (*poi, dopo, poscia*), la posteriorità immediata (*tosto, subito, immediatamente*), la durata (*finora, ancora, tuttora, sempre, ognora*), il tempo iterativo (*talvolta, raramente, spesso, sovente*), il tempo circoscritto (*presto, tardi*). Ciascun avverbio assume anche significati e valori particolari nel discorso, e perciò vedi le singole voci relative.

tèmpo (complementi di): indicano il tempo in cui avviene l'azione espressa dal verbo. Se ne distinguono due specie: complemento di tempo determinato, se precisa il momento in cui accade, è accaduta, o accadrà l'azione; e complemento di tempo indeterminato o continuato, se indica la durata dell'azione.

Il complemento di *tempo determinato* risponde alla domanda: quando? È costituito da un sostantivo preceduto dalle preposizioni *a, in, di* (o, se la determinazione è approssimativa, da *su, verso, circa, intorno a*). Es.: Verrò *a mezzogiorno*; Giunse *alle sei*; Si ammalò *in estate*; Lavorò *di sera*; Ceneremo *verso le otto*; Ci incontrammo *sul far dell'alba*. Anche senza preposizioni. Es.: Ci vedemmo *l'anno dopo*; Accadrà *domani*.

Il complemento di *tempo indeterminato* o *continuato* risponde alle domande: da quanto tempo? per quanto tempo? È formato da un nome preceduto dalla preposizione *per* o da *durante* (e, se la determinazione è approssimativa, da *circa, su, intorno, verso*). Es.: Lavorò *per cinquant'anni*; Ci aiutiamo *durante tutta la giornata*; Lo aspettai *per tre ore*; Resistettero *per circa tre settimane*. Anche senza preposizioni. Es.: Lavorò *tutta la vita*; Lo spettacolo durò *due ore*.

I complementi di tempo possono precisare anche le seguenti relazioni temporali: a) entro quanto tempo avvenga un fatto, un'azione (Compirà il viaggio *in tre mesi*; Terminerà il suo incarico *entro tre mesi*; Finí il libro *entro una settimana*); b) da quanto tempo duri un'azione o da quanto tempo sia cominciata (Ti aspetto *da dieci minuti*; Ho iniziato il discorso *da pochi minuti*; *Da due mesi* sono padre); c) fra quanto tempo avverrà un fatto o si compirà un'azione (Ti parlerò *fra un paio di giorni*; Ne riparleremo *da qui a un anno*); d) quante volte un'azione si verifica in un dato tempo (Ci vediamo *due volte al giorno*; Si semina *una volta all'anno*); e) ogni quanto tempo avviene un'azione (Si deve uscire *ogni quattro giorni*; L'abbonamento si rinnova *ogni anno*; Il presidente si elegge *ogni sette anni*); f) da quanti anni, mesi, giorni, ore, ecc. si compie o non si compie un'azione, cioè il punto di partenza nel tempo (Non l'ho più guardato *da un anno*; Sono assente *dal 1936*); g) il punto di arrivo nel tempo, fino a quanti anni, giorni, mesi, ore, ecc. si arriva (Ti dò tempo *sino a martedí*; Lavoreremo *sino a Natale*); h) quanto tempo prima o dopo avvenga un'azione (*Nell'anno 44 prima della nascita* di Cristo; *Due anni dopo la scoperta* dell'America); i) con quale progressione di tempo avvenga un'azione (*Di volta in volta* si faceva più cupo; Egli progredisce *di settimana in settimana*).

I complementi di tempo si dicono *avverbiali* quando sono costituiti da un avverbio o da una locuzione avverbiale. Gli avverbi usati per il complemento di tempo determinato sono quelli di tempo propriamente detti e cioè *ora, allora, spesso, subito, oggi, domani, mai, sempre*, ecc. Es.: Ti ho voluto *sempre* proteggere (*sempre* = compl. avverbiale di tempo determinato); Non ti ho *mai* visto; Mi ha ricevuto *subito*. Per il complemento di tempo continuato sono invece usati gli aggettivi quantitativi uniti alla parola *tempo*, che è però solitamente sottintesa. Es.: L'operazione è durata *poco* (tempo); L'attesa non si è protratta *molto* (tempo).

tèmpo (del verbo): indica quando avviene l'azione. I tempi principali sono tre: *presente, passato, futuro*; ma per maggiori determinazioni temporali esistono altri tempi, detti *secondari*. Ogni modo del verbo ha un diverso numero di tempi. L'indicativo ha i seguenti tempi: presente, passato prossimo, passato remoto, trapassato remoto, imperfetto, trapassato prossimo, futuro semplice, futuro anteriore. Il congiuntivo ha i tempi: presente, passato, imperfetto, trapassato. Il condizionale ha solo il presente e il passato; l'imperativo solo il presente (per il futuro si usano le forme del futuro semplice); l'infinito, il participio e il gerundio hanno il presente e il passato. Si dicono *semplici* i tempi le cui voci consistono in una sola parola (Es.: presente, imperfetto, futuro: *amo, amavo, amerò*), *composti* i tempi le cui voci risultano dall'unione del participio passato con una forma del verbo ausiliare (Es.: passato prossimo, trapassato remoto, futuro anteriore: *ho amato, ebbi amato, avrò amato*). V. anche le voci corrispondenti a ciascun tempo. Per l'uso dei tempi nella sintassi del periodo V. DIPENDENZA DEI TEMPI.

Si noti che esiste una differenza tra il tempo fisico e reale e quello linguistico e grammaticale. Si analizzi per esempio il seguente periodo: *Solo dopo le elezioni sarà possibile sapere quale propaganda è stata più incisiva*. Il passato (*è stata*) viene usato per esprimere un'azione che, dal contesto, appare certamente futura. Ancora un esempio: *Quando lavoro tranquillo, mangio anche di più*. L'azione della subordinata è espressa al presente indicativo, ma è anteriore, nella realtà, alla reggente o principale. Sarebbe forse più preciso dire: *Quando ho lavorato tranquillo, mangio anche di più*.

temporàle: sostantivo maschile che indica: tempesta con pioggia, lampi, tuoni. Es.: *Ieri è scoppiato un tremendo temporale*. Non si confonda con l'aggettivo *temporale*, derivato da *tempo*, e usato per: mondano, terreno, contingente. Es.: *il potere temporale dei papi, i beni temporali*. Talora anche sostantivato. Es.: *Bisogna distinguere il temporale dallo spirituale*. Infine non si confonda con i precedenti l'aggettivo *temporale*, derivato da *tèmpia* e che vale: corrispondente alle tempie (Es.: *le ossa temporali*).

temporàle (proposizione): la proposizione subordinata che indica il tempo dell'azione espressa dalla reggente. In corrispondenza delle varie relazioni temporali (contemporaneità, posteriorità, anteriorità, periodicità, ecc.) si possono distinguere:

a) proposizioni temporali della *contemporaneità*. Sono generalmente introdotte dalle congiunzioni *quando, mentre, appena*, o dalle locuzioni *al tempo in cui, nell'istante che, nel momento che*, e simili. *Quando* è la più usata (*Quando avevo dieci anni*, frequentavo la prima media: *Quando arrivo*, mi aspetta sull'uscio; *Quando saprai la verità*, non ti scaglierai più contro di me). *Appena* serve ad indicare più propriamente l'inizio dell'azione (*Appena lo saprò* te lo dirò; *Non appena gli parlerò*, tutto si chiarirà). Altri esempi: *Al tempo in cui ciò avveniva*, tu non eri ancora nato; Ella arrivò proprio *nel momento in cui cominciava il concerto*; *Nell'attimo stesso che partí* compresi che non l'avrei più rivisto.

Come si vede, in queste proposizioni si usa il verbo all'indicativo, trattandosi di circostanze certe e reali. Il congiuntivo si usa nei casi in cui è contenuta l'idea di possibilità e di incertezza. Es.: Puoi andartene, *quando tu lo voglia*; Cercherò di aiutarlo, *non appena egli lo permetta* (o permetterà).

Le forme implicite di queste proposizioni si esprimono con l'infinito preceduto dalle preposizioni *a* o *in* o con il gerundio presente. Es.: *Al vederlo* (quando lo vide) ella arrossí; *Nello scrivere* (mentre scrivevo) mi accorsi che qualcuno mi spiava; *Guardando* (mentre guardava) *quel quadro*, si mostrava assai soddisfatto; *Potendolo finalmente fare* (quando finalmente lo potei fare), gli restituii il suo prestito;

b) proposizioni temporali della *posteriorità*. Sono generalmente introdotte dalle congiunzioni *dopo che, dacché* o dalle locuzioni *una volta che, dal tempo che*, e simili. Es.: *Dopo che ti sarai lavato le mani*, verrai a tavola; *Dacché l'ho conosciuto*, non mi ha mai parlato di questi argomenti; Non l'ho più visto, *da quando se ne è andato*; *Dal momento che incontrò gli occhi di lei*, non si mostrò più sicuro di sé; Ti hanno odiato *dal giorno che li hai derisi.*

Il verbo è al modo indicativo; al congiuntivo nei casi in cui si vuol indicare dubbio e probabilità.

Es.: Mi riferirai sui lavori, *dopo che tu li abbia visti* (ma non son certo che li vedrai); *Una volta che ella lo sappia* (non si è sicuri che lo saprà), non ci saranno più timori. Per la forma implicita di queste proposizioni si usano l'infinito passato preceduto da *dopo* o *dopo di*, oppure il participio passato retto da *una volta* o, infine, il participio assoluto. Es.: *Dopo aver trascorso una brutta nottata* si alzò di cattivo umore; Uscí dall'ufficio *dopo aver letto molti documenti*; *Una volta chiarito l'equivoco*, la pace ritornò in famiglia; *Superato l'ostacolo*, il cavallo proseguí la sua corsa;

c) proposizioni temporali della *anteriorità*. Sono generalmente introdotte dalle congiunzioni *prima che* e *finché* (o *finché non*). Es.: *Prima che tu parta* è necessario che io ti parli; Arrivò *prima che lo potessi avvertire*; Ti aiuterò *finché tu lo voglia*; Lo combatterò *finché non sia distrutto*; Non ti lascerò *finché non ne sia costretto*. Il verbo è al congiuntivo per indicare che l'azione espressa dalla proposizione temporale è condizionata dalla principale, che le è anteriore. L'indicativo si usa quando la circostanza di tempo è ritenuta certa, sicura, reale (Lo seguí *finché volle*; Finché potrai, *mi aiuterai*). La forma implicita, possibile solo quando il soggetto è lo stesso della principale, si esprime con l'infinito preceduto da *prima di*. Es.: *Prima di parlare* (=prima che tu parli), ascolta; Non partirà, *prima di averci informati* (=prima che ci abbia informati);

d) proposizioni temporali della *periodicità*. Sono generalmente introdotte dalle locuzioni *tutte le volte che, ogni volta che*. Es.: *Tutte le volte che l'incontro*, mi ripete le stesse parole; Ci abbracciavamo *ogni volta che ci incontravamo*. Il modo del verbo è l'indicativo.

temporàli (congiunzioni): le congiunzioni che introducono una proposizione temporale. Esse sono: quando (*Quando ti vidi, era tardi*), come (*Come lo seppi, lo informai*), appena (*Appena sarete arrivati, vi daremo il plico*), tosto che (*Tosto che lo vide, scoppiò in pianto*), subito che (*Subito che se ne accorse, protestò fieramente*), allorché (*Allorché giunsi a Venezia, mi invase una viva emozione*), sino a che (*Sino a che non me lo dirai, non ti lascerò partire*), finché (*Finché vivrò, ti sarò d'aiuto*).

tempore: parola latina (pr.: tèmpore), ablativo di *tempus*, tempo. Rimasta nell'uso nostro per alcune locuzioni: *pro tempore* (temporaneamente), *ex tempore* (all'improvviso). Es.: *Il sindaco pro tempore* (per un tempo prestabilito). Usata anche, scherzosamente, la locuzione latina *temporibus illis* che vale: a quei tempi, molto tempo fa.

tenàcia: nome femminile terminante in *-ia*, che al plurale conserva la *i* atona (*tenacie*) anche per distinguersi dal singolare *tenace*, che è aggettivo. Significa: fermezza, forza, perseveranza, costanza (Es.: *Ha studiato con molta tenacia*; *È un uomo tenace*).

tenàglia: V. TANAGLIA.

tèndere: verbo della seconda coniugazione, transitivo. *Pass. rem.*: tési, tendésti, tése, tendémmo, tendéste, tésero. *Part. pass.*: téso. Significa spiegare, estendere, allargare cosa avvolta (Es.: *tendere un filo, tendere le reti*), porgere, rivolgere (*tendere la mano, tendere un oggetto, tendere l'orecchio*); al figurato: *tendere una insidia*. Usato intransitivamente (ausiliare: avere) vale: mirare, inclinare, intendere; si costruisce con la preposizione *a* (Es.: *Tende a diventar direttore*; *Tendiamo a studiare sempre più*).

tèndine: sostantivo maschile. Termine anatomico che indica un cordone fibroso che unisce i muscoli all'osso. Da non confondere con TENDÍNE, sostantivo femminile plurale, diminutivo di *tenda*. Significa: piccole tende, per i vetri delle finestre o porte a vetri.

tenére: verbo della seconda coniugazione, transitivo. *Pres. indic.*: tèngo, tièni, tiène, teniàmo, tenéte, tèngono. *Fut. semplice*: terrò, terrài, terrà, terrémo, terréte, terrànno. *Pass. rem.*: ténni, tenésti, ténne, tenémmo, tenéste, ténnero. *Pres. cong.*: tènga, tènga, tènga, teniàmo, teniàte, téngano. *Pres. condiz.*: terrèi, terrésti, terrèbbe, terrémmo, terréste, terrèbbero. *Imper.*: tièni, tènga, teniàmo, tenéte, tèngano. *Part. pass.*: tenúto. Significa: conservare, reggere, stringere (Es.: *Tieni quel vaso in giardino*; *Teneva in mano il cappello*; *Tenni saldamente il suo braccio*), trattenere, sostenere (Es.: *Teneva il cane per il guinzaglio*), mantenere, esercitare (Es.: *Tenne la carica di sindaco per quattro anni*), contenere (Es.: *Questa bottiglia tiene meno di un litro*), non lasciar passare (Es.: *La botte non tiene più il vino*), pronunciare (Es.: *Tenere un discorso*), trattare, giudicare (Es.: *Lo tiene come un servo*), favorire (Es.: *Gli hai tenuto mano tu?*). Usato intransitivamente (ausiliare: avere) significa: esser valido (Es.: *È una scusa che non tiene*; *Non c'è ma che tenga*), somigliare (Es.: *Tiene tutto del padre*); anche parteggiare, tifare (*Tiene per la Juventus*). Usato al riflessivo vale: mantenersi (Es.: *Si tenne pronto a partire*), trattenersi (Es.: *Quasi non mi tenevo dal ridere*). Si notino poi alcuni usi da evitare; *tenere a dire* o *a fare* per: importare, aver interesse, desiderare, giudicare opportuno di dire e di fare (Es.: *Tengo a dire questo*; *Non tengo a fare una cosa simile*), *tenere* per: avere (Es.: *Tiene una bella casa* è forma dialettale per: possiede, ha; *Tiene un gran mal di capo*; *Tiene tre fratelli minori di lui*); *tenere il letto* per: restare, rimanere a letto.

tenóre: sostantivo maschile che vale: maniera. Es.: *Non mi è piaciuto il tenore della sua richiesta*; *Ha pronunciato un discorso del seguente tenore*; *Il tenore del comunicato ufficiale* (cioè il suo contenuto). Nel linguaggio giuridico: *a tenore dell'articolo della legge* vale: secondo quanto prescrive l'articolo della legge. Come termine musicale, indica il cantante maschile che ha la voce del registro più acuto.

tentàre: verbo della prima coniugazione, transitivo. Significa: provare, sperimentare, accertarsi di una cosa, sia tastandola (Es.: *Tentare le corde di uno strumento*), sia indirettamente con altri espedienti; anche figuratamente (Es.: *Tentare la fortuna*; *tentare una nuova strada*). Riferito a persona vale: istigare al male. Es.: *Il demonio ci tenta in ogni momento*. Riferito a virtú vale: cercare di corrompere. Es.: *Non tentare la mia onestà*. Anche usato assolutamente. Es.: *Questa idea di un viaggio in America mi tenta*; *Son tentato di dirgliene quattro*. Regge la proposizione oggettiva con il costrutto implicito, ossia *di* più l'infinito. Es.: *Tentava di convincere i suoi amici*.

tentennàre: verbo della prima coniugazione, transitivo. Significa: scuotere, detto specialmente del capo. Es.: *Tentennò il capo in segno di esitazione o di dissenso*. Usato intransitivamente (ausiliare: avere), vale: oscillare, dondolare (Es.: *Quel tavolo tentenna*) e, al figurato: esitare, titubare (Es.: *Se ti accorgi che tentenna, esortalo con fermezza*).

tènui (consonanti): le consonanti mute che hanno un suono non vibrato, ossia le occlusive sorde: la labiale *p*, le gutturali *c* (dura) e *q*, la dentale *t*. V. anche CONSONANTI.

tenzòne: disputa a colpi di versi tra poeti su argomenti amorosi, politici, letterari. In origine, presso i provenzali, dava luogo a componimenti scritti a quattro mani, a strofe alternate ora dell'uno ora dell'altro poeta, come in un dialogo. Nella poesia italiana medievale, si preferí distinguere le posizioni in componimenti personali, per lo più sonetti, il primo dei quali veniva detto *proposta* e ciascuno degli altri *risposta*. Celebre la tenzone poetica tra Dante e Forese Donati.

teo-: prefisso di origine greca che significa: dio. Usato per comporre parole attinenti alla divinità. Es.: TEODICÈA (parte della teologia che studia la giustizia divina), TEOLOGÍA (filosofia che studia la divinità), TEODULÍA (culto di Dio), TEÒLOGO (plurale: teologi; studioso di religione), TEOCRAZÍA (governo dei sacerdoti, in nome di Dio), TEOFANÍA (apparizione divina), TEOGONÍA (la genealogia degli dei), TEOSOFÍA (dottrina filosofico-religiosa sulla scienza delle cose divine che sarebbe infusa nell'uomo per opera soprannaturale).

téppa: sostantivo femminile. Voce milanese, ma ormai assai diffusa. Indica la malavita delle grandi città. *Teppísta* vale: malvivente, prepotente.

terapía: sostantivo femminile. Parola di origine greca, usata nel linguaggio medico per: cura. Forma anche numerose parole composte. Es.: *elioterapía* (cura del sole, cioè mediante l'esposizione ai raggi solari), *chinesiterapía* (cura mediante ginnastica), *elettroterapía* (cura mediante azione dell'elettricità), *radioterapía* (cura mediante le emanazioni del radio).

tèrgere: verbo della seconda coniugazione, transitivo. *Pass. rem.*: tèrsi, tergésti, tèrse, tergémmo, tergéste, tèrsero. *Part. pass.*: tèrso. Significa: pulire, asciugare, nettare. Es.: *Si tergeva il sudore dalla fronte.*

tergiversàre: verbo della prima coniugazione, intransitivo (ausiliare: avere). Letteralmente vale: voltare le spalle. È però oggi usato nel senso di: tirare in lungo, sottrarsi ad una risposta precisa, barcamenarsi. Es.: *Mi accorsi che, invece di rispondermi chiaramente, tergiversava; Non tergiversare; dimmi sí o no.*

tèrme: sostantivo femminile plurale. Il singolare *terma* non è usato. Indica oggi un luogo di cure con speciali acque minerali.

terminàre: verbo della prima coniugazione, transitivo. Significa: finire, concludere. Es.: *Ho terminato finalmente questo lavoro.* Regge la proposizione oggettiva con il costrutto implicito, ossia *di* più l'infinito. Es.: *Terminò in quel momento di parlare.* Usato intransitivamente, vuole l'ausiliare essere. Es.: *La seconda guerra mondiale è terminata nel 1945.*

terminazióne: sostantivo femminile che vale: fine, conclusione. Usato soprattutto nel linguaggio grammaticale, per indicare la parte finale di una parola, precisamente l'ultima lettera di essa. Es.: *I nomi della prima declinazione latina hanno terminazione in -a.* Il vocabolo è però usato anche nel senso di *desinenza* (V.) e talora persino di *suffisso* (V.).

tèrmine: sostantivo maschile. Significa: limite, confine, anche figurato (Es.: *Non bisogna passare i termini della correttezza; Andò oltre il termine del campo; Romolo tracciò i termini di Roma*), scadenza (Es.: *Bisogna presentare la domanda entro i termini*), mèta (Es.: *Quello era il termine di ogni sua aspirazione*), parte di un tutto (Es.: *È bene ora riassumere i termini della questione*). Vale anche: parola, locuzione, specialmente in quanto propria di una disciplina. Es.: *Predicato è un termine grammaticale; Si esprime in termini tecnici; Con me non doveva usare questi termini.*
Si notino poi le locuzioni: *in altri termini* (in altre parole, cioè, per usare un linguaggio più chiaro), *a termini di legge* (secondo la legge, e questa è espressione da preferire), *in termini di fisica* (nel linguaggio dei fisici), *portare a termine* (finire, concludere).

tèrmine (complemento di): indica, come dice il nome, il termine, su cui va a cadere l'azione indicata da un verbo transitivo. È retto dalla preposizione *a* e risponde alla domanda: a chi? a che cosa? Es.: Ho insegnato *ai miei figli* il rispetto; Parlava *agli amici*; Comandò *ai soldati*; Lasciò *ai nipoti* la casa; Obbediva *alle leggi*. Il complemento di termine può anche essere retto da alcuni aggettivi. Es.: fedele *alle leggi*, caro *agli amici*, abituato *alle fatiche.*
Si badi a non confondere con questo altri complementi pure retti dalla preposizione *a*. Es.: Vado *a Roma* (complemento di moto a luogo); Giova *alla patria* (complemento di comodo o di vantaggio); Sollevai *a stento* (complemento di modo).

terminología: l'insieme dei termini speciali di una scienza o di un'arte. Es.: *la terminologia giuridica, la terminologia medica, la terminologia grammaticale.* Di un autore è il suo vocabolario tipico e, per estensione, il suo linguaggio.

tèrmite: sostantivo femminile. Nome di un insetto degli Isotteri. Non si pronunci TERMÍTE che è sostantivo femminile di diversa origine, indicante un composto di alluminio e ossido di carbonio, con un alto potere calorifico.

termo-: prefisso di origine greca che significa: calore. Usato per comporre parole tecniche e scientifiche. Es.: TERMOBARÒMETRO (strumento per misurare la temperatura ed insieme la pressione atmosferica), TERMOCHÍMICA (parte della chimica, studia gli sviluppi di calore delle reazioni), TERMODINÀMICA (studio delle relazioni tra energia meccanica ed energia calorifica), TERMOGÈNESI (produzione di calore), TERMOLOGÍA (parte della fisica che studia il calore), TERMÒMETRO (strumento per misurare la temperatura), TERMONUCLEÀRE (detto dell'energia sprigionata da un'esplosione atomica), TERMOSIFÓNE (apparecchio di riscaldamento, fondato sulla circolazione di acqua calda attraverso tubi), TERMOTROPÍSMO (efficacia del calore sulle cellule animali o vegetali).

tèrmos o **thèrmos:** sostantivo maschile indeclinabile. Indica un recipiente che conserva a lungo un liquido alla temperatura che aveva quando vi è stato introdotto.

ternàrio (verso): verso di tre sillabe, detto anche *trisillabo* (V.). Versi ternari sono anche detti i versi in terza rima.

tèrra: sostantivo femminile. Indica il pianeta su cui viviamo; e in questo caso si scrive solitamente con la lettera maiuscola. Es.: *La Terra gira intorno al Sole.* Significa poi: il mondo, la vita terrestre (Es.: *Chi ha creato il cielo e la terra?*; *Sono le inevitabili miserie di questa terra*), le cose materiali (*Alza lo sguardo da terra e mira l'ideale*), territorio (*È accaduto in terra italiana*; *Era arrivato nella terra di nessuno*), pavimento, luogo ove si appoggiano i piedi, su cui si sta (*Son caduto a terra*; *Era disteso per terra*; *Rimase in terra*), la superficie che si coltiva (*Lavorava la terra*; *Raccogliemmo i frutti della terra*). Si notino alcune locuzioni figurate: *terra terra* (molto basso, di scarso valore: *Pronunciò un discorso terra terra*), *essere a terra* (essere rovinato, essere sconfitto: *Dopo quel fallimento era proprio a terra*), *tenere i piedi piantati per terra* (badare al concreto, non lasciarsi fuorviare dalla fantasia).

Forma diverse parole composte: TERRACÒTTA (plurale: terrecòtte; argilla cotta e modellata artisticamente), TERRAFÉRMA (terreférme; la terra che emerge dalle acque), TERRAMÀRA (terremàre o terramare; monticello di terra con avanzi di animali od oggetti dell'età del bronzo o del ferro), TERRAPIÉNO (terrapieni; argine di terra).

terréno: sostantivo maschile. Indica un tratto di terra che può essere adibito a usi diversi. Es.: *terreno da coltivare, terreni fabbricabili. Prendere* o *guadagnar terreno*: detto di persone o di animali in gara, vale: prender vantaggio, prevalere; detto figuratamente, vale: prender consistenza, acquistar stima, affermarsi. Es.: *Il nuovo giornale sta guadagnando terreno*; *Sinora l'opposizione ha guadagnato terreno.* Altri usi figurati: *tastare il terreno* (sperimentare, cercar di conoscere le opinioni altrui), *preparare il terreno* o *sgombrare il terreno* (render facile un'impresa, preparare una via facile, rimuovere le difficoltà), *porre la questione sul terreno filosofico* (impostarla filosoficamente).

Come aggettivo, *terreno* vale: di questa terra, ed è usato spesso in senso figurato, come contrario di celeste, spirituale. Es.: *i beni e le gioie terrene, la vita terrena, gli interessi terreni.* In un senso più materiale si usa TERRÈSTRE. Es.: *la superficie terrestre, le armi terrestri.* Si usa invece TÈRREO, per indicare il colore della terra, giallo livido. Es.: *volto terreo.* Infine si usa TERRIÈRO quasi esclusivamente per indicare proprietà o proprietari di terreni. Es.: *i grandi proprietari terrieri.*

terrificàre: verbo della prima coniugazione, transitivo. Significa: atterrire, spaventare. Il participio aggettivale *terrificànte* (spaventoso, terribile), un tempo ripreso dai puristi, è invalso nell'uso.

terza ríma: V. TERZINA.

terzína: strofe di tre versi, detta anche *terza rima.* Dante Alighieri l'usò nella *Divina Commedia* e perciò fu detta *terzina dantesca.* I componimenti in terzine hanno vari schemi, ma il più comune è quello a rima incatenata: ABA, BCB, CDC, DED, ...YZY, Z. Ecco alcuni esempi di terzine:

«Per correr miglior acqua alza le vele
ormai la navicella del mio ingegno,

che lascia dietro a sé mar sí crudele;
e canterò di quel secondo regno
dove l'umano spirito si purga,
e di salire al ciel diventa degno».
(Dante)

«Dov'era l'ombra, or sé la quercia [*spande*
morta, né più coi turbini tenzona.
La gente dice: Or vedo: era pur grande!
Pendono qua e là dalla corona
i nidïetti della primavera.
Dice la gente: Or vedo: era pur buona!».
(Pascoli)

Si ricordi che le due ultime strofe del *sonetto* (V.) sono costituite da terzine.

tèrzo: aggettivo numerale ordinale. Indica colui che viene dopo il primo e il secondo. Come numero frazionario, una delle tre parti in cui è diviso un intero. Come sostantivo, specie al plurale, *i terzi*, indica persona estranea a un rapporto, ma che può risentirne gli effetti. Es.: *assicurazioni contro terzi*; *lavoro per conto terzi.*

tèsi: sostantivo femminile, indeclinabile. Indica: asserzione che deve essere dimostrata, argomento, proposito di uno scritto. Nella metrica classica era la parte del piede, forte per i greci, debole per i latini; in contrapposizione ad *arsi*.

tèssere: verbo della seconda coniugazione, transitivo. *Pres. indic.*: tèsso, tèssi, tèsse, tessiàmo, tesséte, tèssono. *Pass. rem.*: tesséi, tesésti, tessé, tessémmo, tesséste, tessérono. *Part. pass.*: tessúto (anche aggettivo sostantivato). Significa: comporre tela, panno, e, per estensione, intrecciare una rete, una stuoia; o, al figurato: ordire, tramare (*tessere una congiura*; *tessere un discorso*).

tèsta: sostantivo femminile che significa: capo, parte superiore del corpo umano o, per analogia, di oggetti materiali. Al figurato: guida, comando, governo (*È alla testa delle sue truppe*; *Ci deve pensare chi è alla testa*), intelligenza (*Era proprio una testa fina*), carattere, volontà, indole (*Ha una bella testa dura*; *Vuol fare di sua testa*; *Non si può cambiar la testa alla gente*). La locuzione avverbiale *in testa* vale: avanti a tutto (*Furono danneggiate le carrozze in testa*; *È in testa il nostro corridore preferito*; *Pose in testa un titolo a sei colonne*). Di diversa origine sono i sostantivi maschili TÈSTO e TÈSTE (quest'ultimo da non confondere con il plurale di *testa*). TÈSTO (plurale: testi) è infatti il contenuto di uno scritto, la scrittura stessa (*il testo del discorso*; *il testo di una iscrizione*). TÈSTE (plurale: testi) significa: testimonio, testimòne.

testimoniàre: verbo della prima coniugazione. Significa: far testimonianza, attestare, deporre, affermare. È usato transitivamente o anche intransitivamente (ausiliare: avere). Es.: *Quel signore ha testimoniato il falso*; *Non c'è nessuno che possa testimoniare di questo?*; *Vuol testimoniare a favore del suo amico.*

tèsto: in linguistica, l'unità fondamentale della comunicazione verbale; esso consiste in un messaggio, emesso attraverso qualsiasi canale (scritto, parlato, trasmesso), che esprime un tema unitario in un quadro di coerenza semantica e coesione sintattica, tenendo conto delle circostanze in cui avviene l'atto comunicativo. In questo senso, un testo può essere composto di una sola frase, o addirittura di una sola parola, come di una molteplicità di frasi, periodi, capitoli, ecc.

tetra-: prefisso di origine greca che significa: quattro. Usato in varie parole composte: TETRACÒRDO (strumento musicale a quattro corde), TETRAÈDRO (figura geometrica solida con quattro facce), TETRÀGONO (che ha quattro angoli; quindi, al figurato: ben saldo), TETRALOGÍA (oggi spettacolo teatrale in quattro parti), TETRARCHÍA (governo di quattro), TETRÀSTILO (edificio ornato con quattro colonne), TETRAVALÈNZA (qualità di un elemento chimico di cui un atomo può combinarsi con quattro atomi d'idrogeno).

tetràmetro: nella metrica classica greca e latina, verso composto da quattro metri. Poteva essere dattilico, anapestico, giambico, coriambico. Il più comune è il trocaico catalettico.

tetrapodía: nella metrica classica greca e latina, successione di quattro piedi uguali (*tetrapodia dattilica, trocaica,* ecc.).

tetràstica (strofe): strofe composta di quattro versi detta più comunemente *quartina* (V.).

ti: particella pronominale atona, di seconda persona singolare. Si usa per il complemento oggetto e quello di termine. Es.: *Non ti ascoltammo* (=ascoltammo te); *Io ti parlo* (=parlo a te). Con le forme verbali dell'infinito, del gerundio e dell'imperativo diventa enclitica (Scriver*ti*; Amando*ti*; Fat*ti* vedere). Si trasforma in *te* quando è seguita da altre particelle. Es.: *Te lo prometto*; *Non te lo sei fatto dire.*

tígre: sostantivo femminile. È un nome promiscuo, vale cioè per i due sessi dell'animale. L'uso di tigre (plurale: i tigri) al maschile è antiquato. Tuttavia si è registrato il ritorno di questo uso in un noto slogan (*Metti un tigre nel motore*), per una sorta di licenza pubblicitaria.

tíngere: verbo della seconda coniugazione, transitivo. *Pass. rem.*: tínsi, tingésti, tínse, tingémmo, tingéste, tínsero. *Part. pass.*: tínto. Significa: colorare, dipingere, imbrattare. Es.: *Voglio tingere questo vestito non più nuovo*; *Il sole tinse di rosso il mare all'orizzonte*; *Ti sei tutto tinto con l'inchiostro.*

tinníre: verbo della terza coniugazione, intransitivo. Ausiliare: avere. In alcuni tempi si coniuga con la forma incoativa *-isc-* tra il tema e la desinenza. *Pres. indic.*: tinnísco, tinnísci, tinnísce, tinniàmo, tinníte, tinnínscono. *Pres. cong.*: tinnísca, tinnísca, tinnísca, tinniàmo, tinniàte, tinnínscano. *Part. pass.*: tinníto. È di uso raro, letterario. Significa: risonare, squillare. Più usato è *tintinnàre*, coniugato con tutti e due gli ausiliari.

tintóre: sostantivo maschile. Al femminile: tintóra.

típo: sostantivo maschile. Indica l'esemplare, il modello, la qualità. Es.: *È il tipo dello studioso*; *È il classico tipo genovese*; *Ho incontrato molti tipi interessanti*; *È una stoffa di tipo più fine*. Nel linguaggio scientifico indica l'individuo che riunisce in sé tutte le caratteristiche della specie. Es.: *il tipo ariano, il tipo mongolo*. Nel linguaggio familiare significa spesso: persona originale o buffa. Es.: *Vedessi che tipo!*; *È proprio un tipo divertente.* Nel linguaggio familiare si dice anche *far tipo* per: essere interessante, originale. Es.: *Quella ragazza non è bella, ma fa tipo.*
La locuzione *sul tipo di* vale: simile a. Es.: *Una macchina sul tipo della tua*. Si usa anche semplicemente *tipo* per: simile, serie, modello. Es.: *Un'auto tipo sport*; *Una macchina tipo la tua*. Ma è uso da evitare, fuor del linguaggio familiare, cosí come non bisogna abusare della espressione: *è il mio tipo* per: è il mio ideale.
Di un certo tipo è un'espressione venuta di moda nel sinistrese degli anni Settanta; quasi sempre era sinonimo di: progressista, avanzato, *rivoluzionario.* Es.: *Occorre sviluppare un'azione di un certo tipo*; *Si portavano avanti discorsi di un certo tipo.*

tipo-: il carattere mobile per la stampa; si usa anche come prefisso per comporre parole tecniche attinenti alla stampa: *tipografía, tipolitografía, tipòmetro.*

-tipo: suffisso di varie parole che indicano modello, primo esemplare: *archètipo, protòtipo.*

tira-: voce verbale dal verbo *tiràre*, usata in molte parole composte, per lo più indeclinabili. Es.: TIRABÀCI (ricciolo sulle gote femminili), TIRABÒZZE (macchina per tirare le bozze a mano), TIRABRÀCE (ferro per trarre la brace dal forno), TIRACATÉNA (meccanismo nella bicicletta per tener tesa la catena), TIRAFÒRME (arnese del calzolaio per tirar fuori dalle scarpe la forma), TIRALÍNEE (penna per tracciare linee), TIRALÒRO (plurale: tiralòri; filatore d'oro), TIRAMÀNTICI (chi tira i mantici dell'organo), TIRAPIÈDI (aiutante del boia che tirava i piedi del condannato all'impiccagione; vile servo; scherzosamente: aiutante, sostituto), TIRAPRÀNZI (montacarico per il trasporto delle vivande negli alberghi e trattorie a più piani), TIRASTIVÀLI (cavastivali).

tiràre: verbo della prima coniugazione, transitivo. Significa: lanciare (*Chi ha tirato il sasso?*), educare (*Lo ha tirato su con i suoi sistemi pedagogici*), distendere, tracciare (*Tirare un elastico*; *Ha tirato una linea*), ricavare (*Tiriamo le somme*); al figurato: attrarre, trarre (*Tira l'acqua al suo mulino*).
Usato intransitivamente (ausiliare: avere) vale: vivere (*Tiriamo avanti*), mirare a (*Si capiva che quel giovanotto tirava alla dote*), spirare, detto del vento (*Tirava un vento fortissimo*), detto di stufa o camino:

far passare l'aria necessaria per la combustione (*Questa stufa non tira*), indugiare (*Tu tiri troppo in lungo*), discutere, contrattare (*Non mi piace tirar sul prezzo* o *il prezzo*), non badare (*Tira via, non ti voltare neppure*; *Tira diritto, senza curarti dei commenti della gente*), aver successo, andar bene (*In questo momento la moda tira*). Nel gergo sportivo, *tirare*, vale: far l'andatura, trascinare (fendendo l'aria).

tirétto: sostantivo maschile. Voce dialettale e da evitarsi per: cassetto, cassettino.

títolo: sostantivo maschile. Ha vari significati: nome di un'opera (Es.: *Il titolo della commedia*; *Non ricordo il titolo di quella canzone*), appellativo onorifico (Es.: *I titoli accademici son quelli che competono per laurea, i titoli cavallereschi per onorificenze, i titoli nobiliari per nascita*), ingiuria (*Mi ha dato certi titoli!*), cartella, documento di credito (*Mi volle vendere i suoi titoli azionari*), motivo, causa (*Per te è un titolo di merito*; *A che titolo mi dici queste cose?*; *A titolo di cronaca*). Nella tessitura il termine indica poi la grossezza del filo (Es.: *Il titolo della seta*); nell'oreficeria il rapporto tra la quantità del metallo puro e quella della lega (Es.: *Il titolo dell'oro*). Si noti che i titoli delle opere letterarie, musicali, artistiche, scientifiche, ecc. si scrivono con la lettera maiuscola. Es.: *Il titolo dell'opera è «Aida»*; *Quel quadro è intitolato «Tramonto»*. Se il titolo è costituito da più parole, si scrive con la maiuscola solo la prima parola. Es.: *I promessi sposi*; *Le vergini delle rocce*.
Quando una preposizione semplice precede un titolo che comincia con l'articolo si può procedere in due modi: o incorporando l'articolo nella preposizione, trasformandola in preposizione articolata (*Il nuovo commento ai* Promessi sposi) o isolando con virgolette o carattere diverso il titolo dalla preposizione semplice (*Il nuovo commento a* I promessi sposi). La seconda soluzione è pedantesca ma più precisa. La scelta va fatta nel contesto; è chiaro che la seconda va preferita in un'opera scientifica, nelle note, negli elenchi, nei repertori, nelle citazioni; la prima è più adatta al linguaggio familiare o giornalistico.
I titoli accademici, cavallereschi, militari, ecc. si scrivono con la lettera minuscola. Es.: *prof.* Fasiani, *on.* Matteotti, *cav.* Baldassarre, *gen.* Cadorna. Quando non accompagnano un nome proprio, si possono scrivere con la lettera maiuscola se riferiti a persona determinata. Es.: *Parlò il Generale*; *Ha scritto il Professore*; *Le dichiarazioni dell'Avvocato*.

tízio: nome proprio romano, usato per indicare un uomo qualunque o che non si vuol nominare. Si scrive anche minuscolo. Es.: *Incontro un tizio che mi dice...*; *Chi è stato? Tizio? Ah, va bene!* Unito spesso a Caio e Sempronio. Es.: *Non devi adesso raccontare tutto a Tizio, Caio e Sempronio.*

tmèsi: sostantivo femminile. Indica una figura metrica consistente nel dividere una parola in due parti, una delle quali si pone alla fine di un verso e la seconda al principio o talora anche nel mezzo del verso successivo. Es.:

«*Com'ella tacque, il tremito de'l suono*
mi tremolò sì viva-
mente *ai precordi ch'io rimasi assorto*».
(D'Annunzio)

«*Né men ti raccomando la mia* Fiordi-
ma dir non poté ligi; *e qui finío*».
(Ariosto)

Tmesi è anche la collocazione a distanza di due parole che sono abitualmente unite. Per esempio, un sostantivo e un aggettivo («*Qual* masso *che dal vertice / di lunga erta montana* / allontanato *all'impeto / di rumorosa frana...*», Manzoni), un antecedente e un pronome relativo («*Allor fu la* paura *un poco queta* / che *nel lago del cor m'era durata*», Dante).

to': interiezione. È accorciativo di *togli*. Vale infatti: togli, prendi. Es.: *To' cento lire!*; *To', prendi anche queste fragole*. Talora indica semplicemente meraviglia, sorpresa (e si scrive anche *toh!*, ma è un uso da sconsigliare). Es.: *Toh, hai cambiato casa un'altra volta?*; *Toh, chi si rivede!*

toccàre: verbo della prima coniugazione, transitivo. Significa: accostare una parte del corpo ad un oggetto, tastare, palpare. Es.: *Toccare un mobile*; *Ci toccavamo col gomito*; *Lo toccai col piede*. Altri significati: nuocere, fare un atto che può nuocere (*Guai a chi lo tocca!*; *Non toccatemi i* *figli*), impressionare, commuovere (Es.: *Quel gesto ha toccato il nostro cuore*; *Siamo toccati dalla tua generosità*). In quest'ultimo senso l'uso assoluto del verbo è un francesismo; altrettanto dicasi per il participio presente TOCCÀNTE nel senso di: commovente, penoso, impressionante. Es.: *Una scena, una recitazione, un discorso toccante.*

Usato intransitivamente si coniuga con l'ausiliare essere e significa: capitare, succedere, spettare, esser necessario (Es.: *Mi è toccato annunciargli la triste notizia*; *È proprio toccata a me*; *A te toccano proprio tutte!*; *Non tocca a me dire queste cose sgradevoli*; *Quella sera mi toccò pagare e tacere*). Come si vede dagli esempi, regge una proposizione soggettiva col costrutto implicito, direttamente con l'infinito.

tócco: aggettivo qualificativo, sincope di *toccato*. Al figurato, *tocco nel cervello* vale: pazzo, sciocco. Es.: *È un po' tócco*. Come sostantivo maschile vale: modo di toccare, stile. (Es.: *È un pittore dal tócco delicato*; *Il tócco del pianista*), colpo (*La campana ha dato due tócchi*; *È il tócco, cioè l'una dopo mezzogiorno*). Non si confonda con TÒCCO (la prima *o* ha suono aperto), parola dialettale o anche del linguaggio familiare che vale: grosso pezzo di checchessia, o al figurato: modello, campione. Es.: *Cercava un tòcco di pane*; *È un bel tòcco di ragazza.*

togàta: commedia latina di argomento prevalentemente italico, che prende il nome dalla toga, ossia l'abito indossato dagli attori nella scena.

tògliere: verbo della seconda coniugazione, transitivo. *Pres. indic.*: tòlgo, tògli, tòglie, togliàmo, togliéte, tòlgono. *Pass. rem.*: tòlsi, togliésti, tòlse, togliémmo, togliéste, tòlsero. *Pres. cong.*: tòlga, tòlga, tòlga, togliàmo, togliàte, tòlgano. *Imper.*: tògli, tòlga, togliàmo, togliéte, tólgano. *Part. pass.*: tòlto. Significa: levare, rimuovere (*Togli quegli oggetti dal tavolo*), portar via (*Gli torrei* o *toglierei le armi di mano*), impedire (*Ciò non toglie che hai torto*), prendere (*Ha tolto moglie*).

tomàio: sostantivo maschile. Sovrabbondante al plurale: i tomai e le tomaia. Indica la parte superiore delle scarpe. Più comune però la forma femminile: la tomaia, le tomaie.

-tomía: terminazione di parole del linguaggio medico. Indicano attinenza alla chirurgia: asportazione, incisione, amputazione, taglio, divisione. Es.: *appendicectomía, laparatomía, anatomía, osteotomía.*

tònica (sillaba): la sillaba cui appartiene la vocale accentata (detta a sua volta tonica) di una parola. *Accento tonico* è quello che indica su quale sillaba la voce deve posare nel pronunciare una parola. Es.: *ancóra* ha l'accento tonico sulla *o*, *àncora* sulla prima *a*.

tòpica: sostantivo femminile. Indica la parte della retorica che insegnava a trovare gli argomenti più adatti per un discorso. Anche voce scherzosa e familiare che significa: sbaglio, granchio (*fare una topica*).

topo-: primo elemento di parole composte. Dal greco: luogo. Es.: *topografía, topònimo.*

topònimi: cosí sono chiamati i nomi di luogo: di paese, città, isole, laghi, monti, fiumi, strade, quartieri, rioni. Possono essere preceduti o meno dall'articolo secondo i casi: *L'Italia e la Francia sono entrate nel MEC*; *Erano presenti gli ambasciatori di Francia e Italia*; *Mi ricordo la Milano del dopoguerra*; *Tutti vogliono venire a Milano*; *Riuscivamo ancora a scorgere la Corsica*; *Passai belle vacanze in Corsica*; *Il corteo confluí in piazza del Gesú*; *Si aspettano le decisioni di piazza del Gesú*; *La piazza del Gesú era gremita di manifestanti.*

topos: il luogo comune, ossia un motivo ricorrente in un certo genere letterario o in un certo autore.

tòppa: sostantivo femminile che indica un pezzo di stoffa usato per rattoppare; al figurato: rimedio (*Cercò di metterci una toppa*). Vale anche: serratura (*Lasciai la chiave nella toppa*). Di diversa origine è il sostantivo maschile TÒPPO, che indica un pezzo di pedale d'albero che rimane nel terreno; pezzo di legno grosso e corto.

tòrcere: verbo della seconda coniugazione, transitivo. *Pass. rem.*: tòrsi, torcésti, tòrse, torcémmo, torcéste, tòrsero. *Part. pass.*: tòrto. Significa, secondo i casi: avvolgere, piegare, spremere. Es.: *Torcere le ulive con lo strettoio*; *Dar filo da torcere* (figurato: dar noie, procurar fastidi); *Torcere la bocca in segno di nausea.*

tòrcia: sostantivo femminile che significa: face, fiaccola di resina. Plurale: torce.

-tóre (nomi in): i nomi terminanti al maschile singolare in *-tóre*, al femminile terminano in *-tríce*. Es.: da accusatore, *accusatríce*; da banditore, *banditríce*; da correttore, *correttríce*; da intenditore, *intenditríce*. Alcuni terminano in *-éssa*. Es.: da dottore, *dottoréssa*; da fattore, *fattoréssa*. La forma in *-tóra* è d'uso toscano. Es.: da benefattore, *benefattóra*; da mangiatore, *mangiatóra*; da mestatore, *mestatóra*. Alcuni nomi però hanno solo la forma in *-tóra*: *pastóra, avventóra, tintóra.* Si noti poi il plurale maschile di alcuni nomi in *-tóre*, da non confondere con il plurale di nomi in *-tòrio*. Nel primo caso la *o* tonica è chiusa, nell'altro è aperta. Es.: da adulatore, *adulatóri* (non: adulatòri, plurale di *adulatòrio*); da canzonatóre, *canzonatóri* (non: canzonatòri, plurale di *canzonatòrio*); da direttore, *direttóri* (non direttòri, plurale di *direttòrio*).

-tòrio: suffisso per la formazione di nomi e aggettivi. Es.: da dormire, *dormitòrio*; da purgare, *purgatòrio*; da adulare, *adulatòrio.* Altre parole sono formate con il suffisso *-tòria*. Es.: da eliminare, *eliminatòria*; da discriminare, *discriminatòria*.

tornàre: verbo della prima coniugazione, intransitivo. Ausiliare: essere. Significa: andare un'altra volta in un luogo (Es.: *Tornammo a casa*; *Sei tornato prima di sera*; *Sono tornato a Parigi*), ritornare allo stato primitivo (Es.: *Tornò in sé*; *È tornato bello come prima*), riuscire, ridondare (*Questo non torna a tuo onore*), risultar giusto, detto di misura o calcolo (*Mi sembra che il conto non torni*). È antiquato il significato di: volgere, rivolgere (*Tornò lo sguardo verso di me*). Usato transitivamente vale: restituire; ma è poco usato (*Mi ha tornato tutti i regali*).

torníre: verbo della terza coniugazione, transitivo. Si coniuga con la forma incoativa *-isc-* tra il tema e la desinenza. *Pres. indic.*: torn´sco, torníscì, tornísce, torniàmo, torníte, torníscono. *Pres. cong.*: torn´sca, tornísca, tornísca, torniàmo, torniàte, torníscano. *Part. pass.*: torníto. Significa: arrotondare per mezzo del tornio; in senso figurato: perfezionare, abbellire. *Tornire la forma dello scrivere*: ripulirla e perfezionarla. *Forme torníte*: cosí ben formate come se fossero state arrotondate al tornio.

tórno: sostantivo maschile che vale: giro. Si usa in varie locuzioni avverbiali: *di torno* (d'attorno: *Non te lo leverai più di torno*), *torno torno* (tutt'in giro: *Ora bisogna metter la frangia torno torno*), *in quel torno di tempo* (circa in quel tempo: *Fu due anni fa o in quel torno di tempo*).

torpèdine: sostantivo femminile. Nome di un pesce che scarica su chi lo tocca una scossa elettrica capace di intorpidire (donde il nome). Per analogia, cosí è stata chiamata anche un'arma subacquea, che scoppia se urtata. È dunque errore applicare questo nome al siluro, che è invece un'arma semovente che procede contro il bersaglio.

tórre: sostantivo femminile che indica costruzione eminente, alta più che larga, adibita a campanile, a difesa o ad ornamento di palazzi, castelli, chiese. Accrescitivo: *torrione*; diminutivi: *torrétta, torricella.* TÒRRE (la *o* ha suono aperto) è invece forma sincopata, d'uso letterario, in luogo di *togliere.*

torrefàre: verbo della prima coniugazione, transitivo. È un composto di *fare* (V.) di cui segue la coniugazione. *Pres. indic.*: torrefàccio, torrefài, torrefà, ecc. *Imperf.*: torrefacévo, torrefacévi, torrefacéva, ecc. *Pass. rem.*: torreféci, torrefacésti, torreféce, ecc. Significa: tostare, abbrustolire il caffè. Dal verbo deriva il sostantivo TORREFAZIÓNE che indica l'atto del torrefare; oggi anche il luogo ove si torrefà il caffè.

tórta: sostantivo femminile che indica un tipo di dolce. TÒRTA (la *o* ha suono aperto) indica invece l'azione del torcere, ma oggi non è più usato. È anche il femminile di *tòrto* (V.), participio e aggettivo da *torcere.*

tòrto: participio passato di *torcere*, usato come aggettivo. Vale: attorcigliato, storto, piegato. Come sostantivo maschile indica ciò che è contro la ragione e la giustizia. Es.: *Sei tu che hai torto*; *Il torto e la ragione non si possono quasi mai separare con un taglio netto*; *Volle vendicarsi di tutti i torti* (offese) *ricevuti*; *Mettersi dalla parte del torto.*

toscanésimo: elemento linguistico proprio del dialetto toscano; idiotismo del parlar toscano. Le voci di gergo e i dialettalismi inutili sono da evitare, anche se propri di quel dialetto toscano dal quale, come è noto, trasse le sue origini la lingua italiana. In particolare si eviteranno, quando non necessari, i cosiddetti *ribòboli*, cioè le parole e i modi di dire della parlata popolare fiorentina. Es.: *néccio* per: castagnaccio; *cacciúcco* per: zuppa di pesce; *capare le castagne* per: mondare le castagne; *incignare la botticella* per: cominciare la botticella; *sortíre* per: riuscire. Dell'uso toscano è poi la forma di molte parole che presentano una semplice *ò* dove l'italiano ha *uò*. Es.: *bono, novo, scola* per buono, nuovo, scuola. Un toscanesimo da evitare è l'abuso del *di* (*Mi piace di fumare*, per: mi piace fumare).

tósco: aggettivo qualificativo, di uso letterario. Significa: toscano. Il sostantivo TÒSCO (la prima *o* ha suono aperto), pure di uso letterario, vale: tòssico, veleno.

tossíre: verbo della terza coniugazione, transitivo. Si coniuga con la forma incoativa *-isc-* tra il tema e la desinenza. *Pres. indic.*: tossísco, tossísci, tossísce, tossiàmo, tossíte, tossíscono. *Pres. cong.*: tossísca, tossísca, tossísca, tossiàmo, tossiàte, tossíscano. *Part. pass.*: tossíto. Meno usate le forme *tósso, tóssi, tósse*, ecc. e *tóssa, tóssa, tóssa*. Significa: avere la tosse, fare il rumore della tosse.

tòsto: avverbio di tempo. Vale: subito, immediatamente, presto. Es.: *Te lo dirò tosto*; *Uscirono tosto.* Come aggettivo vale: duro, sodo (Es.: *È una carne tosta*); al figurato: ardito, sfrontato (*Che faccia tosta!*). Nell'uso letterario: veloce, rapido (*La sua risposta fu tosta*). È anche forma abbreviata di *tostàto* (abbrustolito), donde l'espressione *pan tosto* per indicare fette di pane abbrustolite, in mezzo alle quali si pongono prosciutto e formaggio. Si usa anche come sostantivo in luogo dell'inglese *toast*. Es.: *un tosto, due tosti.*

tot: parola latina che significa: tanti. Rimasta nell'uso per indicare un numero indeterminato. Es.: *Mi ha promesso un guadagno di lire tot*; *Hai speso tot*; *Bisogna stabilire un tot per le spese generali*; *Il conto si fa cosí: tot uomini, tot macchine, tot spese.*

toto: abbreviazione familiare di *totocàlcio*, derivato dalla fusione di *totalizzatore* e *calcio*. Indica il noto concorso di pronostici a premi sui risultati delle partite del campionato di calcio (si dice anche *Sisal*, dal nome della società che gestí il gioco per i primi due anni). Dal gioco sono derivati vari neologismi: *tredicísta* (giocatore che ha indovinato tutti e tredici i pronostici) e cosí *dodicísta, undicísta*; e i modi di dire: *giocare al toto, giocare una schedina* (compilarla e pagare la quota per aver diritto al premio nel caso che i pronostici siano indovinati), *fare un tredici*, ecc. *Toto* è poi diventato quasi un prefisso di molti nomi nuovi coniati per indicare concorsi e giochi a premi: *totoelezioni* (scommesse sull'esito delle elezioni), *totovacanze, totoesami, totoprocesso*, ecc.

toto corde: locuzione latina (pr.: tòto còrde) rimasta nell'uso. Vale: con tutto il cuore, senza riserve. Es.: *Approvo toto corde la tua opinione.*

tra: preposizione semplice; anche: *fra*. Vale: in mezzo, entro. Introduce i seguenti complementi: tempo (Es.: Ci vedremo *tra quattro mesi*; Arrivederci *tra un'ora*), luogo (Era *tra il municipio e la fontana*; Busto Arsizio è *tra Gallarate e Legnano*), compagnia, unione (Rimani *tra noi*; L'alleanza *tra russi e francesi*), partitivo (Qualcuno *tra noi* ha tradito). Indica talora: scelta, esitazione, dubbio (Es.: *Tra il sí e il no*; *Tra la vita e la morte*; *Tra le due prospettive preferisco la più sicura*). Con i pronomi personali si costruisce con la preposizione *di*, ma non obbligatoriamente. Es.: *tra noi* o *tra di noi*; *tra voi* o *tra di voi*; *tra loro* o *tra di loro*. Si preferisce usare *tra* quando *fra* (che ha lo stesso valore) sarebbe seguita da parola cominciante per effe. Es.: *tra fratelli* (non: fra fratelli), *tra Firenze e Siena* (non: fra Firenze ecc.). V. anche FRA.

tra-: prefisso che non vuole il raddoppiamento della consonante iniziale della parola a cui si premette. Ha il significato di:

in mezzo, entro (*trascegliere, trafiletto, tramescolare, tramestío, tramezzare*), oltre (*tracotante, traballare*) o al di là (*trascendere, traboccare*). V. anche FRA-.

traboccàre: verbo della prima coniugazione, intransitivo. Si coniuga con il verbo avere quando si riferisce a recipienti (Es.: *Il bicchiere ha traboccato*; figurato: *L'animo ha traboccato di felicità*); con il verbo essere se riferito al liquido che si riversa (*Il liquore è traboccato dal vaso*; figurato: *Lo sdegno è traboccato*).

tràccia: sostantivo femminile. Indica: orma, vestigio, indizio. Plurale: tracce. *Seguir le tracce*: seguire le orme, per cercare o per imitare qualcuno. *Esser sulle tracce di uno*: star per raggiungerlo, inseguirlo.

tracòllo: sostantivo maschile. Vale: capitombolo, il cader da un lato, crollo. Al figurato: rovina, caduta. Es.: *Un tracollo in borsa*; *Il tracollo dei prezzi*. Di diversa origine è il sostantivo femminile TRACÒLLA, che indica una sciarpa o striscia di cuoio che gira intorno al collo e serve per sostenere borse, armi, binocoli, ecc.

tradíre: verbo della terza coniugazione, transitivo. Si coniuga con la forma incoativa *-isc-* tra il tema e la desinenza di alcuni tempi. *Pres. indic.*: tradísco, tradísci, tradísce, tradiàmo, tradíte, tradíscono. *Pres. cong.*: tradísca, tradísca, tradísca, tradiàmo, tradiàte, tradíscano. *Part. pass.*: tradíto. Significa: mancare alla parola data, ingannare. Es.: *Ha tradito la patria*; *Abbiamo tradito i nostri amici*; *Tradí il nostro segreto* (lo svelò). Si usa anche alla maniera francese, nel senso di: manifestare involontariamente. Es.: *Il pallore del viso tradiva la sua angoscia*; *Le sue parole hanno tradito le sue intenzioni segrete*.

tradúrre: verbo della seconda coniugazione, transitivo. *Pres. indic.*: tradúco, tradúci, tradúce, traduciàmo, traducéte, tradúcono. *Pass. rem.*: tradússi, traducésti, tradússe, traducémmo, traducéste, tradússero. *Part. pass.*: tradótto. Significa: trasportare in altra lingua. Es.: *Traduci questa frase dal greco in latino*. Si usa anche nel senso di: trasformare, attuare (Es.: *È un programma che non si può tradurre in pratica*) o di: condurre, trascinare (Es.: *Fu tradotto davanti al magistrato*; *Sarà tradotto alle carceri*). Ma questo è uso del linguaggio burocratico.

traduziòne: procedimento con cui un testo formulato in una certa lingua, o più in generale in un certo codice, viene riprodotto in un'altra lingua o in un altro codice (*transcodificazione*). Un'accezione più specialistica del termine si riferisce alla riproduzione di un testo o di un suo segmento sotto altra forma, ma all'interno dello stesso sistema linguistico, come avviene con la parafrasi.

tràffico: sostantivo maschile. Plurale: traffici (antiquato: traffichi). Significa: commercio (*il traffico dell'oro*; *una città di industrie e traffici*), movimento (*il traffico stradale*).

trafíggere: verbo della seconda coniugazione, transitivo. *Pass. rem.*: trafíssi, trafiggésti, trafísse, trafiggémmo, trafiggéste, trafíssero. *Part. pass.*: trafítto. Significa: trapassare con un'arma, infilzare, ferire.

tràgico: aggettivo qualificativo. Plurale: tràgici. Come sostantivo indica lo scrittore di tragedie. Es.: *I tre grandi tragici della Grecia furono Euripide, Eschilo, Sofocle*. Con lo stesso senso si usano anche *tragèdo* e *tragediògrafo*.

tralíce (in): locuzione avverbiale che significa: obliquamente, di sbieco. Errata la pronuncia sdrucciola *tràlice*.

tralignàre: verbo della prima coniugazione, intransitivo. Si coniuga indifferentemente con tutti e due gli ausiliari. Significa: degenerare, deviare dalla via giusta, perder le buone qualità degli avi. Es.: *Mi sembra che anche lui sia* (o *abbia*) tralignato.

tralúcere: verbo della seconda coniugazione, intransitivo. Difettivo: manca del participio passato e di tutti i tempi composti. *Pres. indic.*: tralúce, tralúcono. *Imperf.*: tralucéva, tralucévano. *Pres. cong.*: tralúca, tralúcano. *Part. pres.*: tralucénte. Significa: splendere o brillare attraverso qualche schermo o ostacolo. Es.: *Le stelle tralucono nel cielo nuvoloso*; (al figurato) *La gioia gli traluceva dagli occhi*.

tràmite: sostantivo maschile. Vale: sentiero. Oggi si usa al figurato nella locuzione *per tramite di* che significa: per mezzo di. Es.: *L'ho potuto sapere per tramite di un amico.* È forma propria del linguaggio burocratico e diplomatico. Anche abbreviata. Es.: *Ho dovuto fargli pervenire la lettera tramite funzionario.* Dirai meglio: per mezzo di.

tramortíre: verbo della terza coniugazione, intransitivo (ausiliare: essere). In alcuni tempi si coniuga con la forma incoativa *-isc-* tra il tema e la desinenza. *Pres. indic.*: tramortísco, tramortísci, tramortísce, tramortiàmo, tramortíte, tramortíscono. *Pres. cong.*: tramortísca, tramortísca, tramortísca, tramortiàmo, tramortiàte, tramortíscano. *Part. pass.*: tramortíto. Significa: svenire, venir meno. Usato anche transitivamente. Es.: *Il colpo lo ha tramortito.*

trància: sostantivo femminile. Francesismo per: fetta. *Trancia di torta*: fetta di torta. Da evitare l'uso al maschile: trancio.

trànne: preposizione impropria derivata dall'imperativo di *trarre*. Vale: eccetto, salvo. Es.: *Arrivarono tutti, tranne lui.*

trans-: preposizione latina che vale: oltre, attraverso, per. Usata oggi come prefisso nella composizione di molte parole; talora anche *tras-*. Es.: TRANSALPÍNO (che è al di là delle Alpi), TRANSATLÀNTICO (che è o che va al di là dell'Atlantico), TRANSOCEÀNICO (che è o che va al di là dell'oceano), TRANSPADÀNO (che è al di là del Po), TRASPARÍRE (apparire attraverso o al di là), TRASUDÀRE (mandar fuori sudore), TRASUMANÀRE (trascendere la natura umana).

transàre: V. TRANSIGERE.

transeat: voce verbale latina rimasta nell'uso (pr.: trànseat). Vale: passi pure; cioè ammettiamo una cosa che pur sarebbe da discutere. Es.: *Per questa volta transeat, ma non sopporterò più.*

transfert: vocabolo latino usato nel linguaggio psicanalitico (pr.: trànsfert) per indicare un procedimento dell'inconscio che *trasferisce* da un oggetto ad un altro il proprio interesse e, specificamente, la «libido fondamentale».

transfràstico: è cosí chiamato il livello linguistico superiore a quello della singola frase, corrispondente al testo.

trànsfuga: sostantivo maschile. È uno dei pochi nomi maschili in *-a*. Plurale: transfughi. Vale: disertore, traditore; persona cha passa al campo avversario. Errata la pronunzia *transfúga*.

transígere: verbo della seconda coniugazione, transitivo. *Pres. indic.*: transígo, transígi, transíge, transigiàmo, transigéte, transígono. *Pass. rem.*: transigéi (transigètti), transigésti, transigé (transigètte), transigémmo, transigéste, transigérono (transigèttero). *Part. pass.*: transàtto. Significa: venire a patti, accordarsi con reciproche concessioni. Nel linguaggio burocratico si usa con lo stesso significato la forma *transàre*, tratta erroneamente dal part. pass. transatto. *Transigere* significa talora: esser indulgente. Es.: *È un capufficio che non transige, specialmente in fatto di puntualità.*

transitívi (verbi): i verbi che esprimono un'azione che passa dal soggetto sul complemento oggetto. Si distinguono dagli intransitivi proprio per questo, perché ammettono un complemento oggetto. Esempi di verbi transitivi: *lodare, amare, punire, ascoltare, vedere, uccidere*, ecc. Alcuni verbi transitivi possono diventare intransitivi se usati assolutamente, ma mutano significato (Si noti invece che un verbo è transitivo anche quando il complemento oggetto non è espresso). Es.: il verbo *cominciare* ha valore transitivo in proposizioni quali: *Ho cominciato un discorso*; *Egli comincia una lettera*, ecc. e valore intransitivo in frasi quali: *Il mondo è cominciato tanto tempo fa*; *Comincia lo spettacolo.* Analogamente i verbi: *finire* (*Ho finito un lavoro* e *Sono finito*), *rovinare* (*Hai rovinato il vestito* e *La valanga rovinò sulle case*).

I verbi transitivi possono avere la forma attiva (*Io lodo uno scolaro*), la forma passiva (*Lo scolaro è lodato da me*) e la forma riflessiva (*Io mi lodo*). Una categoria particolare è quella dei verbi *transitivi indiretti*, cosí chiamati perché esprimono un'azione che ricade su un oggetto, ma questo non è grammaticalmente indicato da un complemento oggetto. Es.: *aderire, giovare, nuocere* (*aderire a una associazione*; *giovare agli amici*; *nuocere alla salute*). Il significato transitivo del verbo è

confermato dall'ausiliare di questi verbi transitivi indiretti, che è sempre avere. In pratica però questi verbi sono assimilabili agli intransitivi.
V. anche VERBO.

trantràn: voce onomatopeica, usata come sostantivo maschile. Indica il ritmo normale di qualche attività e anche, in genere, della vita quotidiana. Es.: *Il trantràn degli affari*; *Dopo le ferie riprenderemo il solito trantràn.*

trapassàto pròssimo: tempo composto dell'indicativo. È la forma che il verbo assume per indicare un'azione interamente compiuta quando ne è sopravvenuta un'altra. Es.: *Eravamo già partiti*, allorché giunse la staffetta; *Avevamo scritto*, quando essi arrivarono di persona. Si forma, all'attivo, con l'imperfetto dell'ausiliare più il participio passato del verbo. Es.: *avevo amato, avevo temuto, avevo finito, ero andato, ero venuto.* Al passivo si forma con il trapassato prossimo di essere più il participio passato del verbo. Es.: *ero stato amato, ero stato temuto, ero stato finito.* Per l'uso di questo tempo nella sintassi del periodo V. DIPENDENZA DEI TEMPI.

trapassàto remòto: tempo composto dell'indicativo. È la forma che il verbo assume per indicare un'azione portata a termine prima di un'altra, pure passata e, come tale, espressa dal passato remoto. Es.: *Quando lo ebbe salutato*, partí; *Dopo che ti fosti allontanato*, gli altri cominciarono a parlare. All'attivo si forma con il passato remoto dell'ausiliare più il participio passato del verbo. Es.: *ebbi amato, ebbi temuto, ebbi finito, fui andato, fui venuto.* Il passivo, di uso meno frequente, si forma con il trapassato remoto del verbo essere e il participio passato del verbo. Es.: *fui stato amato, fui stato temuto, fui stato finito.* Per l'uso di questo tempo nella sintassi del periodo V. DIPENDENZA DEI TEMPI.

trapúngere: verbo della seconda coniugazione, transitivo. *Pass. rem.*: trapúnsi, trapungésti, trapúnse, trapungémmo, trapungéste, trapúnsero. *Part. pass.*: trapúnto. Significa: trapassare pungendo (detto del lavoro d'ago).

tràrre: verbo irregolare della seconda coniugazione, transitivo. *Pres. indic.*: tràggo, trài, tràe, traiàmo, traéte, tràggono. *Imperf.*: traévo, traévi, traéva, traevàmo, traevàte, traévano. *Fut. semplice*: trarrò, trarrài, trarrà, trarrémo, trarréte, trarrànno. *Pass. rem.*: tràssi, traésti, tràsse, traémmo, traéste, tràssero. *Pres. cong.*: tràgga, tràgga, tràgga, traiàmo, traiàte, tràggano. *Imperf. cong.*: traéssi, traéssi, traésse, traéssimo, traéste, traéssero. *Pres. condiz.*: trarrèi, trarrésti, trarrèbbe, trarrémmo, trarréste, trarrébbero. *Imper.*: trài, tràgga, traiàmo, traéte, tràggano. *Part. pres.*: traènte. *Part. pass.*: tràtto. *Gerundio*: traèndo. Significa: trascinare, levare, tirare, estrarre (trarre fuori). Es.: *Lo trasse a riva; Traemmo alcune conclusioni.*

trasalíre: verbo della terza coniugazione, intransitivo. In alcuni tempi si coniuga con la forma incoativa *-isc-* tra il tema e la desinenza. *Pres. indic.*: trasalísco, trasalísci, trasalísce, trasaliàmo, trasalíte, trasalíscono. *Pres. cong.*: trasalísca, trasalísca, trasalísca, trasaliàmo, trasaliàte, trasalíscano. *Part. pass.*: trasalíto. Si coniuga con tutti e due gli ausiliari. Es.: *Vedendo comparire quella persona è trasalito*; *Ha trasalito appena siamo entrati.* Vale: sobbalzare, sussultare.

trasbordàre: verbo della prima coniugazione, transitivo. Vale: trasferire persone o merci da una nave all'altra; o anche, per estensione, da un veicolo qualsiasi a un altro. Es.: *I viaggiatori furono trasbordati sul rapido.* Talora usato intransitivamente (ausiliare: avere) nel senso di: passare da una nave (o da un carro) all'altra. Es.: *Giunto sulle rive del fiume, ho trasbordato.* La voce è un francesismo, ormai invalso nell'uso.

trascégliere: verbo della seconda coniugazione, transitivo. *Pres. indic.*: trascélgo, trascégli, trascéglie, trasceglìàmo, trasceglìéte, trascélgono. *Pass. rem.*: trascélsi, trasceglìésti, trascélse, trasceglìémmo, trasceglìéste, trascélsero. *Pres. cong.*: trascélga trascélga, trascélga, trasceglìàmo, trasceglìàte, trascélgano. Significa: scegliere tra più cose.

trascéndere: verbo della seconda coniugazione, transitivo. *Pass. rem.*: trascési, trascendésti, trascése, trascendémmo, trascendéste, trascésero. *Part. pass.*: trascéso. Significa: superare, oltrepassare. Es.: *Sono cose che trascendono la natura umana.* Usato intransitivamente, nel senso di: eccedere, trasmodare. Si adopera l'ausiliare avere quando è usato assolutamente; essere, quando il verbo è seguito da un complemento. Es.: *Mi dispiace che tu abbia trasceso*; *È persino trasceso a bassi insulti.*

trascórrere: verbo della seconda coniugazione, transitivo. *Pass. rem.*: trascórsi, trascorrésti, trascórse, trascorrémmo, trascorréste, trascórsero. *Part. pass.*: trascórso. Vale: passar rapidamente, scorrere (leggere rapidamente). Es.: *Ha trascorso alcuni giorni con noi*; *Ho appena trascorso quel libro*; *Trascorre il suo tempo nell'ozio.* Usato intransitivamente si coniuga con l'ausiliare avere quando significa: passare i limiti (Es.: *Ha trascorso con le parole e con i fatti*); con essere quando significa: trapassare, passare (Es.: *È trascorso solo poco tempo e già si è consolata*; *Son trascorsi solo quattro giorni*).

trascuràre: verbo della prima coniugazione, transitivo. Quando regge una proposizione oggettiva, ammette il costrutto implicito con la preposizione *di* e l'infinito. Es.: *Trascurava di compiere i suoi doveri di scolaro.*

trasecolàre: verbo della prima coniugazione, intransitivo. Si coniuga con tutti e due gli ausiliari. Significa: meravigliarsi, esser fuori di sé per la meraviglia. Es.: *A quella vista son trasecolato*; *Ha trasecolato appena ci ha sentito.*

trasferíre: verbo della terza coniugazione, transitivo. Si coniuga con la forma incoativa *-isc-* tra il tema e la desinenza di alcuni tempi. *Pres. indic.*: trasferísco, trasferísci, trasferísce, trasferiàmo, trasferíte, trasferíscono. *Pres. cong.*: trasferísca, trasferísca, trasferísca, trasferiàmo, trasferiàte, trasferíscano. *Part. pass.*: trasferíto. Significa: mandare una persona da un luogo ad un altro (Es.: *Il prefetto fu trasferito a Bari*; *Il capufficio mi vuol trasferire a Milano*) oppure passare una cosa da una persona ad un'altra (Es.: *Ha trasferito parte dei suoi beni agli eredi*).

trasfóndere: verbo della seconda coniugazione, transitivo. *Pass. rem.*: trasfúsi, trasfondésti, trasfúse, trasfondémmo, trasfondéste, trasfúsero. *Part. pass.*: trasfúso. Significa: versare un liquido da un vaso in un altro; al figurato: infondere, comunicare, trasmettere. Es.: *Con quelle parole mi trasfuse un po' del suo coraggio.*

trasgredíre: verbo della terza coniugazione, transitivo. Si coniuga con la forma incoativa *-isc-* tra il tema e la desinenza di alcuni tempi. *Pres. indic.*: trasgredísco, trasgredísci, trasgredísce, trasgrediàmo, trasgredíte, trasgredíscono. *Pres. cong.*: trasgredísca, trasgredísca, trasgredísca, trasgrediàmo, trasgrediàte, trasgredíscano. *Part. pass.*: trasgredíto. Significa: disobbedire, violare, non rispettare. Si usa anche intransitivamente (con l'ausiliare avere). Es.: *Ha trasgredito le leggi* o *alle leggi.*

traslàto: il trasporto di un vocabolo dal suo significato proprio, ossia originario e più corrente, ad un altro con il quale abbia rapporto di somiglianza o di dipendenza. V. *Figure retoriche*, e le voci corrispondenti ai vari traslati o figure di contenuto: *similitúdine, metàfora, metonimía, allegoría, símbolo, sinèddoche, ironía, ipèrbole, antonomàsia, eufemísmo.*

traslitterazióne: procedimento con cui si trascrive la parola di una lingua utilizzando il sistema di scrittura di un'altra lingua. È il procedimento che si usa, per esempio, trascrivendo con il nostro alfabeto latino una parola russa scritta in cirillico.

trasméttere: verbo della seconda coniugazione, transitivo. *Pass. rem.*: trasmísi, trasmettésti, trasmíse, trasmettémmo, trasmettéste, trasmísero. *Part. pass.*: trasmésso. Significa: comunicare, trasfondere, inviare; comunicare per mezzo della radio o di altri apparecchi. Es.: *Mi ha trasmesso le sue inquietudini*; *La radio ha trasmesso notizie preoccupanti*; *L'ufficio competente mi deve ancora trasmettere i documenti.*

trasmigràre: verbo della prima coniugazione, intransitivo. Significa: uscire da un luogo e passare in un altro. Si coniuga con tutti e due gli ausiliari. Es.: *Le rondini hanno trasmigrato*; *Tutti quei popoli sono trasmigrati poi nelle nostre terre.*

traspaíre: verbo della terza coniugazione, intransitivo. Ausiliare: essere. Si coniuga anche con la forma incoativa *-isc-* tra il tema e la desinenza di alcuni tempi. *Pres. indic.*: traspàio (o trasparísco), traspàri (o trasparísci), traspàre (o trasparísce), traspariàmo, trasparíte, traspàiono (o trasparíscono). *Pres. cong.*: traspàia (o trasparísca), traspàia, traspàia, traspariàmo, traspariàte, traspàiano (trasparíscano). *Pass. rem.*: traspaíi, traspanísti, trasparí, trasparímmo, trasparíste, trasparírono. *Part. pass.*: trasparíto. Significa: apparire attraverso un corpo diafano; in senso figurato: apparire attraverso, rivelarsi. Es.: *Dalle sue parole traspariva un'intima commozione.*

traspiràre: verbo della prima coniugazione, intransitivo. Si coniuga con avere quando è usato in senso proprio; vale: sudare, mandar fuori dai pori il sudore. Si coniuga con essere quando è usato in senso figurato; e vale: trapelare, manifestarsi. Es.: *Non è traspirata alcuna notizia. Traspirare* dicesi solo del nostro corpo; il verbo *trasudare* (V.), che ha analogo significato, ha invece un uso più esteso.

traspórre: verbo della seconda coniugazione, transitivo. *Pass. rem.*: traspósi, trasponésti, traspóse, trasponémmo, trasponéste, traspósero. *Part. pass.*: traspósto.

traspòrto: sostantivo maschile che vale: trasferimento, traslazione, spedizione. Es.: *Bisogna pensare alle spese di trasporto*; *Il trasporto è a carico del destinatario.* Al figurato, secondo il modello del francese, vale: slancio, passione, impeto, zelo. Es.: *Lo colpí in un trasporto d'ira* (=in un impeto, in un eccesso d'ira); *Mi abbracciò con trasporto* (=con slancio); *Si vede che lavora con molto trasporto* (meglio: con molto zelo).

trasudàre: verbo della prima coniugazione, intransitivo. Vale: mandar fuori sudore, umidità. Si coniuga con l'ausiliare avere, quando è riferito al corpo che lascia passare il liquido. Es.: *I muri della prigione avevano trasudato.* Con l'ausiliare essere quando si riferisce al sudore, liquido o umidità che trasudi. Es.: *L'acqua è trasudata dal muro nuovo.* Talora anche transitivo. Es.: *Questo muro trasuda umidità.* V. anche TRASPIRÀRE.

tràtta: sostantivo femminile. Indica il tirare con forza (*tratta di corda*); rete da pescare; traffico (*la tratta degli schiavi, la tratta delle bianche*). Nel linguaggio commerciale, è una specie di cambiale con cui il creditore intima al debitore di pagare entro una determinata scadenza. Il sostantivo maschile TRÀTTO (dal participio passato di *trarre*) vale: tiro, tirata (Es.: *un tratto di corda, un tratto di penna*, cioè: linea tracciata con la penna); spazio di tempo o di luogo (Es.: *Mi accompagnò per un lungo tratto di strada*; *A un tratto si volse a me con una faccia spaventata*; *A tratti diceva qualche parola*); maniera di comportarsi, stile (Es.: *Una persona dal tratto delicato*). Invece che *tratti del volto* è meglio: lineamenti; invece che *tratto di spirito* è meglio: arguzia, motto, scherzo.

trattaménto: sostantivo maschile che indica modo di trattare (il trattamento dei metalli), di fornire vitto, alloggio (Es.: *In quell'albergo abbiamo avuto un trattamento signorile*). Il termine indica anche: stipendio, paga, remunerazione (che sono vocaboli da preferire, secondo i casi, fuori del linguaggio burocratico). Es.: *Mi è stato riconosciuto il trattamento di quiescenza* (la pensione); *Il trattamento economico degli statali.* Nel linguaggio cinematografico, *trattamento* (dall'inglese *treatment*, pr.: trítment) indica la fase della lavorazione del film in cui la trama è descritta in forma già diffusa e articolata.

trattíno: segno ortografico (-) più corto della lineetta (—). Usato per unire i due termini delle parole composte. Es.: *tecnico-pratico*; *psico-fisiologico*; *franco-belga*. Talora però i due termini vengono uniti direttamente. Es.: *psicodialettico*; *anglosassone*; *superuomo*. Il trattino si usa in grammatica per segnare la divisione in sillabe di una parola. Es.: *com-mo-ven-te*; *na-po-le-ta-no*. È detto anche *stanghetta*.

trattóre: sostantivo maschile. Indica il gestore d'una trattoria, l'oste. Femminile: *trattóra* (solo in Toscana). Il sostantivo maschile *trattóre* (da *trarre*) indica anche una macchina di notevole forza atta a trainare carri, macchine, aratri, trebbiatrici, ecc. Secondo una distinzione tecnica, il sostantivo maschile *trattóre* designa qualsiasi macchina di trazione per uso industriale, mentre il sostantivo femminile TRATTRÍCE designa una macchina di trazione per uso agricolo.

travéggola: sostantivo femminile. Si usa solo al plurale: le travéggole. Indicava una malattia della vista. *Aver le traveggole* (anche al figurato): vedere una cosa per un'altra.

travèt: parola di origine dialettale (piemontese). Vale: piccolo trave, travicello. Il commediografo Vittorio Bersezio nel 1863 ne fece il cognome del protagonista di una sua celebre commedia (*Le miserie d'Monsú Travet*), per indicare, con una metafora, che quel diligente impiegatuccio era un sostegno, un piccolo trave, della grande macchina statale. Da allora il termine indica, per antonomasia e con una sfumatura scherzosa, l'impiegato (specie quello di non alto grado statale). Resta invariato al plurale.

traviàre: verbo della prima coniugazione, transitivo. *Pres. indic.*: travío, travíi, travía, traviàmo, traviàte, travíano. *Pres. cong.*: travíi, travíi, travíi, traviàmo, traviàte, travíino. *Part. pass.*: traviàto. Significa: fare uscire dalla strada giusta, rovinare, corrompere. Es.: *Lo hanno traviato le cattive compagnie*. Usato intransitivamente (ausiliare: avere) vale: deviare, allontanarsi. Es.: *Ha traviato dall'argomento della conversazione*.

travòlgere: verbo della seconda coniugazione, transitivo. *Pass. rem.*: travòlsi, travolgésti, travòlse, travolgémmo, travolgéste, travòlsero. *Part. pass.*: travòlto.

tre: numero cardinale. Si scrive senza accento; si pronuncia con la *e* stretta. I composti si considerano parole tronche e vanno accentati. Es.: *ventitré, trentatré, centotré*. L'accento non si pone quando la parola *tre* è a sé stante: *mille e tre, quattromila e tre*. È usato come prefisso e talora vuole il raddoppiamento della consonante iniziale della parola a cui si premette. Es.: *trecénto* (tre volte cento), *tremila* (tre volte mille), *treppiède* (arnese con tre piedi per sostenere pentole o altro), *tressètte* (gioco di carte).

tréccia: sostantivo femminile che indica un intrecciamento di fili, capelli, paglia, nastri e simili. Plurale: trecce.

trèno: sostantivo maschile. Indica un complesso di carri e carrozze ferroviari. Al figurato, *treno di vita*: maniera di vivere, regime, tenore di vita. Nel linguaggio sportivo vale: andatura, forte andatura, passo. È francesismo entrato nell'uso. Es.: *Quel corridore andava a un treno d'inferno* (a forte andatura, con passo velocissimo).

treppiède: nome composto da un numerale (tre) e un sostantivo maschile singolare (piede). Ma esiste anche la forma singolare *treppiedi*. Plurale: treppiedi. Indica un arnese di sostegno. Per la regola relativa V. COMPOSTI (NOMI).

tri-: prefisso che indica: tre, tre volte. Es.: TRIÀNGOLO (figura a tre angoli), TRÍFORA (finestra a tre aperture), TRIPARTÍTO (diviso in tre, formato da tre), TRICOLÓRE (di tre colori), TRICÒRNO (cappello a tre punte), TRÍDUO (lo spazio di tre giorni), TRIENNÀLE (che dura tre anni o che si fa ogni tre anni), TRIMÈSTRE (periodo di tre mesi).
Come si vede dagli esempi, questo prefisso non esige il raddoppiamento della consonante iniziale della parola a cui si premette.

tríbraco: nella metrica classica greca e latina, piede di tre sillabe brevi, privo di ritmo.

trico-: primo elemento di parole composte, del linguaggio scientifico. Dal greco: pelo, capello. Es.: *tricología, tricotomía*.

tríglifo: sostantivo maschile. Il digramma *gl*, benché seguito dalla *i*, ha doppio suono distinto, cioè gutturale + liquida (come in *glossa*) anziché palatale (come in *aglio*). Il termine indica in architettura la triplice scanalatura che si ripete a distanze uguali nel fregio dorico.

trigràmma: sostantivo maschile indicante la combinazione di tre lettere che hanno valore di un unico fonema. Sono trigrammi i gruppi sillabici *sci-* (*sciare, sciopero, sciupìo*) e *gli-* (*sbagliare, moglie, figlio, fogliuto*).

trímetro: nella metrica classica greca e latina, verso composto da tre metri. Il più noto è il trimetro giambico, comune nella commedia e nella tragedia.

triònfo: componimento poetico celebrativo di argomento elevato, per lo più in terzine, come i *Trionfi* di Francesco Petrarca. Nel '400, trionfo diventa sinonimo di *canto carnascialesco.*

tripartíre: verbo della terza coniugazione, transitivo. Si coniuga con la forma incoativa *-isc-* tra il tema e la desinenza di alcuni tempi. *Pres. indic.*: tripartísco, tripartísci, tripartísce, tripartiàmo, tripartíte, tripartíscono. *Pres. cong.*: tripartísca, tripartísca, tripartísca, tripartiàmo, tripartiàte, tripartíscano. *Part. pass.*: tripartíto. Significa: dividere in tre parti.

tríplice: aggettivo numerale moltiplicativo. Sinonimo di triplo (*Mandare un documento in triplice copia*), vale anche: composto di tre elementi (*La triplice alleanza*). Anche sostantivo: *Bisognerà sentire anche la triplice.*

tríplo: aggettivo numerale moltiplicativo. Indica quante volte una cosa è più grande di un'altra. Es.: *È campione del salto triplo.* Anche sostantivo. Es.: *Sperava di guadagnare il triplo.*

trisdrúcciola (parola): la parola che ha l'accento tonico sulla quintultima sillaba. Caso assai raro in italiano. Sono trisdrucciole solitamente parole a cui sono state aggiunte particelle monosillabiche enclitiche. Es.: *líberatene, órdinamelo.*

trisíllaba (parola): parola di tre sillabe. Es.: *fa-ri-na.* Per il computo delle sillabe di una parola V. SILLABA.

trisíllabo: verso composto di tre sillabe. Ha un solo accento ritmico, sulla seconda sillaba. Es.:

«*Tossísce,*
tossísce,
un pòco
si tàce,
di nuòvo
tossìsce.
Mia pòvera
fontàna
il màle
che hài
il còre
mi préme».

(Palazzeschi)

tríste: aggettivo qualificativo. Significa: malinconico, infelice, infausto. Es.: *Ormai è solo un uomo triste*; *La triste notizia è stata data alla povera madre poche ore dopo la disgrazia.* Della stessa origine, ma diversificatosi nel corso del tempo, è l'aggettivo TRÍSTO, che vale invece: cattivo, malvagio. Es.: *È un uomo tristo, ribaldo e menzognero.* Uguale è la forma del plurale per tutti e due gli aggettivi: tristi. Dal contesto si deve arguire di quale dei due si tratti. Es.: *I due uomini erano tristi* (da triste) *per la nostra partenza*; *Erano uomini tristi* (da trísto), *avvezzi a compiere qualsiasi sopruso.*

trittòngo: combinazione di tre vocali che si esprimono con una sola emissione di voce, formando una sillaba unica. Risulta dall'incontro di due delle vocali *i* e *u* atone con altra vocale, solitamente accentata. Es.: *buòi, suòi, inviài, mièi.* Oggi si preferisce accorciare il trittongo *iuo* nel dittongo *io* (Es.: *figliòlo* invece di: figliuòlo; *fagiòlo* invece di: fagiuòlo).

trochèo: nella metrica classica greca e latina, piede di tre tempi con ritmo discendente, costituito da una sillaba lunga e una breve. Nella metrica italiana, si dice ritmo trocaico quello prodotto dall'alternarsi di una posizione tonica ed una atona. Es.: «*Onde questa gentil donna si parte*» (F. Petrarca).

trónca (parola): la parola che ha l'accento tonico sull'ultima sillaba. Es.: *bontà, virtú, beltà.* Si dice anche *ossítona.*

troncaménto: eliminazione della sillaba o della vocale finale atona di una parola dinanzi ad un'altra che cominci per vocale o consonante. Usato frequentemente in poesia per ottenere il numero di sillabe desiderato o suoni più armonici.
Il troncamento è possibile con parole polisillabe che abbiano davanti alla vocale finale atona una consonante liquida (*l, r*) o nasale (*m, n*); queste, se sono doppie, nel troncamento diventano semplici. Esempi di troncamento: *signor* presidente, *saper* vedere, *mal* di mare, *son* buoni, *stan* fermi. Il troncamento si verifica solitamente quando la vocale finale è una *e* o una *o*; se è una *a*, la parola si tronca solo in *ora* (*or ora*), *suora* (*suor Anna*) e nei composti di *allora* e *ancora* (*allorché, ancor ieri*). Il troncamento è d'obbligo con

uno (*un uomo*), (*nessun uccello*), *buono* (*buon figlio*). *Quello, bello, grande* e *santo* subiscono il troncamento davanti a consonante (*quel ragazzo, bel fiore, gran rumore, san Giulio*) e l'elisione davanti a vocale (*quell'asino, bell'imbusto, grand'affare, sant'Antonio*).
Il troncamento avviene molto raramente dinanzi a parole che cominciano con *z, s* impura, *ps, gn*. Ci si attiene in questi casi al criterio di esprimersi con suono gradevole (Es.: un *bel* zero, un *buon* psicologo).
Alcuni troncamenti richiedono, nella scrittura, l'apostrofo.. Sono gli imperativi *di', da', sta', fa', va'* (per i quali tuttavia sono preferibili le forme senza apostrofo: *dí, da, sta, fa, va*) e inoltre: *po'* (poco), *fe'* (fece), *mo'* (modo), *se'* (tu sei), *vo'* (voglio), *ve'* (vedi). Altri troncamenti vogliono l'accento: *piè* (piede), *fè* (fede), *mercè* (mercede), *diè* (diede), *stè* (stette).
Il troncamento non va confuso con l'*elisione* (V.). Un accorgimento pratico per distinguere quando convenga mettere l'apostrofo e quando no, è il seguente proposto dal Malagoli: la parola tronca non termina con l'apostrofo quando, cosí accorciata, può porsi davanti a parola cominciante per consonante. Es.: *pover'uomo* (perché non si dice: pover dottore), *qual era* (perché si dice: qual buon vento), *bell'affare* (perché non si dice: bell documentario), *buon uomo* (perché si dice: buon compleanno). L'elisione invece è sempre segnata con l'apostrofo. Es.: *buon'anima* (non si dice infatti: buon donna), *un'amica* (non si dice: un domenica).

tròpo: sostantivo maschile. In grammatica vale: *traslato* (V.). Il termine deriva dal greco e significa: rivolgimento, trasferimento.

tròppo: aggettivo indefinito variabile. Indica una quantità indeterminata eccessiva. Es.: *Ci sono troppe persone*; *Hai detto troppe parole*. Usato assolutamente ha valore di avverbio (Es.: *Mi sono stancato troppo*; *Hai parlato troppo*). Preceduto dall'articolo, ha valore di sostantivo. Es.: *Il troppo stroppia*. Si costruisce con *perché, per, da* in locuzioni aventi valore consecutivo. Es.: *Troppo bello perché sia vero*; *È troppo difficile da capire*; *Sei troppo buono per accorgerti di questi inganni*.

trovàre: verbo della prima coniugazione, transitivo. Significa: pervenire a quello che si cerca, rintracciare, recuperare, raggiungere. Es.: *Ho trovato quello che cercavo*; *Ha trovato finalmente la sua pace*. Al riflessivo vale: essere, stare. Es.: *Mi trovavo allora a Roma*; *Si trova in pessime condizioni di salute*. Nell'uso familiare o scherzoso vale: giudicare, stimare (*Io trovo interessante questo spettacolo*; *Ti trovo dimagrito*; *Egli non trova giusto il tuo comportamento*) o credere (*Tu trovi? Io trovo!*). Con questo significato può reggere una proposizione oggettiva con il costrutto esplicito (*Trovo che non sia giusto cambiare*) o con il solo infinito (*Trovava giusto procedere in quel modo*).

trovaròbe: nome composto da una forma verbale (trova) e un sostantivo femminile plurale (robe). Plurale: trovarobe. Per la regola relativa V. COMPOSTI (NOMI).

tu: pronome personale di seconda persona, singolare. Si usa come soggetto della proposizione (Es.: *Tu sei il più diligente*; *Tu devi fare questo*; *Tu leggevi*) salvo in alcune locuzioni particolari. Es.: *Ci siam detti qualcosa a tu per tu*; *Perché non mi dai del tu?* (ma in questo caso ha valore di sostantivo). Nelle proposizioni implicite può essere usata anche la forma *te*. Es.: *Partito tu* (o *partito te*), *gli altri se ne andarono*. Nei casi obliqui si usano *te* e *ti* (V. voci relative).

tùo: aggettivo o pronome possessivo, di seconda persona singolare. Plurale: tuoi. Femminile: tua, tue. Con i nomi di parentela non alterati e non accompagnati da altro aggettivo, non si fa precedere dall'articolo determinativo. Es.: *tuo padre, tua zia, tua madre*; ma: *il tuo babbo* (considerato vezzeggiativo di padre), *il tuo caro zio, un tuo nipote*. Usato come sostantivo, vale: la tua ricchezza, il tuo patrimonio (Es.: *Tu vivi del tuo*), i tuoi familiari o amici o fautori (Es.: *I tuoi sono preoccupati per te*; *Gli spettatori erano tutti tuoi*), parte, fazione (Es.: *Hai la fortuna dalla tua*; *Io sono sempre stato dalla tua*).

tuonàre: verbo della prima coniugazione, intransitivo. *Pres. indic.*: tuòno, tuòni, tuòna, tuoniàmo (toniàmo), tuonàte (tonàte), tuònano. *Imperf.*: tuonàvo (tonàvo), tuonàvi (tonàvi), tuonàva (tonàva), ecc. *Pass. rem.*: tuonài (tonài), tuonàsti (tonàsti), tuonò (tonò), ecc. *Part. pass.*: tuonàto (tonàto). *Infinito*: tuonàre o tonàre. Le forme che non seguono la regola del *dittongo mobile* (V.) sono più usate fuor di Toscana. Si coniuga con avere quando è usato personalmente (Es.: *Il predicatore ha tuonato contro il vizio e la corruzione*); con essere o avere quando è usato impersonalmente (Es.: *È tuonato tutta la notte*).

-túra: suffisso per la formazione di sostantivi indicanti un'azione o il suo risultato. Es.: da fornire, *fornitúra*; da bastone, *bastonatúra*; da legare, *legatúra*; da stonare, *stonatúra*.

Il suffisso può essere preceduto dalla vocale *a* (*andatura, bruciatura, candidatura, fregatura, marcatura, schedatura, seccatura, spaccatura, tiratura, ubriacatura*, ecc.) o dalla vocale *i* (*battitura, canditura, coloritura, finitura, partitura, mietitura*, ecc.) oppure essere applicato ad altra consonante (*altura, architettura, avventura, cultura, lettura, scrittura, sventura*).

túrno: sostantivo maschile. Vale: vece, volta, ricorrenza di una successione regolare nell'esercizio di un diritto, di un ufficio o di un gioco. Es.: *Il caporale fissò i turni di guardia*; *È il tuo turno di distribuire le carte*; *I passeggeri aspettavano il loro turno per salire sull'aereo*. La voce è bollata dai puristi come francesismo (da *tour*, giro); ma essa deriva anche dal latino *tornus*, tornio, che contiene l'idea di giro, che appunto *turno* vuol esprimere.

-túro: suffisso derivante dal participio futuro di alcuni verbi latini che indicava imminenza di un'azione. Es.: da nascere, *nascitúro*; da perire, *peritúro* (e la forma negativa: *imperitúro*); da morire, *moritúro*; da venire, *ventúro*. Tali forme sono usate ormai quasi esclusivamente come sostantivi o aggettivi, senza più ricordo della loro antica funzione verbale.

tuttavía: congiunzione che vale: nondimeno, pure, con tutto ciò. Si usa specialmente nelle proposizioni principali che reggono una concessiva. Es.: *Benché lo avessi ammonito, tuttavia partí*; *Mi ha ostacolato, tuttavia riuscirò*. Meno comune l'uso avverbiale nel senso di: tuttora, ancora, sempre. Es.: *Lo perseguita tuttavía*.

tútto: aggettivo indefinito, variabile. Indica una quantità totale. Si colloca prima dell'articolo o del dimostrativo che precedono il nome (Es.: *Ho letto tutto il libro*; *Hai visitato tutta quella casa*). Solo in alcune locuzioni (*in tutta segretezza, a tutta forza, a tutta velocità, in tutta libertà, esser tutt'orecchi, è tutto casa e scuola*) si trova unito direttamente al nome. Lo stesso accade coi nomi di città (*In tutta Napoli*; *Hai visto tutta Parigi*).

Con i numerali si usa nella forma plurale seguito dalla congiunzione *e*. Es.: *tutti e cinque, tutti e dieci*. Si noti però la distinzione di queste locuzioni: *Tutti e tre* gli oratori; *Tutti i tre* che ho visto scritti sul muro.

Preceduto dalla preposizione *con* assume il significato concessivo di: non ostante. Es.: *Con tutto ciò, non mi credette*; *Con tutti i suoi soldi, morirà senza compianto*.

Unito ad altro aggettivo conferisce a questo valore superlativo. Es.: *tutto solo, tutto giulivo*.

Come pronome significa: ogni cosa. Es.: *Tutto passa, ma il ricordo resta*. Come sostantivo indica: l'intiero, il totale. Es.: *Il tutto mi è costato due milioni*; *Non bisogna confondere il tutto con la parte*.

Forma varie locuzioni: *a tutt'oggi* (sino ad oggi), *tutt'uno* (la stessa cosa, la stessa persona), *in tutto e per tutto* (completamente), *tutt'altro* (l'opposto, al contrario), *tuttoché* (congiunzione antiquata: benché, quantunque), *tuttóra* (avverbio di tempo: ancora, continuamente), *tutt'al più* (al massimo).

U

u: diciannovesima lettera del nostro alfabeto; quinta vocale. Si considera di genere femminile o maschile, sottintendendo rispettivamente *lettera* o *segno*: la *u*, un *u*. È vocale posteriore: si pronuncia con un'emissione di voce dalla gola e restringendo la bocca sino a congiungere le labbra. Le consonanti *c* e *g*, seguite da *u*, hanno suono gutturale (*cu*, *gu*). La *u* è il suono più chiuso della lingua italiana; quando si deve accentare, si usa quasi sempre l'accento acuto. Nell'incontro con altre vocali accentate forma dittongo. Es.: *àu* (*Làu-ra*), *èu* (*fèu-do*), *iú* (*fiúme*). Con la vocale tonica forma il dittongo mobile *uò* (V.). V. anche *Dittongo* e *Iato*. La vocale *u* quando forma dittongo si dice semivocale o semiconsonante perché ha suono debole e breve, quasi di passaggio alla vocale seguente (*buòno, ruòta, fuòco*). Posta dopo la *q*, sempre in funzione di semivocale, serve a darle un suono simile alla *c* gutturale (*quadro, quinario, quoziente*).
Nelle iscrizioni latine U significa *Urbs* (la Città, Roma). Nella chimica è il simbolo dell'uranio.

ubbidíre: verbo della terza coniugazione, intransitivo. Ausiliare: avere. In alcuni tempi si coniuga con la forma incoativa *-isc-* tra il tema e la desinenza. *Pres. indic.*: ubbidísco, ubbidísci, ubbidísce, ubbidiàmo, ubbidíte, ubbidíscono. *Pres. cong.*: ubbidísca, ubbidísca, ubbidísca, ubbidiàmo, ubbidiàte, ubbidíscano. *Part. pass.*: ubbidíto. Si costruisce con la preposizione *a* o anche assolutamente. Es.: *Ubbidísci alla mamma* (disusato: *Ubbidisci la mamma*); *Si deve ubbidíre alle leggi*; *Non devi discutere, devi ubbidíre*. Comune anche la forma *obbedíre*.

úbere: aggettivo qualificativo. Vale: fecondo, fertile. Superlativo: ubèrrimo. È voce d'uso letterario.

ubicazióne: sostantivo femminile. Voce d'uso burocratico per: luogo, posizione, disposizione, sito. Es.: *Mi chiese l'ubicazione delle varie stanze*. Lo stesso dicasi per il verbo UBICÀRE nel senso di: collocare, disporre, situare.

ubi consistam: locuzione latina (pr.: úbi consístam) rimasta nell'uso, considerata come sostantivo maschile. Es.: *Questo è il suo* ubi consistam. Letteralmente vale: ove possa star fermo; quindi: punto d'appoggio, fondamento.

-úbile: suffisso che indica possibilità: *solúbile*.

ubriàco: sostantivo o aggettivo maschile. Errata la forma: ubbriàco. Plurale: ubriàchi. Significa: ebbro, avvinazzato; al figurato: esaltato (*Era ubriaco di parole*). Ormai disusata la forma *briàco*.

ucàse: sostantivo maschile, derivato dal russo *ukàs*, che indicava il decreto dello zar. Oggi significa: ordine perentorio. Inutili la grafia e la pronunzia francesi: *ukase* (pr.: ücàs).

uccellàre: verbo della prima coniugazione, intransitivo. Ausiliare: avere. Si costruisce con la preposizione *a*; significa: cacciare con reti o vischio. Es.: *Abbiamo uccellato alle quaglie*. Al figurato, transitivamente: ingannare, irretire. Es.: *Lo hanno uccellato con false promesse*. Ma è forma molto antiquata.

-ucchiàre, -uzzàre: suffissi di verbi che indicano in forma attenuata l'idea espressa dal verbo originario. Es.: da baciare, *baciucchiàre*; da tagliare, *tagliuzzàre*; da mangiàre, *mangiucchiàre*.

uccídere: verbo della seconda coniugazione, transitivo. *Pass. rem.*: uccísi, uccidésti, uccíse, uccidémmo, uccidéste, uccísero. *Part. pass.*: uccíso. Significa:

togliere la vita ad uno, ammazzare, assassinare. Anche in senso figurato. Es.: *Ma tu mi uccidi con tutti questi dispiaceri.*

-úccio: suffisso per la formazione del vezzeggiativo, con una sfumatura, però, di derisione o disprezzo. Es.: da re, *reúccio*; da impiegato, *impiegatúccio*; da affare, *affarúccio.*

uccisóre: sostantivo (o aggettivo) maschile. Indica colui che uccide o ha ucciso. Al femminile: ucciditríce.

-úcolo: suffisso per la formazione di diminutivi. Es.: da poeta, *poetúcolo*; da abate, *abatúcolo.* Queste alterazioni esprimono però anche una sfumatura di derisione e disprezzo.

udíre: verbo irregolare della terza coniugazione, transitivo. *Pres. indic.*: òdo, òdi, òde, udiàmo, udíte, òdono. *Fut. semplice*: udrò (udirò), udrài (udirài), udrà (udirà), udrémo (udirémo), udréte (udiréte), udrànno (udirànno). *Pass. rem.*: udíi, udísti, udí, udímmo, udíste, udírono. *Pres. condiz.*: udrèi (udirèi), udrésti (udirésti), udrèbbe (udirèbbe), udrémmo (udirémmo), udréste (udiréste), udrèbbero (udirèbbero). *Pres. cong.*: òda, òda, òda, udiàmo, udiàte, òdano. *Imper.*: òdi, òda, udiàmo, udíte, òdano. *Part. pres.*: udènte (udiènte o audiènte). *Part. pass.*: udíto. Significa: ascoltare, sentire. Quando regge una proposizione oggettiva, nel costrutto implicito, la dipendente può avere un soggetto diverso dalla principale. Es.: *Odo greggi belar, muggire armenti.* Nel costrutto esplicito vuole l'indicativo, modo della certezza e della realtà. Es.: *Odo che tutti vogliono ora partecipare.*

uditóre: sostantivo maschile che indica colui che ascolta. Anche l'allievo ammesso alle lezioni di una scuola diversa da quella che abitualmente frequenta. Al femminile: uditríce. Anche: *auditóre*, auditríce.

uff!: esclamazione che indica impazienza, noia, fastidio. Es.: *Uff! Non arriva mai*; *Uff, che caldo!*; *Uff, mi hai stancato!*

ufficiàle: aggettivo qualificativo. Significa: che deriva dall'autorità, autorevole, degno di fede. Es.: *notizia ufficiale, atto ufficiale, documento ufficiale.* L'aggettivo UFFICIÓSO indica invece notizia ispirata indirettamente da un'autorità, ma da questa non apertamente diramata. Es.: *Questa notizia non è ufficiale* (cioè senz'altro vera), *ma ufficiosa* (probabile, che ha un certo fondamento, perché proviene indirettamente da fonte sicura). Come sostantivo, *ufficiàle* indica colui che ricopre pubbliche funzioni (*ufficiale di stato civile, ufficiale giudiziario*) o ha nelle forze armate un grado da sottotenente in su (*gli ufficiali inferiori, un ufficiale superiore*).

ufficiàre: verbo della prima coniugazione, transitivo. Significa: celebrare le sacre funzioni. Es.: *Il cappellano ha ufficiato la Messa al campo.* Usato intransitivamente vuole l'ausiliare avere. Es.: *Ha ufficiato il Vescovo di Como.* Nell'uso burocratico il verbo ha preso vari significati: invitare una persona autorevole (Es.: *Per la candidatura furono ufficiati due illustri professori universitari*), ossequiare (Es.: *Al suo arrivo il ministro fu ufficiato da autorità e militari*), pregare, raccomandare (Es.: *Ufficiammo il prefetto perché intervenisse alla cerimonia*).

uffício: sostantivo maschile. Indica genericamente qualsiasi incarico, impiego, dovere. Es.: *Deve adempiere al suo ufficio di magistrato; Ha l'ufficio di governatore dell'isola. D'ufficio*: per dovere, senza richiesta dell'interessato. Es.: *La trascrizione degli atti è fatta d'ufficio*; *In questi casi si nomina un difensore d'ufficio. Buoni uffici*: raccomandazione, intervento a favore di terzi. Es.: *Il prefetto ha interposto i suoi buoni uffici affinché egli ottenesse quella nomina*; *È stato ricevuto per i buoni uffici dell'on. Tizio.* Il termine indica poi la sede ove lavorano impiegati pubblici o privati, e il complesso degli impiegati stessi che lavorano in un determinato luogo. Es.: *In questo palazzo hanno sede l'Ufficio del Registro e l'Ufficio delle Imposte dirette*; *All'Ufficio Tecnico del Comune mi hanno detto che provvederanno a riparare i nostri marciapiedi*; *Ora devo recarmi in ufficio.* La forma *uffizio* è antiquata; si usa tuttavia nel linguaggio liturgico per indicare funzione sacra. Es.: *Il parroco ha celebrato l'uffizio funebre.* Ma anche in questo caso va prevalendo *ufficio.*

úfo (a): locuzione avverbiale che vale: gratis, senza fatica, a spese altrui. Es.: *Tu mangi il pane a ufo.*

úggia: sostantivo femminile che indicava: ombra e, al figurato: noia, fastidio, avversione. Plurale: úgge. Es.: *Quel tuo amico mi ha preso in úggia* (gli sono antipatico, non mi può sopportare); *Per far passare l'úggia* (la noia, la tristezza) *vai a passeggiare un poco.* È voce ormai disusata.

-úglio: suffisso che serve a formare parole con valore collettivo (*cespúglio, intrúglio, guazzabúglio, miscúglio*), anche con sfumatura dispregiativa (*rimasúglio*).

uguagliànza (comparativo di): una delle tre forme del comparativo. Si esprime con le particelle *cosí... come, tanto... quanto,* o semplicemente con *come, quanto* davanti al secondo termine di paragone. Es.: *Ella non è cosí bella come te; Tu sei studioso come me; Egli era tanto avaro quanto bugiardo; Ne sa quanto me.* V. anche COMPARATIVO.

uh!: interiezione che può indicare dolore o meraviglia. Es.: *Uh, cosa hai fatto!; Uh, mamma mia, che disastro!*

uhm!: interiezione che indica incertezza o anche indifferenza.

úlcera: sostantivo femminile. Indica una piaga su membrana mucosa. Plurale: le ulcere o le ulceri (meno usato). Es.: *Soffriva di ulcera allo stomaco.*

ulterióre: aggettivo qualificativo. Vale: che è più in là, che è oltre. Deriva dal comparativo latino di *ultra* (oltre) e si usa per indicare luogo al di là di monti, fiumi, valli, confini, ecc. Es.: *La Gallia ulteriore* (che è oltre le Alpi). Oggi l'aggettivo si usa nel senso di: nuovo, ripetuto, secondo, altro. Es.: *Non rispose neppure ad un'ulteriore richiesta; Compiremo un ulteriore tentativo.* Ma è uso da evitare. Cosí dicasi dell'avverbio ULTERIORMÉNTE nel senso di: ancora, nuovamente, posteriormente, in seguito. Es.: *Lo ha ulteriormente rifornito di danaro e di documenti.*

ultimàre: verbo della prima coniugazione, transitivo. Significa: finire, terminare, condurre a termine; detto di lavori e imprese. Es.: *Ha ultimato or ora il suo terzo libro; Abbiamo ultimato i lavori di aratura.* Quando dovrebbe essere usato intransitivamente, è meglio sostituirlo con i sinonimi: finire, terminare. Es.: *I lavori sono finiti* (meglio che: ultimati); *Il viaggio è terminato presto* (meglio che: è ultimato).

ultimàtum: voce derivata dal latino moderno del linguaggio diplomatico. Nel linguaggio diplomatico vale: ultima proposta inviata da uno Stato ad un altro con l'avvertimento che, se non fosse accettata, si romperebbero le relazioni diplomatiche o addirittura si dichiarerebbe guerra. Quindi proposta definitiva, ultime condizioni. Il termine è d'uso internazionale.

último: aggettivo qualificativo. È considerato il superlativo di *ulteriore* (V.), a sua volta comparativo derivato dalla voce latina *ultra.* Vale: che viene dopo tutti gli altri. Conserva dunque nel significato il valore superlativo; tuttavia nell'uso si trova talora la forma superlativa: ultimissimo. Significa anche: recente (*le ultime notizie*), persona d'infima condizione (Es.: *È l'ultimo dei servitori*), definitivo, decisivo (Es.: *Ha giocato l'ultima carta; Questa era l'ultima speranza*). Il plurale può indicare le ultime unità di una serie. Es.: *Cosí passarono gli ultimi giorni del mese.* Forma varie locuzioni con il significato di: alla fine, negli ultimi tempi, finalmente, al tirar dei conti. Es.: *da ultimo, in ultimo, all'ultimo.* Un uso particolare di *ultimo* come pronome dimostrativo si ha quando, dopo un'enumerazione, si vuole evitare la ripetizione dell'elemento che chiude l'elencazione. Es.: *Ho visto in quel posto animali e piante, fiori e frutti; questi ultimi particolarmente insoliti.*

ultra: avverbio latino che vale: oltre. Da esso derivano il comparativo *ulteriore* (V.) e il superlativo *ultimo* (V.). Usato nella locuzione *non plus ultra,* considerata anche sostantivo maschile (*il nonplusultra* dell'impudenza) per: l'eccesso, l'estremo limite. Come prefisso indica eccesso (*ultramodèrno, ultrasònico, ultraràpido, ultraviolétto*) oppure cosa che sta al di là (*ultramontàno, ultramaríno*).

Talvolta anche sostantivo (scritto e pronunciato *ultrà*). Es.: *Nella curva nord c'erano gli ultrà rossoneri.*

-úme: suffisso per la formazione di parole indicanti per lo più qualità cattive. Es.: da sudicio, *sudiciúme*; da pecora, *pecorúme*; da lordo, *lordúme*; da porco, *porcúme*. Non hanno invece significato peggiorativo altre parole terminanti in *-ume*. Es.: *agrúme, acúme.*

úmile: aggettivo qualificativo. Indica persona o cosa modesta, ossequiente, povera o dimessa. In origine valeva: basso, vicino a terra (*umile pianta*). Superlativo: umilissimo; la forma *umíllimo* è d'uso poetico.

umiliàre: verbo della prima coniugazione, transitivo. Significa: render umile, far deporre la superbia altrui, avvilire, deprimere. Es.: *Lo hai umiliato davanti a tutti.* Al riflessivo: farsi umile, abbassar la fronte, sottomettersi. Es.: *Alla fine si umiliò davanti alla sua vittima.* La locuzione antiquata *umiliare una domanda, una preghiera* per: presentare rispettosamente, è da evitare perché brutta e troppo servile.

umóre: sostantivo maschile. Indica qualunque liquido che scorre nei corpi organici o, per estensione, dalla terra. Al figurato: indole, disposizione d'animo, carattere. Es.: *Oggi è di cattivo umore*; *È una ragazza di umore mutevole.*

un: articolo indeterminativo, maschile singolare. Per ragioni eufoniche si premette ai nomi che cominciano per vocale o per consonante, salvo *s* impura, *z, x, pn, ps, gn*. Non si apostrofa mai (*un amico*). Circa il suo valore espressivo V. ARTICOLO INDETERMINATIVO.

una: articolo indeterminativo, femminile singolare. Si elide davanti a vocale (*un'anima*). Circa il suo valore espressivo V. ARTICOLO INDETERMINATIVO.

una tantum: locuzione parzialmente latina che vale: una volta tanto. Usata per indicare una remunerazione o un tributo dati una volta per tutte e non con regolarità periodica. Es.: *In quella occasione è stata concessa una indennità* una tantum.

úngere: verbo della seconda coniugazione, transitivo. *Pass. rem.*: únsi, ungésti, únse, ungémmo, ungéste, únsero. *Part. pass.*: únto. Significa: spalmare di grasso, insudiciare. Es.: *Unge la padella con l'olio*; *Ti sei unto tutto il vestito.* Al figurato: adulare; talora anche: corrompere. Es.: *Dice che bisogna ungere gli impiegati per ottenere qualcosa.* Un tempo valeva: consacrare con l'olio santo. Es.: *Il nuovo re fu unto nella cattedrale.*

ungue: parola latina (pr.: úngue), ablativo di *unguis*, unghia. Usata nella locuzione: *ex ungue leonem*, che vale: dall'unghia si riconosce il leone, cioè: basta un piccolo segno per riconoscere le capacità di un uomo di genio.

uni: plurale di *uno*. Femminile: une. Non è usato però come articolo, bensí come pronome correlativo. Es.: *Gli uni volevano partire, gli altri restare*; *Ho parlato con le une e con le altre.*

uni-: prefisso che indica unicità. Es.: UNÀNIME (di un solo sentimento), UNICÒRNO (che ha un solo corno), UNIFICAZIÓNE (il ridurre ad unità), UNIFÓRME (che ha una sola forma), UNIGÈNITO (figlio unico), UNINOMINÀLE (detto di collegio elettorale per la nomina di un solo deputato o senatore), UNISÍLLABO (di una sola sillaba), UNÍSONO (di un sol suono), UNÍVOCO (che ha un solo nome o significato).

único: aggettivo qualificativo. Plurale: únici. Vale: il solo del suo genere, singolare, senza eguali. Es.: *Era il mio unico divertimento*; *Nel fare queste cose è unico*; *Tu sei l'unica*; *Questi sono gli unici due libri che mi son rimasti.* Superlativo enfatico: *unicíssimo.*

uniformàre: verbo della prima coniugazione, transitivo. Significa: eguagliare, render di una medesima forma. Es.: *Con questa legge han voluto uniformare le norme precedenti.* Nel senso di: adeguare, render conforme, adattare (quasi sempre al riflessivo), è meglio usare: conformare (e conformarsi). Es.: *L'Alta Corte ha emesso una sentenza e ora le Camere vi si devono conformare*; *Si è subito conformato alle nostre regole.*

unifórme: aggettivo qualificativo che significa: di una sola forma, conforme, simile, uguale. Es.: *Avanza con moto uniforme*; *Qui il paesaggio è uniforme.* Come sostantivo femminile indica invece: divisa, veste di militare o di persona appartenente ad un corpo o a un collegio. Es.:

Indossava l'uniforme di marcia; Aveva l'uniforme di aviatore; Vestivano la grande uniforme.

unióne (complemento di): indica la cosa insieme alla quale una persona, un animale o una cosa compie l'azione o si trova nello stato espresso dal verbo. È una forma del complemento di compagnia, dal quale si differenzia per il fatto che il nome che costituisce il complemento indica una cosa e non essere animato. È retto dalla preposizione *con*; risponde alla domanda: con che cosa? insieme con quale cosa? Es.: Sono uscito *con pochi soldi* in tasca. Ho unito le pesche *con le mele*. Si badi a non confonderlo con il complemento di *mezzo* (V.). Es.: Uscii *con pochi soldi* (complemento di unione); Lo comprai *con pochi soldi* (complemento di mezzo).

uníre: verbo della terza coniugazione, transitivo. In alcuni tempi si coniuga con la forma incoativa *-isc-* tra il tema e la desinenza. *Pres. indic.*: unísco, unísci, unísce, uniàmo, uníte, uníscono. *Pres. cong.*: unísca, unísca, unísca, uniàmo, uniàte, uníscano. *Imper.*: unísci, unísca, uniàmo, uníte, uníscano. *Part. pass.*: uníto. Significa: congiungere, accomunare, attaccare, alleare; al riflessivo: mettersi insieme, congiungersi, allearsi.

unisíllabo: parola di una sola sillaba. Lo stesso che *monosillabo* (V.).

unísono: parola composta del prefisso *uni-* (che non vuole il raddoppiamento della consonante iniziale della parola a cui si premette) e dalla parola *suòno* (che per la regola del dittongo mobile muta *uò* in *o* atono). Errata la forma: uníssono. Come aggettivo vale: che ha lo stesso suono di altre voci o di altri strumenti (Es.: *coro di voci unísone*). Come sostantivo maschile vale: accordo di più voci o strumenti. La locuzione *all'unísono*, anche in senso figurato, significa: concordemente.

universàli linguístici: i tratti e le proprietà comuni alle varie lingue, che dimostrerebbero il carattere innato di certe facoltà linguistiche, le quali si realizzano con forme diverse in ciascuna lingua. Sono tra queste la doppia articolazione e il numero limitato di fonemi. Gli universali linguistici sono oggetto di studio della grammatica universale.

unívoco: aggettivo qualificativo. Plurale: unívoci. Indica un concetto che si può definire in modo unico e la definizione stessa; oppure una parola che ha un solo significato, che dunque non è equivoca.

úno: aggettivo numerale cardinale. È il primo della serie ed indica l'unità. Ha il femminile: una. Davanti ai nomi maschili comincianti per vocale o consonante (tranne *z, s* impura, *x, ps, pn, gn*) si tronca in *un*; al femminile, *una* si elide davanti a vocale. Es.: *un uomo, uno zaino, un'anima.* Forma il composto *undici* (*uno* più *dieci*); con *venti, trenta, quaranta*, ecc. invece si pospone formando i numeri: *ventuno, trentuno, quarantuno, cinquantuno*, ecc. Con questi composti di *uno* il nome che segue va al singolare: *trentun anno, mille e una notte.* Ma più spesso e meglio si dice: *i trentun anni, trentun lunghi anni, di anni trentuno.* Il plurale *uni*, quando non è pronome correlativo (V. *Uni*), si riferisce al segno 1. Es.: *Ho scritto quattro uni per indicare millecentoundici.* Il femminile *una*, con il sostantivo plurale *ore*, indica le ore: *le ore una, le ore ventuna* (non: le ventuna ore; meglio però: *l'una, le ore ventuno*). Altri significati: unico (*La mamma è una*), unito (*Mazzini sognava un'Italia una, libera, indipendente e repubblicana*), eccellente, campione, asso (*Coppi era il numero uno del ciclismo italiano*). Si rafforza con solo. Es.: *Ho bevuto un solo bicchiere*.

Come pronome indefinito vale: un tale (*Ho incontrato uno che mi ha raccontato tante storie*), alcuno (*Se uno mi dicesse queste cose, saprei come rispondergli*), ciascuno (*Ho parlato loro ad uno ad uno*). In correlazione con *altro* (anche al plurale: *uni... altri...*) vuole l'articolo. Es.: *L'uno diceva bianco, l'altro nero*; *Gli uni mi davano ragione, gli altri torto.* Talora ha valore reciproco. Es.: *Si rimproveravano l'un l'altro.*

uno: articolo indeterminativo maschile singolare. Per ragioni eufoniche si premette ai nomi che cominciano per *s* impura, *z, gn, ps, pn, x*. Per il suo valore espressivo V. ARTICOLO INDETERMINATIVO.

uò: uno dei due dittonghi mobili. L'altro è *iè*. Secondo una regola, modellata sull'uso fiorentino antico, ma oggi non sempre seguita, questo dittongo dovrebbe mutarsi nella semplice vocale *o* quando, nel corso della coniugazione o per l'aggiunta di suffissi o prefissi, l'accento si sposta su altra sillaba della parola in cui era il dittongo stesso, oppure il dittongo viene a trovarsi in sillaba chiusa (cioè terminante in consonante). Es.: gi*uò*co e gi*o*càre; *uò*mo e *o*metto; *uò*vo e *o*víno; m*uò*re e m*ò*rto. V. anche DITTONGO.

uòmo: sostantivo maschile. Plurale: uomini. Si considera femminile di questo nome il sostantivo *dònna*, sebbene non esista tra le due parole alcun rapporto grammaticale, ma solo di significato. Indica: il maschio nella specie umana (Es.: *L'uomo è diverso dalla donna*), l'esemplare della specie, senza distinzione di sesso (Es.: *L'uomo è un animale razionale*), l'adulto (Es.: *Non sei un bambino, sei un uomo*), uomo di fatica, servitore, soldato semplice (Es.: *Devo chiamare l'uomo che fa le pulizie*; *Mi servono tre uomini per spalare la neve in cortile*; *Un ufficiale e dieci uomini partirono per liberare i prigionieri*), persona buona e coraggiosa (Es.: *Comportati da uomo*).

uòpo: sostantivo maschile, d'uso letterario. Vale: bisogno, necessità. Non ha plurale. Con i verbi *essere, avere, fare* significa: essere necessario, aver bisogno. Es.: *È d'uopo partire subito*; *All'uopo* (se ci sarà bisogno), *anticiperò la somma*.

uòvo, òvo: sostantivo maschile che indica il parto delle femmine degli animali ovípari. Sovrabbondante al plurale: gli uòvi e le uòva (più usato). Per la regola del dittongo mobile nei derivati sono molto comuni le forme: *ovétto, ovíno, ovàccio* in luogo di: uovétto, uovíno, uovàccio.

-úra: terminazione caratteristica di parole femminili. Es.: da alto, *altúra*; da caldo, *calúra*; da fresco, *frescúra*; da bravo, *bravúra*; da sozzo, *sozzúra*; da verde, *verdúra*. Caratteristico è l'uso per formare nomi di valore collettivo: *magistratúra, capigliatúra*.

úrbe: sostantivo femminile. Latinismo per: città. Si scrive solitamente con la lettera maiuscola per indicare Roma. Es.: *I monumenti dell'Urbe*. La locuzione latina *urbi et orbi* vale: a Roma e al mondo, cioè a tutti (riferito specie alla benedizione pontificia solenne).

úrgere: verbo della seconda coniugazione, difettivo. *Pres. indic.*: úrge, úrgono. *Imperf.*: urgéva, urgévano. *Fut. semplice*: urgerà, urgerànno. *Pres. cong.*: úrga, úrgano. *Imperf. cong.*: urgésse, urgéssero. *Pres. condiz.*: urgerebbe, urgerèbbero. *Gerundio*: urgèndo. *Part. pres.*: urgènte. Manca di tutti gli altri tempi. Significa: incalzare, spingere. Es.: *La belva lo urgeva da presso*. Usato intransitivamente vale: essere necessario subito. Es.: *Urgono rinforzi*; *Urgevano medicine e viveri*.

-urgía: terminazione di parole che indicano: lavoro, attività, opera. Es.: *siderurgía, chirurgía, drammaturgía, liturgía*. Chi esegue la lavorazione è solitamente espresso con un nome in *-go* (*chirurgo, drammaturgo*), mentre l'aggettivo termina in *-urgico* (*chirurgico, siderurgico*).

-uria: suffisso che può indicare attinenza con l'urina (*ematuria, poliuria*) o esprime spregio o diminuzione (*peluria, belluria*).

urlàre: verbo della prima coniugazione, intransitivo. Ausiliare: avere. Significa: emettere urla, gridare. Es.: *Il lupo urlava nella notte*. Anche transitivo. Es.: *Mi urlò questo consiglio*.

úrlo: sostantivo maschile. Sovrabbondante al plurale: gli urli e le urla (solo quelle umane). Significa: grido.

-úrno: suffisso per la formazione di aggettivi. Es.: da dí, *diúrno*.

uro- e **-úro:** prefisso e suffisso che hanno significato e uso diversi. Il prefisso *uro-* può indicare relazione con l'apparato urinario, la minzione o l'urina stessa (*urografia, urobilinuria*), oppure riferirsi all'etimologia greca, per cui vale: coda (*urogallo, urocordati*). Il suffisso può ancora riferirsi a coda (*paguro, anuro*) o è la terminazione di composti chimici (*solfuro, cianuro*).

urrà!: interiezione di gioia e di acclamazione, come *evviva*. Anche sostantivo maschile. Es.: *Alla partenza, il comandante fu salutato da un triplice urrà*. Esiste anche la grafia *hurrà*, più fedele all'origine della parola, che deriva dall'inglese *hurrah*, a sua volta di provenienza turca.

urtàre: verbo della prima coniugazione, transitivo. Significa: cozzare, investire. Es.: *La mia auto urtò la sua che era ferma.* Al figurato: irritare. Es.: *Non dico tutto per non urtare troppe persone.* Anche intransitivo e riflessivo. Es.: *La nave ha urtato contro uno scoglio*; *Mi han detto che si è urtato anche con i suoi superiori.*

usàre: verbo della prima coniugazione, intransitivo. *Part. pres.*: usànte, ma più usato è il latinismo *utènte*. Significa: avere usanza, esser solito (anche con uso impersonale). Es.: *Al mio paese usa cosí*; *Usava vestirsi con molto buon gusto*; *Non usa più cedere il posto alle signore* (anche: *Non usa più di cedere il posto alle signore*). Anche transitivo nel senso di: adoperare, impiegare. Es.: *Tu usi le nostre stesse armi*; *Questa parola si usa solo al plurale*; *Vorrei usare un poco la tua penna.* Con questo stesso valore si costruisce intransitivamente con la preposizione *di*. Es.: *Usa pure della mia casa.*

uscíre: verbo irregolare della terza coniugazione, intransitivo. Ausiliare: essere. *Pres. indic.*: èsco, èsci, èsce, usciàmo, uscíte, èscono. *Pres. cong.*: èsca, èsca, èsca, usciàmo, usciàte, èscano. *Imper.*: èsci, èsca, usciàmo, uscíte, èscano. *Part. pass.*: uscíto. Significa: andar fuori (*Sono uscito di casa*), provenire (*Esce da una buona famiglia*), risultare (*È uscito vittorioso dal confronto*), essere pubblicato (*Il libro uscirà tra poco*).

úso: aggettivo qualificativo. Latinismo per: usato, nel senso di: solito, avvezzo. Es.: *Non era usa a simili spettacoli.* Come sostantivo maschile vale: abitudine, costume, moda (Es.: *Questa locuzione è nell'uso*; *Gli usi e costumi dei popoli antichi*), godimento, impiego (Es.: *L'uso dell'ascensore è vietato al personale del palazzo*; *Ha perso l'uso della ragione*), scopo, utilità (Es.: *È una stanza uso cucina*).

usufruíre: verbo della terza coniugazione, intransitivo. Ausiliare: avere. Si coniuga con il suffisso incoativo *-isc-* tra il tema e la desinenza di alcuni tempi. *Pres. indic.*: usufruísco, usufruísci, usufruísce, usufruíamo, usufruíte, usufruíscono. *Pres. cong.*: usufruísca, usufruísca, usufruísca, usufruiàmo, usufruiàte, usufruíscano. *Part. pass.*: usufruíto. Significa: godere, usare, giovarsi; si costruisce con la preposizione *di*. Es.: *Ha usufruito di molti vantaggi.*

usúra: sostantivo femminile. Vale: interesse eccessivo da strozzino. Es.: *Prestava denaro a usura.* Oggi si usa nel senso di: logorío, consumo.

utensíle: sostantivo maschile che indica: strumento, arnese per lavorare, attrezzo. Es.: *gli utensíli del fabbro, gli utensíli domestici.* Anche aggettivo, ma pronunciato sdrucciolo. Es.: *le macchine utènsili.* La diversa pronuncia è spiegata con la diversa derivazione: il sostantivo deriva dal latino *utensília*, l'aggettivo dal latino *utènsilis*.

utilízzo: sostantivo maschile. Neologismo in luogo di *utilizzazione* di cui è forma accorciata. Secondo alcuni è meglio: uso, godimento. Es.: *La nuova legge elettorale non prevede l'utilizzazione* (non: l'utilizzo) *dei resti*; *Vorrei organizzarmi per un miglior utilizzo degli spazi.*

-úto: suffisso per la formazione di aggettivi. Es.: da naso, *nasúto*; da osso, *ossúto*; da barba, *barbúto*; da occhiale, *occhialúto.* Anche desinenza del participio passato dei verbi della seconda coniugazione. Es.: da temére, *temúto*; da vivere, *vissúto.*

-uzzàre: V. -UCCHIARE.

-úzzo: suffisso per la formazione di vezzeggiativo, talora però con una sfumatura di disprezzo (*labbruzzo, pietruzza, magruzzo*).

V

v: ventesima lettera dell'alfabeto. Quindicesima consonante. Si chiama *vi* o *vu*; grammaticalmente è considerata un sostantivo di genere femminile o maschile, sottintendendo rispettivamente *lettera* o *segno*: una *v*, il *v*. È consonante *costrittiva* o *continua* poiché può essere pronunciata anche senza l'appoggio di una vocale; è detta *labiale* perché si pronuncia con particolare aiuto delle labbra; *spirante*, perché, quando la si pronuncia da sola, è un suono simile ad un soffio. Talora può alternarsi con *b* (*devo* o *debbo*), *g* (*devo* o *deggio*) o *p* (*sovrattutto* o *soprattutto*).
Nelle iscrizioni latine V poteva significare: *Valerius, Vitellius, vale, vir, vixit, victor*. Come numero romano vale cinque; con una lineetta sopra vale cinquemila. Nelle abbreviazioni, oggi significa: vedi (nelle citazioni). In chimica V è il simbolo del vanadio.

va: voce del verbo *andare* (V.). Può essere la terza persona singolare del presente indicativo (*Egli va a scuola*), o la seconda persona singolare dell'imperativo, di cui esistono anche la forma *vai* e quella apocopata *va'*.

vacàre: verbo della prima coniugazione, intransitivo. Ausiliare: essere. Dicesi di ufficio, cattedra, carica, ecc. privi di titolare. Usato soprattutto il participio presente *vacànte* anche come aggettivo. Es.: *La cattedra di storia e filosofia è vacante*; *Fu nominato comandante della compagnia in sede vacante.*

vaccinàre: verbo della prima coniugazione, transitivo. La pronuncia del presente indicativo e del presente congiuntivo è piana: *vaccíno, vaccíni, vaccína*, ecc.; *vaccíni, vaccíni, vaccíni, vacciniàmo, vacciniàte, vaccínino.*

vademècum: sostantivo maschile invariabile, formato dalle parole latine *vade* e *mecum* (che significherebbero: vieni con me). Indica un manuale tascabile contenente consigli pratici. Es.: *Il vademecum della buona massaia*; *Il vademecum del turista.*

vade retro, Satana!: locuzione latina rimasta nell'uso. Vale: va indietro, Satana. È usata con tono scherzoso per rifiutare una proposta allettante ma illecita o pericolosa.

vagíre: verbo della terza coniugazione, intransitivo. Ausiliare: avere. In alcuni tempi si coniuga con la forma incoativa *-isc-* tra il tema e la desinenza. *Pres. indic.*: vagísco, vagísci, vagísce, vagiàmo, vagíte, vagíscono. *Pres. cong.*: vagísca, vagísca, vagísca, vagiàmo, vagiàte, vagíscano. *Part. pass.*: vagíto. Indica il piangere dei lattanti; al figurato: cominciare appena a manifestarsi, essere ai primordi. Es.: *L'idea unitaria vagiva allora nei primi convegni di patrioti.* Ma è metafora troppo ardita.

vàglia: sostantivo femminile che significa: valore. Es.: *È uno scrittore di vaglia.* Di diversa origine è il sostantivo maschile indeclinabile VÀGLIA che indica un modulo postale con il quale si spedisce denaro. Es.: *La recluta attendeva il vaglia dei genitori.* Il sostantivo maschile VÀGLIO (plurale: i vagli) indica invece un arnese di pelle o di latta che serviva un tempo per mondare il grano (oggi sostituito da apparecchi meccanici). Al figurato: attento esame, scelta difficile e accurata. Es.: *È passato attraverso il vaglio di esperienze importanti*; *Tutte queste opere non resisterebbero al vaglio di una critica severa.*

vàgo: aggettivo qualificativo. Nell'uso letterario vale: grazioso (Es.: *Il vago color del cielo*) o desideroso (Es.: *Era vago di passeggiare lungo la riva*). Comunemente è usato nel senso di: indeterminato, incerto. Es.: *Mi rispose con promesse vaghe*; *Mi diede informazioni troppo vaghe*. Come sostantivo maschile è termine d'anatomia; indica un paio di nervi cranici.

vagóne: sostantivo maschile che vale: carro ferroviario, adibito al trasporto sia di merci sia di persone. Voce invalsa nell'uso, sebbene derivata dall'inglese *waggon* attraverso il francese *wagon*.

valentuòmo: sostantivo maschile, composto da un aggettivo (valente) e da un nome maschile (uomo). Plurale: valentuòmini. Indica uomo di merito, bravo, illustre. *Uomo valente* significa invece: uomo capace, uomo esperto.

valére: verbo della seconda coniugazione, intransitivo e anche transitivo. *Pres. indic.*: vàlgo, vàli, vàle, valiàmo, valéte, vàlgono. *Fut. semplice*: varrò, varrài, varrà, varrémo, varréte, varrànno. *Pass. rem.*: vàlsi, valésti, vàlse, valémmo, valéste, vàlsero. *Pres. cong.*: vàlga, vàlga, vàlga, valiàmo, valiàte, vàlgano. *Pres. condiz.*: varrèi, varrésti, varrèbbe, varrémmo, varréste, varrèbbero. *Imper.*: vàli, vàlga, valiàmo, valéte, vàlgano. *Part. pres.*: valènte. *Part. pass.*: vàlso. Si coniuga con l'ausiliare essere. Significa: aver valore, potenza, prezzo, merito, pregio (Es.: *Questa regola ora non vale più*; *Come medico vale più lo scolaro che il maestro*; *Questo gioiello vale più di tutta la casa*; *Questa persona vale tanto oro quanto pesa*); aver efficacia (Es.: *A nulla valsero gli sforzi delle squadre soccorritrici*; *Il nostro sacrificio non è valso nulla?*). Al riflessivo, *valersi*, significa: servirsi, giovarsi. Es.: *Si è valso della collaborazione dei migliori specialisti*; *Mi varrò di tutti i mezzi leciti*.

vàlico: nome maschile sdrucciolo terminante in *-co* che al plurale finisce in *-chi*: vàlichi.

valígia: sostantivo femminile. Plurale: valígie (più usato) o valíge. Indica sacco di pelle, di cuoio o di altra materia per custodire abiti e oggetti per il viaggio.

valutàre: verbo della prima coniugazione, transitivo. La pronuncia del presente indicativo e del presente congiuntivo è piana, non sdrucciola (valúto, valúti, valúta, valutiàmo, valutàte, valùtano; valúti, valúti, valúti, valutiàmo, valutiàte, valútino). *Part. pass.*: valutàto. Significa: dare il valore a una cosa, apprezzare, stimare, calcolare approssimativamente. Es.: *L'esercito nemico era valutato sui cinquemila uomini*; *Non deve valutare troppo le sue forze*.

vanaglòria: nome composto da un aggettivo (vana) e un sostantivo femminile singolare (gloria). Plurale: vanaglorie. Per la regola relativa V. COMPOSTI (NOMI).

vàno: aggettivo qualificativo. Significa: vuoto, inutile, inane, infruttuoso. Es.: *La noce era vana*; *Furono vani tutti i nostri tentativi*. Come sostantivo indica uno spazio vuoto, limitato da serramenti o murature. Es.: *Il vano dell'arco di trionfo*; *Una finestra a tre vani*. Nel linguaggio commerciale si usa nel senso di: stanza. Es.: *Un appartamento di quattro vani* (meglio: stanze).

vantàggio o **svantàggio (complemento di):** questo complemento (detto anche di *comodo* o *incomodo*) indica la persona o la cosa per il cui vantaggio o svantaggio avviene un'azione. È retto dalla preposizione *per*, o dalle locuzioni: *in favore di, a sfavore di, nell'interesse di, a danno di, a profitto di, a vantaggio di* e simili. Es.: Noi lavoriamo *per la famiglia*; Voi vi sacrificate *nell'interesse dell'azienda*; Tu hai parlato soltanto *a mio danno*; Sono intervenuto *a favore di tuo fratello*.

vantàre: verbo della prima coniugazione, transitivo. Es.: *Vantare i propri meriti*. Anche intransitivo pronominale. Es.: *Si vantava dei propri meriti, così come si era sempre vantato della sua nascita*. Quando regge una proposizione oggettiva, ammette il costrutto implicito con *di* e l'infinito (*Si vantava d'esser stato il primo in Italia*) o il costrutto esplicito con il modo indicativo (*Si vanta che ha guadagnato più degli altri*).

vànto: componimento poetico medievale di origine provenzale, in forma per lo più di frottola giullaresca, in cui il poeta si vanta delle proprie virtù ed abilità. Ecco un esempio tratto da un sirventese di Ruggieri Apugliese, giullare del XIII secolo:

«Tant'aggio ardire e conoscenza
ched ho agli amici benvoglienza
e i nimici tegno in temenza;
ad ogni cosa do sentenza
et aggio senno e provedenza
in ciascun mestiere».

vànvera (a): locuzione avverbiale che significa: senza pensare, a casaccio. Es.: *Egli parla sempre a vanvera.*

vaporàre: verbo della prima coniugazione, intransitivo. Si coniuga con l'ausiliare avere quando significa: ridursi in vapore (Es.: *Hai tolto il coperchio e il liquido ha vaporato*); con l'ausiliare essere quando significa: svaníre (Es.: *Non ho trovato nulla: tutto era vaporato*). La corretta pronuncia del pres. indic. e cong. è piana (vapóro, vapóri ecc.; non vàporo). Più usate le forme *evaporàre* e *svaporàre*. Con il suffisso *-izzare* si è oggi formato il neologismo *vaporizzàre*, con significato transitivo: ridurre un liquido in particelle (Es.: *Questo è un apparecchio per vaporizzare l'acqua*) o esporre all'effetto di un vapore (Es.: *Ho vaporizzato la botte per igiene*). Meno corretto l'uso intransitivo (ausiliare: essere) con il senso di: svaporare.

variànte: in filologia, ciascuna delle divergenze testuali riscontrate nelle versioni tramandate di un'opera di cui non si possiede l'originale (per es., la *Divina Commedia*), ovvero ciascuna delle correzioni, delle aggiunte o delle soppressioni operate da un autore del testo di un'opera, o in fase di composizione (se ne sono trovate per l'*Infinito* di Leopardi) o durante le diverse redazioni o edizioni (per esempio, dal *Fermo e Lucia* ai *Promessi Sposi*).
Anche ciascuna delle diverse forme con cui si può presentare uno stesso vocabolo o sotto l'aspetto grafico (*olivo* e *ulivo*) o fonetico (per motivi dialettali o altri di pronuncia personale o invalsa nell'uso a fianco di un'altra).

variàre: verbo della prima coniugazione, transitivo. *Pres. indic.*: vàrio, vàri, vària, variàmo, variàte, vàriano. *Pres. cong.*: vàri, vàri, vàri, variàmo, variàte, vàrino. Alcune forme sono confondibili con quelle del verbo *varàre*. Es.: *Tu vari* (ma meglio: varii) *spesso l'abito* (da *variàre*); *Tu vari spesso una nuova opera* (da *varàre*). Significa: cambiare, mutare. Quando è usato intransitivamente, si coniuga con avere se riferito a persona (Es.: *Non ha variato in tutti questi anni*); con essere se riferito a cosa (Es.: *Il programma è variato*).

vàrio: aggettivo qualificativo. Plurale: vàri. Superlativo: varissimo. Indica diversità, differenza, ma tra cose che non sono in contrasto tra loro. Es.: *Le proposte erano varie*; *Le stesse cose si possono dire in vari modi.* Talora ha valore di aggettivo o pronome indefinito col significato di: alcuni, alquanti, parecchi. Es.: *Varie persone lo hanno visto*; *Vari dicono il contrario di quello che dici tu*; *Furono interrogati vari testimoni.*

ve: particella pronominale atona di seconda persona. Sostituisce la forma *vi* quando questa si trova a precedere altre particelle. Es.: *Non ve* (=a voi) *lo faccio vedere*; *Chi ve* (=a voi) *lo impedisce?* Anche in luogo di *vi*, aferesi di *ivi*. Es.: *Non ve ne sono più.*

ve': imperativo del verbo *vedére*; sta per: vedi. Usato nel linguaggio familiare nelle interiezioni, come ammonimento, minaccia. Si scrive anche *veh*. Es.: *Bada, ve'!*; *Guarda, ve', di non farti trovare qui un'altra volta.*

véce: sostantivo femminile. Nell'uso letterario: vicenda (Es.: *La vece delle umane sorti*). Comunemente indica l'incombenza, l'ufficio adempiuto al posto di un'altra persona. Es.: *Firma del padre o di chi ne fa le veci*; *Pàrlagli tu in vece mia.*

vedére: verbo della seconda coniugazione, transitivo. *Pres. indic.*: védo (véggo), védi, véde, vediàmo, vedéte, védono (véggono). *Fut. semplice*: vedrò, vedrài, vedrà, vedrémo, vedréte, vedrànno. *Pass. rem.*: vídi, vedésti, víde, vedémmo, vedéste, vídero. *Pres. cong.*: véda (végga), véda (végga), véda (végga), vediàmo, vediàte, védano (véggano). *Pres. condiz.*: vedrèi, vedrésti, vedrèbbe, vedrémmo, vedréste, vedrèbbero. *Imper.*: védi (ve'), véda, vediàmo, vedéte, védano. *Part. pres.*: vedènte (poetico o sostantivo: veggènte). *Part. pass.*: vedúto o vísto. Significa: percepire con l'occhio. In questo senso è anche intransitivo (ausiliare avere). Es.: *Io non vedo i colori*; *Mario, dopo la ferita, non vede bene*. Altri significati: capire (*Vedi che non è possibile*), cercare di fare, tentare (*Vedrò di accontentarti*), avere in simpatia (*Mi pare che non ti veda troppo bene*), attendere gli sviluppi di un evento (*Staremo a vedere*). Come inciso richiama l'attenzione altrui (*Le cose, vedi, non stanno come tu pensi*); assolutamente, indica promessa vaga, incertezza (*Verrai con me? Vedrò*; *Si può fare? Vedremo*). L'espressione *si vede* significa: è segno, vuol dire. Es.: *Si vede che non vuol parlare*.

Quando regge una proposizione oggettiva, il soggetto della dipendente può essere diverso dalla principale. Es.: *Vedo passare molta gente, Vedo che passa molta gente, Vedo molta gente che passa*. Come si vede dagli esempi, nel costrutto esplicito regge il modo indicativo.

velàre: in fonetica, detto di suono nella cui articolazione il dorso della lingua batte contro il velo palatino. In particolare, riferito a consonanti, equivale a gutturale: V. GUTTURALI (CONSONANTI).

vélo: sostantivo maschile che indica un tessuto molto trasparente. In anatomia, si dice *velo palatino* o *pendulo* la formazione muscolo-membranosa che costituisce la parete posteriore interna della bocca. Il sostantivo femminile VÉLA indica un pezzo di tela che, fermato all'albero di barche o di navi, serve a ricevere la spinta del vento per far procedere l'imbarcazione.

velòdromo: sostantivo maschile che indica uno stadio per le corse ciclistiche. Errata la pronuncia piana (velodròmo).

véndere: verbo della seconda coniugazione, transitivo. *Pres. indic.*: véndo, véndi, vénde, vendiàmo, vendéte, véndono. *Pass. rem.*: vendéi (vendètti), vendésti, vendé (vendètte), vendémmo, vendéste, vendèttero. *Fut. semplice*: venderò, venderài, venderà, venderémo, venderéte, venderànno. *Part. pass.*: vendúto.

vendifúmo: nome composto da una forma verbale (vendi) e un sostantivo maschile (fumo). Plurale: vendifumo. Indica persona che vanta qualità che non possiede. Per la regola relativa V. COMPOSTI (NOMI).

veníre: verbo della terza coniugazione, intransitivo. Ausiliare: essere. *Pres. indic.*: vèngo, vièni, viène, veniàmo, veníte, vèngono. *Fut. semplice*: verrò, verrài, verrà, verrémo, verréte, verrànno. *Pass. rem.*: vénni, venísti, vénne, venímmo, veníste, vénnero. *Pres. cong.*: vènga, vènga, vènga, veniàmo, veniàte, vèngano. *Imper.*: vièni, vènga, veniàmo, veníte, vèngano. *Pres. condiz.*: verrèi, verrésti, verrèbbe, verrémmo, verréste, verrèbbero. *Part. pass.*: venúto. Significa: andare verso il luogo di chi parla o scrive (Es.: *Veniva a casa mia*), derivare, provenire (Es.: *Questo vino viene da Marsala*; *Viene da una scuola rinomata*), riuscire (Es.: *Non me ne viene una buona*). Si costruisce con la preposizione *a*, per alcune locuzioni (Es.: *I due eserciti vennero a battaglia*; *Ormai quella vista mi era venuta a noia*; *Venimmo a capo del mistero*; *Stavamo per venire alle mani*; *È venuto alla luce un fatto molto importante*). Talora anche con la preposizione *in* (Es.: *Non ti viene in mente nessuna buona idea?*; *Per quelle bugíe mi venne in odio*).

Il verbo *venire* si usa come ausiliare, in luogo di essere, per formare il passivo dei verbi. Es.: *Egli venne punito*; *Tu venisti chiamato*; *Noi verremo subito espulsi*. Con il gerundio di un altro verbo indica azione graduata e continua. Es.: *Egli veniva dicendo tutto questo con molta calma*.

vénti: aggettivo numerale cardinale. VÈNTI è invece il plurale del sostantivo maschile *vènto* (corrente d'aria).

ventúno: aggettivo numerale cardinale, composto di *venti* e *uno*. Il nome a cui si riferisce è al singolare o, meglio, al plurale se è posposto (*ventun cavallo, ventun cavalli*; *ventuna fanciulla, ventun fanciulle*); sempre al plurale quando è accompagnato da articolo, da altro aggettivo o se precede il numero (*i ventun uomini, ventun belle ragazze, le ore ventuno*).

veraménte: avverbio di modo. Si usa per conferire maggiore intensità a un aggettivo qualificativo: *veramente bello, bello veramente*. Nel primo caso equivale a *bellissimo, molto bello*; nel secondo invece vuol dire effettivamente bello. La differenza, oltre che dalla posizione dell'avverbio, si coglie nel contesto.

vèrbo: parte variabile del discorso. Dal latino *verbum*, parola; è dunque la parola per eccellenza. Insieme con il *nome* (V.), è l'elemento più importante del nostro discorso, quello senza il quale le nostre proposizioni non significherebbero nulla, non avrebbero un senso. Condizione indispensabile perché esista una proposizione è che essa contenga almeno il verbo. Le altre parti del discorso non hanno senso se non incluse nella proposizione, cioè se non collegate da un verbo. Nelle proposizioni ellittiche il verbo può essere sottinteso, ma anche in questo caso esso solo dà significato alle altre parole. Es.: *Vuoi pane? Sí* (sott.: lo voglio). Anche il nome, che pure ha funzioni importantissime, quali quelle di designare persone, animali o cose, non basta, da solo, ad esprimere un pensiero compiuto. Il verbo ed il nome sono infatti complementari: il nome serve per indicare il soggetto, il verbo per indicare che cosa fa o in che stato si trova il soggetto. L'uno è il *soggetto* della proposizione, l'altro il *predicato*. Il verbo indica azioni e modi di essere, con una varietà di forme che corrispondono ad altrettante categorie del nostro pensiero, ad altrettanti modi di pensare, azioni o stati. Perciò il verbo assume nel corso della sua flessione, detta *coniugazione*, ben 92 forme attive e altrettante passive, distribuite in ventun *tempi* e sette *modi*. In tal modo, mutando la *desinenza* aggiunta al *tema* fondamentale, esso può indicare non solo il tipo dell'azione, ma anche la persona e il numero del soggetto, il tempo in cui avviene, la qualità (possibile, certa, desiderata, comandata) dell'azione stessa, anche in rapporto ad un'altra, con cui è in relazione logica o temporale.

Nella teoria grammaticale moderna ha preso rilievo, mutuato da altre lingue, il concetto di *aspetto verbale*, che, definito variamente da diversi grammatici, vuole considerare l'azione sotto il p rofilo della sua durata o compiutezza o ripetitività. Si parla dunque di: *aspetto abituale*, quando il verbo indica azione regolarmente ripetuta (*Io a lezione prendevo appunti*); *aspetto conativo* se il verbo indica tentativo di compiere un'azione (*A lezione cercavo di prendere appunti*); o *aspetto imperfettivo* se l'azione è considerata in corso di svolgimento (*A quel tempo prendeva appunti*); *aspetto perfettivo* se il verbo esprime azione conclusa (*A lezione prese appunti*); *aspetto incoativo* o *ingressivo* se il verbo esprime il significato di accingersi, cominciare un'azione (*Stava per prendere appunti*); *aspetto iterativo*, se il verbo indica azione ripetuta, con l'aggiunta di suffissi (*Scribacchiava appunti*); *aspetto puntuale* se si considera l'azione nella sua momentaneità e compiutezza (*Quel giorno prese appunti*); *aspetto risultativo* che considera l'effetto derivato dall'azione (*Alla fine della lezione aveva preso tanti appunti*).

Il verbo può indicare azione che passa direttamente sul complemento oggetto: e in questo caso si dice *transitivo*; oppure può indicare modo di essere del soggetto o azione che non passa su un complemento oggetto: e in questo caso si dice *intransitivo*. Tutti i verbi si dividono dunque in due grandi classi: transitivi e intransitivi. Per la formazione dei tempi composti ci si serve poi di due verbi speciali, *essere* e *avere*, detti *ausiliari*.

I verbi intransitivi hanno solo la forma *attiva*, in quanto l'azione compiuta in sé non ricade, fuori del soggetto, su un complemento oggetto. I verbi transitivi hanno invece, oltre la forma attiva, anche la forma *passiva* per esprimere azione che il soggetto subisce. Nell'ambito della forma attiva si devono però distinguere due forme particolari: quella *riflessiva*, propria dei verbi transitivi, indicante azione che si riflette sul soggetto che la compie, e quella *pronominale*, propria di alcuni verbi intransitivi, che si coniugano con particelle pronominali, come nella forma riflessiva dei verbi transitivi, pur non avendo significato riflessivo. Riassumendo, le forme del verbo sono quattro: *attiva, passiva, riflessiva* (distinta poi in *propria, apparente*, quando le particelle pronominali hanno valore di complemento di termine, e *reciproca*, quando si esprime azione scambievole tra due o più persone) e *pronominale*. La coniugazione del verbo consiste nella va-

Generi

COPULATIVO	quando è seguito da un predicato nominale (ed è perciò in funzione di copula)		
PREDICATIVO	INTRANSITIVO	l'azione rimane nel soggetto	
	TRANSITIVO	*attivo*	il soggetto agisce, compie l'azione
		passivo	il soggetto subisce l'azione
		riflessivo	proprio apparente pronominale passivante
	IMPERSONALE	usato solo nella 3ª persona e senza soggetto	
	DIFETTIVO	manca di alcune forme	

Modi e Tempi

MODI FINITI	*Indicativo*	tempi semplici	Presente – Imperfetto – Passato remoto – Futuro
		tempi composti	Passato prossimo – Trapass. prossimo – Trapass. remoto – Futuro anteriore
	Congiuntivo	tempi semplici	Presente – Imperfetto
		tempi composti	Passato – Trapassato
	Condizionale	tempo semplice	Presente
		tempo composto	Passato
	Imperativo	tempi semplici	Presente – Futuro
MODI INDEFINITI	*Infinito*	tempo semplice	Presente
		tempo composto	Passato
	Participio	tempo semplice	Presente
		tempo composto	Passato
	Gerundio	tempo semplice	Presente
		tempo composto	Passato

riazione della desinenza in rapporto a quattro elementi: il soggetto che compie l'azione (e può essere di *prima, seconda* o *terza* persona e di *numero* singolare o plurale), il modo in cui è pensata l'azione (se certa, modo *indicativo*; se possibile o probabile, modo *congiuntivo*; se condizionata ad altra, modo *condizionale*; se comandata, modo *imperativo*; se indeterminata, modo *infinito, gerundio* o *participio*), il tempo in cui avviene (*passato, presente, futuro*), la vocale caratteristica della coniugazione a cui il verbo appartiene (*a* della prima, *e* della seconda, *i* della terza), detta vocale *tematica*. Il verbo si flette secondo uno schema, che è fisso per i verbi regolari e che si articola nelle varie forme. Nell'analisi grammaticale di una voce verbale si dovrà perciò distinguere: la persona (prima, seconda, terza), il numero (singolare o plurale), il tempo (tempi semplici: presente, imperfetto, passato remoto, futuro semplice, presente e imperfetto congiuntivo, presente condizionale, infinito presente, participio presente, participio passato, gerundio presente; tempi composti: passato prossimo, trapassato remoto, trapassato prossimo, futuro anteriore, passato e trapassato congiuntivo, condizionale passato, infinito passato, gerundio passato), il modo (modi *finiti*: indicativo, congiuntivo, condizionale, imperativo; modi *indefiniti*: infinito, gerundio, participio), la coniugazione (prima, seconda o terza).

I verbi che non seguono nella flessione il paradigma delle tre coniugazioni regolari si dicono *irregolari*. L'irregolarità può consistere: nel cambiamento di tema nel passato remoto e nel participio passato (verbi *forti*); nel cambiamento di tema in diverse voci verbali (verbi *anomali*); nella mancanza di alcuni tempi o persone o modi della coniugazione (verbi *difettivi*). Una speciale categoria di verbi è costituita dai verbi *impersonali* che non si concordano con un soggetto determinato e hanno solo le forme della terza persona singolare.

Per l'uso dei modi e dei tempi V. *Sintassi* e *Dipendenza dei tempi*.

Come per i nomi e per gli aggettivi, così anche per la formazione dei verbi si usano prefissi o suffissi. Però anche da un tema di sostantivo o di aggettivo si possono formare verbi con l'aggiunta semplicemente della desinenza propria dell'infinito presente delle tre coniugazioni regolari. Es.: da baston-*e*, *baston-are*; da stenograf-*ia*, *stenograf-are*, da attív-*o*, *attiv-are*. Molto più spesso si ricorre però a suffissi, tra cui molto comuni oggi: *-izzàre* (da polvere, *polverizzàre*), *-ificàre* (da retto, *rettificàre*), *-eggiàre* (da fronte, *fronteggiàre*). Alcuni suffissi alterano il significato del verbo, in senso diminutivo (da rubare, *rubacchiàre*). Quanto ai prefissi, sono gli stessi che servono a formare nomi e aggettivi: *a-* (da casa, *accasàre*), *con-* (da vivere, *convívere*), *de-, di-* (da riva, *derivàre*; da scendere, *discéndere*) *e-* (da mettere, *eméttere*), *fra-* (da porre, *frappórre*), *in-* (da correre, *incórrere*), *contra-* (da stare, *contrastàre*), *pre-* (da mettere, *preméttere*), *sub-* (da affittare, *subaffittàre*), *pro-* (da porre, *propórre*), *ri-* (da educare, *rieducàre*), *s-*, *es-* (da patria, *espatriàre*; da correre, *scòrrere*), *tra-* (da passare, *trapassàre*) e altri ancora.

V. anche: ATTIVA (FORMA), AUSILIARI (VERBI), AVERE, -CARE (VERBI IN), -CERE (VERBI IN), -CIARE (VERBI IN), CONCORDANZA (TEORIA DELLA), CONDIZIONALE (MODO), CONGIUNTIVO (MODO), CONIUGAZIONE DEL VERBO, CONIUGAZIONE (PRIMA), CONIUGAZIONE (SECONDA), CONIUGAZIONE (TERZA), COPULATIVI (VERBI), DIPENDENZA DEI TEMPI, ESSERE, FREQUENTATIVI (VERBI), FUTURO ANTERIORE, FUTURO SEMPLICE, GERUNDIO, IMPERATIVO (MODO), IMPERFETTO CONGIUNTIVO, IMPERFETTO INDICATIVO, IMPERSONALI (VERBI), INCOATIVI (VERBI), INDEFINITI (MODI), INDICATIVO (MODO), INFINITO (MODO), INTRANSITIVI (VERBI), IRREGOLARI (VERBI), MODO (DEL VERBO), PARTICIPIO, PASSATO (TEMPO), PASSIVO, PERSONA (DEL VERBO), PREDICATO, PRESENTE, PRONOMINALE (FORMA), RECIPROCA (FORMA), REGGENZA, RIFLESSIVA (FORMA), SERVILI (VERBI), SINTASSI, SOVRABBONDANTI (VERBI), TEMPO (DEL VERBO), TRANSITIVI (VERBI), TRAPASSATO PROSSIMO, TRAPASSATO REMOTO.

FORMA ATTIVA		
PRIMA CONIUGAZIONE **Am–are**	SECONDA CONIUGAZIONE **Tem–ere**	TERZA CONIUGAZIONE **Vest–ire**
MODO INDICATIVO		
Presente	*Presente*	*Presente*
io am–*o*	tem–*o*	vest–*o*
tu am–*i*	tem–*i*	vest–*i*
egli am–*a*	tem–*e*	vest–*e*
noi am–*iamo*	tem–*iamo*	vest–*iamo*
voi am–*ate*	tem–*ete*	vest–*ite*
essi am–*ano*	tem–*ono*	vest–*ono*
Imperfetto	*Imperfetto*	*Imperfetto*
io am–*avo*	tem–*evo*	vest–*ivo*
tu am–*avi*	tem–*evi*	vest–*ivi*
egli am–*ava*	tem–*eva*	vest–*iva*
noi am–*avamo*	tem–*evamo*	vest–*ivamo*
voi am–*avate*	tem–*evate*	vest–*ivate*
essi am–*avano*	tem–*evano*	vest–*ivano*
Passato prossimo	*Passato prossimo*	*Passato prossimo*
io ho amato	ho temuto	ho vestito
tu hai amato	hai temuto	hai vestito
egli ha amato	ha temuto	ha vestito
noi abbiamo amato	abbiamo temuto	abbiamo vestito
voi avete amato	avete temuto	avete vestito
essi hanno amato	hanno temuto	hanno vestito
Passato remoto	*Passato remoto*	*Passato remoto*
io am–*ai*	tem–*ei* o –*etti*	vest–*ìi*
tu am–*asti*	tem–*esti*	vest–*isti*
egli am–*ò*	tem–*è* o –*ette*	vest–*ì*
noi am–*ammo*	tem–*emmo*	vest–*immo*
voi am–*aste*	tem–*este*	vest–*iste*
essi am–*arono*	tem–*erono* o –*ettero*	vest–*irono*
Trapassato prossimo	*Trapassato prossimo*	*Trapassato prossimo*
io avevo amato	avevo temuto	avevo vestito
tu avevi amato	avevi temuto	avevi vestito
egli aveva amato	aveva temuto	aveva vestito
noi avevamo amato	avevamo temuto	avevamo vestito
voi avevate amato	avevate temuto	avevate vestito
essi avevano amato	avevano temuto	avevano vestito

Trapassato remoto	*Trapassato remoto*	*Trapassato remoto*
io ebbi amato	ebbi temuto	ebbi vestito
tu avesti amato	avesti temuto	avesti vestito
egli ebbe amato	ebbe temuto	ebbe vestito
noi avemmo amato	avemmo temuto	avemmo vestito
voi aveste amato	aveste temuto	aveste vestito
essi ebbero amato	ebbero temuto	ebbero vestito
Futuro semplice	*Futuro semplice*	*Futuro semplice*
io am-*erò*	tem-*erò*	vest-*irò*
tu am-*erai*	tem-*erai*	vest-*irai*
egli am-*erà*	tem-*erà*	vest-*irà*
noi am-*eremo*	tem-*eremo*	vest-*iremo*
voi am-*erete*	tem-*erete*	vest-*irete*
essi am-*eranno*	tem-*eranno*	vest-*iranno*
Futuro anteriore	*Futuro anteriore*	*Futuro anteriore*
io avrò amato	avrò temuto	avrò vestito
tu avrai amato	avrai temuto	avrai vestito
egli avrà amato	avrà temuto	avrà vestito
noi avremo amato	avremo temuto	avremo vestito
voi avrete amato	avrete temuto	avrete vestito
essi avranno amato	avranno temuto	avranno vestito
MODO CONGIUNTIVO		
Presente	*Presente*	*Presente*
io am-*i*	tem-*a*	vest-*a*
tu am-*i*	tem-*a*	vest-*a*
egli am-*i*	tem-*a*	vest-*a*
noi am-*iamo*	tem-*iamo*	vest-*iamo*
voi am-*iate*	tem-*iate*	vest-*iate*
essi am-*ino*	tem-*ano*	vest-*ano*
Imperfetto	*Imperfetto*	*Imperfetto*
io am-*assi*	tem-*essi*	vest-*issi*
tu am-*assi*	tem-*essi*	vest-*issi*
egli am-*asse*	tem-*esse*	vest-*isse*
noi am-*assimo*	tem-*essimo*	vest-*issimo*
voi am-*aste*	tem-*este*	vest-*iste*
essi am-*assero*	tem-*essero*	vest-*issero*
Passato	*Passato*	*Passato*
io abbia amato	abbia temuto	abbia vestito
tu abbia amato	abbia temuto	abbia vestito
egli abbia amato	abbia temuto	abbia vestito
noi abbiamo amato	abbiamo temuto	abbiamo vestito
voi abbiate amato	abbiate temuto	abbiate vestito
essi abbiano amato	abbiano temuto	abbiano vestito

Trapassato	*Trapassato*	*Trapassato*
io avessi amato tu avessi amato egli avesse amato noi avessimo amato voi aveste amato essi avessero amato	avessi temuto avessi temuto avesse temuto avessimo temuto aveste temuto avessero temuto	avessi vestito avessi vestito avesse vestito avessimo vestito aveste vestito avessero vestito
MODO CONDIZIONALE		
Presente	*Presente*	*Presente*
io am-*erei* tu am-*eresti* egli am-*erebbe* noi am-*eremmo* voi am-*ereste* essi am-*erebbero*	tem-*erei* tem-*eresti* tem-*erebbe* tem-*eremmo* tem-*ereste* tem-*erebbero*	vest-*irei* vest-*iresti* vest-*irebbe* vest-*iremmo* vest-*ireste* vest-*irebbero*
Passato	*Passato*	*Passato*
io avrei amato tu avresti amato egli avrebbe amato noi avremmo amato voi avreste amato essi avrebbero amato	avrei temuto avresti temuto avrebbe temuto avremmo temuto avreste temuto avrebbero temuto	avrei vestito avresti vestito avrebbe vestito avremmo vestito avreste vestito avrebbero vestito
MODO IMPERATIVO		
Presente	*Presente*	*Presente*
.... am-*a* am-*i* am-*iamo* am-*ate* am-*ino*	.... tem-*i* tem-*a* tem-*iamo* tem-*ete* tem-*ano*	.... vest-*i* vest-*a* vest-*iamo* vest-*ite* vest-*ano*
Futuro	*Futuro*	*Futuro*
.... am-*erai* am-*erà* am-*eremo* am-*erete* am-*eranno*	.... tem-*erai* tem-*erà* tem-*eremo* tem-*erete* tem-*eranno*	.... vest-*irai* vest-*irà* vest-*iremo* vest-*irete* vest-*iranno*

MODO INFINITO		
Presente	*Presente*	*Presente*
am-*are*	tem-*ere*	vest-*ire*
Passato	*Passato*	*Passato*
avere amato	avere temuto	avere vestito
PARTICIPIO		
Presente	*Presente*	*Presente*
am-*ante*	tem-*ente*	vest-*ente*
Passato	*Passato*	*Passato*
am-*ato*	tem-*uto*	vest-*ito*
GERUNDIO		
Presente	*Presente*	*Presente*
am-*ando*	tem-*endo*	vest-*endo*
Passato	*Passato*	*Passato*
avendo amato	avendo temuto	avendo vestito
FORMA PASSIVA		
PRIMA CONIUGAZIONE **Essere amato**	SECONDA CONIUGAZIONE **Essere temuto**	TERZA CONIUGAZIONE **Essere vestito**
MODO INDICATIVO		
Presente	*Presente*	*Presente*
io sono amato tu sei amato egli è amato noi siamo amati voi siete amati essi sono amati	sono temuto sei temuto è temuto siamo temuti siete temuti sono temuti	sono vestito sei vestito è vestito siamo vestiti siete vestiti sono vestiti
Imperfetto	*Imperfetto*	*Imperfetto*
io ero amato tu eri amato egli era amato noi eravamo amati voi eravate amati essi erano amati	ero temuto eri temuto era temuto eravamo temuti eravate temuti erano temuti	ero vestito eri vestito era vestito eravamo vestiti eravate vestiti erano vestiti

Passato prossimo	*Passato prossimo*	*Passato prossimo*
io sono stato amato	sono stato temuto	sono stato vestito
tu sei stato amato	sei stato temuto	sei stato vestito
egli è stato amato	è stato temuto	è stato vestito
noi siamo stati amati	siamo stati temuti	siamo stati vestiti
voi siete stati amati	siete stati temuti	siete stati vestiti
essi sono stati amati	sono stati temuti	sono stati vestiti
Passato remoto	*Passato remoto*	*Passato remoto*
io fui amato	fui temuto	fui vestito
tu fosti amato	fosti temuto	fosti vestito
egli fu amato	fu temuto	fu vestito
noi fummo amati	fummo temuti	fummo vestiti
voi foste amati	foste temuti	foste vestiti
essi furono amati	furono temuti	furono vestiti
Trapassato prossimo	*Trapassato prossimo*	*Trapassato prossimo*
io ero stato amato	ero stato temuto	ero stato vestito
tu eri stato amato	eri stato temuto	eri stato vestito
egli era stato amato	era stato temuto	era stato vestito
noi eravamo stati amati	eravamo stati temuti	eravamo stati vestiti
voi eravate stati amati	eravate stati temuti	eravate stati vestiti
essi erano stati amati	erano stati temuti	erano stati vestiti
Trapassato remoto	*Trapassato remoto*	*Trapassato remoto*
io fui stato amato	fui stato temuto	fui stato vestito
tu fosti stato amato	fosti stato temuto	fosti stato vestito
egli fu stato amato	fu stato temuto	fu stato vestito
noi fummo stati amati	fummo stati temuti	fummo stati vestiti
voi foste stati amati	foste stati temuti	foste stati vestiti
essi furono stati amati	furono stati temuti	furono stati vestiti
Futuro semplice	*Futuro semplice*	*Futuro semplice*
io sarò amato	sarò temuto	sarò vestito
tu sarai amato	sarai temuto	sarai vestito
egli sarà amato	sarà temuto	sarà vestito
noi saremo amati	saremo temuti	saremo vestiti
voi sarete amati	sarete temuti	sarete vestiti
essi saranno amati	saranno temuti	saranno vestiti
Futuro anteriore	*Futuro anteriore*	*Futuro anteriore*
io sarò stato amato	sarò stato temuto	sarò stato vestito
tu sarai stato amato	sarai stato temuto	sarai stato vestito
egli sarà stato amato	sarà stato temuto	sarà stato vestito
noi saremo stati amati	saremo stati temuti	saremo stati vestiti
voi sarete stati amati	sarete stati temuti	sarete stati vestiti
essi saranno stati amati	saranno stati temuti	saranno stati vestiti

MODO CONGIUNTIVO

Presente	*Presente*	*Presente*
io sia amato	sia temuto	sia vestito
tu sia amato	sia temuto	sia vestito
egli sia amato	sia temuto	sia vestito
noi siamo amati	siamo temuti	siamo vestiti
voi siate amati	siate temuti	siate vestiti
essi siano amati	siano temuti	siano vestiti
Imperfetto	*Imperfetto*	*Imperfetto*
io fossi amato	fossi temuto	fossi vestito
tu fossi amato	fossi temuto	fossi vestito
egli fosse amato	fosse temuto	fosse vestito
noi fossimo amati	fossimo temuti	fossimo vestiti
voi foste amati	foste temuti	foste vestiti
essi fossero amati	fossero temuti	fossero vestiti
Passato	*Passato*	*Passato*
io sia stato amato	sia stato temuto	sia stato vestito
tu sia stato amato	sia stato temuto	sia stato vestito
egli sia stato amato	sia stato temuto	sia stato vestito
noi siamo stati amati	siamo stati temuti	siamo stati vestiti
voi siate stati amati	siate stati temuti	siate stati vestiti
essi siano stati amati	siano stati temuti	siano stati vestiti
Trapassato	*Trapassato*	*Trapassato*
io fossi stato amato	fossi stato temuto	fossi stato vestito
tu fossi stato amato	fossi stato temuto	fossi stato vestito
egli fosse stato amato	fosse stato temuto	fosse stato vestito
noi fossimo stati amati	fossimo stati temuti	fossimo stati vestiti
voi foste stati amati	foste stati temuti	foste stati vestiti
essi fossero stati amati	fossero stati temuti	fossero stati vestiti

MODO CONDIZIONALE

Presente	*Presente*	*Presente*
io sarei amato	sarei temuto	sarei vestito
tu saresti amato	saresti temuto	saresti vestito
egli sarebbe amato	sarebbe temuto	sarebbe vestito
noi saremmo amati	saremmo temuti	saremmo vestiti
voi sareste amati	sareste temuti	sareste vestiti
essi sarebbero amati	sarebbero temuti	sarebbero vestiti

Passato	*Passato*	*Passato*
io sarei stato amato tu saresti stato amato egli sarebbe stato amato noi saremmo stati amati voi sareste stati amati essi sarebbero stati amati	sarei stato temuto saresti stato temuto sarebbe stato temuto saremmo stati temuti sareste stati temuti sarebbero stati temuti	sarei stato vestito saresti stato vestito sarebbe stato vestito saremmo stati vestiti sareste stati vestiti sarebbero stati vestiti
MODO IMPERATIVO		
Presente	*Presente*	*Presente*
.... sii amato sia amato siamo amati siate amati siano amati	.... sii temuto sia temuto siamo temuti siate temuti siano temuti	.... sii vestito sia vestito siamo vestiti siate vestiti siano vestiti
Futuro	*Futuro*	*Futuro*
.... sarai amato sarà amato saremo amati sarete amati saranno amati	.... sarai temuto sarà temuto saremo temuti sarete temuti saranno temuti	.... sarai vestito sarà vestito saremo vestiti sarete vestiti saranno vestiti
MODO INFINITO		
Presente	*Presente*	*Presente*
essere amato	essere temuto	essere vestito
Passato	*Passato*	*Passato*
essere stato amato	essere stato temuto	essere stato vestito
PARTICIPIO		
Presente	*Presente*	*Presente*
....	....	....
Passato	*Passato*	*Passato*
....	....	....
GERUNDIO		
Presente	*Presente*	*Presente*
essendo amato	essendo temuto	essendo vestito
Passato	*Passato*	*Passato*
essendo stato amato	essendo stato temuto	essendo stato vestito

(a) TERZA CONIUGAZIONE CON SUFFISSO INCOATIVO

MODO INDICATIVO	
Presente	*Imperfetto*
io *finisco*	io finivo
tu *finisci*	tu finivi
egli *finisce*	egli finiva
noi finiamo	noi finivamo
voi finite	voi finivate
essi *finiscono*	essi finivano
Passato prossimo	*Trapassato prossimo*
io ho finito	io avevo finito
tu hai finito	tu avevi finito
egli ha finito	egli aveva finito
noi abbiamo finito	noi avevamo finito
voi avete finito	voi avevate finito
essi hanno finito	essi avevano finito
Passato remoto	*Trapassato remoto*
io finíi	io ebbi finito
tu finisti	tu avesti finito
egli finí	egli ebbe finito
noi finimmo	noi avemmo finito
voi finiste	voi aveste finito
essi finirono	essi ebbero finito
Futuro semplice	*Futuro anteriore*
io finirò	io avrò finito
tu finirai	tu avrai finito
egli finirà	egli avrà finito
noi finiremo	noi avremo finito
voi finirete	voi avrete finito
essi finiranno	essi avranno finito

MODO CONGIUNTIVO	
Presente	*Passato*
che io *finisca*	che io abbia finito
che tu *finisca*	che tu abbia finito
che egli *finisca*	che egli abbia finito
che noi finiamo	che noi abbiamo finito
che voi finiate	che voi abbiate finito
che essi *finiscano*	che essi abbiano finito

(b) CONIUGAZIONE CON SUFFISSO INCOATIVO

Imperfetto	*Trapassato*
che io finissi che tu finissi che egli finisse che noi finissimo che voi finiste che essi finissero	che io avessi finito che tu avessi finito che egli avesse finito che noi avessimo finito che voi aveste finito che essi avessero finito
MODO CONDIZIONALE	
Presente	*Passato*
io finirei tu finiresti egli finirebbe noi finiremmo voi finireste essi finirebbero	io avrei finito tu avresti finito egli avrebbe finito noi avremmo finito voi avreste finito essi avrebbero finito
MODO IMPERATIVO	
Presente	*Futuro*
.... *finisci* *finisca* finiamo finite *finiscano*	.... finirai finirà finiremo finirete finiranno
MODO INFINITO	
Presente	*Passato*
finire	avere finito
PARTICIPIO	
Presente	*Passato*
finente	finito, finita, finiti, finite
GERUNDIO	
Presente	*Passato*
finendo	avendo finito

<table>
<tr><th>FORMA RIFLESSIVA</th><th>FORMA PRONOMINALE</th></tr>
<tr><td colspan="2">MODO INDICATIVO</td></tr>
<tr><td>Presente
io mi lavo
tu ti lavi
egli si lava
noi ci laviamo
voi vi lavate
essi si lavano</td><td>Presente
io mi accorgo
tu ti accorgi
egli si accorge
noi ci accorgiamo
voi vi accorgete
essi si accorgono</td></tr>
<tr><td>Imperfetto
io mi lavavo
tu ti lavavi
egli si lavava
noi ci lavavamo
voi vi lavavate
essi si lavavano</td><td>Imperfetto
io mi accorgevo
tu ti accorgevi
egli si accorgeva
noi ci accorgevamo
voi vi accorgevate
essi si accorgevano</td></tr>
<tr><td>Passato remoto
io mi lavai
tu ti lavasti
egli si lavò
noi ci lavammo
voi vi lavaste
essi si lavarono</td><td>Passato remoto
io mi accorsi
tu ti accorgesti
egli si accorse
noi ci accorgemmo
voi vi accorgeste
essi si accorsero</td></tr>
<tr><td>Futuro semplice
io mi laverò
tu ti laverai
egli si laverà
noi ci laveremo
voi vi laverete
essi si laveranno</td><td>Futuro semplice
io mi accorgerò
tu ti accorgerai
egli si accorgerà
noi ci accorgeremo
voi vi accorgerete
essi si accorgeranno</td></tr>
<tr><td>Passato prossimo
io mi sono lavato
tu ti sei lavato
egli si è lavato
noi ci siamo lavati
voi vi siete lavati
essi si sono lavati</td><td>Passato prossimo
io mi sono accorto
tu ti sei accorto
egli si è accorto
noi ci siamo accorti
voi vi siete accorti
essi si sono accorti</td></tr>
<tr><td>Trapassato prossimo
io mi ero lavato
tu ti eri lavato
egli si era lavato
noi ci eravamo lavati
voi vi eravate lavati
essi si erano lavati</td><td>Trapassato prossimo
io mi ero accorto
tu ti eri accorto
egli si era accorto
noi ci eravamo accorti
voi vi eravate accorti
essi si erano accorti</td></tr>
</table>

Trapassato remoto io *mi* fui lavato tu *ti* fosti lavato egli *si* fu lavato noi *ci* fummo lavati voi *vi* foste lavati essi *si* furono lavati	*Trapassato remoto* io *mi* fui accorto tu *ti* fosti accorto egli *si* fu accorto noi *ci* fummo accorti voi *vi* foste accorti essi *si* furono accorti
Futuro anteriore io *mi* sarò lavato tu *ti* sarai lavato egli *si* sarà lavato noi *ci* saremo lavati voi *vi* sarete lavati essi *si* saranno lavati	*Futuro anteriore* io *mi* sarò accorto tu *ti* sarai accorto egli *si* sarà accorto noi *ci* saremo accorti voi *vi* sarete accorti essi *si* saranno accorti
MODO CONGIUNTIVO	
Presente che io *mi* lavi che tu *ti* lavi che egli *si* lavi che noi *ci* laviamo che voi *vi* laviate che essi *si* lavino	*Presente* che io *mi* accorga che tu *ti* accorga che egli *si* accorga che noi *ci* accorgiamo che voi *vi* accorgiate che essi *si* accorgano
Imperfetto che io *mi* lavassi che tu *ti* lavassi che egli *si* lavasse che noi *ci* lavassimo che voi *vi* lavaste che essi *si* lavassero	*Imperfetto* che io *mi* accorgessi che tu *ti* accorgessi che egli *si* accorgesse che noi *ci* accorgessimo che voi *vi* accorgeste che essi *si* accorgessero
Passato che io *mi* sia lavato che tu *ti* sia lavato che egli *si* sia lavato che noi *ci* siamo lavati che voi *vi* siate lavati che essi *si* siano lavati	*Passato* che io *mi* sia accorto che tu *ti* sia accorto che egli *si* sia accorto che noi *ci* siamo accorti che voi *vi* siate accorti che essi *si* siano accorti
Trapassato che io *mi* fossi lavato che tu *ti* fossi lavato che egli *si* fosse lavato che noi *ci* fossimo lavati che voi *vi* foste lavati che essi *si* fossero lavati	*Trapassato* che io *mi* fossi accorto che tu *ti* fossi accorto che egli *si* fosse accorto che noi *ci* fossimo accorti che voi *vi* foste accorti che essi *si* fossero accorti

MODO CONDIZIONALE	
Presente	*Presente*
io *mi* laverei tu *ti* laveresti egli *si* laverebbe noi *ci* laveremmo voi *vi* lavereste essi *si* laverebbero	io *mi* accorgerei tu *ti* accorgeresti egli *si* accorgerebbe noi *ci* accorgeremmo voi *vi* accorgereste essi *si* accorgerebbero
Passato	*Passato*
io *mi* sarei lavato tu *ti* saresti lavato egli *si* sarebbe lavato noi *ci* saremmo lavati voi *vi* sareste lavati essi *si* sarebbero lavati	io *mi* sarei accorto tu *ti* saresti accorto egli *si* sarebbe accorto noi *ci* saremmo accorti voi *vi* sareste accorti essi *si* sarebbero accorti
MODO IMPERATIVO	
Presente	*Presente*
.... lava*ti* *si* lavi laviamo*ci* lavate*vi* *si* lavino	.... accorgi*ti* *si* accorga accorgiamo*ci* accorgete*vi* *si* accorgano
Futuro	*Futuro*
.... *ti* laverai *si* laverà *ci* laveremo *vi* laverete *si* laveranno	.... *ti* accorgerai *si* accorgerà *ci* accorgeremo *vi* accorgerete *si* accorgeranno
MODO INFINITO	
Presente	*Presente*
lavar*si* (lavar*mi*, lavar*ti*, lavar*ci*, lavar*vi*)	accorger*si* (accorger*mi*, accorger*ti*, accorger*si*, accorger*vi*)
Passato	*Passato*
esser*si* (esser*mi*, ecc.) lavato	esser*si* (esser*mi*, ecc.) accorto
PARTICIPIO	
Presente: lavante*si* (lavanti*si*)	*Presente*: accorgente*si* (accorgenti*si*)
Passato: lavato*si* (lavato*mi*, ecc.)	*Passato*: accorto*si* (accorto*mi*, ecc.)
GERUNDIO	
Presente: lavando*si* (lavando*mi*, ecc.)	*Presente*: accorgendo*si* (accorgendo*mi*, ecc.)
Passato: essendo*si* lavato (essendo*mi* lavato, ecc.)	*Passato*: essendo*si* accorto (essendo*mi* accorto, ecc.)

tema verbale in ci–	tema verbale in gi–	tema verbale in sci–
MODO INDICATIVO		
Presente	*Presente*	*Presente*
io bacio	io appoggio	io fascio
tu *baci*	tu *appoggi*	tu *fasci*
egli bacia	egli appoggia	egli fascia
noi *baciamo*	noi *appoggiamo*	noi *fasciamo*
voi baciate	voi appoggiate	voi fasciate
essi baciano	essi appoggiano	essi fasciano
Imperfetto	*Imperfetto*	*Imperfetto*
io baciavo	io appoggiavo	io fasciavo
tu baciavi	tu appoggiavi	tu fasciavi
egli baciava	egli appoggiava	egli fasciava
noi baciavamo	noi appoggiavamo	noi fasciavamo
voi baciavate	voi appoggiavate	voi fasciavate
essi baciavano	essi appoggiavano	essi fasciavano
Passato prossimo	*Passato prossimo*	*Passato prossimo*
io ho baciato	io ho appoggiato	io ho fasciato
tu hai baciato	tu hai appoggiato	tu hai fasciato
egli ha baciato	egli ha appoggiato	egli ha fasciato
noi abbiamo baciato	noi abbiamo appoggiato	noi abbiamo fasciato
voi avete baciato	voi avete appoggiato	voi avete fasciato
essi hanno baciato	essi hanno appoggiato	essi hanno fasciato
Passato remoto	*Passato remoto*	*Passato remoto*
io baciai	io appoggiai	io fasciai
tu baciasti	tu appoggiasti	tu fasciasti
egli baciò	egli appoggiò	egli fasciò
noi baciammo	noi appoggiammo	noi fasciammo
voi baciaste	voi appoggiaste	voi fasciaste
essi baciarono	essi appoggiarono	essi fasciarono
Trapassato prossimo	*Trapassato prossimo*	*Trapassato prossimo*
io avevo baciato	io avevo appoggiato	io avevo fasciato
tu avevi baciato	tu avevi appoggiato	tu avevi fasciato
egli aveva baciato	egli aveva appoggiato	egli aveva fasciato
noi avevamo baciato	noi avevamo appoggiato	noi avevamo fasciato
voi avevate baciato	voi avevate appoggiato	voi avevate fasciato
essi avevano baciato	essi avevano appoggiato	essi avevano fasciato
Trapassato remoto	*Trapassato remoto*	*Trapassato remoto*
io ebbi baciato	io ebbi appoggiato	io ebbi fasciato
tu avesti baciato	tu avesti appoggiato	tu avesti fasciato
egli ebbe baciato	egli ebbe appoggiato	egli ebbe fasciato
noi avemmo baciato	noi avemmo appoggiato	noi avemmo fasciato
voi aveste baciato	voi aveste appoggiato	voi aveste fasciato
essi ebbero baciato	essi ebbero appoggiato	essi ebbero fasciato

Futuro semplice	*Futuro semplice*	*Futuro semplice*
io *bacerò*	io *appoggerò*	io *fascerò*
tu *bacerai*	tu *appoggerai*	tu *fascerai*
egli *bacerà*	egli *appoggerà*	egli *fascerà*
noi *baceremo*	noi *appoggeremo*	noi *fasceremo*
voi *bacerete*	voi *appoggerete*	voi *fascerete*
essi *baceranno*	*essi appoggeranno*	essi *fasceranno*
Futuro anteriore	*Futuro anteriore*	*Futuro anteriore*
io avrò baciato	io avrò appoggiato	io avrò fasciato
tu avrai baciato	tu avrai appoggiato	tu avrai fasciato
egli avrà baciato	egli avrà appoggiato	egli avrà fasciato
noi avremo baciato	noi avremo appoggiato	noi avremo fasciato
voi avrete baciato	voi avrete appoggiato	voi avrete fasciato
essi avranno baciato	essi avranno appoggiato	essi avranno fasciato
	MODO CONGIUNTIVO	
Presente	*Presente*	*Presente*
che io *baci*	che io *appoggi*	che io *fasci*
» tu *baci*	» tu *appoggi*	» tu *fasci*
» egli *baci*	» egli *appoggi*	» egli *fasci*
» noi *baciamo*	» noi *appoggiamo*	» noi *fasciamo*
» voi *baciate*	» voi *appoggiate*	» voi *fasciate*
» essi *bacino*	» essi *appoggino*	» essi *fascino*
Imperfetto	*Imperfetto*	*Imperfetto*
che io baciassi	che io appoggiassi	che io fasciassi
» tu baciassi	» tu appoggiassi	» tu fasciassi
» egli baciasse	» egli appoggiasse	» egli fasciasse
» noi baciassimo	» noi appoggiassimo	» noi fasciassimo
» voi baciaste	» voi appoggiaste	» voi fasciaste
» essi baciassero	» essi appoggiassero	» essi fasciassero
Passato	*Passato*	*Passato*
che io abbia baciato	che io abbia appoggiato	che io abbia fasciato
» tu abbia baciato	» tu abbia appoggiato	» tu abbia fasciato
» egli abbia baciato	» egli abbia appoggiato	» egli abbia fasciato
» noi abbiamo baciato	» noi abbiamo appoggiato	» noi abbiamo fasciato
» voi abbiate baciato	» voi abbiate appoggiato	» voi abbiate fasciato
» essi abbiano baciato	» essi abbiano appoggiato	» essi abbiano fasciato
Trapassato	*Trapassato*	*Trapassato*
che io avessi baciato	che io avessi appoggiato	che io avessi fasciato
» tu avessi baciato	» tu avessi appoggiato	» tu avessi fasciato
» egli avesse baciato	» egli avesse appoggiato	» egli avesse fasciato
» noi avessimo baciato	» noi avessimo appoggiato	» noi avessimo fasciato
» voi aveste baciato	» voi aveste appoggiato	» voi aveste fasciato
» essi avessero baciato	» essi avessero appoggiato	» essi avessero fasciato

MODO CONDIZIONALE		
Presente	*Presente*	*Presente*
io *bacerei* tu *baceresti* egli *bacerebbe* noi *baceremmo* voi *bacereste* essi *bacerebbero*	io *appoggerei* tu *appoggeresti* egli *appoggerebbe* noi *appoggeremmo* voi *appoggereste* essi *appoggerebbero*	io *fascerei* tu *fasceresti* egli *fascerebbe* noi *fasceremmo* voi *fascereste* essi *fascerebbero*
Passato	*Passato*	*Passato*
io avrei baciato tu avresti baciato egli avrebbe baciato noi avremmo baciato voi avreste baciato essi avrebbero baciato	io avrei appoggiato tu avresti appoggiato egli avrebbe appoggiato noi avremmo appoggiato voi avreste appoggiato essi avrebbero appoggiato	io avrei fasciato tu avresti fasciato egli avrebbe fasciato noi avremmo fasciato voi avreste fasciato essi avrebbero fasciato

MODO IMPERATIVO		
Presente	*Presente*	*Presente*
.... bacia *baci* *baciamo* *baciate* *bàcino*	.... appoggia *appoggi* *appoggiamo* *appoggiate* *appòggino*	.... fascia *fasci* *fasciamo* *fasciate* *fàscino*
Futuro	*Futuro*	*Futuro*
.... *bacerai* *bacerà* *baceremo* *bacerete* *baceranno*	.... *appoggerai* *appoggerà* *appoggeremo* *appoggerete* *appoggeranno*	.... *fascerai* *fascerà* *fasceremo* *fascerete* *fasceranno*

MODO INFINITO		
Presente: baciare *Passato*: aver baciato	*Presente*: appoggiare *Pass.*: aver appoggiato	*Presente*: fasciare *Passato*: aver fasciato

PARTICIPIO		
Presente: baciante *Passato*: baciato	*Presente*: appoggiante *Passato*: appoggiato	*Presente*: fasciante *Passato*: fasciato

GERUNDIO		
Presente: baciando *Pass.*: avendo baciato	*Presente*: appoggiando *Passato*: avendo appoggiato	*Presente*: fasciando *Pass.*: avendo fasciato

(a) PRIMA CONIUGAZIONE: Verbi con tema gutturale

Tema verbale in c–	**Tema verbale in g–**
MODO INDICATIVO	
Presente	*Presente*
io giudico	io vago
tu *giudichi*	tu *vaghi*
egli giudica	egli vaga
noi *giudichiamo*	noi *vaghiamo*
voi giudicate	voi vagate
essi giudicano	essi vagano
Imperfetto	*Imperfetto*
io giudicavo	io vagavo
tu giudicavi	tu vagavi
egli giudicava	egli vagava
noi giudicavamo	noi vagavamo
voi giudicavate	voi vagavate
essi giudicavano	essi vagavano
Passato remoto	*Passato remoto*
io giudicai	io vagai
tu giudicasti	tu vagasti
egli giudicò	egli vagò
noi giudicammo	noi vagammo
voi giudicaste	voi vagaste
essi giudicarono	essi vagarono
Futuro semplice	*Futuro semplice*
io *giudicherò*	io *vagherò*
tu *giudicherai*	tu *vagherai*
egli *giudicherà*	egli *vagherà*
noi *giudicheremo*	noi *vagheremo*
voi *giudicherete*	voi *vagherete*
essi *giudicheranno*	essi *vagheranno*
Passato prossimo	*Passato prossimo*
io ho giudicato	io ho vagato
tu hai giudicato	tu hai vagato
egli ha giudicato	egli ha vagato
noi abbiamo giudicato	noi abbiamo vagato
voi avete giudicato	voi avete vagato
essi hanno giudicato	essi hanno vagato
Trapassato prossimo	*Trapassato prossimo*
io avevo giudicato	io avevo vagato
tu avevi giudicato	tu avevi vagato
egli aveva giudicato	egli aveva vagato
noi avevamo giudicato	noi avevamo vagato
voi avevate giudicato	voi avevate vagato
essi avevano giudicato	essi avevano vagato

Trapassato remoto	*Trapassato remoto*
io ebbi giudicato tu avesti giudicato egli ebbe giudicato noi avemmo giudicato voi aveste giudicato essi ebbero giudicato	io ebbi vagato tu avesti vagato egli ebbe vagato noi avemmo vagato voi aveste vagato essi ebbero vagato
Futuro anteriore	*Futuro anteriore*
io avrò giudicato tu avrai giudicato egli avrà giudicato noi avremo giudicato voi avrete giudicato essi avranno giudicato	io avrò vagato tu avrai vagato egli avrà vagato noi avremo vagato voi avrete vagato essi avranno vagato
MODO CONGIUNTIVO	
Presente	*Presente*
che io *giudichi* che tu *giudichi* che egli *giudichi* che noi *giudichiamo* che voi *giudichiate* che essi *giudichino*	che io *vaghi* che tu *vaghi* che egli *vaghi* che noi *vaghiamo* che voi *vaghiate* che essi *vaghino*
Imperfetto	*Imperfetto*
che io giudicassi che tu giudicassi che egli giudicasse che noi giudicassimo che voi giudicaste che essi giudicassero	che io vagassi che tu vagassi che egli vagasse che noi vagassimo che voi vagaste che essi vagassero
Passato	*Passato*
che io abbia giudicato che tu abbia giudicato che egli abbia giudicato che noi abbiamo giudicato che voi abbiate giudicato che essi abbiano giudicato	che io abbia vagato che tu abbia vagato che egli abbia vagato che noi abbiamo vagato che voi abbiate vagato che essi abbiano vagato
Trapassato	*Trapassato*
che io avessi giudicato che tu avessi giudicato che egli avesse giudicato che noi avessimo giudicato che voi aveste giudicato che essi avessero giudicato	che io avessi vagato che tu avessi vagato che egli avesse vagato che noi avessimo vagato che voi aveste vagato che essi avessero vagato

MODO CONDIZIONALE	
Presente	*Presente*
io *giudicherei* tu *giudicheresti* egli *giudicherebbe* noi *giudicheremmo* voi *giudichereste* essi *giudicherebbero*	io *vagherei* tu *vagheresti* egli *vagherebbe* noi *vagheremmo* voi *vaghereste* essi *vagherebbero*
Passato	*Passato*
io avrei giudicato tu avresti giudicato egli avrebbe giudicato noi avremmo giudicato voi avreste giudicato essi avrebbero giudicato	io avrei vagato tu avresti vagato egli avrebbe vagato noi avremmo vagato voi avreste vagato essi avrebbero vagato
MODO IMPERATIVO	
Presente	*Presente*
.... giudica *giudichi* *giudichiamo* giudicate *giudichino*	.... vaga *vaghi* *vaghiamo* vagate *vaghino*
Futuro	*Futuro*
.... *giudicherai* *giudicherà* *giudicheremo* *giudicherete* *giudicheranno*	.... *vagherai* *vagherà* *vagheremo* *vagherete* *vagheranno*
MODO INFINITO	
Presente: giudicare *Passato*: aver giudicato	*Presente*: vagare *Passato*: aver vagato
PARTICIPIO	
Presente: giudicante *Passato*: giudicato	*Presente*: vagante *Passato*: vagato
GERUNDIO	
Presente: giudicando *Passato*: avendo giudicato	*Presente*: vagando *Passato*: avendo vagato

Tema verbale in c–	Tema verbale in g–
MODO INDICATIVO	
Presente	*Presente*
io *vinco*	io *tingo*
tu vinci	tu tingi
egli vince	egli tinge
noi vinciamo	noi tingiamo
voi vincete	voi tingete
essi *vincono*	essi *tingono*
Imperfetto	*Imperfetto*
io vincevo	io tingevo
tu vincevi	tu tingevi
egli vinceva	egli tingeva
noi vincevamo	noi tingevamo
voi vincevate	voi tingevate
essi vincevano	essi tingevano
Passato remoto	*Passato remoto*
io vinsi	io tinsi
tu vincesti	tu tingesti
egli vinse	egli tinse
noi vincemmo	noi tingemmo
voi vinceste	voi tingeste
essi vinsero	essi tinsero
Futuro semplice	*Futuro semplice*
io vincerò	io tingerò
tu vincerai	tu tingerai
egli vincerà	egli tingerà
noi vinceremo	noi tingeremo
voi vincerete	voi tingerete
essi vinceranno	essi tingeranno
Passato prossimo	*Passato prossimo*
io ho vinto	io ho tinto
tu hai vinto	tu hai tinto
egli ha vinto	egli ha tinto
noi abbiamo vinto	noi abbiamo tinto
voi avete vinto	voi avete tinto
essi hanno vinto	essi hanno tinto
Trapassato prossimo	*Trapassato prossimo*
io avevo vinto	io avevo tinto
tu avevi vinto	tu avevi tinto
egli aveva vinto	egli aveva tinto
noi avevamo vinto	noi avevamo tinto
voi avevate vinto	voi avevate tinto
essi avevano vinto	essi avevano tinto

Trapassato remoto	*Trapassato remoto*
io ebbi vinto tu avesti vinto egli ebbe vinto noi avemmo vinto voi aveste vinto essi ebbero vinto	io ebbi tinto tu avesti tinto egli ebbe tinto noi avemmo tinto voi aveste tinto essi ebbero tinto
Futuro anteriore	*Futuro anteriore*
io avrò vinto tu avrai vinto egli avrà vinto noi avremo vinto voi avrete vinto essi avranno vinto	io avrò tinto tu avrai tinto egli avrà tinto noi avremo tinto voi avrete tinto essi avranno tinto
MODO CONGIUNTIVO	
Presente	*Presente*
che io *vinca* che tu *vinca* che egli *vinca* che noi vinciamo che voi vinciate che essi *vincano*	che io *tinga* che tu *tinga* che egli *tinga* che noi tingiamo che voi tingiate che essi *tingano*
Imperfetto	*Imperfetto*
che io vincessi che tu vincessi che egli vincesse che noi vincessimo che voi vinceste che essi vincessero	che io tingessi che tu tingessi che egli tingesse che noi tingessimo che voi tingeste che essi tingessero
Passato	*Passato*
che io abbia vinto che tu abbia vinto che egli abbia vinto che noi abbiamo vinto che voi abbiate vinto che essi abbiano vinto	che io abbia tinto che ti abbia tinto che egli abbia tinto che noi abbiamo tinto che voi abbiate tinto che essi abbiano tinto
Trapassato	*Trapassato*
che io avessi vinto che tu avessi vinto che egli avesse vinto che noi avessimo vinto che voi aveste vinto che essi avessero vinto	che io avessi tinto che tu avessi tinto che egli avesse tinto che noi avessimo tinto che voi aveste tinto che essi avessero tinto

MODO CONDIZIONALE	
Presente	*Presente*
io vincerei	io tingerei
tu vinceresti	tu tingeresti
egli vincerebbe	egli tingerebbe
noi vinceremmo	noi tingeremmo
voi vincereste	voi tingereste
essi vincerebbero	essi tingerebbero
Passato	*Passato*
io avrei vinto	io avrei tinto
tu avresti vinto	tu avresti tinto
egli avrebbe vinto	egli avrebbe tinto
noi avremmo vinto	noi avremmo tinto
voi avreste vinto	voi avreste tinto
essi avrebbero vinto	essi avrebbero tinto
MODO IMPERATIVO	
Presente	*Presente*
....	....
vinci	tingi
vinca	*tinga*
vinciamo	tingiamo
vincete	tingete
vincano	*tingano*
Futuro	*Futuro*
....	....
vincerai	tingerai
vincerà	tingerà
vinceremo	tingeremo
vincerete	tingerete
vinceranno	tingeranno
MODO INFINITO	
Presente	*Presente*
vincere	tingere
Passato	*Passato*
aver vinto	aver tinto
PARTICIPIO	
Presente	*Presente*
vincente	tingente
Passato	*Passato*
vinto	tinto
GERUNDIO	
Presente	*Presente*
vincendo	tingendo
Passato	*Passato*
avendo vinto	avendo tinto

vergognàrsi: verbo della prima coniugazione, intransitivo pronominale. Ausiliare: essere. Si costruisce con le preposizioni *di* o *per*. Es.: *Mi vergogno di questa operazione*; *Si vergognava per il suo comportamento*. Quando regge una proposizione oggettiva ammette il costrutto implicito con *di* o *a* e l'infinito (*Ci vergognavamo di doverci presentare in quello stato*; *Si vergogna a chiederlo a suo padre*), oppure il costrutto esplicito (*Mi vergogno che i miei collaboratori non abbiano agito correttamente*).

verificàre: verbo della prima coniugazione, transitivo. Significa: controllare, accertarsi, riscontrare. Al riflessivo vale: accadere, succedere. Ma è uso da evitare. Es.: *Sono accaduti* (non: si sono verificati) *molti incidenti*. Corretto invece l'uso nel senso di: dimostrarsi vero. Es.: *Si sono verificate le nostre previsioni*.

vernàcolo: varietà locale di una lingua, sviluppatasi a contatto sia del dialetto sia della lingua ufficiale e divenuta la voce delle istanze espressive, spontanee ed artistiche dei ceti popolari. Il termine è usato anche come sinonimo di *dialetto*.

véro: aggettivo qualificativo. Tra i vari usi della parola, c'è anche quello di segnale discorsivo, per richiamare l'attenzione in un'interrogazione retorica. Es.: *Sei stato tu, vero?*

versàre: verbo della prima coniugazione, transitivo. Significa: far uscire un liquido da un recipiente (Es.: *Mi versò da bere*; *Hai versato l'acqua per terra*), piangere (*Dovrai versare lacrime amare*), morire o esser ferito (*Ha versato il suo sangue per la patria*). Usato intransitivamente (ausiliare: avere) significa: trovarsi, essere (Es.: *Ora versa in miseria*). Nel linguaggio finanziario vale: pagare, sborsare, depositare. Es.: *Ho versato in banca due milioni*; *Devi versare la quota di abbonamento*. Così il sostantivo VERSAMÉNTO vale: pagamento. Es.: *Per l'iscrizione è richiesto un versamento di cinquemila lire*. Il participio passato, *versàto*, usato come aggettivo, vale: esperto, pratico. Es.: *È un uomo versato nelle lettere latine*.

versióne: sostantivo femminile. Significa: traduzione da una lingua in un'altra. Oggi anche: modo di raccontare un fatto. Es.: *L'imputato ha dato diverse versioni del suo gesto*. Meno proprio il significato più recente di: modello, tipo, variante. Es.: *Automobile in versione sportiva*.

vèrso: preposizione impropria che indica tendenza, direzione. Si costruisce direttamente (davanti ai pronomi personali si usa però anche la preposizione *di*). Es.: *Egli va verso Milano*; *È stato buono verso di noi*. Vale anche: circa, in prossimità. Es.: *Vediamoci verso le sei*; *È accaduto nei dintorni, verso San Miniato*. Come sostantivo significa: atto sguaiato, moina, caricatura (Es.: *Fa' quel che ti dico, senza tanti versi*; *Rifaceva il verso al suo professore*); modo (Es.: *Bisogna prenderlo per il suo verso*).

vèrso: frase in cui le parole si dispongono secondo le leggi della ritmica. Esso può essere definito una serie di sillabe ritmate secondo un sistema di accenti. La parola *verso* deriva dal latino *versus* (che significa: voltata) poiché a fine di ogni verso si va a capo. Il verso è dunque un rigo di poesia. I versi italiani si classificano anzitutto tenendo presente il numero delle sillabe di cui sono composti. Si hanno nove specie di versi, di cui quattro *parisillabi* e cinque *imparisillabi*. Sono parisillabi: il *decasillabo*, l'*ottonario*, il *senario*, il *quadrisillabo*; sono imparisillabi: l'*endecasillabo*, il *novenario*, il *settenario*, il *quinario*, il *trisillabo*. La distinzione ebbe un tempo molta importanza per i retori, i quali stimavano più belli e perfetti i versi imparisillabi.

Per contar bene le sillabe di un verso occorre tener presenti le alterazioni che avvengono all'interno di esso per le cosiddette *figure metriche*. Di queste le principali sono: a) le figure di *vocale*, cioè l'*elisione*, lo *iato*, la *dieresi*, la *sineresi*; b) le figure di *accento*, cioè la *sistole* e la *diastole*; c) le *licenze poetiche*, cioè la *protesi*, l'*epentesi*, la *paragoge*, l'*aferesi*, la *sincope*, l'*apocope* (V., per il significato e gli esempi, le voci relative).

I versi si dicono *piani, sdruccioli* o *tronchi* secondo che finiscano con una parola piana, sdrucciola o tronca. I versi italiani seguono determinate regole riguardanti il numero degli accenti e la posizione di essi, poiché dall'ordine degli accenti de-

riva il ritmo stesso del verso. Ogni verso ha perciò uno o più sistemi di accenti ritmici. Leggendo ritmicamente, anche le sillabe grammaticalmente accentate, ma non in posizione ritmica, si considerano atone. Ad esempio, nel verso: *Il perder témpo a chi più sà più spiàce* (Dante) sono accentate ritmicamente la 4ª, la 8ª e la 10ª sillaba, mentre le altre (anche *più*, si noti) sono lette come atone.
Ecco i principali sistemi di accenti ritmici dei versi italiani: a) l'*endecasillabo*: sulla 4ª, 8ª, 10ª sillaba (Es.: *Un bel morìr tutta la vìta onóra*), sulla 6ª e 10ª sillaba (Es.: *Una chiusa bellézza è più soàve*), sulla 4ª, 7ª e 10ª sillaba (Es.: *Poco favìlla gran fiàmma secónda*); b) il *decasillabo*: sulla 3ª, 6ª, 9ª sillaba (Es.: *Miser quèi che in sua vìta non cólse*); c) il *novenario*: sulla 2ª, 5ª, 8ª sillaba (Es.: *Il vòlo d'un grìgio alciòne*); d) l'*ottonario*: sulla 3ª e 7ª (Es.: *Quanto è bèlla giovinézza*), sulla 2ª, 5ª, 7ª (Es.: *Perché ricordàre invàno*), sulla 2ª, 4ª, 7ª (Es.: *Quel càro tèmpo è lontàno*); e) il *settenario*: sulla 6ª e su una delle prime quattro sillabe (Es.: *Come la lùna è biànca*); f) il *senario*: sulla 2ª e 5ª sillaba (Es.: *La pèndola bàtte*); g) il *quinario*: sulla quarta sillaba (Es.: *Amo te sòlo - te solo amài - tu fosti il prìmo - tu pur sarài - l'ultimo oggètto - che adorerò*); h) il *quadrisillabo*: sulla terza sillaba (Es.: *C'è un castèllo - c'è un tesòro - c'è un avèllo*); i) il *trisillabo*: sulla seconda sillaba (Es.: *Morìr - Dormìr - Sparìr*).
I versi brevi talora si accoppiano insieme formando così l'*ottonario doppio,* il *settenario doppio,* il *senario doppio,* il *quinario doppio.* I versi italiani (che si scrivono uno per riga) si raggruppano secondo regole determinate, ma non rigide, per formare le *strofe.* Si aggiunge allora un elemento importantissimo della versificazione italiana: la *rima.* Due o più versi fanno rima quando finiscono con due parole di suono identico, o assonanti, dall'accento tonico in poi. Il numero delle sillabe, la posizione degli accenti e la rima sono i tre elementi essenziali della metrica italiana. V. anche *Rima.*
Tranne i versi *sciolti,* che si susseguono senza il legame delle rime, tutti i versi italiani formano raggruppamenti ritmici detti *strofe.* La più breve di queste è il *distico* (V.), composta di due versi a rima baciata. Vi sono poi la *terzina,* la *quartina,* la *sestina,* l'*ottava,* la *nona rima* (V. voci relative e la voce *Strofa*). All'interno della strofe le rime possono essere:
baciate (AA, BB). Es.:

«*Odio fanciul soverchiamente saggio:*
non è tempo di nevi aprile e maggio»;

incatenate (ABA, BCB, ecc.). Es.:

«*Nel mezzo del cammin di nostra*
[*vita* (A)
mi ritrovai per una selva oscura (B)
ché la diritta via era smarrita. (A)
Ah quanto a dir qual era è cosa dura (B)
esta selva selvaggia e aspra e forte (C)
che nel pensier renova la paura» (B);

alternate (AB, AB). Es.:

«*Nevica: l'aria brulica di bianco;* (A)
la terra è bianca: neve sopra lieve (B);
gemono gli olmi a lungo mugghio
[*stanco:* (A)
cade del bianco con un tonfo lieve» (B);

incrociate (AB, BA). Es.:

«*Rondini allegre, rondini leggere,* (A)
in giro in giro, vorticosamente: (B)
ma nello specchio del mio cuor
[*dolente* (B)
tante piccole croci nere nere...» (A).

Possono tuttavia trovarsi combinate anche in altri sistemi.
I versi e le strofe danno luogo ai metri o *forme metriche.* Ogni poeta crea metri nuovi o adatta i vecchi al proprio sentimento. Tuttavia nel corso della storia, dal sec. XIII in poi, alcune forme si sono fissate secondo schemi e regole proprie.
I più comuni metri sono: la *canzone,* la *canzonetta,* l'*ode,* il *sonetto,* il *sirventese,* la *ballata,* il *madrigale,* lo *strambotto* e lo *stornello* (V. voci relative).

vèrtere: verbo della seconda coniugazione, intransitivo. Difettivo; usato quasi solo nelle terze persone dei tempi semplici. *Pres. indic.*: vèrte, vèrtono. *Imperf.*: vertéva, vertévano. *Pass. rem.*: verté, vertérono. *Pres. cong.*: vèrta, vèrtano. *Pres. condiz.*: verterèbbe, verterèbbero. *Part. pres.*: vertènte. Significa: consistere, trattarsi (detto di questione, lite, disputa). Es.: *La polemica verte sul controllo internazionale del Canale di Suez.*

verúno: aggettivo indefinito. D'uso antiquato o scherzoso, è oggi sostituito da: nessuno o alcuno. Es.: *Non ha rispetto veruno per la nostra vecchiaia*; *Parlò senza verun sospetto.*

vestígio: sostantivo maschile che significa: orma, impronta, traccia. Sovrabbondante al plurale: i vestígi e le vestígia (più usato). Usato anche al figurato. Es.: *Ammirava a Roma le vestigia dell'antica grandezza.*

vestiménto: sostantivo maschile. Vale: vestito, veste. Sovrabbondante al plurale: i vestiménti (più usato) o le vestiménta.

vestíre: verbo della terza coniugazione. Può essere transitivo (*Vestire gli ignudi*; *La mamma ci vestiva sempre di bianco*) oppure intransitivo (*Di solito vestiva elegante*; *Era vestito bene*).

vetero-: primo elemento di parole composte. Significa: antico, superato, vecchio. Es.: *veterocomunismo.*

vezzeggiatívo: una delle quattro forme di alterazione del nome o dell'aggettivo. Aggiunge all'idea espressa dal nome un senso di simpatia e tenerezza. Suffissi caratteristici sono *-úccio* (da re, *reúccio*) e *-úzzo* (da labbro, *labbrúzzo*) per il maschile, e *-úccia* (da anima, *animúccia*) e *-úzza* (da pietra, *pietrúzza*) per il femminile. Talora anche le forme del *diminutivo* (V.) hanno un significato vezzeggiativo, specie quando con l'idea di piccolezza si vuol render più grazioso o più simpatico l'oggetto indicato. Es.: *gattíno, casúccia, bellíno, pesciolíno.* V. anche ALTERAZIONE DEI NOMI E DEGLI AGGETTIVI.

vi: particella pronominale atona di seconda persona plurale. Si usa per il complemento oggetto e quello di termine. Es.: *Noi vi lodiamo* (=noi lodiamo voi); *Essi vi comunicarono* (=essi comunicarono a voi). Con le forme verbali dell'infinito, del participio e del gerundio diventa enclitica. Es.: *Uccidervi; leggendovi; domandandovi.* V. anche *Personali* (*Pronomi*).
Vi diventa *ve* davanti ad un'altra forma atona dei pronomi (*Ve lo mostrammo*).
È anche particella avverbiale (aferesi di *ivi*) con valore di: in quel luogo, lì (Es.: *Sono diretto al mare e vi resterò un mese*). Talora ha solo un valore pleonastico. Es.: *Vi sono degli uomini*; *Non ve n'erano più*; *Non vi è nessuno in quella casa.*

vía: sostantivo femminile che significa: strada; in senso figurato: modo, mezzo. Es.: *Bisogna trovar la via giusta per arrivare a quella persona*; *Infinite sono le vie del contrabbando.* Si notino alcune locuzioni che è meglio evitare: *in via provvisoria, in via eccezionale* (dirai: provvisoriamente, eccezionalmente); *vie di fatto* (percosse, violenze). Come avverbio, *via* rafforza il significato di alcuni verbi: *portar via* (rubare), *andar via* (partire), *mandar via* (scacciare), *tirar via* (sbrigarsi), *passar via* (correr velocemente), *esser via* (non essere nella propria sede abituale). Forma poi varie locuzioni. Es.: *Via!* (interiezione; ordine di andar via oppure esortazione, incoraggiamento), *via via* (di man in mano), *per via di* (a causa di), *in via di* (come per, a titolo di). Es.: *Via di qui, bugiardi!*; *Te li manderò via via che passeranno di qui*; *Via, facciamo la pace!*; *Non erano più molto amici per via di certe dicerie*; *Mi ha dato questi biglietti in via di favore.*

viavài: parola composta indeclinabile. Nome maschile che indica l'andirivieni di molte persone.

vibrànte: participio presente di *vibrare*. Come aggettivo, è oggi molto usato nel senso figurato per: fremente, intenso, denso. Es.: *Chiuse il discorso con parole vibranti d'entusiasmo*; *L'adunata fu vibrante di passione.* Non bisogna però abusare del termine, sostituendolo, quando è possibile, con i sinonimi più adatti (fremente, veemente, appassionato). Pure da limitare l'uso del participio passato *vibràto*, con valore di aggettivo nel senso di: energico, fiero, risoluto. Es.: *L'ambasciatore ha presentato una vibrata protesta.*

vibràre: verbo della prima coniugazione. Usato transitivamente, significa: scagliare, assestare, lanciare (Es.: *Gli vibrò alcuni colpi assai forti*). Usato intransitivamente (ausiliare: avere), significa: oscillare, agitarsi (anche in senso figurato). Es.: *La corda ha vibrato*; *Quelle popolazioni vibrarono d'entusiasmo al suo passaggio.*

vice-: prefisso d'origine latina che significa: in luogo di. Es.: *viceprefetto* (che sostituisce il prefetto) e analogamente: *viceré, vicesindaco, vicemadre, vicepreside*, ecc. Si può scrivere unito direttamente al nome oppure diviso mediante una stanghetta (*vice-presidente*). Anche sostantivo maschile, sottintendendo la carica o la funzione cui si riferisce. Es.: *Questo articolo non è del titolare, ma del vice*; *In assenza del presidente, ho parlato con il vice*; *L'avvocato X è il suo vice*.

viciniòre: aggettivo qualificativo. È forma del comparativo di *vicino* derivata dal latino. Oggi, nel senso di limitrofo, è usato solo nel linguaggio burocratico.

vicíno: aggettivo che significa: prossimo, propinquo, adiacente. Come sostantivo, indica soprattutto coloro che abitano nelle case adiacenti. Es.: *A quelle urla, accorsero tutti i vicini*; *Quella signora è una mia vicina*.
Come avverbio vale: a poca distanza (di tempo o di spazio), accanto. Es.: *In quel tempo abitavamo vicino*; *I due fatti accaddero troppo vicino*; *L'ho visto proprio da vicino*.
Come preposizione vale: presso, non lontano, accanto; si costruisce con la preposizione *a*. Es.: *Era seduto vicino a me*; *Ci siam visti vicino a Natale*.

video-: primo elemento di molti neologismi composti. Indica attinenza al mondo o alla tecnica della televisione: *videoregistratore, videocassetta, videogame, videotype*.

vidimàre: verbo della prima coniugazione, transitivo. È un francesismo derivato però dal latino *vídimus* (noi diremo oggi: il visto). È ormai nell'uso, come *vistare*, nel senso di: mettere il visto, firmare, bollare, convalidare. Es.: *Le autorità hanno vidimato il passaporto*.

víe: avverbio che vale: molto. Si preponeva un tempo a taluni comparativi per rafforzarli. Es.: *víe meno, víe meglio, vié più*. Quest'ultima forma è l'unica rimasta nell'uso anche scritta come una sola parola: *viepiù* (non: vieppiù, poiché *vie* non richiede il raddoppiamento della consonante iniziale).

vietàre: verbo della prima coniugazione, transitivo. Quando regge una proposizione oggettiva si costruisce con *di* e l'infinito nel costrutto implicito (*Vietavamo di entrare*; *Vietavamo a tutti di parlare*), con il congiuntivo nel costrutto esplicito (*Vietò che fossero introdotte le bandiere allo stadio*). Usato impersonalmente regge una proposizione soggettiva (*È vietato fumare*; *È vietato calpestare le aiuole*).

vígere: verbo della seconda coniugazione, intransitivo. Difettivo; manca il participio passato e si usano quasi solo le terze persone. *Pres. indic.*: víge, vígono. *Imperf.*: vigéva, vigévano. *Fut. semplice*: vigerà, vigerànno. *Part. pres.*: vigènte. Significa: esser in vigore, detto di legge, norma, regolamento.

vigilàre: verbo della prima coniugazione. Usato transitivamente vale: badare, sorvegliare, curare. Es.: *Le insegnanti devono vigilare gli scolari anche durante l'intervallo*. Usato intransitivamente (ausiliare: avere), vale: star attenti, badare. Es.: *Bisogna vigilare che i nostri avversari non arrivino prima di noi*.

vigilèssa: femminile di *vigile*, ma contiene una lieve sfumatura ironica. Nell'uso: donna vigile.

vilipèndere: verbo della seconda coniugazione, transitivo. *Pass. rem.*: vilipési, vilipendésti, vilipése, vilipendémmo, vilipendéste, vilipésero. *Part. pass.*: vilipéso. Significa: offendere, disprezzare.

villanèlla: componimento poetico di argomento rustico, senza forma metrica fissa e destinato per lo più ad essere accompagnato musicalmente. Fiorì nel secolo XVI sotto forma ora di madrigale ora di ballata ora di frottola-barzelletta.

villòta: componimento poetico popolare, variante dello strambotto, destinato alla musica polifonica imitata a voce e alla danza, fiorito nei secoli XV e XVI sotto forma di barzelletta a strofe diverse, con versi brevi e a rima alternata o incrociata, chiuse da un ritornello, detto *nio*, con o senza lilolela. A seconda della complessità, si distingue la villota piccola da quella grande.

«*Quando lo pomo vien da lo pomaro,*
s'el non è maduro,
non se possélo madurar!

La luna luse
e 'l cor mi strude;

un pe' in acqua
e l'altro in barca.

Un brazzo al collo,
la mano al sen;
o traditora,
perché non me vostu ben?».
(Anonimo, XV sec.)

Talvolta la villota è formata da versi tratti da varie altre villote attraverso il procedimento dell'incatenatura, così come avviene nelle filastrocche. Ecco un esempio di incatenatura di villote, anch'essa di Anonimo del XV sec.:

«*Vrai diu d'amor,*
chi me conforterà
che 'l mio amor
si m'ha lassà?

Falilàn falilalòn
ch'io son fora di prison!
O fà li là li lòn
ch'io son fora di prison!

E vo cantando ognora:
"Deh, tient'a l'ora!".
A l'ombra di un bel pino,
uccelin, bell'uccellino,

come sàstu mai ben dire:
falilèlilìalilòn
falilèlilìlalòn lilolela nio
falilèlilalòn!».

víncere: verbo della seconda coniugazione, transitivo. *Pass. rem.*: vínsi, vincésti, vínse, vincémmo, vincéste, vínsero. *Part. pass.*: vínto. Significa: superare, sconfiggere. Es.: *Noi vincemmo i nostri nemici*; *Bisogna vincere la pigrizia*; *Ha vinto molte gare.* Usato anche intransitivamente (ausiliare: avere). Es.: *Un tempo, vinceva sempre*; *Se vincessi, dividerei sicuramente la posta con te.*

violàre: verbo della prima coniugazione, transitivo. *Pres. indic.*: víolo, víoli, víola, violiàmo, violàte, víolano. *Pres. cong.*: víoli, víoli, víoli, violiàmo, violiàte, víolino. *Part. pass.*: violàto. Si sillaba: *vi-o-là-re*; *ví-o-lo*; *ví-o-li-no*, ecc. Significa: contaminare, profanare, trasgredire. Es.: *Qualcuno ha violato quella tomba*; *Nessuno finora ha violato i patti.*

viràgo: sostantivo femminile. È uno dei pochi nomi femminili in *-o*. Esiste anche la forma: viràgine. Plurale: viràgini. Indica donna con fattezze e modi maschili.

vírgola: segno d'interpunzione (,) che indica la più breve pausa nel discorso. Il suo uso è regolato dal buon gusto di chi scrive, tuttavia si possono indicare alcuni casi in cui la virgola è ormai considerata necessaria. Nel corpo di una proposizione la virgola è usata:

a) nelle enumerazioni e negli elenchi per separare nomi, aggettivi, avverbi rapidamente indicati l'uno dopo l'altro. Es.: *In quella stanza vidi te, tuo padre, tua madre, tuo fratello*; *Il panorama era bello, suggestivo, nuovo*; *Mi rispose bene, subito, educatamente.* Solitamente l'ultimo elemento della serie viene congiunto con *e*, invece che con la virgola. Es.: *Era un giovane forte, bello e valoroso.* La virgola si omette, di regola, quando sono usate le congiunzioni *e, o, ovvero, né*, tranne quando si vuol ottenere effetti speciali con più frequenti pause nel discorso. Es.: «*Qui a Milano, o nel suo scellerato palazzo, o in capo al mondo, o a casa del diavolo, lo troverò*» (Manzoni). Agli scrittori è addirittura lecito, poi, porre una virgola tra il soggetto e il verbo: le esigenze dello stile narrativo consentono quello che a scuola è biasimato come errore. Es.: «*Agnese, s'era affacciata invano*» (Manzoni);

b) al principio e alla fine di un inciso, di un vocativo, di un'apposizione, di un'interiezione. Es.: *Roma, capitale d'Italia, è città antichissima*; *Mamma, aiutami tu!*; *L'autore, come sopra dicevamo, assistette alla prima rappresentazione*; *Oh, potessi scrivere così bene!*;

c) prima e dopo i complementi che non si riferiscono alla parola precedente o che sono spostati nell'ordine naturale della frase. Es.: *Per me, può far quel che vuole*; *Di soldi, ne ho speso abbastanza*; *Disse tutto, con acconce parole, ai suoi genitori.* Si userà specialmente in tutti quei casi in cui l'omissione potrebbe generare confusione. Es.: *Che dice, Luigi?* (senza virgola *Luigi* sarebbe soggetto invece che vocativo).

Nel periodo la virgola si usa:

a) per dividere le proposizioni coordinate per asindeto. Es.: *Venne, vide, vinse*; *Disse molte parole, espose le sue idee, criticò i nostri progetti e se ne andò via.*

b) per distinguere le varie proposizioni che compongono il periodo. Es.: *Ho visto, mentre partivo, che arrivava tuo padre, ma non gli ho detto niente, perché era tardi.* Non si usa la virgola tra la reggente e una proposizione oggettiva o soggettiva, salvo che sia invertito l'ordine naturale. Es.: a) *Era chiaro che aspettavano me*; b) *Che aspettassero me, era chiaro*;

c) tra la proposizione reggente e quella relativa, purché la subordinata sia quasi un inciso, che esprima particolari non necessari alla comprensione delle parole a cui si riferisce. Es.: *Arrivato alla stazione, che era stata costruita negli ultimi tempi, mi sembrò d'esser giunto in un altro paese.* Si usa pure la virgola quando la proposizione relativa non si riferisce alla parola immediatamente precedente. Es.: *Il treno da Roma, che arriva a mezzogiorno.* Negli altri casi la relativa si unisce senza virgola alla reggente. Es.: *Il treno che viene da Roma arriva a mezzogiorno* (la relativa indica particolari necessari per capire di quale treno si parli); *Il treno che arriva a mezzogiorno da Roma* (la relativa si riferisce alla parola immediatamente precedente).

virgolétte: segno ortografico (« » o " ") usato quando si riportano nel discorso frasi o parole di diversi interlocutori (Es.: «*Tu mi hai chiamato?*» «*Sí, devo parlarti*») o si fa una citazione (*Cesare disse:* «*Il dado è tratto*») o si vuol mettere in evidenza una parola o un modo di dire particolare o straniero (Es.: *È uno scrittore "alla moda"*; *Egli era l'«enfant prodige» della famiglia*), talora anche con senso ironico (Es.: *Il trafugatore della «Gioconda» si dichiarò «pittore»*). Talora si usano anche semplificate (' '). Es.: *Disse che era stanco 'per il troppo lavoro'.* Quando si vuol evidenziare una parola o una frase di un periodo già racchiuso tra virgolette ci si comporta così: se il periodo è racchiuso tra virgolette basse « », si usano per l'interno le virgolette alte " "; se il periodo è racchiuso tra virgolette alte " ", si usano per l'interno le virgolette semplificate o apici ' '. Negli elenchi le virgolette (») sostituiscono la parola *idem* e sono poste sotto la parola che si vuol richiamare, ma non trascrivere. Esempio:

Luigi abita a Roma
Paolo » » »
Maria abitava a »

víscere: sostantivo maschile che indica gli intestini; al figurato: la parte interna di chicchessia. Sovrabbondante al plurale: i vísceri e le víscere (più usato). Es.: *Gli indovini interrogavano i visceri degli animali*; *Gli speleòlogi esplorano le viscere della terra.*

vis comica: locuzione latina (pr.: vís còmica). Usata come sostantivo femminile per: comicità, efficacia dell'attore o dello scrittore comico.

vissúto: V. VIVERE.

víte: sostantivo femminile. È nome di albero di genere femminile. Il frutto, come è noto, è invece *uva*, senza alcun legame con il nome della pianta. Plurale: viti.

vìva: interiezione di applauso. Si abbrevia in: W. Es.: *Viva la Repubblica*; *W l'Italia!*

vívere: verbo della seconda coniugazione, intransitivo. *Pres. indic.*: vívo, vívi, víve, viviàmo, vivéte, vívono. *Fut. semplice*: vivrò, vivrài, vivrà, vivrémo, vivréte, vivrànno. *Pass. rem.*: víssi, vivésti, vísse, vivémmo, vivéste, víssero. *Part. pass.*: vissúto. Si coniuga con l'ausiliare essere quando si vuol richiamare l'attenzione della vita come stato di un essere animale o vegetale. Es.: *Io sono vissuto sempre in povertà*; *Egli è vissuto molto tempo a Parigi.* Si coniuga con avere, quando la vita è considerata come un'azione. Es.: *In quei periodi ho vissuto molto intensamente*; *Quella pianticella non aveva vissuto molto.* Con avere il verbo si coniuga pure, come è naturale, quando è usato transitivamente. Es.: *Ho vissuto giornate indimenticabili.*

Il participio passato, *vissúto*, è talora usato come aggettivo. Es.: *una vicenda vissuta, un romanzo vissuto, una storia vissuta.* Si è anche affermato l'uso di VISSUTO come sostantivo. Es.: *Mi interessa il vissuto di questa attività*; *Ho voluto rendere soprattutto il vissuto della città.* Le locuzioni *uomo vissuto, donna vissuta*, valgono: uomo esperto della vita, uomo navigato, donna esperta.

vocàli: sono le lettere che corrispondono ai suoni formati con la più semplice emissione della voce (donde il nome). Sono cinque: *a, e, i, o, u*. Il suono di *a, i, u* è invariabile. L'*ü* lombardo e ligure e l'*a* volgente in *e* della Puglia sono infatti suoni dialettali e da evitare. L'*e* e l'*o* hanno invece duplice suono: aperto e chiuso. La differenza è importante soprattutto per distinguere tra loro gli omografi [V. *Omonime* (*parole*)] cioè le coppie di parole che si scrivono alla stessa maniera, ma si pronunciano in modo diverso. Es.: *bótte* (recipiente) e *bòtte* (percosse). Il suono aperto è indicato con l'accento grave (ˋ), e quello chiuso con l'accento acuto (ˊ). Rispetto alla distanza orizzontale tra il punto più alto della lingua e i denti, le vocali si distinguono in: *posteriori* (o, u; maggiore distanza), *medie* (a) e *posteriori* (e, i; minore distanza). *A, o* e *u* si dicono anche *velari* o *scure*; *e* ed *i* si dicono anche *palatali* o *chiare*. Più tradizionale la distinzione delle vocali in *forti* o *dure* (a, e, o) e *deboli* o *molli* (i, u). V. anche voci relative a ciascuna vocale.

vocatívo (complemento): indica la persona o la cosa personificata a cui si rivolge il discorso. È rappresentato da un sostantivo, spesso preceduto da *o*, ed è considerato come un inciso: seguito da una virgola, se in principio di frase; tra due virgole, se nel mezzo della proposizione. Es.: *Italia mia*, benché il parlar sia indarno; *O amico*, non dimenticarti di me; *Signore e Signori* (iniziando un discorso), *Egregio Signore* (intestando una lettera), e *Tesoro caro, Figlio mio*.

vóci degli animali: V. ANIMALI (NOMI DEGLI).

vói: pronome personale di seconda persona, plurale. Si usa come soggetto della proposizione e anche per i complementi indiretti. Es.: *Voi avete parlato troppo*; *Noi abbiamo parlato con voi*; *Erano tutti di voi quelli che si sono allontanati*.

Si dice pronome *allocutivo*, come *tu* e *lei*, perché si adopera rivolgendosi ad altra persona. Perciò si dice anche: *dar del voi*, per dire che si usa la seconda persona plurale in segno di rispetto, rivolgendosi a una sola persona (ma il participio e gli attributi vanno al singolare). Es.: *Padre, mi avete chiamato?*; *Gentil madonna, che udrete i miei versi, siate buona con me*; *Vostra Eccellenza vorrà concedermi il permesso*.

volàre: verbo della prima coniugazione, intransitivo. Si coniuga con l'ausiliare avere quando l'azione è considerata in sé stessa (Es.: *Ieri ho volato per la prima volta*), essere negli altri casi (Es.: *Il tempo è volato*; *Son volato a casa subito dopo l'uscita dalla scuola*; *Mi è volato via il cappello*). Significa: percorrere le vie dell'aria, levarsi a volo, spaziare nell'aria (Es.: *Gli uccelli volano*), correre velocemente (Es.: *Il giornalista volò alla stazione*), esser scagliato o lanciato in aria o contro altri (Es.: *Son volate parole grosse*; *È volato anche qualche pugno*). Nei versi delle canzoni ha anche talora il significato di: inebriarsi, amare, far l'amore.

volére: verbo della seconda coniugazione, transitivo. *Pres. indic.*: vòglio, vuòi, vuòle, vogliàmo, voléte, vògliono. *Fut. semplice*: vorrò, vorrài, vorrà, vorrémo, vorréte, vorrànno. *Pass. rem.*: vòlli, volésti, vòlle, volémmo, voléste, vòllero. *Pres. cong.*: vòglia, vòglia, vòglia, vogliàmo, vogliàte, vògliano. *Pres. condiz.*: vorrèi, vorrésti, vorrèbbe, vorrémmo, vorréste, vorrèbbero. *Imper.*: vògli, vòglia, vogliàmo, vogliàte, vògliano. Si coniuga con l'ausiliare avere quando è usato isolatamente (Es.: *Non ho voluto*); con l'ausiliare del verbo che lo accompagna quando assolve la sua normale funzione di verbo servile (*Non son voluto andare*; *Ho voluto vederlo*). Si usa tuttavia l'ausiliare avere quando si vuol mettere in rilievo l'idea di volontà. Es.: *Ho voluto andare*; *Ho voluto partire*. Se è unito ad un verbo riflessivo si coniuga con essere se la particella pronominale lo precede, con avere se lo segue. Es.: *Si è voluto accorgere solo ora*; *Ha voluto accorgersi solo ora*. Significa: comandare, esigere, pretendere (Es.: *Egli vuole uscire*; *Mio padre non vuole che io esca tutte le sere*), desiderare (Es.: *Tu vorresti partire, vero?*), richiedere (Es.: *Questa congiunzione vuole il congiuntivo*), esser necessario (Es.: *Per tutte queste cose ci vorrebbero troppi soldi*), chiamare (Es.: *Chi mi vuole?*).

Quando regge una proposizione oggettiva, nel costrutto implicito regge direttamente l'infinito (*Voglio tornare a casa*;

Volevo dirti questo); nel costrutto esplicito vuole il congiuntivo, modo della volizione (*Voglio che resti a casa sua*; *Non vorrei che facesse il contrario*).
Si notino poi alcune locuzioni: *che vuoi?* (inciso pleonastico o per chieder scusa: *Che vuoi? Non era possibile far diversamente*), *si vuole* (si dice: *Si vuole che il re abbia partecipato lui stesso al combattimento*), *vuol dire* (significa: *Questa parola vuol dire: signore*). È francesismo abbastanza diffuso l'espressione *volerne* nel senso di: essere in collera, avercela con qualcuno. Es.: *Me ne vorrai per questo piccolo scherzo?*
La seconda persona singolare dell'indicativo presente è usata come particella correlativa ed equivale a *sia, o*. Es.: *Lo spettacolo non mi ha soddisfatto, vuoi per la regía, vuoi per la recitazione.*

vòlgere: verbo della seconda coniugazione, transitivo. *Pass. rem.*: vòlsi, volgésti, vòlse, volgémmo, volgéste, vòlsero. *Part. pass.*: vòlto. Significa: piegare, girare, voltare (Es.: *Volgevamo le pagine del libro*; *Volse lo sguardo verso di noi*). Usato intransitivamente (ausiliare: avere, più raro essere) vale: piegare verso una parte (Es.: *La strada che volge a mezzogiorno*) oppure trascorrere, detto di tempo (Es.: *Volgeva l'anno mille*).

vólgo: sostantivo maschile. D'uso letterario per: popolo. È un latinismo. *Vòlgo* è invece la prima persona singolare dell'indicativo presente del verbo *volgere*. Es.: *Il vólgo talora vuol essere ingannato*; *Vòlgo ormai al tramonto della mia vita.*

volizióne (verbi di): sono così chiamati i verbi che esprimono comando o divieto o concessione: comandare, concedere, consentire, decretare, disporre, esigere, imporre, ingiungere, intimare, ordinare, permettere, prescrivere, proibire, raccomandare, suggerire, vietare, e simili. Reggono, con il costrutto implicito, proposizioni oggettive con *di* e l'infinito: Es.: *Dispose di confiscare tutti i beni*; *Avevano decretato di portare tutto il grano all'ammasso*; *Il medico prescrisse di camminare due ore al giorno*. Nel costrutto esplicito vogliono il congiuntivo. Es.: *Esigeva che tutti fossero presenti*; *Suggerì che si ripetesse l'esperimento.*

vòlta: sostantivo femminile. Ha vari significati: unità di misura elettrica, abbreviato in *volt* (in questa accezione è sostantivo maschile invariabile: *la corrente di centocinquanta volt*); struttura architettonica o ideale che ricopre superiormente uno spazio (*la volta di una sala*; *la volta a botte*; *arco a volta*; *la volta celeste*); nella versificazione, la seconda parte della stanza della *canzone* (V.). Il termine indica principalmente l'atto del voltare o rovesciare e in questo senso forma alcune locuzioni. Es.: *Diede la volta a un vaso* (lo rovesciò); *Diede quattro volte* (cioè, giri) *di chiavi*; *Gli diede di volta il cervello* (impazzí). Indica anche direzione. Es.: *Partí alla volta di Napoli*. Nel senso di: vicenda, occasione, tempo, in cui si ripeta un'azione, ecc., forma numerose locuzioni: *la mia, la tua, la sua volta* (il momento in cui tocca a me, a te o a lui di fare una cosa. Es.: *Egli, a sua volta, si alzò a parlare*; *Parlate uno alla volta*), *volta per volta* (via via, man mano: *Mi pagavano volta per volta, quando portavo il lavoro fatto*), *in una volta* (in un sol tempo: *Parlavano tutti in una volta*), *certe volte, delle volte, a volte* (talora: *A volte succedono cose incredibili*), *una volta* (in tempi lontani: *C'era una volta un principe azzurro*), *una volta tanto* (ogni tanto: *Una volta tanto potresti anche venire tu*), *a volte... a volte...* (ora... ora...: *A volte viene presto a volte viene tardi)*. Si usa infine nelle moltiplicazioni. Es.: *Quattro volte sei.*

voltafàccia: nome composto da una forma verbale (volta) e un sostantivo femminile singolare (faccia). Plurale: voltafaccia. Per la regola relativa V. COMPOSTI (NOMI).

voltàre: verbo della prima coniugazione, transitivo. Significa: volgere, cambiare, tradurre. Es.: *Ora voltiàmo pagina*; *Volta* (ma meglio: volgi) *questo brano in latino.* Usato intransitivamente (ausiliare: avere) significa: piegare il cammino volgendosi verso un lato, girare, deviare. Es.: *Volti dopo la terza via a destra*; *Ha voltato a sinistra.* Anche al riflessivo. Es.: *Egli si voltò subito verso di noi.*

voltastómaco: nome composto da una forma verbale (volta) e un sostantivo maschile singolare (stomaco). Plurale: voltastomachi. Per la regola relativa V.

Composti (*Nomi*). D'uso antiquato, vale: nausea.

volterriàno: aggettivo qualificativo, derivato dal nome dello scrittore francese Voltaire. Significa appunto: di Voltaire, relativo a Voltaire, seguace di Voltaire. Da non confondere con VOLTERRÀNO che significa: abitante o nativo di Volterra.

vólto: sostantivo maschile. Significa: viso, faccia, aspetto. *Vòlto* è invece participio passato di *vòlgere*, usato come aggettivo per: dedito, rivolto. Anche sostantivo maschile per: arco, vòlta. Es.: *Aveva segnate sul vólto le tracce della stanchezza*; *Allora era vòlto a studi letterari.*

-voro: suffisso per la formazione di nomi e aggettivi. Significa: che mangia; definisce una specie secondo il tipo di alimentazione. Es.: *carnívoro, erbívoro, onnívoro, insettivoro.*

vòstro: aggettivo (o pronome) possessivo di seconda persona plurale. Significa: di voi, che riguarda voi. Es.: *Ho visto vostro padre*; *Abbiamo letto la vostra biografia.* Sostantivo plurale, vale: i vostri parenti o i vostri fautori. Es.: *Hanno vinto uno dei nostri e tre dei vostri.* Nelle lettere commerciali si abbrevia: v/s. Es.: *In risposta alla v/s del 15 marzo u.s.*

vuotàre: verbo della prima coniugazione, transitivo. *Pres. indic.*: vuòto, vuòti, vuòta, vuotiàmo, vuotàte, vuotàno. *Imperf.*: vuotàvo, vuotàvi, vuotàva, ecc. *Pres. cong.*: vuòti, vuòti, vuòti, vuotiàmo, vuotiàte, vuòtino. *Part. pass.*: vuotàto. In nessuna forma segue la regola del *dittongo mobile* (V.), per non confondersi con VOTÀRE (dare il voto). Vale: sgomberare, evacuare.

W

w: lettera tipica dell'alfabeto tedesco (si legge *v*) e di quello inglese (si legge *u*). Si chiama *doppia vu* o *vu doppio* ed è considerata un sostantivo femminile o maschile, come le lettere del nostro alfabeto: la *w*, un *w*. È usata solo in parole straniere, pronunciata come nella lingua d'origine. Es.: *walzer* (pr.: valzer), *clown* (pr.: clàun). In talune parole è stata ormai sostituita dalla lettera italiana *v*. Es.: da tramway, *tranvài*; da walkíria, *valchiria*; da walzer, *valzer*; da Wolfram, *volframio* (W è però in chimica il simbolo del volframio). Come abbreviazione, *W* significa: evviva. Es.: *W l'Italia!* Capovolta vale invece: abbasso. Es.: *M i traditori!* Tra le parole straniere che iniziano con la W e che sono in uso anche in Italia si possono citare i seguenti esempi:

WAFER: parola inglese (pr.: uéifar) che significa: ostia. Indica un dolce a forma di biscotto, composto da due sottili ostie che racchiudono uno strato di crema. Di solito si legge con pronuncia adattata: vàfer. In italiano: cialda, cialdina.

WAGON: parola francese (pr.: vagòn) di origine inglese, da cui è derivata la parola *vagone*, per: vettura, carrozza ferroviaria. *Wagon-lit* (pr.: vagonlí): vagone letto, carrozza con letti, vettura-letto. *Wagon-restaurant* (pr.: vagòn restoràn): vagone o carrozza ristorante. *Wagon-salon* (pr.: vagòn salòn): vettura salotto, salone, saloncino.

WALK-OVER: locuzione inglese (pr.: uocóva) che significa letteralmente: passeggiata attraverso. Indica, nel linguaggio dell'ippica, la condizione del cavallo che corre da solo, poiché gli altri concorrenti si sono ritirati o sono al confronto troppo deboli. In italiano: passeggiata (anche per altri sport), per indicare: facile vittoria. Es.: *Ribot ha vinto ad Ascot con una passeggiata*; *La partita della Fiorentina a Milano è stata una passeggiata.*

WALZER: parola tedesca (pr.: vàlzer) che indica un noto ballo. Si scrive anche *valzer*, sostantivo maschile invariabile.

WATER CLOSED: locuzione inglese (pr.: uòta clòsit) che spesso appare da noi nell'abbreviazione adattata *vàter*. In italiano: latrina, gabinetto (all'inglese, ossia con tazza a sedile e sciacquone).

WEEK-END: espressione inglese (pr.: uík-ènd) che significa: fine settimana. Indica la vacanza di fine settimana, la gita domenicale.

WELTANSCHAUUNG: parola tedesca (pr.: vèltansciáun) che vale: visione del mondo, concezione della vita.

WESTERN: parola inglese (pr.: uésten) che significa: dell'occidente (*west* è l'ovest). *Film western* o semplicemente *western* indica il più popolare genere di film che racconta le avventure dei pionieri, degli antichi coloni nelle praterie del lontano occidente (*Far west*) americano.

WHISKY: parola inglese (pr.: uíschi) che indica un liquore ricavato dalla fermentazione dell'orzo e di altri cereali. La voce è di uso internazionale.

WÜRSTEL: parola tedesca (pr.: vürstel); indica una salsiccia affumicata, tipica della cucina viennese.

X

x: lettera dell'alfabeto latino e di alcune lingue straniere. Usata solo in parole d'origine latina o greca (*uxoricídio, lux, ex, xenofobo, extra*) o straniere (*boxe, taxi*). Si chiama *ics*; è considerata di genere femminile o maschile: la *x*, un *x*. Quando è iniziale di parola vuole l'articolo nella forma *lo, gli, uno* (*lo Xanto, gli xilografi, uno xilografo*), come la *s* impura. Però si nota la tendenza a sostituirla con *s* (*silòfono, senòfobo, silògrafo* invece che: xilòfono, xenòfobo, xilògrafo). Come sostantivo femminile vale talora: incognita (nella matematica il segno *x* indica quantità indeterminata). Es.: *Per me questa è stata un'ics*; *Mi ha offerto uno stipendio di ics lire.* Maiuscolo, indica persona che non si può o non si vuol nominare. Es.: *L'avvocato X ha fatto gravi rivelazioni.* Al maschile oggi indica anche il segno di pareggio posto nelle caselle della schedina del *Totocalcio* (V.). Es.: *Una colonna vincente con quasi tutti ics!* Come numero romano, X vale dieci; con una lineetta sopra, $\overline{X}$, diecimila.

xeno- o **seno-:** primo elemento di parole composte. D'origine greca, indica: straniero, estraneo. Es.: *xenobio, xenoecologia, xenotrapianto, xenovaluta.*

xenofobía: parola di origine greca che significa: odio fanatico per gli stranieri. Si scrive anche *senofobía*; cosí: *xenòfobo* e *senòfobo.*

xero-: primo elemento di parole composte. Vale: secco, a secco. Es.: *xerocopia, xerofito, xerosfera.*

xilo-: parola di origine greca, significa: legno; è usato come prefisso in alcune parole composte: *xilèma* (le cellule che costituiscono il legno di una pianta), *xilòfago* (insetto che si nutre di legno), *xilòfono* (strumento musicale fatto con lamine di legno), *xilografía* (arte di incidere il legno), *xilòide* (simile al legno), *xilología* (studio dei legnami). Per tutte queste parole si trovano anche (e sono anzi forse più frequenti) le forme con l'iniziale *s*. Es.: *silèma, silògrafo, silòide.*

Y

y: vocale greca, che ha valore della nostra vocale *i*, ma il cui suono originario equivaleva a quello della *ü* francese. Si chiama *ípsilon* (anche *i greca*, ma è un modo francese, da evitare). Si considera sostantivo femminile o maschile: la *y*, un *y*. È usata solo in parole straniere, dove talora la sostituiamo con la *i* (da yòle, *iòle*; da ypríte, *ipríte*). In matematica indica, dopo la *x*, la seconda quantità incognita nei calcoli algebrici.

In chimica Y è il simbolo dell'ittrio. Come numero romano Y vale centocinquanta; con una lineetta sopra, $\overline{\text{Y}}$, centocinquantamila.

Ecco alcuni esempi di parole straniere, usate anche in Italia, che cominciano con la y:

YACHT: parola inglese (pr.: iòt) che indica un piccolo bastimento da diporto. In italiano: pànfilo.

YANKEE: parola inglese (pr.: iènchi), che designava gli abitanti di alcuni degli Stati Uniti; durante la guerra civile cosí furono chiamati i nordisti. Oggi indica in genere gli statunitensi di origine anglosassone, ma con lieve ironia.

YARD: parola inglese (pr.: iàad); misura lineare, corrispondente a 91,4 cm. Esiste anche la forma italianizzata: iàrda.

YÒGHURT: parola derivata dal bulgaro *yogur*. In italiano: latte fermentato. Se si vuole mantenere la parola straniera, è meglio usare l'adattamento *iògurt*.

YOLE: parola inglese (pr.: iól), che indica una imbarcazione leggera; italianizzata: iòle (plur.: iòli).

Z

z: ventunesima lettera dell'alfabeto italiano. Sedicesima consonante. Si chiama *zèta*. Si considera grammaticalmente un sostantivo femminile o maschile, sottintendendo rispettivamente *lettera* o *segno*: la *z*, uno *z*. Il plurale è invariabile. È consonante *costrittiva* o *continua* perché si può pronunciare anche senza l'appoggio di una vocale; è detta *dentale*, perché si pronuncia avvicinando la lingua agli alveoli dei denti (è quindi da taluni chiamata anche *alveolare*); *spirante* perché pronunciata da sola darebbe un suono simile ad un soffio o un sibilo. Quando è iniziale di parola vuole l'articolo nella forma *lo, gli, uno*, come la *s* impura (*lo zàino, gli zàini, uno zàino*). Tuttavia davanti a *z* semplice non mancano eccezioni anche di buoni scrittori. Carducci diceva, per esempio, *il Zanichelli*.
La zeta ha due suoni: uno *sonoro* o dolce (*zero*), uno *sordo* o aspro (*vizio*). La diversità di suono si nota anche nel raddoppiamento: *razzo* (dolce), *pazzía* (aspro). Alcuni omonimi si distinguono solo per il diverso suono della zeta. Es.: *razza* (suono aspro: stirpe; suono dolce: pesce). Non vi sono regole fisse per distinguere i due suoni; talune parole sono pronunciate in due modi diversi. Es.: *Mazzini* (*z* come *pazzo* o come *zaino*?), *pranzo*. Nel dubbio si può consultare il dizionario, ove talora la zeta dolce è segnata o con un puntino sopra (Ż) o con segno diverso (*z* aspra, ʒ lunga dolce).

zabaióne: sostantivo maschile che indica un dolce semiliquido fatto con tuorli d'uovo sbattuti, zucchero e marsala. Più usato: zabaglióne.

zaffíro: sostantivo maschile. Nome di una pietra preziosa, di color turchino chiaro. Si usa anche per designare questo colore. Più comune, ma meno corretta la pronuncia sdrucciola: zàffiro.

zampillàre: verbo della prima coniugazione, intransitivo. Ausiliari: essere o avere. Significa: uscire fuori con impeto (detto di acqua o altro liquido), sprizzare, schizzare. Es.: *L'acqua ha zampillato* (o: è zampillata) *nel mezzo della nuova fontana.*

zappatèrra: nome composto da una forma verbale (zappa) e un sostantivo femminile singolare (terra). Invariato al plurale. Per la regola relativa V. COMPOSTI (NOMI).

zar: sostantivo maschile. Grafia italiana del russo *tsar* che, come il polacco *czar* e il tedesco *Kaiser*, deriva dal latino *caesar*. Indica l'imperatore di Russia o di Bulgaria. Femminile: zarína.

zèffiro: sostantivo maschile. Nome di un vento primaverile. Il sostantivo *zeffíro* deriva invece dal francese *zéphyr* (pr.: sefír) e indica un tessuto leggero per camicie. Si può pronunciare anch'esso sdrucciolo, poiché il nome vuol appunto indicare la leggerezza del tessuto analoga a quella del vento primaverile. Anche zèfiro.

zerbinòtto: sostantivo maschile. Diminutivo di *zerbíno*, nome di un personaggio dei romanzi cavallereschi (e dell'*Orlando furioso* dell'Ariosto); indica giovane elegante e galante, lezioso. È voce alquanto disusata. Oggi è più facile sentir dire: *figo*.

zèugma: nome maschile in *-a*. Plurale: zèugmi. Figura grammaticale che consiste nell'accordare tra loro elementi che richiederebbero ciascuno un costrutto proprio. Es.: *Edoardo ha mangiato un bigné, Laura una pasta, Giulia due fette di torta* (per due volte si è omesso il verbo). Lo zeugma può dar luogo a concordanze non corrette sul piano sintattico (*Edoardo ha bevuto un caffè, Giulia e Pietro due tazze di cioccolata*, dove si concordano due soggetti con un verbo, sottinteso, alla terza singolare). Esempio notissimo dantesco «*Parlare e lagrimar vedrai insieme*». Si sarebbe dovuto dire: udrai parlare e mi vedrai lacrimare.

zigo-: primo elemento di parole composte del linguaggio scientifico. Vale: coppia, accoppiamento. Es.: *zigomiceti, zigomorfo, zigospora.*

zingarésca: componimento poetico di origine popolare, detto anche zingàna, in cui si rappresenta la zingara chiromante che si lamenta della propria condizione, esalta la bellezza della donna a cui sta per leggere la mano e, infine, chiede la rituale elemosina. La forma metrica consta di tre strofe di tre settenari e di un quinario con uno schema di rime per cui il quinario fa rima con il primo dei settenari della strofa successiva, e gli altri due settenari hanno la rima baciata (ABBC, CDDE ecc.).

Attestata soprattutto nella prima metà del Seicento, allorché ebbe larga diffusione attraverso raccolte a stampa, la zingaresca rientra anche nel repertorio delle maschere del Carnevale, e talora si è trasformata in componimento di contrasto o in rappresentazione teatrale.

La zingaresca come metro sopravvive in Toscana come genere di poesia popolare, ma con contenuti generalmente diversi e principalmente religiosi.

-zióne: suffisso per la formazione di nomi femminili, spesso astratti. Es.: da astrarre, *astrazióne*; da devoto, *devozióne*; da eleggere, *elezióne*; da fungere, *funzióne*. Si noti che la *zeta* del gruppo *-zióne* è sempre semplice (benché abbia pronuncia rafforzata). Quindi scriverai: *eccezióne* (non: eccezzione), *sezióne* (non: sezzione).

zip: parola inglese (pr.: zíp). In italiano: chiusura lampo.

Zipf (leggi di): le leggi relative al comportamento stilistico delle parole, la cui identificazione si deve al pioniere della statistica linguistica, G.K. Zipf, negli anni a ridosso della seconda guerra mondiale.

La più nota, conosciuta come la legge armonica di Zipf-Estoup, stabilisce che è approssimativamente costante il prodotto tra il rango (il posto che una parola occupa nella lista di frequenza delle parole presenti in un corpus statisticamente probante, ordinata in senso decrescente) e la frequenza (il numero di occorrenze della parola nello stesso corpus): $f \times r = \text{costante}$.

Un'altra legge è formulata sull'evidenza che normalmente un testo è costituito da una ridotta quantità di parole con un'elevata frequenza e da un'elevata quantità di parole con una ridotta frequenza.

Altre leggi, infine, riguardano il rapporto inverso tra la lunghezza di una parola e la sua frequenza d'uso, il grado di complessità dei fenomeni ed il loro uso, ed il rapporto invece diretto tra la frequenza delle parole e la loro estensione semantica (il numero delle accezioni).

zittíre: verbo della terza coniugazione, intransitivo. Ausiliare: avere. In alcuni tempi si coniuga con la forma incoativa *-isc-* tra il tema e la desinenza. *Pres. indic.*: zittísco, zittísci, zittísce, zittiàmo, zittíte, zittíscono. *Pres. cong.*: zittísca, zittísca, zittísca, zittiàmo, zittiàte, zittíscano. *Part. pass.*: zittíto. Significa: imporre il silenzio e anche: emettere un leggero sibilo di disapprovazione. Es.: *Alla fine del secondo atto, il pubblico cominciava a zittire.* Oggi anche transitivo. Es.: *Tutti zittirono l'oratore sin dalle prime parole.*

zòo: sostantivo maschile. Neologismo sull'uso francese per: giardino zoologico, di cui è forma abbreviata. *Zoo-* è un prefisso d'origine greca che significa: animale. Forma varie parole scientifiche: ZOOCHÍMICA (lo studio chimico degli organismi animali), ZOOFISIOLOGÍA (fisiología degli animali), ZOOFOBÍA (morbosa avversione per gli animali), ZOOFILÍA (amore, simpatia per gli animali), ZOOLOGÍA (scienza che studia gli animali), ZOOTECNÍA (scienza che studia il modo di allevare gli animali).

zoònimo: nome di una specie animale. Sono zoonimi, per esempio, i nomi usati per interiezioni, solitamente offensive: *porco cane!, porca vacca!, oca!, asino!*

Il femminile degli zoonimi, come si sa, è spesso costituito da nome con radice diversa dal maschile: *bue-mucca, toro-vacca, montone-pecora.* Oppure si ha un'unica forma per i due generi (nomi di genere promiscuo), distinguendo i sessi con una circonlocuzione: *il maschio della balena, la volpe maschio, la femmina del passero.*

zoom: parola inglese (pr.: zum). Indica un obiettivo fotografico con distanza focale variabile in continuità fra un minimo e un massimo. Ne deriva il neologismo ZUMÀRE che vale: avvicinare o allontanare rapidamente la macchina da presa dal soggetto servendosi di uno zoom per ottenere speciali effetti d'immagine.

REPERTORIO DELLE PAROLE STRANIERE PIÙ COMUNI

Sono molte le ragioni che hanno favorito, negli ultimi anni, l'affermarsi di vocaboli e locuzioni straniere nell'uso della lingua scritta e parlata. Decaduto il rigore purista che tendeva a conservare sempre la parola italiana, anche se antiquata e inadeguata, oggi sembra prevalere la preferenza per il termine straniero, anche se non necessario. Va comunque rilevato che, mentre aumentano i termini inglesi, stanno scomparendo, consumati dall'uso e superati da nuove mode, molti vocaboli francesi che qualche decennio fa erano in voga e davano un tocco di esotismo snobistico. Per esempio, *abat-jour, abrégé, aigrette, arrière-pensée, attaché, berceau, blasé, boutade, boxeur, cadeau, café chantant, causerie, cendrier, chanteuse, chauffeur, chiffon, chignon, couplet, croquette, décolleté, dernier cri, dormeuse, écaille, enfant gâté, entente, entraîneuse, façon, fané, frigidaire, fumoir, garçonnière, gâteau, gentilhomme campagnard, gigolette, jeunesse dorée, midinette, outillage, parabrise, ponceau, porte-bonheur, porte-enfant, pourboire, réclame, régisseur, renaissance, rodage, sans gêne, secrétaire, tabarin, tout-de-même, variété, visagiste.* Molti di questi termini sono passati di moda come gli oggetti che indicavano (*abat-jour, dormeuse, porte-enfant, tabarin*, ecc.); altri sono stati superati dal corrispondente italiano (autista su *chauffeur*, parabrezza su *parabrise*, pugile su *boxeur*, rodaggio su *rodage*, frigorifero su *frigidaire*), altri ancora sono stati soppiantati da parole inglesi (*gag* su *boutade*, *up-to-date* su *dernier cri*, *gadget* su *cadeau*, *star* su *étoile*, *poster* su *affiche*, *high fashion* su *haute couture*).

La presenza di forestierismi è quindi soggetta a una certa fluttuazione: ci sono parole che hanno fortune effimere e temporanee, quasi sempre frutto di una importazione superflua e precaria, ed altre invece che entrano stabilmente nell'uso comune perché dettate da autentiche necessità e da durature novità. L'opportunità di adottare un termine straniero dipende anche dal suo effettivo consolidarsi per le necessità perduranti della comunicazione.

Una delle ragioni che hanno contribuito ad aumentare il numero delle parole straniere nell'uso comune è certamente l'introduzione nella vita contemporanea di oggetti nuovi, frutto di tecnologie che hanno avuto il maggior sviluppo nei paesi anglosassoni. Per esempio, sarà difficile, anzi impossibile, sostituire con un termine italiano, che abbia eguale efficacia, parole come *fax, telex, compact disc, videoclip, personal computer, bancomat, container, beagle, hardware, software, fish eye, flash, flipper, floppy disc, mixer, monitor, pace-maker, pipeline, shaker, spray, warrant, chewing-gum, computer, coupon, detector, freezer, go-kart, jet, jukebox, kit, open-space, scooter, slot machine, spider, starter, sticker, walkie-talkie, clinker, offset, chopper, shunt, tester, laser, radar, ballast, crown, flint, maser, timer, polaroid, reflex, display, joystick, plotter, robot, hovercraft, sloop, tender, transistor, jeep, camper, roulotte, bit.*

Le parole straniere oggi sono sempre maggiormente frequenti in alcuni campi ove l'influenza anglosassone si fa sentire in misura più rilevante: l'informatica e le tecnologie avanzate, l'economia e la gestione aziendale, il mondo dello spettacolo e, in particolare, della televisione, i nuovi consumi e le attività del tempo libero. Ad accelerare l'acquisizione dei termini stranieri contribuisce in maniera determinante il fatto che il linguaggio dei media li accoglie rapidamente e li diffonde in qualsiasi occasione e in tutti gli ambienti compresa la scuola che non è più considerata la roccaforte della autarchia linguistica.

Nelle pagine che seguono è stato raccolto un repertorio delle parole straniere più comuni, che offrono, nel loro complesso, un'esemplificazione significativa dei meccanismi e dei criteri di acquisizione nell'uso della lingua scritta o parlata. Ove possibile non abbiamo mancato di registrare i termini italiani equivalenti, utili anche per evitare ripetizioni troppo frequenti della stessa parola.

abrégé (*fr.*): compendio, riassunto. La voce straniera è meno usata di un tempo.

account (*ingl.*): il funzionario che in un'agenzia di pubblicità tiene i rapporti col cliente per la gestione dei fondi di una o più campagne. Non esiste corrispettivo in italiano.

accrochage (*fr.*): negli sport nautici, collisione tra due imbarcazioni.

acting out (*ingl.*): nella psicanalisi, processo per cui il soggetto passa, durante la seduta, dall'analisi di quello che dice all'analisi di quello che fa, ossia del comportamento.

advertising (*ingl.*): pubblicità. Il termine inglese non è in questo caso indispensabile.

affiche (*fr.*): manifesto. Oggi è meno di moda; più frequente è un'altra parola straniera, *poster*.

agreement (*ingl.*): accordo, intesa, patto.

airglow (*ingl.*): splendore dell'aria. Termine usato in geofisica per indicare la luminescenza nel cielo notturno causata dalla presenza di gas atmosferici.

all right (*ingl.*): tutto bene. Oggi però è largamente preferito *okay*.

allure (*fr.*): portamento, incedere. Era di moda negli anni Trenta; oggi è sempre meno usato.

anchorman (*ingl.*): conduttore, presentatore, speaker. In particolare colui che coordina in studio collegamenti e corrispondenze dall'esterno.

apartheid (*ingl.*): segregazione razziale. La parola inglese è universalmente usata per indicare la situazione nella Repubblica Sudafricana.

aplomb (*fr.*): sussiego, sicurezza di sé. Come molte parole francesi che ebbero fortuna in Italia, anche l'uso di questo termine è diventato più raro.

appetizer (*ingl.*): stuzzichini. Ossia salatini e simili apparecchiati per l'antipasto.

aquaplaning (*ingl.*): slittamento del pneumatico dell'automobile sull'asfalto bagnato.

argent de poche (*fr.*): spiccioli, contanti da spendere. Erano, un tempo, le "mance" dei genitori ai figli. Oggi si sente più spesso chiedere il più casalingo *grana* o, all'inglese, *pocket money*.

argot (*fr.*): gergo. Il termine straniero non è necessario, a meno che non ci si riferisca espressamente al mondo francese, in particolare alla malavita parigina.

armoire (*fr.*): armadio a vetri. Il termine è usato soprattutto dagli antiquari.

arrière pensée (*fr.*): riserva mentale, intenzione taciuta, pensiero inespresso.

art director (*ingl.*): direttore artistico, responsabile della grafica. La locuzione è ormai di uso internazionale.

assist (*ingl.*): passaggio di palla, cross. Si usa nel calcio, nella pallacanestro, nella pallanuoto.

atelier (*fr.*): studio, laboratorio, sartoria d'alta moda.

atomizer (*ingl.*): atomizzatore, nebulizzatore. La parola straniera è qui superflua.

atout (*fr.*): carta vincente, opportunità favorevole.

attaché (*fr.*): addetto, nella carriera diplomatica. Ormai affermato nell'uso l'italiano *addetto d'ambasciata*.

auction (*ingl.*): vendita all'incanto. La parola italiana *asta* è senza dubbio più valida.

audience (*ingl.*): indice di ascolto. Termine molto usato, ma anche l'italiano è chiaro ed efficace.

auditing (*ingl.*): revisione contabile. Nel linguaggio dei manager l'espressione inglese ha più fortuna.

auditor (*ingl.*): revisore dei conti.

austerity (*ingl.*): austerità, ma è usata soprattutto per indicare la restrizione dei consumi per mezzo di una determinata politica economica e monetaria. Il termine inglese è di uso internazionale.

avance (*fr.*): proposta, profferta, approccio, tentativo. Parola usata soprattutto per indicare gli inizi del corteggiamento amoroso. Contiene un'idea di cautela e di prudenza, che la rivoluzione sessuale sembra aver superato. In campo politico ed economico vale: sondaggio, assaggio del terreno.

baby (*ingl.*): come sostantivo vale bambino. Ma è più usato come aggettivo (*moda baby*, *formato baby*), come sinonimo di piccolo.

baby doll (*ingl.*): abbigliamento femminile per la notte, composto da camiciola corta e slip. L'indumento e l'espressione sono stati resi celebri da un film con questo titolo.

baby sitter (*ingl.*): persona che accudisce temporaneamente ai bambini durante l'assenza dei genitori. La locuzione straniera è insostituibile.

background (*ingl.*): sfondo, retroterra sociale e culturale, ambiente, ma nessuna traduzione rende adeguatamente quello che si intende esprimere con il termine inglese.

baedeker (*ted.*): guida turistica. Dal nome dell'editore tedesco Karl Baedeker, che pubblicò nel sec. XIX comodi e pratici volumetti di itinerari e consigli pratici per chi viaggia.

bagarre (*fr.*): tumulto, zuffa, trambusto. Si usa soprattutto nel linguaggio sportivo per indicare una fase tumultuosa e agitata di una gara o di un torneo.

baguette (*fr.*): il termine è usato per indicare un caratteristico bastoncino di pane francese, e in questo senso è insostituibile. Inoltre indica un taglio rettangolare di pietra preziosa, ed anche la pietra stessa.

ballast (*ingl.*): massicciata di pietre su cui sono appoggiate le traversine dei binari ferroviari. Voce di uso internazionale.

ballon d'essai (*fr.*): locuzione usata nel giornalismo e nella diplomazia per indicare una notizia diffusa per verificare le reazioni dell'opinione pubblica o dell'interlocutore di una trattativa.

band (*ingl.*): banda, complesso jazzistico o rock. Il termine straniero si è imposto nell'uso e nel costume.

bandeau (*fr.*): striscia, banda. Si usava per l'espressione *a bandeau* quando le donne portavano ai lati del viso due ciocche di capelli.

barman (*ingl.*): barista, in particolare quello che prepara i cocktail. Voce di uso internazionale.

barrage (*fr.*): spareggio. Voce di uso internazionale.

basic (*ingl.*): termine derivato dalle iniziali di Beginners Allpurpose Symbolic Instruction Code (Codice simbolico di istruzione polivalente per principiante). Vale: di base, fondamentale. Per indicare il linguaggio di programmazione dei piccoli calcolatori elettronici non si può usare altra parola.

battage (*fr.*): campagna pubblicitaria, rumore, propaganda martellante. Il termine straniero è però generalmente preferito perché ritenuto più significativo.

batting average (*ingl.*): punteggio. Presa a prestito dal baseball, ove indica il punteggio ottenuto dai battitori, la locuzione è applicata al punteggio di chi sta facendo qualcosa nel campo del lavoro e nel commercio.

bear (*ingl.*): nel linguaggio borsista, ribassista, che è termine sufficientemente significativo per indicare chi specula al ribasso. Ma il collegamento internazionale delle Borse ha favorito l'affermarsi del termine inglese.

beat (*ingl.*): al significato letterale di battuta (musicale) e metaforico (mortificato, avvilito) si collegano i molti usi di questo termine che ha avuto fortuna a partire dagli anni Sessanta. La locuzione *beat generation* indica appunto i giovani della contestazione e della protesta.

beauty case (*ingl.*): bauletto con tutto il necessario per la cosmesi. Non è sostituibile con una locuzione italiana.

berceau (*fr.*): bersò, pergolato. Il termine straniero non è indispensabile.

best seller (*ingl.*): il più venduto, di successo. Detto di libro o disco, è ormai locuzione affermatasi nell'uso.

bibelot (*fr.*): soprammobile, in genere di poco valore; ninnolo. Usato nel commercio dell'arte e dell'artigianato.

bidonville (*fr.*): città di bidoni, di baracche. Riferito alle periferie delle città sudamericane, è specifico e insostituibile.

big (*ingl.*): grande. Si dice nella politica, nella finanza, nello sport, per indicare personaggio influente, importante, prevalente. È un'espressione di moda, che tende a durare.

big bang (*ingl.*): grande scoppio. Gli scienziati chiamano in questo modo l'esplosione primordiale che avrebbe dato origine al nostro universo.

bijou (*fr.*): gioiello; usato anche in senso figurato per tesoro, gioia.

bird watching (*ingl.*): osservazione degli uccelli. Voce internazionale usata nelle organizzazioni ambientaliste per indicare l'attività di osservazione e studio del comportamento degli uccelli nel loro habitat.

bit (*ingl.*): in informatica, l'unità minima d'informazione. È abbreviazione di binary digit, cifra binaria. È naturalmente insostituibile.

blackout (*ingl.*): oscuramento, interruzione di comunicazione, silenzio. Dal campo dell'energia elettrica la locuzione è entrata largamente nell'uso, anche con sensi figurati.

black tie (*ingl.*): cravatta nera. È la locuzione convenzionale posta negli inviti a riunioni mondane per indicare che è preferito l'abito scuro.

blagueur (*fr.*): fanfarone, ballista.

blazer (*ingl.*): giacca blu, con bottoni di metallo e stemma sul taschino. È un capo consigliato per il guardaroba dell'uomo importante e dinamico.

blister (*ingl.*): confezione con supporto di cartone, plastica o altro sul quale sono fissati i prodotti da esporre racchiusi in involucri trasparenti. Il nome è legato strettamente all'oggetto e perciò insostituibile.

blitz (*ted.*): lampo, fulmine. Un tempo era la caratteristica azione rapida e a sorpresa delle truppe tedesche. Oggi l'improvvisata, l'irruzione, l'attacco a sorpresa li fanno tutti: dalle forze di polizia agli innamorati sospettosi. E tutti dicono *blitz*.

blow up (*ingl.*): ingrandimento fotografico; esplosione. Voce di uso internazionale, resa famosa anche dal titolo di un film di Antonioni.

blue chips (*ingl.*): i gettoni azzurri usati nel poker. Sono quelli che valgono di più; per analogia in Borsa e in tutto il mondo sono chiamate blue chips le azioni più solide e sicure, che trascinano il mercato.

bluff (*ingl.*): termine mutuato dal poker. Insostituibile per indicare una mossa tesa a sorprendere e spiazzare. Si dice soprattutto di montatura, invenzione, inganno.

body (*ingl.*): indumento aderente che fascia e modella il corpo femminile. Il termine straniero è affermato nell'uso senza possibilità di sostituzioni: guaina, infatti, dice molto meno.

body building (*ingl.*): speciale ginnastica per lo sviluppo delle masse muscolari. È nota in tutto il mondo con questo nome.

boiler (*fr.*): parola straniera ormai inutile per indicare lo scaldabagno.

boite (*fr.*): scatola. Ai tempi dell'esistenzialismo, a Parigi era un piccolo locale notturno pieno d'atmosfera.

bomber (*ingl.*): termine usato nel linguaggio sportivo, con la tipica enfasi, per indicare il cannoniere. Nel pugilato è il picchiatore.

bon mot (*fr.*): battuta, motto scherzoso.

bonne (*fr.*): bambinaia, tata.

bon ton (*fr.*): galateo, saper vivere, buone maniere. È un'espressione tornata di moda, per indicare un comportamento adeguato a un certo ambiente sociale.

bookmaker (*ingl.*): allibratore. Ma in tutti gli ippodromi si usa la parola inglese.

book value (*ingl.*): nel linguaggio dei contabili, il valore riportato sui libri, di qualunque oggetto di proprietà di una determinata società.

boom (*ingl.*): grande espansione, grande sviluppo. È oggi termine usatissimo, anche per successi effimeri.

bootleg (*ingl.*): voce gergale di uso internazionale per indicare la cassetta registrata clandestinamente e venduta al di fuori delle regole commerciali.

boss (*ingl.*): capo. Si diceva dei capimafia o dei guappi. Oggi con un po' d'ironia, si dice di un dirigente o di un capoufficio.

botton line (*ingl.*): nel linguaggio dei contabili, è l'ultima linea di un conto economico, cioè quella destinata al *profitto netto*.

boudoir (*fr.*): salottino, gabinetto di toletta. È un termine legato ad usi del passato.

boule (*fr.*): borsa dell'acqua calda, borsa di ghiaccio. Il termine francese è superfluo.

bouquet (*fr.*): mazzolino di fiori. Si dice tradizionalmente per il mazzo di fiori che portano le spose.

boutade (*fr.*): battuta di spirito. La parola francese è superflua in questo caso.

boutique (*fr.*): negozio di abbigliamento, ma anche bottega in genere. Si arriva a registrare, a Milano, una boutique della pasta.

bow window (*ingl.*): finestra. È espressione invalsa per una forma architettonica specifica, costituita da una struttura aggettante chiusa da vetri. Il termine è stato anche italianizzato in *bovindo*.

box (*ingl.*): il termine ha vari significati. È usato per indicare un'autorimessa singola, o il recinto in cui si tengono i bambini che non camminano ancora, oppure anche un riquadro di testo nella pagina di libro o giornale. In tutti i casi è fortemente invalso nell'uso.

boxer (*ingl.*): oggi il termine è molto usato per un tipo di mutande da uomo a calzoncini, spesso a colori o disegni vivaci.

boy (*ingl.*): ragazzo. In particolare, ballerino di rivista.

boy friend (*ingl.*): amico del cuore, filarino, accompagnatore. *Il suo boy friend* è oggi però sempre più sostituito da: *il suo ragazzo*.

brain drain (*ingl.*): nel linguaggio manageriale significa: drenaggio dei cervelli, caccia di teste, accaparramento di esperti, ricerca di personale altamente qualificato.

brainstorming (*ingl.*): termine che ha avuto un grande successo nei discorsi aziendali. Significa: tempesta di cervelli. Indica una discussione vivace e aperta, un dibattito a ruota libera.

brain trust (*ingl.*): trust di cervelli. È il gruppo di esperti qualificati concentrati su un problema o assistenti di un capo d'altissimo livello.

break (*ingl.*): intervallo. Ma il termine inglese è oggi diffusissimo per indicare l'interruzione di una riunione o di una trasmissione. Un *coffee break* è un intervallo ritualmente confortato da un caffè o un tè.

breakfast (*ingl.*): colazione del mattino, prima colazione. Ma con un menu ricco di uova e bacon e altre proposte della cucina americana o, adesso, anche orientale.

breeder (*ingl.*): reattore nucleare autofertilizzante.

breeding (*ingl.*): allevamento razionale di animali o piante; allevamento artificiale. Il termine tecnico corrispondente è *selettocoltura*.

bricolage (*fr.*): in italiano è *fai-da-te*; in inglese *do-it-yourself*. L'insieme dei lavori manuali eseguiti per hobby o per necessità di casa.

briefing (*ingl.*): parola oggi molto usata. Indica le informazioni preliminari date a chi deve eseguire un lavoro o una missione. Istruzioni, orientamenti, direttive.

brochure (*fr.*): termine che indica un tipo di legatura di libro non cartonato. Anche un libro così confezionato. Ma è perfettamente valido, e da preferire, l'italiano *brossura*.

broker (*ingl.*): nel linguaggio bancario e borsistico, l'intermediario che negozia, con competenza tecnica, titoli, merci, assicurazioni.

budget (*ingl.*): bilancio. È un termine oggi universalmente accolto. Si parla persino di *budget familiare*.

buffer (*ingl.*): in informatica, memorizzatore temporaneo. È il dispositivo (letteralmente: tampone) che memorizza i dati destinati ad essere poi trasferiti su altra memoria. Dicesi anche memoria intermedia.

buffet (*fr.*): un tempo indicava la credenza, il mobile di cucina. Oggi il termine straniero è conservato per indicare rinfresco, ricevimento. *Buffet della stazione* è il bar, il luogo di ristoro.

buildup (*ingl.*): nel linguaggio aziendale indica una situazione critica di crescita di livello (es., il magazzino troppo pieno di prodotti accumulatisi).

bulldozer (*ingl.*): ruspa, ma il termine straniero è abbastanza usato.

bungalow (*ingl.*): villino, casetta a un piano, piccola abitazione per turisti. Le agenzie di viaggio hanno adottato questo termine per indicare un particolare tipo di sistemazione in mezzo al verde.

bunker (*ted.*): fortino, casamatta, rifugio inaccessibile. Il termine, reso celebre dal rifugio di Hitler, è adottato oggi pacificamente per designare anche un ufficio riservatissimo, un'aula di tribunale superprotetta.

bureau (*fr.*): scrivania, ufficio. Oggi è usato per indicare gli uffici di un albergo (ove però si va affermando l'inglese *reception*).

bus (*ingl.*): è abbreviazione di autobus, ma si pronuncia all'inglese (bàs). È anche suffisso, ma italiano, per parole come filobus, aerobus e simili.

business (*ingl.*): affare, attività economica. È largamente entrato nell'uso: *il business delle videocassette*.

business plan (*ingl.*): nel linguaggio aziendale, il piano annuale o pluriennale delle attività produttive e commerciali.

buyer (*ingl.*): nel linguaggio di borsa o commerciale, chi fa acquisti per conto di altri. In italiano: compratore. Può essere anche il capo dell'ufficio acquisti.

bye bye (*ingl.*): comunissima forma di saluto, adottata anche da noi. Ma, per contro, si registra anche l'affermarsi di *ciao* sul piano internazionale.

by night (*ingl.*): di notte. È l'espressione tipica, lanciata dagli accompagnatori turistici, per indicare il giro dei locali notturni di una città. *Milano by night* sembra qualcosa di più che *Milano di notte*, ma è solo un'etichetta.

bypass (*ingl.*): percorso alternativo, condotto secondario, passaggio, vaso artificiale. Termine usato in cardiochirurgia per indicare l'innesto di un canale artificiale per scavalcare un'occlusione. Figuratamente è passato ad indicare un qualsiasi scavalcamento. Per esempio, *bypassare un dirigente* è un'espressione nuova, ma diffusa, per significare appunto lo scavalcamento dall'alto di un responsabile.

byte (*ingl.*): in informatica, la parola costituita da otto bit.

cachet (*fr.*): il termine ha vari significati. In farmacia, oggi è superato da compressa, capsula. Come colorante per capelli è fuori moda. Resiste invece per indicare il compenso degli artisti dello spettacolo.

café society (*ingl.*): ai tempi della dolce vita, la locuzione ha avuto fortuna per indicare la bella società cosmopolita. Oggi è meno di moda; frequentando più aeroporti che caffè, il bel mondo si chiama *jet-set*.

call girl (*ingl.*): ragazza facile che si raggiunge con una telefonata. L'italiano ha creato un'espressione egualmente efficace: ragazza squillo.

cameraman (*ingl.*): è l'uomo della cinepresa o della telecamera. Operatore, quindi; ma il termine straniero è insostituibile.

camper (*ingl.*): autofurgone abitabile. Ma il termine straniero è insostituibile.

camping (*ingl.*): indica qualcosa di più moderno del tradizionale campeggio. Anche se si tratta sempre di un accampamento con tende e roulotte.

campus: parola latina diventata inglese

e pronunciata perciò kèmpas. Nei complessi universitari americani è il rione degli studenti. Il termine è diventato famoso quando i campus erano le cittadelle della contestazione.

canard (*fr.*): vecchia locuzione giornalistica per indicare una montatura, o addirittura una notizia infondata.

candid camera (*ingl.*): ripresa televisiva eseguita all'insaputa delle persone che vengono riprodotte e intervistate. È solitamente usata per inchieste e anche giochi televisivi.

capital gain (*ingl.*): dal linguaggio di borsa alla cronaca politica, la locuzione è diventata molto comune per indicare i guadagni di borsa. Tecnicamente: plusvalenza.

caravan (*ingl.*): l'alternativa a questa parola inglese è un'altra parola straniera: *roulotte*.

card cash (*ingl.*): carta di credito. La locuzione italiana è perfettamente adatta a sostituire quella straniera; in effetti nell'uso sta affermandosi.

career woman (*ingl.*): donna in carriera. L'espressione italiana si va affermando pari pari con il successo delle donne nelle professioni.

carnet (*fr.*): taccuino, agenda, libriccino. La parola francese è usata solo in casi in cui si vuol fare sfoggio d'esotismo.

cartoon (*ingl.*): disegno animato, cartone animato.

cash and carry (*ingl.*): pagamento in contanti, detto soprattutto per grosse partite di merci, con spese di trasporto a carico dell'acquirente.

cash crop (*ingl.*): attività aziendale che produce fatturato e redditività, ma non rappresenta la missione fondamentale della ditta. Attività secondaria di profitto.

cash flow (*ingl.*): locuzione oggi largamente usata. Indica il flusso di cassa (che è espressione italiana pertinente e valida). Anche situazione di tesoreria.

cast (*ingl.*): l'insieme di attori che recitano in un film o in una commedia. Il termine è di uso internazionale.

casual (*ingl.*): informale, sportivo. È una parola che nel costume si è affermata per denominare un caratteristico modo di vestire disinvolto e libero.

catgut (*ingl.*): il filo usato in chirurgia per suture interne, derivato da intestini animali.

caveau (*fr.*): parola che universalmente designa il deposito sotterraneo di una banca, blindato e superprotetto.

ceiling (*ingl.*): letteralmente, soffitto. Usato per indicare un limite, in alto, invalicabile. Da noi si dice: tetto.

chairman (*ingl.*): presidente di turno. Ma non è necessario usare il termine inglese.

chalet (*fr.*): villetta di montagna. Il termine è di uso internazionale.

challenge (*ingl.*): sfida, trofeo, torneo. *Challenger*: sfidante. Nel linguaggio sportivo i termini sono di uso comune e internazionale.

chance (*fr.*): opportunità, occasione favorevole, punto di forza, possibilità. Il termine straniero è largamente usato.

chanteuse (*fr.*): cantante di cabaret. La parola fu italianizzata in *sciantosa*, ma oggi la parola, come il personaggio, sono fuori moda.

chaperon (*fr.*): la dama che un tempo accompagnava una ragazza, per guidarla e proteggerla in società. La parola, oggi, non ha che un senso umoristico.

charmant (*fr.*): affascinante, ma oggi prevalgono *carino, favoloso*; per i più giovani, anche *figo*.

charme (*fr.*): è il modo francese di dire *grazia, fascino, attrattiva*. La fortuna della parola francese è legata al periodo in cui si pensava che nel campo della seduzione tutto ciò che era francese fosse il meglio.

charter (*ingl.*): voce di uso internazionale per indicare il volo noleggiato dalle compagnie di viaggio o l'aereo che compie tale volo.

cheap (*ingl.*): vuol dire di scarso valore, dozzinale, di cattivo gusto. È una parola efficace, largamente usata.

check-in (*ingl.*): locuzione internazionale che indica la registrazione dei passeggeri e dei bagagli al banco di partenza degli aeroporti.

check-list (*ingl.*): elenco di cose da fare o di controlli da fare. In pratica, un promemoria ben strutturato. La locuzione inglese ha larga diffusione.

check-up (*ingl.*): controllo medico generale. Dal campo medico l'espressione si è estesa, come metafora, ad altri campi per indicare ogni sorta di revisione e controllo generale di una macchina o di una situazione.

cheque (*fr.*): assegno bancario. Il termine straniero è di largo uso internazionale, ma è superfluo in Italia.

chewing-gum (*ingl.*): il modo internazionale di chiamare la gomma da masticare.

chip (*ingl.*): l'accezione più nota è quella di patatina fritta. La più tecnologica si riferisce a un componente del computer. È anche il nome della puntata minima al poker.

clan (*ingl.*): in antropologia, designa gruppo di persone di uno stesso ceppo. Ma figuratamente il termine è usato anche per indicare un gruppo politico (*clan dei demitiani*) o una associazione a delinquere (*clan dei marsigliesi*) o un ambiente o insieme di amici e collaboratori (*clan di Celentano*).

claque (*fr.*): nel gergo teatrale, applauditori prezzolati. È un termine con lunga tradizione.

clip (*ingl.*): molletta, fermaglio, spilla, orecchino a molla. Parole italiane per designare gli oggetti ce ne sono, ma c'è anche una moda delle parole della moda.

cloche (*fr.*): campane. Si usa per indicare la barra di comando azionata dal pilota d'aereo. *Cambio a cloche*, nell'automobile, è quello in cui la leva è sul pavimento e non sul volante.

clou (*fr.*): il termine è usato per indicare il momento più importante di una riunione o di uno spettacolo. Vale: il meglio, l'attrattiva principale.

clown (*ingl.*): è il comico della pantomima, il pagliaccio del circo. Ma il termine inglese è di uso internazionale ed è entrato nella tradizione.

club (*ingl.*): circolo, associazione, società, sodalizio. La parola è invalsa nell'uso, anche pronunciata all'italiana e combinata con parole italiane: *Juventus club, moto club*.

cluster (*ingl.*): in astronomia, gli ammassi stellari. In statistica, una classe di oggetti scelti come campioni significativi.

cobol (*ingl.*): voce derivata dalle iniziali di *Common business oriented language*, per indicare, in informatica, il programma specifico per la contabilità aziendale.

cocktail (*ingl.*): l'originario significato letterale (=coda di gallo) è stato quasi dimenticato. Nell'uso internazionale, bibita confezionata con più liquori dosati e mescolati con varie ricette. Indica anche un ricevimento, un rinfresco a base di aperitivi e salatini. Usato anche metaforicamente come sinonimo di mistura, miscela, miscuglio (*cocktail di voci*).

coffee-break (*ingl.*): è l'intervallo con caffè durante convegni, riunioni, sedute di lavoro.

cold cream (*ingl.*): crema per la pelle.

collage (*fr.*): nell'arte moderna, composizione di vari ritagli di materiali disposti su un piano. È un termine della tradizione dell'arte astratta. Per estensione, viene anche usato come sinonimo di miscuglio, centone, zibaldone, e simili.

collant (*fr.*): tipo di indumento femminile consistente in una sorta di leggera calzamaglia. Il termine straniero è qui indispensabile.

collier (*fr.*): così gli orefici chiamano una collana d'oro o di perle o altro monile che si porta al collo. Deriva dal latino *collarium* c si potrebbe sostituire con *collare*, ma non sembra opportuno.

columnist (*ingl.*): nel giornalismo anglosassone, colui che tiene una rubrica, solitamente di opinione o di curiosità di costume.

combine (*fr.*): usato soprattutto nello

sport, il termine indica un accordo tra due contendenti per truccare il risultato. Partita truccata, pastetta.

compact disc (*ingl.*): nome specifico, e quindi non sostituibile, del disco fonografico a lettura ottica mediante raggio laser. L'affermazione del nuovo prodotto tecnologico ha anche favorito il diffondersi della parola *compact* per vari usi, nel senso di ridotto, compattato, sinottico, ristretto.

compilation (*ingl.*): è un album comprendente registrazioni o di uno stesso autore o di uno stesso periodo. Un'antologia, dunque; il meglio di...; selezione: *la compilation di San Remo, una compilation degli anni Sessanta.*

computer (*ingl.*): elaboratore elettronico, calcolatore. Il termine inglese è forse il più caratterizzante della nostra epoca. Da esso derivano anche italianizzazioni di verbi come *computerizzare* o di aggettivi come *computerizzato.*

connection (*ingl.*): significa connessione, coinvolgimento, implicazione, intrigo. Usato originariamente dagli scienziati per indicare le interrelazioni tra fenomeni e piani diversi della realtà, è poi entrato nell'uso per riferirsi a intrighi di grossa portata: *la pizza Connection è un affare di mafia internazionale.*

container (*ingl.*): originariamente contenitore, recipiente. Oggi indica un tipo preciso di grandi cassoni usato per il trasporto di merci sui vari mezzi di trasporto usuali, aerei o terrestri.

controller (*ingl.*): un tempo era forse solo il direttore amministrativo. Oggi è colui che redige il budget e ne controlla gli eventuali scollamenti. Controllo di gestione è la locuzione italiana corrispondente, ma si preferisce dappertutto l'espressione americana.

convention (*ingl.*): un tempo si diceva congresso, raduno, riunione, assemblea annuale. Oggi si usa il termine inglese non solo per adeguarsi all'anglofilia del linguaggio manageriale, ma anche perché le convention sono sempre più organizzate con lo stile americano (turismo, scenografia, contorni di tempo libero).

copyright (*ingl.*): termine internazionale per indicare il diritto d'autore; tutelato nei confronti di ogni possibile riproduzione non autorizzata di opere dell'ingegno. È quindi sinonimo della dizione *Proprietà artistica e letteraria riservata.*

copywriter (*ingl.*): colui che scrive testi pubblicitari. È uno specialista della comunicazione e redige slogan e testi di presentazione. Si abbrevia anche *copy.*

corbeille (*fr.*): la parola indica cesto di fiori, composizione floreale. Ma oggi è soprattutto usata per designare il recinto della Borsa ove operano gli agenti di cambio per la contrattazione dei titoli.

corner (*ingl.*): nel gioco del calcio, è il calcio d'angolo. Da quando gli inglesi non sono più dominatori sul campo, l'espressione italiana tende a prevalere nell'uso.

corn-flakes (*ingl.*): fiocchi di granoturco gonfiato. La dizione inglese si trova sui sacchetti in vendita nei nostri negozi, così come il prodotto appare sulla tavola di chi fa la prima colazione all'inglese.

corvée (*fr.*): dal gergo militare, la parola è passata ad indicare ogni tipo di lavoro ingrato, una sfaticata, faticaccia.

count-down (*ingl.*): è il famoso *conto alla rovescia* reso popolare dalle cronache dei lanci spaziali. L'espressione italiana è invalsa nell'uso, anche figurato.

coup de foudre (*fr.*): colpo di fulmine, amore a prima vista.

coupon (*fr.*): tagliando, cedola, buono. I termini italiani sono validissimi, ma ai distributori di benzina si trova scritta la parola francese, di uso più internazionale.

cracker (*ingl.*): gallette. Ma anche in commercio è in uso la parola inglese.

cracking (*ingl.*): è il termine internazionale per indicare la piroscissione, ossia processo di scissione termica usato nell'industria petrolifera.

crash program (*ingl.*): nel linguaggio dei manager, è un programma d'urto, d'emergenza.

credibility (*ingl.*): prestigio, reputazione, stima. Dal termine inglese, che è ormai meno usato, ha tratto fortuna l'italiano *credibilità*.

credit card (*ingl.*): carta di credito. Ormai anche la dizione italiana si è affermata.

cross (*ingl.*): nel gioco del calcio, il traversone, il passaggio dall'ala al centro dell'area. Sugli spalti e nelle cronache sportive resiste la parola straniera.

cruising (*ingl.*): crociera sportiva.

day after (*ingl.*): locuzione, resa famosa dal titolo di un film, entrata nell'uso per indicare il giorno successivo a un evento eccezionale, nella vita pubblica o in quella privata.
È valido naturalmente anche l'italiano *il giorno dopo*.

day hospital (*ingl.*): ospedale attrezzato per ospitare pazienti bisognosi di cure o esami da completarsi entro un giorno. Il servizio stesso eseguito nell'arco della giornata, senza ricovero.

deadline (*ingl.*): termine ultimo, data definitiva di scadenza. È usato nel linguaggio dei manager, ma l'italiano ha equivalenti egualmente perentori.

dealer (*ingl.*): mediatore, negoziatore di Borsa.

débâcle (*fr.*): sconfitta rovinosa, catastrofe. Dirlo in francese sembra più irreparabile, ma il termine oggi ha assunto anche qualche sfumatura ironica (*la débâcle del maschio*).

décalage (*fr.*): scarto, sfasatura.

decision maker (*ingl.*): colui che, in azienda, ha il potere di decidere. Dunque, il capo, il responsabile.

décolleté (*fr.*): scollatura, abito scollato; anche quello che la scollatura lascia vedere.

décor (*fr.*): scenografia, ornamentazione. Il termine straniero è però sempre meno usato.

défaillance (*fr.*): svenimento; ma soprattutto: cedimento, cilecca, debolezza, fallimento (in attività fisica).

défilé (*fr.*): sfilata di moda.

déja-vu (*fr.*): già visto, non nuovo, non originale. La locuzione è invalsa nell'uso.

delivery order (*ingl.*): ordine di consegna.

démodé (*fr.*): passato di moda, superato.

dépliant (*fr.*): pieghevole, opuscoletto, foglietto. Il termine straniero resiste nell'uso, erroneamente pronunciato, a volte *déplian*. L'italiano *pieghevole* è spesso preferito.

déraciné (*fr.*): sradicato, detto di chi si viene a trovare fuori dal proprio ambiente.

dérapage (*fr.*): slittamento; è un'operazione di automobilisti spericolati e abili, oppure di sciatori.

derby (*ingl.*): incontro, sfida, partita stracittadina. Nello sport è ormai insostituibile.

deregulation (*ingl.*): liberalizzazione, attenuazione delle regole, deregolamentazione. Termine molto in uso sotto la spinta dell'ondata liberalizzatrice nelle economie occidentali.

designer (*ingl.*): progettista, disegnatore. È il creativo nel campo dell'*industrial design*. Voce di uso internazionale.

dessert (*fr.*): voce di uso internazionale per indicare le ultime portate di un pranzo (frutta, dolci).

detective (*ingl.*): investigatore. I libri e i film gialli hanno fatto la fortuna del termine inglese.

detector (*ingl.*): parola derivata dal latino e rifluita nell'uso internazionale. È il nome tecnico dello strumento che rivela onde e frequenze.

diktat (*ted.*): ultimatum, imposizione, ordine categorico. La parola tedesca sembra essere più perentoria.

dinner (*ingl.*): pranzo, in particolare pranzo d'affari. È quello che chiude solitamente la *convention*.

disc jockey (*ingl.*): nelle discoteche di tutto il mondo si chiama così il ragazzo o la ragazza che sceglie e manda in onda le musiche e anima con commenti e incitamenti la serata.

discount (*ingl.*): sconto, ribasso, saldo. La parola inglese compare sugli avvisi di grosse liquidazioni di fine stagione. È anche sull'insegna di empori che vendono abitualmente i prodotti a prezzi scontati.

dispenser (*ingl.*): espositore (di prodotti al pubblico per il prelievo e l'acquisto).

display (*ingl.*): esposizione di prodotti in vendita; oggi, in particolare, uno schermo video ove si reclamizzano i prodotti.

docking (*ingl.*): attracco, aggancio. Detto soprattutto dell'aggancio di due veicoli nello spazio.

do-it-yourself (*ingl.*): corrispettivo inglese dell'italiano *fai-da-te* o del francese *bricolage*.

dont (*ingl.*): nel linguaggio borsistico, il contratto a premio che lascia all'acquirente la facoltà alla scadenza di ritirare o non ritirare i titoli.

door-to-door (*ingl.*): porta a porta. È la vendita capillare, a domicilio. In particolare la vendita rateale.

doping (*ingl.*): somministrazione di droghe ad atleti per migliorarne le prestazioni. È un illecito sportivo gravemente punito. Il termine è di uso internazionale.

dossier (*fr.*): incartamento, fascicolo, raccolta di documenti e informazioni. La parola è largamente invalsa nell'uso.

double-face (*fr.*): stoffa o indumento con due diritti. Per estensione, persona ambigua, doppia; o addirittura bisessuale.

down payment (*ingl.*): pagamento in acconto. Voce in uso nel commercio internazionale.

dressage (*fr.*): termine tradizionale e di uso internazionale per indicare l'addestramento nel campo dell'equitazione. In senso figurato si usa anche in altri campi.

dribbling (*ingl.*): nel mondo del calcio, è l'azione di scarto dell'avversario. Derivato è il verbo *dribblare* per scartare, superare, scavalcare, che viene usato nel linguaggio quotidiano per varie situazioni (*dribblare il divieto di sosta*).

drink (*ingl.*): bevanda, bevuta. *Vedersi per un drink* è espressione entrata nell'uso.

dripping (*ingl.*): la tecnica dei pittori informali di far sgocciolare i colori sulla tela.

drive (*ingl.*): nel tennis, è il colpo diritto; nel golf, il colpo lungo iniziale. La parola contiene l'idea di energia, battuta, slancio. In questo senso è usata anche fuori dal linguaggio sportivo.

driver (*ingl.*): voce di uso internazionale per indicare il guidatore nelle corse al trotto.

drop (*ingl.*): goccia, ma in particolare una caramella di frutta, senza incarto. In sartoria, la preparazione delle misure di un abito.

dry (*ingl.*): secco. Si dice di vino e liquori, ma c'è anche, nelle tecniche di vendita per corrispondenza, il *test dry*, ossia la proposta al consumatore senza che ci sia ancora il prodotto, per saggiare la convenienza a realizzarlo effettivamente.

dummy (*ingl.*): progetto, menabò. Di una collana o libro illustrato, il campione preliminare da mostrare ad eventuali acquirenti o soci.

dumping (*ingl.*): nota tecnica di aggressività commerciale che consiste nel vendere a prezzi inferiori, anche se non subito remunerativi, al fine di conquistare il mercato.

duty-free (*ingl.*): esente da tassa doganale. In tutti gli aeroporti, i negozi ove si compra a buon mercato grazie all'agevolazione fiscale.

editing (*ingl.*): in editoria, revisione ed eventuale elaborazione d'un testo d'autore per renderlo più consono ai criteri prestabiliti dall'editore. In informatica, organizzazione dei dati allo scopo di agevolarne l'elaborazione.

egg-head (*ingl.*): testa d'uovo. L'italiano ha prevalso sull'inglese, in questo caso, per indicare l'intellettuale. Ironicamente, cervellone.

élite (*fr.*): scelta, il meglio, l'aristocrazia, il fior fiore. Ma il termine francese è ancora il più usato, per indicare il gruppo dei migliori, in ogni campo.

embrassons-nous (*fr.*): locuzione in uso nel linguaggio diplomatico e politico, per indicare un abbraccio generale, rappacificazione universale, compromesso totale, ma con sfumatura ironica, perché si fa allusione a un accordo che copre ma non risolve i contrasti.

enfant gâté (*fr.*): locuzione usata un tempo per indicare un rampollo privilegiato, un ragazzo viziato dai successi o dai privilegi.

enfant prodige (*fr.*): locuzione usata un tempo per indicare il bambino prodigio, il genio precoce. Detto anche di adulto dalla carriera fulminea e relativamente facile.

enfant terrible (*fr.*): locuzione che indicava il bambino terribile, che non si riesce a tener a freno, capace di sortite imprevedibili e imbarazzanti. Oggi anche un giovane politico, caustico e irriverente, è un enfant terrible.

engagé (*fr.*): impegnato, sotto il profilo ideologico o politico. L'impegno è temporaneamente passato di moda, così anche il termine francese, che caratterizzò la stagione degli esistenzialisti francesi.

engineering (*ingl.*): termine oggi molto in uso. Indica la consulenza ingegneristica, l'attività di progettazione, realizzazione e servizio di un impianto industriale.

en passant (*fr.*): locuzione che vale: tra parentesi, per inciso.

en plein (*fr.*): al gioco della roulette, vincita piena. Per estensione, anche in altri campi, successo pieno.

ensemble (*fr.*): insieme, completo. Si dice di complessi teatrali o musicali; in sartoria, di una serie di indumenti che costituiscono un completo.

entertainer (*ingl.*): intrattenitore; è una professione in voga, nei villaggi turistici, in televisione, nei locali notturni. Animatore.

entertainment (*ingl.*): trattenimento, divertimento. La parola è usata, nel linguaggio aziendale, per denominare le *spese di rappresentanza*, che è locuzione valida e chiara.

entourage (*fr.*): cerchia, ambiente, seguito. Si dice delle persone che circondano un personaggio noto e influente. L'entourage può determinare il successo o la caduta del personaggio. La parola straniera è largamente nell'uso.

entracte (*fr.*): in teatro, intervallo, piccolo spettacolo d'intrattenimento.

entraîneuse (*fr.*): nei locali notturni, donna che offre la sua compagnia con il patto di far bere il cliente. Oggi ci sono le hostess e molte altre forme di compagnia a pagamento. Il termine appartiene dunque a un costume in declino.

environment (*ingl.*): ambiente; fu, negli anni Settanta, anche il nome di una corrente pittorica.

équipe (*fr.*): squadra, equipaggio, gruppo di lavoro. Il termine è invalso nell'uso, in vari campi. In concorrenza si va affermando l'inglese *team*.

escalation (*ingl.*): incremento, ascesa, sviluppo. Il termine si diffuse in campo internazionale riferito all'offensiva crescente degli americani in Vietnam. Oggi è usato in tutti i campi, anche con un po' di esagerazione (*l'escalation dei prezzi*).

escamotage (*fr.*): trucco, espediente, astuzia. Si usa per indicare una manovra atta a superare un ostacolo o una difficoltà.

essai (*fr.*): saggio, esperimento. La parola è usata per l'espressione *cinema d'essai*, cioè il locale ove si proiettano film d'avanguardia e di sperimentazione.

establishment (*ingl.*): sistema di potere, classe dirigente. Con una metafora oggi in voga, il Palazzo. Però c'è anche l'establishment della cultura, dell'università. Quindi gruppo di potere, gruppo egemonico.

étoile (*fr.*): stella, specialmente del balletto. Diva, vedette, star.

executive (*ingl.*): dirigente. Anche la valigetta del dirigente o l'aereo privato. È un modo di dire un po' snob, ma in voga.

expense account (*ingl.*): nel linguaggio della gestione aziendale, la nota spese.

expertise (*fr.*): nel mercato dell'arte, perizia, certificato di autenticità rilasciato da un esperto qualificato.

exploit (*fr.*): prodezza, impresa, grande risultato, specie se inaspettato.

eye-liner (*ingl.*): cosmetico usato per sottolineare la linea degli occhi.

façon (*fr.*): nel linguaggio della moda, significa ad imitazione, del tipo.

factoring (*ingl.*): cessione di crediti a un'altra azienda specializzata nel recupero degli stessi.

fair play (*ingl.*): cavalleria, diplomazia, correttezza, cortesia.

fall-out (*ingl.*): ricaduta, ripercussione, conseguenza, effetto. Introdotto nell'uso per indicare la ricaduta sulla terra di polvere radioattiva dopo un'esplosione nucleare, la locuzione si è diffusa per indicare qualsiasi tipo di ripercussione o conseguenza indiretta, specialmente in campo ecologico.

fan (*ingl.*): fanatico, tifoso, ammiratore. Specie nel campo della musica rock, il termine inglese è ormai largamente in uso.

fané (*fr.*): appassito, appannato, sciupato, scolorito.

fard (*ingl.*): il cosmetico usato per ravvivare il colore delle guance.

fashion (*ingl.*): moda, eleganza. Stranamente, il termine inglese si è affermato anche in Italia, mentre nel mondo anglosassone trionfava il *made in Italy*, cioè la moda italiana.

fast food (*ingl.*): cibo svelto. È il nome di molti locali, nonché un'abitudine alimentare, a base di hamburger e patatine fritte.

feed-back (*ingl.*): retroazione, rievocazione, risposta. È un processo tipico dei sistemi di comunicazione consistente nello spostare indietro il tempo di un'informazione o di un racconto. Anche l'effetto del messaggio su chi lo riceve.

feeling (*ingl.*): sensazione, ma soprattutto: simpatia, intesa.

ferry-boat (*ingl.*): nave traghetto.

feuilleton (*fr.*): era il romanzone popolare d'appendice nell'Ottocento. Oggi il termine viene usato, per analogia, a proposito di film, romanzi, telenovele che hanno caratteristiche simili a quel genere letterario.

fiche (*fr.*): gettone, scheda.

fiction (*ingl.*): nel mondo dell'editoria, indica la *narrativa*, i romanzi.

fifty-fifty (*ingl.*): locuzione invalsa nell'uso: cinquanta e cinquanta, metà e metà, metà per uno.

file (*ingl.*): schedario, indirizzario, archivio. In informatica, insieme di dati strutturati e memorizzati.

filibustering (*ingl.*): ostruzionismo parlamentare. E l'espressione italiana è più comprensibile.

finish (*ingl.*): fine, scatto finale, arrivo. Si usa soprattutto nelle gare sportive.

finished goods (*ingl.*): nel linguaggio aziendale, i prodotti finiti.

first (*ingl.*): il primo, il numero uno. Se lo si vuol dire in inglese a tutti i costi, c'è anche *number one*.

first lady (*ingl.*): la prima signora. Per antonomasia, la consorte del presidente degli Stati Uniti. Ma poi si è passati a dire la *first lady dell'Inter, la first lady di Canale 5*, ecc.

fiscal drag (*ingl.*): prelievo fiscale, drenaggio fiscale. Il termine è venuto di moda da quando si è cominciato a parlare di alleggerire la pressione fiscale.

fish eye (*ingl.*): nelle macchine fotografiche, l'obiettivo grandangolare.

fixing (*ingl.*): nel linguaggio della Borsa, le quotazioni ufficiali della giornata. Listino.

flambé (*fr.*): alla fiamma. L'espressione italiana si è affermata per ogni tipo di piatto che si cucina su fornello ad alcol al momento di servire.

flap (*ingl.*): termine della tecnica aeronautica. Indica l'ipersostentatore dell'aereo.

flash (*ingl.*): lampo, con riferimento in particolare al lampo di luce che permette di fotografare al buio. Per estensione: idea, accenno, breve notizia, dispaccio.

flash back (*ingl.*): memoria di fatti trascorsi; rievocazione del passato che interrompe il corso di una narrazione. Oggi l'espressione straniera è molto usata e compresa da tutti.

flirt (*ingl.*): amore passeggero, amicizia sentimentale.

floppy disk (*ingl.*): in informatica, il dischetto che contiene la composizione. Tra gli addetti ai lavori si va facendo strada *dischetto*.

flou (*fr.*): sfumatura, dissolvenza. È un effetto fotografico e il termine è usato soprattutto tra fotografi. Anche sfocatura.

flûte (*fr.*): è il nome classico del bicchiere per lo champagne, lungo e stretto, sorretto da un lungo stelo.

fly and drive (*ingl.*): formula lanciata dalle compagnie turistiche ("vola e guida") per indicare un biglietto che comprende il volo in aereo e il noleggio di un'auto a terra. Quindi: aereo più auto.

föhn (*ted.*): è, come è noto, il nome del vento caldo e secco delle Alpi, ma è anche l'appellativo del normale asciugacapelli.

folk (*ingl.*): popolare, cultura popolare. Termine di uso internazionale. Lo studio del folk è il *folclore*.

foncé (*fr.*): detto di colore scuro, carico, intenso.

footing (*ingl.*): marcia e corsa all'aria aperta. Esercizio di gran moda, che ha lanciato anche il termine nell'uso internazionale.

forcing (*ingl.*): passione, attacco pressante. Usato per indicare l'azione di una squadra di calcio che respinge l'altra nella sua area con attacchi incalzanti.

forecast (*ingl.*): previsione, anticipazione. Molto usato nel linguaggio aziendale.

forfait (*fr.*): parola molto usata, con vari significati. Può indicare un compenso globale, concordato e invariabile, per una collaborazione, una prestazione o un insieme di prodotti. Oppure rinuncia, ritiro: *dare forfait* equivale a ritirarsi, rinunciare.

foyer (*fr.*): è il ridotto di un teatro. Il termine italiano e quello straniero convivono nell'uso.

framework (*ingl.*): struttura portante (di un edificio, di un aereo, di una nave). Nel linguaggio aziendale si usa soprattutto in senso figurato, per indicare l'ossatura di una società.

franchising (*ingl.*): tipo di contratto per il quale un'azienda concede ad un'altra i propri prodotti e il diritto di valersi del proprio marchio.

freak (*ingl.*): stravagante, eccentrico. È un termine venuto di moda con il fiorire di movimenti giovanili di rottura sia nel comportamento sia nell'abbigliamento.

free-lance (*ingl.*): il termine indica il collaboratore (specialmente di casa editrice o di giornale) senza rapporto fisso o dipendente con il datore di lavoro. È un'espressione invalsa nell'uso.

freezer (*ingl.*): il corrispettivo italiano è *congelatore*. Indica la cella del frigorifero a più bassa temperatura.

fringe benefit (*ingl.*): indennità accessoria. Indica i vantaggi aggiuntivi (uso dell'alloggio o dell'auto o altro) corrisposti a un dirigente oltre lo stipendio. È un tipo di agevolazioni che completa il trattamento economico, talora anche sotto il profilo fiscale. La locuzione inglese è di uso internazionale.

full time (*ingl.*): tempo pieno. Detto di collaboratore che è occupato per tutto l'orario normale. Anche pieno impiego. Il contratto a *part-time* è a metà tempo, a tempo parziale.

gadget (*ingl.*): aggeggio, ammennicolo, marchingegno. Usato soprattutto per indicare l'oggettino regalato per promuovere una vendita. Omaggio promozionale.

gaffe (*fr.*): topica, sbaglio, uscita inopportuna. Ma il termine francese è il più usato.

gag (*ingl.*): trovata comica, scenetta umoristica. Nel gergo teatrale è invalsa nell'uso.

game (*ingl.*): gioco, partita. Molto usata a proposito di tennis. Ma la parola si è poi diffusa con l'avvento dei giochi elettronici, anche come secondo elemento di parole composte (*videogame, war game*).

gang (*ingl.*): banda di malviventi. È usato anche con significato più leggero per: combriccola, brigata di amici.

gap (*ingl.*): divario, differenza, scarto, vuoto. È un termine invalso nell'uso soprattutto in due accezioni: *gap tecnologico* e *gap generazionale*.

garage (*fr.*): autorimessa. Il termine francese è in declino. Per l'autorimessa singola si usa sempre più *box*.

garçonnière (*fr.*): appartamentino da scapolo. Il termine è un po' fuori moda. È più in voga il monolocale arredato.

garden party (*ingl.*): festa in giardino, ricevimento all'aperto.

garni (*fr.*): pensione con alloggio e prima colazione.

gate (*ingl.*): negli aeroporti, è l'uscita per l'imbarco.

gâteau (*fr.*): torta, dolce.

gauche (*fr.*): sinistra, si intende politica ideologica.

gauchisme (*fr.*): la sinistra extraparlamentare, il movimento del maggio francese. Nel linguaggio politico, il termine è rimasto per indicare un generico atteggiamento di sinistra avanzata.

gay (*ingl.*): dai significati originari (giulivo, disinibito) il termine è eufemismo per omosessuale.

gentleman (*ingl.*): gentiluomo, uomo di stampo antico con nobili sentimenti e tratto signorile. In alcuni sport (ippica, per esempio) è il guidatore non professionista (*gentleman rider*).

gentleman's agreement (*ingl.*): nella politica internazionale e in alti livelli della finanza, è il patto tra gentiluomini, ossia un accordo non formalizzato, ma fondato sulla parola e la lealtà delle parti.

ginger (*ingl.*): zenzero, per estensione, brio, vivacità, sprint.

girl (*ingl.*): ragazza, in molte accezioni: ballerina, fidanzatina, modella, ragazza di copertina, ecc.

glamour (*ingl.*): fascino, bellezza irresistibile. Si dice di attrici, modelle, donne di sogno.

glasnost (*russo*): trasparenza. È una delle parole che hanno avuto fortuna con l'era Gorbaciov.

goal (*ingl.*): nel gioco del calcio, rete. Nel linguaggio aziendale: scopo, obiettivo.

golden boy (*ingl.*): ragazzo d'oro. Per antonomasia, Gianni Rivera. Poi il termine è alquanto tramontato.

golpe (*sp.*): colpo di stato, colpo di mano. Espressione venuta dall'America Meridionale, ove il golpe è frequente, e da noi adottata anche per situazioni meno gravi (*il golpe del capo del personale, il golpe del Milan*).

good bye (*ingl.*): formula di saluto. Il cinema e le canzoni l'hanno resa popolare anche da noi.

gossip (*ingl.*): chiacchiera, pettegolezzo; soprattutto quella dei giornali popolari e scandalistici o delle cronache dei premi letterari.

gourmet (*fr.*): assaggiatore di vini, degustatore. Termine di uso internazionale. Per estensione, buongustaio, intenditore.

grammelot (*fr.*): nel teatro, linguaggio di attore che invece di pronunciare frasi e parole comprensibili, emette suoni imitativi.

green (*ingl.*): verde; per antonomasia il campo da golf.

griffe (*fr.*): nel mondo della moda, il marchio, l'etichetta della casa. Per estensione: stile, impronta, qualità.

grill (*ingl.*): griglia, graticola. Anche il locale ove si cuociono o si servono i cibi alla griglia. In questo caso è abbreviazione della forma completa *grill room*.

grimpeur (*fr.*): nel ciclismo, lo scalatore, il passista.

groggy (*ingl.*): debole, vacillante. Si dice di ubriaco o di pugile tramortito dai colpi. Vale quindi: suonato, stordito.

growth (*ingl.*): nel linguaggio aziendale indica crescita, sviluppo.

guêpière (*fr.*): indumento femminile, bustino, corsetto; vita di vespa.

guidelines (*ingl.*): in economia, le linee generali di una pianificazione.

gulag (*russo*): campo di concentramento, campo di lavoro.

hair (*ingl.*): capelli, capigliatura. Dalla parola è derivata l'insegna esotica di *Hairdresser*, che ha scacciato il francese *coiffeur*, ma ha anche soverchiato parrucchiere per signora.

hall (*ingl.*): atrio, ingresso. Si usa soprattutto per l'ingresso degli alberghi.

hamster (*ingl.*): pelliccia di criceto.

handicap (*ingl.*): svantaggio, ostacolo, menomazione. Dal linguaggio sportivo, ove designa una gara in cui alcuni concorrenti concedono un vantaggio iniziale ad altri, il termine è passato ad indicare oggi la menomazione fisica o psichica. *Portatore di handicap* è un invalido, disadattato. Si dice anche *handicappato* sia per indicare un malato cronico, sia, più lievemente, uno svantaggiato o sfavorito in qualche circostanza.

handling (*ingl.*): voce internazionale per indicare l'insieme delle operazioni da eseguirsi durante lo scalo di un aeromobile (carico, scarico, pulizia, rifornimento carburante, ecc.).

happening (*ingl.*): nel teatro d'avanguardia, improvvisazione collettiva. Oggi indica manifestazione creativa, senza programma, soprattutto presso i movimenti alternativi.

hard-core (*ingl.*): espressione che designa i film erotici molto spregiudicati. Pornografico.

hard sale (*ingl.*): vendita dura, vendita imposta. Tecnica commerciale particolarmente pressante verso il cliente.

hardware (*ingl.*): in informatica, le parti elettromeccaniche del calcolatore.

haute couture (*fr.*): l'alta moda, così chiamata universalmente quando Parigi ne era la capitale. Oggi, nonostante il primato italiano, si sente dire *high fashion*. E la moda italiana è soprattutto il *made in Italy*.

head hunter (*ingl.*): cacciatore di teste. È un modo esotico e pittoresco per indicare quel tipo di consulente incaricato dalle aziende di effettuare ricerche di personale qualificato.

headline (*ingl.*): nel linguaggio della pubblicità, la frase principale di una campagna pubblicitaria.

hi-fi (*ingl.*): forma accorciata di *high fidelity*, alta fedeltà.

high-life (*ingl.*): alta società, vita brillante.

high society (*ingl.*): alta società, la gente bene.

hinterland (*ted.*): territorio circostante una grande città; periferia, retroterra.

hi-tech (*ingl.*): forma accorciata di *high technology*, alta tecnologia, tecnologia molto sofisticata.

hit-parade (*ingl.*): parata di successi, classifica dei più venduti (libri, dischi, film, ecc.).

hobby (*ingl.*): passatempo, svago, divertimento. Il termine è ormai di uso internazionale.

holding (*ingl.*): società finanziaria che controlla il pacchetto azionario di un gruppo di aziende.

home computer (*ingl.*): elaboratore per uso familiare. Più noto come *personal computer*.

hostess (*ingl.*): assistente di volo. Il termine è poi passato ad indicare, genericamente, accompagnatrici, guide, interpreti.

hot money (*ingl.*): nella finanza internazionale, il capitale che viene spostato da una piazza all'altra alla ricerca della sempre migliore remunerazione dell'investimento.

house-boat (*ingl.*): casa sull'acqua, casa galleggiante. Tipica imbarcazione turistica con ampia cabina abitabile.

ice (*ingl.*): ghiaccio. Primo elemento di parole come *iceberg*, che è intraducibile, e *icecream*, che è semplicemente il gelato.

identikit (*ingl.*): voce di uso internazionale per indicare la ricostruzione di un viso sulla base di indicazioni di vari testimoni. Per estensione, ritratto, profilo, immagine.

impasse (*fr.* e *ingl.*): ostacolo, momento critico, vicolo cieco, strada senza uscita, senza sbocco. Tutte le espressioni italiane possono sostituire la parola straniera.

impeachment (*ingl.*): incriminazione, messa in stato d'accusa. Si usa soprattutto per il presidente o altissime cariche dello Stato.

implementation (*ingl.*): in informatica, la messa a punto e realizzazione di un programma. Il termine è stato italianizzato in *implementazione*, che sembra più moderno di realizzazione, attuazione, condotta a termine.

import (*ingl.*): importazione. La parola straniera è più breve e si unisce spesso a *export*, esportazione.

in (*ingl.*): significa "dentro" ed è usato nell'espressione *essere in*, contrario di *essere out*. Ciò che è fine, ciò che è di moda è *in*, il resto è *out*. Chi lo stabilisca è controverso.

inclusive tour (*ingl.*): formula usata dalle compagnie turistiche per indicare la tariffa comprendente viaggio e albergo e altri servizi. Praticamente: tutto compreso.

indoor (*ingl.*): nel linguaggio sportivo le gare che si disputano al coperto.

input (*ingl.*): diffusissima parola che significa: immissione. In informatica, l'insieme dei dati che si introducono in un elaboratore per mettere in atto un programma. Per estensione, le disposizioni preliminari, le informazioni giuste. Un tempo si diceva l'imbeccata, il via, il suggerimento di base. Ma oggi *input* è usatissimo ed ha sostituito gli equivalenti termini italiani.

inside (*ingl.*): interno (di abitazione); introdotto (in un determinato ambiente). L'uso del termine straniero non è indispensabile.

instant book (*ingl.*): in editoria, libro d'attualità, scritto e pubblicato in tempi rapidissimi per sfruttare tutto il richiamo del personaggio o dell'avvenimento interessante di cui parla il libro stesso.

investment fund (*ingl.*): fondo comune d'investimento. Nell'uso la dizione italiana ha ormai prevalso. L'*investment trust* è la fiduciaria che gestisce gli investimenti.

item (*ingl.*): oggetto elencato, voce di lista. Per estensione, oggetto, argomento, cosa. *Itemize*: fare una distinta (specialmente in informatica). Si è persino tentato un verbo italiano *itemizzare*, per elencare.

jamming (*ingl.*): disturbo provocato di una trasmissione radio; interferenza, azione di disturbo.

jet-lag (*ingl.*): lo scombussolamento provocato dai viaggi transoceanici per la differenza di fuso orario.

jet-set (*ingl.*): alta società internazionale; il gruppo cosmopolita che si muove in aerei transoceanici e si ritrova in certi luoghi e in certe situazioni ricorrenti. Il bel mondo.

jet-society (*ingl.*): il bel mondo.

jeunesse dorée (*fr.*): locuzione antiquata che indicava i giovani bene, i figli dell'aristocrazia. Oggi la gioventù non ama esser chiamata "dorata".

job (*ingl.*): lavoro, impiego, incarico, posto di lavoro.

jogging (*ingl.*): esercizio fisico in voga, consistente in una lunga corsa leggera con passi e andature diverse.

joint venture (*ingl.*): locuzione assai diffusa per indicare varie forme di alleanze e collaborazioni tra imprese industriali o commerciali. Associazione con ripartizione degli investimenti, dei rischi e dei ricavi.

jolly (*ingl.*): la carta vincente, la carta che può assumere qualsiasi valore; matta. Per estensione, persona che può svolgere varie mansioni, disponibile per ogni incarico. Il termine è nell'uso e intraducibile.

kermesse (*fr.*): festa, sagra, fiera.

ketchup (*ingl.*): salsa di pomodoro in bottiglia, con aceto e spezie. Il termine è intraducibile.

kidnapping (*ingl.*): rapimento di un bimbo, sequestro di persona.

killer (*ingl.*): sicario, assassino su commissione. Ci sono anche i farmaci killer, per dire che uccidono i virus.

killing (*ingl.*): nel linguaggio borsistico, colpaccio, colpo grosso, grosso affare.

kilt (*ingl.*): gonnellino tipico degli scozzesi. Gonna scozzese.

kinderheim (*ted.*): albergo-asilo per bambini, con trattamento particolarmente curato e costoso.

king size (*ingl.*): di formato regale, cioè eccezionalmente grande. È un uso superfluo e un po' snob.

kit (*ingl.*): scatola di montaggio dei pezzi del modellismo. Anche la scatola completa di attrezzi per varie necessità.

kitsch (*ted.*): di cattivo gusto, grottesco, brutto.

kleenex (*ingl.*): fazzolettino di carta.

know how (*ingl.*): conoscenza specifica, esperienza, patrimonio di conoscenze tecnologiche, capacità professionale. Nel linguaggio aziendale è locuzione molto usata, riferita sia alle imprese che ai singoli.

lady (*ingl.*): signora; anche la padrona, la prima donna. La *lady di ferro* è il premier inglese Margaret Thatcher, ma per estensione anche una donna in carriera energica. Il termine si usa anche con sfumature ironiche.

lager (*ted.*): campo di concentramento e di sterminio. In senso figurato, luogo di maltrattamento. Per iperbole, anche un campeggio sovraffollato può essere battezzato lager.

lay-out (*ingl.*): disposizione delle macchine e delle lavorazioni in una fabbrica studiate per razionalizzare il flusso delle operazioni. Per estensione, progetto, impaginazione, bozzetto, schema. Oggi il termine è molto usato sia in impiantistica sia in grafica.

leader (*ingl.*): capo, guida, condottiero, massimo esponente. Il termine è oggi molto usato.

leadership (*ingl.*): posizione di capo, egemonia, comando.

leasing (*ingl.*): termine tecnico per indicare un particolare contratto di locazione di macchine e anche servizi.

leitmotiv (*ted.*): motivo conduttore, tema ricorrente. È parola entrata nella tradizione.

lettering (*ingl.*): progettazione grafica della parte scritta di un manifesto, di una copertina, ecc. Progettazione di caratteri tipografici.

leverage (*ingl.*): nel linguaggio finanziario, rapporto tra i mezzi presi in prestito e i mezzi propri.

liaison (*fr.*): legame, relazione, vincolo. In genere le *liaison* sono pericolose, per echeggiare il libro di Pierre Choderlos de Laclos intitolato appunto *Les liaisons dangereuses*, tradotto *Le relazioni pericolose*.

lied (*ted.*): canzone.

lie detector (*ingl.*): macchina della verità. E la dizione italiana è prevalente nell'uso.

lifting (*ingl.*): chirurgia estetica che abolisce le rughe. Si dice anche: farsi tirare. Ma la parola inglese è di uso internazionale.

limousine (*fr.* e *ingl.*): berlina, auto di rappresentanza, lunga e scura. Parola di uso internazionale.

line man (*ingl.*): uomo di linea. Nell'azienda, è il dirigente operativo, l'uomo di linea, ovvero il capo di un'unità operativa.

line staff (*ingl.*): nel linguaggio aziendale, è il gruppo di consulenti del capo.

lingerie (*fr.*): biancheria intima. Il termine francese è evitabile.

live (*ingl.*): vivo, dal vivo. Nel linguaggio televisivo si dice di cantante che canta in diretta o di un avvenimento ripreso in tempo reale.

living-room (*ingl.*): il soggiorno della casa.

lobby (*ingl.*): loggia, gruppo di pressione, cricca influente. Molto usato, il termine, nel linguaggio politico e giornalistico.

long playing (*ingl.*): disco a 33 giri; ellepi.

look (*ingl.*): aspetto, immagine, modo di vestire, modo di apparire. Con il trionfo della moda, il termine è molto penetrato nell'uso.

loss on exchange (*ingl.*): nel linguaggio finanziario e di Borsa, perdita sui cambi.

love story (*ingl.*): storia d'amore. Locuzione resa famosa dal romanzo di Eric Segal che così si intitola. Oggi è però usata per avventure, vicende sentimentali, "giri" anche meno lacrimosi.

lunch (*ingl.*): per chi parla e mangia all'inglese, il pasto del mezzogiorno o un rapido spuntino.

macho (*sp.*): maschio, virile, fusto. Lo si dice anche con qualche intenzione scherzosa.

magazine (*ingl.*): rivista, periodico. In particolare, il supplemento illustrato dei quotidiani. È esotismo inutile, ma lo si trova anche in qualche testata.

mailing (*ingl.*): vendita per corrispondenza. D'importazione americana, questa tecnica commerciale ha tutta una nomenclatura in inglese riferita alle azioni, ai mezzi di propaganda, agli oggetti promozionali. Gli addetti ai lavori parlano dunque un angliano (cioè un misto di italiano e parole inglesi) strettissimo.

make up (*ingl.*): trucco per il viso.

manager (*ingl.*): termine di uso internazionale per indicare il dirigente. A vari livelli, è colui che sa gestire, progettare, creare profitto, adeguarsi perfettamente alle leggi del mercato e concretare risposte alle varie esigenze. È il protagonista del neocapitalismo, e tanto più è despecializzato, tanto più è manager, secondo la filosofia emergente della cultura d'azienda. Termine quindi da conservare nell'uso, non traducibile pari pari con dirigente. Ne è derivato anche l'aggettivo *manageriale*. Permangono nell'uso anche le vecchie accezioni di procuratore, agente, impresario di pugili, attori o cantanti.

management (*ingl.*): il termine ha due accezioni: l'azione del manager, ossia la gestione e la conduzione di un'impresa, la tecnica di direzione; oppure l'insieme dei dirigenti di un'impresa, il quadro direttivo, la tecnostruttura.

manche (*fr.*): nello sport, ciclo di partite, fase eliminatoria.

manchette (*fr.*): termine molto usato nel linguaggio editoriale e giornalistico. Indica un riquadro, un incorniciato nella pagina. Anche la fascetta pubblicitaria intorno a un libro.

mannequin (*fr.*): indossatrice, modella. Oggi però prevale l'inglese *model*.

maquette (*fr.*): bozzetto, primo abbozzo grafico.

maquillage (*fr.*): trucco, abbellimento. Per estensione, ritocco di un'opera, di un testo, persino di una linea politica.

marker (*ingl.*): pennarello evidenziatore.

market (*ingl.*): mercato. È più in uso la dizione delle grandi superfici *supermarket*.

marketing (*ingl.*): conoscenza e adeguata applicazione delle esigenze del mercato per ottimizzare la commercializzazione dei prodotti. Pilastro della filosofia aziendale, è, secondo i casi, abilità, capacità, magia o addirittura genialità di vendere. La parola è di uso internazionale.

market oriented (*ingl.*): orientata al mercato; nel linguaggio aziendale si dice di un'impresa ben collocata nell'organizzazione della vendita, cioè ben posizionata verso le esigenze del mercato.

market value (*ingl.*): valore di mercato.

marke up (*ingl.*): il ricarico che si calcola sul costo di un prodotto per garantirsi un margine di profitto. *Avere un buon marke up*: vendere con un buon margine.

mass media (*ingl.*): locuzione internazionale per indicare i grandi mezzi di comunicazione (stampa, radio, televisione).

master (*ingl.*): superlaurea, diploma di specializzazione dopo la laurea.

match (*ingl.*): partita, gara, incontro, scontro. Si usa anche fuori dello sport, anche ironicamente: *un bel match tra suocera e nuora.*

mauve (*fr.*): nel linguaggio della moda, viola, del colore della malva.

mèche (*fr.*): ciocca di capelli di colore diverso dal resto. Solitamente sono strisce bionde, molto affascinanti; talvolta verdi o rosse e gialle, quelle dei punk.

media (*ingl.*): forma abbreviata di *mass media*. I *media* sono i mezzi di comunicazione.

meeting (*ingl.*): comizio, grande raduno. Famoso quello annuale di Rimini degli aderenti a Comunione e Liberazione. Ma anche riunione più riservata, conferenza.

meeting report (*ingl.*): nel linguaggio aziendale, il verbale di una riunione, per ricordare quello che si è detto o deciso.

ménage (*fr.*): andamento, situazione familiare. È un termine invalso nell'uso.

menu (*fr.*): tradizionalmente, la lista delle vivande. Ora, in informatica, la lista delle possibilità operative raggiunte e segnalate dal computer stesso sul video.

merchandising (*ingl.*): attività promozionale di vendita. È anche la capacità di sfruttare tutte le possibilità commerciali intorno a un'idea (magliette, adesivi, gadget, souvenir ispirati a un film, un personaggio, un avvenimento, ecc.).

meter (*ingl.*): dispositivo collegato a un certo numero di apparecchi televisivi, scelti come campione, che permette di stimare l'indice di ascolto. Contatore per l'audience.

middle management (*ingl.*): nel linguaggio aziendale, i quadri intermedi.

milieu (*fr.*): è un modo un po' ricercato per indicare il contesto, l'ambiente, il gruppo di cui una persona fa parte.

mise (*fr.*): abbigliamento, tenuta, modo di vestire. Oggi però è più di moda l'inglese *look*.

miss (*ingl.*): signorina. Ma soprattutto la vincitrice di un concorso: *Miss Italia, Miss Belle Gambe, Miss Sorriso.*

mister (*ingl.*): signore, appellativo per designare persone importanti (Mister Eden, Mister Fleming). Nell'uso poi il termine designa, con ironia, il vincitore di concorsi di bellezza (*Mister Torace*). Nello sport, con molta reverenza, i giocatori chiamano così l'allenatore (*Giocherò se così deciderà il Mister*, cioè, per esempio, Trapattoni).

mix (*ingl.*): misto, mescolanza. Nel linguaggio aziendale *mix dei prodotti* è l'offerta dei prodotti considerata nella equilibrata varietà delle offerte (secondo il prezzo, il segmento di mercato, il tipo di prodotto ecc.).

mixage (*ingl.*): miscelazione, anche italianizzato in *missaggio*. È la tecnica di fusione di brani musicali o filmati.

mixer (*ingl.*): miscelatore. Nome generico di oggetti che in vari campi servono a miscelare, dalle bevande ai suoni alle immagini.

mixing (*ingl.*): equivalente di missaggio, miscelazione.

moiré (*fr.*): di tessuto, screziato.

monitor (*ingl.*): derivata dal latino, ma rifluita nell'uso con la terminologia televisiva, la parola indica il video, specialmente quello usato per controllare le riprese o per seguire varie fasi di un evento (per esempio, anche un'analisi medica). Dal sostantivo inglese sono derivati il verbo *monitorare* per tenere sotto controllo e il sostantivo italiano *monitoraggio* per controllo ininterrotto (per es., di un malato grave in ospedale o di una situazione finanziaria delicata).

mood (*ingl.*): stato d'animo, umore.

mousse (*fr.*): termine di uso internazionale per indicare una crema spumosa (di cioccolato, di prosciutto, di crostacei, ecc.).

must (*ingl.*): assolutamente da farsi, da non perdere. È d'uso snob: *quel film è must, il must del '90 è la mostra di Andy Warhol.*

nature (*fr.*): al naturale, semplice, senza

condimento, senza trucco. Talvolta anche senza vestiti.

nécessaire (*fr.*): borsa, astuccio con oggetti di prima necessità. Oggi un po' superato da *beauty case*.

network (*ingl.*): rete televisiva, catena di stazioni trasmittenti radiotelevisive. Termine che ha avuto grande diffusione dopo l'avvento delle tv e delle radio private.

new look (*ingl.*): nuova veste, nuova immagine, nuovo aspetto. Si riferisce a tante cose, dall'abbigliamento all'arredo urbano, dalla grafica a un nuovo corso politico.

news (*ingl.*): notizie, l'informazione. Nei programmi radiotelevisivi, le trasmissioni riservate all'informazione, al giornalismo, alle rubriche d'attualità.

new wave (*ingl.*): nuova ondata, nuova tendenza.

night (*ingl.*): notte, con tutto quello che c'è dentro questa parola. *Parigi by night*, Parigi di notte, un tempo il paradiso degli epicurei.

non stop (*ingl.*): senza interruzione, ad oltranza. Può essere non stop una trasmissione, una riunione, una trattativa sindacale.

nouvelle vague (*fr.*): storicamente la nuova ondata nel cinema francese di Truffaut e di Godard. Oggi genericamente, nuova tendenza, nuova generazione.

nuance (*fr.*): sfumatura.

number one (*ingl.*): il numero uno, il migliore, il primo. Anche *first*, per chi vuole dirlo assolutamente in inglese.

nursery (*ingl.*): locale riservato ai bambini più piccoli, per custodirli, intrattenerli, curarli. Reparto bambini.

off (*ingl.*): fuori. Da solo, su apparecchi o interruttori significa: spento, non in funzione (contrapposto a *on*). Come aggettivo, vale: alternativo, controcorrente (*teatro off*). Con *off* sono formate varie locuzioni: *off limits* (oltre i limiti, divieto d'ingresso; oppure anche insegna di locali con spettacoli osceni); *offshore* (fuori costa, d'alto mare); *off road* (fuori strada); *offside* (fuori gioco, nel calcio); *off line* (fuori linea, in informatica).

off limits (*ingl.*): luogo in cui è vietato l'ingresso. Per estensione, proibito, fuori legge, vietato.

offside (*ingl.*): nel gioco del calcio, fuori gioco.

okay (*ingl.*): va bene; è usatissima espressione d'uso internazionale, anche nella forma a sigla OK. Sostantivata, vale: via, permesso (*dare l'okay*).

ombudsman (*svedese*): è il difensore civico, figura tipica di certe democrazie. È l'uomo che difende i diritti dei consumatori, patrono delle insoddisfazioni e delle richieste dei cittadini nel campo dei servizi pubblici.

on-line (*ingl.*): in linea; in informatica si dice di apparecchiatura che fa parte di un elaboratore.

open (*ingl.*): aperto. Si dice di torneo a cui sono ammessi dilettanti e professionisti; o di un biglietto aereo in cui il ritorno è prenotato ma non fissato.

open space (*ingl.*): spazio aperto, spazio comune. Sistemazione di vari uffici in un unico ambiente senza pareti, con divisioni costituite da scaffalature o armadi.

opinion-leader (*ingl.*): il capo ideologico, chi fa opinione, chi detta legge.

opinion-maker (*ingl.*): il giornalista che influenza l'opinione pubblica; articolista autorevole, seguíto.

option (*ingl.*): scelta, decisione. Anche in italiano, opzione. La più nota, *l'opzione zero* per il disarmo totale.

optional (*ingl.*): facoltativo, accessorio. Si dice di accessori per l'automobile, che si scelgono e si pagano a parte; o di servizi aggiunti a quelli fondamentali (per esempio, nell'uso del telefono o del televisore). Talvolta è usato ironico (*Per quella donna la fedeltà è un optional*).

osé (*fr.*): audace, spinto, ai limiti della decenza. Si può dire di abito scollato o di film porno. Quando è troppo osé, si usa l'inglese *hard*.

out (*ingl.*): fuori, fuori moda, non gradito. È il contrario di *in*. Può essere *out* andare in una località decaduta, leggere un libro o vedere un film plebeo, o anche essere gelosi.

outdoor (*ingl.*): all'aperto, esterno. È il contrario di *indoor*. Nel linguaggio cinematografico designa gli esterni di un film.

outline (*ingl.*): abbozzo, schizzo, schema, sintesi.

output (*ingl.*): nel linguaggio dell'informatica, i dati forniti dal computer ove siano stati dati gli *input*.

outsider (*ingl.*): non compreso nella rosa dei favoriti. Nello sport, o nella politica, chi vince a sorpresa una gara o un'elezione.

outstanding (*ingl.*): notevole, veramente super, eccezionale. Lo si usa in casi straordinari.

over (*ingl.*): sopra, oltre. È usato per varie espressioni, sia come avverbio che come preposizione. Anche come primo elemento di parole composte (*overcharge*, sovrapprezzo, *overmuch*, eccessivo, *overdressed*, sovraccarico, *overseas*, oltremare, *overtime*, straordinari, dopo l'orario, *overweight*, sovrappeso, detto specialmente di un pugile, *overdrive*, letteralmente super-sfruttare, in meccanica è il moltiplicatore di velocità).

overdose (*ingl.*): dose eccessiva. Termine tristemente in voga riferito alla droga. Un'overdose è spesso l'ultima, fatale.

oversize (*ingl.*): taglia eccessiva, oltremisura (detto di un capo d'abbigliamento).

pace-maker (*ingl.*): stimolatore cardiaco.

package (*ingl.*): il termine è molto in uso. Indica pacco, incarto, confezione, prodotto finito, imballato. Anche libro realizzato e confezionato su commissione. Oppure pacchetto di rivendicazioni o di provvedimenti. In informatica, insieme di programmi. Per molti di questi usi la parola italiana più corrispondente è pacchetto.

packager (*ingl.*): chi fa package. In particolare, nel mondo dell'editoria, chi è esperto nel realizzare libri, dal progetto al prodotto finito, per conto di uno o più editori.

paddock (*ingl.*): recinto. Si usa per indicare lo spazio erboso dove i cavalli stazionano prima della corsa. Negli autodromi, lo spazio riservato alle officine e alle riparazioni.

paillette (*fr.*): lustrino, tipico ornamento delle ballerine.

pain carré (*fr.*): pane in cassetta. Si usa anche la forma pancarré.

palmarès (*fr.*): albo d'oro, classifica dei vincitori (di un premio, di un festival, di un torneo, ecc.).

pamphlet (*fr.*): libello, scritto polemico o satirico, opuscolo.

panachage (*fr.*): sistema elettorale che consente di votare candidati di liste diverse.

pancake (*ingl.*): fondotinta per il viso.

panel (*ingl.*): nel linguaggio del marketing, campione scelto per studiare l'andamento di un prodotto nel mercato. Anche gruppo di esperti, comitato di esperti.

panne (*fr.*): avaria, guasto, arresto. È usato soprattutto per le noie meccaniche dell'auto che si blocca per strada.

pants (*ingl.*): pantaloni corti per donna.

panzer (*ted.*): carro armato. Ora, con ironia, persona determinata, prepotente, che stritola tutti sul suo cammino.

paper (*ingl.*): carta, giornale, articolo, recensione.

paperback (*ingl.*): libro economico, brossura. L'edizione in paperback si rivolge solitamente al mercato di massa, mentre l'*hardcover*, il libro cartonato, è l'edizione principale, per i lettori più esigenti.

partner (*ingl.*): il termine è molto usato, oggi, in vari campi. È il compagno di gioco o di sport, il socio di un'attività commerciale o industriale, ciascuno dei due membri d'una coppia, l'alleato politico. Insomma, colui con cui si fa qualcosa insieme.

part-time (*ingl.*): rapporto di lavoro a metà tempo, a mezza giornata, a orario ridotto.

party (*ingl.*): festa, ricevimento. Si usa per le riunioni mondane d'un certo tono e anche per l'amore di gruppo.

parure (*fr.*): completo di biancheria; insieme di anello, orecchini, bracciale, collana.

parvenu (*fr.*): arrivato adesso, nuovo socio, scalatore sociale. Era detto, con disprezzo, di chi arrivava in alto senza un passato familiare. Oggi, scaduti i privilegi di nascita, lo si usa per qualcuno che è arrivato, ma è rimasto nessuno.

passe-partout (*fr.*): è la chiave che, negli alberghi, serve per aprire tutte le serrature. In senso figurato, una raccomandazione, un salvacondotto, una presentazione. Anche cornice in cui si colloca una fotografia.

password (*ingl.*): in informatica, la parola d'ordine per accedere a un certo tipo di informazioni.

pastiche (*fr.*): pasticcio, miscuglio, miscellanea.

patchwork (*ingl.*): coperta fatta di tante toppe variopinte. Per estensione, insieme di cose eterogenee. Paccottiglia.

patron (*fr.*): nello sport, l'organizzatore di importanti gare; per antonomasia, il direttore del Tour. Nel linguaggio della moda, il termine si usa per indicare il cartamodello.

pattern (*ingl.*): schema di riferimento; configurazione, conformazione; tipo, modello.

payroll (*ingl.*): ruolo paga, ossia la somma che un'azienda spende mensilmente per paghe, salari, stipendi. *Prendere uno nel payroll* vale: assumerlo, metterlo nel libro paga.

pedigree (*ingl.*): voce di uso internazionale per indicare la genealogia di un cane o di un cavallo. Con qualche ironia lo si usa anche per i nobili.

penalty (*ingl.*): è, nel calcio, il calcio di rigore.

penchant (*fr.*): propensione, simpatia, attrazione, inclinazione. Ma oggi è poco usato.

pendant (*fr.*): riscontro, corrispondenza, simmetria. Una cosa *fa pendant* con un'altra quando fa il paio, si intona, è complementare.

peones (*sp.*): braccianti, contadini poveri dell'America latina. In senso figurato, nel gergo giornalistico, gli iscritti ai partiti che contano solo come tessere, numero di voti; base del partito.

perestroika (*russo*): è il nome con cui è universalmente chiamata la trasformazione del comunismo sovietico ad opera di M. Gorbaciov. E già il termine viene usato per indicare rinnovamento, rivolgimento, capovolgimento.

performance (*fr.* e *ingl.*): prestazione, risultato, rendimento. Si dice di un atleta, di una macchina, di un prodotto sul mercato.

performer (*ingl.*): atleta o artista o attore che si è già affermato con qualche buona prestazione. Noi diremmo: un nome, una personalità, una firma.

permafrost (*ingl.*): voce di uso internazionale per indicare il ghiaccio permanente. In italiano, permagelo.

personal (*ingl.*): forma abbreviata per *personal computer*.

pet (*ingl.*): animale domestico. È un forestierismo inutile, ma occorre conoscerlo per sapere cosa vende un *pet shop* (negozio ove si vendono animali domestici).

petting (*ingl.*): baci, carezze e niente di più. Era in uso quando tra gli adolescenti non era ancora scesa l'emancipazione sessuale. Pillola e precocità sessuale hanno fatto tramontare anche il termine.

physique du rôle (*fr.*): fisico adatto (a far l'attore, la modella, il pilota, ecc.).

picnic (*ingl.*): colazione, merenda all'aperto.

pied-à-terre (*fr.*): appartamentino; oggi, più che altro, monolocale arredato.

pince (*fr.*): piega, ma quella degli abiti viene quasi sempre nominata in francese.

pin-up (*ingl.*): bella ragazza, ragazza da copertina, da poster.

pipeline (*ingl.*): oleodotto.

piqué (*fr.*): tessuto di cotone operato con effetti a incavo. Usato per abiti estivi.

pixel (*ingl.*): in informatica, punto luminoso sullo schermo che corrisponde a un'unità elementare di informazione.

pixilation (*ingl.*): tecnica cinematografica che permette di produrre film di cartoni animati con interventi di attori veri.

plafond (*fr.*): tetto, soffitto. In senso figurato, limite, soglia.

planning (*ingl.*): pianificazione, tempificazione, programmazione. Si dice per il lavoro e anche per le vacanze.

plateau (*fr.*): vassoio, ma in questo senso è ormai meno usato. Un'altra accezione è altopiano, platea sottomarina, pianura.

playback (*ingl.*): tecnica televisiva che consiste nel registrare precedentemente la colonna sonora e di mandare in onda poi i cantanti che mimano la canzone già registrata.

play boy (*ingl.*): gran conquistatore, seduttore. Era già in voga ai tempi della dolce vita.

play off (*ingl.*): nello sport, girone finale di un campionato per l'assegnazione del titolo.

plissé (*fr.*): pieghettato. Per derivazione dal francese, si dice anche plissettato.

plot (*ingl.*): trama, intreccio di un romanzo.

pocket book (*ingl.*): libro tascabile, edizione economica.

pocket money (*ingl.*): denaro in tasca, spiccioli; la mancia o lo "stipendio" dato dai genitori ai figli per divertimenti e piccole necessità quotidiane. Più moderno dell'antiquato *argent de poche*.

pole position (*ingl.*): primo posto alla linea di partenza di una corsa automobilistica. Per estensione, buona posizione di partenza.

pony (*ingl.*): cavallino. Oggi il fattorino che fa servizio in città lavorando in proprio. Anche *pony express*.

pool (*ingl.*): gruppo, concentrazione, consorzio, insieme.

poster (*ingl.*): manifesto (da appendere alle pareti).

poulain (*fr.*): nello sport, puledro, allievo, promessa.

pour cause (*fr.*): locuzione che significa a ragione, giustamente, con motivo.

pourparler (*fr.*): discorso preliminare, conversazione che prepara un accordo, incontro interlocutorio.

premier (*ingl.*): il primo ministro, capo del governo.

première (*fr.*): prima rappresentazione, serata inaugurale.

preppy (*ingl.*): giovane rampante; detto di giovane laureato o giovane imprenditore con molta grinta e voglia di sfondare.

preprint (*ingl.*): estratto di libro o rivista diffuso prima della pubblicazione; anticipazione.

prêt-à-porter (*fr.*): locuzione di uso internazionale, per indicare abiti confezionati, generalmente di alto livello.

prime rate (*ingl.*): nel linguaggio finanziario, tasso d'interesse, in particolare quello di maggior favore su prestiti delle banche a breve per i migliori clienti.

prime time (*ingl.*): nel linguaggio televisivo, la fascia oraria di maggior ascolto; generalmente, prima serata.

privacy (*ingl.*): vita privata, intimità, la sfera della riservatezza che si vorrebbe proteggere da curiosità e indiscrezioni. Sacra, ma violatissima.

profit and loss statement (*ingl.*): locuzione del linguaggio finanziario e aziendale corrispondente all'italiano *conto profitti e perdite*. Viene generalmente abbreviato *P and L*.

pruderie (*fr.*): pudore esagerato, moralismo estremo, applicato però soprattutto alle apparenze. La parola è ancora in uso, ma il nuovo senso del pudore l'ha resa ancora più spregiativa o polemica.

public relations (*ingl.*): pubbliche relazioni. Si dice anche in italiano (talora abbreviato *pierre*) per indicare un insieme di attività dirette a sviluppare e tutelare l'immagine e tenere buoni rapporti con clienti o con la stampa.

put (*ingl.*): nel linguaggio borsistico, contratto che consente all'acquirente di recedere dal contratto stesso pagando solo il premio. Opzione.

putsch (*ted.*): complotto, colpo di mano, colpo di stato militare. Equivalente allo spagnolo *golpe*.

puzzle (*ingl.*): gioco di pazienza consistente nel ricostruire un disegno o un'immagine o un oggetto riunificando in ordine i pezzi scomposti e mischiati. Per estensione, rebus, situazione ingarbugliata, rompicapo.

racer (*ingl.*): motoscafo da competizione. Voce di uso internazionale.

racket (*ingl.*): associazione della malavita che con violenza e ricatto controlla ambienti e attività fuori legge (prostituzione, droga, ed anche abusi edilizi, prelievi dai negozi ecc.). Voce di uso internazionale.

raid (*ingl.*): incursione, scorreria. Inoltre: traversata, impresa su lunga distanza, corsa motoristica.

ralenti (*fr.*): rallentato. *Al ralenti*: al rallentatore.

rally (*ingl.*): gara automobilistica a tappe. Il termine è specifico per competizioni di questo tipo.

readership (*ingl.*): ricerca sul profilo dei lettori di un giornale, per posizionare la testata e orientare la pubblicità.

reception (*ingl.*): nell'uso internazionale, il banco all'ingresso dell'albergo ove si ricevono i clienti in arrivo.

recital (*ingl.*): concerto, esibizione di un artista da solo.

réclame (*fr.*): pubblicità, propaganda, promozione. I termini italiani sono validi e in uso; la parola francese suona un po' antiquata; emergono i termini inglesi *advertising* e *promotion*.

record (*ingl.*): primato. Il termine è di uso internazionale. La parola viene anche usata per designare: registrazione, disco.

refil (*ingl.*): voce di uso internazionale per indicare il ricambio delle penne a sfera.

refrain (*fr.*): ritornello.

relax (*ingl.*): rilassamento, distensione, riposo, svago.

remainder (*ingl.*): nel commercio librario, le copie di magazzino messe in vendita a prezzi molto scontati. Quindi, da un lato, fondo di magazzino; dall'altro, svendita, vendita a prezzo ridotto.

remake (*ingl.*): rifacimento, nuovo allestimento, nuova presentazione.

remisier (*fr.*): nel linguaggio borsistico, chi raccoglie ordini e li trasmette all'agente di cambio.

renard (*fr.*): pelliccia di volpe.

rendez-vous (*fr.*): incontro, appuntamento. Usato anche per incontri tra due veicoli nello spazio.

rentier (*fr.*): persona che vive di rendita, redditiere.

repêchage (*fr.*): ripescamento, recupero. Nel linguaggio sportivo, gara o meccanismo per recuperare qualche concorrente precedentemente eliminato. Per estensione, salvataggio, riesumazione, richiamo in servizio.

replay (*ingl.*): ripetizione. Voce di uso internazionale per la ripetizione, anche immediata, di una scena televisiva.

reporter (*ingl.*): giornalista, cronista. *Reportage* è una cronaca, un servizio giornalistico o radiotelevisivo.

reprint (*ingl.*): ristampa anastatica di un libro. Il termine è di uso internazionale nel mondo dell'editoria.

residence (*ingl.*): albergo che fornisce tutti i servizi di una casa per permanenze anche prolungate. Casa-albergo. Voce di uso internazionale.

retour match (*ingl.*): nel linguaggio sportivo, la partita di ritorno.

return (*ingl.*): nel linguaggio finanziario, il ritorno dell'investimento con l'utile. Rendita, resa, rendimento.

revanche (*fr.*): rivincita, rivalsa. Dalla parola straniera sono derivati, nel linguaggio politico, *revanscista* e *revanscismo*.

rêverie (*fr.*): fantasticheria, sogno ad occhi aperti.

revival (*ingl.*): voce di uso internazionale per indicare il ritorno di una moda, ritorno d'attualità. Anche rievocazione, nostalgia.

ring (*ingl.*): quadrato, ossia il palco cinto da corde ove si svolgono incontri di pugilato o di lotta. Per estensione, campo di lotta, terreno di scontro.

rockbottom (*ingl.*): letteralmente è il fondo roccioso. Nel linguaggio degli affari, in sede internazionale, è l'ultimo prezzo, l'ultima offerta da prendere o lasciare.

rough (*ingl.*): nel linguaggio dei pubblicitari, il primo abbozzo di una campagna pubblicitaria, il primo spunto.

roulotte (*fr.*): rimorchio abitabile. In inglese, oggi più diffusi, *caravan* o *camper*, che designano automobili progettate e adattate per sostituire la casa o la tenda. Quindi, in generale, casa viaggiante.

round (*ingl.*): ripresa, nel pugilato. Per estensione ogni fase di uno scontro, anche in senso figurato.

routine (*fr.*): tran tran, abitudinarietà, monotonia esistenziale, lavoro ripetitivo. Voce di uso internazionale.

royalties (*ingl.*): diritti d'autore, diritti di sfruttamento. Voce di uso internazionale.

rush (*ingl.*): scatto finale, sforzo finale. Si usa nello sport e, in senso figurato, per situazioni che esigono un impegno risolutivo per finire in bellezza.

sales (*ingl.*): vendite. La voce è di uso internazionale, ma da noi si usa solo nel linguaggio aziendale e commerciale. *Sales manager* è il direttore delle vendite.

salesman (*ingl.*): uomo delle vendite, agente, piazzista, viaggiatore.

sales promotion (*ingl.*): promozione delle vendite, cioè tutte le azioni dirette a incrementare il volume delle vendite.

saving (*ingl.*): risparmio, nel linguaggio commerciale.

savoir faire, savoir vivre (*fr.*): locuzioni di uso internazionale per indicare: saper vivere, tatto, buona educazione.

scanning (*ingl.*): scansione. È usato nel linguaggio scientifico e medico.

science fiction (*ingl.*): fantascienza.

scoop (*ingl.*): colpo giornalistico, notizia sensazionale.

score (*ingl.*): nel linguaggio dello sport e dei giochi, punteggio finale.

screening (*ingl.*): selezione preliminare, scelta ponderata, vaglio.

script (*ingl.*): copione, sceneggiatura, testo di commedia o di un film.

self control (*ingl.*): voce assai diffusa per: padronanza di sé, autocontrollo.

self-government (*ingl.*): autogoverno.

self-made man (*ingl.*): locuzione di uso internazionale per indicare persona che si è fatta da sola, per propri meriti e capacità.

self service (*ingl.*): servirsi da soli; voce di uso internazionale per indicare, nei ristoranti o nei grandi magazzini, la possibilità dei clienti di servirsi da soli.

set (*ingl.*): la parola ha vari significati. Indica il teatro di posa per le riprese cinematografiche; un assortimento di cose, una gamma di prodotti, un servizio coordinato. Nel tennis, ogni partita di un incontro. In psicologia, la capacità del soggetto a rispondere a determinati stimoli.

sex appeal (*ingl.*): voce di uso internazionale: attrazione erotica, fascino, seduzione.

sexy (*ingl.*): provocante, seducente, eccitante, erotico.

shaker (*ingl.*): miscelatore di liquori. Derivato il verbo *scekerare* per sbattere, mescolare, e l'aggettivo *scekerato* per miscelato, sbattuto nello shaker (*il caffè freddo scekerato*).

share (*ingl.*): la quota di spettatori rilevata dall'Auditel o altro sistema di rilevamento d'ascolto televisivo. È dunque la percentuale di spettatori che risulta sintonizzata su un canale in una determinata fascia oraria (*Mike ha fatto registrare dieci milioni di ascoltatori, ma soprattutto il 37% di share*).

shocking (*ingl.*): emozionante, eccitante. Il *rosa shocking* è un rosa molto brillante e particolarmente vistoso.

shopping (*ingl.*): l'andar per negozi, giro d'acquisti. È voce di uso internazionale.

shopping center (*ingl.*): centro commerciale; complesso di negozi e servizi per accogliere nel modo migliore i consumatori disposti all'acquisto di prodotti d'ogni genere.

short (*ingl.*): corto. Si dice di cortometraggio, specialmente di natura pubblicitaria.

show (*ingl.*): spettacolo, specialmente il varietà televisivo. Ma si dice anche di scenata, sortita, recita (*Ha fatto uno show al congresso*).

show down (*ingl.*): resa dei conti, scontro finale, chiarimento.

showgirl (*ingl.*): attrice di varietà che sa cantare, recitare, ballare.

showman (*ingl.*): uomo di spettacolo, intrattenitore.

show-room (*ingl.*): salone di esposizione di prodotti di vario tipo; salone per sfilate di moda.

shuttle (*ingl.*): navetta spaziale.

silhouette (*fr.*): profilo, linea, contorno, ritratto costituito da soli contorni, sagoma.

single (*ingl.*): la parola è invalsa nell'uso per indicare chi vive solo, scapolo, nubile, vedovo, divorziato, separato.

sketch (*ingl.*): scenetta comica.

ski-lift (*ingl.*): impianto di risalita sui campi di sci; sciovia.

skipper (*ingl.*): voce di uso internazionale per indicare il capitano di un'imbarcazione, pilota di barca a vela.

skylab (*ingl.*): laboratorio spaziale.

slang (*ingl.*): gergo, parlata particolare.

slide (*ingl.*): diapositiva.

slip (*ingl.*): mutandina, costume da bagno maschile.

slogan (*ingl.*): frase pubblicitaria, motto.

slum (*ingl.*): tugurio, bassifondi, quartiere squallido e malfamato.

smart (*ingl.*): elegante, alla moda. Si usa soprattutto l'espressione *smart set* per indicare la bella società, la gente brillante.

snack bar (*ingl.*): bar per spuntini. Locuzione di uso internazionale. Oggi però tendono ad affermarsi neologismi come *panineria*, *paninoteca* e simili.

soap opera (*ingl.*): opera al sapone. La locuzione designa le interminabili telenovele strappalacrime, alcune diventate assai famose (*Dynasty, Dallas, Sentieri*).

soft (*ingl.*): aggettivo che vale morbido, leggero, cauto, attenuato. È il contrario di *hard*, duro.

soft-core (*ingl.*): locuzione invalsa nell'uso per indicare la pornografia leggera, con realismo figurativo o di linguaggio alquanto moderato.

software (*ingl.*): in informatica, i programmi utilizzabili su un elaboratore.

soigné (*fr.*): accurato, preciso.

sommelier (*fr.*): voce di uso internazionale per indicare, nei ristoranti di lusso, l'intenditore che consiglia, stappa, degusta e serve i vini. Enologo.

soubrette (*fr.*): nelle riviste e nelle commedie musicali, l'attrice principale, la protagonista, che canta, balla, recita. Oggi che il vecchio varietà è superato dallo *show*, si sente più spesso *showgirl*.

souplesse (*fr.*): scioltezza, agilità (*pedalare in souplesse*). Anche delicatezza, tatto, elasticità.

souvenir (*fr.*): oggetto ricordo. Il termine è di largo uso internazionale.

speaker (*ingl.*): in generale, annunciatore, chi parla al microfono. In Gran Bretagna, colui che presiede la camera dei Comuni.

spelling (*ingl.*): compitazione. Si dice specialmente a proposito della pronuncia lettera per lettera di una parola straniera.

spin-off (*ingl.*): effetti collaterali; derivati.

splash (*ingl.*): schizzo, spruzzo. Lo *splashdown* è l'ammaraggio di una capsula spaziale che rientrando da un volo cade nell'acqua dell'oceano sollevando un grande spruzzo. Per estensione, caduta clamorosa e un po' ridicola.

spleen (*ingl.*): termine con il quale, nella tradizione letteraria romantica, si indicava la noia di vivere, la malinconia struggente.

split (*ingl.*): frazione, divario, divisione. Nel linguaggio aziendale, la differenza di opinioni che si manifesta in una riunione.

sponsor (*ingl.*): termine di uso internazionale. Finanziatore di attività sportive, culturali e di divertimento che, per loro risonanza, possono rendere come pubblicità e immagine. È la versione moderna del mecenate.

spot (*ingl.*): originariamente, punto luminoso, riflettore. Oggi è il termine usato da tutti per indicare l'inserto pubblicitario delle trasmissioni televisive.

spray (*ingl.*): spruzzo, bomboletta nebulizzatrice. Anche come aggettivo: *profumo spray*.

sprint (*ingl.*): scatto, sforzo breve e intenso, grinta, carica; di un'automobile, ripresa.

spy story (*ingl.*): romanzo di spionaggio, romanzo giallo con intrigo internazionale.

staff (*ingl.*): gruppo di lavoro: gruppo dirigenziale; insieme dei collaboratori di un capo. Si dice anche *team*. L'opposto di *staff* è *line*.

stage (*ingl.*): corso di perfezionamento, di specializzazione; periodo di formazione professionale.

standard (*ingl.*): misura-tipo, parametro, modello medio, campione. È di uso internazionale.

standing (*ingl.*): posizione finanziaria; reputazione in banca e negli ambienti economici per quel che riguarda la solvibilità.

star (*ingl.*): stella, diva, prima donna. Dal mondo dello spettacolo la parola si è estesa ad altri campi (*una star della politica*).

starter (*ingl.*): nell'automobile, il motorino d'avviamento. Nelle corse, il giudice che dà il via.

statement (*ingl.*): nel linguaggio finanziario, è il documento contabile che espone la situazione economica mensile. Prospetto.

station wagon (*ingl.*): auto familiare, con maggiori capacità di carico rispetto al modello base.

status: parola latina passata a comporre varie locuzioni inglesi. In generale significa livello, condizione, stato, posizione sociale. *Status building* è l'insieme degli oggetti che contribuiscono a far crescere lo status (macchina, barca, palco in teatro, villa al mare, ecc.). *Status seeker* è un personaggio in cui l'attenzione allo status è diventata paranoia, mania. *Status symbol* è locuzione molto in uso per indicare ciò che è simbolo di prestigio, segno di appartenenza a una categoria eletta e privilegiata (*il telefono in auto è certo uno status symbol*).

steward (*ingl.*): assistente di volo.

stick (*ingl.*): piccolo cilindro per cosmesi (deodorante, rossetto, ecc.).

sticker (*ingl.*): adesivo.

stock (*ingl.*): giacenza di magazzino, scorta di merci, approvvigionamento; fornitura, quantità. Il termine è di uso internazionale.

stop (*ingl.*): alt, fermata. Nella segnaletica stradale è di uso internazionale. È convenzionalmente il punto fermo nei telegrammi e telex. Nel gioco del calcio, abilità nel bloccare il pallone con il petto e il piede. Il termine ha anche assunto il significato di pausa, interruzione, soprattutto con l'espressione *non-stop* che vale: ininterrottamente, senza soste né pause. *Stop and go*: ferma e vai; alternanza di incentivi e disincentivi nella politica finanziaria.

strass (*ted.*): brillantino artificiale.

stress (*ingl.*): nel linguaggio medico, stimolo che provoca una reazione nervosa dell'organismo, spesso di natura patologica. Il termine, oggi usatissimo, è passato ad indicare genericamente tensione, ansia, logorio nervoso, affaticamento da ritmi di vita troppo intensi. Molto comune il neologismo *stressante*.

strip (*ingl.*): la striscia dei fumetti.

strip-tease (*ingl.*): spogliarello. Il diminutivo italiano ben si addice alla prima era di questo tipo di spettacoli di provocazione erotica, oggi soverchiati dai più piccanti *pornoshow*.

styling (*ingl.*): linea di un prodotto, secondo il disegno industriale.

suite (*fr.*): in musica, composizione strumentale formata da varie forme di danza; anche concerto di una serie di pezzi strumentali. Un'altra accezione del termine si riferisce a un appartamento in un albergo di lusso.

summit (*ingl.*): vertice, incontro di grandi, incontro al massimo livello.

supermarket (*ingl.*): grande emporio con sistema di vendita con self service. Ormai largamente nell'uso anche la forma italiana *supermercato*.

superstar (*ingl.*): iperbole per stella di prima grandezza, divissima.

supporter (*ingl.*): fautore, sostenitore, tifoso. Si usa soprattutto nel linguaggio sportivo, ma anche, con sfumatura ironica, dei seguaci di un personaggio politico che applaudono in congresso.

surmenage (*fr.*): eccesso di lavoro, sovraffaticamento, sforzo eccessivo, superallenamento.

surplace (*fr.*): nel linguaggio sportivo, posizione di equilibrio tenuta da un ciclista in attesa di scattare a sorpresa. Per estensione, temporeggiamento, bilanciamento. *Lasciare in surplace*: piantare in asso.

surplus (*fr.*): eccedenza, avanzo, saldo attivo, sovrappiù.

survival (*ingl.*): sopravvivenza, che è più usato.

suspense (*ingl.*): fiato sospeso, tensione e incertezza, stati d'animo di chi è coinvolto nella aspettazione della fine di un giallo. Per estensione, attesa ansiosa, apprensione. La parola, talvolta anche pronunciata alla francese, è di uso internazionale.

tableau (*fr.*): tavolo di gioco, anche in senso figurato (*giocare su due tableaux*).

tabloid (*ingl.*): giornale di formato ridotto rispetto a quello tradizionale dei quotidiani. Italianizzato in *tabloide* indica soprattutto una tavoletta di medicinali.

tackle (*ingl.*): parola usata dai telecronisti per indicare il contrasto tra due giocatori avversari per il possesso del pallone. L'atto di scartare o tentare di scartare.

take off (*ingl.*): decollo, anche in senso figurato.

talent scout (*ingl.*): scopritore di talenti.

talk show (*ingl.*): spettacolo televisivo fondato sulla chiacchiera, sulla discussione, sulla conversazione.

tapis roulant (*fr.*): nastro trasportatore (di persone, merci).

target (*ingl.*): bersaglio, scopo prefisso, obiettivo. Nel linguaggio aziendale, indica un segmento di mercato, una fascia di clientela che si vuol raggiungere. Sostanzialmente, l'obiettivo di vendita sia in termini quantitativi sia di quota di mercato. La voce è di largo uso internazionale.

task force (*ingl.*): nel linguaggio militare, unità particolarmente adatta a operare in caso di emergenza, organizzata in modo da poter agire con molta autonomia. Per estensione e in senso figurato, un gruppo di tecnici utilizzato per compiti speciali, per risolvere problemi d'emergenza e urgenti.

team (*ingl.*): squadra, gruppo, specialmente di scienziati, tecnici, specialisti, dirigenti.

teen-ager (*ingl.*): adolescente, sotto i vent'anni. Espressione applicata soprattutto ai giovani consumatori e consumisti, frequentatori di concerti rock. È soprattutto una categoria di utenti e consumatori individuata per fascia d'età (16-19 anni).

telex (*ingl.*): messaggio per telescriventi. Voce di uso internazionale, derivata dall'accorciamento dell'inglese *teleprinter exchange*.

tender (*ingl.*): piccola imbarcazione di servizio che collega uno yacht alla terra per il trasbordo dei passeggeri. Anche carro di scorta. Nel linguaggio economico, è la gara d'appalto.

terminal (*ingl.*): stazione d'arrivo urbana per viaggi aerei. In informatica, apparecchiatura di telecomunicazione che serve a inviare o ricevere messaggi. In questa accezione è più usato *terminale*.

test (*ingl.*): reattivo mentale, reattivo psicologico, ossia prova a cui è sottoposto un individuo, mediante domande o altri esercizi, per verificarne le reazioni intellettuali o emotive. Per estensione, prova, esame, sondaggio, esperimento, analisi medica, assaggio del mercato.

thriller (*ingl.*): racconto da brivido (romanzo, film, spettacolo teatrale). Voce di uso internazionale.

thrilling (*ingl.*): eccitante, elettrizzante, emozionante, da brivido.

ticket (*ingl.*): biglietto, cedola, ricevuta, scontrino, buono. Contributo richiesto al privato per un servizio pubblico (per es. sanità) altrimenti gratuito.

tilt (*ingl.*): colpo, arresto, blocco, interruzione. Dal gioco dei flipper, è derivata l'espressione *andare in tilt* per bloccarsi, non capire più nulla.

timer (*ingl.*): temporizzatore. Congegno a tempo, nelle lavatrici e nelle bande dei terroristi.

timing (*ingl.*): scadenziario, tempificazione, programmazione.

toilette (*fr.*): toletta, bagno; acconciatura, abbigliamento.

top (*ingl.*): il livello più alto, vertice, massimo. Usato anche per varie locuzioni superlative: *top manager*, dirigenti di primo livello, alta direzione; *top model*, l'indossatrice più pagata e ricercata; *top class*, la prima classe negli aerei; *top secret*, segretissimo, assolutamente riservato.

toupet (*fr.*): ciuffo di capelli aggiunto per arricchire un'acconciatura femminile; anche parrucchino. In senso figurato, faccia tosta, sfrontatezza.

tourbillon (*fr.*): turbine, vortice, specie in senso figurato (*un tourbillon di notizie contrastanti*).

tour de force (*fr.*): prova di resistenza, periodo di impegni e fatiche, faticaccia.

tournée (*fr.*): giro, serie itinerante di spettacoli, conferenze, ecc.

tourniquet (*fr.*): tornante (nelle strade di montagna).

tour operator (*ingl.*): operatore turistico, organizzatore di viaggi, agenzia turistica.

tout court (*fr.*): in breve, seccamente, in poche parole, semplicemente.

trade (*ingl.*): commercio, vendita, industria. *Trademark* è il marchio di fabbrica.

trailer (*ingl.*): annuncio pubblicitario su schermo, per anticipare la presentazione di un film o di una trasmissione. In gergo, *promo*.

trainer (*ingl.*): allenatore, specialmente nel gioco del calcio. Oggi si usa dire *mister*.

training (*ingl.*): tirocinio, addestramento. Anche trattamento psicologico per ottenere distensione e rilassamento.

trance (*ingl.*): lo stato del medium quando raggiunge la dissociazione psichica dalla realtà circostante. Per estensione, rapimento, estasi, visibilio.

tranchant (*fr.*): perentorio, che taglia la testa al toro, senza alcuna possibilità di replica.

tranche (*fr.*): fetta, trancia; nel linguaggio dell'economia, quota, parte.

transfer (*ingl.*): trasferimento, trasbordo. In psicologia, usato come *transfert* (dal latino, poi francese, quindi italianizzato): traslazione, trasferimento di una pulsione verso un oggetto diverso da quello iniziale.

trapper (*ingl.*): escursionista che si muove nell'ambiente naturale con il minimo dell'attrezzatura, per vivere un'esperienza autentica e spontanea a contatto con la natura.

travellers' cheque (*ingl.*): locuzione di uso internazionale per indicare l'assegno turistico con validità internazionale.

trekking (*ingl.*): voce di uso internazionale per indicare il turismo a piedi, comunque disagiato, a contatto diretto con la natura.

trench (*ingl.*): impermeabile sportivo, del tipo reso famoso da Humphrey Bogart e dai duri del cinema americano.

trend (*ingl.*): il termine è invalso nell'uso, specie nel linguaggio industriale e commerciale, per indicare tendenza, andamento, processo costante o durevole. C'è il *trend del mercato*, il *trend delle vendite*, il *trend dei consumi*, ecc.

tricot (*fr.*): lavoro a maglia. L'uso del termine straniero è qui del tutto superfluo.

trip (*ingl.*): nel gergo dei tossicodipendenti, il viaggio; eufemismo per l'abbandonarsi all'effetto degli stupefacenti.

troupe (*fr.*): voce di uso internazionale per indicare il complesso delle persone che lavorano alla realizzazione di un film o di altro spettacolo.

trousse (*fr.*): scatola, cofanetto, astuccio, borsetta per signora.

trouvaille (*fr.*): trovata, scoperta, idea geniale.

trust (*ingl.*): voce di uso internazionale, per indicare concentrazione finanziaria o industriale, monopolio, gruppo egemonico. Anche in senso figurato, concentrazione (*il trust dei cervelli*).

turf (*ingl.*): la pista erbosa per le corse dei cavalli; per estensione, indica lo sport dell'ippica, il mondo delle corse dei cavalli.

turnover (*ingl.*): ricambio, sostituzione, rotazione, avvicendamento. Si usa per indicare il rinnovo del personale o il giro dei prodotti del magazzino.

under (*ingl.*): preposizione inglese che significa sotto. È usata in espressioni quali *under 21* (squadra giovanile di calcio), *underweight* (sotto peso, detto soprattutto di pugili).

underground (*ingl.*): sotterraneo, clandestino. Invalso nell'uso per indicare movimenti e attività di gruppi contestatori, che animano la protesta dal basso.

understatement (*ingl.*): atteggiamento di chi minimizza, sfuma, ironizza, tiene sotto tono; affermazione attenuata, eufemistica, riduttiva.

upgrade (*ingl.*): nel linguaggio aziendale, l'azione del promuovere, migliorare la qualità.

up-to-date (*ingl.*): aggiornato, all'ultima moda, in voga. Quando prevaleva il francese si diceva *à la page*.

vamp (*ingl.*): donna fatale, mangiauomini, vampira. Il termine è però un po' passato di moda.

van (*ingl.*): furgoncino, rimorchio per il trasporto di cavalli.

veilleuse (*fr.*): il termine ha vari significati. Indica una lampada a luce tenue, da tener accesa la notte senza impedire il sonno; poi un canapè stile impero; infine uno scaldino per infusi e tisane.

venture capital (*ingl.*): nel linguaggio finanziario, capitale a rischio; si usa per indicare investimenti a elevato rischio, ma anche con prospettive di buon rendimento.

vernissage (*fr.*): vernice, inaugurazione.

verve (*fr.*): brio, vivacità, vena, estro.

videogame (*ingl.*): videogioco.

videomusic (*ingl.*): musica più video, videoclip.

videotape (*ingl.*): videonastro, videoregistrazione.

vip (*ingl.*): abbreviazione di *very important person*. Persona importante, persona che conta.

visual (*ingl.*): visivo, illustrato; parte visuale di un'opera o di un giornale.

visualizer (*ingl.*): visualizzazione; in particolare il bozzetto di una campagna pubblicitaria.

viveur (*fr.*): vitaiolo, nottambulo, play boy.

vocalist (*ingl.*): cantante; chi, in un complesso, esegue le parti cantate.

volant (*fr.*): nella moda, guarnizione di abito femminile, balza, gala.

voucher (*ingl.*): tagliando, buono, scontrino. Si usa specificamente per il tagliando da presentare all'arrivo in albergo per documentare l'avvenuta prenotazione da parte di un'agenzia turistica.

voyeur (*fr.*): guardone, maniaco sessuale.

walkie-talkie (*ingl.*): radiotelefono portatile.

walkman (*ingl.*): apparecchio stereofonico portatile.

warrant (*ingl.*): nel linguaggio borsistico, nota di pegno, opzione d'acquisto di un titolo entro un certo tempo e a un prezzo prestabilito.

week end (*ingl.*): fine settimana, vacanza di fine settimana.

welcome (*ingl.*): benvenuto. È usato nelle scritte pubblicitarie e turistiche.

welfare (*ingl.*): benessere, stato sociale di benessere, buona qualità della vita, sistema sociale che garantisce il buon funzionamento dei consumi pubblici.

weltanschauung (*ted.*): visione del mondo, ideologia; filosofia, concezione della vita e del mondo.

word processor (*ingl.*): in informatica, sistema di videoscrittura.

work in process (*ingl.*): lavoro in corso, avanzamento dei lavori; anche le spese effettuate per un progetto o il valore accumulato in una lavorazione.

workshop (*ingl.*): laboratorio, officina; usato soprattutto per indicare un gruppo di studio, seminario di studi.

yes-man (*ingl.*): letteralmente, chi dice sempre sí; nel gergo aziendale, uno che fa carriera perché dà sempre ragione al capo. Uomo senza spina dorsale.

yuppie (*ingl.*): giovane rampante.

zip (*ingl.*): cerniera lampo.

NOTE